Prisma Woordenboeken
dr. P.M. Maas / drs. A.M. Maas
Frans-Nederlands

Prisma
Het Nederlandse pocketboek

Frans
Nederlands

dr. P.M. Maas / drs. A.M. Maas

Uitgeverij Het Spectrum
Utrecht/Antwerpen

Vormgeving: Studio Spectrum
Eerste druk 1955
Tiende herziene druk 1975
Dertiende, geheel herziene druk 1982
Vijftiende druk 1983

Voorwoord

Wie even in het woordenboek bladert, zal het opvallen dat er nogal wat gewijzigd is.

1 Woorden, die tot dezelfde woordfamilie behoren (*tailler, tailleur, tailleuse*), zijn bij elkaar geplaatst, weliswaar met behoud van de alfabetische volgorde, om het geheel overzichtelijker te maken.

2 Een geweldig voordeel hiervan was ook de ruimtewinst, waardoor het aantal woorden aanzienlijk kon worden uitgebreid binnen de opzet van een zakwoordenboek.

3 Binnen de nieuw opgenomen woorden vallen vooral te melden veel nieuwe woorden uit de gebruikstaal (*fam.* en *pop.*), onregelmatige vormen van werkwoorden (*vécu, je vais*) met een verwijzing naar het hoofdwerkwoord en een groot aantal afkortingen.

4 De afkortingen, die steeds meer gebruikt worden (zie bijv. 'L'Express'), zijn nu achterin bij elkaar geplaatst.

5 Vanzelfsprekend werden ook verouderde vertalingen in een nieuw jasje gestoken.

Ik hoop dat dit woordenboek, dank zij deze vernieuwingen, u nog maar zelden in de steek zal laten, al blijft het een klein woordenboek en wijzigt ook de taal zich steeds weer.

Voor uw op- en aanmerkingen houd ik mij dan ook gaarne aanbevolen.

drs. A.M. Maas

Raalte 1982

Lijst van afkortingen

Afkorting	Betekenis
a.	aan
aanw.	aanwijzend
aardr.	aardrijkskunde
abs.	absoluut
abstr.	abstract
act.	actief
afk.	afkorting
afl.	afleiding
Afr.	(Zuid-)Afrika, Afrikaans
alg.	algemeen
Am.	(Noord-)Amerika, Amerikaans, amerikanisme
anat.	anatomie
angl.	anglicisme
Arab.	Arabië, Arabisch
arch.	architectuur, bouwkunde
arg.	argot
astr.	astronomie, sterrenkunde
attr.	attributief
Austr.	Australië, Australisch
bep.	bepaald(e), bepaling
bet.	betekenis(sen)
betr.vnw	betrekkelijk voornaamwoord
beurst.	beursterm
bez.vnw	bezittelijk voornaamwoord
Bijb.	Bijbel(s)
bijv.	bijvoorbeeld
bijv.vnw	bijvoeglijk voornaamwoord
bijz. t.	bijzondere taal
biol.	biologie
bkh.	boekhouden
bn	bijvoeglijk naamwoord
bw	bijwoord(elijk)
ca.	circa, ongeveer
chem.	chemie, scheikunde
chir.	chirurgie
comp.	computer
concr.	concreet
cul.	culinair
d.	de
dgl.	dergelijk(e)
dial.	dialectisch
dicht.	dichterlijk
dierk.	dierkunde
dim.	diminutief, verkleinwoord
Du.	Duits(land)
dw	deelwoord
e.	een
econ.	economie
e.d.	en dergelijke
eig.	eigenlijk
elektr.	elektriciteit, elektrisch
Eng.	Engeland, Engels
enigsz.	enigszins
enz.	enzovoort
etc.	et cetera
euf.	eufemisme
ev	enkelvoud
fam.	familiaar, gemeenzaam
fig.	figuurlijk
fil.	filosofie, wijsbegeerte
fot.	fotografie
Fr.	Frankrijk, Frans
geb.w	gebiedende wijs, imperatief
geol.	geologie
germ.	germanisme
gesch.	geschiedenis, historie
gew.	gewoonlijk
gewest.	gewestelijk
gmv	geen meervoud
godsd.	godsdienst
Gr.	Griekenland, Grieks
gram.	grammatica(al)
gymn.	gymnastiek
h.	het
H.	Heilig(e)
hand.	handelsterm
Hebr.	Hebreeuws
her.	heraldiek, wapenkunde
herv.	(Nederlands-)hervormd
hum.	humor(istisch)
i.a.b.	in alle betekenissen
id.	idem
iem.	iemand
ind.	indicatief (aantonende wijs)
Ind.	Indonesië, Indonesisch, Indisch
inf.	infinitief (onbepaalde wijs)
instr.	instrument
inz.	inzonderheid
i.p.v.	in plaats van
iron.	ironisch
Isr.	Israëlitisch
It.	Italië, Italiaans
jur.	juridisch, rechtsterm
kerk.	kerkelijke term
kind.	kindertaal
landb.	landbouw
Lat.	Latijn(s)
lett.	letterlijk
lijd.	lijdend
lit.	literair, letterkundig
luchtv.	luchtvaart
lw	lidwoord
m	mannelijk
mach.	machine
mar.	maritiem, zee-, scheepsterm
mech.	mechanica
med.	medische term
meetk.	meetkunde
met.	meteorologie, weerkunde
mijnb.	mijnbouw
mil.	militaire term
min.	minachtend
m mv	mannelijk meervoud
muz.	muziek(leer)
mv	meervoud
myth.	mythologie
N.	noord(en), noordelijk
nat.	natuurkunde
Ned.	Nederland(s)
nl.	namelijk
N.T.	Nieuwe Testament
nv	naamval
Nw.	Nieuw-
o	onzijdig
O.	oost(en), oostelijk
o.dw	onvoltooid deelwoord
off.	officieel
onbep.	onbepaald
onderw.	onderwijs
ong.	ongunstig
ongev.	ongeveer
onpers.	onpersoonlijk
ontk.	ontkenning
onr.	onregelmatig
onv.	onveranderlijk
on.w	onovergankelijk werkwoord
oorspr.	oorspronkelijk
O.T.	Oude Testament
o.telw	onbepaald telwoord
o.vnw	onbepaald voornaamwoord
o.v.t.	onvoltooid verleden tijd
ov.w	overgankelijk werkwoord
parl.	parlement(aire term)
pass.	passief
path.	pathologie
ped.	pedagogie
pers.	persoon
pers. vnw	persoonlijk voornaamwoord
plk.	plantkunde
pol.	politiek
pop.	populair
Port.	Portugal, Portugees
pred.	predikatief
prot.	protestant(s)
psych.	psychologie

qc.	quelque chose = iets	v	vrouwelijk
qn.	quelqu'un = iemand	v.	van, voor
		v.d.	van de
rad.	radio	v.dw	voltooid deelwoord
rek.	rekenkunde	v.e.	van een
rk	rooms-katholiek	vero.	verouderd
Rom.	Romeins	vgl.	vergelijk
Rus.	Rusland, Russisch	vgw	voegwoord
		v.h.	van het
Sch.	Schotland, Schots	Vl.	Vlaanderen, Vlaams
scheldn.	scheldnaam	v mv	vrouwelijk meervoud
scherts.	schertsend	vnl.	voornamelijk
schoolt.	schoolterm	vnw	voornaamwoord
sk	samenkoppeling	volkst.	volkstaal
Skr.	Sanskriet	vr. vnw	vragend voornaamwoord
sp.	sportterm	vsch.	verscheidene
Sp.	Spanje, Spaans	v.t.	verleden tijd
spec.	speciaal	vulg.	vulgair
spoorw.	spoorwegen	vv	voorvoegsel
spot.	spottend	vz	voorzetsel
spr.	spreek uit		
spr.w	spreekwoord	W.	west(en), westelijk
ss	samenstelling(en)	wed. ww	wederkerig (-end) werkwoord
stud.	studententaal	wetensch.	wetenschappelijke term
subj.	subjunctief (aanvoegende wijs)	W.Ind.	West-Indië, Westindisch
Sur.	Suriname, Surinaams	wisk.	wiskunde
		ww	werkwoord
taalk.	taalkunde		
tech.	techniek	z.	zich
tegenst.	tegenstelling	z.a.	zie aldaar
tel.	telecommunicatie	Z.	zuid(en), zuidelijk
telw.	telwoord	Z.Afr.	Zuid-Afrika, Zuidafrikaans
theat.	theater, toneel, dramaturgie	Z.Am.	Zuid-Amerika, Zuidamerikaans
t.o.v.	ten opzichte van	zegsw.	zegswijze(n)
tv	televisie	Z.Eur.	Zuid-Europa, Zuideuropees
tw	tussenwerpsel	zgn.	zogenaamd
t.w.	te weten	zn	zelfstandig naamwoord
typ.	typografie	Z.N.	Zuid-Nederland
		zw	zwak
univ.	universiteit, universitair	Zw.	Zwitserland, Zwitsers

Bijzondere tekens

— staat in een afgeleide ingang in de plaats van (een deel van) het voorafgaande trefwoord.

— vervangt het trefwoord in uitdrukkingen.

▼ verbindt trefwoorden die een semantische relatie hebben.

… geeft aan dat een woord of zinsdeel tussen- of toegevoegd kan worden.

† Het gedeelte van een samengesteld woord, waarachter dit teken staat, krijgt in het meervoud de meervoudsuitgang. Staat bij een samengesteld woord geen teken, dan is dit woord onveranderlijk.

De hoofdbetekenissen van een woord worden aangegeven door Arabische cijfers, bijv. **chaparder** *ov.w* **1** stelen; **2** stropen.
Romeinse cijfers geven de verschillende functies van een woord aan, bijv. **cave I** *zn v* kelder enz. **II** *bn* hol, ingevallen.

a m de letter a; *prouver par a + b,* duidelijk bewijzen; *ne savoir ni a ni b,* zeer onontwikkeld zijn.

a ▾▾ zie **avoir.**

à vz aan, bij, op, te, naar, enz.; **1** *(afstand) à deux heures de Paris,* op twee uur gaans van Parijs; **2** *(bestemming) un verre à vin,* een wijnglas; *une chambre à coucher,* een slaapkamer; **3** *(bezit) ce livre est à moi,* dit boek is van mij; **4** *(doel) je vais à Paris,* ik ga naar Parijs; *la chasse au lion,* de leeuwejacht; **5** *(manier) à la nage,* al zwemmend; *à la française,* op zijn Frans; *marcher à reculons,* achteruitlopen; **6** *(middel, wijze) pêcher à la ligne,* hengelen; *dessiner à la plume,* met de pen tekenen; *le moulin à vent,* de windmolen; **7** *(nabijheid) il demeure à deux pas d'ici,* hij woont hier vlak bij; *elle était assise à la fenêtre,* zij zat bij het venster; **8** *(plaats) il demeure à Rouen,* hij woont in Rouen; *il a une canne à la main,* hij heeft een wandelstok in de hand; **9** *(prijs) déjeuner à vingt francs,* voor 20 franken lunchen; **10** *(tijd) à midi,* om twaalf uur; **11** *(elliptisch) au feu,* brand!; *au secours,* hulp!; *au voleur,* houdt de dief!; **12** *(voor een onbepaalde wijs) il cherchait à s'échapper,* hij trachtte te ontsnappen; *apprendre à lire,* leren lezen; *difficile à traduire,* moeilijk te vertalen; *vous êtes à plaindre,* u bent te beklagen; *à vendre,* te koop.

abaissement m **1** verlaging (bijv. *des salaires);* **2** daling; **3** *(oud)* vernedering; **4** verval. ▾**abaisser** I ov.w **1** verlagen; **2** laten zakken *(un store);* neerlaten (loodlijn); **3** vernederen; **4** terugschakelen. **II s'**— **1** zakken; **2** aflopen (v. terrein); **3** zich verlagen, zich vernederen.

abandon m **1** het afstand doen van (bijv. *d'un droit);* **2** het verlaten; **3** de verlatenheid; *à l'*—, onverzorgd; **4** ongedwongenheid, overgave. ▾—**ner** I ov.w **1** verlaten; **2** in de steek laten (bijv. *ses enfants),* (iem.) afschrijven; **3** afzien van; **4** overdragen (bijv. *le pouvoir);* **5** overleveren. **II** on.w het opgeven. **III s'**— (à) **1** zich overgeven (aan); **2** zich ontspannen.

abaque m **1** telraam; **2** grafiek.

abasourd/ir ov. w **1** verbijsteren; **2** verdoven. ▾—**issement** m verbijstering, stomme verbazing.

abâtardir ov.w doen ontaarden.

abat-jour m **1** lampekap; **2** vallicht; **3** zonnescherm.

abats m mv slachtafval.

abat-son m klankbord.

abat-vent m schoorsteenkap, windscherm.

abat-voix m klankbord van een preekstoel.

abbatial [*mv* —**aux**] *bn* tot abdij, abt of abdis behorend. ▾**abbaye** [*spr.:* abéie] v abdij. ▾**abbé** m **1** alg. titel voor geestelijke, eerwaarde; **2** abt. ▾**abbesse** v abdis.

abc m **1** alfabet; **2** grondbeginselen (bijv. *d'une science).*

ABC: *guerre* —, abc-oorlog.

abcès m abces, ettergezwel.

abdication v **1** het afstand doen van (bijv. *du trône);* **2** het neerleggen (bijv. *du pouvoir).* ▾**abdiquer** ov.w **1** afstand doen van (de troon); **2** neerleggen (bijv. *le pouvoir).*

abdomen m **1** onderbuik; **2** achterlijf (insekt). ▾**abdominal** bn v.d. onderbuik.

abducteur 1 bep. spier; **2** *tube* —, afvoerbuis.

abécédaire I zn m abc-boekje. **II** bn alfabetisch.

abeille v bij; — *ouvrière,* werkbij.

aberr/ant bn afwijkend. ▾—**ation** v **1** afdwaling; **2** aberratie v. h. licht; — *chromatique,* kleurschifting; **3** verwarring. ▾—**er** on.w afdwalen.

abêtir I ov.w dom maken, afstompen. **II s'**— dom worden. ▾**abêtissement** m afstomping.

abhorrer ov.w verafschuwen, verfoeien.

abîm/e m afgrond; — *de science,* wonder van geleerdheid. ▾—**er** I ov.w **1** bederven; **2** vernietigen, kapotmaken. **II s'**— **1** bederven; vies worden; **2** wegduiken (in).

abject bn laag, gemeen. ▾—**ion** v laagheid, gemeenheid.

abjuration v afzwering. ▾**abjurer** ov.w afzweren (bijv. *une religion).*

ablatif m zesde naamval in het Latijn.

ablation v (het) wegnemen (bijv. v. e. gezwel).

ablutions v mv afwassing.

abnégation v zelfverloochening.

abois m mv: *être aux* —, ten einde raad zijn.

aboiement, aboiement m geblaf.

abol/ir ov.w opheffen, afschaffen. ▾—**ition** v opheffing, afschaffing. ▾—**itionniste** m voorstander van de afschaffing der slavernij.

abomin/able bn afschuwelijk. ▾—**ation** v **1** afschuw; *avoir en* —, een hekel hebben aan; **2** afschuwelijke daad.

abond/amment bw overvloedig. ▾—**ance** v overvloed, weelde, rijkdom; *parler avec* —, vlot spreken; *parler d'*—, voor de vuist spreken; *corne d'*—, hoorn van overvloed; *de l'*— *du cœur la bouche parle* (spr.w), waar 't hart van vol is, loopt de mond van over. ▾—**ant** bn overvloedig. ▾—**er** on.w **1** overvloedig voorkomen; **2** talrijk zijn; *ce texte abonde en citations,* deze tekst wemelt van de citaten; *il abonda dans mon sens,* hij was het volstrekt met me eens, hij ging helemaal met me mee.

abonné m abonnee. ▾**abonnement** m abonnement. ▾**s'abonner** à zich abonneren op.

abord m **1** landing, toegang; *d'*—, eerst; *au premier* —, *de prime* —, *tout d'*—, aanvankelijk, allereerst; *d'un* — *facile,* gemakkelijk te benaderen; *les* —**s,** de omgeving. ▾—**able** bn toegankelijk; *prix* —, schappelijke prijs. ▾—**age** m **1** aanvaring; **2** het enteren. ▾—**er** I on.w landen. **II** ov.w **1** aanvaren; **2** enteren; **3** bereiken; **4** aanspreken; **5** aansnijden.

aborigène I bn inheems. **II** zn m inlander.

abortif I bn abortus opwekkend. **II** zn m abortus opwekkend middel.

aboucher ov.w **1** verbinden *(des tuyaux);* **2** personen met elkaar in gesprek brengen.

abouler (*arg.*) geven.

aboutir (à) on.w **1** uitlopen op, leiden tot, resulteren in; **2** succes hebben. ▾**aboutissement** m uitkomst, resultaat.

aboyer on.w **1** blaffen; **2** iem. najouwen.

abracadabra m onzin.

abrasif m schuurmiddel.

abréaction v (het) afreageren. ▾**abréagir** ov.w en on.w afreageren.

abrégé m uittreksel; *en* —, in 't kort.

▼**abrègement** m verkorting. ▼**abréger** ov.w af(ver)korten.

abreuv/ement m het drenken. ▼—**er** l ov.w (door)drenken. Il s'— drinken, zich dood lessen. ▼—**oir** m drinkplaats.

abréviat/if, -ive bn verkortend. ▼—**ion** v afkorting.

abri m schuilplaats, schuiloopgraaf; chaise - badstoel; à l'— de, beschut tegen; mettre à l'— de, beschermen tegen. ▼—**bus** m wachthuisje (bij bushalte).

abricot m abrikoos. ▼—**ier** m abrikozeboom.

abriter l ov.w 1 beschutten, beschermen, herbergen. Il s'— schuilen; abrité, beschut. ▼**abrivent** m 1 windscherm; 2 dekmat.

▼**abrogation** v afschaffing (v. e. wet enz.). ▼**abroger** ov.w afschaffen (v. e. wet enz.).

abrupt bn 1 steil; 2 (fig.) bot. ▼—**ement** bw onverwachts.

abruti bn stompzinnig, idioot. ▼**abrutir** ov.w 1 verdierlijken; 2 afstompen. ▼—**issant** bn geestdodend. ▼—**issement** m 1 verdierlijking; 2 afstomping.

abscons bn moeilijk te begrijpen.

absence v 1 afwezigheid; 2 gemis; — d'esprit, verstrooidheid. ▼**absent** m 1 afwezig; les —s ont toujours tort, men behartigt nooit de belangen van degenen, die niet aanwezig zijn om zich te verdedigen; 2 verstrooid.
▼**absentéisme** m absenteïsme, verzuim.
▼**s'absenter** zich verwijderen.

abside v apsis (arch.).

absinthe v absint.

absolu l bn, —**ment** bw 1 volstrekt;
2 gebiedend (ton —); 3 onafhankelijk. Il zn m het absolute.

absolution v 1 absolutie; 2 vrijspraak.

absolut/isme m stelsel, dat de onbeperkte macht van de soevereinen predikt. ▼—**iste** m aanhanger v. h. absolutisme.

absorb/ant l bn 1 opslorpend; 2 wat de aandacht in beslag neemt (travail —).
▼—**ement** m het verdiept zijn in. ▼—**er** l ov.w inzuigen, inslorpen; — l'attention, de aandacht in beslag nemen; (fig.) verslinden (la fortune). Il s'—**dans** zich verdiepen in.
▼**absorption** v opslorping, opname (in het bloed).

absoudre ov.w (onr.) 1 vrijspreken;
2 vergeven (les péchés). ▼**absoute** v gebeden bij de lijkbaar na de lijkdienst.

s'abstenir (onr.) 1 niets doen; 2 zich onthouden van. ▼**abstention** v onthouding (bijv. van stemmen). ▼—**niste** m iemand, die zich onthoudt, die uit principe niet stemt.

abstinence v de onthouding (van voedsel, bijv. op rk-onthoudingsdagen).

abstraction v abstractie; faire — de, buiten beschouwing laten; les —s, theoretische beschouwingen. ▼**abstraire** l ov.w (onr.) Il s'— zich verdiepen in, verstrooid zijn. ▼**abstrait** bn abstract, afgetrokken, verstrooid, diepzinnig; nombre —, onbenoemd getal.

absurde l bn ongerijmd, belachelijk, onzinnig, absurd. Il zn: l'— m het ongerijmde, onzinnige. ▼**absurdité** v ongerijmdheid, onzin.

abus m 1 misbruik; 2 vergissing, dwaling; — de confiance, misbruik van vertrouwen. ▼—**er (de)** l on.w misbruik maken van. Il ov.w bedriegen, misleiden. Ill s'— zich vergissen. ▼—**eur** m bedrieger. ▼—**if, -ive** bn 1 verkeerd; 2 wederrechtelijk.

acabit m allooi.

acacia m acacia (plk.).

académicien m lid van een academie (vooral van de Franse academie). ▼**académie** v (genootschap van geleerden, kunstenaars of letterkundigen). L'Institut de France bestaat uit 5 academies: l'académie française (vooral letterkundig); — des inscriptions et belles lettres (historie en archeologie); — des sciences morales et politiques (wijsbegeerte, politiek, recht enz.); — des sciences (wiskunde, natuurkunde,

scheikunde enz.); — des beaux arts (kunsten); officier d'—, bezitter v. d. Franse ridderorde voor kunstenaars, geleerden enz. ▼**académique** bn academisch, gekunsteld (style —); palmes —s, de ridderorde van een officier d'académie.

acajou m 1 mahoniehout; 2 mahonieboom.

acanthe v 1 bereklauw; 2 arch. ornement.

acariâtre bn 1 twistziek; 2 prikkelbaar.

accabl/ant bn 1 drukkend (chaleur —e);
2 overstelpend (chagrin —). ▼—**ement** m 1 verslagenheid; neerslachtigheid;
2 uitputting. ▼—**er** ov.w overladen, verpletteren, overstelpen (de travail).

accalmie v 1 tijdelijke windstilte, tijdelijke rust; 2 het bedaren van pijn.

accapar/ement m het opkopen van goederen, om daardoor de markt te kunnen regelen.
▼—**er** ov.w 1 opkopen, hamsteren;
2 inpalmen. ▼—**eur** m opkoper.

accéder on.w 1 toegang hebben tot;
2 inwilligen (à une demande).

accélérat/eur, -trice l bn versnellend. Il zn
▼—**eur** m 1 gaspedaal; 2 versneller. ▼—**ion** v versnelling; voie d'—, invoegstrook.
▼**accélérer** l ov.w versnellen, verhaasten. Il s'— sneller worden; cours accéléré, stoomcursus.

accent m 1 accent, klemtoon, tongval (— picard); 2 penseelstreek; 3 klinkerteken; — aigu ('); — circonflexe (^); — grave (`); 4 toon, stembuiging (— de joie, de douleur).
▼—**uation** v het leggen van de klemtoon, versterking, het doen uitkomen. ▼—**uer** l ov.w de klemtoon leggen op; scherper doen uitkomen, benadrukken, accentueren; des traits accentués, scherpe trekken. Il s'— duidelijker worden.

accept/able bn aannemelijk, behoorlijk.
▼—**ation** v 1 aanneming; 2 het accepteren van een wissel. ▼—**er** ov.w 1 aannemen, aanvaarden; 2 accepteren van een wissel.
▼—**eur** m acceptant van een wissel (beter tireur).

acception v betekenis; sans — de personne, zonder aanzien des persoons.

accès m 1 toegang; 2 aanval (van een ziekte); 3 vlaag (de colère). ▼**access/ibilité** v toegankelijkheid. ▼—**ible** bn toegankelijk; — à, gevoelig voor. ▼—**ion** v 1 het komen tot, aan (au pouvoir); 2 toetreding.

accessit m eervolle vermelding.

accessoire l bn bijkomstig. Il zn m bijzaak, onderdeel; —s de théâtre, toneelrekwisieten.
▼**accessoiriste** m 1 toneelmeester;
2 verkoper v. autobenodigdheden.

accident m 1 ongeval; 2 toeval; par —, toevallig; 3 oneffenheid (— de terrain);
4 toevallig teken (muz.). ▼—**é** l bn 1 heuvelachtig, oneffen (terrain —); vie —e, veelbewogen leven; style —, ongelijke stijl;
2 verongelukt. Il zn m slachtoffer van een ongeluk. ▼—**el(le)** bn toevallig; mort —le, dood door een ongeval.

acclam/ation v toejuiching; par —, bij acclamatie. ▼—**er** ov.w 1 toejuichen; 2 bij acclamatie kiezen.

acclim/atation v het gewennen aan een bepaald klimaat; jardin d'—, dieren- en plantentuin. ▼—**atement** m het wennen aan een klimaat. ▼—**ater** l ov.w 1 doen wennen aan een klimaat; 2 (fig.) invoeren. Il s'— wennen aan een nieuwe omgeving.

accointance v omgang.

accolade v 1 omhelzing; 2 accolade. ▼**accolé** bn tegen elkaar aan, naast elkaar.

accommod/ant bn inschikkelijk. ▼—**ation** v inrichting, accommodatie; — de l'œil, accommodatie. ▼—**ement** m vergelijk. ▼—**er** l ov.w 1 inrichten, schikken (une affaire);
2 bereiden (de la viande); — à toutes les sauces, over de hekel halen; 3 passen, aanstaan, gelegen komen. Il s'— de tevreden zijn met; s'— à zich aanpassen aan.

accompagn/ateur m, **-atrice** v begeleider (-ster) (muz.). ▼—**ement** m 1 begeleiding (*muz.*); **2** toebehoren. ▼—er *ov.w* vergezellen, begeleiden (ook *muz.*): *bagages accompagnés*, passagiersgoed.

accompli *bn* volmaakt, uitstekend; *fait* —, voldongen feit. ▼**accomplir** *ov.w* voltooien, vervullen, vervenlijken, uitvoeren (*un projet*). ▼**accomplissement** *m* vervulling, voltooiing, verwezenlijking.

accord *m* overeenstemming, overeenkomst, harmonie (*muz.*); *d'*—, goed, afgesproken; *d'un commun* —, eensтemmig; *mettre d'*—, tot overeenstemming brengen; *tomber d'*—, het eens worden. ▼—-**cadre** *m* ontwerpakkoord. ▼—**able** *bn* wat men tot overeenstemming kan brengen. ▼—**age** *m* het stemmen.

accordéon *m* harmonika; *en* —, gevouwen als een harmonika.

accord/er **I** *ov.w* **1** tot overeenstemming brengen; **2** toestaan, verlenen; **3** doen overeenstemmen met (— *l'adjectif avec le substantif*); **4** stemmen (*muz.*) **5** toekennen. **II s'**— het eens zijn, tot overeenstemming komen, overeenkomen met (*l'adjectif s'accorde avec le substantif*). ▼—**eur** *m* stemmer (*muz.*).

accore *bn* steil (v. kust).

accort *bn* vriendelijk, innemend, aardig.

accost/age *m* het aanleggen. ▼—**er** *ov.w* **1** aanleggen (bij) (— *un quai, un vaisseau*); **2** aanklampen, aanspreken.

accotement *m* berm; —*s non stabilisés*, zachte berm. ▼**accoter I** *ov.w* steunen, stutten. **II s'**— steunen. ▼**accotoir** *m* stut, schoor.

accouch/ée *v* kraamvrouw. ▼—**ement** *m* bevalling. ▼—**er I** *on.w* bevallen; — *de*, ter wereld brengen; *tu accouches?* (*pop.*) zeg je 't nog? **II** *ov.w* verlossen (*une femme*). ▼—**eur** *m* verloskundige. ▼—**euse** *v* verloskundige, vroedvrouw.

accoudement *m* het leunen op de elleboog. ▼**(s')accouder** leunen op de elleboog. ▼**accoudoir** *m* armleuning.

accouplement *m* **1** paring; **2** koppeling. ▼**accoupler I** *ov.w* **1** (samen) koppelen; **2** doen paren. **II s'**— een paar vormen, paren.

accourir *on.w* (*onr.*) toesnellen; — *comme les poules au grain*, als de kippen er bij zijn.

accoutrement *m* bespottelijke kledij. ▼**accoutrer I** *ov.w* toetakelen (van kleding). **II s'**— (en) zich toetakelen (als).

accoutumance *v* gewoonte; gewenning. ▼**accoutumé (à)** *bn* gewoon (aan); *à l'—e*, gewoonlijk. ▼**accoutumer I** *ov.w* gewennen, gewoon maken. **II** — **à** zich wennen aan.

accrédit/er I *ov.w* **1** vertrouwen inboezemen; **2** in omloop brengen (*un bruit*); **3** een krediet verschaffen; **4** geloofsbrieven geven (— *un ambassadeur*). **II s'**— geloof vinden, vertrouwen winnen (*la nouvelle s'accrédite*). ▼**accréditeur** *m* borg. ▼**accréditif** *m* kredietbrief.

accroc *m* **1** winkelhaak, scheur; **2** moeilijkheid (*dans une affaire*); **3** smet.

accroch/age *m* **1** het aanhaken; **2** aanrijding; **3** twist; **4** blikvanger. ▼—**er I** *ov.w* **1** aanhaken, ophangen (bijv. *un tableau*); *tu peux te l'*— (*pop.*), je kan er naar fluiten; *la voiture est bien accrochée à la route*, de auto ligt vast op de weg; **2** aanrijden (*une auto*); — *une place*, een baan door list verkrijgen; — *l'attention*, de aandacht trekken; **3** volhouden. **II s'**— blijven haken, zich vastklampen; *s'*— à *qn*, iemand niet loslaten (*fig.*). ▼—**eur I** *bn* **1** vasthoudend; **2** aandacht trekkend; *publicité accrocheuse*, indringende reclame. **II** *zn m* vastbijter.

accroire *ov.w* (*onr.*): *en faire* —, iem. iets wijs maken.

accroissement *m* groei, vermeerdering, accres. ▼**accroître I** *ov.w* (*onr.*) doen toenemen, vergroten. **II** *on.w* of *wed.ww* toenemen.

s'accroupir neerhurken. ▼**accroupissement** *m* het neerhurken.

accrue *v* aanwas van land.

accueil *m* ontvangst; *faire (bon)* —, goed

---

ontvangen; *centre d'*—, opvangcentrum. ▼**accueil/ant** *bn* vriendelijk, hartelijk. ▼—**ir** *ov.w* (*onr.*) **1** ontvangen; **2** aanvaarden; **3** opnemen.

acculer *ov.w* **1** in de engte drijven; (*fig.*) in het nauw drijven; **2** dwingen; — **à**, drijven tot.

accumul/ateur *m* **1** iemand, die (de geld) ophoopt; **2** accu(mulator). ▼—**ation** *v* openhoping. ▼—**er I** *ov.w* **1** opstapelen; **2** verzamelen, sparen. **II s'**— zich opstapelen.

accusateur I *zn m*, -**trice** *v* beschuldiger (-ster), aanklager (-klaagster). **II** *bn* beschuldigend. ▼**accusatif** *m* vierde naamval. ▼**accusation** *v* beschuldiging, aanklacht; *acte d'*—, akte van beschuldiging. ▼**accusé** *m*, -**e** *v* beschuldigde, beklaagde; — *de réception*, bericht van ontvangst. ▼**accuser** *ov.w* **1** beschuldigen; bekennen (*ses péchés*); — *réception*, de goede ontvangst berichten; **2** doen uitkomen; *des traits accusés*, scherpe trekken.

acerbe *bn* wrang, bitter.

acéré *bn* scherp (ook *fig.*).

acét/ate *m* azijnzuurzout, acetaat. ▼—**ique** *bn* azijnachtig. ▼—**ifier** *ov.w* tot azijn maken (*du vin*). ▼—**one** *v* aceton.

acétylène *m* acetyleen.

achaland/é *bn* **1** met veel klanten; **2** (*foutief*) met een groot assortiment.

acharné *bn* hardnekkig, verwoed, verbitterd. ▼**acharnement** *m* hardnekkigheid, verbittering. ▼**acharner I** *ov.w* ophitsen. **II s'**— hardnekkig volhouden, zich hartstochtelijk overgeven aan (*au jeu*).

achat *m* **1** koop, aankoop, inkoop; **2** het gekochte voorwerp.

achemin/ement *m* het voorwaarts gaan, vordering. ▼—**er I** *ov.w* **1** doen voortbewegen; **2** verzenden. **II s'**— zich begeven.

achet/er *ov.w* **1** kopen; **2** omkopen. ▼—**eur** *m*, -**euse** *v* (in)koper (koopster).

achevé *bn* volmaakt, onberispelijk (*modèle* —). ▼**achèvement** *m* **1** voltooiing; **2** perfectie. ▼**achever I** *ov.w* **1** voltooien, beëindigen; **2** doden, de genadeslag geven; **3** oproken, opdrinken, opeten. **II s'**— ten einde lopen.

Achille *m* Achilles.

achopp/ement *m* hinderpaal; *pierre d'*—, struikelblok. ▼—**er** *on.w* met de voet stoten tegen, struikelen (ook *fig.*).

achromat/ique *bn* achromatisch. ▼—**isme** *m* opheffing der kleurschifting. ▼—**opsie** *v* kleurenblindheid.

acide I *bn* zuur; (*fig.*) wrang, bitter. **II** *zn m* het zuur. ▼**acid/ifier I** *ov.w* zuur maken. **II s'**— zuur worden. ▼—**ité** *v* zuurheid. ▼—**ulé** *bn* enigszins zuur. ▼—**uler** *ov.w* enigszins zuur maken.

acier *m* **1** staal; — *fondu*, gietstaal; — *de forge*, welstaal; (*fig.*) *d'*—, verhard, onwrikbaar (*un cœur d'acier*); **2** het zwaard. ▼**aciérie** *v* staalfabriek.

acmé *m* top, hoogtepunt.

acné *v* acne.

acolyte *m* **1** acoliet, helper bij de altaarplechtigheden; **2** handlanger, trawant, helper.

acompte *m* aanbetaling; *paiement par* —*s*, op afbetaling.

aconit *m* monnikskap (*plk.*).

acoquiner: **s'**— *avec z.* inlaten met.

Açores *m vrv* Azoren.

à-côté *m* bijkomstigheid; bijverdienste.

à-coup *m* schok, ruk, vervelend voorval.

acoustique I *bn* wat betrekking heeft op het gehoor; *cornet* —, gehoorapparaat; *nerf* —, gehoorzenuw; *tuyau* —, spreekbuis. **II** *v* **1** geluidsleer; **2** de akoestiek v. e. zaal enz.

acquéreur *m* koper (koopster). ▼**acquérir** *ov.w* (*onr.*) verkrijgen, verwerven, kopen; *bien mal acquis ne profite pas*, gestolen goed gedijt niet; *un point (fait) acquis*, een uitgemaakte zaak; *il m'est (tout) acquis*, hij is mij genegen.

acquiesc/ement *m* **1** toestemming;

2 berusting. ▼—er on.w (à) 1 toestemmen; —
à un désir, een verlangen inwilligen;
2 berusten.

acquis m 1 kennis; 2 bekwaamheid;
3 ervaring. ▼acquisition v 1 verwerving, het
verworvene; 2 koop, aankoop.

acquit m 1 kwitantie; 2 vrijspraak; pour —,
voldaan (onder kwitantie); par — de
conscience, pour l'— de sa conscience, om
niet met zijn geweten in conflict te komen,
voor alle zekerheid; par manière d'—, om er van
af te zijn. ▼acquittement m 1 betaling; 2 het
voor voldaan tekenen; 3 vrijspraak.
▼acquitter I ov.w 1 betalen, kwijten; 2 voor
voldaan tekenen; 3 vrijspreken. II s'— 1 een
schuld voldoen; 2 zich kwijten van, vervullen
(bijv. d'une mission).

âcre bn wrang, bitter, scherp; (fig.) vinnig.
▼âcreté v wrangheid, bitterheid, scherpte;
(fig.) vinnigheid.

acrimoni/e v wrangheid; (fig.) bitterheid.
▼—eux, -euse bn wrang; (fig.) bitter, bits.

acrobate m & v 1 koorddanser(es);
2 kunstenmaker (-maakster), acrobaat
(acrobate). ▼acrobatie v
1 koorddanserskunst, acrobatiek; 2 staaltje
van behendigheid. ▼acrobatique bn
acrobatisch.

Acropole v Acropolis.

acrostiche m naamdicht, acrostichon.

acrylique bn van acryl.

acte m 1 daad; 2 akte; 3 bedrijf in een
toneelstuk; — de foi, geloofsgetuigenis;
prendre —, nota nemen; donner —, een feit
wettelijk constateren; faire — de présence,
zich ergens ogenblik ergens vertonen; faire —
d'héritier, optreden als erfgenaam; les —s des
Apôtres, de Handelingen der Apostelen.

acteur m, -trice v 1 toneelspeler (-speelster);
2 iem. die een rol speelt in een zaak.

actif, -ive I bn 1 werkzaam, ijverig; voix —ve,
bedrijvende vorm; 2 snelwerkend (un remède
—). II zn m bezit; à son —, op zijn
rekening/kerfstok/conto.

actinium m radio-actief metaal.

action v 1 handeling, daad; — oratoire, de
gebarentaal v. e. redenaar; — de grâces,
dankgebed; 2 beweging; rayon d'—,
actieradius; 3 inwerking, uitwerking (d'un
remède enz.); 4 gevecht; 5 aandeel; —
nominative, aandeel op naam; — privilégiée,
preferent aandeel; 6 rechterlijke vervolging.
▼—naire m aandeelhouder. ▼—nariat m
aandeelhouderschap. ▼—ner ov.w 1 in
beweging brengen, drijven; 2 in rechten
aanspreken.

activ/ateur m beugel. ▼—ation v verhoogde
(scheikundige enz.) werking. ▼—er ov.w
1 versnellen, verhaasten, bespoedigen;
2 aanwakkeren (le feu). ▼—isme m activisme.
▼—iste m/v activist(e). ▼—ité v
1 werkzaamheid, bedrijvigheid; soldat enz. en
—, in werkelijke dienst; 2 werking.

actuaire m actuaris, wiskundig adviseur.

actual/isation v verwezenlijking. ▼—iser
ov.w actueel maken, vernieuwen. ▼—ité v
actualiteit; les —s, de gebeurtenissen van de
dag, journaal; —s télévisées, tv-journaal.

actuariat m het admin van actuaris.

actuel, -elle bn 1 actueel, tegenwoordig;
2 werkelijk; service —, werkelijke dienst.
▼—lement bw thans, nu, tegenwoordig.

acuité v 1 scherpte; 2 hevigheid (d'une
maladie); 3 scherpte (d'un son).

acupunct/eur m acupuncturist. ▼—ure,
acuponcture v acupunctuur.

acutangle bn scherphoekig (v. e. driehoek).

adage m spreuk, spreekwoord.

adagio I bn langzaam (muz.). II zn m een
langzaam muziekstuk.

adapt/abilité v aanpassingsvermogen.
▼—able bn aan te passen aan, aan te brengen
aan. ▼—ateur m 1 bewerker; 2 adaptor.
▼—ation v 1 het aanbrengen; 2 aanpassing;
3 bewerking (van literair werk of muziekstuk).
▼—er I ov.w 1 aanbrengen; 2 aanpassen;

3 bewerken van literair werk of muziekstuk.
II s'— à z. aanpassen aan (bij), zich schikken
naar.

additif I bn toegevoegd. II zn m 1 aanvullend
artikel; 2 toegevoegde stof. ▼addition v
1 optelling; 2 rekening (in restaurant of hotel).
▼—nel, -nelle bn bijgevoegd, toegevoegd;
articles —s, overgangsbepalingen; centimes
—s, opcenten. ▼—ner ov.w optellen.
▼—neuse v rekenmachine.

adduc/teur m 1 samentrekkende spier;
2 aanvoerkanaal. ▼—tion v aanvoer.

adénoïde bn kliervormig.

adent m zwaluwstaart (houtverbinding).

adepte m 1 aanhanger van sekte of leer;
2 ingewijde (in wetenschap enz.).

adéquat bn overeenkomstig, synoniem,
adequaat. ▼—ion v volkomen
gelijk(waardig)heid.

adhér/ence v 1 het aankleven; 2 vergroeiing;
3 adhesie. ▼—ent I bn vastgegroeid. II zn m
aanhanger, lid, volgeling. ▼—er on.w
1 vergroeid zijn met, vastzitten; 2 aanhangen;
3 instemmen (met).

adhés/if, -ive bn 1 klevend; (emplâtre) —,
hechtpleister; ruban —, plakband; 2 wat bijval
uitdrukt. ▼—ion v 1 vergroeiing;
2 instemming, aansluiting, adhesie.

adieu I tw vaarwel, tot ziens. II zn m afscheid;
sans —!, tot ziens!; faire ses —x, afscheid
nemen.

à-dieu-va(t)! God zegene de greep!

Adige m Etsch (Adige) (rivier).

adipeux, -euse bn vettig.

adjacent bn belendend, aangrenzend; angle
—, aanliggende hoek.

adjectif, -ive I bn bijvoeglijk. II zn m
bijvoeglijk naamwoord, adjectief.

adjoindre ov.w (onr.) toevoegen aan.
▼adjoint I bn adjunct-; professeur —,
buitengewoon hoogleraar. II zn m helper; le
maire et ses —s, burgemeester en wethouders.
▼adjonction v toevoeging.

adjudant m adjudant.

adjudica/taire m degene, die de goederen bij
een veiling krijgt toegewezen of aan wie een
aanbesteding gegund wordt. ▼—teur m,
-trice v 1 veilingmeester, afslager; 2 degene,
die een aanbesteding gunt. ▼—tion v
1 gunning; 2 aanbesteding; 3 veiling; — au
rabais, bij afmijnen; — à la surenchère, bij
opbod; — judiciaire, gerechtelijke verkoop.
▼adjuger I ov.w 1 gunnen, toewijzen;
adjugé!, verkocht!; 2 toekennen (un prix).
II s'— zich toeëigenen.

adjuration v 1 zeer dringend verzoek,
smeekbede; 2 bezwering, toverformule.
▼adjurer ov.w 1 bezweren; 2 smeken.

adjuvant m 1 ondersteunend - of hulpmiddel;
2 toegevoegde stof.

admettre ov.w (onr.) 1 toelaten, aannemen
(bijv. un élève, un membre); 2 als waar
aannemen; 3 toestaan, dulden, lijden.

administr/ateur m, -trice v 1 administrateur,
-trice; 2 beheerder (-ster). ▼—if, -ive bn het
bestuur of beheer betreffende; tribunal —,
raad van beroep. ▼—ion v 1 beheer, bestuur,
administratie, overheid; 2 gezamenlijk
personeel; conseil d'—, raad van beheer.
▼—ivement bw langs administratieve weg.

administré m onderhorige. ▼administrer
ov.w 1 besturen; 2 toedienen (les sacrements,
des coups); 3 bedienen (un malade); 4 laten
innemen (un remède); 5 afnemen (test).

admira/ble bn bewonderenswaardig.
▼—teur m, -trice v bewonderaar(ster).
▼—tif, -tive bn bewonderend. ▼—tion v
bewondering. ▼admirer ov.w 1 bewonderen;
2 zich verwonderen over, eigenaardig vinden.

admiss/ibilité v 1 toelaatbaarheid;
2 aannemelijkheid. ▼—ible bn toelaatbaar.
▼—ion v 1 toelating; 2 het aannemen; 3 inlaat
(motor).

admonestation v vermaning, berisping.
▼admonester ov.w streng vermanen,
berispen.

admonition v vermaning, berisping.
adolescence v jongelingschap, groei naar volwassenheid. ▼**adolescent(e)** m of v jongeman (meisje), tiener.
adonis m zeer knappe jongeman.
adonné à bn verslaafd aan. ▼**s'adonner à** zich geheel overgeven aan, verslaafd raken aan.
adopt/er ov.w 1 (als kind) aannemen, adopteren; 2 overnemen (une opinion); 3 goedkeuren (une loi). ▼**—if, -ive** bn 1 aangenomen (fils —); 2 die aanneemt (père —). ▼**—ion** v 1 het aannemen tot kind; 2 overname; patrie d'—, tweede vaderland.
ador/able bn aanbiddelijk, verrukkelijk. ▼**—ateur** m, **-trice** v 1 aanbidder (-ster); 2 die op overdreven wijze houdt van. ▼**—ation** v 1 aanbidding; 2 grote verering, vurige liefde. ▼**—er** ov.w 1 aanbidden; 2 dol zijn op (bijv. — la musique).
adossement m het leunen. ▼**adosser** I ov.w met de rug (achterkant) zetten tegen, bouwen tegen. II **s'—** à met de rug leunen tegen.
adoub/ement m ridderslag. ▼**—er** ov.w tot ridder slaan.
adouc/ir ov.w 1 zoet maken; 2 verzachten; 3 ontharden (water); 4 polijsten; 5 (fig.) lenigen (la peine). ▼**—issage** m het polijsten. ▼**—issant** bn verzachtend. ▼**—issement** m 1 verzachting; 2 ontharding (water); 3 leniging (— de peine). ▼**—isseur** m waterontharder.
adresse v 1 handigheid; 2 slimheid; 3 adres; 4 verzoekschrift. ▼**adresser** I ov.w adresseren; — la parole à qn., het woord tot iemand richten. II **s'—** à zich wenden tot, zich richten tot. ▼**adressographe** m adresseermachine.
Adriatique (l') v de Adriatische Zee.
adroit bn handig, slim, geslepen.
adulateur I zn m, **-trice** v lage vleier (-ster); flikflooier (-ster). II bn kruiperig, vleierig. ▼**adulation** v lage vleierij; flikflooierij. ▼**adulatoire** bn kruiperig; vleierig. ▼**aduler** ov.w op lage wijze vleien; kruipen voor.
adulte I zn m of v volwassene. II bn volwassen.
adultère I zn 1 m echtbreuk, overspel; 2 m of v echtbreker (-breekster). II bn overspelig. ▼**adultérer** ov.w vervalsen. ▼**adultérin** I bn uit overspel geboren. II **—(e)** zn m of v uit overspel geboren kind.
advenir on.w (onr.) toevallig gebeuren; advienne que pourra, er moge van komen (gebeuren), wat er wil. ▼**adventice** bn toevallig; plante —, in 't wild groeiende plant.
adverbe m bijwoord. ▼**adverbial** [mv aux] bn bijwoordelijk.
adversaire m tegenstander, mededinger. ▼**adversatif, -ive** bn tegenstellend. ▼**adverse** bn tegen-; avocat —, advocaat v.d. tegenpartij; fortune —, tegenspoed; partie —, tegenpartij. ▼**adversité** v tegenspoed, ongeluk.
aède m episch dichter.
aérage m ventilatie, luchtverversing. ▼**aérateur** m ventilator. ▼**aération** v ventilatie, luchtverversing; conduit d'—, luchtkoker. ▼**aéré** bn luchtig. ▼**aérer** ov.w luchten, ventileren. ▼**aérien, -ne** bn 1 lucht (gas) bestaande; un corps —, gasvormig lichaam; 2 wat in lucht geschiedt, voorkomt; couche —ne, luchtlaag; défense —ne, luchtafweer; ligne —ne, luchtlijn; phénomène —, luchtverschijnsel; poste —ne, luchtpost. ▼**aérifère** bn die de luchtaanvoer regelt; conduits —s, (lich.) luchtwegen.
aéro/bus m luchtbus. ▼**—drome** m vliegveld. ▼**—dynamique** I zn v aërodynamica. II bn gestroomlijnd; tunnel —, windtunnel. ▼**—gare** v stationsgebouw op/voor luchthaven. ▼**—glisseur** m hovercraft. ▼**—lithe** m meteoorsteen. ▼**—logie** v aërologie, studie v.d. hogere luchtlagen. ▼**—mètre** m luchtdichtheidsmeter. ▼**—modélisme** m vliegtuigmodelbouw. ▼**—naute** m ballonvaarder, luchtreiziger. ▼**—nautique** I bn luchtvaartkundig. II zn v luchtvaartkunde. ▼**—naval** bn tot luchtmacht

en marine behorend. ▼**—navale** v marine-luchtvaartinstallaties. ▼**—plane** m (oud) vliegmachine. ▼**—port** m vlieghaven. ▼**—porté** bn: troupes —es, luchtlandingstroepen. ▼**—postal** [mv aux] bn wat betrekking heeft op de luchtpost. ▼**—spatial** bn ruimtevaart-. ▼**—stat** m luchtballon, luchtschip. ▼**—statique** I bn wat de luchtvaart betreft. II zn v aërostatica. ▼**—stier** m bestuurder van een luchtballon. ▼**—train** m luchtkussentrein.
affabilité v vriendelijkheid, voorkomendheid, minzaamheid. ▼**affable** bn vriendelijk, voorkomend, minzaam.
affabul/ation v (overdreven) inkleding v. verhaal. ▼**—er** ov.w overdreven of foutief vertellen.
affadir I ov.w flauw maken, misselijk maken. II **s'—** verslappen. ▼**affadissement** m 1 het flauw maken; 2 flauwheid.
affaiblir I ov.w verzwakken. II **s'—** verzwakken. ▼**affaiblissement** m verzwakking.
affaire v 1 zaak; agent d'—, zaakwaarnemer; avoir — à, te doen hebben met; avoir — avec, zaken doen met; le chiffre d'—s, de omzet; les —s étrangères, buitenlandse zaken; être dans les —s, in zaken zijn; faire son — à qn., met iemand afrekenen, hem doden; j'en fais mon —, dat belast mij ermee; cela fait mon —, dat staat me aan, komt me goed te pas; — de goût, kwestie van smaak; un homme d'—s, zakenman, zaakwaarnemer; — d'honneur, duel, erezaak; hors d'—, buiten gevaar; — de temps, kwestie van tijd; se retirer des —s, zich uit de zaken terugtrekken; se tirer d'—, zich ergens uit redden; tirer qn. d'affaire, iem. uit moeilijkheden helpen; c'est toute une —, 't is niet gemakkelijk, 't is een hele drukte, een heel karwei; 2 gevecht; 3 mv spullen. ▼**affairé** bn druk. ▼**affairement** m drukte. ▼**s'affairer** druk zijn. ▼**affairiste** m speculant.
affaiss/ement m 1 verzakking; 2 verslagenheid. ▼**—er** I ov.w doen verzakken; être affaissé sous, gebukt gaan onder. II **s'—** ineenzakken, gebukt gaan onder.
affaler I ov.w neerhalen v.e. scheepstouw. II **s'—** 1 aan lager wal geraken (v.e. schip); 2 zich laten vallen.
affamé bn uitgehongerd, hongerig; — de gloire, eerzuchtig. ▼**affamer** ov.w uithongeren.
affect m elementaire affectieve toestand. ▼**affectation** v 1 gebruik; 2 bestemming; 3 aanstellerigheid, gemaaktheid. ▼**affecté** bn gemaakt, voorgewend, overdreven. ▼**affecter** I ov.w 1 voorwenden, veinzen; 2 aannemen (une forme); 3 (— à) bestemmen voor; 4 ontroeren, treffen (son état m'a affecté); 5 veelvuldig gebruiken, voorliefde tonen voor (certaines expressions). II **s'—** ontroerd, getroffen worden. ▼**affectif, -ive** bn wat het gevoel betreft, gevoelig. ▼**affection** v 1 genegenheid; 2 aandoening (méd.). ▼**—né** bn bemind; ton — (e) (briefslot), je toegenegene. ▼**—ner** ov.w liefhebben, gek zijn op. ▼**affectivité** v gevoeligheid. ▼**affectueux, -euse** bn vriendelijk, toegenegen.
affenage m het voederen van vee.
afférent bn toekomend (deel).
affermage m het (ver)pachten. ▼**affermer** ov.w (ver)pachten.
affermir ov.w 1 vast, hard maken; 2 versterken, consolideren (le pouvoir). ▼**affermissement** m consolidatie, versterking.
afféterie v aanstellerij, gemaaktheid.
affichage m het aanplakken van een aanplakbiljet; tableau d'—, mededelingenbord; tableau d'— électronique, elektronisch scorebord. ▼**affiche** v aanplakbiljet, poster; — lumineuse, lichtreclame; homme —, sandwichman. ▼**affich/er** I ov.w 1 aanplakken; 2 openlijk tonen, te koop lopen met. II **s'—** zich

opdringen, in de gaten willen lopen. ▼—ette v
1 reclamebiljet; 2 raamadvertentie; 3 sticker.
▼—eur m aanplakker. ▼—iste m/v
affichetekena(a)r(es).

affidé l bn vertrouwd. ll zn m of -e v geheim
agent, spion.

affilage m het slijpen, wetten. ▼affilé bn
scherp; avoir la langue bien —e, niet op zijn
mondje gevallen zijn; d'—e, aan een stuk door,
onafgebroken. ▼affiler ov.w slijpen, wetten.

affiliation v lidmaatschap, toelating als lid.
▼affilié(e) m of v lid; société —e,
zustermaatschappij.

affiloir m slijpsteen, aanzetstaal, aanzetriem.

affin/age m het zuiveren van metalen.
▼—ement m verfijning. ▼—er ov.w zuiveren,
verfijnen (bijv. le goût).

affinité v overeenkomst, verwantschap,
affiniteit; les —s électives, die
Wahlverwandtschaften.

affirm/atif, -ive bn 1 beslist; 2 bevestigend.
▼—ation v bevestiging, verzekering.
▼—ative v het bevestigen; répondre par l'—,
bevestigend antwoorden. ▼—er l ov.w
bevestigen, verzekeren. ll s'—bevestigd
worden.

affixe m voor- of achtervoegsel.

affleur/ement m (het) aan de oppervlakte
komen. ▼—er on.w aan de oppervlakte komen
(ook fig.).

afflictif, -ive bn wat de lijfstraf betreft.
▼affliction v grote droefheid. ▼affligé bn
1 bedroefd; 2 bezocht (met kwaal of ziekte).
▼affligeant bn bedroevend. ▼affliger l ov.w
1 bedroeven; 2 kwellen, teisteren (une
épidémie affligea la ville). ll s'—bedroefd zijn.

afflouer ov.w (een schip) weer vlot brengen.

affluence v 1 toeloop v. volk; 2 het toevloeien
van water, hoog water; 3 overvloed; heure
d'—, spitsuur. ▼affluent m zijrivier. ▼affluer
on.w stromen naar, toestromen. ▼afflux m: —
du sang, bloedaandrang.

affol/ant bn radeloos makend. ▼—é bn
radeloos, in de war. ▼—ement m
radeloosheid. ▼—er ov.w radeloos maken.
▼s'affoler gek worden van angst.

affouillement m wegspoeling, ondermijning.
▼affouiller ov.w wegspoelen, ondermijnen,
afbrokkelen (door water of wind).

affranch/i l bn vrijgelaten, geëmancipeerd.
ll zn m, -e v 1 vrijgelatene; 2 vrijgevochten
vogel. ▼—ir ov.w 1 (een slaaf) vrijlaten;
2 bevrijden; 3 vrijmaken (van kaart in het
kaartspel); — une propriété, vrijmaken van
lasten; 4 frankeren; 5 (pop.) inlichten.
▼—issement m 1 vrijlating (der slaven);
2 bevrijding; 3 het vrijmaken van lasten;
4 frankering.

affres v mv grote angst.

affrètement m 1 bevrachting, vrachtcontract
(v.e. schip); 2 het huren v.e. schip. ▼affréter
ov.w 1 een schip huren; 2 bevrachten.
▼affréteur m 1 scheepsbevrachter;
2 huurder v.e. schip.

affreux, -euse bn afschuwelijk, afstotelijk.

affriander ov.w aantrekken, aanlokken (door
geur of smaak; ook fig.).

affront m publieke belediging; faire — à, te
schande maken. ▼—ement m het
gelijkleggen. ▼—er ov.w 1 gelijkleggen;
2 trotseren (le danger).

affubler ov.w toetakelen, dwaas aankleden.

affût m 1 affuit; 2 schuilplaats van jagers, om
het wild te bespieden; être à l'—, op de loer
liggen, op de gelegenheid loeren.

affûter ov.w slijpen van gereedschappen.

affûtiaux m mv (fam.) waardeloze sieraden;
(pop.) gereedschap.

afghan zn l bn Afghaan(s).

afin de vz ten einde te, om te. ▼afin que vgw
opdat (gevolgd door subj.).

africain bn Afrikaans. ▼A—(e) m of v
Afrikaan(se). ▼africanis/ation v het
Afrikaans maken. ▼—er ov.w Afrikaans
maken. ▼africaniste m Afrikakenner.
▼afrikander m Afrikaander. ▼(l') Afrique v

Afrika; l'— du Sud, Zuid-Afrika.

▼afro-asiatique bn Afrika en Azië betreffend.

agaçant bn hinderlijk; ergerlijk; lastig; mine
—e, uitdagend gezicht. ▼agace, agasse v
(pop.) ekster. ▼agacement m 1 hinder;
2 prikkeling. ▼agacer ov.w 1 prikkelen;
2 hinderen; 3 plagen, sarren. ▼agacerie v
koketterie.

agaillardir ov.w opvrolijken.

agapes v mv feestmaal.

agate v agaat.

agavé, agave m agave (plk.).

âge m 1 leeftijd, ouderdom; être entre deux —s,
van middelbare leeftijd zijn; être d'—à, oud
genoeg zijn om te; l'— ingrat, het begin der
jongelingsjaren (vlegel-, bakvisjaren); il ne
paraît pas son —, hij lijkt jonger dan hij is; quel
— avez vous?, hoe oud bent u?; être sur l'—, op
leeftijd zijn; 2 tijdperk; le moyen —, de
middeleeuwen; l'— de la pierre, het stenen
tijdperk; l'— d'or, de gouden eeuw. ▼âgé bn
oud; — de 20 ans, 20 jaar oud.

agence v 1 agentschap, agentuur; 2 kantoor;
— de voyage, reisbureau; — immobilière,
woningbureau.

agencement m 1 rangschikking, groepering;
2 inrichting; — des phrases, kunstige
zinsbouw. ▼agencer ov.w rangschikken,
groeperen.

agenda m aantekenboekje.

agenouillement m het knielen.
▼s'agenouiller knielen. ▼agenouilloir m
knielbankje.

agent m 1 werkende kracht; 2 beambte;
3 agent; — d'affaires, zaakgelastigde; — de
change, makelaar in effecten; — de conduite,
(trein) bestuurder; — de liaison,
verbindingsofficier; — de police, stadsagent;
— provocateur, iemand, die opstand enz.
uitlokt, om daardoor de autoriteiten
gelegenheid te geven tot represailles.

agglom/érat m agglomeraat (opeenhoping
van verschillende delfstoffen). ▼—ération v
1 het opeenhopen, opeenhoping; 2 dicht
bebouwde kom v.e. stad. ▼—éré m 1 briket;
2 kunststeen. ▼—érer ov.w opeenhopen,
verzamelen; bois aggloméré, spaanplaat.

agglutin/ant l bn klevend. ll zn m kleef-,
hechtmiddel. ▼—atif, -ative bn klevend.
▼—ation v het kleven. ▼—er ov.w hechten
(une plaie).

aggrav/ant bn verzwarend; circonstances
—es, verzwarende omstandigheden.
▼—ation v verzwaring. ▼—er l ov.w
verergeren, verzwaren. ll s'— erger worden.

agile bn behendig, vlug, lenig. ▼agilité v
behendigheid, vlugheid, lenigheid.

agio m opgeld, agio.

agir on.w 1 handelen; — en, handelen als; il
s'agit de, het gaat om, er is sprake van; il s'agit
de savoir si, het is de vraag of; il s'agit bien de
cela!, alsof het daarom ging! 2 werken;
3 inwerken op. ▼agissant bn werkzaam,
duidelijk merkbaar. ▼agissements m mv
manipulaties.

agitateur m, -trice v opruier (-ster).
▼agitation v 1 onstuimigheid (de la mer);
2 onrust, zenuwachtigheid, gejaagdheid.
▼agité bn gejaagd, onrustig, zenuwachtig.
▼agiter l ov.w 1 schudden; 2 roeren;
3 verontrusten, zenuwachtig maken;
4 opzwepen; 5 bespreken (une question).
6 bewegen. ll s'— druk in de weer zijn.

agneau [mv x] m 1 lam; 2 lamsvlees.
▼agnelet m lammetje.

Agnès v onschuldig, naïef meisje.

agnosticisme m leer, die verklaart, dat men
van het bestaan en het wezen van God en de
schepping niets kan weten. ▼agnostique m
agnosticus.

agogie v agologie. ▼agogiste m/v
agoog/agoge.

agon/ie v 1 doodsstrijd; 2 het naderend einde
(d'un règne); être à l'—, op sterven liggen.
▼—ir ov.w overstelpen, overladen met.
▼—isant l bn stervend. ll zn m stervende.

▼**—iser** on.w op sterven liggen.

agoraphobie v agorafobie, plein-, ruimtevrees.

agraf/e v 1 haak, die in een oog grijpt (van kleren); 2 gesp; 3 nietje; 4 kram. ▼**—er** ov.w 1 vasthaken; 2 (pop.) vastpakken. ▼**—euse** v nietmachine.

agraire bn wat de landerijen betreft; mesure —, maatregel op landbouwgebied.

agrand/ir ov.w 1 vergroten; 2 (fig.) veredelen (— l'âme). ▼**—issement** m vergroting, uitbreiding. ▼**—isseur** m vergrotingstoestel (fot.).

agréable bn aangenaam, vriendelijk; fijn.

agréé m advocaat en procureur bij een handelsrechtbank.

agréer I ov.w aanvaarden, goedkeuren, aannemen; agréez, Monsieur, mes sentiments dévoués, hoogachtend. II on.w bevallen, behagen.

agrégation v 1 samenvoeging; 2 toelating als lid; 3 het examen voor agrégé. ▼**agrégé(e)** m of v iemand, die benoembaar is als lera(a)r(es) aan een lyceum enz. ▼**agréger** ov.w 1 samenvoegen; 2 toelaten als lid.

agrément m 1 toestemming; 2 vermaak, aardigheid, genoegen; les arts d'—, kunsten, die men als tijdverdrijf beoefent (muziek, dans, enz.); jardin d'—, siertuin. ▼**—er** ov.w versieren.

agrès m mv 1 tuigage, want v.e. schip; 2 gymnastiektoestellen.

agress/er ov.w aanvallen. ▼**—eur** m aanvaller, aanrander. ▼**—if, -ive** bn aanvallend, hatelijk. ▼**—ion** v aanval, agressie, aanranding. ▼**—ivité** v strijdlust.

agreste bn landelijk.

agri/cole bn wat betrekking heeft op de landbouw; agrarisch; landelijk; ingénieur —, landbouwingenieur; produit —, landbouwprodukt. ▼**—culteur** m landbouwer; agrariër. ▼**—culture** v 1 landbouw; 2 landbouwkunde.

agripper ov.w (gretig) grijpen.

agro/nome m landbouwkundige; ingénieur —, landbouwingenieur. ▼**—nomie** v landbouwkunde. ▼**—nomique** bn landbouwkundig.

agrumes m mv zuidvruchten.

aguerrir ov.w 1 scholen voor de krijgsdienst; 2 harden (fig.).

aguets m mv het loeren, bespieden; être aux —, se tenir aux —, op de loer liggen.

aguich/ant bn uitdagend. ▼**—er** ov.w prikkelen, uitdagen, lokken. ▼**—eur, -euse** zn/bn uitdagend (iem.).

ah! tw hal; ach!; au!

ahuri bn verbluft, verbijsterd. ▼**ahurir** ov.w overbluffen, verbijsteren. ▼**ahuriss/ant** bn verbijsterend. ▼**—ement** m stomme verbazing, verbijstering.

ai zie avoir.

aï m luiaard.

aide 1 v hulp; à l'— de, met behulp van; à l'—, help!; venir en —, te hulp komen; 2 m of v helper (-ster); — de camp, adjudant (mil.); maçon, opperman; — mémoire, hulp in 't boekje, dat de belangrijkste gegevens v.e. wetenschap enz. bevat. ▼**aider** I ov.w helpen; — de sa bourse, bijstaan met geld. II on.w: — au succès, bijdragen tot.

aïe tw au!

aïeul, m, -e v grootvader, grootmoeder; les aïeux, de voorouders.

aigle I m 1 arend; 2 geniaal mens, hoogvlieger; ce n'est pas un —, dat is geen licht; l'— de Meaux = Bossuet. II v 1 wijfjesarend; 2 vaandel, standaard. ▼**aiglon** m, **-ne** v adelaarsjong.

aigre bn 1 zuur; 2 schel; 3 bits. ▼**aigre†-doux†, -ce** bn zuurzoet.

aigrefin m oplichter.

aigrelet, -te bn een beetje zuur. ▼**aigret, -te** bn een beetje zuur.

aigrette v 1 zilverreiger; 2 bos reigerveren; 3 pluim (van helm enz.).

aigreur v 1 zuurheid; 2 bitsheid; 3 maagzuur. ▼**aigrir** I ov.w 1 zuur maken; 2 verbitteren. II on.w zuur worden. ▼**aigrissement** m (het) verzuren.

aigu, -ë bn 1 scherp; 2 hevig (douleur —ë); accent aigu ('); angle —, scherpe hoek.

aigue-marine v aquamarijn.

aiguillage m 1 (het) verzetten der wissels; 2 verkeersgeleiding; 3 switchen. ▼**aiguille** v 1 naald; — aimantée, kompasnaald; — à repriser, stopnaald; — à tricoter, breinaald; 2 spits (bijv. van een toren); 3 top (bijv. van een berg); 4 spoorwegwissel. ▼**aiguiller** ov.w 1 een trein op een ander spoor brengen; 2 (fig.) richten.

aiguilleter ov.w vastrijgen.

aiguillette v 1 militair versiersel; 2 deel v.d. rumpsteak.

aiguilleur m wisselwachter.

aiguillier m naaldenkoker.

aiguillon m 1 prikstok, om ossen aan te zetten; 2 angel; 3 (fig.) prikkel. ▼**—ner** ov.w 1 prikken met de prikstok; 2 aansporen, stimuleren.

aiguis/age, —ement m het slijpen, scherpen. ▼**—er** ov.w 1 slijpen; 2 opwekken (l'appétit). ▼**—eur, -euse** v slijper (-ster). ▼**—oir** m aanzetstaal.

ail m [mv **aulx** of **aulx**] knoflook.

aile v 1 vleugel; battre des —s, klapwieken; battre de l'—, in verlegenheid zitten; il ne bat plus que d'une —, 't loopt op een eind met hem, hij is zijn grootste invloed kwijt; rogner les —s, kortwieken; 2 molenwiek; 3 neusvleugel; 4 spatbord van auto; 5 schoep. ▼**ailé** bn gevleugeld. ▼**aileron** m 1 vleugeluiteinde; 2 vin van sommige vissen; 3 rolroer (van vliegtuig). ▼**ailette** v vleugeltje. ▼**ailier** m vleugelspeler (bij voetbalspel).

ailler ov.w met knoflook insmeren.

ailleurs bw elders; d'—, overigens, bovendien; par —, aan de andere kant.

ailloli m mayonaise van knoflook.

aimable bn beminnelijk, vriendelijk. ▼**aimant** I zn m 1 magneet; 2 aantrekkingskracht. II bn liefhebbend.

aimant/ation v aantrekkingskracht. ▼**—er** ov.w magnetisch maken; aiguille aimantée, magneetnaald, kompasnaald.

aimer ov.w beminnen, houden van; — à jouer, graag spelen; j'aime mieux jouer que d'étudier, ik speel liever dan dat ik studeer.

aine v lies.

aîné(e) bn/zn oudste, ouder; je suis son aîné, ik ben ouder dan hij. ▼**aînesse** v: droit d'—, eerstgeboorterecht.

ainsi bw zo, aldus; ainsi soit-il, amen; ainsi que, evenals, zoals.

air m 1 lucht, wind; contes en l'—, verzinsels; en plein —, au grand —, in de openlucht; prendre l'—, een luchtje scheppen; promesse en l'—, lichtzinnige belofte; 2 uiterlijk, voorkomen; il a l'— content, hij ziet er tevreden uit; avoir l'— de, lijken, schijnen, er uitzien; prendre des —s, voornaam, deftig doen; 3 wijs, lied; l'— national, het volkslied.

airain m 1 brons; âge d'—, bronzen tijdperk; cœur d'—, een hart van steen; 2 (dicht.) kanon, klok.

airbus m luchtbus.

air-conditionné bn air-conditioned.

aire v 1 oppervlak; 2 streek, gebied, terrein; — de hautes pressions, gebied van hoge luchtdruk; — de repos, parkeerplaats (autobaan); 3 horst; 4 (oud) dorsvloer.

aisance v 1 gemak; lieux, cabinets d'—s, w.c.; 2 welstand. ▼**aise** I zn v 1 vreugde, tevredenheid; 2 gemak; à l'— à son —, op zijn gemak; à votre —, geneer u maar niet!; vous en parlez à votre —, u hebt mooi praten; en prendre à son —, zich niet druk maken; aimer ses —s, van een gemakkelijk leventje houden. II bn zijt, tevreden; être bien —, blij zijn. ▼**aisé** bn 1 gemakkelijk; 2 bemiddeld, welgesteld.

aisselle v oksel.

Aix-la-Chapelle v Aken.

ajonc *m* gaspeldoorn.

ajour *m* opening. ▼**ajouré** *bn* met openingen. ▼**ajourer** *ov.w* van openingen voorzien.

ajournement *m* 1 dagvaarding; 2 uitstel. ▼**ajourner** *ov.w* uitstellen.

ajout *m* toevoegsel, verlengstuk. ▼**ajouter** *ov.w* toevoegen; — *à*, vergroten, vermeerderen, iets toevoegen aan; — *foi à*, geloof hechten aan.

ajustage *m* 1 het afwerken v.d. onderdelen v.e. machine; 2 het pasklaar maken, monteren. ▼**ajust./é** *bn* nauwsluitend. ▼**—ement** *m* 1 het pasklaar maken; 2 opschik, sieraad. ▼**—er** *ov.w* 1 zuiver stellen (*une balance*); 2 vastmaken, aanbrengen; 3 monteren (*une machine*); 4 mikken op; 5 kleden. ▼**—eur** *m* monteur, bankwerker.

alacrité *v* opgewektheid, vrolijkheid.

alambic *m* distilleerkolf. ▼**alambiquer** *ov.w* distilleren; *style alambiqué*, gekunstelde stijl.

alanguir I *ov.w* doen kwijnen. II *s'—* kwijnen. ▼**alanguissement** *m* kwijning, lusteloosheid.

alarmant *bn* verontrustend. ▼**alarme** *v* 1 alarm; *sonner l'—*, alarm blazen; 2 schrik; *les —s*, ongerustheid. ▼**alarmer** I *ov.w* 1 alarm slaan; 2 verontrusten, alarmeren. II *s'—* zich ongerust maken. ▼**alarmiste** *m* onruststoker.

Albanais Albanees. ▼**Albanie** *v* Albanië.

albâtre *m* albast.

albatros *m* albatros.

albinisme *m* gebrek aan of gemis v.d. kleurstof der huid. ▼**albinos** *m* (*spreek de s uit!*) albino.

album *m* album, prentenboek.

albumen *m* album. ▼**albumin/e** *v* eiwitstof. ▼**—eux, -euse** *bn* eiwithoudend.

alcade *m* Spaanse burgemeester.

alcali *m* alkali; — *volatil*, ammoniak. ▼**alcalin** *bn* alkalisch. ▼**—iser** *ov.w* alkalisch maken.

alchim/ie *v* kunst v.d. omzetting van metalen (speciaal v.h. kunstmatig maken van goud). ▼**—ique** *bn* wat de alchimie betreft. ▼**—iste** *m* alchimist.

alcool *m* alcohol; — *à brûler*, brandspiritus; — *pur* (*absolu*), zuivere alcohol. ▼**—émie** *v* alcoholgehalte. ▼**—ique** I *bn* 1 alcoholisch; 2 drankzuchtig. II *zn m of v* dronkaard. ▼**—iser** *ov.w* alcoholisch maken. ▼**—isme** *m* drankzucht. ▼**alcoomètre** *m* alcoholmeter. ▼**alcotest** *m* ademtest.

alcôve *v* alkoof.

alcyon *m* (*myth.*) ijsvogel.

ale (*spr.*: èl) *v* Engels bier.

aléa *m* toeval, risico. ▼**aléatoire** *bn* wisselvallig, onzeker.

alentour *bw* in de omtrek; *les —s, m mv* de omtrek.

alerte I *bn* vlug, bij de hand. II *zn v* alarm; — *à la bombe*, bommelding. III *tw* te wapen!, op! ▼**alerter** *ov.w* alarmeren; — *des troupes*, waarschuwen voor gevaar.

alésage *m* (het) uitboren, boring. ▼**aléser** *ov.w* uitboren v.e. cilinder.

alevin *m* pootvis. ▼**—er** *ov.w* vis uitpoten.

alexandrin I *zn m* alexandrijn (12-lettergrepig vers). II *bn* Alexandrijns.

alexie *v* woordblindheid.

alezan *m* vos (paard); — *brûlé*, zweetvos; — *clair*, lichte vos; — *doré*, goudvos.

alfa *m* 1 espartogras; 2 soort papier.

algarade *v* 1 heftige uitval; 2 ruzie.

algèbre *v* algebra; *c'est de l'—pour lui*, daar weet, begrijpt hij niets van. ▼**algébrique** *bn* algebraïsch. ▼**algébriste** *m* stelkundige.

Alger *m* Algiers. ▼**Algérie** *v* Algerije. ▼**algérien, -enne** I *bn* Algerijns. II *zn* A—*m*, -enne *v* Algerijn(se). III **—ne** *v* stof met veelkleurige strepen. ▼**algérois, -e** I *bn* uit de stad Algiers. II *zn* A—*(e)* bewoner (bewoonster) v.d. stad Algiers.

algide *bn: fièvre —*, koude koorts.

algue *v* alg (*plk.*).

alias *bw* anders gezegd.

alibi *m* alibi.

aliénation *v* 1 vervreemding; 2 krankzinnigheid. ▼**aliéné(e)** *m of v* krankzinnige; *maison d'—s*,

krankzinnigengesticht. ▼**alién/er** I *ov.w* 1 vervreemden; 2 benevelen (*la raison*); 3 afkerig maken, iem. van een ander vervreemden. II *s'—* van zich vervreemden. ▼**—isme** *m* wetenschap der geestesziekten. ▼**—iste** *m* arts voor geestesziekten; *médecin* —, arts voor geestesziekten.

alifère *bn* gevleugeld (van insekten). ▼**aliforme** *bn* vleugelvormig.

alignement *m* 1 plaatsen op een rij; 2 rooilijn; 3 bondgenootschap; 4 aanpassing. ▼**aligner** I *ov.w* in een rechte lijn plaatsen, richten; — *ses phrases*, overdreven verzorgd schrijven. II *s'—* 1 in een rij gaan staan; 2 (*pop.*) tegenover elkaar gaan staan om te vechten.

aliment *m* voedsel. ▼**—aire** *bn* voedend; *canal* —, spijsverteringskanaal; *pâtes —s*, vermicelli, macaroni enz.; *plante* —, eetbare plant; *pension* —, jaargeld voor onderhoud. ▼**—ation** *v* 1 bevoorrading; 2 voeding. ▼**—er** *ov.w* 1 voeden; 2 van voedsel voorzien, bevoorraden.

alinéa *m* alinea.

alisier *m* elsbesseboom.

alité *bn* bedlegerig. ▼**alitement** *m* 1 bedlegerigheid; 2 het te bed leggen. ▼**aliter** I *ov.w* iem. dwingen in bed te blijven. II *s'—* naar bed gaan (v. zieke).

alizé *m: vents —s*, passaatwinden.

allaitement *m* het zogen. ▼**allaiter** *ov.w* zogen.

allant I *bn* beweeglijk, bedrijvig; *les allants et les venants*, de gaande en komende man. II *zn m* enthousiasme.

alléchant *bn* aantrekkelijk, verleidelijk. ▼**allécher** *ov.w* aanlokken, verleiden.

allée *v* 1 laan; 2 gang; *les —s et venues*, het heen en weer lopen.

allégation *v* 1 bewering; 2 aanvoering.

allège *v* lichter (*scheepv.*). ▼**allégeance** *v* 1 verlichting, verzachting; 2 trouw. ▼**allégement** *m* 1 het lichter maken (*scheepv.*); 2 verlichting. ▼**alléger** *ov.w* 1 lichter maken (*scheepv.*); 2 verlichten, lenigen (*la douleur*).

allégorie *v* allegorie. ▼**allégorique** *bn* allegorisch, zinnebeeldig.

allègre *bn* opgeruimd, vlug. ▼**allégresse** *v* vreugde. ▼**allegretto** *bn* tamelijk snel (*muz.*). ▼**allegro** *bn* snel (*muz.*).

alléguer *ov.w* aanvoeren (*des raisons*).

alléluia *m* halleluja (*lof God*); *entonner l'—*, iemand op overdreven wijze prijzen.

Allemagne *v* Duitsland. ▼**allemand** I *bn* Duits. II *zn* A—*m*, -es *v* Duitser (-se); *l'a—*, de Duitse taal. ▼**allemande** *v* 1 Duitse polka; 2 de wijs van deze polka.

aller I *ov.w* (*onr.*) 1 gaan, lopen; — *à cheval*, paardrijden; *comment allez-vous?*, hoe maakt u het?; *comme vous y allez!*, wat draaf je door!, wat loop je hard van stapel!; *le commerce va*, de zaken gaan goed; — *au-devant de qn.*, iem. tegemoet gaan (uit beleefdheid); — *à la rencontre de qn.*, iem. tegemoet gaan; *il va sans dire (de soi)*, het spreekt vanzelf; *laisser —*, laten waaien; — *loin*, het ver brengen; *au pis* —, in het ergste geval; — *prendre*, afhalen; — *à tâtons*, tastend voorwaarts gaan; — *au trot*, stapvoets gaan; — *son train*, zijn gang gaan; *rien ne va plus*, er wordt niet meer ingezet (bij hazardspelen); *ce travail ne va pas*, dit werk schiet niet op; — *et venir*, heen en weer lopen; — *voir*, opzoeken; *allez-y!*, ga je gang!; *allons-y!*, vooruit!; *il y va de votre honneur*, het gaat om uw eer; *on y va!*, dadelijk, zo aanstonds!; *va donc!*, loop naar de maan!; 2 passen, goed staan; — *à qn.*, iem. goed staan, staat (past) u goed; *cela me va*, dat bevalt me, staat me goed aan; 3 dadelijk zullen, op het punt staan te: *le train va partir*, de trein zal dadelijk vertrekken, staat op het punt te vertrekken. II *s'en*— weggaan, heengaan, sterven (*le malade s'en va*). III *zn m* het gaan; heenreis; *billet d'—et retour*, retourbiljet; *tant va la cruche à l'eau qu'à la fin elle se brise* (*spr.w.*), de kruik gaat zo lang te water, tot ze

breekt.
allergène m allergeen. ▼**allergie** v allergie.
▼**allergique** bn allergisch.
allez! tw vooruit!
alliacé bn knoflookachtig.
alliage m 1 mengsel van metalen;
　2 vermenging.
alliance v 1 huwelijk; anneau d'—, trouwring;
　par —, aangetrouwd; 2 verbond, liga, alliantie;
　3 vereniging. **allié** l zn m, -e v 1 bondgenoot
　(-genote); 2 verwant(e). ll bn verbonden,
　verwant, aangetrouwd. ▼**allier** l ov.w
　1 verbinden; 2 vermengen; 3 (fig.) paren aan
　(— la force à la bonté). ll s'— 1 een verbond
　sluiten; 2 zich door het huwelijk verbinden;
　ces fleurs blanches s'allient bien avec ces
　tulipes rouges, die witte bloemen staan goed
　bij die rode tulpen.
allier m vogelnet.
alligator m Amerikaanse krokodil.
allitération v alliteratie (herhaling v. dezelfde
　letters of lettergrepen).
allo tw hallo (tel.).
allocation v 1 goedkeuring v.e. uitgavepost;
　2 toelage; — d'attente, overbruggingsgeld; —
　familiale, kinderbijslag; 3 volgorde der
　schuldeisers bij een faillissement.
allocution v (korte) toespraak.
allogène bn van een ander ras.
allong/e v 1 verlengstuk; 2 vleeshaak;
　3 armlengte. ▼**—ement** m verlenging. ▼**—er**
　l ov.w 1 verlengen, uitstrekken (le bras);
　2 toebrengen (un coup d'épée); 3 aanlengen
　(une sauce). ll on.w langer worden.
allons! tw vooruit!
allo/pathe m allopaat. ▼**—pathie** v
　geneeswijze, die middelen aanwendt, die in
　strijd zijn met de natuur der ziekte.
allouer ov.w toekennen (une indemnité).
allumage m 1 (het) aansteken; 2 ontsteking
　(bij een motor). ▼**allume-gaz** m
　gasaansteker. ▼**allum/er** ov.w 1 aansteken;
　2 doen ontbranden, aanzetten. ▼**—ette** v
　lucifer; — bougie, waslucifer. ▼**—eur** m 1
　lantaarnopsteker. ▼**—euse** v
　zinnenprikkelende vrouw.
allure v 1 gang, vaart, snelheid; 2 houding,
　manier van doen, allure.
allusif, -ive bn met een toespeling. ▼**allusion**
　v toespeling.
alluvial, -aux bn alluviaal. ▼**alluvions** v mv
　aanslibsel. ▼**alluvionnement** m slibvorming.
almanach m almanak; un — de l'an passé, een
　oude zaak; iets, dat niet actueel meer is.
aloès m aloë (plk.).
aloi m 1 gehalte (van goud of zilver); 2 allooi,
　soort; de mauvais —, van slecht allooi.
alopécie v haaruitval.
alors l bw toen, dan; jusqu'alors, tot dan toe.
　ll vgw: — que, terwijl, toen, wanneer, zelfs
　wanneer.
alose v elft.
alouate m brulaap.
alouette v leeuwerik; attendre que les —s
　tombent toutes rôties, wachten, tot de
　gebraden duiven je in de mond vliegen.
alourdir ov.w verzwaren. ▼**alourdissement**
　m logheid, dofheid.
aloyau m lendestuk (van rund).
alpaga m 1 kameelgeit uit Z.-Amerika;
　2 wollen stof, van de vacht van deze geit
　gemaakt.
alpage m alpenweide. ▼**alpe** v hoge berg; les
　Alpes, de Alpen. ▼**alpestre** bn wat betrekking
　heeft op de Alpen (bijv. flore —).
alpha m eerste letter v. h. Griekse alfabet; l'— et
　l'oméga, het begin en het einde. ▼**alphabet** m
　1 alfabet; 2 a.b.c.-boekje, eerste leesboekje.
　▼**alphabétique** bn alfabetisch.
　▼**alphabétis/ation** v het leren lezen en
　schrijven (aan analfabeten). ▼**—er** ov.w 1 in
　alfabetische volgorde plaatsen; 2 leren lezen
　en schrijven.
alpin bn van wat in de Alpen leeft of groeit; club
　—, alpenclub; chasseur —, alpenjager (mil.).
　▼**—isme** m bergsport, alpinisme. ▼**—iste** m

bergbeklimmer, alpinist.
Alsace v Elzas. ▼**alsacien, -enne** l bn uit de
　Elzas. ll zn A—m Elzasser, -ne v vrouw uit de
　Elzas.
altér/abilité v veranderlijkheid. ▼**—able** bn
　veranderlijk. ▼**—ation** v 1 verandering;
　2 vervalsing; 3 ontroering, ontsteltenis;
　4 verhoging of verlaging v. e. muzieknoot.
altercation v twist, levendige
　woordenwisseling.
altér/er ov.w 1 ten kwade veranderen;
　2 vervalsen; 3 verkoelen (l'amitié); 4 dorstig
　maken; 5 oxyderen. ▼**—ité** v het anders zijn.
altern/ance v afwisseling. ▼**—ant** bn
　afwisselend. ▼**—at** m afwisseling. ▼**—ateur** m
　wisselstroommachine, dynamo. ▼**—atif, -ive**
　bn afwisselend; courant —, wisselstroom.
　▼**—ative** v 1 regelmatige afwisseling; 2 keus,
　alternatief. ▼**—ativement** bw om beurten,
　beurtelings. ▼**alterne** bn: angles —s,
　verwisselende binnen- of buitenhoeken.
　▼**alterné** bn 1 wisselend; 2 gekruist; culture
　—e, wisselbouw. ▼**alterner** l on.w regelmatig
　afwisselen. ll ov.w afwisselen.
altesse v hoogheid (titel).
altier, -ère bn hoogmoedig, trots.
altimètre m hoogtemeter.
altissime bn zeer hoog, zeer verheven.
altiste m/v altvioolspeler/-speelster.
altitude v hoogte (boven de zeespiegel).
alto m 1 altviool; 2 alttrompet.
altruisme m naastenliefde. ▼**altruiste** l bn
　menslievend. ll zn m of v altruïst.
alumineux, -euse bn aluinaarde bevattend.
aluminium m aluminium.
alun m aluin.
alun/ir on.w op de maan landen. ▼**—issage** m
　landing op de maan.
alvéole m 1 tandkas; 2 bijencel.
amabilité v vriendelijkheid, beminnelijkheid.
amadou m zwam.
amadouer ov.w overhalen door vleierij, paaien
　(— des créanciers).
amaigrir l ov.w vermageren, mager maken.
　ll on.w en s'— vermageren; régime
　amaigrissant, vermageringskuur.
　▼**amaigrissement** m vermagering.
amalgamation v het verbinden van kwik met
　een ander metaal. ▼**amalgame** m
　1 amalgama, verbinding van kwik met een
　ander metaal; 2 zonderling mengsel; (— de
　couleurs). ▼**amalgamer** ov.w vermengen
　(ook fig.).
amande v amandel; pour avoir l'—, il faut
　casser le noyau (spr.w), om iets te kunnen
　verdienen, moet men zich eerst moeite geven.
　▼**amandé** l bn: lait —, amandelmelk. ll zn m
　amandelmelk. ▼**amandier** m amandelboom.
amant m, -e v minnaar, minnares.
amarante l zn v amarant (plk.). ll bn
　purperkleurig.
amariner l ov.w 1 opnieuw bemannen
　(scheepv.); 2 aan de zee gewennen. ll s'—
　aan de zee wennen.
amarrage m 1 het vastmeren (scheepv.);
　koppeling; 2 ligplaats (scheepv.); 3 knoop.
　▼**amarre** v meerkabel. ▼**amarrer** ov.w
　vastmeren, koppelen.
amaryllis v amaryllis (plk.).
amas m hoop, stapel. ▼**—sement** m
　opeenhoping, opstapeling. ▼**—ser** ov.w
　1 opstapelen, opeenhopen; 2 verzamelen.
amateur m of v 1 liefhebber (-ster) (— de
　musique); 2 dilettant, amateur. ▼**—isme** m
　amateurisme.
amatir ov.w dof, mat maken van goud, enz.
amazone l zn v 1 krijgshaftige vrouw;
　2 paardrijdster; 3 amazonekostuum. ll l'A—
　de Amazone (rivier).
ambages v mv veel omhaal van woorden;
　parler sans —, ronduit spreken.
ambassad/e v 1 gezantschap;
　2 gezantschapspost; 3 gezantschapsgebouw;
　4 boodschap, bericht. ▼**—eur** m, -rice v 1 id.,
　gezant(e); 2 boodschapper (-ster).
ambiance v 1 omgeving; 2 (fam.)

gezelligheid, sfeer. ▼**ambiant** *bn* omringend.
ambidextre *m* of *v* iem. die zich van beide
handen even gemakkelijk bedient.
ambi/gu *m* (*oud*) tragi-komisch toneelstuk.
▼**—gu**(**ë**) *bn* halfslachtig, dubbelzinnig.
▼**—guïté** *v* halfslachtigheid,
dubbelzinnigheid.
ambitieux, -euse *bn* eerzuchtig; *style* —,
gezochte, gezwollen, hoogdravende stijl.
▼**ambition** *v* eerzucht. ▼**—ner** *ov.w* najagen,
sterk begeren, ambiëren.
ambival/ence *v* ambivalentie,
dubbelwaardigheid. ▼**—ent** *bn* ambivalent.
amble *m* telgang; *aller l'*—, in telgang gaan.
▼**ambleur, -euse** *m* of *v* (*cheval*) —,
telganger.
Ambonais *m* Ambonees. ▼**Amboine** *v*
Ambon.
ambre *m* amber; — *jaune*, barnsteen. ▼**ambré**
bn **1** naar amber ruikend; **2** met de kleur van
barnsteen (*teint* —).
ambroisie *v* **1** godenspijs; **2** heerlijk gerecht.
▼**ambrosien, -enne** *bn* ambrosiaans.
ambul/ance *v* ambulance, -wagen.
▼**—ancier** *m*, **-ancière** *v* bestuurder (-ster)
v.e. ambulance. ▼**—ant** *bn* reizend,
rondtrekkend; *un cadavre* —, een levend lijk.
▼**—atoire** *bn* zonder vaste zetel.
âme *v* **1** ziel, geest; *avoir qc. sur l'*—, iets op zijn
geweten hebben; *bonne* —, goede ziel, sukkel;
les —*s damnées*, de verdoemden; *chanter avec*
—, met bezieling, gevoel zingen; *les* —*s
bienheureuses*, de zaligen; *donner de l'* — *à*,
bezielen; *se donner corps et* —, zich met hart
en ziel geven; *homme sans* —, gevoelloos
man; *rendre l'*—, de geest geven; *je ne vis* —
qui vive, ik zie geen levende ziel; **2** bewoner
(*ce village a 10.000* —*s*); **3** stapel v.e. viool;
4 inwendige v.d. loop van een kanon.
amélior/able *bn* wat verbeterd kan of moet
worden. ▼**—ant** *bn* verbeterend. ▼**—ation** *v*
verbetering. ▼**—er I** *ov.w* verbeteren. **II s'**—
beter worden.
amen amen.
aménag/ement *m* **1** inrichting; aanleg (bijv.
v.e. tuin); **2** planologie; — *du territoire*,
ruimtelijke ordening. ▼**—er** *ov.w* **1** inrichten;
2 het houthakken -, de houtverkoop in een bos
regelen.
amendable *bn* vatbaar voor verbetering.
amende *v* boete; *faire* — *honorable*, (openlijk)
zijn schuld, ongelijk bekennen.
amend/ement *m* **1** verbetering; **2** stof die
verbetering brengt; **3** (*pol.*) amendement.
▼**—er** *ov.w* **1** amenderen (v.e. wetsvoorstel);
2 verbeteren.
amène *bn* zacht, lief (*caractère* —).
amenée *v* aanvoer v. water. ▼**amener I** *ov.w*
1 brengen, aanvoeren; — *à*, ertoe brengen;
2 invoeren (*une mode*); **3** veroorzaken, met
zich meebrengen; — *les voiles*, de zeilen
strijken; — *son pavillon, ses couleurs*, zich
overgeven; **4** voorgeleiden. **II s'**— (*pop.*)
komen.
aménité *v* zachtheid, liefheid; —*s*, (*iron.*)
beledigende woorden.
amenuis/ement *m* het dunner maken. ▼**—er**
ov.w dunner maken.
amer, -ère I *bn* **1** bitter; **2** droevig. **II** *zn m*
bittertje (drank); *un* — *Picon*, bekende Franse
bitter.
américain(e) I *bn* Amerikaans. **II** *zn* **A**— *m*, **-e**
v Amerikaan(se). ▼**américain/isation** *v* het
Amerikaans maken. ▼**—iser** *ov.w* Amerikaans
maken. ▼**—isme** *m* **1** typisch Amerikaanse
uitdrukking; **2** studie v.d. Amer. cultuur.
▼**Amérique** *v* Amerika; *l'* — *du Nord/du Sud*,
Noord-/Zuid-Amerika.
amerr/ir *ov.w* het op zee dalen v.e.
watervliegtuig. ▼**—issage** *m* (het) dalen v.e.
watervliegtuig.
amertume *v* **1** bitterheid; **2** verbittering, leed.
améthyste *v* amethist.
ameublement *m* ameublement.
ameubl/ir *ov.w* **1** de grond losser maken;
2 omspitten. ▼**—issement** *m* het omspitten.

ameuter I *ov.w* opruien. **II s'**— te hoop lopen.
ami(e) I *zn m* of *v* vriend, vriendin; *bon(ne)
ami(e)*, minnaar, minnares (*fam.*); *chambre
d'*—*s*, logeerkamer; — *de cœur*, boezemvriend;
— *de collège*, schoolvriend; — *de la maison*,
huisvriend; *les bons comptes font les bons* —*s*
(*spr.w*), effen rekeningen maken goede
vrienden. **II** *bn* **1** vriendschappelijk, bevriend;
2 gunstig (*des vent* —*s*). ▼**amiable** *bn*
vriendelijk, vriendschappelijk; *arranger à l'*—,
in der minne schikken.
amiante *m* **1** wit asbest; **2** steenvlas.
amibe *v* amoebe.
amical *bn* [*mv* **aux**] vriendschappelijk.
▼**amicale** *v* vereniging van sportlieden, van
mensen, die hetzelfde beroep uitoefenen.
amict *m* schouderdoek van priesters.
amidon *m* **1** zetmeel; **2** stijfsel. ▼**—nage** *m* het
stijven. ▼**—ner** *ov.w* stijven.
amiénois I *bn* uit Amiens. **II** *zn* **A**— *m*, **-e** *v*
bewoner (bewoonster) van Amiens.
aminc/ir I *ov.w* dunner, slanker maken,
afslanken. **II s'**— dunner, slanker worden.
▼**—issement** *m* het dunner worden (maken).
aminé *bn*: *acide* —, aminozuur. ▼**amines** *v mv*:
— *de réveil*, wekaminen.
amiral *m* [*mv* **aux**] admiraal; *vaisseau* —,
admiraalsschip; *pavillon* —, admiraalsvlag.
▼**amirauté** *v* admiraliteit.
amitié I *v* vriendschap; *faire, lier* — *avec qn.*,
vriendschap met iemand sluiten; *prendre qn.
en* —, vriendschap voor iem. opvatten;
faites-moi l' — *de*, doe mij het genoegen; *les
petits présents entretiennent l'* — (*spr.w*),
kleine geschenken onderhouden de
vriendschap. **II** —*s* beleefdheden,
vriendelijkheden; *faites-lui mes* —*s*, doe hem
de groeten van mij.
ammoniac, -que *zn/bn* ammoniak; *sel* —,
salmiak.
amnésie *v* geheugenverlies, -zwakte.
▼**amnésique** *bn* lijdend aan geheugenzwakte
of -verlies.
amnistie *v* amnestie. ▼**amnistier** *ov.w*
1 amnestie verlenen; **2** vergeven.
amocher *ov.w* (*pop.*) wonden, verminken.
amodi/ataire *m* of *v* pachter (-ster). ▼**—ateur**
m, **-trice** *v* pachter (-ster). ▼**—ation** *v*
verpachting. ▼**—er** *ov.w* verpachten.
amoindr/ir I *ov.w* verminderen. **II s'**—
verminderen. ▼**—issement** *m* vermindering.
amoll/ir *ov.w* **1** week, zacht maken;
2 verslappen, verwijven. ▼**—issant** *bn*
verslappend. ▼**—issement** *m* **1** verslapping,
verwijving; **2** het week, slap worden.
amonceler *ov.w* ophopen, opstapelen.
▼**amoncellement** *m* het ophopen,
opstapelen.
amont *m* stroomopwaarts gelegen helling,
land; *en* — *de*, liggend boven.
amoral *bn* [*mv* **aux**] zonder gevoel voor
zedelijkheid, amoreel.
amorce *v* **1** lokaas, aas; **2** aanloksel,
verleidelijkheid; **3** lont, slaghoedje.
▼**amorcer** *ov.w* **1** van aas voorzien; **2** aas in
het water gooien; **3** lokken, verleiden;
4 beginnen, aanpakken (*une affaire*).
amorphe *bn* **1** vormloos; **2** slap, zonder
reactie.
amort/ir I *ov.w* **1** verzwakken, doen afnemen;
2 breken (*un coup*); **3** aflossen, delgen,
afschrijven; **4** mals maken (*les viandes*). **II s'**—
verflauwen, bedaren. ▼**—issable** *bn* aflosbaar.
▼**—issement** *m* **1** verzwakking;
2 afschrijving, delging; *caisse (fonds) d'*—,
amortisatiefonds. ▼**—isseur** *m* schokbreker
van auto.
amour *m* **1** liefde; *pour l'* — *de Dieu*, ter liefde
Gods, voor niets; **2** lieveling, schatje.
▼**—acher (s')** *v* iemand plotseling (tijdelijk)
dol verliefd maken. **II s'**— de plotseling dol
verliefd worden op. ▼**—ette** *v*
(voorbijgaande) verliefdheid. ▼**—eux, -euse**
I *bn* (**de**) **1** verliefd (op); **2** verzot, dol op. **II** *zn*
m of *v* minnaar (minnares). ▼**amour-propre**
m eigenliefde.

amovibilité v afzetbaarheid. ▼amovible bn
1 afzetbaar; 2 verplaatsbaar, afneembaar.
ampérage m stroomsterkte. ▼ampèremètre
m ampèremeter.
ampex: bande —, ampexband.
amphétamine v amfetamine.
amph(i) (voorvoegsel) van beide kanten,
rondom, dubbel. ▼amphi m collegezaal.
amphibie l bn in het water en op het land
levend, tweeslachtig; opération militaire —,
krijgsverrichting te water en op het land
tegelijk. II zn v dier, dat op het land en in het
water leeft.
amphibologie v dubbelzinnigheid.
▼amphibologique bn dubbelzinnig.
amphigourique bn verward.
amphithéâtre m 1 amfitheater; terrain en —,
oplopend terrein; 2 amfitheatersgewijze
oplopende collegezaal.
amphitryon v gastheer (bij een diner).
amphore v oude Griekse vaas met twee oren.
ample bn 1 ruim, wijd; 2 overvloedig; un —
repas, een uitgebreide maaltijd; de plus — s
détails, nadere bijzonderheden. ▼ampleur v
1 ruimte, breedte, omvang, uitgestrektheid;
prendre de l'—, zich uitbreiden;
2 breedvoerigheid; 3 overvloed.
ampli zie amplificateur.
ampli/atif, -ive bn aanvullend. ▼—ation v
1 uitbreiding, aanvulling; 2 duplicaat v.e.
notarisakte.
ampli/fiant bn vergrotend. ▼—ficateur m
1 geluidsversterker; 2 fotografisch
vergrotingstoestel. ▼—fication v
1 vergroting; 2 opstel; 3 uitweiding,
overdrijving; 4 versterking; 2 uitvoerig
behandelen; 3 overdrijven. ▼—fier ov.w
1 uitbreiden, vergroten; 2 uitvoerig
behandelen; 3 overdrijven. ▼—tude v
amplitudo, slingerwijdte.
ampoule v 1 blaar; ne pas se faire d'—s aux
mains, zich niet te hard werken; 2 ampul,
wijdbuikig flesje; 3 peer v.e. lamp. ▼ampoulé
bn gezwollen (style —).
amputation v amputatie v.e. lichaamsdeel.
▼amputé l zn m, -e v geamputeerde. II bn
afgezet.
amulette v amulet, talisman.
amunitionn/ement m het van munitie
voorzien. ▼—er ov.w van munitie voorzien.
amus/ant bn vermakelijk, prettig. ▼—ement
m 1 vermaak; 2 tijdverdrijf. ▼amuse-gueule
m (fam.) borrelhapje. ▼amus/er l ov.w
1 vermaken; 2 paaien. II s'— zich vermaken;
s'— de qn., zich over iem. vrolijk maken.
▼—ette v 1 klein vermaak; 2 speelgoed.
▼—eur m, -euse v iemand, die vermaakt.
amygdale v amandel (med.).
an m jaar; il y a cent —s, (het is) honderd jaar
geleden; trois fois l'—, drie maal 's jaars; le jour
de l'—, le nouvel —, nieuwjaarsdag,
nieuwjaar; par —, jaarlijks; l'— de grâce, het jaar
onzes Heren; l'— du monde, het jaar sedert de
schepping; bon —, mal —, gemiddeld per jaar;
les —s, de ouderdom.
anabaptisme m leer der wederdopers.
▼anabaptiste m wederdoper.
anachorète m 1 kluizenaar; 2 iemand, die zeer
teruggetrokken leeft. ▼anachorétique bn
v.d. kluizenaar.
anachron/ique bn anachronistisch. ▼—isme
m 1 fout tegen de tijdrekening; 2 iets, wat niet
strookt met de gebruiken v.e. bepaalde tijd.
anagramme v anagram (het vormen v.e.
nieuw woord, door omzetting v.d. letters).
anal [mv aux] bn wat de anus betreft.
analectes m mv bloemlezing.
analeptique bn versterkend. II zn m
versterkend middel.
analgésique (analgique) l bn ongevoelig
voor pijn. II zn m versterkend middel.
analogie v overeenkomst, gelijkenis; raisonner
par —, volgens de wetten der overeenkomst
redeneren. ▼analogique bn analogisch,
overeenkomstig. ▼analogue bn
overeenkomstig, dergelijk.

analpha/bète m of v analfabeet (iem. die niet
kan lezen of schrijven). ▼—bétisme m
analfabetisme.
analysable bn onleedbaar. ▼analys/e v
1 ontleding, analyse; 2 uittreksel uit een boek
enz.; 3 woord- of zinsontleding; en dernière
—, alles wel beschouwd, ten slotte. ▼—er
ov.w 1 ontleden, ontbinden; 2 een uittreksel
maken. ▼—eur m ontleder. ▼—te m (vooral
wiskunstige) analyticus. ▼analytique bn
analytisch.
ananas m ananas, -plant.
anapeste m anapest (versvoet, bestaande uit
twee korte lettergrepen en één lange).
anar m anarchist. ▼anarch/ie v
1 regeringloosheid; 2 verwarring, warboel,
wanorde. ▼—ique bn 1 anarchistisch,
regeringloos; 2 wanordelijk. ▼—isme m
stelsel der anarchisten. ▼—iste m anarchist.
anastigmat m anastigmaat (fot.).
▼anastigmate bn anastigmatisch (fot.).
anathémati/ation v kerkelijke ban. ▼—er
ov.w 1 in de kerkelijke ban doen;
2 vervloeken, sterk veroordelen. ▼anathème
m 1 kerkelijke ban; 2 vervloeking,
veroordeling; 3 iemand, die in de ban is.
anatidés m mv zwemvogels.
anatom/ie v 1 ontleedkunde; faire l'— d'un
cadavre, ontleden; 2 gips- of wasproduktie
v.e. deel v.h. lichaam. ▼—ique bn
ontleedkundig. ▼—iser ov.w ontleden.
▼—iste m ontleedkundige.
ancestral [mv aux] bn van de voorouders.
▼ancêtres m mv voorouders.
anchois m mv ansjovis.
ancien, -enne l bn 1 oud; 2 vorig, vroeger;
langues —nes, oude talen; l'— régime, het
Franse regeringsstelsel van vóór de Revolutie.
II zn m oude; les —s, de oude Grieken of
Romeinen; grijsaards. ▼—nement bw
vroeger, voorheen, eertijds. ▼—neté v
1 oudheid; 2 voorrang wegens leeftijd of
dienstjaren (avancement à l'—), anciënniteit.
ancolie v akelei (plk.).
ancrage m ankerplaats. ▼ancre v anker (ook
muur-, horloge-); être à l'—, voor anker liggen;
jeter, mouiller l'ancre, het anker uitwerpen;
lever l'—, het anker lichten; — de salut, laatste
hoop, toevlucht. ▼ancrer ov.w ankeren,
verankeren; —é, (fig.) vastgeworteld,
genesteld.
andante l bn (muz.) matig, langzaam. II zn m:
un —, een langzaam muziekstuk. ▼andantino
l bn (muz.) iets vlugger dan andante. II zn m:
un —, een muziekstuk in dit tempo.
andouille v 1 worst; 2 sukkel. ▼andouillette
v worstje.
androgyne bn/zn m hermafrodiet.
âne m ezel (ook fig.); — bâté, stomme ezel; le
pont aux —s, de ezelsbrug; dos d'—, uitholling
overdwars; colline en dos d'—, aan beide
zijden glooiende heuvel; toit en dos d'—,
zadeldak; les chevaux courent les bénéfices et
les —s les attrapent (spr.w), de paarden, die de
haver verdienen, krijgen ze niet; faire l'— pour
avoir du son, de domme uithangen, om een
ander er in te laten vliegen.
anéant/ir l ov.w 1 vernietigen; 2 uitputten.
II s'— vernietigd worden. ▼—issement m
1 vernietiging; 2 uitputting;
3 neerslachtigheid.
anecdot/e v anekdote. ▼—ier m
anekdotenverteller of -verzamelaar. ▼—ique
bn anekdotisch. ▼—iser on.w 1 bij elke
voorkomende gelegenheid anekdoten
vertellen; 2 anekdoten verzamelen.
aném/ie v bloedarmoede. ▼—ier ov.w
-bloedarm maken. ▼—ique bn bloedarm.
anémone v anemoon (plk.).
ânerie v stommiteit.
anéroïde bn: baromètre —, metaalbarometer.
ânesse v ezelin.
anesthésie v gevoelloosheid, anesthesie.
▼anesthésier ov.w verdoven, gevoelloos
maken. ▼anesthésique l bn gevoelloos
makend, pijnstillend. II zn m pijnstillend,

verdovend middel. ▼**anesthésiste** m/v
anesthesist (e).
anévrisme m aneurisma, slagadergezwel.
anfractu/eux, -euse bn 1 bochtig; 2 oneffen
(route —se). ▼—**osité** v 1 bocht;
2 oneffenheid, holte.
ange m engel; zeer lief, zachtzinnig persoon,
bon —, helper; comme un —, beeldig, fraai;
être aux —s, in verrukking zijn; — déchu,
gevallen engel; — gardien, tutélaire,
bewaarengel, bewaker, lijfwacht; il passe un
—, er komt een dominee voorbij; rire aux —s,
in zichzelf lachen. ▼**angélique** bn
engelachtig. ▼**angélus** m de Engel des Heren,
angelus.
angevin bn uit Angers of Anjou.
angin/e v keelontsteking, angina; —
couenneuse, difteritis; — de poitrine, angina
pectoris. ▼—**eux, -euse** v wat betrekking
heeft op angina; affection angineuse,
keelaandoening.
anglais I bn Engels; à l'—e, op zijn Engels,
zonder afscheid te nemen. II zn A— m, -e v
Engelsman, Engelse; l'a—, de Engelse taal;
une —e, soort vlugge dans; des —es, lange
pijpekrullen.
angle m hoek; — aigu, scherpe hoek; — droit,
rechte hoek; — mort (mil.), dode hoek; —
obtus, stompe hoek.
Angleterre v Engeland.
anglican I bn anglicaans. II zn m anglicaan.
▼—**isme** m leer der anglicaanse Kerk.
anglic/iser ov.w verengelsen (bijv. un mot).
▼—**isme** m Engelse uitdrukking; aan het
Engels ontleende uitdrukking in een andere
taal.
anglo/mane m overdreven bewonderaar van
alles, wat Engels is. ▼—**manie** v overdreven
zucht om Engelsen na te bootsen. ▼—**phile**
I bn. II zn m of v Engelsgezind (e). ▼—**philie** v
Engelsgezindheid. ▼—**phobe** I bn
anti-Engels. II zn m iemand, die anti-Engels is.
▼—**phobie** v anti-Engelse gezindheid.
▼—**phone** bn Engels sprekend. ▼—**saxon**,
-**onne** I bn Angelsaksisch. II zn A— m,
-**onne** v Angelsaks (Angelsaksische)
angoissant bn benauwend, beangstigend,
angstwekkend. ▼**angoisse** v 1 angst,
benauwdheid; poire d'—, wrange peer, bittere
pil; 2 mondprop. ▼**angoisser** ov.w angstig
maken, benauwen.
Angola m Angola. ▼**angolais** bn Angolees.
angora I zn m 1 angorakat; 2 angorageit;
3 angorakonijn. II bn: chat —, angorakat.
anguille v paling, aal; — électrique, sidderaal;
— de mer, zeeaal; nœud d'—, vissersknoop; il y
a — sous roche, er schuilt een adder onder het
gras.
angul/aire bn wat de hoek (en) betreft; pierre
—, hoeksteen. ▼—**eux, -euse** bn hoekig;
visage —, scherpgetekend gezicht.
anhélation v kortademigheid.
anicroche v moeilijkheid (je).
aniline v aniline.
animal [mv aux] I zn m dier; quel —!, wat een
lomperd, vlegel! II bn dierlijk. ▼—**cule** m
microscopisch diertje. ▼—**ier** m
dierenschilder, beeldhouwer van dieren.
▼—**ité** v dierlijkheid.
animateur I zn m, -**trice** v 1 iem., die bezielt,
gangmaker, leider; 2 vervaardiger van
tekenfilms; 3 presentator. II bn bezielend.
▼**animation** v drukte, levendigheid. ▼**animé**
bn 1 bezield, met een ziel, levend (créature
—e); 2 levendig, druk; dessin —, tekenfilm.
▼**animer** I ov.w 1 leven geven; 2 bezielen;
3 aanvuren, aanmoedigen, aanzetten. II s'—
1 zich opwinden; 2 drukker worden.
animosité v 1 vijandschap; 2 wrok;
3 opwinding.
anis m anijs (plk.). ▼**anisette** v likeur uit anijs.
Anjou m 1 Franse landstreek; 2 wijn uit die
streek.
ankylose v gewrichtsstijfheid. ▼**ankylosé** bn
(ver)stijf (d).
annal bn een jaar durend. ▼**annales** v mv

1 (geschiedkundige) jaarboeken;
2 geschiedenis.
anneau [mv x] m 1 ring; — de mariage,
trouwring; — pastoral, bisschopsring;
2 schakel v. e. ketting.
année v jaar; — bissextile, schrikkeljaar; une
grande —, een beroemd wijnjaar; — lumière,
lichtjaar; — scolaire, schooljaar.
annelé bn 1 gekruld; 2 met ringen.
annexe I bn bijgevoegd, bijgebouwd. II zn v
1 bijgebouw; 2 bijlage. ▼**annexer** ov.w
inlijven. ▼**annexion** v inlijving, annexatie.
annihilation v vernietiging. ▼**annihiler** ov.w
1 vernietigen; 2 ongeldig maken (un acte).
anniversaire m 1 (ver)jaardag; 2 gedenkdag.
annonce v aankondiging, advertentie; faire l'—
de, aankondigen; faire insérer une —, een
advertentie plaatsen; — lumineuse,
lichtreclame. ▼**annoncer** ov.w 1 aan-,
afkondigen, verkondigen; adverteren;
2 voorspellen; 3 aandienen; l'affaire s'annonce
mal, de zaak laat zich slecht aanzien.
▼**annonceur** m 1 aankondiger; 2 omroeper
(speaker); 3 adverteerder. ▼**annonciateur**,
-**trice** bn aankondigend; signe —, voorbode,
-teken. ▼**Annonciation** v Maria-Boodschap.
annot/ateur m, -**trice** v hij, zij die verklarende
aantekeningen maakt bij een werk. ▼—**ation** v
verklarende aantekening. ▼—**er** ov.w
verklarende aantekeningen maken.
annuaire m almanak, jaarboek; — du
téléphone, telefoonboek. ▼**annuel, -le** bn
1 jaarlijks; 2 een jaar durend; plantes —les,
éénjarige planten. ▼—**lement** bw jaarlijks.
▼**annuité** v jaarlijkse rente en aflossing,
annuïteit.
annulaire I bn ringvormig. II zn m ringvinger.
annulation v nietigverklaring, vernietiging.
▼**annuler** ov.w nietig verklaren, vernietigen,
annuleren, afzeggen.
anoblir ov.w in de adelstand verheffen.
▼**anoblissement** m verheffing in de
adelstand; lettres d'—, adeldomsbrieven.
anode v anode.
anodin I bn 1 pijnstillend; 2 gematigd,
goedaardig (critique —e). II zn m verdovend,
pijnstillend middel.
anomal [mv aux] bn onregelmatig, anomaal.
▼—**ie** v 1 onregelmatigheid; 2 ongerijmdheid.
ânon m ezeltje. ▼—**ner** on.w hakkelen.
anonymat m anonimiteit. ▼**anonyme** bn
1 onbekend; 2 ongetekend; société —,
naamloze vennootschap; garder l'—, zich niet
bekend maken als schrijver.
anorak m windjak.
anormal [mv aux] bn abnormaal.
anse v 1 hengsel, handvat, oor; faire danser l'—
du panier, aan de meester meer in rekening
brengen dan het gekochte kost (van
dienstpersoneel); 2 kleine baai.
antagon/ique bn tegengesteld. ▼—**isme** m
1 vijandschap; 2 wedijver; 3 tegenstrijdigheid.
▼—**iste** m tegenstander, tegenstrever.
antalgique bn verdovend, pijnstillend.
antan m 1 vorig jaar; mais où sont les neiges
d'—?, waar is die goede, oude tijd gebleven?;
2 eertijds.
antarctique I bn de Zuidpool betreffend. II zn:
l' (Océan) —, de Zuidelijke IJszee.
anté- voorvoegsel, met betekenis 'van te voren'
of 'voor'.
antécédent I bn voorafgaand. II zn m
1 antecedent; 2 voorafgaande term v. e.
evenredigheid. III les —s, het verleden.
antéchrist m 1 antichrist; 2 goddeloos mens,
atheïst.
antédiluvien, -enne bn 1 antediluviaans;
2 zeer ouderwets.
antenne v 1 voelhoorn, spriet; 2 antenne; —
collective de télévision, centrale tv-antenne;
3 net.
antépénultième bn en zn v voorlaatste
(lettergreep).
antérieur I bn 1 vroeger; 2 voorafgaand;
partie —e, voorste gedeelte. II zn m voorpoot.
▼—**ement** bw eer, vroeger. ▼**antériorité** v

het voorafgaan, eerder zijn.
anthologie v bloemlezing.
anthracite m antraciet.
anthrax m steenpuist.
anthropo-, -anthrope *voor- of achtervoegsel, met betekenis* 'mens'.
▼anthropo/ide I bn van aap, die op de mens gelijkt. **II** zn m mensaap. **▼—logie** v menskunde. **▼—logique** bn wat de menskunde betreft, antropologisch. **▼—logue** m antropoloog. **▼—métrie** v methode voor het identificeren van misdadigers, door het opmeten van verschillende lichaamsdelen. **▼—phage I** bn mensenetend. **II** zn m menseneter. **▼—phagie** v menseneterij.
anti *voorvoegsel, met betekenis* 'tegen (over)'.
antiaérien, -enne bn: *canon* —, luchtafweergeschut.
antialcoolique bn antialcoholisch.
antiautoritaire bn antiautoritair.
antibiotique I bn antibiotisch. **II** zn m antibioticum.
antibrouillard bn: *phare* —, mistlamp.
antibuée anticondens.
anticancéreux bn kankerbestrijdend.
antichambre v wachtkamer; *faire* —, lang moeten wachten, voor men binnengelaten wordt.
antichar bn anti-tank; *fossé* —, tankgracht; *missile* —, anti-tankraket.
antichrétien, -enne bn antichristelijk.
anticipation v 1 het vooruitlopen op iets; 2 het vooruitzien (*d'une découverte*); *remercier par* —, bij voorbaat danken; 3 science fiction. **▼anticipé** bn: *veuillez agréer mes remerciements* —*s*, ontvang bij voorbaat mijn dank. **▼anticiper I** ov.w 1 vooruitlopen op (bijv. *le temps*); 2 vervroegen. **II** on.w: — *sur ses revenus*, zijn inkomsten bij voorbaat opmaken.
anticlérical [*mv aux*] **I** bn antiklerikaal. **II** zn m antiklerikaal. **▼—isme** m antiklerikalisme.
anticonceptionnel, -elle bn 1 zwangerschapwerend; 2 zwangerschap voorkomend, anticonceptie-.
anticonstitutionnel, -elle bn ongrondwettelijk.
anticorps m antistof.
anticyclone m centrum van hoge luchtdruk.
antidate v vervroegde dagtekening. **▼antidater** ov.w een vroegere dagtekening geven dan de ware, antidateren.
antidérapage/m: école d'—, antislipschool. **▼—ant I** bn wat het slippen voorkomt. **II** zn m antislipmiddel.
antidétonant I bn knaldempend. **II** zn m knaldemper.
antidote m 1 tegengif; 2 (*fig.*) middel tegen.
antienne v antifoon; *chanter toujours la même* —, altijd hetzelfde liedje zingen.
antifébrile m koortswerend.
antigel m anti-vriesmiddel.
antigène m antistof.
anti-hémorragique m bloedstollingsmiddel.
antihumain bn tegen de mensheid gericht.
anti-inflationniste bn anti-inflatie-.
antillais bn Antilliaans. **▼Antilles** v mv Antillen.
antilogie v tegenstrijdigheid.
antilogique bn onlogisch.
antilope v antiloop.
antimatière v antimaterie.
antimilitariste zn/bn antimilitarist(isch).
antimissile bn: *missile* —, antiraket-raket.
antinévralgique bn tegen zenuwpijnen.
antinomie v tegenstrijdigheid.
▼antinomique bn tegenstrijdig.
antipape m tegenpaus.
antiparasiter ov.w ontstoren.
antipathie v afkeer, antipathie.
▼antipathique bn weerzinwekkend, afstotend, antipathiek.
antipatriotique bn onvaderlandslievend.
antipode m 1 tegenvoeter; 2 tegengestelde.
antipyrétique bn koortsverdrijvend.
▼antipyrine v koortsverdrijvend middel.

antiquaire m 1 oudheidkundige; 2 verzamelaar of verkoper van antiquiteiten.
▼antique I bn 1 zeer oud; 2 ouderwets; 3 uit de oudheid; 4 naar het voorbeeld der ouden (*style* —). **II** zn v 1 antiek kunstvoorwerp; 2 soort lettertype. **▼antiquité** v 1 oudheid; 2 kunstvoorwerpen uit de oudheid; 3 oude voorwerpen.
antirabique bn tegen (de) hondsdolheid.
antirationnel, -elle bn tegen de rede.
antiréglementaire bn antireglementair.
antireligieux, -euse bn antigodsdienstig.
antisémite bn antisemitisch. **II** zn m jodenhater. **▼antisémitisme** m jodenhaat.
antisepsie v bestrijding van besmetting.
▼antiseptique bn antiseptisch, bederfwerend, tegen besmetting.
▼antiseptiser ov.w antiseptisch maken.
antisocial [*mv aux*] bn onmaatschappelijk.
anti-sous-marin bn wat betrekking heeft op de strijd tegen onderzeeërs (*grenade* —*e*).
antisportif, -ve bn 1 tegen de sport; 2 onsportief.
anti-tabac: *campagne* —, antirookcampagne.
antithermique bn de koorts verlagend (*med.*).
antithèse v tegenstelling. **▼antithétique** bn (een) tegenstelling vormend.
antivénéneux, -euse bn wat betrekking heeft op tegengif.
antivol m middel (slot) om (auto)diefstal te voorkomen.
antonyme m woord met tegenovergestelde betekenis: *bon et mauvais sont des antonymes*.
antre m hol, spelonk; (*fig.*) *l'*— *du lion*, het hol v.d. leeuw.
anus m aars, anus.
Anvers m Antwerpen.
anxiété v angst, ongerustheid. **▼anxieux, -euse** bn 1 angstig, ongerust; 2—(*de*), in gespannen verwachting; 3 *il est* — *de réussir*, hij wil zo gauw mogelijk slagen.
aorte v grote slagader, aorta. **▼aortite** v slagaderontsteking.
août m augustus. **▼aoûtien** zn m, -ne v 1 iem. die in augustus op vakantie gaat; 2 iem. die in augustus in de grote stad (Parijs) blijft.
apache m 1 Apache-Indiaan; 2 straatrover.
apaisement m 1 bevrediging, het tot rust komen, - brengen; 2 rust. **▼apaiser I** ov.w 1 bevredigen; 2 kalmeren, sussen; 3 stillen. **II** s'— zich tevreden stellen, bedaren.
apanage m 1 gebied, dat vorsten tijdelijk gaven aan familieleden; 2 eigendom, privilege.
aparté m 1 hetgeen een speler terzijde zegt op het toneel; 2 apartje. **▼apartheid** m apartheid.
apathie v onverschilligheid, lusteloosheid, apathie. **▼apathique** bn onverschillig, lusteloos, sloom, apatisch.
apatride m/v statenloos iemand.
apepsie v slechte spijsvertering.
aperception v bewuste waarneming.
apercevoir I ov.w bemerken, ontdekken, op grote afstand zien. **II** s'— *de* merken, gewaar worden.
aperçu m 1 kort overzicht; 2 oordeel.
apéritif I bn wat de eetlust opwekt. **II** zn m eetlust opwekkende drank, aperitief. **▼apéro** m aperitief.
apesanteur v gewichtloosheid.
à-peu-près m benadering, vaag gegeven.
apeurer ov.w bang maken.
aphasie v afasie, spraakstoornis.
aphone bn hees, zonder stem. **▼aphonie** v heesheid, verlies v. d. stem.
aphorisme m korte, geestige spreuk.
aphrodisiaque I bn de geslachtsdrift prikkelend. **II** zn m afrodisiacum; prikkelend middel.
aphte m (*med.*) mondzweertje. **▼aphteux, -euse** bn: *fièvre* —*euse*, mond- en klauwzeer.
apicult/eur m imker. **▼—ure** v bijenteelt.
apitoiement m medelijden. **▼apitoyé** bn meewarig. **▼apitoyer I** ov.w medelijden opwekken. **II** s'— medelijden krijgen, hebben

met.
aplaner *ov.w* gladschaven.
aplanir I *ov.w* 1 vlak, gelijk maken; 2 uit de weg ruimen (*— des difficultés*). II s'— vlak worden, uit de weg geruimd worden.
▼**aplanissement** *m* het vlak-, platmaken.
aplatir I *ov.w* 1 platmaken; afplatten; 2 vernederen. II s'— plat worden; (*fig.*) kruipen. ▼**aplatissement** *m* 1 het plat maken; 2 (*fig.*) kruiperigheid.
aplomb *m* 1 loodrechte stand; *d'*—, loodrecht; 2 (het) vallen v.e. stof of kledingstuk; 3 evenwicht; 4 durf, zelfvertrouwen, aplomb.
Apocalypse *v* Boek der Openbaringen.
▼**apocalyptique** *bn* apocalyptisch; *style* —, duistere, te allegorische stijl.
apocope *v* weglating v.e. letter aan het eind v.e. woord.
apocryphe *bn* 1 door de Kerk voor onecht verklaard (*les évangiles —s*); 2 onbetrouwbaar, verdacht.
apodictique *bn* stellig, onweerlegbaar.
apogée *m* 1 punt, waar een planeet het verst v. d. aarde verwijderd is; 2 toppunt.
apolitique *bn* niet-politiek, wars van politiek.
Apollon *v* Apollo.
apolo/gétique I *bn* verdedigend. II *zn v* geloofsverdediging. ▼—**gie** *v* verdediging. ▼—**giste** *m* 1 verdediger; 2 geloofsverdediger.
apologue *m* leerfabel.
apophtegme *m* gedenkwaardige uitspraak.
apoplectique I *bn* wat betrekking heeft op een beroerte. II *zn m* of *v* iemand, die aanleg heeft voor een beroerte. ▼**apoplexie** *v* 1 beroerte; 2 bloeding.
apostasie *v* geloofsafval. ▼**apostasier** *on.w* van het geloof afvallen. ▼**apostat** *bn* afvallig; *un* —, een afvallige.
aposter *ov.w* iem. op de loer zetten, posteren.
à posteriori *bw* achteraf bekeken.
apostille *v* 1 kanttekening; 2 aantekening a. d. voet v. e. geschrift; 3 aanbeveling bij een verzoekschrift. ▼**apostiller** *ov.w* 1 een aantekening, aanbeveling plaatsen bij geschrift of verzoekschrift.
apostolat *m* apostolaat. ▼**apostolique** *bn* apostolisch.
apostrophe *v* 1 het aanspreken, toespraak; 2 afkappingsteken ('). ▼**apostropher** *ov.w* 1 aan-, toespreken; 2 een uitbrander geven.
apothéose *v* 1 vergoding; 2 verheerlijking; 3 schitterend sloteffect.
apothicaire *m* apotheker (*oud*); *compte d'*—, lange en ingewikkelde rekening.
apôtre *m* 1 apostel; 2 verkondiger of verdediger v.e. leer; *faire le* —, de vrome uithangen, zich mooi voordoen.
apparaître *on.w* (*onr.*) 1 verschijnen; 2 plotseling verschijnen; 3 blijken.
apparat *m* praal, pronk; *costume d'*—, galakostuum.
appareil *m* 1 praal, opsmuk; *dans le plus simple* —, (bijna) naakt; 2 apparaat (bijv. politieapparaat); 3 systeem; 4 toestel (ook vliegtuig); 5 telefoon(toestel); 6 beugel (tanden); 7 camera. ▼—**lage** *m* 1 het zeilklaar maken; 2 apparatuur. ▼—**ler** I *ov.w* 1 klaar-, gereed maken; 2 klaarzetten; 3 samenvoegen, bij elkaar zetten, paren. II *on.w* zich zeilklaar maken.
apparemment *bw* 1 blijkbaar; 2 kennelijk.
▼**apparence** *v* 1 uiterlijk, schijn; *en* —, schijnbaar; *sauver les —s*, de schijn redden; 2 waarschijnlijkheid. ▼**apparent** *bn* 1 zichtbaar; 2 duidelijk; 3 schijnbaar (bijv. *contradictions —es*).
apparentage *m* verwantschap. ▼**apparenté** *bn* 1 verwant (*ook fig.*); 2 (politiek) gekoppeld. ▼**apparentement** *m* lijstverbinding (verkiezing). ▼s'**apparenter à** 1 familie worden van; 2 een lijstverbinding aangaan met; 3 lijken op.
apparier *ov.w* paren.
appariteur *m* 1 pedel; 2 bode.
apparition *v* 1 (onverwachte) verschijning; *il*

n'a fait qu'une —, hij is maar kort gebleven; 2 spook.
appartement *m* appartement, flat.
appartenance *v* 1 (het) behoren bij; 2 element zijn (*wisk.*). ▼**appartenir** I *on.w* (*onr.*) 1 toebehoren; 2 behoren tot, een element zijn van; 3 passen bij, eigen zijn aan. II s'— zijn eigen baas zijn. III *onp.w*: *il ne vous appartient pas de*, het past u niet, ligt niet op uw weg te.
appas *m mv* (*oud*) aantrekkelijkheid. ▼**appât** *m* 1 lokaas; 2 aantrekkingskracht. ▼**appâter** *ov.w* 1 lokken; 2 vetmesten.
appauvrir *ov.w* verarmen, uitmergelen.
▼**appauvrissement** *m* verarming; uitmergeling.
appeau *m* lokvogel.
appel *m* 1 roep, geroep; — *téléphonique*, telefoonoproep; 2 appel, het aflezen der namen; *sonner l'*—, appel blazen; 3 het oproepen van soldaten; *l'— de la classe*, het oproepen der lichting; 4 hoger beroep; *faire* —, *à*, een beroep doen op. ▼**appeler** I *ov.w* 1 roepen; — *de la main*, wenken; — *au téléphone*, opbellen; 2 oproepen; — *sous les drapeaux*, onder de wapens roepen; — *en justice*, voor het gerecht dagen; 3 tot zich trekken; *ce tableau appelle tous les regards*, dit schilderij trekt aller aandacht; 4 noemen; *appeler un chat un chat*, de dingen bij hun naam noemen. II *on.w* in beroep gaan; *en* —, *à*, zich beroepen op, een beroep doen op. III s'— heten. ▼**appellation** *v* naam, benaming.
appendice *m* 1 aanhangsel; 2 wormvormig verlengsel v. d. blinde darm, appendix.
▼**appendicite** *v* blindedarmontsteking.
appentis *m* afdak.
appert: *il appert*, het blijkt.
appesantir I *ov.w* verzwaren, zwaar, log maken. II s'— zwaar(der), log(ger) worden; *s'— sur un sujet*, lang bij een onderwerp blijven stilstaan, er op blijven hameren.
▼—**issement** *m* logheid, loomheid.
appétence *v* neiging.
▼**appétissant** *bn* lekker, aanlokkelijk, appetijtelijk. ▼**appétit** *m* 1 eetlust; *bon —l*, smakelijk eten!; *il n'est chère que d'* —, honger is de beste saus; *l'— vient en mangeant*, al etende krijgt men trek; hoe meer men bezit, hoe meer men verlangt; 2 begeerte.
applaudir/ir I *ov.w* 1 toejuichen; *être applaudi*, aanslaan; 2 prijzen. II *on.w* (*à*), applaudisseren, zijn instemming betuigen met. III s'— zich zelf gelukwensen, zich verheugen. ▼—**issement** *m* applaus, bijval. ▼—**isseur** *m*, -**euse** *v* hij, zij, die veel applaudisseert.
applicable *bn* 1 toepasselijk; 2 wat aangebracht, toegediend kan worden.
▼**application** *v* 1 toepassing, gebruik; 2 het aanbrengen, toedienen; *dentelle d'* —, opgewerkte kant; 3 ijver. ▼**applique** *v* 1 oplegsel (applicatie); 2 wandlamp.
▼**appliqué** *bn* 1 toegepast; 2 ijverig.
▼**appliquer** I *ov.w* 1 aanbrengen (bijv. *des couleurs*); 2 opleggen (bijv. *de la dentelle*); 3 toedienen (*un soufflet*); 4 toepassen (*une règle*); 5 aanwenden (*un remède*). II s'— zich toeëigenen; *s'— à*, 1 zich toeleggen op, 2 van toepassing zijn op.
appoint *m* 1 tekort; *salaire d'* —, aanvullend loon; 2 kleingeld. ▼—**age** *m* het aanpassen.
▼—**ements** *m mv* vast salaris. ▼—**er** *ov.w* (*un fonctionnaire*) bezoldigen.
appont/age *m* deklanding. ▼—**ement** *m* aanlegsteiger.
apport *m* 1 aan-, inbreng (van echtgenoten of van een compagnon); 2 aanvoer. ▼—**er** *ov.w* 1 brengen; 2 meebrengen; 3 inbrengen (in huwelijk of zaak); 4 aanvoeren (*des raisons*); 5 besteden.
appos/er *ov.w* 1 aanbrengen; — *une clause*, een clausule toevoegen; 2 aanplakken; — *les scellés*, gerechtelijk verzegelen. ▼—**ition** *v* 1 het aanbrengen, aanplakken; 2 bijstelling.
appréci/able *bn* 1 te waarderen; 2 aanzienlijk.
▼—**ateur** *m*, -**atrice** *v* hij, zij, die waardeert.

▼—atif, -ive *bn* waarderend. ▼—ation *v*
1 schatting; 2 waardering; 3 oordeel. ▼—er
ov.w 1 waarderen; 2 schatten.
appréhen/der *ov.w* vrezen, duchten; — *au*
corps, arresteren. ▼—sible *bn* begrijpelijk.
▼—sion *v* 1 vrees; 2 het opnemen in de geest.
apprendre *ov.w (onr.)* 1 leren, studeren;
2 vernemen; 3 meedelen, berichten; 4 leren
(onderwijzen); — *par cœur*, van buiten leren;
bien appris, goed opgevoed. ▼**apprenti** *m*, -e
v 1 leerjongen, -meisje; 2 beginneling(e).
▼**apprentissage** *m* leertijd; *être en* —, *mettre*
en —, in de leer zijn, doen.
apprêt *m* 1 het opmaken van stoffen; 2 stijfsel;
3 bereiding; 4 gemaaktheid (bijv. van de stijl);
les —*s*, voorbereidselen (*d'un voyage*).
▼**apprêt/é** *bn* gemaakt, opgesmukt. ▼—er
I *ov.w* 1 opmaken van stoffen; 2 klaarmaken;
3 bereiden (*un plat*). II s'— zich voorbereiden.
▼—eur *m*, -euse *v* 1 opmaker (opmaakster)
(van stoffen); 2 glasschilder.
apprivois/ement *m* het temmen. ▼—er I *ov.w*
1 temmen; 2 handelbaarder maken. II s'—
1 zich vertrouwd maken met, wennen aan (—
avec); 2 tam worden. ▼—eur *m*, -euse *v*
temmer (-ster).
approb/ateur I *zn m*, -atrice *v* hij, zij, die
goedkeurt. II *bn* goedkeurend. ▼—atif,
—ativement *of bw* goedkeurend.
▼—ation *v* 1 goedkeuring; 2 toestemming;
3 lof.
approchable *bn* te benaderen. ▼**approchant**
I *bn* weinig verschillend, bijna gelijk. II *bw*
ongeveer. ▼**approche** *v* 1 (be)nadering;
d'une — *facile*, gemakkelijk te naderen; *les* —*s*
d'une ville, de toegang tot een stad; 2 —*s*,
loopgraven enz. om bij belegerde vesting te
komen. ▼**approcher** I *ov.w* dichterbij
brengen, bijschuiven (*une chaise*). II (de)
on.w 1 naderen; 2 benaderen. III s'— de
naderen.
approfond/ir *ov.w* 1 uitdiepen, dieper maken;
2 diep ingaan op (*une question*).
▼—issement *m* 1 het uitdiepen; 2 grondige
bestudering.
appropriation *v* 1 het geschikt maken voor;
2 toeëigening. ▼**approprié** *bn* geschikt,
geëigend. ▼**approprier** I *ov.w*
1 schoonmaken, reinigen; 2 schikken, in
overeenstemming brengen, aanpassen. II s'—
zich toeëigenen.
approuver *ov.w* 1 goedkeuren; 2 prijzen,
bijval schenken.
approvisionn/ement *m* 1 proviandering,
voorziening; 2 voorraad, proviand. ▼—er
I *ov.w* bevoorraden. II s'— zich van proviand
voorzien, voorraad opdoen.
approxim/atif, -ative *bn* benaderend.
▼—ation *v* benadering, raming.
▼—ativement *bw* bij benadering.
appui *m* 1 steun, stut; *l'appui d'une fenêtre*,
vensterbank; *point d'*—, (*mil.*) steunpunt; *à*
hauteur d'—, op borsthoogte; 2 hulp;
3 adstructie. ▼**appui/-tête** *m* hoofdsteun (bij
tandarts enz.). ▼**appuyer** I *ov.w* 1 steunen,
stutten; 2 zetten tegen (*une échelle contre un*
mur); 3 bouwen tegen; 4 adstrueren. II *on.w*
— *sur un crayon*, op een potlood drukken; —
sur un mot, de nadruk leggen op een woord; —
sur la gauche, links aansluiten. III s'— steunen.
âpre *bn* 1 scherp; 2 wrang; 3 ruw, hobbelig;
— *au gain*, tuk op winst; *caractère* —, vinnig
karakter; *froid* —, vinnige koude.
après *vz bw na*; daarna; — *cela*, daarna;
ci-après, hierna; — *coup*, te laat; — *quoi*,
waarna; — *tout*, alles wel beschouwd; *crier* —
qn., iemand naschreeuwen; *courir* — *qn.*, iem.
narennen; *jeter le manche* — *la cognée*, er de
brui aan geven; — *nous le déluge*, (spr.w), na
ons mag er gebeuren, wat er wil; — *la pluie le*
beau temps (spr.w), na regen komt
zonneschijn. ▼ d'— *vz* volgens, naar; *peindre*
— *nature*, naar de natuur schilderen. ▼**après**
que *vgw* nadat. ▼**après-demain** *bw*
overmorgen. ▼**après-guerre** *m* naoorlogse
periode. ▼**après-midi** *m* of *v* (na)middag.

▼**après-rasage** *m* after-shave.
âpreté *v* 1 wrangheid; 2 scherpte; 3 bitterheid;
4 strengheid; 5 ruwheid, oneffenheid.
à priori *bw* vooraf. ▼**aprior/isme** *m*
redenering a priori. ▼—iste *bn* gebaseerd op
een redenering a priori.
à-propos *m* 1 het juiste ogenblik, het
geschikte moment; 2 gevatheid;
3 gelegenheidsstuk, -gedicht.
apte (à) *bn* 1 geschikt voor, om; 2 bekwaam
tot.
aptère *bn* zonder vleugels.
aptitude *v* geschiktheid, bekwaamheid.
apurer *ov.w* in orde bevinden v.e. rekening.
aqua/plane *m* 1 plank, die in het water
voortgetrokken wordt door een motorboot en
waarop een persoon staat; 2 deze sport
(planking). ▼—planing, —planage *m*
aquaplaning.
aquarell/e *v* waterverftekening, aquarel. ▼—
m waterverftekeningen maken. ▼—iste *m*
waterverfschilder.
aquatinte *v* nabootsing v.e. gewassen
tekening.
aquatique *bn* in het water levend.
aqueduc *m* waterleiding, aquaduct.
aqueux, -euse *bn* waterig. ▼**aquifère** *bn*
waterhoudend.
aquilin *bn: nez* —, arendsneus.
aquilon *m* hevige noordenwind.
Aquitaine *v* Aquitanië.
ara *m* Zuidamerikaanse papegaai.
arabe I *bn* Arabisch. II *zn* **A**— *m* en *v* Arabier,
Arabische; —, *m* 1 Arabisch paard;
2 woekeraar; 3 Arabische taal.
arabesque *v* dooreengestrengelde bladeren en
figuren (*arch.*).
Arabie(I') *v* Arabië. ▼**arabis/ant** *m* specialist
in de Arabische taal en letterkunde. ▼—er
ov.w een Arabisch karakter geven.
arable *bn* bebouwbaar, beploegbaar.
arachide *v* apenoot.
arach/néen, -néenne *bn* licht als een web.
▼—nides *m mv* spinachtigen.
arac, arack *m* arak.
araignée *v* 1 spin; *toile d'*—, spinneweb;
2 puthaak; 3 soort visnet.
aratoire *bn* landbouwkundig.
arbalète *v* oude stalen boog.
arbitrage *m* 1 scheidsrechterlijke uitspraak;
2 winst uit het verschil van wisselkoersen op
verschillende beurzen.
arbitraire I *bn* willekeurig, despotisch. II *zn m*
willekeur, despotisme.
arbitral [*mv aux*] *bn* scheidsrechterlijk.
▼**arbitre** *m* 1 scheidsrechter (ook bij sport);
2 heer en meester; *le libre* —, de vrije wil.
▼**arbitrer** *ov.w* 1 een scheidsrechterlijke
uitspraak doen; 2 leiden v.e. voetbalmatch
enz.
arborer *ov.w* (*le drapeau*) 1 de vlag planten,
hijsen; 2 openlijk, opzichtig dragen.
arbor/escent *bn* boomvormig. ▼—iculteur *m*
boomkweker. ▼—iculture *v* boomteelt.
▼—isation *v* vertakking (in mineralen).
▼—iser *ov.w* bomen kweken.
arbre *m* 1 boom; — *de la Croix*, kruishout; —
fruitier, vruchtboom; — *généalogique*,
geslachtsboom; (*pop.*) monter à l'—, erin
lopen; *entre l'*— *et l'écorce il ne faut pas mettre*
le doigt (spr.w), men moet zich niet in
familietwisten mengen; *couper l'*— *pour avoir*
le fruit (spr.w), de kip met de gouden eieren
slachten; 2 as (van machine); — *à cames*,
nokkenas; — *coudé*, krukas; — *de*
transmission, cardanas. ▼**arbrisseau** [*mv x*]
m heester, boompje. ▼**arbuste** *m* kleine
heester.
arc *m* boog; *lampe à* —, booglamp; — *de*
triomphe, triomfboog; *avoir plusieurs cordes à*
son —, verschillende pijlen op zijn boog
hebben. ▼**arcade** *v* (*arch.*) boog.
arcanes *m mv* geheimen.
arcanson *m* vioolhars.
arc/-boutant *m* steunboog (*arch.*).
▼**arc-bouter** I *ov.w* stutten door middel van

steunbogen (*arch.*). **ll s'**— zich schrap zetten.
arceau *m* boog.
arc†-en-ciel *m* regenboog.
archaïque *bn* verouderd (*mot, style* —).
▼**archaisant** *bn* gebruik makend van
archaïsmen. ▼**archaïsme** *m* verouderd
woord, verouderde uitdrukking.
archal *m fil d'*—, koperdraad.
archange *m* aartsengel.
arche *v* 1 boog v. e. brug; 2 ark; — *de Noë*, arke
Noachs, (*fig.*) huis, waarin allerlei soorten
mensen wonen.
archéolo/gie *v* oudheidkunde. ▼—**gique** *bn*
oudheidkundig. ▼—**gue** *m* oudheidkundige.
archer *m* 1 boogschutter; 2 (vroeger)
gerechts- of politiedienaar; *francs —s*, eerste
geregelde infanterie (1448).
archet *m* 1 strijkstok; 2 drilboor.
archétype *m* archetype, oerbeeld.
archevêché *m* 1 aartsbisdom;
2 aartsbisschoppelijk paleis. ▼**archevêque** *m*
aartsbisschop.
archi *voorvoegsel* aarts-. ▼—**duc** *m*
aartshertog. ▼—**ducal** [*mv* **aux**] *bn*
aartshertogelijk. ▼—**duché** *m*
aartshertogdom. ▼—**duchesse** *v*
aartshertogin. ▼—**épiscopal** [*mv* **aux**] *bn*
aartsbisschoppelijk. ▼—**épiscopat** *m*
1 aartsbisschoppelijke waardigheid; 2 duur v.
deze waardigheid.
archipel *m* archipel.
archi/tecte *m* architect. ▼—**tectonique** l *bn*
architectonisch. ll *zn v* architectuur.
▼—**tectural** *bn* van de bouwkunst.
▼—**tecture** *v* bouwkunst. ▼—**tecturer** *ov.w*
stevig opzetten (bijv. roman).
archiv/es *v mv* archief, archieven. ▼—**iste** *m*
archivaris.
arçon *m* zadelboog; *vider les* —*s*, uit het zadel
vallen.
arctique *bn* tot de Noordpool behorend; *pôle*
—, Noordpool; *Océan* (*glacial*) *arctique*,
Noordelijke IJszee.
Ardennes *v mv* Ardennen.
ardent (*bw* **-emment**) *bn* 1 brandend;
chambre —, rouwkapel; 2 hevig, vurig
(*cheval* —); *fièvre* —*e*, hete koorts; 3 vlijtig,
ijverig. ▼**ardeur** *v* 1 hitte, brandende warmte;
2 vuur, geestdrift; 3 ijver.
ardoise *v* leisteen, lei. ▼**ardoisé** *bn* leikleurig.
▼**ardoisière** *v* leisteengroeve.
ardu *bn* 1 steil; 2 moeilijk.
arène *v* 1 arena, strijdperk; 2 (*dicht.*) fijn zand;
les —*s*, de woestijn.
aréomètre *m* vochtmeter, areometer.
aréopage *m* 1 rechtbank in het oude Athene;
2 verzameling van geleerden, rechters enz.
arête *v* 1 visgraat; 2 uitstekende hoek; 3 kam
v. e. berg; 4 rib (v. e. kubus); 5 baard (van
aren).
argent *m* 1 zilver; *vif*—, kwikzilver; 2 geld;
comptant, klinkende munt; *accepter pour* —
comptant, voor goede munt aannemen; *se*
trouver court d'—, in geldverlegenheid zitten;
être cousu d'—, geld als water hebben; *j'en*
suis pour mon —, dat geld ben ik kwijt; *point*
d'—, *point de Suisses* (*spr.w*), geen geld, geen
Zwitsers. ▼**argent/é** *bn* 1 verzilverd;
2 zilverkleurig; 3 (*fam.*) rijk. ▼—**er** *ov.w*
1 verzilveren; 2 als zilver kleuren. ▼—**erie** *v*
zilverwerk, tafelzilver. ▼—**ier** *m* 1 zilverkast;
2 (*pop.*) minister van financiën. ▼—**ifère** *bn*
zilverhoudend. ▼—**in** l *bn* 1 zilverachtig; *voix*
—*e*, zilveren stem; 2 Argentijns. ll *zn* **A**— *m*
Argentijn. ▼—**ine** *v* 1 Argentijnse;
2 Argentinië.
argile *v* klei, leem. ▼**argileux, -euse** *bn*
kleiachtig, leemachtig.
argot *m* 1 dieventaal, bargoens; 2 bijzondere
taal van bepaalde groepen of beroepen.
▼—**ique** *bn* wat tot het argot behoort.
arguer *ov.w* 1 — *de faux*, voor vals, onecht
verklaren; 2 een conclusie trekken.
argument *m* 1 bewijs(grond); 2 korte inhoud
v. e. boek enz. ▼—**ation** *v* bewijsvoering.
▼—**er** *on.w* redeneren, betogen.

Argus *m* 1 vorst uit de fabelleer met 100 ogen,
waarvan er 50 altijd open waren; *yeux d'*—,
argusogen; 2 iemand aan wie niets ontsnapt;
3 spion.
argutie [*spr.*: -sie] *v* spitsvondigheid.
aria 1 *m* (*pop.*) narigheid; 2 *v* lied, melodie,
aria.
arianisme *m* ketterij van Arius.
aride *bn* dor, droog, onvruchtbaar. ▼**aridité** *v*
dorheid, droogheid, onvruchtbaarheid.
arien, -ne l *bn* ariaans, Arisch. ll *zn* **A**— *m*, -ne
v ariaan(se), Ariër (Arische)
ariette *v* liedje.
aristocrate, aristo (*pop.*) *m* aristocraat.
▼**aristo/cratie** *v* 1 regering der aristocratie;
2 aristocratie. ▼—**cratique** *bn* aristocratisch.
arithméticien *m*, **-enne** *v* rekenkundige.
▼**arithm/étique** l *v* rekenkunde. ll *bn*
rekenkundig. ▼—**ographe** *m* rekenmachine.
▼—**omètre** *m* rekenmachine.
arlequin *m*, **-e** *v* harlekijn. ▼—**ade** *v* 1 dolle
grap; 2 belachelijk geschrift.
armagnac *m* soort cognac.
armateur *m* reder.
armature *v* 1 metalen geraamte; armatuur;
2 anker v. e. magneet.
arme *v* 1 wapen; *aux* —*s!*, te wapen!; *faire* —
de tout, alle mogelijke middelen aanwenden;
faire des —*s*, schermen; *fait d'*—*s*, wapenfeit;
— *à feu*, vuurwapen; *fournir des* —*s contre*,
iem. wapens in de hand geven tegen; *maître*
d'—*s*, schermmeester; *passer par les* —*s*,
fusilleren; 2 legeronderdeel (het wapen der
genie, der infanterie enz.); 3 krijgsdienst; *faire*
ses premières —*s*, zijn eerste veldtocht maken,
iets voor het eerst doen; 4 wapen (bijv. van
een stad).
armée *v* leger; — *de l'air*, luchtleger; — *de mer*,
zeemacht; — *de terre*, landleger; —
permanente, régulière, het staande leger; — *du*
Salut, Leger des Heils.
armement *m* 1 bewapening; *course aux* —*s*,
bewapeningswedloop; 2 scheepsuitrusting.
▼**armer** l *ov.w* 1 wapenen, bewapenen; *armé*
jusqu'aux dents, tot de tanden gewapend;
2 laden (*un canon*); 3 uitrusten (*un vaisseau*);
4 van ijzeren banden voorzien (*une poutre*);
5 sterken, gehard maken tegen (— *contre la*
pauvreté); 6 tot ridder slaan (— *qn. chevalier*).
ll *s'*— (de) zich wapenen met. ▼**armistice** *m*
wapenstilstand.
armoire *v* kast; — *frigorifique*, koelkast; — *à*
glace, spiegelkast.
armoiries *v mv* wapen (v. e. geslacht enz.).
▼**armorial** *m* wapenboek.
armoricain l *bn* Armorikaans (uit Bretagne).
ll *zn* **A**— *m*, -e Breton(se).
armur/e *v* 1 harnas, wapenrusting;
2 magneetanker. ▼—**erie** *v* wapensmederij,
wapenwinkel. ▼—**ier** *m* wapensmid,
wapenhandelaar.
arnaquer *ov.w* (*pop.*) 1) jatten; 2 arresteren.
aromat/e *m* welriekende plantaardige stof,
kruiderij. ▼—**ique** *bn* welriekend. ▼—**iser**
ov.w welriekend maken, kruiden. ▼**arôme, -**
arome *m* aroma.
aronde *v* zwaluwstaart; *en queue d'*—, in de
vorm v. e. zwaluwstaart.
arpège *m* akkoord, waarvan men de noten na
elkaar laat horen (arpeggio). ▼**arpéger** *on.w*
arpeggio's spelen.
arpent *m* oude vlaktemaat (42 à 51 are).
▼—**age** *m* 1 landmeetkunde; 2 (het)
landmeten. ▼—**er** *ov.w* 1 (*la chambre*) met
grote stappen lopen door; 2 landmeten.
▼—**eur** *m* landmeter.
arpion *m* (*pop.*) voet.
arqué *bn* gebogen. ▼**arquer** l *ov.w* ombuigen.
ll *on.w* 1 doorbuigen, kromtrekken; 2 (*pop.*)
lopen.
arrachage *m* het uittrekken, rooien.
▼**arrachement** *m* het uittrekken, lostrekken.
▼**arrache-pied:** *d'*—, *bw* aan één stuk.
▼**arracher** l *ov.w* uittrekken, losrukken,
afscheuren, rooien; — *la vie*, het leven
benemen; *je ne peux lui* — *une parole*, ik kan

geen woord uit hem krijgen; — un aveu, een bekentenis afdwingen; — (un poids), met moeite opheffen. **ll s'—** (un livre) (om een boek) vechten. ▼**arracheur** m, **-euse** v die uittrekt enz.; — de dents, kiezentrekker; arracheuse de pommes de terre, aardappelrooimachine.

arraisonner ov.w (schip) aanhouden, praaien.

arrang/eable bn te schikken, te regelen. ▼**—eant** bn geschikt, coulant. ▼**—ement** m 1 regeling; 2 vergelijk; 3 arrangement, bewerking (muz.). ▼**—er** l ov.w 1 rangschikken; 2 regelen; arrangeren; 3 in orde brengen; 4 bewerken (muz.); 5 in der minne schikken; 6 (pop.) iem. toetakelen, aftuigen; 7 cela m'arrange, dat staat me aan, komt me goed uit. **ll s'—** 1 het eens worden, tot een vergelijk komen; 2 in der minne schikken; 3 zich schikken in. ▼**—eur** m bewerker.

arrérages m mv achterstallige schuld of rente.

arrestation v arrestatie, hechtenis.

arrêt m 1 stilstand; chien d'—, staande jachthond; temps d'—, rustpoos; oponthoud, halte; — facultatif, halte op verzoek; 2 arrest; maison d'—, gevangenis; mandat d'—, bevel tot inhechtenisneming; 3 vonnis, uitspraak; (les) —s, kamer-, kwartierarrest (mil.).

arrêté m 1 besluit (— ministériel); 2 — de compte, afsluiting v. e. rekening.

arrêter l ov.w 1 tegenhouden, ophouden, doen stilstaan; 2 in hechtenis nemen; 3 stuiten; 4 vestigen (ses yeux); 5 in dienst nemen (un domestique); 6 vaststellen (un plan); 7 afsluiten (un compte); 8 bespreken (une chambre); 9 in de rede vallen. **ll** on.w staan v. e. jachthond. **lll s'—** stilstaan, ophouden; s'— court, plotseling blijven staan of ophouden.

arrhes v mv 1 handgeld, aanbetaling; 2 onderpand.

arriération v achterlijkheid.

arrière l bw terug; weg met, weg van hier!; avoir vent —, de wind in de rug hebben; en —, achteruit, terug, ten achter; ligne arrière, achterhoede (bij voetbal). **ll** zn m 1 achtersteven; 2 achterspeler (bij voetbal). ▼**arrièré** l bn 1 achterlijk; 2 achterstallig. **ll** zn m het achterstallige. ▼**arrière/-ban†** m het oproepen in krijgsdienst v.d. achterleenmannen. ▼**—bouche†** v achterste gedeelte v.d. mond. ▼**—boutique†** v kamer achter de winkel. ▼**—fief†** m achterleen. ▼**—garde†** v achterhoede. ▼**—goût†** m nasmaak. ▼**—grand'mère†** v overgrootmoeder. ▼**—grand-père†** m overgrootvader. ▼**—main†** v 1 rug v.d. hand; 2 achterdeel v.e. paard; 3 backhand (bij tennis). ▼**—neveu†** m achterneef. ▼**—nièce†** v achternicht. ▼**—pays†** m achterland. ▼**—pensée†** v bijgedachte, bijbedoeling. ▼**—petit†-fils** m achterkleinzoon. ▼**—petit†-fille†** v achterkleindochter. ▼**—petits-enfants** m achterkleinkinderen. ▼**—plan†** m achtergrond. ▼**arriérer** l ov.w vertragen, uitstellen. **ll s'—** achterkomen. ▼**arrière-saison†** v naseizoen. ▼**arrière-train†** m achterste deel v.e. dier.

arrim/age m (het) stuwen v.d. lading. ▼**—er** ov.w stuwen v.d. lading. ▼**—eur** m stuwadoor.

arrivage m 1 (het) binnenkomen v.e. schip; 2 aanvoer van goederen. ▼**arrivé** bn 1 aangekomene; 2 geslaagd. ▼**arrivée** v 1 aankomst; 2 plaats van aankomst. ▼**arriv/er** l on.w 1 aankomen; 2 vooruitkomen in de wereld; — à, slagen in; — à ses fins, zijn doel bereiken. **ll** onp.w gebeuren, overkomen. ▼**—isme** m (het) door dik en dun willen bereiken. ▼**—iste** m iem., die met alle geweld carrière wil maken, streber.

arrogance v aanmatiging, verwaandheid. ▼**arrogant** bn aanmatigend, verwaand. ▼**s'arroger** zich aanmatigen.

arrond/ir l ov.w rond maken, afronden; — son bien, zijn bezittingen vermeerderen; une

bourse arrondie, een goed gevulde beurs. **ll s'—** (pop.) zich bedrinken. ▼**—issement** m 1 het afronden, ronding; 2 arrondissement (deel v.e. Fr. departement).

arros/age m begieting, besproeiing. ▼**—ement** m begieting, besproeiing. ▼**—er** ov.w 1 begieten, besproeien; le Rhin arrose cette province, de Rijn stroomt door deze provincie; 2 een rondje geven. ▼**—euse** (— automobile) v sproeiwagen. ▼**—oir** m gieter.

arsenal [mv aux] m 1 arsenaal, tuighuis; 2 marinewerf.

arsenic m arsenicum.

arsouille m schoft; gemeen, laag sujet.

art m 1 kunst; les beaux —s, de schone kunsten; l'Académie des Beaux —s, zie bij **Académie**; l'Ecole des Beaux —s, Academie voor Beeldende Kunsten; les —s d'agrément, kunsten, die men uit liefhebberij beoefent; les —s libéraux, de vrije kunsten; les —s mécaniques, de ambachten; les —s ménagers, huishoudkunde; 2 bedrevenheid, handigheid; 3 le grand —, alchimie.

artère v 1 slagader; 2 grote verkeersweg. ▼**artériel, -elle** bn slagaderlijk (sang —); la pression —elle, de bloeddruk. ▼**artériosclérose** v aderverkalking, arteriosclerose. ▼**artérite** v aderontsteking.

artésien, -enne bn uit Artois; puits —, artesische put.

arthrite v gewrichtsontsteking. ▼**arthrose** v chronische gewrichtsontsteking.

artichaut m artisjok (plk.).

article m 1 artikel (van wet, contract enz.); 2 (handels)artikel; —s de Paris, galanterieën; 3 (kranten-, tijdschrift) artikel; — de fond, hoofdartikel; 4 geloofsartikel (— de foi); à l'— de la mort, op het punt van sterven; 5 lidwoord; — défini, lidwoord van bepaaldheid; — indéfini, lidwoord van onbepaaldheid; — partitif, delend lidwoord.

articul/aire bn wat betrekking heeft op de gewrichten. ▼**—ation** v 1 gewricht; 2 uitspraak. ▼**—é** bn geleed. ▼**—er** ov.w 1 (duidelijk) uitspreken; 2 uiteenzetten.

artific/e m 1 list; 2 veinzerij; 3 kunstgreep; feu d'—, vuurwerk; sans —, onomwonden. ▼**—iel, -ielle** bn nagemaakt, kunstmatig; fleurs —ielles, kunstbloemen. ▼**—ier** m 1 (mil.) munitiedeskundige; 2 vuurwerkmaker. ▼**—ieux, -ieuse** bn slim, geslepen, sluw.

artillerie v artillerie; — anti-aérienne, luchtafweergeschut; — anti-char, anti-tankgeschut; — d'assaut, tankgeschut; — de campagne, veldgeschut; — lourde, zware artillerie; — montée, bereden artillerie. ▼**artilleur** m artillerist.

artisan m 1 ambachtsman, handwerksman; 2 (fig.) bewerker (il a été l'— de mon malheur). ▼**—al** bn handwerk-, ambachtelijk. ▼**—at** m de ambachtslieden, het ambacht.

artiste l zn m kunstenaar; — dramatique, toneelspeler; — lyrique, operazanger. **ll** bn wat bij de kunstenaar behoort, artistiek. ▼**artistique** bn kunstzinnig, smaakvol, artistiek.

arum m aronskelk (plk.).

aryen, -ne l zn Ariër, Arische. **ll** bn Arisch.

as l zn m 1 aas (in kaartspel); 2 dobbelsteen met één oog; 3 mispunt; 4 (lucht)held, (sport)held; 5 (pop.) être plein aux —, veel geld hebben. **ll** ww zie **avoir**.

asbeste m asbest.

ascend/ance v 1 het opklimmen, stijging; 2 voorgeslacht. ▼**—ant** l bn opklimmend, stijgend; ligne —e, opklimmende geslachtslijn. **ll** zn m 1 klimmende beweging v.e. planeet; 2 gezag, overwicht, invloed. **lll** les —s, ouders, voorouders.

ascenseur m lift. ▼**ascension** l zn v 1 opstijging; 2 bestijging, beklimming. **ll** l'A— v 1 de Hemelvaart van Christus; 2 Hemelvaartsdag. ▼**—nel, -nelle** bn opwaarts, opstijgend; force —nelle, stijgkracht. ▼**—ner** on.w bergbeklimmen.

▼—niste m of v bergbeklimmer (-ster).
ascèse v ascese. **▼ascète** m of v asceet.
▼ascétisme m ascetisch leven.
asep/sie v preventieve behandeling tegen infectieziekten. **▼—tique** bn aseptisch, ontsmet. **▼—tiser** ov.w ontsmetten.
asexué bn aseksueel, geslachtloos, niet-geslachtelijk.
asiatique I bn Aziatisch. II zn **A—** m of v Aziaat, Aziatische. **▼Asie (l')** v Azië; l'— Mineure, Klein-Azië.
asile m 1 wijkplaats, schuilplaats; 2 toevluchtsoord, toevlucht, tehuis (voor ouden van dagen enz.); — de nuit, nachtasiel; sans —, dakloos; droit d'—, asielrecht.
asocial bn asociaal, onaangepast.
aspect m aanblik, gezicht, uiterlijk; examiner sous tous ses — s, van alle kanten bekijken.
asperge v 1 asperge (plk.); 2 mager persoon, bonestaak.
asperger ov.w besprenkelen, natspatten.
aspérité v 1 ruwheid, oneffenheid; 2 stuursheid; 3 stroefheid (van stijl).
aspers/ion v besprenkeling. **▼—oir** m 1 wijwaterkwast; 2 kop van een gieter.
asphalt/age m asfaltering. **▼—e** m 1 asfalt; 2 geasfalteerd trottoir. **▼—er** ov.w asfalteren.
▼—eur m asfalteerder.
asphyx/iant bn verstikkend. **▼—ie** v verstikking. **▼—ié** I bn gestikt. II zn m, -é v iemand, die gestikt of bewusteloos is. **▼—ier** ov.w doen stikken.
aspic m 1 adder; langue d'—, lastertong, kwaadspreker (-spreekster); 2 vlees of koude vis in gelei.
aspirant m, -e v 1 kandidaat (-date), aspirant(e); 2 kadet, adelborst.
aspir/ant bn inzuigend. **▼—ateur** m, zuigpomp; hotte —e, afzuigkap. **▼—ateur, -trice** I bn opzuigend. II zn m stofzuiger (ook: —balai). **▼—ation** v 1 (het) in-, opzuigen; 2 (het) aanblazen v.d. letter h; 3 inademing; 4 zielsverheffing, (het) streven. **▼—atoire** bn in-, opzuigend. **▼aspiré** bn: h —e, aangeblazen h. **▼aspirer** I ov.w 1 in-, op-, afzuigen; 2 inademen; 3 de h licht uitspreken. II — (à) on.w streven naar, haken naar.
aspirine v: comprimé d'—, aspirinetablet.
assagir I ov.w wijzer maken. II s'— wijzer, bezadigder worden.
assaillant I bn aanvallend. II zn m aanvaller. **▼assaillir** ov.w (onr.) aanvallen.
assain/ir ov.w gezond maken. **▼—issement** m sanering, het gezond maken; — monétaire, geldzuivering.
assaisonn/ant bn kruidend; plantes —es, kruiden. **▼—ement** m 1 (het) kruiden; 2 kruiderij. **▼—er** ov.w kruiden (ook fig.).
assassin I bn moordend, dodend. II zn m moordenaar (met voorbedachten rade). **▼—ant** bn vervelend, vermoeiend. **▼—at** m moord met voorbedachten rade. **▼—er** ov.w 1 vermoorden (met voorbedachten rade); 2 vervelen.
assaut m 1 aanval, stormloop; donner l'—, stormlopen; prendre une place d'—, een vesting stormenderhand innemen; char d'—, tank; troupes d'—, stormtroepen; 2 scherm-, bokspartij; faire — d'esprit, wedijveren in geestigheid, vernuft.
assèchement m drooglegging. **▼assécher** ov.w drooglegging.
assembl/age m 1 het verzamelen, verzameling; 2 las, voeg, samenvoeging. **▼—ée** v vergadering. **▼—er** I ov.w 1 verzamelen; 2 oproepen; 3 verbinden, samenvoegen. II s'— vergaderen, samenkomen. **▼—eur** m, -euse v hij, zij, die verzamelt, samenvoegt.
assener ov.w toebrengen (un coup).
assentiment m toestemming, goedkeuring. **▼assentir** on.w goedkeuren, toestemming geven.
asseoir I ov.w (onr.) 1 neerzetten, doen zitten; 2 vestigen. II s'— gaan zitten.
assermenter ov.w beëdigen.

assertion v bewering, verzekering, stelling.
asservir ov.w 1 onderwerpen; 2 tot slaaf maken; 3 bedwingen (ses passions). **▼asservissement** m 1 slavernij; 2 onderwerping; 3 afhankelijkheid.
assesseur I bn toegevoegd. II zn m bijzitter, assessor.
assez bw 1 genoeg; 2 tamelijk, vrij.
assidu bn 1 vlijtig; 2 stipt, nauwgezet; 3 trouw (met helpen enz.). **▼assiduité** v 1 ijver; —s, attenties; 2 stiptheid. **▼assidûment** bw zie assidu.
assiég/é I bn belegerd. II zn m, -e v belegerde. **▼—eant** I bn belegerend. II zn m belegeraar. **▼—er** ov.w 1 belegeren; 2 (fig.) voortdurend lastig vallen.
assiette v 1 wijze, waarop men zit of geplaatst is; ne pas être dans son —, niet in zijn gewone doen zijn, zich niet prettig voelen; 2 ligging (bijv. d'une poutre); 3 etensbord; — anglaise, koude vleesschotel. **▼assiettée** v bord vol.
assignation v dagvaarding. **▼assigner** ov.w 1 dagvaarden; 2 afspreken, bepalen (un rendez-vous).
assimil/able bn 1 vergelijkbaar; 2 omzetbaar, verteerbaar. **▼—ateur, -atrice** bn wat omzet, doet verteren. **▼—ation** v 1 gelijkmaking; 2 omzetting, opneming. **▼—er** ov.w 1 gelijkmaken; — à, vergelijken met. II s'— 1 zich gelijkstellen, vergelijken met; 2 in zich opnemen (des aliments).
assis bn 1 gezeten; être —, zitten; 2 gelegen; maison bien —e, goed gelegen huis; 3 gevestigd, degelijk (réputation bien —e). **▼assise** v 1 laag stenen; 2 les —s, criminele rechtbank; zitting van deze rechtbank; 3 congres v. partij of vakvereniging.
assist/ance v 1 hulp, bijstand; — publique, burgerlijk armbestuur; 2 de aanwezigen. **▼—ant** I bn hulp-. II zn m assistent, helper; —s, aanwezigen. **▼—e** v: — sociale, sociaal werkster. **▼—er** ov.w 1 helpen, bijstaan. II — à on.w bijwonen, meemaken.
assoc/iation v 1 vereniging, bond, club; 2 samenhang (associatie) van begrippen; 3 samenwerking; 4 voetbalsport. **▼—ié(e)** m of v compagnon, vennoot. **▼—ier** I ov.w 1 tot compagnon nemen; 2 verbinden. II s'— compagnonschap, vennootschap aangaan.
assoiffé bn: — de, dorstig naar (fig.).
assolement m wisselbouw.
assombrir I ov.w 1 verduisteren; 2 (fig.) versomberen. II s'— donker, somber worden. **▼assombrissement** m (het) somber worden.
assomm/ant bn vermoeiend, vervelend. **▼—er** ov.w 1 doodslaan; 2 afranselen; 3 vernietigen; 4 (fam.) dodelijk vervelen. **▼—oir** m 1 ploertendoder, knuppel; 2 (fam.) kroeg.
assomption v ten hemelopneming van Maria; **▼l'A—** v Maria Hemelvaart (15 aug.).
assonance v assonantie (onvolkomen rijm, dat berust op de gelijkheid v.d. geaccentueerde klinker, bijv. paard, haat). **▼assonancé** bn met assonantie (vers —s).
assorti bn bij elkaar passend. **▼assortiment** m 1 sortering, assortiment; — de couleurs, kleurschikking; 2 collectie. **▼assortir** I ov.w 1 sorteren; 2 van waren voorzien, bevoorraden; être bien assorti, goed gesorteerd zijn. II s'— bij elkaar passen.
assoup/ir I ov.w 1 gedeeltelijk verdoven; 2 doen insluimeren; 3 doen bedaren, verlichten (la douleur, la colère). II s'— insluimeren. **▼—issement** m 1 insluimering; 2 grote achteloosheid.
assoupl/ir ov.w 1 zacht, lenig maken; 2 handelbaar maken. **▼—issement** m 1 (het) lenig maken; 2 (het) handelbaar maken.
assourd/ir ov.w 1 doof maken; 2 dempen (un son). **▼—issant** bn oorverdovend. **▼—issement** m (het) als doof worden.
assouv/ir ov.w 1 stillen (la faim); 2 koelen (la colère). **▼—issement** m het stillen, koelen.
assujett/ir ov.w 1 onderwerpen; — à, dwingen tot; 2 vastmaken. **▼—issant** bn

1 slaafs; **2** vernederend. ▼—**issement** *m*,
1 onderwerping; **2** onderworpenheid,
gebondenheid; **3** verplichting.
assumer *ov.w* op zich nemen.
assurance *v* **1** zelfvertrouwen,
zelfverzekerdheid; **2** zekerheid; **3** verzekering;
4 verzekering (assurantie); —*s sociales,*
sociale lasten. ▼**assuré** *bn* **1** zeker; **2** vast,
ferm. ▼**assurément** *bw* zeker. ▼**assurer**
I *ov.w* **1** verzekeren; **2** assureren; **3** de
verzekering geven (— *qn. de qc.*);
4 vastzetten, bevestigen. **II** *s'*— **1** assureren;
2 zich zekerheid verschaffen; *s'— de,*
arresteren. ▼**assureur** *m* assuradeur.
aster *m* aster (*plk.*).
astér/ie *v* zeester. ▼—**isque** *m*
verwijzingsteken (*). ▼—**oïde** *m* **1** kleine
planeet tussen Jupiter en Mars; **2** vallende
ster; **3** meteoorsteen.
asthénie *v* krachteloosheid.
asthmatique *I bn* astmatisch. **II** *zn m/v*
astmalijder(es). ▼**asthme** *m* astma.
asticot *m* made.
asticoter *ov.w* treiteren (*fam.*).
astiquer *ov.w* oppoetsen.
astracan, astrakan *m* astrakan (fijne
lamswol).
astragale *v* **1** kootbeentje; **2** versiering.
astral, -aux *bn* wat betrekking heeft op de
sterren. ▼**astre** *m* **1** ster, hemellichaam; *l'— du
jour,* zon; **2** zeer schone vrouw.
astreignant *bn* dwingend, waardoor men
gebonden is. ▼**astreindre I** *ov.w* (*onr.*) (à)
dwingen tot, nopen tot. **II** *s'*—à zich binden
tot, zich opleggen (*s'* — *à des travaux*).
astringent *I bn* wat samentrekt, stopt. **II** *zn m*
samentrekkend middel, stopmiddel (*med.*).
astro/logie *v* sterrenwichelarij. ▼—**logique**
bn astrologisch. ▼—**logue** *m*
sterrenwichelaar. ▼—**naute** *m/v* ruimtevaarder.
▼—**nauticien, -ne** *I zn m of v*
ruimtevaartspecialist(e). **II** *bn* die zich voor
ruimtevaart interesseert. ▼—**nautique** *v*
ruimtevaart. ▼—**nef** *m* ruimtevaartuig.
▼—**nome** *m* sterrenkundige. ▼—**nomie** *v*
sterrenkunde. ▼—**nomique** *bn* astronomisch;
chiffres —*s,* zeer hoge (astronomische) cijfers.
▼—**physique** *v* astrofysica.
astuce *v* **1** sluwheid; **2** slim grapje.
▼**astucieux, -euse** *bn* sluw, geslepen,
arglistig.
asymétrie *v* ongelijkvormigheid.
▼**asymétrique** *bn* asymmetrisch.
atavisme *m* atavisme (verschijnen van
eigenschappen van niet-onmiddellijke
voorouders bij het nageslacht).
atelier *m* **1** werkplaats; **2** de werklieden v. e.
werkplaats.
atermoiement *m* uitstel. ▼**atermoyer** *ov.w*
1 uitstellen (van betaling); **2** uitstellen,
verschuiven.
athée *I bn* atheïstisch. **II** *zn m* godloochenaar,
atheïst. ▼**athéisme** *m* atheïsme.
athénée *m* **1** gebouw, waar geleerden enz.
lezingen of cursussen geven; **2** h.b.s. (in
België); **3** atheneum.
Athènes *v* Athene.
athlète *m* **1** worstelaar enz. in de oudheid;
2 atleet, zeer sterk mens. ▼**athlét/ique** *bn*
atletisch. ▼—**isme** *m* atletiek.
atlante *m* mannenbeeld, dat een gedeelte v. e.
gebouw ondersteunt (atlant).
atlantique *bn* atlantisch; *l'(Océan) A—,* de
Atlantische Oceaan.
atlas *m* **1** halswervel; **2** atlas; **3** l'*A—* gebergte
in W.-Afrika.
atmos/phère *v* **1** atmosfeer; **2** eenheid van
luchtdruk. ▼—**phérique** *bn* atmosferisch.
atoll *m* atol.
atome *m* atoom. ▼**atomique** *bn* atomisch,
atoom-; *bombe* —, atoombom. ▼**atomiser**
ov.w in fijne druppels verdelen. ▼**atomiseur**
m verstuiver ▼**atomiste** *m* atoomgeleerde.
atone *bn* **1** dof, uitdrukkingsloos (v. d. blik);
2 ongeaccentueerd (*voyelle* —). ▼**atonie** *v*
zwakheid, slapte.

atour *m* (meestal: —*s m mv*) opschik (van
vrouwen).
atout *m* troef (ook *fig.*).
âtre *m* haard.
atroce *bn* ontzettend, gruwelijk. ▼**atrocité** *v*
gruwelijkheid.
atrophie *v* uittering. ▼**atrophier (s'—)**
sterven door uittering.
attabler (s'—) aan tafel gaan.
attachant *bn* aantrekkelijk, boeiend.
attache *v* **1** band, riem; *chien d'—,*
kettinghond; *port d'*—, thuishaven; *tenir qn. à
l'attache,* iem. onder de duim houden;
2 paperclip; **3** gewrichtsverbinding; *avoir des
—s fines,* fijne gewrichten hebben;
4 gehechtheid (*avoir de l'— pour l'étude*).
attaché *m* lid v. e. gezantschap.
attachement *m* **1** genegenheid, gehechtheid;
2 ijver (— *au travail*). ▼**attacher I** *ov.w*
1 vastmaken, vasthechten; *le grelot,* de kat
de bel aanbinden; **2** vestigen op (— *ses yeux
sur*); **3** aan zich binden (— *qn. par la
reconnaissance*). **II** *s'*—à qn. zich aan iem.
hechten; *s'*— à qc., zich op iets toeleggen.
III *on.w* aanbranden.
attaqu/ant *m* aanvaller. ▼—**e** *v* **1** aanval; — *de
nerfs,* zenuwtoeval; — *d'apoplexie,* beroerte;
être d'attaque, potig zijn; **2** inzet (*muz.*); **3** *les
—s,* aanvalsloopgraven. ▼—**er I** *ov.w*
1 aanvallen, aanranden; — *qn. en justice,* iem.
voor het gerecht dagen; **2** aantasten;
3 beginnen met, aanpakken (*un travail*);
4 inzetten (*muz.*). **II** *s'*— à aanvallen, zich
meten met.
attarder I *ov.w* vertragen, verlaten. **II** *s'*— zich
verlaten, zich te lang ophouden (— *à table,*
natafelen.
atteindre I *ov.w* (*onr.*) **1** treffen, raken;
2 aantasten (van ziekte); **3** bereiken;
4 inhalen. **II** *on.w* (— à) reiken tot. ▼**atteinte**
v **1** aanraking, slag, stoot; *hors d'*—, buiten
bereik; **2** letsel, schade; *porter* — à,
aanranden, aantasten, benadelen.
attelage *m* **1** het aanspannen (van dieren);
2 span. ▼**atteler I** *ov.w* **1** aanspannen;
2 aanhaken, koppelen (v. wagons enz.). **II** *s'*—
à zich inspannen voor.
attenant *bn* belendend.
attendant *I bw: en* —, in afwachting. **II en** —
que *vgw* (met *subj.*) totdat. ▼**attendre I** *ov.w*
wachten, verwachten, af-, opwachten;
attendez-moi sous l'orme! (*spr. w*), morgen
brengen!; *tout vient à point à qui sait attendre*
(*spr. w*), geduld overwint alles. **II** *on.w*
(*après*) wachten op. **III** *s'*— (à) verwachten,
rekenen op.
attendr/ir I *ov.w* **1** zacht maken; **2** ontroeren,
vertederen. **II** *s'*— ontroerd worden.
▼—**issant** *bn* ontroerend, treffend.
▼—**issement** *m* ontroering, vertedering.
attendu I *vz* wegens, gezien. **II** —**que** *vgw*
aangezien.
attentat *m* aanslag. ▼—**oire** *bn* (à) die een
aanslag doet op, bedreigend.
attente *v* het wachten, verwachting; *être dans
l'*—, in afwachting zijn; *contre toute* —,
onverwachts; *salle d'*—, wachtkamer.
attenter (à) *on.w* een aanslag doen op.
attentif, -ive *bn* oplettend, attent.
▼**attention** *v* **1** aandacht, oplettendheid; *faire
*— *, opletten; *attention!,* opgelet!; **2** attentie,
voorkomendheid. ▼—**né** *bn* voorkomend.
attentisme *m* (*pol.*) (het) afwachten,
temporiseren.
atténu/ant *bn* verzachtend. ▼—**ation** *v*
verzachting, verzwakking, afzwakking. ▼—**er**
ov.w verzachten, verzwakken, afzwakken.
atterrer *ov.w* (*fig.*) terneerslaan, diep treffen.
atterrir *on.w* landen; — *forcé,* noodlanding; *train d'*—,
landingsgestel.
attest/ation *v* bewijs, getuigenis, verklaring.
▼—**er** *ov.w* getuigen, verklaren; *en* — *les
assistants,* de omstanders tot getuigen roepen.
attiéd/ir I *ov.w* **1** lauw maken, afkoelen;
2 (*fig.*) verflauwen. **II** *s'*— lauw worden,

verflauwen, afkoelen. ▼—**issement** m
1 afkoeling; 2 verflauwing.
attifer ov.w opdirken.
attiger ov.w (pop.) overdrijven.
attique bn Attisch; sel —, Attisch zout.
attirail m 1 benodigdheden, uitrusting;
2 overtollige bagage, rompslomp.
attir/ance v aantrekkingskracht. ▼—**ant** bn
aantrekkelijk. ▼—**er** l ov.w aantrekken, tot zich
trekken (les regards); — l'attention, de
aandacht trekken, vestigen op (à). Il s'—zich
op de hals halen.
attiser ov.w 1 oppoken; 2 (fig.) aanwakkeren.
attitré bn vast, gewoon (marchand —).
attitude v houding.
attouchement m aanraking.
attractif, -ive bn wat aantrekt; force attractive,
aantrekkingskracht. ▼**attraction** v
1 aantrekking, aantrekkingskracht; 2 les —s,
attracties, genoegens. ▼**attrait** m
1 aantrekkelijkheid, bekoring; 2 neiging,
smaak.
attrapade v, **attrapage** m 1 (fam.) standje;
2 ruzie. ▼**attrape** v 1 strik; 2 valstrik, fopperij.
▼**attrape-mouche**(†) m vliegenvanger.
▼**attrape-nigaud**(†) m boerenbedrog.
▼**attraper** ov.w 1 vangen; attrape!, steek dat
in je zak!; 2 bedriegen, beetnemen; 3 inhalen;
4 krijgen, oplopen; — une maladie, een ziekte
oplopen; — un rhume, kou vatten; — le train,
de trein halen; 5 betrappen; 6 weergeven,
nabootsen.
attrayant bn aantrekkelijk.
attribu/able bn toe te schrijven. ▼—**er** l ov.w
1 toekennen; 2 toeschrijven. Il s'—zich
aanmatigen, opeisen.
attribut m 1 eigenschap, kenmerk;
2 zinnebeeld.
attribution v 1 toekenning; 2—s, taak,
bevoegdheden.
attrist/ant bn bedroevend. ▼—**er** l ov.w
bedroeven. Il s'—bedroefd worden.
attroup/ement m samenscholing. ▼—**er**
l ov.w te hoop doen lopen. Il s'—
samenscholen.
au samentrekking van à le.
aubade v muzikale hulde in de morgenuren.
aubaine v buitenkansje.
aube v 1 dageraad, begin; 2 albe; 3 schoep.
aubépine v meidoorn.
auberge v herberg.
'**aubergine** l zn v aubergine. Il bn
auberginekleurig, donkerpaars.
aubergiste m herbergier.
aucun vnw geen (enkel). ▼—**s, d'—s**
sommigen; — ne of ne —, geen enkel,
niemand. ▼—**ement** bw geenszins.
audace v stoutmoedigheid, vermetelheid.
▼**audacieux, -euse** bn stoutmoedig,
vermetel.
au-deçà bw aan deze zijde. ▼**au-dedans** bw
van binnen. ▼**au-dehors** bw van buiten, naar
buiten. ▼au-delà l bw aan gene zijde, aan de
overzijde. Il zn m het hiernamaals.
▼**au-dessous** bw eronder. ▼**au-dessus** bw
erboven. ▼**au-devant de** vz tegemoet.
audibilité v hoorbaarheid. ▼**audible** bn
hoorbaar.
audience v 1 audiëntie; donner — à, het oor
lenen aan; 2 gerechtszitting; 3 gehoor.
▼**audiophone** m gehoorapparaat.
▼**audio-visuel** bn audiovisueel. ▼**audit/eur**
m, **-trice** v toehoorder(es). ▼—**if, -ive** bn wat
het gehoor betreft. ▼—**ion** v 1 het horen;
2 muziekuitvoering; 3 proefspel (van
kunstenaar), auditie. ▼—**oire** m 1 gehoorzaal;
2 toehoorders.
auge v 1 drinkbak voor vee; 2 kalkbak; 3 trog.
augment/able bn vermeerderbaar. ▼—**atif,
-ive** bn vergrotend. ▼—**ation** v vergroting,
verhoging (bijv. van salaris), vermeerdering.
▼—**er** l ov.w vergroten, verhogen,
vermeerderen. Il on.w vermeerderen,
toenemen, stijgen. Ill s'—vermeerderen,
toenemen, stijgen.
augure m 1 voorspelling, voorteken; oiseau de

bon, mauvais —, gelukbrenger,
ongeluksbode. 2 vogelwichelaar. ▼**augurer**
ov.w voorspellen, voorzien.
auguste bn verheven, doorluchtig.
aujourd'hui bw 1 vandaag; 2 tegenwoordig.
aulne zie aune.
aulx zie ail.
aumôn/e v aalmoes; faire l'—, een aalmoes
geven. ▼—**ier** m aalmoezenier.
aunage m 1 het meten met de el; 2 ellemaat
(van stoffen).
aunaie (aulnaie) v elzenbos. ▼**aune** m 1 els;
2 elfje.
aune v el; au bout de l'— faut le drap (spr.w),
aan alles komt een eind; l'homme ne se mesure
pas à l'aune (spr.w), men kan iem. niet
beoordelen naar zijn grootte; mesurer les
autres à son aune, anderen naar zich zelf
beoordelen.
auparavant bw van te voren, eerst, vroeger.
auprès l bw er dicht bij. Il —**(de)** vz
1 (dicht) bij; 2 vergeleken met.
auquel vnw samentrekking van à lequel.
aura v uitstraling.
aurai, -as, -a, -ons, -ez, -ont: toek. tijd van
avoir.
auréole v stralenkrans, aureool.
auriculaire l bn wat het oor betreft. Il zn m
pink.
aurifère bn goud bevattend. ▼**aurifier** ov.w
(een tand) met goud plomberen.
aurochs m oeros.
auroral [mv aux] bn van de dageraad.
▼**aurore** l zn v 1 dageraad, morgenrood (ook
fig.); dès l'—, voor dag en dauw; 2 oosten.
Il bn goudgeel.
auscult/ation v onderzoek van hart of longen
door luisteren. ▼—**er** ov.w hart of longen door
luisteren onderzoeken.
auspice m voorteken; sous d'heureux —s,
onder een gelukkig voorteken; sous les —s de,
onder bescherming van.
aussi l bw 1 ook, eveneens; 2— que, even . . .
als, zo . . . als; — bien que, evenals; — peu que,
evenmin als. Il vgw dan ook (voor aan de zin).
aussitôt l bw dadelijk. Il —**que** vgw zodra.
austère bn streng, ernstig. ▼**austérité** v
strengheid, stroefheid, boetvaardigheid.
austral [mv aux] bn zuidelijk.
Australie v Australië. ▼**australien, -enne** l bn
Australisch. Il zn A—m, -enne v Australiër
(-ische).
autan m krachtige z.- of z.o.-wind.
autant l bw evenveel, zoveel; — dire que, je
kunt even goed zeggen, dat; — de gagné, dat
hebben we alvast; en faire —, hetzelfde doen;
— de têtes, — d'avis, zoveel hoofden, zoveel
zinnen; d'—, naar evenredigheid; d'— mieux,
des te beter. Il d'— (plus) que vgw te meer,
omdat. ▼— que vgw zo ver, als.
autarcie v zelfbestuur, autarkie.
autel m altaar; maître-autel, hoofdaltaar.
auteur m 1 maker; 2 schrijver (schrijfster); le
droit d'—, het auteursrecht; 3 bedrijver, dader.
authent/icité v echtheid. ▼—**ique** bn echt,
waar.
autiste, autistique bn autistisch.
auto v auto.
auto/- voorvoegsel: (zich) zelf. ▼—**-adhésif**
bn zelfklevend. ▼—**-allumage** m
zelf-ontsteking. ▼—**-biographie** v
beschrijving van eigen leven. ▼—**-bus** m
autobus. ▼—**-car** m autocar. ▼—**-chenille** v
auto met rupsbanden. ▼—**-chrome** l bn wat de
natuurlijke kleuren weergeeft (fot.). Il zn v
kleurenfilm of fot. plaat.
autochtone bn/zn m autochtoon.
auto/consommation v eigen gebruik.
▼—**-cuiseur** m snelkookpan. ▼—**-crate** m
alleenheerser. ▼—**-cratie** v alleenheerschappij.
▼—**-critique** v zelfkritiek.
autodafé m ketterverbranding.
auto/-détermination v zelfbeschikkingsrecht.
▼—**-didacte** m autodidact. ▼—**-drome** m
autorenbaan. ▼—**-école**† v autorijschool.
▼—**-gestion** v zelfbestuur. ▼—**-gire** m

autogiro. ▼—**graphe** I *bn* eigenhandig
geschreven. II *zn m* eigenhandig geschreven
document v.e. schrijver. ▼—**graphie** *v*
vermenigvuldigen van handschriften.
▼—**guidage** *m* automatische besturing.
▼—**guidé** *bn* met automatische besturing.
▼—**mate** *m* 1 automaat; 2 onzelfstandig
persoon. ▼—**mation** *v* automatisering.
▼—**matique** *bn* automatisch, werktuiglijk.
▼—**matiser** *ov.w* automatiseren.
▼—**matisation** *v* automatisering.
▼—**matisme** *m* automatisme.
▼—**mitrailleuse** *v* pantserauto, met
mitrailleurs bewapend.
automnal [*mv* **aux**] *bn*: fleurs —es,
herfstbloemen. ▼**automne** *m* herfst.
auto/mobile *v* automobiel; canot —,
motorbootje. ▼—**mobilisme** *m*
automobilisme. ▼—**mobiliste** *m*
automobilist. ▼—**moteur, -trice** *v* dieseltrein.
zelfbewegend. ▼—**motrice** *v* dieseltrein.
▼—**nettoyant** *bn* zelfreinigend. ▼—**nome** *bn*
zelfstandig. ▼—**nomie** *v* zelfstandigheid.
▼—**portant** *bn*: caisse — e, zelfdragende body
(v. auto). ▼—**propulsé** *bn* met automatische
besturing.
autopsie *v* lijkschouwing. ▼**autopsier** *ov.w*
lijkschouwen.
autorail *m* dieseltrein.
autorisation *v* vergunning, machtiging.
▼**autoriser** I *ov.w* machtigen, vergunning
verlenen. II s'— de zich beroepen op.
autoritaire *bn* heerszuchtig, autoritair.
▼**autorité** *v* 1 gezag; d'—, op eigen gezag; cet
écrivain fait —, dat is een gezaghebbend
schrijver; 2 gezaghebbend persoon.
auto/route *v* autoweg. ▼—**stop** *m* lift; faire de
l'—, liften. ▼—**stoppeur** *m* lifter. ▼—**strade** *v*
autosnelweg.
autosuggestion *v* autosuggestie.
autour I *bw* rondom, er om heen. II —**de** *vz*
1 rondom; 2 (fam.) ongeveer. III *zn m* havik.
autre *bn* of *vnw* ander, anders; — chose, iets
anders; à d'—s, maak dat anderen wijs!; il n'en
fait pas d'—s, dat is weer echt iets voor hem; de
côté et d'—, hier en daar; j'en ai vu bien d'—s,
ik heb heel wat erger dingen meegemaakt;
parler de choses et d'—s, over koetjes en
kalfjes praten; l'— dimanche, verleden
zondag; entre —s, onder anderen; l'— jour,
onlangs; l'un l'—, les uns les —s, elkaar; l'un et
l'—, beiden; d'un moment à l'—, elk ogenblik;
nous autres, Français, wij, Fransen; — part,
elders; d'— part, aan de andere kant; de temps
à —, van tijd tot tijd; tout —s, elk ander.
autrefois *bw* vroeger.
autrement *bw* anders; — sympathique, veel
sympathieker.
Autriche *v* Oostenrijk. ▼**autrichien, -enne**
I *bn* Oostenrijks. II *zn* **A**— *m*, **-enne** *v*
Oostenrijker (-se).
autruche *v* struisvogel.
autrui *vnw* anderen, een ander.
auvent *m* afdak, luifel.
auvergnat I *bn* uit Auvergne. II **A**— *m*, **-e** *v*
bewoner (bewoonster) van Auvergne.
aux samentrekking van à les.
auxili/aire I *bn* hulp-. II (verbe) — *m*
hulpwerkwoord. ▼—**ateur, -trice** I *bn*
helpend. II *zn m* of *v* helper (-ster).
auxquels *vnw* samentrekking van à lesquels.
(s')avachir 1 slap worden; 2 zich laten gaan.
aval *m* 1 benedenloop v. e. rivier; en — (de),
stroomafwaarts; 2 wisselborgtocht.
avalanche *v* lawine.
avaler *ov.w* opeten, verslinden, verzwelgen; —
la pilule, door de zure appel heen bijten; — sa
langue, zwijgen; — de travers, zich verslikken;
— des yeux, met de ogen verslinden.
▼**avaleur** *m, -euse* *v* (fam.) gulzigaard.
avaliser *ov.w* steunen.
avance *v* 1 voorsprong; la belle —!, wat schiet
ik daar nu mee op!; 2 vooruitstrekend gedeelte
v. e. huis; 3 voorschot; 4 faire des —s à, iem.
(fig.) tegemoetkomen bij verzoening enz.; à
l'—, tevoren; d'—, par —, vooruit, bij voorbaat;

en —, te vroeg. ▼**avancé** *bn* 1 uitgestoken (la
main —e); 2 vooruitgeschoven (tranchée
—e); 3 in vergevorderde staat (travail —);
4 vooruitstrevend (idées —es); 5 die de
anderen voor is (élève —); 6 overrijp (pomme
—e). ▼**avanc/ement** *m* bevordering,
vooruitgang. ▼—**er** I *ov.w* 1 vooruitsteken;
2 voorschieten (des gages); 3 beweren, naar
voren brengen; 4 verhaasten, vervroegen.
II on.w 1 voorwaarts gaan, vorderen;
2 voorlopen (van klok); 3 vooruitsteken;
4 opschieten, vorderingen maken. III s'— naar
voren komen, naderen.
avanie *v* vernedering.
avant I *vz* voor (tijd, rangorde, plaats); — peu,
binnenkort; — de, alvorens. II *bw* 1 voor,
tevoren, vooruit; passer —, voorgaan; 2 diep,
ver; bien — dans la nuit, diep in de nacht; —
dans la forêt, ver, diep in het bos; en —,
voorwaarts; se mettre en —, zich opdringen.
III — que *vgw* voordat (met subj.). IV *zn m*
1 voorsteven v. e. schip; 2 het front;
3 voorhoedespeler (voetbal); la roue —, het
voorwiel.
avantag/e *m* 1 voordeel, voorrecht; j'ai l'— de,
ik heb het voorrecht, genoegen; 2 extra
erfdeel; 3 one in (tennis). ▼—**er** *ov.w*
bevoordelen, begunstigen. ▼—**eux, -euse** *bn*
1 voordelig; 2 flatteus; 3 verwaand.
avant/-bras *m* voorarm. ▼—**centre** *m*
middenvoor (voetbal). ▼—**cour†** I *v* voorhof.
▼—**coureur†** *zn m* of *bn* voorloper; signe —,
voorteken. ▼—**dernier†, -ère†** *bn* voorlaatst.
▼—**garde†** *v* voorhoede. ▼—**goût†** *m*
voorsmaak. ▼—**hier** *bw* eergisteren.
▼—**main†** *v* palm v. d. hand, voorhand v.e.
paard. ▼—**port†** *m* buitenhaven. ▼—**poste†**
m voorpost. ▼—**projet†** *m* voorontwerp.
▼—**propos** *m* voorbericht. ▼—**scène†** *v*
voorgrond van toneel. ▼—**veille†** *v* twee
dagen tevoren.
avare I *bn* gierig, zuinig. II *zn m* vrek. ▼**avarice**
v gierigheid. ▼**avaricieux, -euse** *bn* gierig.
avarie v averij, schade. ▼**avarié** *bn*
beschadigd. ▼**avarier** *ov.w* beschadigen.
avatar *m* 1 gedaanteverwisseling; 2 ongeluk.
avé (avé Maria) *m* 1 wees gegroet; 2 kraal v.
d. rozenkrans.
avec I *vz* met, bij; — ça!, och kom!; il a son père
— lui, bij zich; distinguer d'—, onderscheiden
van. II *bw* erbij.
avenant I *bn* vriendelijk, innemend; à l'—, in
overeenstemming. II *zn m* wijzigingsclausule.
avènement *m* 1 komst van Christus; 2 (het)
aan de regering komen, troonsbestijging.
avenir *m* 1 toekomst; à l'—, voortaan;
2 nageslacht.
avent *m* advent.
aventur/e *v* avontuur; à l'—, op goed geluk af;
d'—, par —, bij toeval; dire la bonne —, de
toekomst voorspellen. ▼—**er** I *ov.w* wagen.
II s'— zich wagen. ▼—**eux, -euse** *bn*
avontuurlijk, onzeker. ▼—**ier** *m, -ière** *v*
avonturier(ster).
avenu *bn*: nul et non —, niet bestaand.
avenue *v* 1 toegang; 2 laan; 3 brede, met
bomen beplante straat.
avéré *bn* bewezen (un fait —). ▼**avérer** I *ov.w*
als waar erkennen, bevestigen. II s'— blijken.
avers *m* beeldzijde van munt.
averse *v* stortbui.
aversion *v* afkeer, walging; prendre en —, een
afkeer krijgen van.
averti *bn* ingelicht, goed op de hoogte; un
homme — en vaut deux, een gewaarschuwd
man geldt voor twee. ▼**avert/ir** *ov.w*
1 waarschuwen; tenez-vous pour averti!, laat
dat u gezegd zijn!; 2 verwittigen.
▼—**issement** *m* 1 waarschuwing; 2 bericht;
— au lecteur, voorbericht. ▼—**isseur** I *bn*
waarschuwend. II *zn m* 1 waarschuwer;
toestel om te waarschuwen; — d'incendie,
brandmelder; 2 toeter.
aveu *m* 1 bekentenis; faire l'— de, bekennen;
2 toestemming, goedkeuring; homme sans —,
schooier; de l'— de tout le monde, zoals ieder

erkent.
aveuglant *bn* verblindend. ▼**aveugl/e l** *bn*
1 blind; *à l'*—, blindelings; 2 totaal
(*soumission* —). **II** *zn m* of *v* blinde.
▼—**ement** *m* 1 verblinding; 2 blindheid.
▼—**ément** *bw* blindelings. ▼—**er** *ov.w*
1 verblinden; 2 blind maken; 3 stoppen v. e.
lek. ▼—**ette**: *à l'*—, blindelings.
aveul/ir *ov.w* verwijven, willoos maken.
▼—**issement** *m* verwijving, lamlendigheid.
avia/teur *m*, **-trice** *v* vliegenier(ster). ▼—**tion**
v vliegkunst.
aviculteur *m* vogelkweker. ▼**aviculture** *v*
(het) kweken van vogels.
avide *bn* begerig, gretig. ▼**avidité** *v*
1 begerigheid; 2 gulzigheid.
avilir l *ov.w* 1 verlagen, vernederen; 2 (in prijs)
verlagen. **II s'**—zich verlagen. ▼**avilissant** *bn*
verlagend, vernederend. ▼**avilissement** *m*
1 verlaging, vernedering; 2 prijsverlaging.
aviné *bn* 1 dronken; 2 naar wijn ruikend.
avion *m* vliegtuig; — *de chasse*, jachtvliegtuig;
— *postal*, postvliegtuig; — *à réaction*,
straalvliegtuig; — *de tourisme*, sportvliegtuig;
— *de transport*, verkeersvliegtuig. ▼—**nette**
(**aviette**) *v* klein vliegtuig.
aviron *m* 1 roeiriem; 2 roeisport.
avis *m* 1 mening, oordeel; *autant de têtes,
autant d'*—, zoveel hoofden, zoveel zinnen; *à
mon* —, mijns inziens; *m'est* —, mij dunkt;
deux — *valent mieux qu'un*, twee weten meer
dan één; 2 raad; 3 waarschuwing, bericht; —
au lecteur, voorbericht; — *au public*,
aanplakbiljet; *sauf* — *contraire*, zonder
tegenbericht. ▼**avisé** *bn* bedachtzaam.
▼**aviser l** *ov.w* 1 toevallig bemerken; 2 raden;
3 berichten. **II s'**—**de** bedenken.
aviver *ov.w* 1 verlevendigen, verhelderen; —
une couleur, een kleur ophalen; 2 opstoken (*le
feu*); 3 oppoetsen; 4 scherpen.
avocat *m* 1 advocaat; — *d'assises*, pleiter; —
conseil, juridisch adviseur; 2 avocado.
avoine *v* haver; *folle* —, wilde haver.
avoir l *ov.w* 1 hebben, bezitten; — *12 ans*,
twaalf jaar zijn; — *pour agréable*, goedvinden;
il a beau dire, hij heeft mooi praten; al praat hij
nog zo; — *chaud*, warm zijn; *en* — *à*, het
gemunt hebben op; — *froid*, koud zijn; *cette
maison a 19 mètres de haut*, dit huis is 19 meter
hoog; — *de la lecture*, belezen zijn; — *peur*,
bang zijn; *qu'avez-vous?*, wat mankeert u?;
2 krijgen; 3 dragen; 4 (*fam.*) beduvelen; — *à*:
j'ai à parler à cet homme, ik moet die man
spreken; *il n'a qu'à répondre*, hij hoeft maar te
antwoorden. **il y a** er is, er zijn, enz.; *il y a un an*,
een jaar geleden; *il y a longtemps*, lang
geleden; *qu'y a-t-il?*, wat scheelt er aan?; *qu'y
a-t-il pour votre service?*, wat is er van uw
dienst?; *tant il y a*, zoveel is zeker. **II** *zn m*
1 bezit; 2 credit.
avoisinant *bn* naburig, aangrenzend.
▼**avoisiner** *ov.w* grenzen aan.
avort/ement *m* 1 mislukking; 2 abortus; —
volontaire, abortus provocatus. ▼—**er** *on.w*
1 mislukken; 2 aborteren. ▼—**eur** *m* iem. die
een abortus uitvoert. ▼—**on** *m* misbaksel.
avouable *bn* waarvoor men zich niet behoeft te
schamen.
avoué *m* procureur.
avouer *ov.w* 1 bekennen; 2 als het zijne
erkennen (*un ouvrage*); 3 goedkeuren.
avril *m* april; *poisson d'*—, aprilmop.
axe *m* 1 as, spil; 2 hoofdrichting. ▼**axer** *ov.w*
richten op.
axiome *m* axioma.
ayant† *cause m* rechtverkrijgende. ▼**ayant†
droit** *m* rechthebbende.
azalée *v* azalea (*plk.*).
azimut *m* azimut; (*dans*) *tous* (*les*) —*s*, in alle
richtingen.
azote *m* stikstof. ▼**azoté** (**azoteux, -euse**) *bn*
stikstof bevattend.
azur *m* 1 azuur-, lazuursteen; 2 (het) blauw v.
d. hemel; *la Côte d'A*—, de Rivièra; 3 hemel,
lucht. ▼**azuré** *bn* hemelsblauw.
azyme *bn* ongedesemd (*pain* —).

B

b *m*: *être marqué au b* (van *boiteux* = mank,
borgne = eenogig, *bossu* = gebocheld),
getekend zijn; *ne savoir ni a ni b*, niets kennen,
zeer onontwikkeld zijn.
baba *bn* rester —, paf staan (*pop.*).
babeurre *m* karnemelk.
babil *m* 1 gebabbel; 2 kindertaal. ▼**babill/age
(babillement)** *m* gebabbel. ▼—**ard** l *bn*
praatziek. **II** *zn m*, -e *v* babbelaar(ster). **III** *m*
(*pop.*) brief. ▼—**er** *on.w* babbelen.
babines *v mv* hanglippen; *s'en lécher les* —,
likkebaarden.
babiole *v* 1 snuisterij; 2 kleinigheid.
bâbord *m* bakboord.
babouche *v* slof, muil.
babouin *m* baviaan.
baby-foot *m* tafelvoetbal.
bac *m* 1 veerpont; 2 kuip; 3 (*pop.*)
baccalaureaat, eindexamen middelbare
school.
baccalauréat *m* eerste universitaire graad in
Frankrijk, ongeveer overeenkomende met het
eindex. atheneum of gymnasium in Nederland;
— *ès lettres*, — *ès sciences*, baccalaureaat in
de letteren, in de wis- en natuurkunde.
baccara *m* baccarat (soort gokspel met
kaarten).
bacchanale *v* slemppartij. ▼**bacchante** *v*
1 id.; 2 (*pop.*) snor.
bâche *v* 1 dekzeil, huif; 2 broeibak; 3 (*pop.*)
pet.
bachelier *m*, **-ère** *v* iem. die in het bezit is van
het baccalaureaatsexamen.
bâcher *ov.w* een dekzeil op iets leggen.
bachot *m* 1 klein bootje; 2 (*arg.*)
baccalaureaat, eindexamen middelbare
school. ▼—**age** *m* (fel) drillen voor een
examen. ▼—**er** *on.w* zich klaarstomen.
bacille *m* bacil.
bâclage *m* 1 (het) afraffelen v.e. werk; 2 (het)
sluiten v.e. venster of deur door middel v.e.
stang. ▼**bâcler** *ov.w* 1 afraffelen; 2 sluiten v.e.
deur of venster door middel v.e. stang.
bacon *m* mager spek.
bactéri/e *v* bacterie. ▼—**en, -enne** *bn*
bacterisch. ▼—**ologie** *v* bacteriologie.
▼—**ologique** *bn*: *guerre* —, bacteriologische
oorlogvoering.
badaud l *bn* kijkgraag. **II** *zn m* sufferd.
badigeon *m* muurkalk. ▼—**ner** *ov.w* kalken,
insmeren.
badin l *bn* schalks. **II** *zn m*, -e *v* schalks
persoon, grappenmaker (-maakster). ▼—**age**
m scherts, gekeuvel. ▼—**er** *on.w* schertsen,
genoeglijk keuvelen of schrijven. ▼—**erie** *v*
1 grap, scherts; 2 kinderachtigheid, beuzelarij.
baffe *v* (*fam.*) oorveig.
bafouer *ov.w* uitlachen, uitjouwen.
bafouillage *m* kletspraat (*fam.*). ▼**bafouiller**
ov.w hakkelen (*fam.*).
bâfrer *ov.w* en *on.w* smullen, schransen
(*pop.*).
bagage *m* bagage; *plier* —, 1 ertussenuit gaan;
2 sterven (*fam.*).
bagarr/e *v* (*fam.*) 1 herrie, gedrang; 2 rel,
vechtpartij. ▼—**er** *on.w* (*pop.*) knokken (om).
▼—**eur** *m* (*fam.*) vechtersbaas.
bagatelle *v* 1 kleinigheid; —*!*, gekheid, onzin!;

2 (*iron.*) liefdesdaad.
bagnard *m* galeiboef. ▼**bagne** *m* bagno.
bagnole v (slechte) kar of auto.
bagout (**bagou**) *m* radheid van tong.
bague v (vinger)ring; *jeu de* —, ringsteken.
baguenaud/er *on.w* prutsen, lanterfanten.
　▼—**erie** v beuzelarij.
baguer *ov.w* **1** ringen (vogel); **2** ringvormig
　insnijden.
baguette v **1** stokje; — *divinatoire*,
　wichelroede; — *de fée,* toverstokje; — *de*
　tambour, trommelstok; **2** lang brood;
　3 dirigeerstok.
baguier *m* juwelenkistje.
bah! *tw* och kom!, kom nou!
bahut *m* **1** klerenkist; **2** antiek buffet;
　3 vrachtauto; **4** school.
bai *bn* roodbruin (van paarden).
baie v **1** baai (*scheepv.*); **2** deur-,
　vensteropening; **3** bes.
baign/ade v **1** (het) baden; **2** bad-,
　zwemplaats aan een rivier. ▼—**er** I *ov.w*
　1 doen baden; **2** begieten, dompelen in;
　baigné de larmes, in tranen badend; **3** stromen
　langs (*la mer baigne cette ville*). II *on.w*
　gedompeld zijn in, baden. III **se** — een bad
　nemen, zwemmen. ▼—**eur** *m*, **-euse** v **1** bader
　(baadster); **2** badmeester, -juffrouw;
　3 celluloid poppetje. ▼—**euse** v badmantel.
　▼—**oire** v **1** badkuip; **2** parterreloge (in
　schouwburg).
bail [*mv* baux] (*spr.:* baj) *m* huurceel; *crédit*
　—*, leasing; donner à* —, verhuren, verpachten;
　— *à loyer,* huurcontract.
bâillement *m* gegaap, geeuw. ▼**bâiller** *on.w*
　1 gapen, geeuwen; **2** op een kier staan.
bailler *ov.w* (*oud*) geven; *vous me la baillez*
　belle, je maakt me wat wijs! ▼**bailleur** *m*,
　-eresse v verhuurder (-ster); — *de fonds,*
　geldschieter.
bailli *m* baljuw.
bâillon *m* prop in de mond. ▼—**ner** *ov.w*
　knevelen, de mond snoeren (ook *fig.*).
bain *m* **1** bad; **2** badkuip, badinrichting; — *de*
　mer, zeebad; *être dans le* —, erbij en lelijk in zitten;
　les —*s,* badplaats, baden met geneeskrachtig
　water (*Aix-les-Bains*); *prendre les* —*s,* een
　badkuur houden. ▼**bain†-marie** *m* id.
baïonnette v bajonet.
baisemain *m* **1** handkus; **2**—**s** groeten,
　complimenten. ▼**baisement** *m* voetkus (op
　Witte Donderdag of bij bezoek aan de paus).
　▼**baiser** I *ov.w* **1** kussen, zoenen; *je vous*
　baise les mains, uw dienaar; (*iron.*) daar ga ik
　voor!; **2** beslapen (vrouw); (*arg.*) begrijpen.
　II *zn m* kus, zoen.
baisse v daling; *jouer à la* —, speculeren op het
　dalen der aandeelenkoersen. ▼**baisser** I *ov.w*
　1 neerlaten, laten zakken enz.; — *l'oreille,*
　beteuterd staan, de moed verliezen;
　pavillon, toegeven, de vlag strijken; — *un*
　store, een gordijn neerlaten; *un tableau,* een
　schilderij lager hangen; — *la tête,* het hoofd
　buigen; — *le ton,* inbinden, een toontje lager
　zingen; — *la voix,* zachter spreken; — *la radio,*
　de radio zacht(er) zetten; **2** verlagen. II *on.w*
　zakken, dalen, verminderen; *ses actions*
　baissent, zijn invloed vermindert; *le jour baisse,*
　de avond valt; *le malade baisse,* de zieke gaat
　achteruit; *les marchandises baissent,* de waren
　slaan af; *le vent baisse,* de wind gaat liggen; *sa*
　vue baisse, zijn gezicht wordt minder. III **se**
　zich bukken.
bajoue v (hang)wang.
bakélite v bakéliet.
bal [*mv* bals] *m* **1** bal; — *champêtre,*
　openluchtbal; — *blanc,* jongelui sbal;
　2 danszaal.
balade v (*pop.*) wandeling. ▼**se balader**
　(*pop.*) flaneren, slenteren. ▼**baladeuse** v
　1 bijwagen; **2** looplamp.
baladin *m* clown, hansworst.
balafre v **1** lange snede i.h. gezicht; **2** (het)
　litteken daarvan. ▼**balafré** *bn* met een litteken
　in het gezicht.
balai *m* **1** bezem; — *mécanique,* rolveger;

donner un coup de —, vegen, (*fig.*) personeel
　ontslaan; *faire* — *neuf,* erg ijverig zijn (in het
　begin); *rôtir le* —, een ongebonden leven
　leiden, boemelen; **2** vogelstaart; staarteinde,
　-pluim; **3** (*tech.*) koolborstel.
balance v **1** weegschaal; *mettre dans la* —,
　vergelijken; *mettre en* —, afwegen; *faire*
　pencher la —, de schaal doen overslaan;
　2 evenwicht; **3** balans; *faire la* —, balans
　opmaken; **4** kreeftenet. ▼**balanç/er** *bn:* (*fam.*)
　bien —, goed gebouwd. ▼—**elle** v
　schommelbank. ▼—**ement** *m* **1** (het)
　schommelen; **2** aarzeling. ▼—**er** I *ov.w* **1** heen
　en weer bewegen, schommelen; **2** (*fig.*)
　afwegen (*le pour et le contre*); **3** in evenwicht
　houden; **4** afsluiten (*un compte*); **5** een
　evenwicht vormen met, opwegen tegen;
　6 (*pop.*) wegsturen, ontslaan. II *on.w*
　1 aarzelen; **2** onzeker blijven. III **se** —
　1 schommelen, wiegelen, wiggelen; **2** tegen
　elkaar opwegen; *s'en* —, er maling aan
　hebben. ▼—**ier** *m* **1** slinger v.e. klok; **2** balans
　v.e. machine; **3** balanceerstok. ▼**balançoire** v
　1 schommel; **2** fop.
balay/age *m* (het) vegen. ▼—**er** *ov.w* **1** vegen;
　2 voor zich uit drijven, verjagen (*le vent balaye*
　les nuages); schoonvegen (*le vent balaye le*
　ciel); **3** aftasten (met straal). ▼—**ette** v veger,
　stoffer. ▼—**eur** *m*, **-euse** v straatveger
　(-vegester). ▼—**euse** v veegmachine.
　▼—**ures** v *mv* veegsel.
balbutiement *m* (het) stamelen, stotteren.
　▼**balbutier** I *on.w* stamelen, stotteren. II *ov.w*
　stamelend uitspreken (— *des excuses, un*
　compliment).
balbuzard *m* visarend.
balcon *m* balkon.
baldaquin *m* baldakijn, hemel v.e. bed.
Bâle Bazel.
baleine v **1** walvis; **2** balein. ▼**baleinier** *m*
　walvisvaarder.
balès, balèze *bn* (*pop.*) groot en sterk.
balise v (radio)baken, boei, verkeerskegel.
　▼**baliser** *ov.w* betonnen, afbakenen.
balistique I *zn* v ballistiek (leer der
　kogelbanen). II *bn* ballistisch.
baliverne v kletspraat.
Balkan (le) Balkan; *dans les* —**s,** op de Balkan.
　▼**balkanique** *bn* uit de Balkan.
ballade v ballade.
ballant I *bn* los neerhangend, zwaaiend (*aller*
　les bras —*s*); *voile* —*e,* loshangend zeil. II *zn*
　m het slingeren; *avoir du* —, slingeren.
balle v **1** bal (ook voetbal); *avoir la* — *belle,*
　een gunstige gelegenheid hebben; *prendre la*
　— *au bond,* de gelegenheid aangrijpen; *enfant*
　de la —, in het vak van zijn vader opgegroeid
　(speciaal van toneelspelers); *renvoyer la* —,
　het antwoord niet schuldig blijven; *à vous la*
　—, 't is uw beurt; **2** kogel; — *traçante,*
　lichtkogel; — *perdue,* verdwaalde kogel; *à*
　feu, lichtkogel; **3** baal; *faire sa* — *de qc.,* iets
　uitzoeken; *marchandises de* —, bocht,
　rommelwaar; *porter la* —, als marskramer
　rondtrekken; **4** (*fam.*) frank; **5** (*fam.*) gezicht;
　6 kaf.
ballerine v balletdanseres.
ballet *m* ballet; *corps de* —, de gezamenlijke
　dansers (-*essen*) (bijv. van de opera).
ballon *m* **1** (met lucht gevulde) bal, voetbal;
　2 luchtballon; — *captif,* kabelballon; —
　d'essai, — *pilote,* proefballon; — *-sonde,*
　weerballon; *lancer un* — *d'essai,* een
　proefballonnetje oplaten; *gonfler un* —, een
　ballon vullen; *avoir du* —, hoogdravend zijn;
　3 ronde berg in de Elzas (*le Ballon d'Alsace*);
　4 rond(e) fles of glas.
ballot *m* **1** kleine baal; **2** (*pop.*) lomperd.
ballottage *m* herstemming. ▼**ballotter** I *ov.w*
　1 heen en weer slingeren; **2** in herstemming
　brengen; **3** voor de gek houden. II *on.w*
　schudden, klapperen (bijv. van een deur).
balluchon (baluchon) *m* (*pop.*) pakje kleren
　of linnengoed.
balnéaire *bn* wat betrekking heeft op baden;
　station — v badplaats.

bâlois I *bn* uit Bazel. **II** *zn* **B**— *m*, **-e** *v* inwoner (inwoonster) van Bazel.

balourd I *bn* lomp, dom. **II** *zn m*, **-e** *v* lomperd, stommeling. **▼-ise** *v* lompheid, stommiteit.

balsa *m* balsahout.

balsamine *v* balsemien (*plk.*).

balsamique *bn* balsemachtig, welriekend.

balte *bn* Baltisch. **▼Baltique** *v*: (*la mer*) —, Oostzee.

balustrade *v* balustrade, hek. **▼balustre** *m* spijl van balustrade of hek.

balzane *v* witte vlek op de voeten v.e. paard.

bambin *m*, **-e** *v* (*fam.*) kleuter.

bamboche *v* 1 marionet; **2** uitspatting. **▼bambocher** *on.w* (*pop.*) boemelen, zich overgeven aan uitspattingen. **▼bambocheur** *m*, **-euse** *v* (*pop.*) boemelaar(ster).

bambou *m* bamboe; *avoir le coup de* —, (*pop.*) gek worden; erg moe zijn.

ban *m* 1 proclamatie; *battre un* —, omroepen (met gebruikmaking van trom of bekken); — *de vendange*, bekendmaking door de omroeper, dat de wijnoogst begint; **2** oproeping der leenmannen; **3** tromgeroffel en hoorngeschal voor en na sommige mil. plechtigheden (bijv. officiersbeëdiging). (*ouvrir le* —, *fermer le* —); **4** kerkelijke huwelijksafkondiging; **5** verbanning; *mettre au* —, in de ban doen; *rupture de* —, het verlaten v.d. plaats van verbanning.

banal [*mv* aux] *bn* gewoon, alledaags, ordinair. **▼-iser** *ov.w* banaal maken. **▼-ité** *v* platheid, afgezaagdheid.

banan/e *v* banaan. **▼—eraie** *v* bananenplantage. **▼—ier** *m* banaanboom.

banc *m* 1 (zit) bank; *être sur les bancs*, schoolgaan; — *d'essai*, proefbank; — *d'œuvre*, kerkmeestersbank; **2** laag gesteenten; **3** zandbank (— *de sable*); **4** school (— *de poissons*). **▼bancaire** *bn* bank-.

bancal [*mv* als] *bn* 1 met kromme benen; **2** wankel (door ongelijke poten).

bandage *m* 1 het verbinden; **2** verband; **3** band om wiel; **4** breukband. **▼bandagiste** *m* fabrikant of verkoper van verband, van breukbanden. **▼bande** *v* 1 band, verband; — *d'arrêt d'urgence*, vluchtstrook; — *dessinée* (*B.D.*), strip (verhaal); — *molletière*, beenwindsel; **2** kruisband om een krant; *mettre un journal sous* —, er een kruisband om doen; **3** biljartband; **4** film- of geluidsband; — *magnétique*, magneetband; — *sonore*, geluidsband; **5** bende. **▼bandeau** [*mv* x] *m* 1 blinddoek; *avoir un* — *sur les yeux*, verblind zijn; **2** verblinding (*le bandeau de l'erreur*); **3** hoofdband; — *royal*, diadeem; **4** gladde haren aan weerszijden v. h. voorhoofd (*se coiffer en* —*x*). **▼bandelette** *v* bandje, strookje, lintje. **▼bander** *ov.w* 1 verbinden; — *les yeux*, blinddoeken; **2** spannen v. e. boog.

banderille *v* banderilla (van stierenvechters).

banderole *v* 1 wimpel; **2** sigarebandje.

bandit *m* bandiet, schavuit. **▼—isme** *m* banditisme.

bandoulière *v* draagriem; *porter en* —, schuin over de rug dragen.

bang *m* knal.

bank-note† *v* of *m* bankbiljet.

banlieue *v* buitenwijken v. d. stad.
▼banlieusard *m* bewoner der banlieue; (*fam.*) forens.

banne *v* 1 kolenwagen; **2** dekzeil; **3** mand.

banni *m* balling.

bannière *v* 1 vaandel, banier; **2** scheepsvlag.

bannir *ov.w* 1 verbannen; **2** afleggen, van zich werpen (*la crainte, les soucis*). **▼bannissement** *m* 1 verbanning; **2** ballingschap.

banque *v* 1 geld-, handelsbank; — *de circulation*, circulatiebank; — *de crédit*, leenbank; — *d'escompte*, discontobank; — *régionale*, boerenleenbank; *la B*— *de France*, de Franse Bank; — *du sang*, bloedbank; **2** totale inzet v. e. speelbank; *faire sauter la* —, de hele inzet v.d. speelbankhouder winnen;

tenir la —, de bank houden. **▼banquerout/e** *v* bankroet; *faire* —, bankroet gaan; — *simple*, niet-bedrieglijke bankbreuk. **▼—ier** *m*, **-ière** *v* bankroetier.

banquet *m* feestmaal. **▼—er** *on.w* **1** deelnemen aan een banket; **2** goede sier maken.

banquette *v* 1 bank zonder leuning; **2** bank in treinen en trams; **3** stenen vensterbank.

banquier *m*, **-ère** *v* 1 bankier(ster); **2** bankhouder (-ster) bij kansspel.

banquise *v* ijsbank.

baobab *m* apebroodboom.

baptême (*spr.*: batem) *m* doop, doopsel. **▼baptiser** *ov.w* 1 dopen; **2** zegenen van schip enz.; — *du vin*, water in de wijn gieten. **▼baptismal** [*mv* aux] *bn* wat betrekking heeft op de doop; *eau* — *e*, doopwater; *fonts baptismaux*, doopvont. **▼baptiste** *m* doopsgezinde; *Saint Jean-B*—, H. Johannes de Doper. **▼baptistère** *m* doopkapel.

baquet *m* 1 kuipje, kleine tobbe; **2** (*arg.*) bord.

bar *m* 1 zeebaars; **2** bar.

baragouin *m* koeterwaals. **▼—er** *ov.w* een taal slecht spreken, radbraken (— *le français*).

baraque *v* 1 tent; **2** kraam; **3** krot; **4** loods. **▼baraquement** *m* tenten-, barakkenkamp. **baraqué** *bn* (*pop.*) gebouwd; *bien* —, groot en sterk.

baratin *m* (*pop.*) praatjes, smoesjes. **▼—er** *I on.w* praatjes verkopen. **II** *ov.w* (iem.) omverpraten. **▼—eur** *m* smoesjesmaker.

baratt/age *m* het karnen. **▼—er** *v* karn. **▼—er** *ov.w* karnen. **▼—eur** *m*, **-euse** *v* 1 karn; **2** karnmachine. **▼—on** (**baraton**) *m* karnstok.

barbant *bn* (*fam.*) vervelend.

barbaque *v* (*pop.*) vlees.

barbar/e *I bn* 1 barbaars, wreed, onmenselijk; **2** onbeschaafd. **II** *zn m* barbaar, onmens. **▼—esque I** *bn* Barbarijs. **II** *zn* **B**— *m* Berber. **▼—ie** *v* 1 barbaarsheid, onmenselijkheid, wreedheid; **2** onbeschaafdheid. **▼—isme** *m* barbarisme in de taal.

barbe *v* 1 baard; *agir à la* — *de qn.*, iets in iemands bijzijn doen, om hem te trotseren; *faire la* — *à qn.*, iem. de baas zijn; iem. scheren; *se faire la* —, zich scheren; *par ma* —*!*, waarachtig!; *porter toute sa* —, een volle baard dragen; *rire dans sa* —, in zijn vuistje lachen; *à* —*!*, genoeg, hou op!; **2** baard van korenaar of pen; **3** *vieille* —, ouwe sok; **4** schimmel.

barbeau [*mv* x] *m* 1 barbeel; **2** korenbloem; **3** (*pop.*) souteneur.

barbecue *m* barbecue.

barbelé *bn* met weerhaken; *fil de fer* —, prikkeldraad.

barber *ov.w* vervelen.

barbet *m* poedel.

barbiche *v* sik.

barbier *m* barbier. **▼barbifier** *ov.w* (*fam.*) scheren; vervelen.

barbillon *m* weerhaak.

barbiturique *bn*/*zn m* barbituraat.

barbon *m* oude man.

barbot/age *m* geploeter, geplas. **▼—er** *on.w* 1 ploeteren, plassen; **2** door 't slijk waden; **3** blijven steken, de kluts kwijt zijn; **4** mompelen; **5** (*pop.*) stelen. **▼—eur I** *m* 1 iem. die ploetert, plast; **2** tamme eend. **II** **-euse** *v* speelpakje. **▼—ière** *v* eendenpoel.

barbouill/age (**barbouillis**) *m* 1 kladschilderij; **2** onleesbaar schrift; **3** gebrabbel, wartaal. **▼—er I** *ov.w* 1 bekladden, bevuilen; **2** kladschilderen; **3** van streek brengen; **4** slecht schrijven (ook van stijl). **II** *on.w* brabbelen. **▼—eur** *m*, **-euse** *v* 1 kladder (kladster); **2** kladschilder(es); **3** slecht schrijver (schrijfster); **4** brabbelaar(ster).

barbouse, barbouze I *v* (*pop.*) baard. **II** *m* geheim agent.

barbu *bn* baardig.

barbue *v* griet (vis).

barcarolle *v* gondellied.

barcasse *v* barkas.

barda *m* (*pop.*) soldatenuitrusting; rotzooi.

barde *m* bard.
bardeau *m* dakspaan.
barder I *ov.w* **1** pantseren, bedekken; **2** met spek omwikkelen. II *on.w: ça va —*, 't zal er wild toegaan.
barême, barrême *m* boek met uitgewerkte berekeningen, schaal.
barge *v* **1** platboomd vaartuig; **2** rechthoekige hooimijt; **3** grutto.
barguigner *on.w* (*oud*) aarzelen.
baril *m* vaatje. ▼**barillet** *m* **1** klein vaatje; **2** revolvertrommel.
bariolage *m* bonte kleurenmengeling.
▼**bariolé** *bn* bont.
barmaid *v* barjuffrouw, -meisje. ▼**barman** *m* barkeeper.
baro/graphe *m* hoogtemeter v. vliegtuigen. ▼**—mètre** *m* barometer; — *enregistreur*, zelfregistrerende barometer. ▼**—métrique** *bn* barometrisch; *hauteur —*, barometerstand.
baron *m* baron. ▼**—ne** *v* barones. ▼**—nie** *v* baronie.
baroque I *bn* barok, vreemd, grillig (*une idée —*). II *zn m* barok.
baroud *m* (*mil.*) gevecht.
barouf (baroufle) *m* (*pop.*) lawaai, herrie.
barque *v* boot; — *de pêche*, vissersboot; *bien conduire sa —*, zijn zaken goed leiden; — *à rames*, roeiboot; — *à voile*, zeilboot. ▼**barquette** *v* **1** bootje; **2** taartje.
barrage *m* **1** versperring, (weg)afsluiting; *tir de —*, spervuur; **2** tol; **3** stuwdam; **4** (*sp.*) id. ▼**barre** *v* **1** staaf, stang; *une — de fer*, een onverzettelijk man; *de fer à —s*, baar goud; *— fixe*, rekstok; *—s parallèles*, brug (gymnastiektoestel); **2** streep, muziekstreep; *jeu de —s*, overlopertje; *avoir — sur qn.*, de overhand op iem. hebben; **3** roerpen; *tenir la —*, het stuur houden; *un coup de —*, ruk aan het stuur; **4** rechtbank, balie; *comparaître à la —*, voor de rechter verschijnen; **5** hindernis bij riviermonding; — *de sable*, zandplaat; *port de —*, haven, die alleen bij vloed toegankelijk is; — *d'eau*, springvloed, vloedgolf. ▼**barreau** [*mv* x] *m* **1** stang, tralie; **2** balie, advocatenstand, pleiter. ▼**barrer** I *ov.w* **1** afsluiten, versperren; *rue barrée*, afgesloten rijweg; **2** doorstrepen, doorhalen, een kruis zetten door (*un chèque*). II *se — (pop.)* ervandoor gaan.
barrette *v* **1** baret; **2** kardinaalshoed; **3** bonnet.
barreur *m* stuurman; *quatre sans —*, (*sp.*) ongestuurde vier.
barricade *v* barricade (straatversperring). ▼**barricader** I *ov.w* versperren. II *se —* zich achter een barricade verschansen; (*fig.*) zich in zijn kamer opsluiten.
barrière *v* **1** afsluiting, hek; **2** tolhek, slagboom; **3** natuurlijke grens; **4** hinderpaal.
barrique *v* okshoofd, fust (200 à 250 liter).
barr/ir *on.w* trompetteren (v. olifant). ▼**—issement** *m* (het) trompetteren.
baryton *m* **1** bariton; **2** baritoninstrument.
bas, basse I *bn* **1** laag; *en — âge*, op jeugdige leeftijd; — *allemand*, Nederduits; *chapeau —*, met de hoed af; *le — latin*, middeleeuws Latijn; *faire main —se*, plunderen; *faire main —se sur*, in beslag nemen, zich meester maken van; *ce malade est bien —*, die zieke is erg slecht; *marée —se*, eb; *messe —se*, stille mis; *officier —*, subaltern officier; *l'oreille —se*, met hangende pootjes; *la —se Seine*, de beneden-Seine; *temps —*, betrokken lucht; *traiter de haut en —*, geringschattend behandelen; *la —se ville*, de benedenstad; *avoir la vue —se*, bijziende zijn; **2** laag, gemeen; *mot, terme —*, grof, ordinair woord; *style —*, ordinaire stijl; **3** fluisterend; *à voix —se*, fluisterend. II *bw* laag; *à —*, — weg met!; *à — les chapeaux*, hoeden af!; *à — les mains!*, handen thuis!; *parler —*, zachtjes spreken; *cet homme est — percé*, die man is geruineerd; *couler —*, zinken; *en —*, beneden, naar beneden; *là-bas*, daarginds; *ici-bas*, hier op aarde; *au — de*, onderaan.

bas *m* **1** het onderste gedeelte; **2** kous; — *bleu*, blauwkous; **3** spaarpot (Ned. kous).
basalt/e *m* basalt. ▼**—ique** *bn* van bazalt.
basane *v* bezaanleer (*relier en —*).
basané *bn* door de zon verbrand, getaand, gebruind (*teint —*).
bas-bleu *m* blauwkous.
bas-côté† *m* zijbeuk v. e. kerk.
bascul/e *v* **1** balans; **2** wip; *chaise à —*, schommelstoel; *système de —*, halfslachtige politiek. ▼**—er** *on.w* **1** wippen; **2** omslaan, vallen.
base *v* **1** basis, voet, grondslag; **2** uitgangspunt, ravitailleringscentrum (*mil.*); — *d'aviation, de sous-marins*, vlieg-, onderzeeërsbasis; — *de feux*, vuurbasis; — *d'opération*, operatiebasis; **3** base. ▼**baser** *ov.w* gronden, baseren; *se — sur*, gebaseerd zijn op.
bas-fond† *m* ondiepte in rivier of zee; *les —s*, onderste lagen der maatschappij.
basilic *m* **1** koningshagedis; **2** basilicum.
basilique *v* basiliek.
basket-ball (basket) *m* basketball.
▼**basketteur** *m*, *-euse* *v* basketballspeler, -speelster.
basoche *v* procureurs, notarissen, deurwaarders (*oud*).
basque *v* pand, slip.
basque I *bn* Baskisch. II *zn* B— *m* of *v* Bask, Baskische.
bas-relief† *m* bas-relief.
basse *v* **1** basstem; **2** baspartij; **3** baszanger, -speler; **4** bas (instrument); **5** ondiepe plaats boven zandbank.
basse†-court *v* **1** hoenderhof; **2** gevogelte i. d. hoenderhof.
bassesse *v* **1** laagheid, gemeenheid; **2** lage afkomst.
basset *m* takshond; *cor de —*, lage klarinet.
bassin *m* **1** bekken, kom, collecteschaal; **2** schaal v. e. weegschaal; **3** vijver, dok; — *de carénage*, — *de radoub*, droogdok; **4** stroomgebied; **5** (steenkool, ijzer) laag; **6** bekken (lichaamsdeel).
bassin/er *v* ronde pan. ▼**—er** *ov.w* **1** verwarmen met een beddepan; **2** besproeien; **3** (*pop.*) vervelen. ▼**—oire** *v* **1** beddepan; **2** (*pop.*) vervelend mens.
bassiste *m* bassist.
basson *m* **1** fagot; **2** fagottist. ▼**—iste** *m* fagottist.
baste (bast) *tw* basta!, genoeg!
bastide *v* landhuisje in Z.-Frankrijk.
bastille *v* (*oud*) burcht. ▼**B—** staatsgevangenis van Parijs (tot 1789).
bastingage *m* verschansing (*scheepv.*).
bastion *m* bastion (*mil.*).
bastonnade *v* stokslagen.
bastringue *m* (*pop.*) **1** dorps-, lawaaiorkest; **2** lawaai; **3** spullen, troep.
bas-ventre† *m* onderbuik.
bat *m* bat (bij cricket gebruikt).
bât *m* pakzadel.
bataclan *m*: (*fam.*) *et tout le —*, en de hele santekraam.
bataill/e *v* veldslag, strijd, twist; *champ de —*, slagveld; *livrer —*, slag leveren. ▼**—er** *on.w* slag leveren, oorlog voeren, vechten, twisten. ▼**—eur** I *zn m*, *-euse* *v* ruziezoeker (-ster), vechtjas. II *bn* twistziek, strijdlustig. ▼**—on** *m* bataljon.
bâtard I *bn* **1** bastaard-, onecht; **2** twee stijlen in zich verenigend (*architecture —e*). II *zn m*, *-e* *v* onecht kind.
batardeau *m* tijdelijke dam, dijk.
batave I *bn* Bataafs. II *zn* B— *m* of *v* Batavier, Bataafse.
bateau [*mv* x] *m* boot, schip; — *de blanchisseuses*, drijvende wasinrichting; — *citerne*, tankschip; — *feu*, lichtschip; — *mouche*, boot op de Seine; *monter un — à qn.*, iem. beetnemen; — *de plaisance*, plezierboot; — *à rames*, roeiboot; — *de sauvetage*, reddingboot; — *à vapeur*, stoomschip; — *à voiles*, zeilschip.

bateleur m, **-euse** v kunstenmaker (-maakster).

batelier m schipper. ▼**batellerie** v binnenscheepvaart.

bâter l ov.w zadelen; âne bâté, stommeling. ll on.w: l'affaire bâte bien, mal, de zaak gaat goed, slecht.

bat-flanc m tussenschot.

bath bn (pop.) fijn, uitstekend.

bathyscaphe m diepzeeduiktoestel, bathyscaaf. ▼**bathysphère** v diepzeegebied.

bâti m 1 houten geraamte, onderstel; 2 rijgdraad.

batifoler on.w ravotten, dollen.

bâtiment m 1 gebouw; 2 bouwvak; 3 (groot) schip. ▼**bâtir** ov.w 1 bouwen; bâti à chaux et à sable, stevig gebouwd zijn; — en l'air, des châteaux en Espagne, luchtkastelen bouwen; — sur du sable, op zand bouwen; pièce de théâtre mal bâtie, slecht gecomponeerd toneelstuk; 2 ineenrijgen. ▼**bâtisse** v metselwerk; groot gebouw. ▼**bâtisseur** m bouwer.

batiste v batist.

bâton m 1 stok; battre l'eau avec un —, vergeefse moeite doen; sortir d'un emploi avec le — blanc, zonder er rijk van geworden te zijn; — de chocolat, reep chocolade; — de cire, pijp lak; coup de —, stokslag; — de craie, pijpje krijt; jouer du —, (fam.) stokslagen geven; — de maréchal, maarschalksstaf; mettre des —s dans les roues, een spaak in het wiel steken; à —s rompus, te hooi en te gras; tour de —, op oneerlijke wijze verkregen winst; — de vieillesse, steun in de oude dag; 2 streepje. ▼**—ner** ov.w 1 stokslagen geven; 2 doorhalen. ▼**—net** m stokje. ▼**—nier** m deken v. d. orde van advocaten.

battage m 1 het dorsen, het slaan; 2 dorstijd; 3 (pop.) lawaaierige reclame. ▼**battant** l m 1 klepel van deur; 2 deurvleugel; ouvrir la porte à deux —s, gastvrij zijn. ll bn slaande; les —s et les battus, de overwinnaars en de overwonnenen; (tout) — neuf, splinternieuw; pluie —s, slagregen; porte —e, zelfsluitende deur; tambour —, met slaande trom. ▼**batte** v 1 klopper; 2 karnstok; 3 bat (bij balspelen). ▼**battement** m 1 het slaan, geklap, geklop; — des mains, handgeklap; — du pouls, du cœur, polsslag, hartslag, hartklopping; 2 tussentijd (une heure de —). ▼**batterie** v 1 batterij (mil.); dresser ses —s, zijn maatregelen nemen; — de campagne, veldbatterij; 2 batterijpersoneel; 3 trommelslag; 4 de slaginstrumenten; 5 rij, stel (— d'accumulateurs); 6 accu; 7 vechtpartij. ▼**batteur** m 1 klopper, mixer; 2 drummer, slagwerker; 3 — de pavé, straatslijper. ▼**batteuse** v dorsmachine. ▼**battoir** m 1 wasklopper; 2 palet (bij kaatsspel); 3 (pop.) grote en brede hand. ▼**battre** l ov.w 1 slaan; — le blé, dorsen; — le briquet, vuur slaan; — la grosse caisse, de grote trom roeren; — la crème, karnen; suivre les chemins battus, gebaande wegen volgen (fig.); la mer bat les dunes, de zee slaat tegen de duinen; — le fer, het ijzer smeden; il faut — le fer, pendant qu'il est chaud (spr.w), men moet het ijzer smeden, als het heet is; — froid à qn., iemand koel bejegenen; — des habits, des tapis, kleren, tapijten kloppen; — monnaie, geld aanmunten, geld proberen te krijgen; le canon bat les murailles, het kanon beschiet de muren; — des œufs, eieren klutsen; — les oreilles à qn., iem. aan het hoofd zaniken; — le pavé, straatslijpen; — pavillon, de vlag voeren; 2 verslaan (— l'ennemi); 3 doorlopen; — les bois, het wild opdrijven in de bossen; — la campagne, het land aflopen, doorslaan (fig.). ll on.w slaan, kloppen, klappen; — des ailes, klapwieken; il ne bat plus que d'une aile, hij is vleugellam (fig.); — des pieds, trappelen, stampvoeten; — en retraite, terugtrekken; — son plein, in volle gang zijn. lll se — 1 vechten, strijden; se — en duel, duelleren; se — à

l'épée, op de degen vechten; je m'en bats l'œil (pop.), ik lach er om, ik heb er maling aan; 2 zich slaan; se — les flancs, (vergeefse) moeite doen. ▼**battu** bn geslagen, begaan, bewerkt; chemin —, gebaande weg; lait —, karnemelk; yeux —s, ogen met blauwe kringen. ▼**battue** v drijfjacht.

baudet m 1 ezel; 2 stommeling.

baudrier m draagband, schouderriem.

baudroie v zeeduivel (vis).

baudruche v goudvlies.

bauge v 1 leger v.e. wild zwijn; 2 krot, vuil bed.

baume m 1 balsem; 2 troost.

bauxite v bauxiet.

bavard l zn m, **-e** v babbelaar(ster). ll bn babbelachtig, praatziek. ▼**—age** m 1 gebabbel, geklets; 2 wissewasje. ▼**—er** on.w babbelen, kletsen.

bavarois l bn Beiers. ll zn B—m, **-e** v Beier(se).

bave v kwijl, slijm. ▼**baver** on.w 1 kwijlen; 2 en —, (pop.) pijn lijden; 3 — sur, afgeven op; 4 vlekken (v. pen). ▼**bavette** v slabbetje; tailler une —, een praatje maken. ▼**baveux, -euse** bn 1 kwijlerig; 2 vlekkerig, vettig.

Bavière (la) Beieren.

bavoir m slab.

bavure v braam; inktstreep; sans —, onberispelijk.

bayer on.w gapen; — aux corneilles, staan te gapen.

bazar m 1 oosterse markt; 2 warenhuis; 3 (pop.) slecht onderhouden huis; 4 (pop.) klein huisraad en kleren. ▼**bazarder** (pop.) ov.w verkopen.

bazooka m soort anti-tankwapen.

béant bn gapend; demeurer bouche —e, met open mond staan kijken.

béarnais l bn uit Béarn; sauce —e, saus met eieren en gesmolten boter. ll zn B—m, **-e** v inwoner (inwoonster) van Béarn; le B—, Henri IV.

béat bn 1 kalm, rustig; 2 zalig. ▼**—ification** v zaligverklaring. ▼**—ifier** ov.w zalig verklaren. ▼**—ifique** bn zaligmakend. ▼**—itude** v gelukzaligheid, groot geluk; les 8 B—s, de 8 Zaligheden.

beau [mv x] (voor klinker of stomme h **bel**, v **belle**) l bn 1 mooi, schoon; le bel âge, de jeugd; bel et bien, kort en goed; à belles dents, gretig; l'échapper belle, er goed afkomen; coucher à la belle étoile, onder de blote hemel slapen; en faire de belles, streken uithalen; il fait beau (temps), 't is mooi weer; un — mangeur, een groot eter; au — milieu de, in het midden van; mourir de la belle mort, een natuurlijke dood sterven; la belle plume fait le bel oiseau, kleren maken de man; Philippe le Bel, Philips de Schone; de plus belle, opnieuw; il y a — temps, lang geleden; 2 edel, verheven (une belle âme); 3 aanzienlijk; une belle fortune, een groot fortuin; le — monde, de uitgaande wereld; 4 groot (une belle peur); un bel âge, een hoge leeftijd; 5 zeker; un — jour, matin, op zekere dag, morgen. ll bw: vous avez — parler…, al praat u nu nog zo…; à — mentir qui vient de loin (spr.w), als iemand verre reizen doet, kan hij veel verhalen; le temps se met au —, het wordt mooi weer; tout —!, kalm wat! lll zn m 1 het schone; schoonheid; 2 fat, modegek; faire le —, pronken, opzitten (v. hond). lV belle zn v 1 schone; la belle au bois dormant, de schone slaapster in het bos; 2 geliefde; 3 beslissende partij (jouer la belle).

beaucoup bw veel, erg; de —, verreweg.

beau†-fils m 1 schoonzoon; 2 stiefzoon. ▼**beau†-frère†** (**beauf'**) m zwager. ▼**beau†-père†** m schoonvader.

beaupré m boegspriet (scheepv.).

beauté v 1 schoonheid; de toute —, opmerkelijk mooi; 2 schone vrouw.

beaux-arts m mv schone kunsten.

beaux-parents m schoonouders.

bébé m 1 baby; 2 pop.

bébête bn (fam.) onnozel.

bec m 1 snavel; avoir — et ongles, haar op de

tanden hebben; *tenir qn. le — dans l'eau*, iem.
aan het lijntje houden, lang laten wachten;
2 mond, bek; *blanc-bec*, melkmuil; *avoir bon
—*, niet op zijn mondje gevallen zijn; *fermer le
— à qn.*, iemands mond snoeren; *avoir le —
gelé*, met de mond vol tanden staan; *cela lui a
passé devant le —*, dat is zijn neus
voorbijgegaan; *se prendre de — avec qn.*, met
iem. twisten; **3** punt v.e. pen; **4** pit v.e. lamp
(*— de gaz*); **5** mondstuk van
muziekinstrument; **6** landtong.
bécane v (*pop.*) **1** karretje, fiets;
  2 schrijfmachine.
bécarre m herstellingsteken (*muz.*).
bécass/e v **1** snip; **2** (*fam.*) domme vrouw.
  ▼**—eau** [*mv -x*] m **1** strandloper; **2** jonge snip.
  ▼**—ine** v **1** watersnip; **2** dom meisje.
bec†-de-lièvre m hazelip.
bêch/age m het spitten. ▼**—e** v spade, schop.
  ▼**—er** I *ov.w* **1** (om)spitten; **2** afkammen
  (*fam.*). II *on.w* blokken. ▼**—eur** m, **-euse** v
  1 spitter (-ster); **2** kwaadspreker
  (-spreekster); **3** blokker (-ster).
bécot m (*fam.*) kusje. ▼**—er** *ov.w* (*fam.*)
  kussen.
becquée (**béquée**) v snavelvol; *donner la —*,
  voeren van jonge vogels door de oude.
  ▼**becqueter** (**béqueter**) *ov.w* **1** (op)pikken;
  2 trekkebekken; **3** (*pop.*) eten.
bedaine v (*fam.*) dikke buik.
bedeau [*mv x*] m koster.
bedon m (*fam.*) **1** dikke buik; **2** dikbuik.
  ▼**—ner** *on.w* (*fam.*) een buikje krijgen.
Bédouin m, **-e** v bedoeïen.
bée v gapend; *rester bouche —*, met open
  mond staan kijken.
beffroi m **1** klokketoren; **2** alarmklok.
bégaiement m (het) stotteren. ▼**bégayer**
  I *on.w* stotteren. II *ov.w* stamelen. ▼**bègue**
  I *bn* stotterend. II *zn m* of v stotteraar.
bégueule I *zn* v (*fam.*) preutse vrouw. II *bn*
  preuts. ▼**bégueulerie** v (*fam.*) preutsheid.
béguin m **1** begijnenmuts; **2** kindermutsje;
  3 (*pop.*) kortstondige verliefdheid; **4** liefje.
  ▼**—age** m begijnhof. ▼**béguine** v **1** begijntje;
  2 kwezel.
beige *bn* beige (grijsbruin).
beigne v (*pop.*) slag, oorvijg.
beignet m poffertje.
bel *zie* beau.
bêlement m geblaat. ▼**bêler** *on.w* blaten;
  blèren.
belette v wezel.
belge I *bn* Belgisch. II **B—** m of v
  Belg(ische). ▼**Belgique** (**la**) België.
Belgrade v Belgrado.
bélier m **1** ram; **2** stormram; **3** heiblok.
bélino/gramme m telegrafisch overgebracht
  beeld. ▼**—graphe** m toestel voor het
  telegrafisch overbrengen van een beeld.
bellâtre I *bn* popperig mooi. II *zn m* of v
  popperig mooie man of vrouw.
belle *zie* beau.
belle†-de-jour v winde (*plk.*).
belle†-de-nuit v (*plk.*) nachtschone.
belle†-fille v **1** schoondochter;
  2 stiefdochter. ▼**belle†-mère†** v
  1 schoonmoeder; **2** stiefmoeder.
belles-lettres v *mv* letterkunde, belletrie.
belle†-sœur v schoonzuster.
bellic/isme m oorlogszuchtigheid. ▼**—iste** m
  oorlogszuchtige. ▼**belligér/ance** v staat van
  oorlog. ▼**—ant** I *bn* oorlogvoerend. II *zn m*
  oorlogvoerende. ▼**belliqueux**, **-euse** *bn*
  1 oorlogszuchtig; **2** krijgshaftig.
bellot, **-otte** I *bn* **1** klein en lief, snoezig;
  2 popperig mooi. II **-otte** *zn* v snoesje, schatje.
belon m soort oester.
belote v kaartspel.
belvédère m belvédère.
bémol m mol (*muz.*).
ben *bw* (*pop.*) = (eh) bien.
bénédicité m (Latijns) gebed voor de maaltijd.
Bénédictin m, **-e** v benedictijner monnik of
  kloosterzuster. ▼**—e** v fijne Franse likeur.
bénédiction v **1** zegen, zegening; *— nuptiale*,

huwelijksinzegening; **2** gunst.
bénéfic/e m **1** winst; *— net*, nettowinst; *—
brut*, brutowinst; **2** voordeel, voorrecht; *au —
de*, ten bate van; *représentation à —*,
  benefietvoorstelling; *— d'inventaire*,
  voorrecht van boedelbeschrijving; *les chevaux
courent les — et les ânes les attrapent*
  (*spr.w*), de paarden, die de haver verdienen,
  krijgen ze niet; **3** prebende. ▼**—iaire** I *bn* wat
  betrekking heeft op de winst; *marge —*,
  winstmarge. II *zn m* of v **1** begunstigde;
  2 erfgenaam (onder voorrecht van
  boedelbeschrijving). ▼**—ier** *on.w* (*de*),
  genieten van, voordeel trekken uit.
  ▼**bénéfique** *bn* gunstig; *ce séjour lui a été —*,
  dat verblijf heeft hem goed gedaan.
benêt m uilskuiken, sufferd.
bénévole *bn* **1** welwillend; **2** vrijwillig;
  3 onbetaald, volontair, pro Deo.
Bengale m Bengalen. ▼**Bengali** I *zn m*
  Bengalees. II *bn* Bengalees.
bénignité v goedaardigheid. ▼**bénin**, **-igne**
  bn **1** goedaardig; **2** zacht (*remède —*),
  weldadig, gunstig (*influence*).
bénir *ov.w* zegenen, inzegenen, wijden; *eau
bénite*, wijwater; *Dieu vous bénisse*,
  gezondheid! (bij niezen). ▼**bénitier** m
  wijwatervat; *se démener comme le diable dans
un —*, rust noch duur hebben.
benjamin(e) *zn m/*v (*de*) jongste.
benjoin m benzoë (gomhars).
benne (**banne**) v **1** tenen mand; **2** korf voor de
  wijnoogst; **3** bak; *— preneuse*, grijper.
benoît *bn* schijnheilig.
benzène, **benzol** m benzeen. ▼**benzine** v
  wasbenzine.
béotien, **-ne** *zn/bn* lomp(erik).
béquille v **1** kruk; **2** steun.
bercail m **1** schaapskooi; **2** schoot der Kerk;
  3 vaderhuis; *ramener au — la brebis égarée*,
  het verloren schaap terugbrengen.
berc/eau [*mv x*] m **1** wieg; *dès le —*, van
  kindsbeen af; **2** bakermat; **3** prieel, overgroeid
  tuinpad. ▼**—ement** m gewieg. ▼**—er** *ov.w*
  1 wiegen; **2** de tuin leiden. ▼**—euse** v
  1 wiegster; **2** wiegeliedje; **3** schommelstoel.
béret m (Baskische) muts.
berge v **1** oever; **2** berm; **3** (*arg.*) jaar.
berger m **-ère** v **1** herder(in); **2** m
  herdershond. ▼**—ette** v **1** herderinnetje;
  2 herderszang, -liedje; **3** kwikstaartje. ▼**—ie** v
  1 schaapskooi; **2** herderszang. ▼**—onnette** v
  kwikstaartje.
berline v **1** soort rijtuig; **2** gesloten auto met
  vier deuren en vier zijramen; **3** kolenwagentje.
berlingot m **1** rammelkast; **2** ulevel.
berlue v schemering voor de ogen; *avoir la —*,
  iets verkeerd beoordelen.
berme v berm.
berne v; *pavillon en —*, vlag halfstok.
berner *ov.w* **1** bespotten; **2** beetnemen.
bernicle (**bernique**) v schaaldier.
berrichon, **-ne** I *bn* uit Berry. II *zn* **B—** m,
  -onne v inwoner (inwoonster) van Berry.
besace v bedelzak; *porter la —*, bedelen.
bésef *bw* veel (*pop.*).
besicles v *mv* (oud soort) bril.
bésigue m soort kaartspel.
besogne v werk, arbeid; *abattre de la —*, veel
  werk verzetten; *aimer — faite*, een broertje
  dood hebben aan werken; *mettre la main à la
—*, de hand aan de ploeg slaan; *plus de bruit
que de —*, veel geschreeuw, maar weinig wol.
  ▼**besogner** *on.w* ploeteren. ▼**besogneux**,
  -euse *bn* behoeftig.
besoin m **1** behoefte; *avoir — de*, nodig
  hebben; *je n'ai pas — de vous dire*, ik behoef u
  niet te zeggen; *faire —*, nodig zijn; *faire ses —s*,
  zijn behoeften doen; **2** nood, armoede, gebrek;
  être dans le —, gebrek lijden; *on connaît le
véritable ami dans le —* (spr.w), in nood leert
  men zijn vrienden kennen; *au —*, desnoods, zo
  nodig.
bestiaire m **1** dierenbevechter bij de
  Romeinen; **2** middeleeuws dierenboek.
  ▼**bestial** [*mv aux*] *bn* beestachtig.

▼**bestialité** v verdierlijking, beestachtigheid.
▼**bestiaux** m mv vee. ▼**bestiole** v diertje.
bêta, -asse l bn dom. II zn stommeling (pop.).
bétail m vee; menu —, klein vee.
bête l zn v 1 dier, beest; — à bon Dieu,
onze-lieve-heersbeestje; chercher la petite —,
vitten; —s fauves, rood wild; — féroce,
verscheurend dier; morte la —, mort le venin
(spr.w), een dode hond bijt niet; les —s noires,
de wilde zwijnen; c'est ma — noire, ik kan hem
niet luchten of zien; — de somme, lastdier; —
de trait, trekdier; 2 domoor, uilskuiken; bonne
—, goede sukkel; faire la —, zich van de
domme houden; pauvre —, arme sukkel. II bn
1 dom; 2 flauw; 3 sukkelig; 4 suf. ▼**bêtifier**
l ov.w afstompen. II on.w stom doen. ▼**bêtise**
v 1 domheid, stommiteit; 2 prul, kleinigheid.
béton m beton; — armé, gewapend beton.
▼—**nage** m betonwerk. ▼—**né** bn van beton.
▼—**neuse**, —**nière** v betonmolen.
betterav/e v beetwortel; — à sucre, suikerbiet.
▼—**ier, -ière** l bn: industrie —ière,
beetwortelindustrie. II zn m kweker, bewerker
van beetwortelen.
beuglement m geloei. ▼**beugler** l on.w
1 loeien; 2 krijsen. II on.w brullen (van
zanger).
beurre m boter; — de cacao, cacaoboter; faire
son —, grof geld verdienen; — noir, gebrande
boter; petit —, soort biscuit. ▼**beurrée** v
boterham. ▼**beurrer** ov.w met boter
besmeren. ▼**beurrerie** v 1 boterfabricage;
2 boterfabriek. ▼**beurrier** l bn wat betrekking
heeft op boter. II zn m botervlootje.
beuverie v drinkgelag.
bévue v flater, bok.
bézef zie **bésef**.
bi (bis) vv twee maal.
biais m schuin, scheef. II zn m 1 kant, aspect;
sous ce —, zo gezien; 2 omweg, schuinte,
schuine stand, schuine richting; de —, en —,
1 schuin, scheef; regarder qn. de —, iem. van
terzijde aankijken; 2 langs een omweg.
▼**biaiser** on.w 1 schuin lopen; 2 (fig.)
omwegen gebruiken.
bibelot m 1 snuisterij (op schoorsteen enz.);
2 ding van weinig waarde.
biberon m 1 zuigfles; 2 drinkebroer. ▼—**ner**
on.w (fam.) zuipen.
bibi l zn m v vrouwenhoedje. II vnw (pop.) ik.
bibine v slecht bier.
bible v bijbel; papier —, zeer dun boekpapier.
biblio/graphe m boekenkenner,
boekbeschrijver. ▼—**graphie** v
1 boekbeschrijving; 2 literatuuropgave over
een bepaald onderwerp. ▼—**graphique** bn
bibliografisch. ▼—**mane** m boekenaar.
▼—**manie** v overdreven liefhebberij voor
boeken, verzamelwoede van boeken.
▼—**phile** m deskundig boekenliefhebber.
▼—**philie** v kennis van en liefde voor boeken.
▼—**thécaire** m of v bibliothecaris (-esse).
▼—**thèque** v 1 bibliotheek; — vivante, groot
geleerde; 2 boekenkast.
biblique bn bijbels.
bicéphale bn tweehoofdig.
biceps m tweehoofdige armspier.
biche v hinde; ventre de —, witachtig bruin.
bicher on.w (arg.) 1 ça biche, het gaat; 2 blij
zijn.
bichette v 1 jonge hinde; 2 (fam.) schatje,
lieveling.
bichon, -ne v (fam.) liefje. ▼—**ner** ov.w
mooi aankleden.
bicolore bn tweekleurig. ▼**biconcave** bn
dubbelhol. ▼**biconvexe** bn dubbelbol.
▼**bicoque** v 1 slecht versterkte vesting;
2 stadje; 3 krot. ▼**bicorne** l bn met twee
punten. II zn m steek. ▼**bicycle** m ouderwetse
fiets, waarvan het voorste wiel door pedalen
werd voortbewogen. ▼**bicyclette** v fiets; — à
moteur, bromfiets; monter (aller) à —, fietsen.
bide m (pop.) buik.
bident m gaffel, tweetand. ▼**bidenté** bn met
twee tanden.
bidet m 1 klein rijpaardje; 2 zitbadje.

bidoche v (pop.) vlees.
bidon m 1 blik (voor petroleum enz.);
2 veldfles; 3 (pop.) buik; 4 (fam.) bluf.
se bidonner (fam.) lol hebben.
bidonville m armoedige wijk met
noodwoningen (barakken).
bidule m (pop.) ding.
bief m rak, molenbeek.
bielle v drijfstang.
bien l zn m 1 het goede, welzijn, geluk; les —s
de l'âme, de deugden; les —s du corps, de
gezondheid; les —s de l'esprit, de talenten; les
—s éternels, de eeuwige zaligheid; faire le —,
weldoen; grand — vous fasse, wel bekome het
u!; homme de —, rechtschapen man; mener à
—, tot een goed einde brengen; c'est pour son
—, het is voor zijn bestwil; prendre en —, goed
opnemen; le — public, het algemeen welzijn;
en tout — tout honneur, in alle eer en deugd;
vouloir du — à qn., iem. goed gezind zijn;
2 bezitting, vermogen, goed; avoir du —,
bemiddeld zijn; — mal acquis ne profite pas
(spr.w), onrechtvaardig verkregen goed gedijt
niet; —s meubles et immeubles, roerend en
onroerend goed; le — patrimonial, het
ouderlijk goed; périr corps et —s, met man en
muis vergaan; les —s au soleil, de landerijen.
II bw 1 goed; être — avec qn., goed met iem.
kunnen opschieten; vous feriez — de..., u
zoudt goed doen...; tout est — qui finit —
(spr.w), eind goed, al goed; un monsieur très
—, een fatsoenlijk, keurig, welgesteld man; se
porter —, het goed maken; je suis — ici, ik heb
het hier naar mijn zin; tant — que mal, zo goed
en kwaad als het gaat; il est — vu, hij wordt
geacht; 2 wel; je le veux —, graag, goed; 3 erg,
zeer, veel (bien cher, bien mieux); — sûr,
natuurlijk; 4 bien (du, de la, des), zeer veel.
III vgw bien que (met subj.), hoewel,
ofschoon; si bien que: qui finit —.
bien-aimé† bn en zn geliefd(e).
bien-être m 1 welzijn; 2 gevoel van
welbehagen.
bien/faisance v liefdadigheid; bureau de —,
bureau voor armenverzorging. ▼—**faisant** bn
1 liefdadig, weldadig; 2 heilzaam (remède —).
▼—**fait** m weldaad; un — n'est jamais perdu
(spr.w), wie goed doet, goed ontmoet.
▼—**faiteur** m, -**trice** v weldoener (-ster).
bien-fondé m gegrondheid.
bien†-fonds m onroerend goed.
bienheureux, -euse bn gelukzalig.
biennal [mv aux] m 1 tweejarig;
2 tweejaarlijks.
bienséance v wellevendheid, fatsoen.
▼**bienséant** bn wellevend, fatsoenlijk.
bientôt bw spoedig, weldra; à —!, tot ziens!
bienveill/ance v welwillendheid,
vriendelijkheid; ayez la — de, wees zo
vriendelijk om te. ▼—**ant** bn welwillend,
vriendelijk.
bienvenu zn: être le, la, les bienvenu, -e, -s, -es,
welkom zijn; souhaiter la —e à, welkom heten.
bière v 1 bier; — blonde, licht bier; — brune,
donker bier; ce n'est pas de la petite —, dat is
niet gering, geen kleinigheid!; 2 doodkist.
biffage m 1 doorhaling; 2 doorhaling.
▼**biffer** ov.w doorhalen.
biffin m (pop.) 1 voddenraper; 2 infanterist.
bifteck m biefstuk.
bifurcation v 1 tweesprong. ▼**bifurquer** l ov.w
splitsen. II on.w (se) —, zich splitsen.
bigame bn bigamie.
bigarré bn bont.
bigler on.w (fam.) scheel kijken.
bigorne v aambeeld met twee punten.
▼**bigorner** l ov.w (pop.) kapotmaken. II se —,
vechten.
bigot(e) l bn kwezelachtig. II zn m, -e v
kwezel. ▼**bigoterie** v kwezelarij.
bigoudi m (haar)roller.
bigre! tw drommels!, saperloot! ▼**bigrement**
bw (fam.) erg.
bihebdomadaire bn tweemaal per week.
bijou [mv x] m 1 kleinood, juweel; 2 snoesje.
▼—**terie** v 1 juwelenzaak; 2 juwelen. ▼—**tier**
m juwelier.

bikini *m* bikini.
bilan *m* balans; *déposer son* —, zich failliet laten verklaren; *dresser le* —, de balans opmaken.
bilatéral [*mv* **aux**] *bn* 1 tweezijdig; 2 wederzijds bindend (*contrat* —).
bilboquet *m* 1 balvangertje (spel); 2 onbelangrijk drukwerk.
bile *v* 1 gal; *échauffer la* — *à qn.*, iem. woedend maken; *épancher sa* —, zijn gal uitstorten; *se faire de la* —, zich ongerust maken, zich aantrekken; 2 toorn, verbittering; 3 (*pop.*) gezicht. ▼**biler (se** —) (*pop.*) tobben, z. kwaad maken. ▼**biliaire** *bn* v. d. gal. ▼**bilieux, -se** *bn* 1 galachtig; 2 opvliegend.
bilingue *bn* tweetalig.
billard *m* 1 biljart; 2 biljartzaal; 3 (*fam.*) operatietafel.
bille *v* 1 knikker, balletje, kogeltje; *jouer aux* —*s*, knikkeren; 2 biljartbal.
billet *m* briefje; — *de banque*, bankbiljet; — *de concert*, entreebewijs voor concert; — *doux*, liefdesbriefje; — *de logement*, inkwartieringsbiljet; — *de loterie*, loterijbriefje; *billet à ordre*, promesse; — *de faire part*, kennisgeving (van verloving enz.); — *de spectacle*, toegangsbewijs voor schouwburg; *je vous donne mon* — *que…*, ik verzeker u dat…
billevesée *v* kletspraat, beuzelarij.
billion *m* biljoen (10¹²).
billot *m* 1 hakblok; 2 halsblok (voor onthoofding); *j'en mettrais ma tête sur le* —, ik zou er mijn hoofd onder durven verwedden.
bimane *bn* tweehandig.
bimbelot *m* 1 kinderspeelgoed; 2 snuisterij. ▼—**erie** *v* 1 speelgoedfabriek, -handel; 2 snuisterijenfabriek, -handel.
bimensuel, -elle *bn* halfmaandelijks. ▼**bimestriel, -elle** *bn* tweemaandelijks.
bimoteur **I** *zn* *m* tweemotorig vliegtuig. **II** *bn* tweemotorig.
binaire *bn* tweevoudig.
biner *ov.w* twee missen op dezelfde dag lezen.
binette *v* (*fam.*) kop.
biniou *m* Bretonse doedelzak.
binocle *m* lorgnet, face-à-main. ▼**binoculaire** *bn* voor twee ogen.
biochimie/ie *v* biochemie. ▼—**ique** *bn* biochemisch.
bio/graphe *m* levensbeschrijver. ▼—**graphie** *v* levensbeschrijving. ▼—**graphique** *bn* biografisch.
bio/logie *v* levensleer, biologie. ▼—**logique** *bn* biologisch. ▼—**logiste**, —**logue** *m* bioloog.
bionique *bn* bionisch.
biparti(e) *bn* *m* of *v*, **bipartite** *m* of *v* tweedelig; *gouvernement bipartite*, tweepartijenregering.
bipède **I** *bn* tweevoetig, -potig. **II** *zn* *m* tweevoetig, -potig schepsel.
bipenne *bn* tweevleugelig.
biplace *bn* met twee plaatsen.
biplan *m* tweedekker.
bipolaire *bn* tweepolig.
bique *v* 1 (*fam.*) geit; 2 (*min.*) vrouw, meid.
birbe *m* (*pop.*) ouwe sok.
biréacteur *m* vliegtuig met twee reactoren.
birman **I** *bn* Birmaans. **II** **B**— *zn* *m* Birmaan. ▼**Birmanie** (**la**) Birma.
bis I *bn* grijsbruin; *pain* —, grijsbruin brood. **II** *bw* nog eens! (in schouwburg enz.).
bisaïeul(e) *m* of *v* overgrootvader, -moeder.
bisannuel, -elle *bn* 1 tweejaarlijks; 2 tweejarig (*plk.*).
biscaïen, -enne I *bn* uit Biskaje. **II** *zn* **B**— *m*, -enne *v* Biskajer, vrouw uit Biskaje.
biscornu *bn* 1 tweehoornig; 2 grillig, zonderling.
biscotte *v* beschuit, soort droog gebakje.
biscuit *m* 1 beschuit; *s'embarquer sans* —, een onderneming beginnen zonder voldoende voorbereidingen; 2 soort koekje; 3 wit porselein.
bise *v* 1 noordenwind; 2 (*fam.*) kus.

biseau *m* 1 schuine kant; 2 steekbeitel.
biser *ov.w* (*fam.*) kussen.
bison *m*, -**ne** *v* bizon.
bisontin I *bn* uit Besançon. **II** *zn* **B**— *m*, -e *v* inwoner (inwoonster) van Besançon.
bisque *v* 1 kreeftesoep; 2 (*pop.*) slechte zin.
bisquer *on.w* (*pop.*) slechte zin hebben.
bissec/teur, -trice *bn* wat in twee gelijke delen verdeelt (*ligne* —*trice*). ▼—**trice** *v* bissectrice. ▼—**tion** *v* het in twee gelijke delen verdelen.
bisser *ov.w* twee maal (laten) herhalen.
bissextil(e) *bn*: *année* —*e*, schrikkeljaar.
bissexué *bn* tweeslachtig, biseksueel.
bistouri *m* operatiemes; *il faut un coup de* —, er moet in gesneden worden.
bistourner *ov.w* verdraaien.
bistre *bn* donkerbruin.
bistro(t) *m* 1 kroegbaas (*pop.*); 2 kroeg (*pop.*).
bisulce (bisulque) *bn* tweehoevig.
bitte *v* meerpaal.
bitter *m* bitter (drank).
bitumage *m* asfaltering. ▼**bitume** *m* 1 asfalt; 2 (*pop.*) trottoir. ▼**bitumer** *ov.w* asfalteren. ▼**bitumineux, -euse** (**bitumeux, -euse**) *bn* asfaltachtig.
bivouac *m* 1 bivak; 2 bivakterrein; 3 bivakkerende troep. ▼**bivouaquer** *on.w* in de openlucht kamperen, bivakkeren.
bizarre *bn* zonderling, vreemd, grillig. ▼**bizarrerie** *v* zonderlingheid, eigenaardigheid, vreemdheid, grilligheid.
bizut, bizuth *m* (*arg.*) eerstejaarsleerling in de hogere klassen v. h. MO. ▼—**age** *m* (het) ontgroenen.
blackboul/age *m* 1 (het) afwijzen voor een examen; 2 (het) afstemmen. ▼—**er** *ov.w* 1 afwijzen op een examen; 2 afstemmen.
black-out (*spr.*: blàkawt) *m* verduistering (*mil.*).
blafard *bn* bleek (*lueur* —*e*).
blagu/e *v* 1 tabakszak; 2 mop; — *à part*, alle gekheid op een stokje; *sans* —, zonder gekheid; 3 grootspraak, bluf. ▼—**er I** *on.w* 1 moppen tappen; 2 snoeven, bluffen. **II** *ov.w* iem. voor de gek houden. ▼—**eur** *m*, -**euse** *v* 1 grappenmaker (-maakster); 2 opsnijder.
blair *m* (*pop.*) 1 neus; 2 gezicht.
blaireau [*mv* **x**] *m* 1 das (dier); 2 penseel van dassehaar; 3 scheerkwast.
blairer *ov.w* (*pop.*) ruiken.
blâmable *bn* afkeurenswaardig. ▼**blâme** *m* afkeuring, berisping. ▼**blâmer** *ov.w* afkeuren, berispen.
blanc, blanche I *bn* 1 wit; *les armes blanches*, de blanke wapenen; *cheval* —, schimmel; *fer-blanc*, blik; *gelée blanche*, rijp; *note blanche*, halve noot (*muz.*); *nuit blanche*, slapeloze nacht; *pièche blanche*, zilverstuk; *sauce blanche*, botersaus; *voix blanche*, heldere stem; 2 onschuldig; *une âme blanche*, een reine ziel; — *comme neige*, onschuldig; 3 schoon; *papier* —, onbeschreven papier; *donner carte blanche à qn.*, iem. de vrije hand laten; *billet* —, een niet in de loterij; *linge* —, schoon linnengoed. **II** *zn* *m* 1 (het) wit, (de) witte kleur enz.; *cartouche à* —, losse patroon; *chauffer à* —, witgloeiend maken; *laisser en* —, blanco laten; *magasin de* —, lingeriezaak; *regarder qn. dans le* — *des yeux*, iem. strak in de ogen kijken; *saigner à* —, het vel over de oren halen; *tirer à* —, met los kruit schieten; *voir tout en* —, alles v. d. goede kant beschouwen; — *de volaille*, wit vlees van gevogelte; 2 blanke; 3 blanketsel; 4 doelwit, roos (*le blanc d'une cible*); *de but en* —, onbedacht, zonder omwegen; 5 krijt aan biljartkeu; 6 (*arg.*) cocaïne.
blanc†-bec† *m* melkmuil.
blanch/âtre *bn* witachtig. ▼—**e** *v* 1 halve noot (*muz.*); 2 blanke (vrouw); *traite des* —*s*, handel in blanke slavinnen. ▼—**eur** *v* witheid, blankheid. ▼—**iment** *m* (het) bleken, witten. ▼—**ir I** *ov.w* 1 wit maken, witten; 2 bleken; 3 wassen; 4 schoonwassen (*fig.*). **II** *on.w* grijs

worden van haren. **III se** — zich
rechtvaardigen, schoonwassen. ▼**—issage** m
1 (het) wassen; **2** (het) raffineren van suiker.
▼**—issement** m (het) verbleken. ▼**—isserie** v
wasinrichting. ▼**—isseur** m, **-euse** v
1 wasbaas, -vrouw; **2** bleker (bleekster).
blanquette v **1** witte, mousserende wijn;
2 ragoût van wit vlees.
blasé bn geblaseerd, blasé. ▼**blaser** ov.w
afstompen, ongevoelig maken.
blason m **1** wapenschild, blazoen; *redorer son*
—, door een rijke burgerdochter te trouwen
zijn adel weer opbouwen; **2** wapenkunde.
blasphéma/teur m, **-trice** v
godslasteraar(ster), vloeker (vloekster).
▼**—toire** bn godslasterlijk. ▼**blasphème** m
godslastering, vloek. ▼**blasphémer** ov.w en
on.w godslasteringen uitslaan, vloeken.
blatte v kakkerlak.
blé m **1** koren, graan; *manger son* — *en herbe*,
zijn verdiensten van tevoren opmaken; —
méteil, half tarwe, half rogge; — *noir*,
boekweit; — *de Turquie*, mais; *crier famine sur
un tas de* — (*spr.w*), klagen, terwijl men rijk is;
2 korenveld.
bled m (*pop.*) armoedige plaats, gat.
blême bn doodsbleek. ▼**blêmir** on.w lijkbleek
worden. ▼**blêmissement** m verbleking.
bléser on.w lispelen.
blessant bn kwetsend, beledigend (*parole
—e*). ▼**blesser** ov.w **1** wonden; **2** pijn doen
(*le soulier me blesse*); **3** onaangenaam
aandoen (van klanken, kleuren enz.); **4** (*fig.*)
wonden, beledigen, kwetsen; **5** schaden.
▼**blessure** v wonde, smaad.
blet, blette bn beurs (van fruit).
bleu I bn blauw; *bas-bleu*, blauwkous; *bifteck*
—, bijna rauwe biefstuk; *colère* —*e*, hevige
woede; *conte* —, sprookje. **II** zn m **1** blauwe
kleur; — *de Prusse*, Pruisisch blauw;
2 blauwsel; *passer au* —, door het blauwsel
halen; (*fig.*) wegmoffelen, spoorloos doen
verdwijnen; **3** blauw gekookt visnat (*truite au
bleu*); **4** blauwe plek; **5** blauw werkpak;
6 rekruut; **7** *petit* —, lichte landwijn;
8 groentje. ▼**bleu/âtre** bn blauwachtig. ▼**—et**
m korenbloem. ▼**—ir I** ov.w blauw maken.
II on.w. blauw worden. ▼**—té** bn blauwachtig.
blindage m pantsering. ▼**blindé I** bn
gepantserd; *division* —*e*, pantserdivisie. **II** zn
m pantserwagen. ▼**blinder** ov.w pantseren.
bloc m **1** blok; *en* —, alles bij elkaar genomen;
— *moteur*, motorblok; **2** stapel, hoop;
3 politiek verbond; **4** (*fam.*) gevangenis.
▼**—age** m (het) blokkeren, bevriezen (v.
prijzen).
blockhaus m soort fort, kazemat.
blocus m blokkade.
blond I bn blond; *bière* —*e*, licht bier; *courtiser
la brune et la* —*e*, alle vrouwen het hof maken;
des épis —*s*, goudgele aren. **II** zn m blonde
kleur. ▼**—asse** bn matblond. ▼**—eur** v
blondheid. ▼**—in I** bn blondharig. **II** zn m, -e v
man of vrouw met blond haar. ▼**—inet** m, **-te** v
blond kind. ▼**—ir** on.w blond, geel worden (*le
blé blondit*)
bloquer ov.w **1** blokkeren; **2** bij elkaar zetten,
samenvoegen; **3** een bal stoppen.
blottir (se) neerhurken, ineenduiken.
blouse v blouse, kiel. ▼**blouser I** ov.w (*fam.*) in
en laten lopen. **II** on.w bloezen. ▼**blouson** m
windjak; — *noir*, nozem.
blue-jean(†) m spijkerbroek.
bluet m korenbloem.
bluette v klein, pretentieloos literair werkje.
bluff/er ov.w overbluffen. ▼**—eur** m, **-euse** v
bluffer (blufster).
bluter ov.w builen van meel. ▼**bluteau**
(**blutoir**) m meelbuil.
boa m **1** grote slang; **2** halsbont.
bobin/age m het opspoelen. ▼**—e** v **1** spoel,
garenklos; **2** — *d'induction*, inductieklos;
3 (*pop.*) facie, tronie. ▼**—er** ov.w op een klos
of spoel winden. ▼**—euse** v machine om garen
te spoelen. ▼**—oir** m spinnewiel.
bobo m pijn (*kindertaal*) (*avoir* (*du*) *bobo*).

bob(sleigh) m bobslee.
bocage m bosje.
bocal [*mv aux*] m **1** bokaal; **2** stopfles;
3 goudviskom; **4** mondstuk van trompet enz.
boche I bn moffen-, v.e. mof. **II** zn m of v mof
(Duitser), moffin.
bock m **1** bierglas (van ⅓ liter); **2** glas bier.
bœuf m **1** os; — *gras*, paasos; *travailler comme
un* —, als een paard werken; *nerf de* —,
bullepees; *mettre la charrue devant le* —, de
paarden achter de wagen spannen; *donner un
œuf pour un* —, een spiering uitwerpen om
een kabeljauw te vangen; **2** rund; **3** rundvlees.
Bohême I v Bohemen. **II b**— v de wereld van
kunstenaars enz., die van de hand in de tand
leven. **III b**— m kunstenaar, die van de hand in
de tand leeft. ▼**Bohémien** m, **-enne** v
Bohemer (Boheemse). ▼**b**— m, **-enne** v
1 zigeuner; **2** kunstenaar, die van de hand in de
tand leeft.
boire I ov.w onr. **1** (op)drinken; *après* —,
boven zijn theewater; *qui a bu, boira*, de
gewoonte is een tweede natuur; *chanson à* —,
drinklied; — *à petites gorgées*, slurpen; *c'est la
mer à* —, dat is onbegonnen werk; *ce n'est pas
la mer à* —, zo moeilijk is het niet; *il boirait la
mer et les poissons*, hij versmacht van dorst; —
comme un Suisse, un Polonais, stevig drinken,
zuipen; — *sec*, stevig drinken; — *à sa soif*,
zoveel men lust; **2** slikken; *boire un affront,
une insulte*, een belediging slikken;
3 opzuigen, opnemen; *ce papier boit*, dat
papier vloeit; — *les paroles de qn.*, aan
iemands lippen hangen; **4** verdrinken; *il a failli
—*, hij is bijna verdronken. **II** zn m drank, (het)
drinken.
bois m **1** hout; *abattre du* —, veel hout gooien
bij het kegelen; *charger qn. de bois*, iem.
stokslagen geven; *déménager à la cloche de
—*, verhuizen, zonder zijn huur betaald te
hebben; — *de construction*, timmerhout; *entre
le* — *et l'écorce il ne faut pas mettre le doigt*,
men moet zich niet in familieaangelegenheden
mengen; — *de justice*, guillotine; — *de lit*,
ledikant; — *de mai*, meidoorn; *train de* —,
houtvlot; *trouver visage de* —, voor een
gesloten deur komen; **2** vlaggestok; **3** schacht
v. e. lans; **4** *les* — *d'un cerf*, het gewei; **5** bos;
sous —, onder de bomen. ▼**—age** m **1** het
stutten van mijnen; **2** stutten in een mijn. ▼**—é**
bn bebost. ▼**—ement** m bebossing. ▼**—er**
ov.w **1** met hout stutten; **2** bebossen;
3 betimmeren. ▼**—erie** v betimmering,
lambrizering.
Bois-le-Duc m 's-Hertogenbosch.
boisseau [*mv aux*] m oude maat van ± 13 liter;
mettre la lumière sous le —, zijn licht onder de
korenmaat zetten.
boisson v drank; — *forte*, sterke drank; *être pris
de* —, dronken zijn; *poisson sans boisson est
poison*, vis moet zwemmen.
boîte v **1** kist, doos, blik; — *crânienne*,
hersenpan; — *aux lettres*, brievenbus; — *de
montre*, horlogekast; — *à musique*, speeldoos,
tingeltangel; *dans les petites* —*s les bons
onguents*, klein maar dapper; — *à savon*,
zeepdoos; — *de vitesse*, versnellingsbak;
2 tabaksdoos; **3** — *de nuit*, nachtkroeg;
4 (*min.*) huis, werkplaats; **5** (*arg.*) school.
boiter on.w hinken, mank lopen. ▼**—ie** v
gehink. ▼**boiteux**, **-se I** bn kreupel, mank;
chaise —, wankele stoel; *vers* —, hinkend
vers. **II** zn m, **-se** v manke, kreupele.
boîtier m **1** koffertje met vakjes (van chirurgen
enz.); **2** horlogekast; **3** doosje, cassette.
boitill/ement m (het) licht hinken. ▼**—er**
on.w licht hinken.
bol m **1** kom; *prendre un* — *d'air*, een luchtje
scheppen; (*fam.*) *en avoir ras le* —, er zat van
hebben; **2** (*pop.*) geluk; *ne te casse pas le* —,
maak je niet dik; **3** grote pil; **4** — *alimentaire*,
spijsbal.
bolchev/ique bn bolsjewistisch. ▼**—isation** v
bolsjewisering. ▼**—iser** ov.w bolsjewiseren.
▼**—isme** m bolsjewisme. ▼**—iste** m of v
bolsjewiek.

boléro *m* **1** soort Spaanse dans; **2** muziek v. d. bolero; **3** soort damesjasje, dameshoed.

bolet *m* boleet (*plk.*).

bolide *m* **1** meteoorsteen; **2** zeer snel lopend voertuig, bolide.

Bolivie (la) Bolivia. ▼**bolivien, -enne I** *bn* Boliviaans. **II** *zn* **B—** *m*, **-enne** *v* Boliviaan (se).

bombance *v* goede sier, smulpartij, braspartij; *faire —*, smullen, brassen.

bombard/e *v* **1** donderbus; **2** mortier. ▼—**ement** *m* bombardement. ▼—**er** *ov.w* **1** bombarderen; **2** lastig vallen (— *qn. de demandes*); **3** onverwacht bevorderen (— *qn. chef de bureau*). ▼—**ier** *m* bommenwerper; — *en piqué*, duikbommenwerper.

bombardon *m* koperen blaasinstrument.

bombasin *m* bombazijn.

bombe *v* **1** bom; *arriver comme une —*, onverwachts komen; — *atomique*, atoombom; — *d'avion*, vliegtuigbom; — *explosive*, brisantbom; — *incendiaire*, brandbom; *à retardement*, tijdbom; — *sousmarine*, dieptebom; **2** — (*sk.*). glacée, ijspudding; **3** *faire la —*, boemelen; **4** spuitbus; **5** ruiterpet.

bombé *bn* bol. ▼**bomber I** *ov.w* bol maken (— *une chaussée*). **II** *on.w* bol staan.

bon, bonne I *bn* goed, geschikt, voordelig, gelukkig enz.; — *ami*, —*ne amie*, geliefde; *souhaiter une —e année*, een gelukkig nieuwjaar wensen; — *an, mal an*, door elkaar gerekend; *dire à une aventure*, de toekomst voorspellen; *faire —ne chère*, goede sier maken; *à — compte*, goedkoop; *faire —ne contenance*, zich goed houden; *les —s comptes font les bons amis* (*spr.w*), effen rekeningen maken goede vrienden; *cela est à dire*, dat kun je gemakkelijk zeggen; — *frais*, gunstige, krachtige wind (*scheepv.*); *à la —ne heure*, goed zo!; *de —ne heure*, vroeg; *les —s maîtres font les —s valets*, zo heer, zo knecht; *à bon marché*, goedkoop; *de — matin*, vroeg; *avoir —ne mine*, er goed uitzien; — *nombre*, heel wat; *pour de —*, voor goed, in ernst; *arriver — premier*, goede eerste zijn; *à quoi —*, waar dient het voor?; *le — ton*, beschaafde manieren; *tout de —*, voor goed, in ernst; *du — sens*, gezond verstand; *à — vin pas d'enseigne*, goede wijn behoeft geen krans. **II** *zn m* **1** (het) goede; (de) goede; *il y a du — dans cet ouvrage*, er is wat goeds in dat werk; *le — de l'histoire, c'est que*, het aardige van de zaak is; **2** bon; — *d'essence*, benzinebon. **III** *bw* goed, lekker enz.; *il fait — ici*, het is hier lekker; *tenir —*, zich goed houden, volhouden.

bonace *v* **1** windstilte; **2** kalmte, rust.

bonasse *bn* goedig, sullig.

bonbon *m* bonbon.

bonbonne *v* mandfles.

bonbonn/erie *v* bonbonzaak. ▼—**ière** *v* **1** bonbonschaaltje; **2** smaakvol ingericht huisje.

bon†-chrétien† *m* soort peer.

bond *m* sprong; *d'un —*, ineens; *prendre la balle au —*, de gelegenheid aangrijpen; *prendre la balle entre — et volée*, het goede ogenblik benutten; *faire faux —*, zijn beloften niet nakomen; *du premier —*, onmiddellijk.

bonde *v* **1** spon; **2** spongat.

bonder *ov.w* volproppen; *salle bondée*, stampvolle zaal.

bondieuserie *v* **1** (*fam.*) kwezelarij; **2 —s** godsdienstige beeldjes, - plaatjes.

bondir *on.w* (op)springen, huppelen; *faire le cœur*, doen walgen. ▼**bondissement** *m* sprong, (het) (op)springen.

bondon *m* **1** spon; **2** klein soort Zwitsers kaasje.

bon enfant *m* kinderlijk, vriendelijk en naïef.

bonheur *m* geluk; *jouer de —*, geluk hebben; *par —*, gelukkig, bij geluk.

bonhomie *v* **1** goedhartigheid; **2** onnozelheid, lichtgelovigheid. ▼**bonhomme I** *m* **1** goede man; **2** sul, sukkel; **3** jongetje, mannetje; **4** *dessiner des bonshommes*, poppetjes

tekenen; *il a fait son petit — de chemin*, hij heeft zoetjes aan zijn doel bereikt. **II** *bn* goedig, sullig.

boni *m* winst, overschot, batig saldo.

bonification *v* **1** verbetering; **2** korting. ▼**bonifier** *ov.w* **1** verbeteren (*des terres*); **2** rente uitkeren.

boniment *m* toespraak (vooral van kwakzalvers, kermisklanten, marktkooplui enz.).

bonjour *m* goedendag, goede morgen; *dire —*, groeten; *simple comme —*, doodeenvoudig.

bon marché *bn* goedkoop.

bonne *v* dienstmeisje; — *d'enfants*, kindermeisje; — *à tout faire*, meisje alleen.

bonne femme *v* **1** meisje; **2** vrouw.

bonne†-maman† *v* grootmoeder.

bonnement *bw* eenvoudig, gewoon.

bonnet *m* **1** muts, kap; — *d'âne*, ezelssteek (voor domme jongens); *gros —*, hoge Piet; — *de nuit*, slaapmuts; *parler à son —*, in zichzelf praten; *prendre qc. sous son —*, iets uit de duim zuigen; — *rouge*, rode muts, door de revolutionairen ingevoerd in 1793; revolutionair; *avoir la tête près du —*, kort aangebonden zijn; *triste comme un — de nuit*, erg bedroefd; **2** netmaag; **3** cup van b.h. ▼—**erie** *v* **1** gebreide wollen goederen; **2** handel in gebreide wollen goederen, manufactuurzaak. ▼—**ier** *m*, **-ière** *v* fabrikant(e) van, handelaar(ster) in gebreide wollen goederen, manufacturier(ster).

bonnette *v* (*fot.*) voorzetlens.

bon†-papa† *m* grootvader.

bonsoir *m* goedenavond.

bonté *v* goedheid, welwillendheid; *ayez la — de*, wees zo goed om te; *les —s, de vriendelijkheid*; — *divine!*, grote goedheid!

bonze *m* **1** bonze; **2** hoge ome.

boom (*spr.:* boem) *m* plotselinge prijsstijging.

boqueteau [*mv* **aux**] *m* bosje.

borborygme *m* geborrel (in de maag).

bord *m* **1** rand, kant, oever, boord; *avoir qc. sur le — des lèvres*, iets op de lippen hebben; *à pleins —s*, overvloedig; *virer de —*, het over een andere boeg gooien; **2** *être au — de*, bijna; *être au — des larmes*, bijna gaan huilen; **3** boord; *par-dessus —*, overboord; **4** schip; *livre de —*, scheepsjournaal; **5** zijde; *être du — de qn.*, op iem.'s hand zijn. ▼**bordage** *m* **1** (het) omboorden; **2** huid v. e. schip.

Bordeaux I *zn m* bordeauxwijn. **II b—** *bn* paarsrood.

bordée *v* **1** volle laag (ook *fig.*); **2** laveergang; *courir, tirer une —* (*scheepv.*), aan de rol gaan.

bordel *m* **1** bordeel; **2** (*pop.*) grote rotzooi.

Bordelais I *zn m*, **-e** *v bewoner* (bewoonster) v. Bordeaux en omstreken. **II b—(e)** *bn* uit Bordeaux of omstreken. ▼**bordelaise** *v* **1** vat voor bordeauxwijn van ongeveer 225 liter; **2** fles voor b.wijn.

border *ov.w* **1** omboorden; **2** omgeven, staan langs (*les arbres bordent la route*); afzetten (*une plate-bande bordée de buis*); **3** varen langs (*le navire borde la côte*); **4** instoppen van lakens en dekens (— *un lit*).

bordereau *m* borderel, lijst.

bordure *v* **1** rand, zoom; **2** trottoirband; **3** lijst.

bore *m* borium.

boréal [*mv* **aux**] *bn* noordelijk; *aurore —e*, noorderlicht.

borgne I *bn* **1** eenogig; *troquer son cheval — contre un aveugle*, van de wal in de sloot raken; **2** gemeen, verdacht; *cabaret —*, verdachte kroeg; *maison —*, verdacht huis. **II** *zn* eenoog; *au pays des aveugles les —s sont rois* (*spr.w*), in het land der blinden is eenoog koning.

borique *bn*: *acide —*, boorzuur. ▼**boriqué(e)** *bn*: *eau —e*, boorwater.

bornage *m* afbakening. ▼**borne** *v* **1** grenspaal, grenssteen, paaltje, steen langs een weg; — *d'incendie*, brandkraan; — *kilométrique*, kilometerpaal; **2** *les —s*, grens; *dépasser les —s*, de perken te buiten gaan; *sans —s*, grenzeloos; **3** (*pop.*) kilometer. ▼**borné** *bn*

1 beperkt; 2 bekrompen (*fig.*). ▼**borner** *ov.w*
beperken, begrenzen.

bosquet *m* bosje.

bosse *v* 1 bult, bochel; 2 buil, knobbel; *avoir la
— des langues*, een talenknobbel hebben;
3 verheffing in een terrein; 4 pleistermodel.
▼**bossel/age** *m* drijfwerk. ▼**—er** *ov.w*
1 deuken; 2 tafelzilver van drijfwerk voorzien.
▼**—ure** *v* deuk.

bosser *on.w* (*pop.*) blokken.

bossu l *bn* gebocheld. ll *zn m*, -e *v*
gebochelde; *rire comme un —*, schaterlachen.

bot(e) *bn: pied —*, horrelvoet.

botan/ique l *bn* plantkundig; *jardin —*,
plantentuin. ll *zn v* plantkunde. ▼**—iser** *on.w*
planten of kruiden zoeken. ▼**—iste** *m* of *v*
plantkundige.

botte *v* 1 bos (*botte de carottes*), pak; 2 laars;
—s à éperons, laarzen met sporen; *—s à
l'écuyère*, rijlaarzen; *il a mis du foin dans ses
—s*, hij heeft zijn schaapjes op het droge;
graisser ses —s, zich gereedmaken om te
vertrekken; 3 degenstoot. ▼**bottelage** *m*
(het) tot bossen binden. ▼**botteler** *ov.w* tot
bossen binden.

botter *ov.w* 1 laarzen leveren, aantrekken; *chat
botté*, gelaarsde kat; *singe botté*, belachelijk
ventje; 2 trappen; 3 (*fam.*) bevallen, aanstaan.
▼**bottier** *m* 1 laarzenmaker;
2 laarzenverkoper. ▼**bottillon** *m*
après-schischoen.

bottin *m* adresboek, telefoonboek.

bottine *v* laarsje, bottine.

bouc *m* 1 bok; — *émissaire*, zondebok; 2 sikje.

boucan *m* (*fam.*) lawaai, herrie.

boucaner *ov.w* roken (van vis of vlees).

boucanier *m* boekanier.

bouchage *m* het kurken, sluiting.

bouche *v* 1 mond, bek; *le — à —*, de
mond-op-mondbeademing; *rester — béante*,
met open mond staan kijken; *garder qc. pour la
bonne —*, het lekkerste voor het eind bewaren;
— close!, mondje dicht!; *rester — close*, met
de mond vol tanden blijven staan; *avoir le cœur
sur la —*, het hart op de tong hebben; *fermer la
— à qn.*, iemand de mond snoeren; *fine —*,
lekkerbek; *s'ôter les morceaux de la — pour
qn.*, zich voor iemand het eten uit de mond
sparen; *faire la petite —*, kieskeurig zijn; *être
(porté) sur sa —*, van lekker eten houden;
provisions de —, levensmiddelen; 2 opening,
mond; *— à feu*, vuurmond; *— d'incendie*,
brandkraan; 3 *—s*, riviermond. ▼**bouchée** *v*
1 hap, mondvol; *manger une —*, snel een maal
gebruiken; 2 klein pasteitje.

boucher *ov.w* 1 dichtstoppen, afsluiten,
kurken; *se — les oreilles*, zijn oren
dichtstoppen; 2 versperren (*le passage*).

boucher *m* 1 slager; 2 beul; 3 slecht chirurg.
▼**bouchère** *v* 1 slagersvrouw; 2 vrouwelijke
slager. ▼**boucherie** *v* 1 slagerij; 2 slachting,
bloedbad.

bouche-trou† *m* 1 invaller; 2 opvulling.

bouchon *m* 1 kurk, stop, plug; 2 dobber;
3 opstopping. ▼**—ner** *ov.w* 1 opfrissen (v.
paard); 2 (*fam.*) strelen.

boucle *v* 1 ring; 2 gesp; *se serrer la —*, de
buikriem aanhalen; 3 haarkrul; 4 grote bocht
in een rivier; 5 looping van vliegtuig.
▼**boucler** l *ov.w* 1 vastgespen; — *ses malles*,
zijn koffers pakken; 2 (*fam.*) sluiten; — *la*, zijn
mond houden; 3 opsluiten; 4 uitrijden,
afmaken; 5 (*fig.*) rond maken; — *son budget*,
de touwtjes aan elkaar knopen; 6 insluiten.
ll *on.w* krullen.

bouclier *m* 1 schild; *levée de —*, gewapende
opstand; 2 beschermer, verdediger.

boud/er l *on.w* mopperen, mokken, pruilen.
ll *ov.w* negeren. ▼**—erie** *v* pruilerij. ▼**—eur,
-euse** l *bn* pruilerig, mopperig. ll *zn m*, **-euse**
v mopperaar(ster).

bouddh/ique *bn* boeddhistisch. ▼**—isme** *m*
boeddhisme. ▼**—iste** *m* boeddhist.

boudin *m* 1 bloedworst; *s'en aller en eau de —*,
mislukken; 2 tabaksrol; 3 lange haarkrul;
4 (*pop.*) neus. ▼**—er** *ov.w* draaien,

verstrengelen.

boudoir *m* kleine damessalon.

boue *v* modder, slijk; *bain de —*, modderbad;
bâtir sur la —, op los zand bouwen; *âme de —*,
lage ziel; *tirer qn. de la —*, iem. uit de modder
halen (*fig.*).

bouée *v* boei, baken; — *lumineuse*, lichtboei;
— *sonore*, geluidsboei; — *de sauvetage*,
reddingboei.

boueux, -euse l *bn* modderig. ll *zn m* (*pop.*)
vuilnisman.

bouffarde *v* (*pop.*) grote pijp.

bouffe l *bn* komisch (*opéra —*). ll *zn m* zanger
die een komische operapartij zingt. lll *zn v*
(*pop.*) (het) vreten.

bouffée *v* 1 vlaag, rook, uitademing (— *de
fumée, de vent*); 2 plotselinge opwelling;
3 trek (aan een sigaret).

bouffer *on.w* 1 opzwellen; 2 (*pop.*)
schrokken. ▼**bouffetance** *v* (*pop.*) (het)
vreten.

bouffi *bn* bol, opgeblazen, gezwollen (van
stijl). ▼**bouffir** l *ov.w* opblazen. ll *on.w*
opzwellen.

bouffon, -onne l *bn* koddig, kluchtig. ll *zn m*
nar, potsenmaker. ▼**—ner** *on.w* platte grappen
maken, dwaas doen. ▼**—nerie** *v* zotte streek,
grap.

bougainvillée *v* of **bougainvillier** *m*
bougainvillea.

bouge *m* 1 krot; 2 verdacht huis.

bougeoir *m* blaker.

bouger l *on.w* zich bewegen. ll *ov.w*
verplaatsen.

bougie *v* 1 waskaars; 2 sonde (*med.*);
3 bougie v. e. motor.

bougnat *m* (*pop.*) kolenhandelaar.

bougon l *zn m*, **-onne** *v* brompot. ll **—**, **-onne**
bn knorrig. ▼**—ner** *on.w* (*fam.*) brommen,
mopperen.

bougre l *zn m*, **-esse** *v* (*pop.*) schoft, vuil wijf;
bon —, beste vent; — *d'idiot!*, driedubbele
idioot! ll *tw* verdraaid! ▼**—ment** *bw* (*pop.*)
erg, ontzettend.

boui†-boui† *m* (*pop.*) tingeltangel, verdacht
huis.

bouillabaisse *v* Provençaalse vissoep.

bouillant *bn* kokend.

bouille *v* (*pop.*) gezicht.

bouillie *v* pap. ▼**bouillir** *on.w onr.* koken; *faire
— de l'eau*, water koken; *la tête me bout*, mijn
hoofd gloeit, ik ben opgewonden.
▼**bouilloire** *v* waterketel; — *à sifflet*,
fluitketel. ▼**bouillon** *m* 1 bouillon; — *de
culture*, reincultuur; — *d'onze heures*,
giftdrank; *boire un —*, water binnen krijgen bij
het zwemmen; een verlies lijden; 2 eenvoudig
restaurant; 3 luchtbel; 4 onverkochte
exemplaren.

bouillonn/ement *m* 1 (het) opborrelen;
2 opwinding. ▼**—er** *on.w* 1 opborrelen;
2 bruisen (*le sang bouillonne*).

bouillotte *v* 1 waterstoof, -kruik; 2 keteltje.

boulang/er *m*, **-ère** *v* bakker, bakkersvrouw.
▼**—er** *ov.w* 1 kneden; 2 bakken. ▼**—ère** *v*
bakkerskar. ▼**—erie** *v* 1 bakkerswinkel;
2 bakkerij; 3 (het) broodbakken;
4 bakkersbedrijf.

boule *v* 1 bal, bol; — *d'eau chaude*,
warmwaterstoof; *jeu de —s*, Frans balspel; —
de neige, sneeuwbal; *faire la — de neige*,
aangroeien als een sneeuwbal; *tenir pied à —*,
geen voetbreed wijken; — *de signaux*,
stormbal; 2 (*arg.*) kop; *perdre la —*, de kluts
kwijtraken; 3 (*pop.*) roulette.

bouleau [*mv* x] *m* berk.

bouledogue *m* buldog.

bouler l *on.w* opzwellen. ll *ov.w* over de
grond rollen.

boulet *m* 1 kanonskogel; 2 kogel, met een
ketting aan het been van dwangarbeiders
vastgebonden; *traîner le —*, een blok aan het
been hebben. ▼**boulette** *v* 1 balletje;
2 blunder (*fam.*).

boulevard *m* 1 brede wandelweg met bomen;
2 bolwerk. ▼**—er** *ov.w* over de grote Parijse

boulevards slenteren. ▼**—ier** I zn m, **-ière** v
geregeld bezoeker (-ster) der boulevards.
II bn wat betrekking heeft op de boulevards of
de boulevardiers (argot —).

boulevers/ant bn overdonderend,
opwindend, erg ontroerend. ▼**—ement** m
1 verwoesting, omverwerping; 2 beroering,
ontsteltenis. ▼**—er** ov.w 1 omverwerpen,
verwoesten; 2 in beroering, verwarring
brengen.

boulier m telraam.

boulimie v (med.) geeuwhonger.

bouliste m jeu de boules-speler.

boulon m schroefbout. ▼**—ner** ov.w 1 met een
bout bevestigen; 2 (arg.) werken.

boulot, -otte I bn vet en rond. II zn m (pop.)
werk. ▼**—ter** I on.w 1 (pop.) een gemakkelijk
en rustig leven leiden; 2 ça boulotte, 't gaat
zo'n gangetje. II ov.w (arg.) eten.

boum I tw boem. II zn m 1 knal; 2 feest. ▼**—er**
(pop.); ça boume, het gaat!

bouquet m 1 ruiker; 2 bosje (— d'arbres);
3 geur v.d. wijn; 4 slotstuk v.e. vuurwerk, slot,
bekroning v.e. zaak; 5 minnedicht; 6 mannetje
van haas of konijn. ▼**—ière** v verkoopster v.
bosjes bloemen.

bouquin m 1 oude bok; 2 mannetjeshaas of
-konijn; 3 oud boek. ▼**—er** on.w 1 oude
boeken zoeken of raadplegen; 2 (fam.) lezen.
▼**—erie** v 1 handel in oude boeken; 2
verzamelwoede voor boeken. ▼**—eur** m,
-euse v 1 iem. die naar oude boeken snuffelt;
2 iem. die van oude boeken houdt. ▼**—iste** m
handelaar in oude boeken.

bourb/e v modder, slijk (uit vijvers of
moerassen). ▼**—eux, -euse** v modderig.
▼**—ier** m modderpoel; se mettre dans un —,
zich in een wespennest steken.

bourbonien, -ne bn Bourbons.

bourde v (fam.) 1 leugen, kletspraatje (conter
des —s); 2 blunder. ▼**bourder** on.w leugens,
kletspraatjes vertellen.

bourdon m 1 pelgrimsstaf; 2 hommel; 3 bas
v.e. orgel; 4 grote torenklok. ▼**—nement** m
1 gegons; 2 gemompel, gebrom; 3 oorsuizing.
▼**—ner** I on.w 1 gonzen; 2 mompelen,
brommen. II ov.w neuriën.

bourg m groot dorp (met markt). ▼**—ade** v
dorp met verspreide huizen. ▼**—eois** I zn m, **-e**
v 1 burger(es); 2 gezeten burger(es); 3 baas,
patroon. ▼**—eoise** v (pop.) echtgenote. II bn
burgerlijk. ▼**—eoisie** v burgerij, burgerstand;
droit de —, burgerrecht.

bourgeon m 1 boomknop; 2 puist.
▼**—nement** m het uitbotten. ▼**—ner** on.w
1 uitbotten; 2 puisten hebben.

bourgmestre m burgemeester in Nederland,
Vlaanderen, Duitsland.

Bourgogne I v Bourgondië. II **—** m
bourgognewijn. ▼**Bourguignon** I zn m,
-onne v Bourgondiër (-sche). II b**—, -onne**
bn Bourgondisch. ▼**bourguignon** m met uien
en rode wijn bereid rundvlees.

bourlinguer on.w 1 tegen wind en stroming in
varen; 2 veel varen, zwalken.

bourrade v 1 stomp; 2 ruwe uitval.

bourrage m het volstoppen.

bourrasque v 1 rukwind; 2 vlaag (van woede,
drift enz.); 3 plotselinge koortsaanval.

bourre v 1 vulsel van haar; 2 knop;
3 waardeloos ding.

bourreau [mv x] m 1 beul; 2 wreedaard, beul
(fig.); — d'argent, verkwister.

bourrée v dans(wijs) uit Auvergne.

bourrelet m 1 tochtlat, (tocht)strip;
2 stootkussen.

bourrelier m zadelmaker.

bourrer I ov.w 1 opvullen (un fauteuil);
2 volstoppen; 3 stoppen (une pipe);
4 stompen; — le crâne à qn., iem. zijn mening
opdringen. II se — met elkaar vechten.

bourricot m ezeltje. ▼**bourrin** m (fam.) ezel,
paard. ▼**bourrique** v 1 ezelin; 2 stommeling;
3 (arg.) politieman.

bourru bn 1 ruw; 2 nors (d'un ton —).

bourse v beurs (in alle betekenissen); — de
commerce, warenbeurs; coupeur de —s,
zakkenroller; sans — délier, met de gesloten
beurs; — bien garnie, goed gevulde beurs; —
de travail, arbeidsbeurs; cette femme tient la
—, die vrouw heeft de broek aan. ▼**boursier**
I zn m 1 beursman; 2 student, die een beurs
heeft. II bn v.d. Beurs.

boursoufl/é bn gezwollen (style —). ▼**—ure**
v 1 opzwelling; 2 gezwollenheid.

bouscul/ade v gedrang. ▼**—er** ov.w
1 omvergooien, verdringen, oplopen tegen;
2 onheus behandelen, een uitbrander geven;
3 tot haast aanzetten.

bouse v koemest.

bousillage m (fam.) knoeiwerk. ▼**bousiller**
ov.w (fam.) verknoeien.

boussole v 1 kompas; (fam.) perdre la —, de
kluts kwijtraken; 2 gids, richtsnoer.

boustifaille v (pop.) schranspartij, eten,
levensmiddelen.

bout m 1 eind, punt, top, knop enz.; le — de
l'an, het jaargetijde voor een overledene; au —
de, aan het eind van; aller jusqu'au —, tot het
eind volhouden; au — de l'aune faut le drap
(spr.w), aan alles komt een eind; d'un — à
l'autre, de — en —, van 't begin tot het eind; à
tout — de champ, bij elke gelegenheid; au —
du compte, per slot van rekening; manger du
— des dents, kieskauwen; rire du — des dents,
des lèvres, lachen als een boer; du — des
lèvres, met tegenzin; à — de souffle,
buiten adem; savoir sur le — du doigt, op zijn duimpje
kennen; avoir des yeux au — des doigts,
pienter zijn; être à bout, ten einde raad zijn; à —
de forces, uitgeput; joindre les deux —s,
rondkomen; être au — de son latin, ten einde
raad zijn; au — du monde, ver weg; montrer le
— de son nez, zich vertonen; jusqu'au — des
ongles, en top; à — portant, vlak, bijna in 't
gezicht; je suis à bout de patience, mijn geduld
is uitgeput; pousser à —, het geduld doen
verliezen; venir à —, de, slagen; 2 eindje,
stukje; un — de femme, een klein vrouwtje;
faire un — de toilette, zich wat opknappen.

boutade v 1 gril; 2 geestige uitval.

boute-en-train m gangmaker in een
gezelschap.

bouteille v fles; c'est la — à encre, dat is erg
duister; — isolante, thermosfles.

boutique v 1 winkel; arrière-boutique, kamer
achter de winkel; adieu la —! 't is afgelopen!
quelle —! wat een huishouden!; toute la —,
de hele rommel; fermer —, zijn zaak aan de
kant doen; ouvrir —, een zaak openen;
2 werkplaats; 3 viskaar; 4 keet. ▼**boutiquier**
m, **-ère** v winkelier(ster).

boutoir m punt v.d. snuit v.e. (wild) zwijn;
coup de —, felle aanval, snauw.

bouton m 1 knop (van bloemen, schel, deur
enz.); tournez le bouton, s.v.p.!, binnen zonder
kloppen!; — de réglage, regelaar; 2 puist;
3 knoop; mettre le — haut à qn., het iemand
moeilijk maken; serrer le — à qn., sterk
aandringen, het mes op de keel zetten.

bouton†-d'or m boterbloem.

boutonn/er I on.w uitbotten. II ov.w
dichtknopen. III se — zijn knopen vastmaken.
▼**—erie** v knopenhandel, -fabriek. ▼**—eux,
-euse** bn puisterig. ▼**—ier** m, **-ère** v
knopenmaker (-maakster), -verkoper
(-verkoopster). ▼**—ière** v 1 knoopsgat;
2 bloem in het knoopsgat, corsagebloem; à la
— fleurie, met een bloem in het knoopsgat.
▼**bouton†-pression** m drukknoop.

bout†-rimé m gedicht met opgegeven rijm;
— mv verzen met opgegeven eindrijmen.

boutur/age m (het) stekken (plk.). ▼**—e** v
stek, loot. ▼**—er** ov.w stekken.

bouvier m, **-ière** v 1 ossenhoeder (-ster);
2 lomperd; 3 — des Flandres, bouvier.
▼**bouvillon** m jonge os.

bouvreuil m goudvink.

bovidés m mv runderachtigen. ▼**bovin** bn
runderachtig.

box m afdeling in paardenstal voor een paard, in
garage voor een auto.

box/e v het boksen. **▼—er** on.w boksen.
▼—eur m bokser.
boyau [mv.x] m 1 darm; corde à —, darmsnaar
v. viool enz.; râcler le —, krassen op een viool;
descente de —x, breuk (med.). 2 slang à —,
pomp; 3 binnenband v. racefiets; 4 lange,
smalle gang; 5 pijpenlade;
6 verbindingsloopgraaf.
boycott/age m boycot. **▼—er** ov.w
boycotten. **▼—eur** m, **-euse** v boycotter
(-ster).
boy†-scout† m padvinder, verkenner.
brabançon, -onne I bn Brabants. II zn B— m,
-onne v Brabander, Brabantse. **▼B—onne** v
het Belgisch volkslied. **▼Brabant (le)**
Brabant.
bracelet m armband; — de pied, voetring; —
-montre, polshorloge.
brachial [mv aux] bn wat betrekking heeft op
de arm; muscle —, armspier.
brachycéphale bn en zn m of v
kortschedelig(e).
braconn/age m stroperij. **▼—er** on.w stropen
(van jagers en vissers). **▼—ier** m stroper.
bractée v dekblad, schutblad (plk.).
brader ov.w uitverkopen. **▼braderie** v
uitverkoop.
braguette v gulp v.e. broek.
brai m hars.
braie v 1 luier; 2 (oud) broek.
braillard I bn schreeuwerig. II zn m, -e v
schreeuwbek.
braille m blindenschrift.
braill/ement m geschreeuw. **▼—er** on.w
1 hard en veel praten; 2 schreeuwen; 3 brullen
(v.e. zanger). **▼—eur, -euse** I bn
schreeuwend. II zn m, -euse v schreeuwbek.
braiment m gebalk v. e. ezel. **▼braire** on.w
balken.
brais/e v 1 gloeiend houtskool; chaud comme
—, vurig; bœuf à la braise, gesmoord
rundvlees; être sur la —, op hete kolen zitten;
2 houtskool. **▼—er** ov.w smoren (van vlees).
▼—ière v stoofpan.
braisiller on.w flikkeren.
bramement m schreeuwen v. h. hert.
▼bramer on.w schreeuwen v. e. hert.
brancard m 1 brancard; 2 boom v. e. rijtuig.
▼—age m het vervoeren per brancard. **▼—ier**
m ziekendrager.
branchage m de takken. **▼branche** v tak (van
boom, rivier, wetenschap, geslacht enz.);
afdeling; s'accrocher à toutes les —s, zich aan
een strohalm vastklemmen; sauter de — en —,
van de hak op de tak springen.
▼branchement m 1 vertakking;
2 aansluiting. **▼brancher** I on.w op een tak
zitten. II ov.w aansluiten (van gas,
waterleiding). **▼branche†-ursine†** v
bereklauw (plk.).
branchial bn van (door) de kieuwen.
▼branchies v mv kieuwen.
branchu bn met veel takken.
brande v heide(veld).
brandebourg m galon.
brandir ov.w zwaaien.
brandon m strofakkel; allumer le — de la
discorde, tweedracht zaaien.
branlant bn waggelend, schommelend.
▼branle m 1 (het) schommelen, heen en weer
gaande beweging, slingering (— d'une
cloche); 2 mettre en —, in beweging brengen;
donner le —, de eerste stoot geven;
3 hangmat; 4 rondedans. **▼branle-bas** m
1 toebereidselen aan boord voor een
zeegevecht; 2 opschudding. **▼branlement** m
schommeling, slingering, heen en weer
gaande beweging. **▼branler** I ov.w schudden,
heen en weer bewegen (— la tête). II on.w
waggelen, slingeren, wankelen, los zitten.
braquage m 1 (het) draaien; rayon de —,
draaicirkel; 2 (arg.) roofoverval.
braque I zn m jachthond. II bn onbezonnen.
braquement m het richten v. e. kanon enz.
▼braquer ov.w 1 richten van kanon, revolver;
2 draaien (van auto); 3 (arg.) overvallen.

braquet m fietsversnelling.
braqueur m (arg.) (gewapende) overvaller.
bras m 1 arm; — d'une chaise, armleuning; en
— de chemise, in zijn hemdsmouwen; saisir à
— le corps, omvatten; rester les — croisés,
werkeloos toezien; couper — et jambes,
versteld doen staan, ontmoedigen; — dessus
— dessous, arm in arm; avoir le — en écharpe,
de arm in een doek dragen; avoir les — longs,
veel invloed hebben; à — raccourcis, uit alle
macht; saisir par le —, bij de arm grijpen; avoir
sur les —, te zorgen hebben voor; les — m'en
tombent, ik sta er versteld van; à tour de —, uit
alle macht; 2 helper, arbeider.
braser ov.w solderen.
brasier m kolenvuur, vuurgloed.
brasiller I ov.w roosteren. II on.w lichten v. d.
zee.
brassage m 1 (het) brouwen; 2 (het)
(ver)mengen.
brassard m band om de arm (bij rouw enz.).
brasse v 1 vadem (scheepv.); 2 zwemslag.
▼brassée v 1 arm vol; 2 zwemslag.
brass/er ov.w 1 brouwen; — des affaires, veel
zaken vlug, maar slordig opzetten;
2 omroeren; — les cartes, de kaarten wassen;
3 veel omgaan met (geld). **▼—erie** v
1 brouwerij; 2 bierhuis, café. **▼—eur** m
1 bierbrouwer; 2 bierhandelaar.
brassière v kinderlijfje.
brasure v 1 soldeernaad; 2 (het) solderen;
3 soldeersel.
bravache m iemand, die de held uithangt,
snoever. **▼bravade** v opschepperij, snoeverij.
brave I bn 1 dapper (homme —); 2 braaf,
fatsoenlijk (— homme). II zn m dappere.
▼braver ov.w 1 uitdagen, tarten; 2 trotseren.
▼bravoure v dapperheid, moed.
break (spr. brèk) m 1 stationcar; 2 brik.
brebis v 1 wijfjesschaap; ramener la — égarée,
het verloren schaap terugbrengen; qui se fait
—, le loup le mange, al te goed is buurmans
gek; à — tondue Dieu mesure le vent, God
geeft kracht naar kruis; 2 gelovige; — galeuse,
schurftig schaap.
brèche v 1 bres; battre en —, een bres trachten
te schieten in, (fig.) hevig aanvallen,
bestrijden; faire une — à un pâté, aansnijden,
aanspreken; être sur la —, op de bres staan;
mourir sur la —, strijdend ten onder gaan;
2 nadeel, afbreuk.
bredouillage m gebrabbel, gestamel.
bredouille bn platzak (rentrer —).
bredouill/ement m gebrabbel. **▼—er** on.w
brabbelen, stamelen. **▼—eur** m, **-euse** v
stotteraar (-ster).
bref, -ève I bn kort; ton —, gebiedende toon.
II bw kortom.
bref m 1 pauselijke brief; 2 kerkkalender.
brelan m 1 zwikken (kaartspel); 2 avoir —,
zwik hebben (drie gelijke kaarten).
breloque v 1 snuisterij; 2 hangertje aan een
horlogeketting; 3 signaal voor het inrukken.
brème v brasem.
Brême v Bremen.
Brésil m Brazilië. **▼brésilien, -enne** I bn
Braziliaans. II zn B— m, -enne v
Braziliaan(se).
brésiller I ov.w verbrijzelen. II on.w
verpulveren.
bretelle v draagband (voor geweer enz.); — de
raccordement, verbindingslus, afslag. **▼—s**
mv bretels.
breton, -onne I bn Bretons. II zn B— m,
-onne v Breton(se).
brette v lange, smalle degen. **▼bretteur** m
vechtjas (met de degen).
breuvage m drank.
brève v korte lettergreep.
brevet m 1 akte, diploma; — de capacité,
onderwijzersakte; 2 — d'invention, octrooi,
patent. **▼breveté** I bn gediplomeerd,
gepatenteerd. II zn m gediplomeerde.
▼breveter ov.w 1 diplomeren; 2 octrooi,
patent verlenen.
bréviaire m 1 brevier; 2 geregelde lectuur.

brévité v kortheid.
bribe v 1 brokstuk, overblijfsel v. e. maal;
  2 losse woorden, die men opvangt uit een
  gesprek (**—s**).
bric-à-brac m 1 oud ijzer, oude meubelen
  enz.; *marchand de —*, uitdrager;
  2 uitdragerswinkel.
brick m brik (*scheepv.*).
bricolage m geknutsel. ▼**bricol/e** v
  1 borstriem v. paard; 2 draagriem; 3 dingetje,
  onbeduidend iets. ▼**—er l** *on.w* klusjes
  uitvoeren. **ll** *ov.w* in elkaar prutsen. ▼**—eur** m
  1 knutselaar, doe-het-zelver; 2 klusjesman.
bride v teugel, toom; *à — abattue, à toute —*,
  spoorslags, blindelings; *à cheval donné on ne
  regarde pas la —*, een gegeven paard kijkt men
  niet in de bek; *tenir la — haute*, de teugels kort
  houden, streng zijn; *lâcher la — à ses passions*,
  zijn hartstochten de vrije teugel laten; *tourner
  —*, de teugel wenden. ▼**brider** *ov.w*
  1 intomen, teugelen; *— l'âne par la queue*, de
  paarden achter de wagen spannen;
  2 beteugelen, breidelen.
bridge m 1 bridge; 2 brug (tussen tanden).
  ▼**bridger** *on.w* bridgen. ▼**bridgeur** m, **-euse**
  v bridgespeler (-speelster).
brie m kaas uit Brie.
brief, -ève bn kort. ▼**brièvement** bw kort, in
  weinig woorden. ▼**brièveté** v kortheid,
  beknoptheid.
briffer *ov.w* (*pop.*) eten.
brigade v 1 twee regimenten;
  2 gespecialiseerde mil. eenheid (*— de chars*);
  3 gendarmerieafdeling; 4 politieafdeling; *—
  des mœurs*, zedenpolitie; 5 afdeling werkvolk.
  ▼**brigadier** m 1 korporaal bij artillerie,
  cavalerie, gendarmerie; 2 brigadegeneraal.
brigand m struikrover, boef. ▼**—age** m
  1 (struik)roverij; 2 gelafpersing, knevelarij.
  ▼**—er** *on.w* roven.
brigue v 1 slinkse streek; 2 kliek, partij.
  ▼**briguer** *ov.w* 1 door slinkse streken trachten
  te verkrijgen; 2 najagen.
brillant l bn schitterend, luisterrijk, levendig
  enz.; *une pensée —e*, een scherpzinnige
  gedachte; *une santé —e*, een uitstekende
  gezondheid; *un style —*, een levendige stijl.
  ll zn m 1 schittering; 2 briljant. ▼**brillanter**
  ov.w 1 tot briljant slijpen; 2 opsmukken (*le
  style*).
brillantine v brillantine.
briller *on.w* 1 schitteren; 2 uitmunten.
brimer *ov.w* plagen, ontgroenen.
brin m 1 sprietje, lood (*un — d'herbe*);
  2 stukje, klein deeltje; *un — de paille*, strootje;
  un — de pain, een stukje brood; *faire un — de
  toilette*, zich wat opknappen. ▼**brindille** v
  takje, sprietje.
bringue v 1 stuk, 2 lange, slappe vrouw;
  3 uitspatting.
bringuebaler *on.w* schommelen, slingeren.
brio m levendigheid, vuur.
brioche v 1 tulband; 2 (*fam.*) flater; 3 (*fam.*)
  buikje.
brique v baksteen; *— de savon*, stuk zeep.
briquer *ov.w* poetsen tot het blinkt.
briquet m 1 vuurslag; 2 sigarenaansteker;
  3 korte kromme sabel.
briquet/age m metselwerk van baksteen.
  ▼**—er** *ov.w* bestraten met klinkers. ▼**—erie** v
  steenfabriek. ▼**—ier** m 1 steenbakker;
  2 steenverkoper.
briquette v briket.
bris m (*jur.*) (het) verbreken.
brisant m blinde klip.
brise v bries.
brisé bn 1 gebroken; 2 uit twee helften
  bestaande, toeslaand; *porte —e*, vouwdeur.
  ▼**brise-bise** m tochtstrip. ▼**brisées** v mv
  afgebroken takken; *aller sur les — de qn.*, iem.
  in het vaarwater zitten. ▼**brise-glace** v
  ijsbreker. ▼**brise-lames** m golfbreker.
  ▼**brisement** m het breken, *— de cœur*, diepe
  smart; *— des flots*, branding. ▼**briser l** *ov.w*
  1 breken, vernielen, verbrijzelen; *brisé de
  fatigue*, doodop; *briser ses fers*, de vrijheid

herwinnen; 2 vermoeien. **ll** *on.w* breken;
  brisons là, laten we er niet verder over spreken.
  ▼**brise-tout** m breekal. ▼**briseur** m breker; *—
  d'images*, beeldenstormer. ▼**brisure** v breuk,
  barst.
britannique bn Brits.
broc m kan voor wijn, water enz.; *faire qc. de —
  en bouche*, iets onmiddellijk doen.
brocant/e v handel in oudheden. ▼**—er** *on.w*
  sjacheren; handelen in oudheden en
  curiositeiten. ▼**—eur** m, **-euse** v
  sjacheraar(ster); handelaar(ster) in oudheden
  en curiositeiten.
brocart m brokaat.
brochage m (het) innaaien van boeken.
broche v 1 braadspit; *mettre à la —*, aan het
  spit steken; *faire un tour de —*, zich wat
  warmen; 2 broche (sieraad); 3 breinaald;
  4 mv slagtanden v. e. wild zwijn.
broché m 1 (het) weven van tekeningen in de
  stof; 2 de stof, die uit dit procédé ontstaat.
brochée v (het) aan het spit gestoken vlees.
brocher *ov.w* 1 stikken met gouddraad enz.;
  2 innaaien v. e. boek; 3 nagels slaan in het
  hoefijzer; 4 (*fam.*) afroffelen van huiswerk.
brochet m snoek. ▼**—on** m snoekje.
brochette v stokje om jonge vogels te voeren;
  élever à la —, vertroetelen.
brocheur m, **-euse** v innaaier (-ster).
brochoir m hamer v. d. hoefsmid.
brochure v 1 (het) innaaien; 2 brochure.
brodequin m rijglaars; *chausser le —*,
  toneelspelen.
broder *ov.w* 1 borduren; *aiguille —*,
  borduurnaald; 2 (een verhaal) opsieren,
  overdrijven. ▼**broderie** v 1 borduurwerk,
  borduursel; 2 versiersel (in verhaal of muziek).
  ▼**brodeur** m, **-euse** v borduurder (-ster).
brome m bromium. ▼**bromure** m bromide.
bronche v bronchie.
bronchement m het struikelen. ▼**broncher**
  on.w 1 struikelen; *il n'est si bon cheval qui ne
  bronche* (spr.w), het beste paard struikelt wel
  eens; 2 zich bewegen, verroeren; *sans —*, met
  een stalen gezicht, zonder blikken of blozen;
  3 zich vergissen.
bronchial [mv **aux**] bn bronchiaal.
  ▼**bronchite** v bronchitis. ▼**bronchitique** m
  of v bronchitislijder(es).
bronzage m het bronzen. ▼**bronze** m 1 brons;
  cœur de —, hart van steen; 2 (*fig.*) klok,
  kanon; 3 bronzen beeld. ▼**bronzé** bn
  1 gebronsd; 2 getaand, gebruind. ▼**bronzer**
  l *ov.w* bronzen. **ll se —** een bronskleur
  aannemen, zonnen. ▼**bronzeur, bronzier** m
  bronswerker.
brossage m het borstelen. ▼**brosse** v
  1 borstel; *— à décrotter*, schoenborstel;
  cheveux en —, steilstaande haren;
  2 scheerkwast; 3 schilderskwast;
  4 varkensharen penseel. ▼**brossée** v 1 streek
  met borstel of penseel; 2 pak slaag, nederlaag.
  ▼**brosser** *ov.w* 1 borstelen; *se — le ventre*
  (*pop.*), er bekaaid afkomen; 2 wrijven (*— les
  membres*); 3 een pak slaag geven; 4 vlug en
  breed schilderen (*— un tableau*). ▼**brosserie**
  v borstelhandel, -fabriek. ▼**brossier** m
  borstelverkoper, -fabrikant.
brou m bolster; *— de noix*, bruine kleur, likeur
  bereid uit de notenbolster.
brouett/e v kruiwagen. ▼**—ée** v kruiwagen
  vol. ▼**—er** *ov.w* per kruiwagen vervoeren.
  ▼**—eur, —ier** m kruier.
brouhaha m lawaai, herrie.
brouillage m radiostoring.
brouillamini m wanorde, verwarring.
brouillard m 1 nevel, mist; *il fait du —*, het
  mist; *le — tombe*, het wordt mistig; *avoir
  comme un — sur les yeux*, alles wazig, vaag
  zien; 2 vloeipapier; 3 winkelboek.
  ▼**brouillasse** v lichte mist, - nevel, motregen.
  ▼**brouillasser** *on.w* misten.
brouille v (*fam.*) onmin, onenigheid.
  ▼**brouiller l** *ov.w* 1 verwarren, vermengen; *—
  le ciel*, de hemel verduisteren; *— des œufs*,
  eieren klutsen; *— du papier*, papier

verknoeien; — *les cartes*, de kaarten
schudden, verwarring stichten; (— *des
amis*): *être brouillé avec qn.*, in onmin met iem.
zijn. **II se —** 1 donker worden, troebel
worden; *le temps se brouille*, de lucht betrekt;
2 in de war raken (*les affaires se brouillent*);
3 in onmin raken met (*se — avec la justice*).
brouillon I *bn*, **-ne** verward. **II** *zn m* klad (v. e.
brief enz.). ▼**—ner** *ov.w* in het klad schrijven.
broussaille v doornen en distels i. e. bos;
sourcils, barbe en —, borstelige
wenkbrauwen, - baard; **—s**, struikgewas.
brousse v rimboe.
brouter *ov.w* grazen.
broutille v 1 rijshout; 2 kleinigheid, prul.
broy/er *ov.w* 1 verbrijzelen; 2 fijnstampen,
verpulveren; 3 malen en verdunnen van verf;
4 vlas, hennep braken. ▼**—euse** v 1 hennep-,
vlasbraakster; 2 braakmachine.
bru v schoondochter.
bruant *m* geelgors.
brucelles v *mv* pincet.
Bruges v Brugge.
bruine v motregen. ▼**bruiner** *onp.w*
motregenen.
bruire *on.w onr.* ruisen, ritselen, suizen.
▼**bruissement** *m* geruis, geritsel, gesuis.
bruit *m* 1 geluid, lawaai, leven; *beaucoup de
— et peu de besogne*, veel geschreeuw en
weinig wol; *chasser à grand —*, jagen met de
meute; *à petit bruit*, in 't het geheim; 2 gerucht,
tijding; *il n'est — que de cela*, men spreekt
nergens anders over; 3 opstandige beweging.
▼**—age** *m* geluidsdecor. ▼**—eur** *m*
geluidsdeskundige (film, toneel).
brûlage *m* (het) afbranden. ▼**brûlant** *bn*
1 brandend, heet; *question —e*, brandende
kwestie; 2 vurig (*un zèle —*). ▼**brûlé** I *zn m*
brandlucht; *ça sent le —*, het ruikt hier
branderig, (*fig.*) dat gaat mis. **II** *bn* 1 verbrand,
aangebrand; *cerveau —*, *tête —e*, heethoofd;
2 verloren, kwijt (gezag, geld enz.).
brûlée v pak slaag.
brûle-gueule *m* (*pop.*) neuswarmertje.
brûlement *m* het verbranden.
brûle-pourpoint: *à —*, op de man af.
brûl/er I *ov.w* 1 verbranden, branden; *prendre
une place sans — une amorce*, een vesting
zonder slag of stoot nemen; *brûler la cervelle*,
voor de kop schieten; *se — à la chandelle*,
tegen de lamp lopen; — *de l'encens devant
qn.*, iem. vleien; — *les planches*, met vuur
toneelspelen; — *du rhum*, punch maken; —
ses vaisseaux, zijn schepen achter zich
verbranden; 2 doen aanbranden; 3 overslaan;
— *une étape*, ergens voorbij rennen zonder stil
te staan; — *le pavé*, rennen; — *la politesse à
qn.*, weggaan zonder te groeten; 4 distilleren
(— *du vin*). **II** *on.w* 1 branden, in brand staan,
aanbranden; *tu brûles*, je bent warm (bij spel);
les pieds lui brûlent, hij zit op hete kolen; *le
tapis brûle*, je hebt nog niet ingezet (bij spel);
2 hevig verlangen (*je brûle d'être à Paris*).
▼**—erie** v brandkerij, (likeur-,
cognac)stokerij. ▼**—eur** *m* 1 likeur-,
cognac-stoker; 2 brander, gaspit. ▼**—is** *m*
verbrand stuk bos, afgebrand stuk akker.
▼**—oir** *m* koffiebrander (instrument). ▼**—ot** *m*
1 brandschip; 2 sterk gekruid stuk vlees;
3 stokebrand, tweedrachtzaaier. ▼**—ure** v
1 brandwond; 2 branderig gevoel, zuur (in
maag).
brum/aille v mistig weer, (*pop.*) lichte mist.
▼**—aire** *m* tweede maand v.d. republikeinse
kalender (van 22 of 23 oktober tot 20 of 21
november) ▼**—al** [*mv* **aux**] *bn* winters
(*plantes —es*). ▼**—asse** v lichte nevel of mist.
▼**—asser** *onp.w*: *il —*, er hangt een lichte mist.
▼**—e** mist. ▼**—er** *onp.w* misten. ▼**—eux**,
-euse *bn* mistig, nevelachtig.
brun I *bn* bruin; *bière —e*, donker bier; *courtiser
la — et la blonde*, alle vrouwen het hof
maken. **II** *zn m* bruine kleur. ▼**brunâtre** *bn*
bruinachtig.
brune v avondschemering; *à la —*, *sur la —*,

tegen het vallen v.d. avond.
brunette v donker meisje.
brunir I *ov.w* 1 bruin maken; 2 polijsten.
II *on.w* bruin, donker worden. ▼**brunissage** *m*
(het) polijsten van metalen. ▼**brunissure** v
1 (het) polijsten, glans; 2 aardappelziekte.
brusque *bn* 1 plotseling; 2 levendig (*manière
—*); 3 ruw, onbeschaafd (*ton —*). ▼**—ment**
bw plotseling. ▼**brusqu/er** *ov.w* 1 ruw,
onbeschoft behandelen; 2 overhaasten,
forceren (— *une affaire*). ▼**—erie** v bitse,
snauwerige toon.
brut *bn* 1 ruw; 2 onbeschaafd; 3 bruto.
▼**brutal** [*mv* **aux**] *bn* 1 beestachtig; 2 ruw,
lomp. ▼**—iser** *ov.w* ruw behandelen. ▼**—ité** v
1 ruwheid, dierlijkheid; 2 ruw, beestachtig
woord of daad. ▼**brute** v 1 dier; 2 ruw,
onbeschaafd mens; dom mens.
Bruxell/es Brussel. ▼**—ois** I *zn m* Brusselaar.
II *bn* b— Brussels.
bruyant *bn* luidruchtig.
bruyère v 1 heidestruik; 2 heidevlakte.
buanderie v wasserij, washok. ▼**buandier** *m*,
-ère v wasser, wasvrouw.
bubonique *bn*: *peste —*, builenpest.
buccal [*mv* **aux**] *bn* wat de mond betreft.
bucéphale *m* 1 paradepaard; 2 knol.
bûch/e v 1 houtblok; 2 domoor; 3 (*pop.*) val;
ramasser des —s, vallen. ▼**—er** I *zn m*
1 houtstapel; 2 brandstapel. **II** *ov.w* 1 hout tot
blokken slaan; 2 afbikken van steen; 3 (*pop.*)
slaan; 4 flink op iets studeren. **III** *on.w* (*pop.*)
blokken. **IV se —** (*pop.*) met elkaar vechten.
▼**—eron** *m* houthakker. ▼**—eur** *m*, **-euse** v
blokker (-ster).
bucolique I *bn* landelijk, herderlijk. **II** *zn* v
1 herderszang; 2 oude trommel.
budget *m* budget, begroting. ▼**budgétiser**
ov.w in de begroting opnemen.
buée v wasem, damp. ▼**buer** *on.w* wasemen.
buffet *m* 1 buffet; 2 stationsrestaurant;
3 (*pop.*) buik, maag. ▼**—ier** *m*, **-ière** v
buffethouder (-ster) in stationsrestaurant.
buffle *m* 1 buffel; 2 buffelleer.
bugle *m* soort trompet.
building *m* hoog modern gebouw.
buis *m* buksboom, palmtak; — *bénit*, palm,
gewijd op Palmzondag.
buisson *m* 1 struik; — *ardent*, het brandend
braambos (van Mozes); 2 struikgewas,
kreupelbos; *battre les —s*, het wild opjagen,
iets onderzoeken. ▼**—neux**, **-neuse** *bn* vol
struiken. ▼**—nier**, **-nière** *bn* dat zich ophoudt,
terugtrekt in de kreupelbosjes; *faire l'école
—ière*, spijbelen.
bulbe *m* of v bloembol. ▼**bulbifère** *bn*
bollendragend.
bulgare I *bn* Bulgaars. **II** *zn* **B—** *m* of v
Bulgaar(se). ▼**Bulgarie (la)** Bulgarije.
bulldozer (*spr.*: bull-do-zeur) *m* bulldozer.
bulle I *zn* v 1 (lucht)bel; — *de savon*, zeepbel;
2 blaar; 3 zegel op een akte; 4 pauselijke bul.
II *bn papier —*, ruw, geelachtig papier.
bulletin *m* 1 stembiljet; 2 rapport v.e. leerling;
3 reçu (— *de bagages*); 4 verslag, rapport,
bericht.
bungalow *m* bungalow.
buraliste *m* houder van tabaksbureau,
postkantoor, betaalkantoor enz.
bure v 1 mijnschacht; 2 baai; 3 monnikspij.
bureau [*mv* **aux**] *m* 1 schrijfbureau; 2 kantoor,
bureau; — *de bienfaisance*, armenzorgbureau;
— *de placement*, verhuurkantoor; — *de poste*,
postkantoor; — *de location*, plaatsbureau in
schouwburg enz.; — *de tabac*, tabakswinkel;
3 afdeling, commissie, bestuur; 4 *D(euxième)
B(ureau)*, contraspionagedienst. ▼**—crate** *m*
bureaucraat. ▼**—cratie** v bureaucratie.
burette v 1 ampul (voor de mis); 2 olie- en
azijnflesje; 3 oliespuitje.
burgrave *m* burggraaf.
burin *m* 1 graveernaald; 2 kopergravure;
3 tandenstoker. ▼**—er** I *ov.w* 1 etsen,
graveren. **II** (*pop.*) werken, ploeteren.
▼**—eur** *m* 1 etser, graveur; 2 (*pop.*) harde
werker, ploeteraar.

burlesque I bn grappig, koddig, boertig. **II** zn m het komische, boertige genre.
burnous m Algerijnse mantel.
buronnier m kaasmaker.
bus m autobus.
busard m kiekendief.
busc m balein.
buse v 1 buizerd; 2 uilskuiken, stommerd; 3 buis, kanaal.
business m 1 verwarde boel; 2 ding.
busqué bn krom; nez —, haviksneus.
buste m 1 bovenste gedeelte v.h. lichaam; 2 borstbeeld.
but m 1 doel; de — en blanc, onverwachts, ruwweg; — à —, onbeslist; 2 doelpunt; gardien de —, keeper; 3 mikpunt.
buté bn koppig. ▼**butée** v 1 steunmuur; 2 druklager. ▼**buter I** on.w 1 stoten, struikelen; 2 steunen (tegen). **II** ov.w (pop.) doden. **III se** — 1 stoten; 2 leunen; 3 hardnekkig volhouden.
buteur m doelpuntmaker.
butin m 1 buit; 2 winst; 3 vergaarde rijkdommen. ▼**—er** ov.w honing verzamelen.
butoir m stootblok.
butor m 1 roerdomp; 2 (v: **butorde**) sufferd, stommeling.
butte v 1 heuveltje; la B—, Montmartre; 2 kogelvanger; être en —, à, blootstaan aan.
butyr/eux, -euse bn boterachtig. ▼**—ique** bn: acide —, boterzuur.
buvable bn drinkbaar. ▼**buvard** m 1 vloeipapier; 2 vloeiboek. ▼**buverie** v zuippartij. ▼**buvette** v 1 stationsrestaurant, koffiekamer in schouwburg; 2 drinkplaats (bij geneeskundige baden). ▼**buveur** m, **-euse** v 1 drinker (-ster); 2 drinkebroer, drinkster.
byronien, -enne bn volgens de stijl, de ideeën van Byron.
Byzance v Byzantium. ▼**byzantin** bn byzantijns.

1 **ça** = **cela**; c'est ça, zo is het, juist; comme ci, comme —, niet slecht, het gaat wel; comme ça, zo.
2 **çà I** bw hier; çà et là, hier en daar, heen en weer (courir —). **II** tw: ah çà, or çà!, zeg eens.
cabale v 1 kliek, partijgenoten; 2 kuiperij. ▼**cabaler** on.w samenspannen, konkelen. ▼**cabalistique** bn 1 wat betrekking heeft op bezweren (formule —); 2 duister van stijl.
caban m regenmantel met kap en mouwen.
cabane v 1 hut; 2 hok (— à lapins); 3 (pop.) gevangenis. ▼**cabanon** m hutje.
cabaret m 1 herberg, kroeg; — borgne, verdachte kroeg; 2 nachtclub; 3 tafeltje voor kopjes, glazen, theeservies enz. ▼**—ier** m, **-ière** v (oud) herbergier(ster).
cabas m boodschappentas, karbies.
cabestan m kaapstander (scheepv.).
cabillaud m kabeljauw.
cabine v 1 hut op schip, in luchtschip; 2 badhokje; 3 (kapiteins)kajuit; 4 — téléphonique, telefooncel.
cabinet m 1 kleine kamer, bureau; — d'aisances, w.c.; aller au —, naar de w.c. gaan; — de bains, badkamer; — de consultations, spreekkamer v.e. dokter; — de débarras, rommelkamer; — d'étude, studeerkamer; homme de —, iem. die een teruggetrokken studieleven leidt; — de toilette, kleed-, waskamer; 2 kabinet, regering, ministerie; chef de —, minister-president; 3 kastje met vakken; 4 wetenschappelijke collectie; 5 praktijk (ruimte).
câble m 1 kabel; 2 telegram; 3 kabellengte.
câblé m gordijn-, schilderijenkoord.
câbleau, câblot m kleine kabel, tros.
câbler ov.w 1 tot een kabel verstrengelen; 2 telegraferen. ▼**câblier** m kabellegger (schip). ▼**câblogramme** m kabeltelegram.
cabochard I bn koppig. **II** zn m, **-e** v stijfkop. ▼**caboche** v 1 (fam.) kop; 2 kopspijker. ▼**cabochon** m koperen, verzilverde enz. meubelspijker.
cabosser ov.w deuken.
cabot m (fam.) 1 hond; 2 korporaal.
cabot/age m kustvaart. ▼**—er** on.w kustvaart drijven. ▼**—eur, —ier** m kustvaarder (man en schip).
cabotin m, **-e** v 1 slecht toneelspeler (-speelster); 2 rondreizend toneelspeler (-speelster).
caboulot m (pop.) ordinair café.
cabrer (se) I 1 steigeren; 2 opvliegen, zich verzetten, in verzet komen. **II** — ov.w optrekken v. e. vliegtuig.
cabri m geitje, bokje. ▼**cabriole** v luchtsprong, bokkesprong; faire la —, zich gemakkelijk in de omstandigheden schikken. ▼**cabrioler** on.w bokkesprongen maken.
cabriolet m 1 sjees; 2 auto waarvan de kap geopend kan worden.
caca (kind.): faire —, poepie doen, kakken.
cacahuète v pinda.
cacao m cacao; beurre de —, cacaoboter. ▼**cacaoyer, cacaotier** m cacaoboom.
cacarder on.w gaggelen v. e. gans.
cacatoès m kakatoe,
cachalot m potvis.

cache v (gewest.) bergplaats, schuilhoek.
cache-cache m: jouer à —, verstoppertje spelen.
cache-nez m dikke halsdoek.
cache-pot m id., omhulsel v. e. bloempot.
cacher l ov.w verbergen. ll se — de qc., ergens niet voor uit willen komen.
cache-radiateur m hoes v. e. radiator.
cache-sexe m slip.
cachet m 1 zegel, stempel; lettre de —, gezegelde brief v. d. koning, die gewoonlijk een bevel tot gevangenneming of verbanning bevatte; 2 kenmerk; 3 kaart (voor lessen, baden enz.); courir le —, privaatlessen thuis geven; 4 ouwel, waarin een geneesmiddel (— d'aspirine); 5 originaliteit; 6 acteursgage, honorarium. ▼—age m (het) verzegelen. ▼—er ov.w (ver)zegelen; cire à —, zegellak.
cache-tampon m zakdoekje leggen (spel).
cachette v bergplaats, schuilhoek; en —, in het geheim.
cachot m cachot. ▼—terie v geheimzinnigdoenerij. ▼—tier m, -tière v stiekemerd.
cacophonie v wanklank, kakofonie.
cadastr/al [mv aux] bn kadastraal. ▼—e m kadaster. ▼—er ov.w kadastreren.
cadavér/eux, -euse bn lijkachtig, -kleurig. ▼—ique bn wat lijken betreft; autopsie —, lijkschouwing. ▼**cadavre** m 1 lijk, kadaver; — ambulant, wandelend lijk; 2 (fam.) lege fles.
cadeau [mv x] m geschenk; les petits —x entretiennent l'amitié, (spr.w) kleine geschenken onderhouden de vriendschap; faire — de qc., iets ten geschenke geven.
cadenas m hangslot. ▼—ser ov.w met een hangslot sluiten.
cadence v maat, ritme; (muz.) cadens. ▼**cadencer** ov.w maat, ritme brengen in; pas cadencé, regelmatige pas.
cadet, -ette l bn 1 tweede (kind); 2 jongste (kind). ll zn m, -ette v 1 tweede kind; 2 jongste kind; il est mon — de deux ans, hij is twee jaar jonger dan ik; c'est le — de mes soucis, dat zal mij zorg zijn; c'est mon —, hij volgt op mij (wat geboortejaar betreft); 3 jonge edelman vóór de Fr. Revolutie, die vrijwillig dienst deed in het leger.
cadrage m film- of fotomontage.
cadran m wijzerplaat; — solaire, zonnewijzer; faire le tour du —, de klok rond slapen.
cadre m 1 lijst; 2 frame v. e. fiets; 3 kader (lid) (bij het leger, v. e. bedrijf); 4 (fig.) omlijsting, omgeving. ▼**cadrer** l on.w passen bij, overeenkomen met. ll ov.w monteren (foto, filmbeeld), kadreren.
caduc, -uque bn 1 bouwvallig; kaduuk; 2 afgeleefd, oud, zwak; 3 nietig (legs —); 4 mal —, vallende ziekte.
caducée m mercuriusstaf.
caducité v 1 bouwvalligheid; 2 afgeleefdheid, zwakte; 3 nietigheid.
caecal m: appendice —, blinde darm.
c.a.f. = coût, assurance, fret; (cif).
cafard l bn schijnheilig, huichelachtig. ll zn m, -e v 1 schijnheilige, huichelaar(ster); 2 klikspaan (fam.); 3 neerslachtigheid; avoir le —, somber zijn; 4 kakkerlak. ▼—er on.w 1 schijnheilig doen; 2 klikken; 3 spioneren. ▼—ise v schijnheiligheid, huichelarij.
café m 1 koffie; — à la crème, koffie met weinig melk; — au lait, koffie met veel melk; — noir, zwarte koffie; 2 koffiehuis. ▼**café-concert†** ('caf'conc') m café-chantant, cabaret. ▼**caféier** m koffiestruik. ▼**caféière** v koffieplantage. ▼**cafetier** m caféhouder. ▼**cafetière** v 1 koffiepot; koffiezetapparaat; 2 (pop.) kop, hoofd.
cafouill/age m (—is m) geknoei. ▼—er on.w (fam.) knoeien.
cage v 1 kooi; 2 (fam.) gevangenis; 3 soort koker; — d'un ascenseur, liftkoker; — d'escalier, trappenhuis; 4 viskaar; 5 horloge-, klokkekast; 6 doel (voetbal). ▼**cageot** m kistje.
cagibi m (fam.) hokje.

cagna v (arg. mil.) 1 schuilplaats; 2 huis.
cagnard l bn (fam.) lui, vadsig. ll zn m 1 luilak; 2 beschutte plaats. ▼—er ov.w (fam.) een lui leventje leiden. ▼—ise v (fam.) luiheid.
cagne v 1 straathond; 2 (arg.) voorbereidende klas voor de Ecole normale supérieure.
cagneux, -euse bn: jambes cagneuses, x-benen.
cagnotte v pot bij het spel.
cagot l bn schijnheilig. ll zn m, -e v schijnheilige. ▼—isme m schijnheiligheid.
cagoule v monnikskap (met gaten voor ogen en mond).
cahier m schrift.
cahin-caha bw (fam.) zo zo; met horten en stoten.
cahot m 1 schok; 2 moeilijkheid. ▼—age m het schokken, stoten. ▼—er l on.w schokken, stoten. ll ov.w 1 stoten, doen schudden; 2 kwellen. ▼—eux, -euse bn hobbelig (route —euse).
caïd m caïd; (pop.) bendeleider.
caïeu, cayeu(x) m klister.
caillasse v (fam.) steen.
caille v kwartel.
caillé m gestremde melk.
caillebotis m lattenrooster.
caillement m het stremmen, stremsel. ▼**cailler** l ov.w stremmen. ll on.w (pop.) koud zijn; ça caille, het is koud.
caillette v lebmaag.
caillot m gestolde massa (vooral van bloed), klont.
caillou [mv x] m 1 kei-, kiezelsteen; 2 (pop.) edelsteen, diamant; 3 (pop.) schedel. ▼**caillout/age** m 1 het begrinten, begrinting; 2 soort porselein. ▼—er ov.w begrinten. ▼—eux, -euse bn bedekt met grint. ▼—is m grinthoop, -weg.
Caïn Kaïn.
caiss/e v 1 kist; grosse —, grote trom; 2 kassa, kas; — d'épargne, spaarbank; faire sa —, kas opmaken; livre de —, kasboek; — des retraites (pour la vieillesse), pensioenfonds; 3 bloembak; 4 du tympan, trommelholte; 5 carrosserie (auto); 6 (pop.) borst. ▼—erie v kistenfabriek. ▼—ette v cassette, kistje. ▼—ier m, -ière v kassier(ster); caissière. ▼—on m 1 munitiewagen (mil.); 2 proviandwagen (mil.); 3 plafondvak; 4 caisson (voor dijkaanleg); 5 (pop.) se faire sauter le —, z. voor de kop schieten.
cajol/er ov.w flikflooien, vleien. ▼—eur m, -euse v flikflooier (-ster), vleier (-ster).
cal [mv als] m eelt (knobbel).
calaison v diepgang (scheepv.).
calamit/é v openbare ramp (hongersnood enz.). ▼—eux, -euse bn rampzalig, noodlottig.
calandr/e v 1 mangel; 2 glansmachine; 3 rooster voor de radiator v. e. auto. ▼—er ov.w 1 mangelen; 2 glanzen. ▼—eur m, -euse v 1 glanzer (-ster); 2 mangelvrouw.
calcaire l bn kalkachtig. ll zn m kalkrots.
calcédoine v chalcedon.
calcification v verkalking. ▼**calcin** m ketelsteen. ▼**calcination** v verkalking. ▼**calciner** ov.w 1 verkalken; 2 verschroeien.
calcul m 1 berekening, rekenkunde; — faux, verkeerde berekening; — infinitésimal, differentiaalrekening; — mental, hoofdrekenen; — des probabilités, waarschijnlijkheidsberekening; 2 gal-, niersteen. ▼—able bn berekenbaar. ▼—ateur m, -trice v l bn berekenend. ll zn m, -trice v rekenaar(ster); computer, rekenmachine. ▼—er ov.w 1 rekenen, berekenen; 2 regelen naar (— sur); règle à —, rekenliniaal; machine à —, rekenmachine. ▼—eux, -euse bn gal-, niersteenlijder(es).
cale v 1 ruim v. e. schip; il est à fond de —, hij zit op zwart zaad; 2 scheepshelling; — de construction, helling waarop een schip gebouwd wordt; — flottante, drijvend dok; — sèche, droogdok; 3 lood aan een hengelsnoer; 4 (het) kielhalen; donner la —, kielhalen;

5 wig, spie; **6** doel (voetbal).

calé *bn* **1** (*fam.*) knap, geleerd; **2** (v. dingen) moeilijk.

calebasse *v* kal(e)bas (*plk.*).

calèche *v* kales (koets).

caleçon *m* onderbroek; — *de bain, zwembroek; jeter le* — *à qn.,* iem. uitdagen tot een gevecht.

caléfaction *v* (*wetensch.*) verwarming.

calembour *m* woordspeling.

calembredaine *v* flauw praatje.

calendaire *m* dodenregister.

calendes *v mv* le der maand bij de Romeinen; *renvoyer aux* — *grecques,* iets op de lange baan schuiven, zodat het niet plaatsvindt; uitstellen tot sint-juttemis.

calendrier *m* kalender; — *ecclésiastique,* kerkkalender; *ce n'est pas un saint de votre* —, dat is geen vriend van u; *vouloir réformer le* —, iets willen veranderen, wat geen verbetering behoeft.

cale-pied† *m* pedaalriem (van fietsers).

calepin *m* notitieboekje.

caler I *ov.w* **1** vastzetten; **2** strijken, neerlaten van mast of zeil. **II** *on.w* **1** diep liggen v. e. schip; **2** afslaan v. e. motor (*pop.*). **III** *se* — *les joues,* veel eten.

calfat *m* kalfateraar. **v**—**age** *m* het kalfateren. **v**—**er** *ov.w* kalfateren.

calfeutr/age, —ement *m* (het) dichtstoppen. **v**—**er I** *ov.w* reten, kieren dichtstoppen. **II se** — zich opsluiten.

calibre *m* **1** kaliber; **2** kalibermeter; **3** (*fam.*) karakter, soort, slag. **v calibrer** *ov.w* **1** het kaliber geven; **2** het kaliber meten.

calice *m* kelk (ook bloemkelk); *boire le* — (*jusqu'à la lie*), de lijdenskelk tot op de bodem ledigen.

calicot *m* **1** katoen; **2** winkelbediende in modezaak.

calife *m* kalief.

califourchon (à) 1 *bw* schrijlings. **II** *zn m* lievelingsidee, stokpaardje (*fam.*).

câlin *bn* vleierig lief; aanhalig. **v**—**er** *ov.w* aanhalen, liefkozen. **II se** — een lui leventje leiden. **v**—**erie** *v* aanhaligheid, liefkozing.

calleux, -euse *bn* eeltig.

calli/graphe *m* of *v* schoonschrijver (-schrijfster). **v**—**graphie** *v* **1** schoonschrijfkunst; **2** werkstuk v. e. schoonschrijver. **v**—**graphier** *ov.w* schoonschrijven. **v**—**graphique** *bn* wat betrekking heeft op schoonschrijven.

callosité *v* vereelting, eeltplek.

calmant I *bn* kalmerend. **II** *zn m* kalmerend middel.

calmar *m* inktvis.

calm/e I *bn* kalm, rustig. **II** *zn m* kalmte, rust, vrede. **v**—**er I** *ov.w* kalmeren, geruststellen, tot bedaren brengen. **II se** — bedaren; kalm, rustig worden. **v**—**ir** *on.w* (*scheepv.*) rustig worden, gaan liggen v. d. wind.

calomniateur, -trice I *bn* lasterlijk. **II** *zn m, -trice v* lasteraar(ster). **v calomnie** *v* laster. **v calomnier I** *on.w* lasteren. **v**—*ov.w* belasteren. **v calomnieux, -euse** *bn* lasterlijk.

calorie *v* calorie. **v calori/fère I** *bn* warmte verspreidend; - geleidend. **II** *zn m* centrale verwarming. **v**—**fique** *bn* warmte-, calorie-. **v**—**fuge I** *bn* isolerend. **II** *zn m* isolatiemateriaal. **v**—**mètre** *m* calorimeter.

calot *m* **1** politiemuts (*fam.*); **2** (*pop.*) oog.

calotin *m* **1** zwartrok (scheldnaam voor priesters); **2** klerikaal.

calotte *v* **1** kardinaals-, priestermutsje; kalot; **2** (*fam.*) geestelijkheid (*scheldwoord*); **3** oorvijg; **4** — *des cieux,* hemelgewelf. **v calotter** *ov.w* een oorvijg geven.

calqu/age *m* het calqueren. **v**—**er** *ov.w* **1** gecalqueerde tekening; — *bleu,* blauwdruk; **2** slaafse navolging; **3** leenwoord. **v**—**er** *ov.w* **1** calqueren; **2** slaafs navolgen. **v**—**oir** *m* calqueerstift.

calter (caleter) *on.w* (*pop.*) 'm smeren.

calumet *m* (vredes)pijp.

calvados *m* ciderbrandewijn (uit het departement Calvados).

Calvaire *m* **1** Calvarieberg; **2** kruisheuvel (bijv. in Bretagne).

calvin/isme *m* calvinisme. **v**—**iste I** *zn m* of *v* calvinist(e). **II** *bn* calvinistisch.

calvitie *v* kaalhoofdigheid.

camaïeu [*mv* **x**] *m* **1** camee; **2** eenkleurige schildering in verschillende tonen.

camail *m* schoudermanteltje van bisschoppen en kardinalen.

camarade *m* of *v* makker, kameraad, vriend(in); *faire* —, de handen omhoogsteken als teken van overgave. **v camaraderie** *v* kameraadschap.

camard I *bn* platneuzig. **II** *zn m,* **-e** *v* iem. met een platte neus; *la* —, Magere Hein.

camarilla *v* hofkliek.

cambiste *m* wisselhandelaar.

Cambodge (le) Cambodja.

cambouis *m* vuil en dik geworden machineolie of wagensmeer.

cambrer I *ov.w* krommen, welven. **II se** — een hoge borst opzetten.

cambriol/age *m* inbraak. **v**—**er** *ov.w* inbreken. **v**—**eur** *m* inbreker.

cambrousard *m* (*fam.*) boer, boerenkaffer. **v cambrousse** *v* (*fam.*) platteland.

cambrure *v* welving, kromming.

cambuse *v* **1** kombuis (*scheepv.*); **2** (*fam.*) kroeg, krot, hok.

came *v* **1** kam v. e. kamrad; **2** (*arg.*) cocaïne.

camée *m* **1** camee; **2** schilderij in grijze tinten.

caméléon *m* **1** kameleon; **2** mens zonder principen, weerhaan.

camélia *m* camelia (*plk.*).

camelot *m* **1** soort wollen stof; **2** straatventer; **3** —*s du roi,* leden der koningsgezinde partij. **v camelote** *v* **1** prulwaar, bocht; **2** (*pop.*) handel, waar, spul.

camembert *m* camembert(kaas).

camera, caméra *v* filmopnametoestel.

camerlingue *m* kardinaal die de paus vervangt.

Cameroun (le) Cameroen.

camion *m* **1** vrachtwagen, -auto; — *grue,* kraanwagen; — *citerne,* tankwagen; **2** speldje. **v**—**ner** *ov.w* per vrachtwagen of -auto vervoeren. **v**—**nette** *v* kleine vrachtauto, bestelauto. **v**—**neur** *m* vrachtrijder.

camisole *v* damesborstrok; — *de force,* dwangbuis.

camomille *v* kamille (*plk.*).

camoufl/age *m* vermomming, camouflage (*mil.*). **v**—**er** *ov.w* vermommen, camoufleren (*mil.*).

camouflet *m* (*fig.*) slag in 't gezicht.

camp *m* **1** kamp, gekampeerd leger; *aide de* —, adjudant; *asseoir, dresser un* —, een kamp opslaan; *ficher le* —, zijn biezen pakken; *lever le* —, het kamp opbreken, zijn biezen pakken; *lit de* —, veldbed; — *d'instruction,* — *de manœuvres,* oefenkamp; — *retranché,* versterkt kamp; — *volant,* verkennersafdeling, zigeunertroep; *être en* — *volant,* ergens tijdelijk gevestigd zijn; **2** kampplaats voor duel.

campagnard I *bn* landelijk, boers (*manières —es*). **II** *zn m,* **-e** *v* buitenman, boer(in). **v campagne** *v* **1** platteland; *à la* —, buiten; *battre la* —, het veld afzoeken (van jagers en verkenners); *en rase* —, op het vlakke veld; *armée de* —, veldleger; *maison de* —, landhuis; **2** veldtocht; *entrer en* —, ten strijde trekken; *plan de* —, krijgsplan; **3** seizoen. **v campagnol** *m* veldrat.

campanile *m* **1** open, losstaande kerktoren; **2** klokketorentje.

campanule *v* klokje (*plk.*).

campement *m* **1** het kamperen; **2** kamp, legerplaats; **3** troep kwartiermakers. **v camper I** *on.w* kamperen. **II** *ov.w* **1** doen kamperen; **2** in de steek laten; — *là qn.,* iem. in de steek laten; **3** zetten; — *son chapeau sur une oreille,* zijn hoed op één oor zetten. **III** *se* — (*sur une chaise*), ongegeneerd gaan zitten. **v campeur** *m,* **-euse** *v* kampeerder (-ster).

camphre *m* kamfer. ▼**camphré** *bn*: *alcool* —, kamferspiritus.

camping *m* 1 het kamperen; *faire du* —, kamperen; 2 kampeerterrein. ▼—**car** *m* kampeerwagen.

campos *m*: *donner* —, vrij geven (*fam.*).

camus *bn* 1 platneuzig; 2 stomverbaasd (*fam.*).

Canada (le) Canada. ▼**Canadien** Canadees.

canaille *l bn* gemeen, laag. ll *zn v* 1 plebs, janhagel; 2 schoft, ploert. ▼**canaillerie** *v* ploertenstreek.

canal [*mv aux*] 1 kanaal, gracht; 2 buis; — *pour le gaz*, gasbuis; — *digestif*, spijsverteringskanaal; 3 tussenkomst, middel. ▼—**isation** *v* 1 kanalisering; 2 kanalen-, buizen-, dradennet; — *de gaz*, gasnet. ▼—**iser** *ov.w* 1 kanaliseren; 2 centraliseren.

canapé *m* 1 canapé; —-*lit*, bedbank; 2 sneetje belegd geroosterd brood.

canard *m* 1 eend; 2 vals bericht; 3 valse noot; 4 stukje suiker in koffie enz.; 5 (*pop.*) paard; 6 (*pop.*) krant. ▼—**er** l *ov.w* beschieten. ll *on.w* een vals geluid maken. ▼—**ière** *v* 1 eendenkom; 2 eendenkooi.

canari *m* kanarie.

canasson *m* (*pop.*) paard, knol.

cancan *m* 1 kletspraatje, laster; 2 soort dans. ▼—**er** 1 kwaken (v. e. eend); 2 lasteren; 3 de cancan dansen. ▼—**ier** *m*, -**ière** *v* lasteraar(ster).

cancer *m* kanker, -gezwel. ▼**cancér/eux**, -**euse** l *bn* kankerachtig. ll *zn m*, -**euse** *v* kankerlijder(es). ▼—**igène** *bn* kankerverwekkend. ▼—**ologie** *v* kankerstudie.

cancre *m* luie leerling.

cancrelat *m* kakkerlak.

candélabre *m* kroonkandelaar.

candeur *v* onschuld, reinheid, kinderlijkheid.

candi *m* kandij.

candidat *m* kandidaat. ▼—**ure** *v* kandidatuur; *poser sa* —, zich kandidaat stellen.

candide *bn* onschuldig, kinderlijk, naïef.

cane *v* wijfjeseend.

caner *on.w* (*pop.*) 1 toegeven, terugkrabbelen; 2 bang zijn.

caneton *m* eendje.

canette *v* 1 bierflesje, biertje; 2 spoeltje.

canevas *m* 1 stramien; 2 ontwerp, schets.

caniche *m* poedel.

caniculaire *bn* van de hondsdagen (*chaleur* —); erg heet. ▼**canicule** *v* hondsdagen, periode van grote hitte.

canif *m* zakmes.

canin *bn* wat betrekking heeft op honden; *dent* —*e*, hoektand; *faim* —*e*, honger als een paard.

caniveau [*mv x*] *m* gootje, geul.

cannage *m* het stoelen matten.

canne *v* 1 wandelstok; — *à épée*, degenstok; — *à pêche*, hengel; 2 riet; — *à sucre*, suikerriet. ▼**canné** *bn* van riet (*chaise* —*e*).

canneler *ov.w* groeven.

cannelle *v* kaneel.

cannelle (**cannette**) *v* tapkraan aan vat enz.

cannelure *v* (*arch.*) lid., groef, gleuf.

canner *ov.w* stoelen matten. ▼**canneur** *m*, -**euse** *v* stoelenmatter (-ster).

cannibal/e *m* 1 kannibaal; 2 wreedaard, woesteling (*pop.*). ▼—**isme** *m* 1 kannibalisme; 2 wreedheid, woestheid.

canoë *m* kano. ▼**canoéisme** *m* kanosport. ▼**canoéiste** *m* kanovaarder.

canon *m* 1 kanon; *chair à* —, kanonnevlees; *coup de* —, kanonschot; *pièce de* —, stuk geschut; *faire taire le* —, het geschut tot zwijgen brengen; 2 loop van geweer enz.; — *rayé*, getrokken loop; 3 decreet v. e. concilie; 4 kerkwettelijke regel; 5 deel der mis vanaf Prefatie tot Communie; 6 de boeken der H. Schrift; 7 soort muziekstuk; 8 glas wijn (*pop.*). ▼—**ial** [*mv aux*] *bn* volgens de canon. ▼—**icat** *m* kanunnikschap. ▼—**ique** *bn* volgens de kerkelijke regelen; *droit* —, kerkelijk recht. ▼—**isation** *v* heiligverklaring. ▼—**iser** *ov.w* 1 heilig verklaren; 2 bovenmatig prijzen, ophemelen (*fam.*). ▼—**nade** *v*

geschutvuur. ▼—**ner** *ov.w* beschieten met kanonnen. ▼—**nier** *m* kanonnier. ▼—**nière** *v* 1 kanonneerboot; 2 schietgat.

canot *m* boot; — *de sauvetage*, reddingboot. ▼—**age** *m* roeisport. ▼—**er** *on.w* roeien. ▼—**ier** *m* roeier.

cantal *m* kaas uit Auvergne.

cantaloup *m* kanteloep, wratmeloen.

cantate *v* zangstuk. ▼**cantatrice** *v* beroemde zangeres.

cantharide *v* Spaanse vlieg.

cantilène *v* 1 langzaam gezang; 2 romance.

cantine *v* kantine. ▼**cantinier** *m*, -**ère** *v* kantinehouder (-ster); — *ère*, marketentster.

cantique *m* geestelijk lied; — *des* —*s*, Hooglied.

canton *m* kanton (deel v. e. departement).

cantonade *v* coulisse; *parler à la* —, spreken tot iemand, die verondersteld wordt achter de schermen te staan.

canton/al [*mv aux*] *bn* wat betrekking heeft op het kanton. ▼—**nement** *m* 1 kantonnement; 2 kanton. ▼—**ner** l *ov.w* inkwartieren. ll *on.w* kantonneren (*mil.*). lll *se* — zich opsluiten. ▼—**nier** *m* wegwerker.

canulant *bn* vervelend (*pop.*).

canular *m* grap.

canule *v* id., buisje.

canuler *m* vervelen (*pop.*).

caout/chouc *m* 1 rubber; 2 overschoen. ▼—**chouter** *ov.w* met rubber bekleden.

cap *m* 1 kaap; *C*— *de Bonne Espérance*, Kaap de Goede Hoop; 2 steven; *mettre le* — *sur*, stevenen, varen naar; 3 hoofd; — *à* —, onder vier ogen; *de pied en* —, van top tot teen.

capable *bn* in staat (tot), bekwaam, bevoegd, geschikt. ▼**capacité** *v* 1 bekwaamheid, geschiktheid, bevoegdheid; 2 inhoud.

caparaçon *m* schabrak.

cape *v* 1 cape, kapmantel; *n'avoir que la* — *et l'épée*, van arme adel zijn; *roman de* — *et d'épée*, 17e-eeuwse avonturenroman; *rire sous* —, in zijn vuistje lachen; 2 dekblad van sigaren; 3 grootzeil. ▼—**line** *v* (breedgerande) hoed.

capétien, -**enne** l *bn* Capetingisch. ll *zn m* Capetinger.

capharnaüm *m* (*fam.*) warboel.

capillaire *bn* wat betrekking heeft op de haren; *vaisseaux* —*s*, haarvaten. ▼**capillarité** *v* capillariteit.

capilotade *v* soort ragoût; *mettre en* —, in stukken slaan.

capitaine *m* 1 kapitein; 2 veldheer; 3 (*sp.*) captain, aanvoerder.

capital [*mv aux*] l *bn* 1 voornaamste, belangrijk; *lettre* —*e*, hoofdletter; *péché* —, hoofdzonde; 2 dood-; *peine* —*e*, doodstraf. ll *zn m* 1 kapitaal; 2 hoofdzaak.

capitale *v* hoofdstad.

capital/isation *v* kapitaalvorming. ▼—**iser** l *ov.w* te gelde maken. ll *on.w* sparen, oppotten. ▼—**isme** *m* 1 kapitalisme; 2 de kapitalisten. ▼—**iste** *m* kapitalist.

capiteux, -**euse** *bn* koppig (van drank).

capitole *m* capitool.

capitonnage *m* (het) opvullen, watteren. ▼**capitonner** *ov.w* opvullen, watteren.

capitulaire *bn* wat betrekking heeft op een kapittel; *les* —*s*, verordeningen der Karolingers.

capitulard *m* (*fam.*) lafaard. ▼**capitulation** *v* overgave (van stad enz.).

capitule *m* hoofdtje (*plk.*).

capituler *on.w* zich overgeven.

capon, -**onne** l *bn* (*oud*) laf, bang. ll *zn m*, -**onne** *v* bangerd, lafaard.

caporal [*mv aux*] *m* 1 korporaal; *le petit* —, bijnaam van Napoleon I; 2 gewone rooktabak. ▼—**isme** *m* militair bewind.

capot *m* 1 mantel met kap; 2 motorkap.

capot *bn* 1 *rester* —, geen slag maken (i.e. kaartspel); *faire* —, alle slagen maken; 2 sprakeloos, verstomd.

capotage *m* (het) kantelen.

capote v 1 mantel met kap; 2 kapotjas (*mil.*); 3 dameshoed; 4 kap van open auto; 5 — *anglaise*, condoom, kapotje.

capoter 1 omslaan, over de kop slaan (van auto's of vliegtuigen); 2 de kap opzetten (bij open auto).

capricant *bn* onregelmatig (*pouls* —). ▼**caprice** m 1 gril, kuur; 2 verliefdheid. ▼**capricieux, -euse** *bn* grillig, wispelturig. ▼**capricorne** m 1 Steenbok (sterrenteken); 2 boktor. ▼**caprin** *bn* geiten-; *race* —*e*, geitenras.

capsulage m het capsuleren. ▼**capsulaire** *bn* doosvormig (*plk.*). ▼**capsule** v 1 zaaddoos; 2 capsule (*med.*); 3 slaghoedje (*mil.*); 4 kroonkurk. ▼**capsuler** ov.w van een capsule voorzien. ▼**capsulerie** v capsulesfabriek.

captage m (*d'une source*), het opvangen en geleiden v. h. water v. e. bron. ▼**captation** v het verkrijgen door list. ▼**capter** ov.w 1 het opvangen en geleiden v. h. water v. e. bron; 2 een radiobericht opvangen. ▼**capteur** m: — *plan*, zonnepaneel.

captieux, -euse *bn* listig.

capt/if, -ive I *bn* gevangen, geboeid, gebonden (ook *fig.*); *ballon* —, kabelballon. **II** *zn m, -ive* v gevangene. ▼—**ivant** *bn* boeiend (*roman* —). ▼—**iver** ov.w winnen (*les cœurs*); boeien (*l'attention*), pakken. ▼—**ivité** v gevangenschap. ▼—**ure** v 1 gevangenneming; 2 inbeslagneming; 3 het buitmaken v. e. schip. ▼—**urer** ov.w 1 gevangennemen; 2 buit maken; 3 in beslag nemen.

capuche v kap. ▼**capuchon** m 1 kap; 2 schoorsteenkap; 3 dop v. e. balpen.

capucin m 1 kapucijn (kloosterling); 2 haas (jagerstaal); — *hygrométrique*, weermannetje. ▼**capucine** v 1 zuster uit de kapucijnenorde; 2 Oostindische kers (*plk.*).

caque v haringvat; *la* — *sent toujours le hareng*, men verraadt altijd zijn afkomst; *se serrer comme des harengs en* —, als haring in een ton zitten. ▼**caquer** ov.w haring kaken; 2 haring in een vat doen.

caquet m 1 gekakel v. e. kip; 2 geklets; *rabattre le* — *de qn.*, iem. de mond snoeren; *les* —*s*, kwaadsprekerij. ▼—**age** m 1 gekakel; 2 geklets. ▼—**er** on.w 1 kakelen v. e. kip; 2 kletsen.

car *vgw* want.

car m touringcar.

carabe m loopkever.

carabin m student i. d. medicijnen (*fam.*).

carabine v karabijn.

carabiné (*fam.*) geweldig, hevig.

carabinier m 1 (*oud*) karabinier (*mil.*); 2 gendarme (*It.*), douanier (*Sp.*).

caracoler on.w 1 wenden v. e. paard; 2 springen, huppelen.

caractère m 1 letterteken; 2 karakter; *montrer du* —, karakter, moed tonen; 3 merk, kenmerk; 4 titel, waardigheid (— *de roi*). ▼**caractér/iel** *bn* het karakter betreffend; *un* —, een moeilijk opvoedbaar kind. ▼—**iser** ov.w kenschetsen, kenmerken. ▼—**istique I** *bn* kenmerkend. **II** *zn* v 1 kenmerk; 2 karakteristiek. ▼—**ologie** v karakterkunde.

carafe v karaf; *avoir la* —, een noodlanding maken; *tenir en* —, lang laten wachten. ▼**carafon** m 1 karafje; 2 (*pop.*) hoofd.

carambolage m 1 het maken v. e. carambole; 2 kettingbotsing. ▼**caramboler** on.w een carambole maken, botsen.

caramel m karamel.

carapace v schild, pantser (van schildpadden enz.).

carapater: *se* — (*pop.*) 'm smeren.

caraque v 1 soort chocolade; 2 *porcelaine* —, kraakporselein.

carat m karaat; *sot à vingt-quatre* —*s*, driedubbele idioot.

caravan/e v 1 karavaan; 2 caravan; — *pliante*, vouwcaravan; — *résidentielle*, stacaravan. ▼—**ier** m kameeldrijver. ▼—**(n)ing** m het kamperen met een caravan. ▼—**sérail** m

1 pleisterplaats voor karavanen; 2 (*fig.*) plaats, die veel bezocht wordt door vreemdelingen van allerlei nationaliteiten.

caravelle v 1 karveel (*scheepv.*); 2 supersonisch vliegtuig.

carbon/e m koolstof. ▼—**é** *bn* koolstofhoudend. ▼—**ifère** *bn* koolhoudend. ▼—**ique** *bn*: *acide* —, koolzuur. ▼—**isation** v verkoling. ▼—**iser** ov.w verkolen. ▼—**nade** v karbonade. ▼—**ium** m carbolineum.

carbur/ant m brandstof; (*fam.*) drank. ▼—**ateur** m carburator, vergasser. ▼—**ation** v verbinding met koolstof. ▼—**é** m carbid. ▼—**é** *bn* koolstofhoudend. ▼—**er** ov.w vergassen; (*pop.*) lopen, functioneren.

carcan m 1 halsbeugel v. d. schandpaal; 2 (*fig.*) dwang.

carcasse v 1 geraamte; 2 (*fam.*) menselijk lichaam; 3 vorm (bijv. van een lampekap); 4 romp v. e. schip.

carcinomateux, -euse *bn* kankerachtig. ▼**carcinome** m kanker.

cardage m het kaarden.

cardan m cardan.

card/e v kaarde. ▼—**er** ov.w kaarden. ▼—**eur** m, -**euse** v 1 kaarder (-ster); 2 -**euse** v kaardmachine.

cardiaque I *bn* wat betrekking heeft op het hart; *crise* —, hartaanval; *stimulateur* —, pacemaker. **II** *zn* m of v hartpatiënt(e).

cardinal [*mv* **aux**] **I** *bn* voornaamste; *nombres* —*aux*, hoofdtelwoorden; *points* —*aux*, de vier windstreken; *vertus* —*es*, de hoofddeugden. **II** *zn* m kardinaal; kardinaalvogel.

cardio/gramme m cardiogram. ▼—**graphe** m cardiograaf (instrument, dat de hartslagen registreert). ▼—**logie** v kennis v. h. hart, cardiologie. ▼—**logue** m cardioloog, hartspecialist. ▼**cardio-vasculaire** *bn*: *maladie* —, hart- en vaatziekte. ▼**cardite** v hartontsteking.

carême m vasten; *arriver comme mars* (*marée*) *en carême*, goed te pas komen; — *vasten; la mi-carême*, halfvasten; *visage de* —, vermagerd, bleek gezicht.

carénage m 1 het kalfateren; 2 dok, helling.

carence v ontbering, gemis.

carène v romp onder de waterlijn (*scheepv.*). ▼**caréner** ov.w schoonmaken of repareren v. d. romp onder de waterlijn.

caresse v liefkozing, streling. ▼**caresser** ov.w 1 liefkozen, strelen, aaien; — *la bouteille*, graag drinken; — *les épaules de qn.*, iem. afranselen; 2 koesteren (— *des espérances*).

cargaison v 1 (scheeps)lading; 2 (*fam.*) verzameling. ▼**cargo-boat**† (**cargo**) m vrachtschip.

cargue v geitouw (*scheepv.*). ▼**carguer** ov.w geien van zeilen.

cariatide (**caryatide**) v vrouwenbeeld, dat als schoorzuil dient.

caricatural [*mv* **aux**] *bn* karikaturaal. ▼**caricatur/e** v 1 karikatuur; 2 (*fam.*) belachelijk persoon. ▼—**er** ov.w een karikatuur maken, karikaturiseren. ▼—**iste** m karikatuurtekenaar v. -schilder.

carie v 1 tandcariës; 2 beenteer; 3 brand in graan; 4 rotting v. h. hout. ▼**carier I** ov.w aansteken van tanden. **II se** — wegrotten.

carillon m 1 carillon; 2 het spelen v. h. carillon; *faire du* —, veel lawaai maken; 3 klokgelui; 4 soort harmonika. ▼—**nement** m 1 het spelen v. h. carillon; 2 klokgelui. ▼—**ner** on.w 1 het carillon bespelen; 2 hard luiden; 3 veel lawaai maken. ▼—**neur** m beiaardier.

carlin m mopshond.

carlingue v cockpit, passagiersruimte v. vliegtuig.

carmagnole v 1 revolutionaire rondedans uit 1793; 2 lied bij deze dans.

carme m karmeliet (pater). ▼**carmélite I** *zn* v karmelietes. **II** *bn* lichtbruin.

carmin m karmijn. ▼**carminé** *bn* karmijnrood.

carnage m slachting, bloedbad. ▼**carnassier, -ère I** *bn* vleesetend, verscheurend. **II** —*s* *zn* m *mv* vleesetende dieren. ▼**carnassière** v weitas. ▼ **carnation** v vleeskleur.

carnaval [mv **als**] m 1 tijd van Driekoningen tot Aswoensdag; 2 dagen onmiddellijk voor Aswoensdag; de carnavalsfeesten op die dagen. ▼ **—esque** bn carnavalesk.

carne v (pop.) slecht vlees. ▼ **carné** bn van vlees.

carnet m 1 zakboekje; — de bal, balboekje; 2 tien- of vijfrittenkaart (métro); 3 — de passage, douanetriptiek.

carnier m kleine weitas. ▼ **carnivore** I bn vleesetend. II zn m vleesetend dier. ▼ **carogne** v zie **charogne**.

carolingien, -enne I bn Karolingisch. II **C**— zn m Karolinger.

carotène m karoteen.

carotide v halsslagader.

carotte v 1 wortel; tirer une — à qn., iem. iets aftroggelen; vivre de —s, zuinig leven; les —s sont cuites (fam.), het spel is uit; 2 rol pruimtabak.

carott/er ov.w bedriegen, aftroggelen. ▼ **—eur** m, **-euse** v bedrieger (-ster). ▼ **—ier, -ière** bn bedrieglijk.

carpe v karper.

carpette v karpet.

carquois m pijlkoker; avoir vidé son —, al zijn gal uitgespuwd hebben.

carre v 1 hoek, kant; 2 bodem v. e. hoed; 3 schouderbreedte.

carré I bn vierkant; épaules —es, brede schouders; homme — (par la base), man uit één stuk; latte —e, panlat; mètre —, vierkante meter; racine —e, vierkantswortel; partie —e, feestje van twee echtparen; réponse —e, beslist antwoord. II zn m 1 vierkant; élever au — , in de macht verheffen; 2 vierkant stuk; — de lard, dobbelsteentje spek; 3 tuinbed; 4 trapportaal; 5 slagorde i. d. vorm v. e. vierkant; 6 eetzaal van zeeofficieren.

carreau [mv **x**] m 1 vierkant, ruit; 2 vloertegel, stenen vloer; demeurer, rester sur le —, op de plaats gedood worden; 3 ruiten i. h. kaartspel; 4 glasruit; se tenir à —, zich rustig houden; 5 opslagplaats.

carrée v 1 hemel v. e. ledikant; 2 (pop.) kamer.

carrefour m kruispunt; manières de —, ordinaire manieren; langue de —, platte taal.

carrel/age m stenen vloer. ▼ **—er** ov.w met tegels bevloeren.

carrelet m 1 kruisnet; 2 schol; 3 paknaald.

carreleur m tegelzetter.

carrément bw openhartig, ronduit.

carrer: se — 1 op zijn gemak gaan zitten; 2 gewichtig doen.

carrier m 1 eigenaar v. e. steengroeve; 2 arbeider daarin.

carrière v 1 loopbaan; embrasser une —, een loopbaan kiezen; 2 strijdperk, renbaan; donner — à, de vrije teugel laten; entrer dans la —, een moeilijke onderneming beginnen; 3 steengroeve.

carriole v overdekt rijtuigje op twee wielen.

carros/sable bn berijdbaar voor wagens, auto's enz. (route —). ▼ **—se** m deftige koets; rouler —, paard en wagen houden, erg rijk zijn. ▼ **—er** ov.w voorzien v. e. carrosserie. ▼ **—serie** v 1 fabriek van koetswerk (ook van auto's); 2 het koetswerk (ook van auto's). ▼ **—sier** m 1 carrosseriefabrikant; 2 wagenmaker.

carrousel m 1 ringrijden van ruiters; 2 plaats, waar dit geschiedt; 3 draaimolen.

carrure v 1 schouderbreedte; 2 krachtige lichaamsbouw.

cartable m schooltas.

carte v 1 speelkaart; abattre ses —s, zijn kaarten openleggen; voir le dessous des —s, achter de schermen kijken; fausse —, slechte kaart; filer la —, een kaart wegmoffelen; jouer aux —s, kaarten; jouer sa sur table, open kaart spelen; jouer sa dernière —, zijn laatste troef uitspelen; mêler, battre les —s, de kaarten schudden; perdre la carte, de kluts kwijtraken; retourner une —, een kaart draaien; tirer les —s à qn., iem. de kaart leggen; faire des tours de

—, kunstjes met kaarten doen; 2 stukje karton; donner — blanche, de vrije hand laten; — d'électeur, kiezerskaart; — grise, eigendomsbewijs van auto of motor; — postale, briefkaart; — de visite, visitekaartje; 3 landkaart; dresser la — d'un pays, een land in kaart brengen; mettre en —, karteren; — muette, blinde kaart; — nautique, zeekaart; avoir perdu la —, niet weten, waar men is; — routière, wegenkaart; 4 — (de restaurant), menu, wijnkaart; dîner à la —, zijn eigen diner volgens de spijskaart samenstellen; demander la —, het menu vragen.

cartel m 1 wandklok; 2 kartel.

carter m kettingkast; — moteur, carter.

cartet-vue† v prentbriefkaart.

cartésien, -ienne bn met betrekking op Descartes; duidelijk, logisch.

cartilage m kraakbeen. ▼ **cartilagineux, -euse** bn kraakbeenachtig.

carto/graphe m tekenaar van landkaarten. ▼ **—graphie** v het tekenen van landkaarten. ▼ **—mancie** v waarzeggerij uit speelkaarten. ▼ **—mancien** m, **-enne** v iem. die de kaart legt.

carton m 1 karton; — bitumé, asfaltpapier; 2 kartonnen doos; 3 kartonnen portefeuille; 4 schets voor een schilderij; 5 kartonnen schietschijf. ▼ **—nage** m 1 het kartonneren; 2 fabriek van kartonnen voorwerpen; 3 kartonnen band. ▼ **—ner** ov.w innaaien in karton, kartonneren. ▼ **—nerie** v kartonfabriek. ▼ **—neur** m, **-neuse** v innaaier (-ster) van boeken. ▼ **—nier, -nière** v kartonfabrikant(e); -verkoper (-verkoopster). ▼ **—paille** m strokarton.

cartouche v 1 patroon; — à blanc, losse patroon; 2 plug; 3 slof (sigaretten). ▼ **cartouchière** v patroontas.

cas m 1 geval; au — où, voor het geval dat; en — de besoin, zo nodig; — de conscience, gewetensvraag; être dans le — de, in de gelegenheid zijn om; le — échéant, als het geval zich voordoet; — fortuit, toeval; — de guerre, reden tot oorlog; se mettre dans un mauvais —, erin lopen; en tout —, in elk geval; 2 waarde; faire grand — de, veel waarde hechten aan; faire peu de — de, geen acht slaan op; 3 naamval.

casanier, -ère I bn huiselijk. II zn m, **-ère** v huismus.

casaque v 1 soort damesjapon; 2 jasje van jockey; tourner —, van partij veranderen.

casaquin m: (fam.) tomber, sauter sur le —, op z'n huid geven.

cascad/e v waterval. ▼ **—er** on.w 1 watervallen vormen; 2 (pop.) een losbandig leven leiden, boemelen. ▼ **—eur** m, **-euse** v id., stuntman, -vrouw. ▼ **cascatelle** v kleine waterval.

case v 1 negerhut; 2 vak of koffer, meubel; 3 ruit van schaak-, dambord; 4 (fam.) huis, hokje.

caséeux, -euse bn kaasachtig. ▼ **caséine** v kaasstof.

casemate v kazemat.

caser ov.w 1 opbergen, in vakken plaatsen; 2 een betrekking bezorgen.

casern/e v 1 kazerne; 2 gekazerneerde troep; 3 — (à locataires), huurkazerne. ▼ **—ement** m kazernering. ▼ **—er** ov.w kazerneren.

cash bn (fam.) contant.

casier m 1 kast met vakken voor papieren enz.; 2 doos met vakken; — judiciaire (vierge), (blanco) strafregister; 3 vak.

casino m casino (in badplaatsen).

casque m 1 helm; — protecteur, valhelm; — (sèche-cheveux), droogkap; 2 koptelefoon (ook voor radio); avoir le — (arg.), een kater hebben. ▼ **casqué** bn met een helm op.

casquer (pop.) geld geven, betalen.

casquette v 1 pet; 2 bij het spel verloren geld (arg.).

cassage m het breken; (arg.) inbraak, kraak. ▼ **cassant** bn 1 breekbaar; 2 bits, gebiedend; 3 (pop.) vermoeiend. ▼ **cassante** v (arg.) tand. ▼ **cassation** v 1 nietigverklaring; cour de

—, hof van cassatie; **2** degradatie v. e. militair.
▼casse v **1** (het) breken; **2** gebroken voorwerp; *payer la* —, de schade vergoeden; **3** letterkast. **▼cassé** *bn* **1** gebrekkig; **2** bevend.
casse-cou *m* **1** waaghals; **2** gevaarlijke plaats.
casse-croûte *m* **1** zeer eenvoudig maal, schaft; **2** eenvoudig eethuis. **▼casse-croûter** *on.w* eten.
casse-gueule I *zn m* (*fam.*) **1** slechte brandewijn; **2** gevaarlijke onderneming. II *bn* gevaarlijk, link.
casse-noisettes *m* notekraker.
casse-pieds I *zn m* (*fam.*) zeurpiet. II *bn* vervelend.
casse-pipes *m* schiettent; *aller au* —, ten oorlog trekken.
casser I *ov.w* **1** breken, stukslaan, stukmaken; — *une croûte*, een stukje eten; — *la gueule à qn.*, (*fam.*), iem. op zijn bek slaan; — *les os à qn.*, iem. afranselen; — *les pieds à qn.*, iem. aan de kop zaniken; — *la tête à qn.*, iem. de hersens inslaan; *à tout* —, onbeschrijfelijk; — *les vitres*, niets ontzien; **2** nietig verklaren (— *un arrêt, un jugement*); **3** afzetten, ontslaan; — *qn. aux gages*, iem. ontslaan; — *un militaire*, aan een mil. zijn rang ontnemen; **4** (*arg.*) sterven; (ook — *sa pipe*). II *on.w* breken, kapot gaan. III *se* — *le cou*, zijn nek breken; *se* — *le nez*, op zijn neus vallen, geen succes hebben; *se* — *la tête à*, zich afsloven, om te.
casserole v **1** braadpan, steelpan; **2** (*arg.*) verklikker, politieagent; **3** (*arg.*) prostituée; **4** (*pop.*) horloge; **5** slechte piano.
casse-tête *m* **1** knots, ploertendoder; **2** vermoeiend werk; **3** vermoeiend lawaai.
cassette v **1** cassette; *lecteur de* —*s*, cassettespeler; **2** koffertje, juwelenkistje.
casseur *m*, -**euse** v iem., die breekt; — *d'assiettes*, lawaaischopper; (*arg.*) inbreker.
cassis I *m* **1** zwarte bes; **2** zwartebessestruik; **3** bessenbrandewijn; **4** (*arg.*) hoofd. II *m* uitholling overdwars.
cassure v scheur, breuk.
castagnettes *v mv* kleppers.
caste v kaste; *l'esprit de* —, kastegeest.
castel *m* klein kasteel.
castor *m* bever.
castration v castratie. **▼castrer** *ov.w* castreren.
casuel, -elle I *bn* toevallig. II *zn m* veranderlijke inkomsten.
casuiste *m* moralist, die zich ophoudt met het oplossen van gewetensvragen. **▼casuistique** v onderdeel der theologie, dat zich ophoudt met het oplossen van gewetensvragen.
cataclysme *m* grote ramp, grote overstroming.
catacombes v catacomben.
catadioptre *m* reflector (auto).
catafalque *m* katafalk.
catalep/sie v toestand van gevoelloosheid en verstijving der ledematen. **▼—tique** *bn* wat betrekking heeft op de catalepsie (*sommeil* —).
catalogue *m* catalogus. **▼cataloguer** *ov.w* catalogiseren.
catalys/e v katalyse. **▼—er** *ov.w* als katalysator fungeren. **▼—eur** *m* katalysator.
cataphote *m* reflector (auto).
cataplasme *m* pap (*med.*).
catapult *m* **1** katapult; **2** starttoestel voor vliegtuigen. **▼—er** *ov.w* een vliegtuig starten door middel v. e. katapult.
cataracte v **1** hoge waterval; **2** staar (*med.*).
catarrhe *m* **1** catarre; **2** zware verkoudheid.
catastrophe v ramp. **▼catastrophique** *bn* catastrofaal.
catéch/èse v katechese. **▼—ète** *m/v* katecheet. **▼—iser** *ov.w* **1** godsdienstonderwijs geven aan; **2** de les lezen. **▼—isme** *m* **1** godsdienstonderwijs; **2** catechismus. **▼—iste** *m* of v godsdienstonderwijzer(es).
catéchumén/at *m* tijd v. h. doopleerling zijn. **▼catéchumène** *m* of v doopleerling.
catégor/ie v afdeling, klasse, soort. **▼—ique** *bn* **1** onvoorwaardelijk, afdoend; *impératif* —,

plicht; **2** duidelijk, stellig.
caténaire I *bn* aan een spandraad hangend. II *zn* v spandraad.
cathédrale I *zn* v kathedraal. II *bn*: *verre* —, kathedraalglas.
catherinette v jong meisje, dat op de feestdag van de H. Catharina feestelijk het feit herdenkt, dat ze dat jaar 25 jaar geworden is.
cathode v kathode. **▼cathodique** *bn*: *rayons* —*s*, kathodestralen.
catho/licisme *m* katholicisme. **▼—licité** v **1** katholieke godsdienst; **2** de katholieken. **▼—lique** I *bn* katholiek. II *zn m* of v katholiek.
catilinaire v felle satire, - redevoering, - uitval.
catimini (en —) *bw* heimelijk.
catin (*catau*) v (*oud*) publieke vrouw.
catir *ov.w* een stof glanzen. **▼catissage** *m* het glanzen van stoffen.
Caucase *m* Kaukasus. **▼caucasien, -enne** I *bn* Kaukasisch. II *zn* C— *m*, -**enne** v Kaukasiër, -sische.
cauchemar *m* nachtmerrie. **▼—der** *on.w* nachtmerries hebben. **▼—desque, —deux, -euse** *bn* nachtmerrieachtig.
caudal [*mv aux*] *bn*: *nageoire* —*e*, staartvin.
causal *bn* oorzakelijk. **▼causalité** v oorzakelijkheid.
causant *bn* (*fam.*) spraakzaam.
causatif, -ive *bn* oorzaak aanduidend.
▼cause v **1** oorzaak; *à* — *de*, wegens; — *première*, grondoorzaak; — *suprême*, God; **2** reden; *pour* —, terecht; **3** proces, (recht-) zaak; *une* — *célèbre*, een opzienbarend proces; *faire* — *commune*, gemene zaak maken; *parler en connaissance de* —, met kennis van zaken spreken; *avoir gain de* —, het pleit winnen; *la* — *publique*, het algemeen belang; *être en* —, *venir en* —, betrokken zijn/worden bij. **▼causer** *ov.w* **1** veroorzaken; **2** praten; — *littérature*, over literatuur praten; **3** te veel praten; **▼kletsen.**
▼causerie v **1** het praten; **2** gezellig gesprek; **3** gemoedelijke voordracht.
▼causette v (*fam.*) praatje (*faire la* — *avec qn.*). **▼causeur** *m*, -**euse** v prater (praatster), babbelaar(ster). **▼causeuse** v tweepersoonscanapé.
causse *m* kalkplateau bij de Cevennen.
causticité v spotzucht. **▼caustique** *bn* **1** bijtend; **2** satirisch, scherp.
cauteleux, -euse *bn* sluw, uitgeslapen.
cautère *m* brand-, bijtmiddel; *c'est un* — *sur une jambe de bois*, dat middel is nutteloos.
▼cautérisation v het dicht branden, -schroeien. **▼cautériser** *ov.w* dichtbranden, -schroeien.
caution v **1** borgtocht, waarborg; *sujet à* —, onbetrouwbaar; **2** borg; *se porter* —, zich borg stellen. **▼—nement** *m* borgstelling. **▼—ner** *ov.w* borg blijven voor.
cavalcade v **1** ruiterstoet, -optocht; **2** (*fam.*) luidruchtige bende. **▼cavalcader** *on.w* gezamenlijk (rond)rennen.
cavale v **1** (*dicht.*) merrie; **2** (*pop.*) vlucht. **▼cavaler** *on.w* (*pop.*) hardlopen, vluchten.
cavalerie v cavalerie. **▼cavalier** I *zn m* **1** ruiter; **2** cavalerist; **3** heer, die dame begeleidt, danser; *beau* —, knappe, slanke jongeman; **4** paard i.h. schaakspel. II —, -**ère** *bn* **1** wat op paardrijden betrekking heeft; *piste* —*e*, ruiterpad; **2** te vrij (*air* —); **3** onbeschaamd (*réponse* —*e*). **▼cavalière** v **1** amazone; **2** danseres.
cavatine v opera-aria voor één stem, zonder herhaling.
cave I *zn* v **1** kelder; **2** wijnkelder; de wijn uit die kelder; *il a une bonne* —, hij heeft een goed voorziene wijnkelder; **3** inzet (spel); **4** sul. II *bn* hol, ingevallen (*joues* —*s*); (*pop.*) stom, bête. **▼caveau** [*mv x*] *m* **1** keldertje; **2** grafkelder.
caver *on.w* inzetten bij spel.
cavern/e v **1** grot, hol; **2** holte. **▼—eux, -euse** *bn* **1** vol holen; **2** hol, dof.
caviar *m* kaviaar.
caviarder *ov.w* doorhalen, onleesbaar maken.

caviste m keldermeester. ▼**cavité** v holte.

ce, cet, cette, ces vnw deze, die, dit, dat; ces messieurs, dames, de heren, dames (bij aanspreking); sur ce, daarop.

céans bw (oud) hier binnen, hier in huis.

ceci vnw dit.

cécité v blindheid.

cédant(e) m of v degene, die afstand doet. ▼**céder** l ov.w 1 afstaan, afstand doen van; le — à qn., onderdoen voor iemand; — le pas à qn., iem als zijn meerdere erkennen, voor iem. wijken; 2 verkopen, overdoen. ll on.w bezwijken, toegeven, zwichten.

cédille v teken onder de c voor a, o of u, indien de c als s moet worden uitgesproken.

cèdre m ceder.

cédulaire bn: impôt —, kohierbelasting. ▼**cédule** v aanslagbiljet.

cégétiste m of v lid van de c(onfédération) g(énérale) du t(ravail) (vakbond).

ceindre ov.w onr. omringen, omgorden (une épée); — le diadème, de koninklijke waardigheid aanvaarden; — la tiare, tot paus gekozen worden. ▼**ceinture** v 1 ceintuur, gordel; — de sécurité, veiligheidsgordel; c. d. s. à enrouleur, veiligheidsgordel met rolautomaat; se mettre, se serrer la —, zich iets ontzeggen; 2 middel v. h. lichaam; 3 ceintuurbaan; 4 band om een wiel. ▼**ceinturer** ov.w omgorden, omringen, om het middel grijpen. ▼**ceinturon** m sabelriem.

cela vnw dat.

célébr/ant m dienstdoend priester. ▼**—ation** v viering; het opdragen v. d. mis. ▼**célèbre** bn beroemd.

célébrer ov.w 1 vieren; 2 prijzen, verheerlijken, roemen; 3 plechtig voltrekken; — la messe, de mis opdragen.

célébrité v beroemdheid (ook persoon).

celer ov.w verzwijgen, verbergen.

céleri m selderij.

célérité v snelheid.

céleste bn hemels; le Père —, de Hemelse Vader; esprits —s, hemelbewoners.

Célestin m monnik der celestijner orde.

célibat m celibaat. ▼**—aire** m of v vrijgezel(lin); mère —, ongehuwde moeder.

celle zie celui.

cellier m wijnkelder.

cellophane v cellofaan.

cellulaire bn uit cellen gevormd, cellulair; voiture —, dievenwagen. ▼**cellule** v cel (van kloosterlingen, gevangenen, bijen enz.); — photo-électrique, foto-elektrische cel.

celluloïd m celluloïd.

cellulose v cellulose.

cellulothérapie v celtherapie.

celtique l bn Keltisch. ll zn m de Keltische taal.

celui, celle, ceux, celles vnw celui-ci, celle-ci enz., deze; celui-là, celle-là enz., die.

cémenter ov.w cementeren.

cénacle m 1 zaal v. h. Laatste Avondmaal; 2 kring van gelijkdenkende kunstenaars.

cendre v as; mettre, réduire en —, in de as leggen; les —s, 1 het stoffelijk overschot; 2 as der gewijde palmtakken; recevoir les —s, een askruisje krijgen; Mercredi des —s, Aswoensdag. ▼**cendré** bn askleurig; blond —, asblond. ▼**cendrée** v (sp.) sintelbaan. ▼**cendreux, -euse** bn vol as. ▼**cendrier** m 1 asbak; 2 asdale. ▼**Cendrillon** v assepoester; c—, vieze dienstbode.

Cène v 1 Laatste Avondmaal; 2 Avondmaal der protestanten.

cénobite m kloosterling.

cénotaphe m grafmonument zonder lijk.

cens m cijns.

censé geacht (tout le monde est — connaître la loi). ▼**censément** (pop.) om zo te zeggen.

censeur m 1 censor; 2 criticus; 3 iem. die censuur uitoefent; 4 studiesurveillant op een lyceum. ▼**censurable** bn laakbaar. ▼**censure** v 1 censuur; 2 kritiek; 3 afkeuring. ▼**censurer** ov.w hekelen, veroordelen.

cent l telw. honderd; faire les — coups, allerlei dolle streken uithalen; faire les — pas, heen en weer lopen; trois pour —, drie percent. ll zn m 1 honderdtal (trois —s d'œufs); 2 cent. ▼**—aine** v honderdtal.

centaure m centaur (half mens, half paard).

centenaire l bn honderdjarig. ll zn m of v honderdjarige. lll m eeuwfeest. ▼**centésimal** [mv aux] bn in honderd delen verdeeld (échelle —e). ▼**centi/are** m centiare. ▼**—ème** l bn honderdste. ll zn m honderdste deel. ▼**—grade** bn in honderd graden verdeeld (thermomètre —). ▼**—gramme** m centigram. ▼**—litre** m centiliter. ▼**—mètre** m honderdste gedeelte v. e. frank. ▼**centimètre** m centimeter.

centrage m bepaling v. h. middelpunt. ▼**central** [mv aux] bn centraal, voornaamste; gare —e, hoofdstation; halles —es, de Hallen. ▼**central/e** v centrale (— électrique). ▼**—isateur, -trice** bn centraliserend. ▼**—isation** v centralisatie. ▼**—iser** ov.w centraliseren. ▼**centre** m middelpunt, centrum (ook i. d. Kamer); — de gravité, zwaartepunt. ▼**centrer** ov.w het middelpunt bepalen; — sur, richten op. ▼**centri/fugation** v het centrifugeren. ▼**—fuge** bn middelpuntvliedend. ▼**—fuger** ov.w centrifugeren. ▼**—fugeur** m, **-euse** v centrifuge. ▼**—pète** bn middelpuntzoekend, centripetaal.

centuple l bn honderdvoudig; au —, honderdvoudig. ll zn m honderdvoud. ▼**centupler** ov.w verhonderdvoudigen.

centurie v eenheid van 100 burgers bij de Romeinen. ▼**centurion** m honderdman.

cep m 1 boei; 2 wijnstok. ▼**cépage** m soort wijnstok.

cèpe m eetbare boleet.

cependant bw 1 echter, toch, evenwel; 2 intussen.

céphalique bn wat het hoofd betreft.

céramique l bn wat het pottenbakken betreft (art —). ll zn v pottenbakkerskunst. ▼**céramiste** m pottenbakker.

cerbère m ruw, streng portier of bewaker.

cerceau [mv x] m hoepel.

cerclage m het omleggen van een hoepel. ▼**cercle** m 1 cirkel; faire —, in een kring gaan staan, zitten; 2 hoepel v. e. vat; 3 vat; 4 vergadering, club, sociëteit. ▼**cercler** ov.w van hoepels voorzien.

cercueil m lijkkist.

céréal/e zn v graangewas. ▼**—ier, -ière** bn wat op graangewassen betrekking heeft.

cérébral [mv aux] bn wat betrekking heeft op de hersens.

cérémon/ial [mv aux] m ceremonieel. ▼**—ie** v 1 plechtigheid; maître des —s, ceremoniemeester; 2 beleefdheid, plichtpleging; dîner sans —, huiselijk, gemoedelijk diner; faire des —s, overdreven complimenten maken; visite de —, beleefdheidsvisite. ▼**—iel, -elle** bn plechtstatig, beleefd. ▼**—ieux, -euse** bn overdreven beleefd.

cerf m hert.

cerfeuil m kervel.

cerf†-volant† m 1 vlieger; 2 vliegend hert.

cerisaie v kerseboomgaard. ▼**cerise** v 1 kers; 2 (pop.) pech (avoir la —); 3 kersrood (des étoffes cerise). ▼**cerisette** v 1 gedroogde kers; 2 drank, uit kersen bereid. ▼**cerisier** m kerseboom.

cerne m 1 jaarring van bomen; 2 kring om de ogen, om wond. ▼**cerner** ov.w 1 een kring maken om (un arbre); 2 omsingelen, omringen; yeux cernés, ogen met blauwe kringen.

certain l bn 1 zeker, vast, waar; 2 zeker (een of ander), sommige; il est d'un — âge, hij is niet zo jong meer. ll zn m het zekere. lll —s sommigen. ▼**certes** bw zeker.

certificat m 1 getuigschrift, verklaring; — d'études, getuigschrift, dat men met succes de lagere school doorlopen heeft; — de propriété, eigendomsbewijs; — de vie, attestatie de vita; 2 garantie (la tempérance est un — de longue

vie). ▼**certi/fication** *v* waarmerking. ▼—**fier** *ov.w* (voor waar) verklaren, verzekeren. ▼—**tude** *v* zekerheid.
céruléen, -enne *bn* blauwachtig.
cérumen *m* oorsmeer.
céruse *v* loodwit.
cerveau [*mv* x] *m* hersenen, brein; *grand* —, knappe kop; — *brûlé*, heethoofd; — *creux*, dromer; *se creuser le* —, zich suf denken; *le vin monte au* —, de wijn stijgt naar het hoofd; *un rhume de* —, neusverkoudheid.
cervelas *m* cervelaatworst.
cervelet *m* kleine hersenen.
cervelle *v* hersenen; *brûler la* —, voor de kop schieten; — *de lièvre*, vergeetachtig mens.
cervical [*mv* aux] *bn* wat betrekking heeft op nek of hals; *vertèbre* —*e*, halswervel.
cervidés *m mv* hertachtigen.
cervoise *v* bier der oude Galliërs.
ces *zie* ce.
césar *m* keizer, vorst. ▼**césarien, -enne** *I bn* wat Julius Caesar of een keizer betreft; *opération* —*enne*, keizersnede. II *zn m,* -**enne** *v* aanhanger (-ster) van Caesar, v. e absoluut heerser. ▼**césarisme** *m* absolute monarchie.
cessation *v* het ophouden, stopzetting. ▼**cesse** *v* rust; *sans* —, onophoudelijk. ▼**cesser** I *ov.w* ophouden met, staken. II *on.w* eindigen, ophouden. ▼**cessez-le-feu** *m* staakt-het-vuren.
cessibilité *v* vervreemdbaarheid. ▼**cessible** *bn* vervreemdbaar, overdraagbaar. ▼**cession** *v* overdracht, afstand; *faire* — *de*, overdragen. ▼**cessionnaire** *m of v* iem., aan wie iets wordt overgedragen.
c'est-à-dire (c. à d.) d.w.z., nl.
c'est pourquoi daarom.
césure *v* cesuur (rust in de maat v.e. vers).
cet *zie* ce.
cétacé *m* walvisachtige.
cette *zie* ce.
ceux *zie* celui.
cévenol(e) I *bn* uit de Cevennes. II *zn* C—*m,* -e *v* bewoner (bewoonster) v.d. Cevennes.
Ceylan *m* Ceylon.
chablis *m* (beroemde) witte wijn.
chabot *m* pos (vis).
chabraque (schabraque) *v* dekkleed v.e. paard.
chacal [*mv* als] *m* jakhals.
chaconne (chacone) *v* chaconne (oude dans).
chacun, -une *vnw* ieder, elk, iedereen.
chafouin *bn* (fam.) 1 mager, klein; 2 geslepen, sluw (*mine* —*e*).
chagrin I *bn* verdrietig, triest. II *zn m* 1 verdriet; 2 soort leer. ▼—**ant** *bn* wat verdriet doet. ▼—**er** *ov.w* bedroeven, verdriet aandoen.
chahut *m* lawaai, ruzie. ▼—**er** I *on.w* lawaai schoppen. II *ov.w* in de war schoppen; *un professeur chahuté*, een leraar, onder wiens les het rumoerig is.
chai (chais) *m* wijnkelder.
chaîne *v* 1 ketting, keten; — *d'arpenteur*, meetketting (10 m); *briser ses* —*s*, de vrijheid veroveren; *condamné à la* —, tot galeistraf veroordelen; *faire la* —, elkaar iets aanreiken; — *de montagne*, bergketen; *travailler à la* —, aan de lopende band werken; 2 schering; 3 (televisie)net; 4 installatie (bestaande uit verschillende elementen); — *haute fidélité*, hi-fi-installatie. ▼**chaînette** *v* kettinkje; *point de* —, kettingsteek. ▼**chaînon** *m* schakel.
chair *v* 1 vlees; *entre cuir et* —, onderhuids; *vendeur de* — *humaine*, slavenhandelaar; — *et en os*, in levende lijve; *ni* — *ni poisson*, geen vis en geen vlees; *avoir la* — *de poule*, kippevel hebben; 2 vruchtvlees; 3 menselijke natuur, lichaam; 4 *les* —*s* (*d'un tableau*), het naakt.
chaire *v* 1 spreekgestoelte, preekstoel; 2 het preken; 3 de H. Stoel; 4 leerstoel.
chaise *v* stoel; — *longue*, sofa; — *à portours*, draagstoel; — *de poste*, postkoets. ▼**chaisier** *m,* -**ère** *v* 1 stoelenmaker (-maakster); 2 verhuurder (verhuurster) van stoelen.

chaland *m* 1 aak; 2 (*oud*) klant.
chalco/graphe *m* graveur. ▼—**graphie** *v* 1 graveerkunst; 2 gravure.
châle *m* sjaal, omslagdoek.
chalet *m* (houten) landhuisje.
chaleur *v* 1 warmte, hitte; *il fait une* — *atroce, étouffante, suffocante, torride*, het is snikheet; 2 vuur, ijver, opwinding. ▼—**eux, -euse** *bn* hartelijk, warm, levendig (*style* —).
châlit *m* ledikant.
challenge *m* 1 wedstrijd om een wisselprijs; 2 wisselprijs. ▼**challengeur** *m* uitdager.
chaloupe *v* sloep; — *canonnière*, kanonneerboot.
chalumeau [*mv* x] *m* 1 schalmei; 2 blaaspijp; — *oxhydrique,* — *oxyacétylénique*, brander (voor lassers, schilders).
chalut *m* sleepnet. ▼—**ier** *m* trawler.
chamade *v*: *battre la* —, hevig kloppen (hart).
chamailler (*se*) (luidruchtig) twisten, ruzie maken. ▼**chamaillerie** *v* ruzie.
chamarr/er *ov.w* met versierselen bedekken, opdirken. ▼—**ure** *v* 1 het opdirken, opgedirktheid; 2 smakeloze versieringen.
chambard *m* lawaai, het omvergooien (*pop.*). ▼—**ement** *m* het omverhalen (*pop.*). ▼—**er** I *ov.w* (*pop.*) omvergooien, -halen. II *on.w* (*pop.*) lawaai maken.
chambellan *m* kamerheer; *grand* —, opperkamerheer.
chambertin *m* (beroemde) rode bourgognewijn.
chambouler *ov.w.* overhoophalen, omvergooien (*fam.*).
chambranle *m* lijst v. deur of venster.
chambre *v* 1 kamer; — *d'amis*, logeerkamer; — *à coucher*, slaapkamer; *garder la* —, zijn kamer houden; — *garnie*, gemeubileerde kamer; *ouvrier en* —, thuiswerker; *pot de* —, nachtspiegel; *robe de* —, kamerjas; 2 plaats waar men zich verenigt om te beraadslagen; — *des députés*, Tweede Kamer; 3 holte; — *à air*, binnenband; — *de combustion*, verbrandingskamer; — *d'une écluse*, sluiskolk. ▼**chambrée** *v* de soldaten v.e. soldatenkamer. ▼**chambrer** I *on.w* dezelfde kamer bewonen. II *ov.w* 1 in een kamer opsluiten; 2 op kamertemperatuur brengen (van wijn). ▼**chambrette** *v* kamertje.
chameau [*mv* x] *m* 1 kameel; 2 scheepskameel; 3 mispunt, lammeling. ▼**chamelier** *m* kameeldrijver.
chamois I *zn m* 1 gems; 2 gemzeleer. II *bn* lichtgeel. ▼—**age** *m* het soepel maken van huiden.
champ *m* 1 akker, veld, terrein; — *d'aviation*, vliegveld; — *de bataille*, slagveld; *prendre la clef des* —*s*, het hazepad kiezen; *se battre en champ-clos*, duelleren; *courir les* —*s*, in de vrije natuur rondzwerven; — *de courses*, renbaan; — *magnétique*, magnetisch veld; — *de Mars*, exercitieveld; — *de mines*, mijnenveld (*mil.*); — *de repos*, kerkhof; — *de tir*, schietbaan (*mil.*); *vie des* —*s*, landleven; 2 beeld op matglas of in zoeker van fototoestel of filmcamera (*entrer dans le* —, *sortir du* —); 3 *à bout de* —, ten einde raad; *à tout bout de* —, bij elke aanleiding; *sur-le-champ*, dadelijk.
Champagne *v* streek in Frankrijk. ▼**champagne** *m* champagnewijn; — *frappé*, in ijs gekoelde champagne; *fine* (—), fijne champagne. ▼**champagniser** *ov.w* drank mousserend maken. ▼**champe** *v* (*fam.*) champagne. ▼**champenois** I *bn* uit Champagne. II *zn* C—*m,* -e *v* bewoner (bewoonster) van Champagne.
champêtre *bn* landelijk; *bal* —, openluchtbal; *garde* —, veldwachter.
champi(s) *m* (*oud*) kind, gevonden in het veld (bastaard).
champignon *m* 1 paddestoel, champignon; *pousser comme un* —, groeien als kool; 2 (*fam.*) gaspedaal; *appuyer sur le* —, gas geven; 3 wild vlees. ▼—**nière** *v* champignonkwekerij. ▼—**niste** *m* champignonkweker.

champion I *zn m* **1** kampioen, overwinnaar; **2** (*fig.*) voorvechter. II *bn: c'est —!*, het is geweldig! ▼**—nat** *m* kampioenschap.

chançard *m* (*pop.*) boffer, geluksvogel.

chance *v* kans, waarschijnlijkheid; (*calculer les —s*); *courir sa —*, een kansje wagen; **2** geluk, bof; *il a de la —*, hij boft; *bonne —!*, veel succes!

chancel/ant *bn* **1** wankelend, onvast op de benen; **2** besluiteloos, wankel (*santé —e*). ▼**—er** *on.w* **1** wankelen, waggelen; **2** weifelen, aarzelen.

chancelier *m* kanselier. ▼**chancelière** *v* **1** vrouw v. d. kanselier; **2** voetenzak. ▼**chancellerie** *v* **1** kanselarij; *grande —*, administratie v. h. legioen van eer; **2** ministerie van Justitie.

chanceux, -euse *bn* **1** fortuinlijk, die boft; **2** riskant.

chancir *on.w* schimmelen.

chancre *m* **1** zweer; **2** (*fig.*) kanker; **3** boomkanker.

chandail *m* **1** trui; **2** damesjumper.

Chandeleur *v* Maria Lichtmis.

chandelier *m* kandelaar.

chandelle *v* **1** (vet)kaars; *à la —*, bij kaarslicht; *devoir une belle, fière — à qn.*, reden tot dankbaarheid tegenover iem. hebben; *économiser des bouts de —*, krenterig, overdreven zuinig zijn; *brûler la — par les deux bouts*, zijn fortuin er door draaien, zijn gezondheid verwoesten; *le jeu ne vaut pas la —*; het sop is de kool niet waard; *monter en —*, loodrecht stijgen; **2** ijskegel; **3** drup a. d. neus.

chanfrein *m* bles, voorhoofd v. e. paard.

chang/e *m* **1** ruil, wisseling; *donner le —*, op een dwaalspoor brengen; *gagner au —*, beter worden v. e. ruil; *prendre le —*, zich laten bedriegen; **2** wisselhandel; *agent de —*, makelaar in effecten; *bureau de —*, wisselkantoor; *lettre de —*, wissel; **3** wisselkoers; *taux de —*, ruilvoet; **4** commissie v. d. wisselaar; **5** wisselkantoor. ▼**—eable** *bn* verander baar, te veranderen. ▼**—eant** *bn* veranderlijk. ▼**—ement** *m* verandering; — *de vitesses*, versnelling (bij auto's); — *à vue*, plotselinge ommekeer. ▼**—er** I *ov.w* **1** veranderen; **2** ruilen, wisselen; — *son cheval borgne pour un aveugle*, een slechte ruil doen; **3** verschonen. II *on.w* veranderen; — *de visage*, verbleken, blozen; — *de face*, een ander aanzien krijgen. III *se —* **1** zich veranderen; **2** zich verschonen; zich omkleden. ▼**—eur** *m* geldwisselaar.

chanoine *m* kanunnik. ▼**chanoinesse** *v* naam van soort kloosterzusters.

chanson *v* lied; — *à boire*, drinklied; — *de geste*, middeleeuws heldendicht; —*s que tout cela!*, praatjes!; *l'air ne fait pas la —*, schijn bedriegt; *il en a l'air et la —*, hij is precies, zoals hij lijkt te zijn. ▼**—ner** *ov.w* een spotlied maken op. ▼**—nette** *v* liedje. ▼**—nier** I *m* liederenboek. II — *m, -ère v* **1** liederencomponist(e); **2** liedjeszanger(es).

chant *m* **1** zang, gezang, lied; — *du coq*, hanegekraai; — *du cygne*, zwanezang; — *nuptial*, bruiloftslied; **2** plechtig gedicht; **3** zang (onderdeel v. e. gedicht); **4** *de —*, op z'n kant.

chantage *m* geldafdreiging, chantage.

chantant *bn* **1** zingend; **2** waar men zingt (*café —*); **3** gemakkelijk te zingen.

chantepleure *v* **1** soort gieter; **2** kraan.

chanter *ov.w* **1** zingen, kwelen van vogels; — *une antienne à qn.*, iem. iets verwijten; *il chante toujours la même chanson, le même refrain*, hij zingt altijd hetzelfde liedje; *le coq chante*, de haan kraait; *faire — qn.*, iem. geld afpersen; *la porte chante*, de deur piept; **2** zangerig declameren, voorlezen; **3** bezingen, verheerlijken. ▼**—erelle** *v* **1** e-snaar van viool; **2** lokvogel; **3** hanekam, cantharel (*plk.*).

chanteur *m, -euse v* zanger(es); *maître —*, aartsafperser; *oiseaux —s*, zangvogels.

chantier *m* **1** werkplaats in de openlucht,

scheepstimmerwerf; *avoir un ouvrage sur le —*, een werk onder handen hebben; *mettre en —*, beginnen; *mis en —*, in aanbouw; **2** stelling voor vaten; **3** kolen-, houtopslagplaats; **4** (*fam.*) wanorde.

chantonnement *m* het neuriën. ▼**chantonner** *ov. en on.w* neuriën.

chantoung *m* shantoengzijde.

chantourner *ov.w* uitsnijden.

chantre *m* **1** (koor)zanger; **2** dichter.

chanvre *m* hennep. ▼**chanvrier** *m, -ère v* hennepwerker (-ster).

chaos (*spr.*: ka-ò) *m* **1** baaierd; **2** verwarring. ▼**chaotique** *bn* chaotisch.

chapard/age *m* (kleine) diefstal. ▼**—er** *ov.w* **1** stelen; **2** stropen. ▼**—eur** *m, -euse v* **1** dief, dievegge; **2** stroper.

chape *v* **1** koorkap; **2** mantel met kap; *sous —*, heimelijk; **3** bedekking, deksel, kap.

chapeau [*mv* x] *m* **1** hoed; *donner un coup de — à qn.*, de hoed voor iem. afnemen; *obtenir le —*, kardinaal worden; **2** hoedje v.e. paddestoel; **3** kop v.e. krantearti kel; **4** — *chinois* (*muz.*), schellenboom; **5** — *de roue*, wieldop. ▼**—ter** *ov.w* een hoed opzetten.

chapechute *v* buitenkansje.

chapelain *m* **1** aalmoezenier v.e. vorst; **2** geestelijk bedienaar v.e. kapel.

chapelet *m* **1** rozenkrans, rozenhoedje; *égrener un —*, een rozenhoedje bidden (de kralen door de vingers laten glijden); *défiler un —*, alles zeggen wat men op het hart heeft; **2** reeks (— *d'injures*); **3** snoer.

chapelier *m, -ère v* **1** hoedenmaker (-maakster); **2** hoedenverkoper (-verkoopster).

chapelle *v* **1** kapel; — *ardente*, rouwkapel; **2** gouden misbenodigdheden.

chapellerie *v* **1** hoedenwinkel; **2** hoedenfabriek; **3** hoedenhandel.

chapelure *v* paneermeel.

chaperon *m* **1** kapje; *le petit C— rouge*, Roodkapje; — *de moine*, monnikskap (*plk.*); **2** begeleidster, begeleider van jongedame. ▼**—ner** *ov.w* **1** (een valk) met een kapje bedekken; **2** een jongedame vergezellen, terwijl men een oogje op haar houdt.

chapiteau [*mv* x] *m* **1** kapiteel; **2** circus(tent); **3** helm v.e. distilleertoestel.

chapitre *m* **1** hoofdstuk; **2** kapittel; *avoir voix au —*, een stem in het kapittel hebben; **3** onderwerp. ▼**chapitrer** *ov.w* streng berispen, kapittelen.

chapon *m* **1** kapoen; **2** met knoflook bestreken korst brood.

chaque *vnw* ieder, elk.

char *m* **1** Romeinse strijdwagen, - zegekar; **2** kar, wagen; — *à bancs*, janplezier; — *funèbre*, lijkkoets; **3** tank; — *d'assaut*, aanvalstank; — *de combat*, gevechtswagen; **4** *le — de l'État*, het schip van staat.

charabia *m* wartaal.

charade *v* **1** lettergreepraadsel; **2** duistere taal.

charbon *m* **1** kool, houtskool (— *de bois*); *être sur des — s ardents*, op hete kolen zitten, in een kritieke situatie verkeren; *amasser des — s ardents sur la tête de qn.*, gloeiende kolen op iemands hoofd stapelen; *faire du —*, bunkeren. ▼**—nage** *m* het ontginnen v.e. kolenmijn; *Ch—s de France*, Franse Staatsmijnen. ▼**—ner** I *ov.w* **1** een verkolen; **2** met houtskool zwart maken, vol tekenen. II *on.w* verkolen. ▼**—nerie** *v* kolenopslagplaats. ▼**—neux, -euse** *bn* **1** koolachtig; **2** miltvuurachtig. ▼**—nier, -ère** I *bn* wat betrekking heeft op kool. II *zn m* **1** kolenbrander; — *est maître chez lui*, ieder is de baas in zijn eigen huis; **2** kolenhandelaar; **3** kolenschip.

charcut/er *ov.w* **1** op onhandige wijze vlees in stukken snijden; **2** onhandig opereren. ▼**—erie** *v* **1** spekslagerij; **2** vleeswaren. ▼**—ier** *m* spekslager.

chardon *m* **1** distel; **2** ijzeren punt op muur. ▼**—neret** *m* distelvink, putter.

charge *v* last (ook *fig.*); lading, vracht; *bateau de —*, vrachtschip; *être à charge*, tot

last zijn; *prendre à sa* —, zich belasten met;
2 ambt, betrekking; waardigheid; **3** opdracht,
taak; *avoir* — *d'âmes*, voor de zielzorg belast
zijn; **4** aanval, bestorming; **5** aanvalssignaal;
6 lading van vuurwapen; elektrische lading;
7 aanklacht, bewijs van schuld; *témoin à* —,
getuige, die tegen de beschuldigde getuigt;
8 karikatuur; **9** grapje, fopperij. ▼**chargé** I *bn*
1 beladen, geladen; **2** overladen, overdreven;
ciel —, betrokken lucht; *langue* —*e*, beslagen
tong; *lettre* —*e*, brief met aangegeven waarde.
II *zn m* iem., die belast is met; — *d'affaires*,
zaakgelastigde; — *de cours*, lector.
▼**charg/ement** *m* **1** het laden; **2** lading; **3** het
aantekenen v.e. brief. ▼—**er** I *ov.w* **1** laden,
beladen, bevrachten; **2** overladen; v.e. pijp
stoppen; **2** aanvallen, te lijf gaan; **3** belasten
met, opdragen aan (— *de*); **4** overladen,
overstelpen; — *la mémoire*, het geheugen
overladen; *qn. d'injures, de coups*, met
scheldwoorden overstelpen; afrossen;
5 getuigen tegen (— *un accusé*);
6 aantekenen van brieven (— *une lettre*);
7 overdrijven; **8** te veel berekenen (— *un
compte*). II *se—de* zich belasten met. ▼—**eur**
m, **-euse** *v* **1** (scheeps)bevrachter (-ster);
2 patroonhouder.
chariot *m* **1** wagen; *le grand C*—, de Grote
Beer; *le petit C*—, de Kleine Beer;
2 boodschappenwagentje; — *à bagages*,
bagagewagentje; — *élévateur*, heftruck.
charism/e *m* charisma. ▼—**atique** *bn*
charismatisch.
charitable *bn* liefdadig, menslievend.
▼**charité** *v* **1** liefde tot God en zijn evenmens,
naastenliefde; **2** liefdadigheid; — *bien
ordonnée commence par soi-même*, ieder is
zichzelf het naast; *bazar de* —, fancy-fair;
3 aalmoes; *dame de* —, armenbezoekster; *faire
la* —, een aalmoes geven; *fille de* —,
liefdezuster.
charivari *m* **1** ketelmuziek; **2** lawaai; **3** valse
muziek.
charlatan *m* **1** kwakzalver, marktkoopman, die
geneesmiddelen verkoopt; **2** opsnijder.
▼—**erie** *v* **1** kwakzalverij; **2** opsnijderij.
▼—**esque** *bn* kwakzalverachtig. ▼—**isme** *m*
kwakzalverij.
Charlemagne *m* Karel de Grote.
Charlot *m* Charly Chaplin.
charlotte *v* **1** appelmoes, omgeven door
taartrand; **2** —*russe*, slagroom, omgeven door
biscuits.
charmant *bn* bekoorlijk, innemend. ▼**charme**
m **1** bekoring, aantrekkelijkheid; **2** betovering;
se porter comme un —, het uitstekend maken,
zo gezond zijn als een vis; **3** hagebeuk.
▼**charmer** *ov.w* **1** betoveren; **2** bekoren;
3 lenigen (*la douleur*), verdrijven (*l'ennui*).
▼**charmeur** *m*, **-euse** *v* **1** tovenaar; iem. die
betovert; — *de serpents*, slangenbezweerder;
2 bekoorlijk, innemend persoon.
charmille *v* **1** prieel; **2** laantje van geschoren
hagen.
charnel, **-elle** *bn* zinnelijk, vleselijk.
charnier *m* **1** bewaarplaats voor vlees;
2 knekelhuis; **3** grote opeenhoping van lijken.
charnière *v* **1** scharnier; **2** postzegelplakkertje.
charnu *bn* vlezig (ook van vruchten).
charognard *m* aasgier (ook *fig.*). ▼**charogne**
v kreng.
charpent/e *v* **1** getimmerte; *bois de* —,
timmerhout; **2** beendergestel; **3** raam, opzet
v.e. literair werk. ▼—**er** *ov.w* **1** timmeren,
bewerken; **2** (onhandig) kerven; **3** in elkaar
zetten, het plan opmaken v.e. literair werk.
▼—**erie** *v* timmerwerk, timmermanskunst.
▼—**ier** *m* timmerman.
charpie *v* pluksel (voor wonden); *mettre en* —,
stukscheuren.
charretée *v* karrevracht. ▼**charretier** I *zn m*,
-ère *v* voerman, karreman, -vrouw; *jurer
comme un* —, vloeken als een ketter. II *bn*:
porte —*ère*, karrepoort; *voie* —*ère*, wijdte
tussen de wielen. ▼**charrette** *v* kar met twee
wielen; — *à bras*, handkar; *être la cinquième*

roue de la —, het vijfde wiel aan de wagen zijn.
▼**charriage** *m* vervoer per wagen. ▼**charrier**
ov.w **1** per wagen vervoeren; **2** meesleuren;
3 kruien v.e. rivier; **4** overdrijven (*pop.*); **5** voor
de gek houden. ▼**charroi** *m* **1** vervoer per
wagen; **2** mil. konvooi. ▼**charron** *m*
wagenmaker. ▼—**nage** *m* het wagenmaken.
▼—**nerie** *v* wagenmakerij. ▼**charroyer** *ov.w*
per wagen vervoeren.
charrue *v* ploeg; *cheval de* —, sterk, maar dom
persoon; *mettre la* — *avant* (*devant*) *les
bœufs*, het paard achter de wagen spannen.
charte (**chartre**) *v* handvest, charter; *école
des* —*s*, beroemde Fr. school voor de studie
van handschriften. ▼**chartiste** *m* leerling of
oud-leerling v.d. école des chartes.
chartreuse *v* **1** klooster der kartuizers; **2** klein
afgelegen landhuis; **3** beroemde likeur.
▼**chartreux** *m*, **-euse** *v* **1** kartuizer monnik of
zuster; **2** blauwgrijze kat.
chartier *m* **1** oorkondenverzameling;
2 chartermeester; **3** charterkamer,
oorkondenarchief.
chas *m* oog v.e. naald.
chasse *v* **1** jacht; — *à courre*, lange jacht;
donner la — *à*, achtervolgen, jacht maken op;
— *au lion*, leeuwejacht; *permis de* —,
jachtakte; *qui va à la* —, *perd sa place*,
opgestaan, plaats vergaan; **2** jachtterrein;
3 het gedode wild; **4** korps jachtvliegers; **5** —
d'eau, waterspoeling (w.c.).
châsse *v* **1** relikwiekast; **2** montuur (bijv. van
bril); **3** (*arg.*) oog.
chasse-clou† *m* drijver (voor spijkers).
chassé†-**croisé**† *m* **1** soort danspas; **2** ruil van
betrekking tussen twee personen.
chasselas *m* witte druif.
chasse-mouches *m* **1** vliegenklap;
2 vliegennet.
chasse-neige *m* **1** sneeuwploeg;
2 sneeuwstorm; **3** sneeuwruimer.
chasser *ov.w* **1** verjagen, wegjagen; — *le
mauvais air*, spuien; **2** uitdrijven, indrijven v.e.
spijker; **3** jagen; *bon chien chasse de race*, de
appel valt niet ver v.d. boom; — *sur les terres
d'un autre*, onder iemands duiven schieten;
4 *le vent chasse du nord*, de wind waait uit het
noorden. ▼**chasseresse** *v* jageres.
▼**chasseur** *m*, **-euse** *v* **1** jager, jageres; **2** licht
bewapend militair; — *alpin*, alpenjager;
3 jager (stoet vliegtuig); **4** piccolo.
châssis *m* **1** lijst, raam (bijv. van een venster);
— *à tabatière*, schuin dakraam; **2** glasraam
voor broeibak; **3** onderstel v.e. auto; **4** (*pop.*)
un beau —, een mooi lijf.
chaste *bn* kuis, zedig, rein. ▼**chasteté** *v*
kuisheid, zedigheid, reinheid.
chasubl/e *v* kazuifel. ▼—**erie** *v* vervaardiging
van, handel in kerksieraden. ▼—**ier** *m*
vervaardiger van, handelaar in kerksieraden.
chat, **chatte** *v* **1** kat, poes; *appeler un* — *un*
—, het kind bij zijn naam noemen; *il n'y a pas
un* —, er is geen sterveling; — *fourré*, rechter,
advocaat; *avoir un* — *dans la gorge*, hees zijn;
une musique de —, valse muziek; *réveiller le* —
qui dort, slapende honden wakker maken; *à
bon* — *bon rat* (*spr.w*), baas boven baas, iem
om leer; — *échaudé craint l'eau froide* (*spr.w*),
een ezel stoot zich geen tweemaal aan
dezelfde steen; — *les parti*, *les souris dansent*
(*spr.w*), als de kat van huis is, dansen de
muizen; **2** *chats de saule*, wilgekatjes;
3 plotselinge heesheid (*pop.*).
châtaign/e *v* **1** (tamme) kastanje; — *de
cheval*, wilde kastanje; **2** (*pop.*) vuistslag.
▼—**eraie** *v* kastanjebosje. ▼—**ier** *m* (tamme)
kastanjeboom. ▼**châtain** *bn* kastanjebruin.
château [*mv x*] *m* **1** kasteel, slot; — *d'eau*,
watertoren, waterreservoir; *bâtir des* —*x en
Espagne*, luchtkastelen bouwen; — *de cartes*,
kaartenhuis; — *fort*, vesting; **2** groot landhuis;
3 benaming van bordeauxwijnen.
châteaubriand (**châteaubriant**) *m*
gebakken biefstuk.
châtelain *m*, **-e** *v* kasteelheer, -vrouw.
▼**châtelet** *m* kasteeltje.

chat†-huant† *m* katuil.

châtier *ov.w* **1** straffen, kastijden; *qui aime bien, châtie bien*, een verstandig vader spaart de roede niet; **2** kuisen (*le style*).

chatière *v* **1** kattegat; **2** katteval.

châtiment *m* straf, kastijding, tuchtiging; — *corporel*, lijfstraf.

chatoiement *m* weerschijn van stof.

chaton *m* **1** katje; **2** gevatte edelsteen; **3** katje van bomen.

chatouill/e *v*: (*fam.*) *faire des* —*s*, kietelen.
▼**—ement** *m* **1** het kietelen, kieteling; **2** vleierij, streling. ▼**—er** *ov.w* **1** kietelen; **2** strelen, vleien. ▼**—eux, -euse** *bn* **1** gevoelig (voor kietelen); **2** lichtgeraakt.

chatoyant *bn* met weerschijn. ▼**chatoyer** *on.w* weerschijn hebben.

châtrer *ov.w* castreren; (*fig.*) verminken, besnoeien.

chatte *zie* chat.

chattemite *v*: *faire la* —, kruiperig, erg lief doen. ▼**chatterie** *v* **1** overdreven liefheid; **2** lekkernij, snoepgoed.

chatterton *m* isolatieband.

chat†-tigre† *m* tijgerkat.

chaud I *zn m* warmte, hitte; *avoir* —, warm zijn; *il y faisait* —, 't ging er heet toe; *il fait* —, het is warm; *tenir un plat au* —, een schotel warm houden. **II** *bn* heet, warm; *point* —, knelpunt; *tomber de fièvre en* — *mal*, van de regen in de drop komen; *fièvre* —*e*, ijlkoorts; *nouvelle toute* —*e*, kersvers nieuws; *pleurer à* —*es larmes*, hete tranen schreien; *avoir le sang* —, warmbloedig zijn; *tête* —*e*, heethoofd.

chaud†-froid† *m* (koud) gerecht van gevogelte in saus.

chaudière *v* grote ketel, verwarmingsketel.

chaudron *m* **1** (koperen) ketel; **2** rammelkast (piano). ▼**—nerie** *v* **1** koperslagerij; **2** keukengereedschap, koperwerk. ▼**—nier** *m*, **-ère** *v* koperslager, handelaar(ster) in keukengereedschap of koperwerk.

chauffage *m* het stoken, verwarming; *bois de* —, brandhout; — *urbain*, stadsverwarming. ▼**chauffagiste**: (*conseiller*) —, verwarmingsadviseur.

chauffant *bn*: *couverture* —*e*, elektrische deken; *lunette arrière* —*e*, verwarmde achterruit.

chauffard *m* (*fam.*) woeste chauffeur, zondagsrijder, wegpiraat.

chauffe *v* verwarming, (het) stoken.
▼**—bain†** *m* geiser v.e. bad. ▼**—biberon** *m* flessewarmer. ▼**—eau** *m* geiser, boiler. ▼**—pieds** *m* stoof. ▼**—plats** *m* komfoor. ▼**chauffer I** *ov.w* **1** verwarmen, stoken; **2** verhaasten, warm houden (— *une affaire*); — *un élève*, een leerling klaarstomen. **II** *on.w* warm worden; *cela chauffe*, de poppen zijn aan het dansen. ▼**chauff/erette** *v* stoof. ▼**—erie** *v* stookkamer. ▼**chauffe-théière** *m* theelichtje. ▼**chauff/eur** *m* **1** stoker; **2** chauffeur. ▼**—euse** *v* lage stoel bij het vuur.

chaul/age *m* (het) kalken. ▼**—er** *ov.w* kalken.

chaume *m* **1** stoppels; **2** stoppelveld; **3** stro v.h. dak; **4** hut. ▼**chaumer** *ov.w* en *on.w* de stoppels uittrekken. ▼**chaumière** *v* met riet bedekte hut.

chaussée *v* **1** rijweg; **2** opgehoogde weg door moerassige streek; **3** dam, dijk; *les ponts et* —*s*, waterstaat.

chausse-pied† *m* schoenlepel.

chausser I *ov.w* **1** schoenen, kousen aantrekken; **2** schoeisel maken, leveren. **II** *ov. en on.w* passen, zitten; *ces souliers me chaussent bien*, die schoenen zitten me goed; *cela me chausse*, dat staat me aan. **III** *se* — zijn schoenen aantrekken.

chausses *v mv* broek tot de knieën (*haut de* —) of de voeten (*bas de* —).

chausse-trape† *v* **1** voetangel; **2** list.

chaussette *v* sok.

chausseur *m* schoenmaker.

chausson *m* **1** slof; **2** rond gebak, gevuld met jam enz.; — *aux pommes*, appelbol.

chaussure *v* **1** schoeisel; — *montante*, hoge

schoen; *trouver* — *à son pied*, iets van zijn gading vinden; **2** schoenindustrie.

chaut (chaloir): *peu m'en chaut*, het kan me weinig schelen.

chauve *bn* kaal, onbehaard; *l'occasion est* —, de gelegenheid is niet gunstig.

chauve†-souris *v* vleermuis.

chauvin I *bn* chauvinistisch. **II** *zn m*, **-e** *v* chauvinist(e). ▼**—isme** *m* chauvinisme, overdreven vaderlandsliefde.

chauvir *on.w* de oren spitsen.

chaux *v* kalk; *être bâti* — *et à sable*, een sterk gestel hebben; — *éteinte*, gebluste kalk; *lait de* —, witkalk; — *vive*, ongebluste kalk.

chavirement *m* het omslaan v.e. schip.
▼**chavirer I** *on.w* omslaan v.e. schip. **II** *ov.w* omgooien, het onderste boven keren.

chéchia *v* rode soldatenmuts van Fr. troepen in Afrika.

chef *m* **1** (*oud*) hoofd; **2** directeur, chef; — *de bord*, gezagvoerder; *commandant en* —, opperbevelhebber; — *de cuisine*, eerste kok; *au premier* —, op de eerste plaats; *de son* —, op eigen gezag; — *d'entreprise*, bedrijfsleider; — *d'équipe*, ploegbaas; — *de file*, (*mil.*) vleugelman, leider; — *d'orchestre*, dirigent; — *de train*, hoofdconducteur; **3** artikel, punt; — *d'accusation*, voornaamste punt van beschuldiging.

chef†-d'œuvre *m* **1** (oud) meesterstuk v.e. gezel; **2** meesterwerk.

chef†-lieu† *m* hoofdplaats van departement, arrondissement enz.

cheftaine *v* jeugdleidster.

chelem (schelem) *m* slem (in kaartspel).

chemin *m* weg; — *battu*, drukke weg; routine; — *de la croix*, kruisweg; *aller le droit* —, recht door zee gaan; — *en* —, onderweg; — *faisant*, onderweg; *faire son* —, slagen, carrière maken; — *de fer*, spoorweg; soort hazardspel; — *forestier*, bosweg; *montrer le* —, het voorbeeld geven; — *du paradis*, moeilijke weg; — *de table*, loper; — *vicinal*, kleine of dorpsweg; *qui trop se hâte reste en* — (*spr.w*), haastige spoed is zelden goed.

chemineau [*mv* x] *m* zwerver, landloper.

cheminée *v* **1** schoorsteen; *sous la* —, in het geheim; **2** schoorsteenmantel; **3** lampeglas; **4** smalle, steile weg tussen rotsen.

cheminement *m* het voortgaan. ▼**cheminer** *on.w* voortgaan, lopen.

cheminot *m* spoorwegarbeider, -beambte.

chemis/e *v* **1** hemd; *changer de* —, zich verschonen; *mettre qn. en* —, iem. ruineren; **2** papieren map; **3** bekleding. ▼**—erie** *v* hemdenfabriek, -winkel. ▼**—ette** *v* damesblouse. ▼**—ier** *m*, **-ère** *v* hemdenmaker (-maakster), -verkoper (-verkoopster). **II** *m* overhemdsblouse.

chênaie *v* eikenbosje.

chenal *m* [*mv* aux] vaargeul.

chêne *m* **1** eik; **2** eikehout.

chéneau *m* dakgoot.

chêne†-liège† *m* kurkeik.

chenet *m* haardijzer.

chènevière *v* hennepakker. ▼**chènevis** *m* hennepzaad.

chenil *m* **1** hondehok; **2** krot.

chenille *v* **1** rups; **2** rupsketting.

chenu *bn* **1** grijs (van haar); **2** besneeuwd; **3** zonder takken (*arbre* —); **4** (*pop.*) zeer fijn (*vin* —).

cheptel *m* **1** veepacht; **2** veestapel.

chèque *m* cheque; — *postal*, postcheque; — *de virement*, girobiljet. ▼**chéquier** *m* chequeboek.

cher, -ère I *bn* **1** lief, dierbaar; **2** duur, kostbaar. **II** *bw* duur.

chercher *ov.w* **1** zoeken; *chercher la petite bête*, vitten; — *midi à quatorze heures*, spijkers op laag water zoeken; **2** halen (*aller* — *le médecin*); *envoyer* —, laten halen; **3** komen op; (*pop.*) *cela va* — *dans les cent francs*, dat zal wel op 100 fr. komen; **4** — *à*, trachten, proberen. ▼**chercheur I** *zn m*, **-euse** *v* zoeker (-ster); — *d'or*, goudzoeker. **II** *bn* zoekend.

chère v 1 onthaal; 2 kost, maaltijd; *faire bonne —,* lekker eten, goede sier maken.
chéri I *bn* dierbaar, geliefd. II *zn m*, -e *v* lieveling, schat.
chérif *m* sherif.
chérir *ov.w* beminnen, liefhebben.
chérot *bn (fam.)* duur. ▼**cherté** *v* duurte.
chérubin *m* 1 cherubijn; 2 lief kind.
chétif *bn* 1 zwak; 2 armoedig, nietig.
cheval [*mv* aux] *m* 1 paard; *faire du —,* paardrijden; *à — sur le fleuve,* op beide oevers; *— de bataille,* stokpaardje; *— blanc,* schimmel; *— aux de bois,* draaimolen; *il n'est si bon — qui ne bronche (spr.w),* het beste paard struikelt wel eens; *— de course,* renpaard; *à — donné on ne regarde pas à la dent (la bride) (spr.w),* een gegeven paard ziet men niet in de bek; *— de labour,* ploegpaard; *monter à —,* te paard stijgen, paardrijden; *monter sur ses grands chevaux,* op zijn achterste benen gaan staan; *l'œil du maître engraisse le — (spr.w),* het oog v.d. meester maakt het paard vet; *à — sur les principes,* beginselvast zijn; *— de retour (pop.),* recidivist; *— de sang,* volbloed paard; *— de selle,* rijpaard; *— de trait,* trekpaard; *travailler comme un —,* werken als een paard; 2 cavalerist; 3 paard, bok *(gymn.);* 4 paardekracht.
cheval/ement *m* stut, schoorbalk. ▼**—er** *ov.w* stutten, schoren.
cheval/eresque *bn* ridderlijk. ▼**—erie** *v* ridderschap. ▼**—et** *m* 1 (schilders)ezel; 2 schraag; 3 pijnbank; 4 werkbank; 5 kam v.e. viool. ▼**—ier** *m* ridder; *— errant,* dolende ridder; *— d'industrie,* oplichter; *— de la Légion d'honneur,* ridder v.h. Legioen van eer. ▼**—ière** *v* 1 riddervrouw; 2 grote zegelring. ▼**—in** *bn* wat het paard betreft; *race —,* paarderas. ▼**chevauchée** *v* rit te paard. ▼**chevaucher** *on.w* 1 paardrijden; 2 elkaar gedeeltelijk bedekken, overlappen.
chevêche *v* steenuil.
chevelu I *bn* 1 behaard; 2 langharig. II *zn m* wortelhaar. ▼**chevelure** *v* 1 haardos; 2 staart v.e. komeet.
chevet *m* 1 hoofdeinde v.h. bed; *épée de —,* wapen, dat men altijd onder zijn bereik had; *livre de —,* lievelingsboek; 2 peluw; 3 gedeelte v.e. kerk achter het koor.
cheveu [*mv* x] *m* hoofdhaar; *couper, fendre un — en quatre,* muggeziften; *faire dresser les —x,* de haren te berge doen rijzen; *se prendre aux —x,* elkaar in de haren vliegen; *raisonnement tiré par les —x,* onlogische redenering; *saisir l'occasion aux —x,* de koe bij de horens vatten.
chevillard *m* slager.
cheville *v* 1 enkel; *ne pas aller à la — de qn.,* niet in iemands schaduw kunnen staan; 2 viool(sleutel); 3 haak; *— ouvrière,* de spil, waarom alles draait; 4 plug; 5 stoplap *(dicht.).* ▼**cheviller** I *ov.w* met bouten verbinden. II *on.w* stopwoorden gebruiken *(dicht.).*
cheviotte *v* soort laken.
chèvre *v* 1 geit; *ménager la — et le chou,* de kool en de geit sparen; 2 bok *(werkt.).* ▼**chevreau** [*mv* x] *m* 1 geitje; 2 geiteleer.
chèvrefeuille *m* kamperfoelie *(plk.).*
chevrette *v* 1 geitje; 2 reegeit; 3 garnaal. ▼**chevreuil** *m* reebok. ▼**chevrier** *m,* -ère *v* geitenhoeder (-ster).
chevron *m* 1 dakspar; 2 streep op mouw; *tissu à —s,* visgraatstof. ▼**chevronné** *bn (fig.)* ervaren.
chevrot/ant *bn* beverig van stem *(voix —e).* ▼**—ement** *m* het beven v.d. stem. ▼**—er** *ov.w* 1 beven v.d. stem; 2 jongen krijgen (van geit). ▼**—in** *m* 1 gelooid geitevel; 2 geitekaas. ▼**—ine** *v* grove hagelkorrel (van jagers).
chewing-gum *m* kauwgom.
chez *vz* 1 bij, naar (iem. thuis); *chez moi, soi,* thuis; *aller — qn.,* naar iemands huis gaan; *avoir un — soi,* een thuis hebben; 2 bij (in iemands land); *il est de — nous,* hij komt uit onze streek; 3 bij (in iemands persoon); — *lui*

ce n'est pas étrange, dat is bij hem niet vreemd. ▼**chez-soi** *m* 'n thuis, eigen huis.
chiader *on.w* (arg.) werken (voor een examen). ▼**chiadé** *bn* moeilijk.
chialer *(pop.)* schreien, grienen, janken.
chiasse *v* 1 vliegedrek; 2 *(pop.)* diarree.
chic I *bn* 1 chic, tip-top; 2 edelmoedig, sportief; 3 fijn, mieters. II *zn m* keurigheid, zwier; *de —,* zonder voorbeeld, uit het hoofd. III *tw (fam.)* — *(alors),* fijn, mieters.
chican/e *v* 1 advocatenstreek, uitvlucht, haarkloverij; 2 proces; 3 advocatenbent; 4 zigzagloopgraaf. ▼**—er** I *on.w* haarkloverijen, chicanes gebruiken, vitten. II *ov.w* betwisten. ▼**—eur** *m,* -euse *v* vitter (-ster); iem. die zich bedient van haarkloverijen.
chicard *m (pop.)* chique vent.
chiche *bn* gierig, karig; *— de,* karig met; *pois —s,* grauwe erwten. II *tw (fam.)* —!, je durft niet!
chichi *m* aanstellerij, kouwe drukte *(pop.).*
chicorée *v* 1 cichorei (plant); *— de Bruxelles,* witlof; 2 uitbrander *(arg.).*
chicot *m* stronk, stompje.
chicotin *m: amer comme —,* zo bitter als gal.
chien, -enne *v* 1 hond; *être — avec qn.,* hardvochtig, gierig tegenover iem. zijn; *être comme un — à l'attache,* geen enkele vrijheid hebben; *bon — chasse de race (spr.w),* de appel valt niet ver van de boom; *coiffé à la —,* met ponyhaar; *le — du commissaire,* de secretaris v.d. commissaris; *se regarder en —s de faience,* elkaar strak en boos aankijken; *— de garde,* waakhond; *entre — et loup,* tussen licht en donker; *métier de —,* hondebaantje; *mourir comme un —,* sterven, zonder de laatste H. Sacramenten ontvangen te hebben; *qui veut noyer son —, l'accuse de la rage (spr.w),* wie een hond wil slaan, kan gemakkelijk een stok vinden; *piquer un —,* een uiltje knappen; *recevoir qn. comme un — dans un jeu de quille,* iem. lomp ontvangen; *rompre les —s,* een gesprek afbreken; *ne pas valoir les quatre fers d'un —,* niets waard zijn; *— de temps (temps de —),* hondeweer; *— de vie,* hondeleven; *vivre comme — et chat,* als kat en hond leven; *elle a du —,* ze heeft sex-appeal; 2 haan v.e. geweer.
chiendent *m* 1 moeilijkheid; 2 hondsgras.
chienlit *m (fam.)* 1 carnavalsmasker; 2 vermomming.
chien†-loup† *m* wolfshond.
chier *on.w (plat)* schijten.
chiffe *v* 1 slechte stof, prulgoed; 2 slappeling. ▼**chiffon** I *zn m* lomp, vod; *— de papier,* vodje papier; *— d'enfant,* lief kindje. II **—s** strikjes en lintjes; *parler —,* over kleren praten. ▼**—nage** *m* het kreuken. ▼**—ner** *ov.w* 1 verkreukelen; 2 hinderen, ergeren. ▼**—nier** *m,* -nière *v* 1 voddenraper (-raapster); 2 ladenkast.
chiffr/age *m* becijfering. ▼**—e** *m* 1 cijfer; 2 bedrag; *— d'affaires,* omzet; 3 codecijfer, geheimschrift, lettercombinatie t.e. slot; 4 monogram. ▼**—er** I *ov.w* cijferen, rekenen. II *ov.w* 1 nummeren *(des pages);* 2 omzetten in cijferschrift *(un télégramme);* 3 becijferen *(une basse)* (muz.); 4 aantikken, hoog oplopen. ▼**—eur** *m* goed cijferaar.
chignole *v* 1 boor; 2 rammelkast, oude auto *(pop.).*
chignon *m* haarwrong, -toet.
Chili (le) Chili. ▼**Chilien, -ne** *m/v* Chileen(se). ▼**chilien** *bn* Chileens.
chimère *v* hersenschim. ▼**chimérique** *bn* hersenschimmig.
chimie *v* scheikunde. ▼**chimiothérapie** *v* chemotherapie. ▼**chimique** *bn* scheikundig. ▼**chimiste** *m* scheikundige.
chimpanzé *m* chimpansee.
Chine I *v* China. II **ch—** *m* Chinees papier, porselein.
chiné *bn* veelkleurig, gebloemd.
chiner *ov.w* hekelen, belachelijk maken.
chinois I *bn* Chinees; *ombres —es,* Chinese schimmen. II *zn* C—*m,* -e *v* Chinees (-ese).

III *m* Chinese taal. ▼**—erie** *v* **1** Chinees snuisterijtje; **2** kleingeestige maatregel.

chiot *m* jonge hond.

chiottes *v mv* (*plat*) w.c.

chiourme *v* de galeiboeven.

chiper *ov.w* (*pop.*), gappen, afkapen; *— un rhume,* een kou oplopen. ▼**chipeur** *m,* **-euse** *v* gapper (-ster).

chipie *v* (*pop.*) feeks; *c'est une —,* ze is een kat.

chipolata *v* worstje.

chipot/er *on.w* (*fam.*) **1** zeuren met werk; **2** kieskauwen; **3** afdingen. ▼**—eur** *m,* **-euse** *v* —ier *m,* **-ière** *v* (*fam.*) **1** kieskauwer (-ster); **2** pingelaar(ster).

chique *v* **1** tabakspruim; **2** soort vlo.

chiqué *m* (*fam.*) bluf.

chiquenaude *v* knip voor de neus.

chiquer *on.w* **1** pruimen; **2** eten (*pop.*); **3** slaan (*pop.*); **4** liegen, doen alsof (*arg.*). ▼**chiqueur** *m* pruimer.

chiromancie *v* het handlezen.

▼**chiromancien** *m,* **-enne** *v* iem. die de toekomst voorspelt na handlezen.

chirurg/ical [*mv* aux], **chirurgique** *bn* chirurgisch. ▼**—ie** *v* chirurgie. ▼**—ien** *m* chirurg.

chiure *v* drek (v. vliegen bijv.).

chlorate *m* chloraat. ▼**chlore** *m* chloor. ▼**chlorhydrate** *m* chloride. ▼**chlorique** *bn: acide —,* chloorzuur.

chloro/forme *m* chloroform. ▼**—former** *ov.w* in slaap maken door middel van chloroform. ▼**—phylle** *v* bladgroen.

chlorose *v* bleekzucht. ▼**chlorotique I** *bn* bleekzuchtig. **II** *zn m* of v lijder(es) aan bleekzucht.

chlorure *m* chloride; *— d'ammonium,* salmiak; *— de sodium,* keukenzout. ▼**chloruré** *bn* chloorhoudend.

choc *m* schok, botsing, treffen van twee legers; *— en retour,* terugslag; *troupes de —,* stoottroepen.

chocolat I *zn m* chocolade; *bâton de —,* reep chocolade. **II** *bn: être —* (*fam.*), een sof hebben. ▼**—erie** *v* chocoladefabriek, -winkel. ▼**—ier** *m,* **-ère** *v* chocoladefabrikant(e); winkelier(ster) in chocolade.

chœur *m* koor, rei; *enfant de —,* koorknaap.

choir *on.w onr.* vallen (*oud*).

choisi *bn* uitgelezen. ▼**choisir** *ov.w* kiezen. ▼**choix** *m* keus, keur; *au —,* naar keus; *avoir le —,* mogen kiezen; *avoir l'embarras du —,* niet weten, wat men kiezen moet; *des marchandises de —,* prima waren.

choléra *m* **1** cholera; **2** naarling, kreng (*pop.*). ▼**cholérique I** *bn* choleraächtig. **II** *zn m* of v choleralijder(es).

cholestérine *v,* **cholestérol** *m* cholesterol.

chôm/age *m* **1** rusttijd, tijdelijke stilstand v. e. werk; **2** werkeloosheid; *— partiel,* werktijdverkorting; *— saisonnier,* seizoensverkloosheid. ▼**—er I** *on.w* **1** niet werken op een feestdag; **2** werkeloos zijn. **II** *ov.w* de feestdag van een heilige vieren door niet te werken. ▼**—eur** *m,* **-euse** *v* werkeloze.

chope *v* **1** bierglas, -kruik; **2** de inhoud v. h. glas of de kruik.

choper *ov.w* (*pop.*) **1** gappen; **2** pakken; **3** oplopen (kou bijv.).

chopin *m* **1** buitenkansje (*arg.*); **2** kleine diefstal (*arg.*).

chopine *v* oude drankmaat van een halve liter ongeveer; (*fam.*) fles (wijn).

choquer *ov.w* **1** stoten, een schok geven, botsen; *— les verres,* klinken; **2** ergeren.

choral [*mv* als] *m* **1** koraal; wat een koor betreft; *société —,* zangvereniging. **II** *zn m* koraal.

chorée *v* (*med.*) sint-vitusdans.

choré/graphe *m* choreograaf. ▼**—graphie** *v* dans-, balletkunst. ▼**—graphique** *bn: art —,* danskunst.

choriste *m* koorzanger. ▼**chorus** *m* refrein, koor; *faire —,* in koor herhalen; (*fig.*) het eens zijn met.

chose I *v* **1** zaak, ding; *autre —,* iets anders; *pas grand'chose,* niet veel bijzonders; *la même —,*

hetzelfde; *parler de —s et d'autres,* over koetjes en kalfjes praten; *peu de —,* niet veel bijzonders; *la — publique,* de staat; *quelque —, iets; devenir quelque —,* het ver brengen. **II** *m* dinges, hoe heet hij ook weer?

chou [*mv* x] *m* **1** kool; *— blanc,* poedel bij kegelen, misukking; *—x de Bruxelles,* spruitjes; *chou† -fleur†,* bloemkool; *— frisé,* boerenkool; *— de Milan,* savooiekool; *chou† -navet†,* koolraap; *aller planter ses —x,* buiten stil gaan leven; **2** soes; *— à la crème,* roomsoes; **3** schatje, liefje.

chouan *m* royalistisch opstandeling in Bretagne en de Vendée tijdens de Fr. Revolutie. ▼**—nerie** *v* opstand der chouans.

choucas *m* torenkraai.

chouchou, -oute *v* lieveling. ▼**—ter** *ov.w* liefkozen, vertroetelen.

choucroute *v* zuurkool.

chouette I *v* kerkuil. **II** *bn* lief, aardig, leuk; *— alors!,* fijn!

choyer *ov.w* vertroetelen.

chrême *m* chrisma, H. Olie.

chrestomathie *v* bloemlezing.

chrétien, -enne I *bn* christelijk; *parlez —!,* spreek duidelijke taal!; *le roi Très C—,* de koning van Frankrijk. **II** *zn* **C—** *m,* **-enne** *v* christen, christin. ▼**chrétienté** *v* christenheid.

Christ *m* Christus; kruisbeeld. ▼**christianiser** *ov.w* kerstenen. ▼**christianisme** *m* christendom.

chromage *m* het verchromen. ▼**chromate** *m* chromaat.

chromat/ique I *bn* **1** wat betrekking heeft op kleuren; **2** chromatisch; *gamme —,* chromatische toonladder. **II** *zn v* kleurenleer, coloriet. ▼**—isme** *m* het gekleurd zijn, kleurschifting.

chrome *m* chroom. ▼**chromer** *ov.w* verchromen. ▼**chromique** *bn: acide —,* chroomzuur.

chromo *m* of *v* gekleurde plaat.
▼**—lithographie** *v* **1** steendruk in kleuren; **2** gekleurde plaat. ▼**—some** *m* chromosoom.
▼**—typographie, —typie** *v* kleurendruk.

chronicité *v* het chronisch karakter v. e. ziekte.
▼**chronique I** *zn v* **1** kroniek; **2** dagelijkse rubriek i. e. krant; **3** geruchten; *— scandaleuse,* lasterpraatjes. **II** *bn* chronisch. ▼**chroniqueur** *m* **1** kroniekschrijver; **2** overzichtschrijver.

chrono/gramme *m* vers, waarvan sommige letters een cijfer voorstellen; de gezamenlijke cijfers vormen een jaartal. ▼**—logie** *v* tijdrekenkunde. ▼**—logique** *bn* tijdrekenkundig, chronologisch. ▼**—métrage** *m* (het) opnemen met de chronometer.
▼**—mètre** *m* chronometer. ▼**—métrer** *ov.w* de tijd opnemen (*— une course*).
▼**—métreur** *m* tijdopnemer. ▼**—métrie** *v* tijdmeting.

chrysanthème *m* chrysanthemum (*plk.*).

chuchot/ement *m* gefluister. ▼**—er** *ov* en *on.w* fluisteren. ▼**—erie** *v* gefluisterd gesprek.
▼**—eur I** *zn m,* **-euse** *v* fluisteraar(ster). **II** *bn* fluisterend. ▼**—is** *m* gefluister.

chuinter *on.w* **1** het krassen v. d. uil; **2** het uitspreken v. d. ch (*cher*) en j (*je*).

chut! *tw* sst!

chute *v* **1** val, het afvallen (*feuilles*), het uitvallen (*cheveux*); *— d'eau,* waterval; *la — du premier homme,* de zondeval; *la — du jour,* het vallen v. d. avond; *la — du rideau,* het vallen v. h. scherm; **2** mislukking, val (*la — d'une pièce de théâtre, d'un auteur*); **3** resten stof, snippers papier, die na het knippen afvallen; **4** slot v. e. vers of muziekstuk.
▼**chuter** *on.w* (*pop.*) **1** vallen; **2** down gaan bij kaarten; **3** mislukken.

Chypre I *v* Cyprus. **II** *m* **1** wijn uit Cyprus; **2** fijne parfum.

ci *bw = ici,* hier; *ce livre-ci,* dit boek; *4 livres à 5 francs, ci 20 francs,* is samen; *ci-après,* hierna; *ci-contre,* hiernevens; *ci-dessous,* hieronder; *ci-dessus,* hierboven; *ci-devant,* voorheen; *un ci-devant,* een aanhanger v. h. Ancien Régime;

ci-gît, hier ligt (begraven); *ci-joint, ci-inclus*, hierbij, ingesloten; *par-ci par-là, de-ci de-là*, hier en daar.
ciao *tw* tot ziens.
cibiche *v* (*arg.*) sigaret.
cible *v* 1 schietschijf; 2 mikpunt (*fig.*).
ciboire *m* ciborie.
ciboul/e *v* bieslook. ▼—**ette** *v* klein bieslook.
ciboulot *m* (*pop.*) hoofd.
cicatri/ce *v* litteken. ▼—**cule** *v* littekentje.
　▼—**sant** *bn* helend, wonden genezend.
　▼—**sation** *v* het helen, dichtgaan v. e. wond.
　▼—**ser** *ov.w* 1 helen v. e. wond; 2 helen (*fig.*).
cicérone *m* gids.
cidre *m* Normandische appelwijn, cider.
　▼**cidrerie** *v* ciderfabriek.
ciel [*mv* **cieux**] *m* 1 hemel; lucht; *le —*
s'éclaircit, de lucht klaart op; *élever qn.*
jusqu'au —, iem. hemelhoog prijzen;
ophemelen; le feu du —, de bliksem; *grâce au*
—, goddank; *ô ciel!*, hemeltje lief! *à — ouvert*,
in de openlucht; *remuer — et terre*, hemel en
aarde bewegen; *— sombre*, bewolkte lucht;
tomber du —, als geroepen komen; 2 hemel v.
e. ledikant, v. e. schilderij (*mv* **ciels**); 3 klimaat
(*vivre sous un beau —*) (*mv* **ciels**); 4 gewelf
v. e. steengroeve (*mv* **ciels**).
cierge *m* waskaars; *devoir un beau — à qn.*,
veel aan iem. te danken hebben; *droit comme*
un —, kaarsrecht; *— pascal*, paaskaars.
cigale *v* cicade.
cigare *m* sigaar; *— brun*, zware sigaar; *—*
blond, lichte sigaar. ▼**cigarette** *v* sigaret.
cigogne *v* ooievaar.
cigue *v* 1 waterscheerling, dolle kervel (*plk.*);
2 gif, uit deze plant bereid; *boire la —*, de
gifbeker ledigen.
ci-inclus, ci-joint *zie* ci.
cil *m* ooghaar, wimper.
cilice *m* haren boetekleed, -gordel.
cillement *m* het knipperen met de ogen,
knipogen. ▼**ciller** *ov. en on.w* met de ogen
knipperen, knipogen; *je n'ose — devant lui*, ik
durf in zijn bijzijn mijn mond niet open te doen.
cime *v* 1 top, kruin; 2 toppunt (*fig.*).
ciment *m* 1 cement; 2 hechte band. ▼—**er**
ov.w 1 met cement verbinden; 2 bevestigen,
bezegelen (*— la paix*). ▼—**ier** *m*
cementwerker.
cimeterre *m* kromme oosterse sabel.
cimetière *m* begraafplaats, kerkhof.
cimier *m* 1 helmkam; 2 lendestuk.
cinabre *m* vermiljoenrood.
ciné *m* (*fam.*) bios. ▼—**actualités** *v mv* cineac.
　▼—**aste** *m/v* cineast(e). ▼—**club†** *m*
filmclub. ▼—**ma** *m* 1 bioscoop; 2 film (kunst);
3 iets onwaarschijnlijks. ▼—**mathèque** *v*
filmotheek. ▼—**matique** *v* leer v. d. beweging.
　▼—**matographe** *m* filmtoestel. ▼—**phile** *m/v*
filmliefhebber (-ster).
cinéraire *bn*: *urne —*, urn.
ciné-roman† *m* roman, ontleend aan een film.
cinétique *bn* wat de beweging betreft;
kinetisch.
cinglant *bn* fel, ruw, bars, hard.
cinglé I *bn* (*pop.*) getikt, een beetje gek. II *zn*
gek.
cingler I *on.w* varen, zeilen, koers zetten naar.
II *ov.w* striemen, geselen.
cinq *telw.* vijf; *en — sec*, vlug, een-twee-drie;
les — lettres = 'merde'; *il était — cinq*, het was
net op tijd.
cinquantaine *v* 1 vijftigtal; 2 gouden bruiloft.
　▼**cinquant/e** *telw* vijftig. ▼—**enaire** *m*
1 gouden feest; halve-eeuw-feest; 50e
verjaardag; 2 vijftigjarige. ▼—**ième** I *bn*
vijftigste. II *zn m* vijftigste deel. ▼**cinquième**
I *bn* vijfde. II *zn m* vijfde deel. III *v* bij het MO
de vijfde klas van boven af. ▼**cinquièmement**
bw ten vijfde.
cintre *m* 1 boog v. e. gewelf; *plein —*,
rondboog; *loges du —*, bovenste loges;
2 ruimte boven het toneel; 3 kleerhanger,
knaapje.
cintré *bn* (*fam.*) gek, getikt.
cintrer *ov.w* 1 welven, krommen; 2 tailleren.

cirage *m* 1 het boenen; het poetsen van
schoenen; 2 schoensmeer; *être dans le —*
(*fam.*), de kluts kwijt zijn.
circon/cire *ov.w* besnijden. ▼—**cision** *v*
besnijdenis.
circonférence *v* omtrek.
circonflexe *bn* omgebogen; *accent — (ˆ)*.
circonlocution *v* omschrijving, omhaal van
woorden.
circon/scription *v* 1 omschrijving; 2 district;
— électorale, kiesdistrict. ▼—**scrire** *ov.w onr.*
omschrijven.
circon/spect *bn* bedachtzaam, omzichtig,
voorzichtig. ▼—**spection** *v* bedachtzaamheid, voorzichtigheid.
circon/stance *v* omstandigheid; *figure de —*,
gelegenheidsgezicht. ▼—**stancié** *bn*
uitvoerig, gedetailleerd. ▼—**stanciel, -elle** *bn*
van de omstandigheden afhangend;
complément —, bijwoordelijke bepaling;
proposition -elle, bijwoordelijke bijzin.
circonvenir *ov.w onr.* om de tuin leiden.
circonvolution *v* winding, cirkel.
circuit *m* 1 omweg; 2 omhaal; 3 rondrit,
-vlucht; 4 elektrische stroom; *court-—*,
kortsluiting; 5 — *de freinage*, remcircuit,
-leiding.
circul/aire I *bn* kring-, cirkelvormig;
mouvement —, rondgaande beweging;
kringloop; raisonnement —, redenering in een
kringetje; *regard —*, blik om zich heen; *scie —*,
cirkelzaag; *voyage —*, rondreis. II *zn v*
circulaire. ▼—**ation** *v* 1 omloop; *banque de*
—, circulatiebank; *mettre en —*, in omloop
brengen; *la — du sang*, de bloedsomloop;
2 verspreiding van ideeën; 3 verkeer, passage;
— fluide, vlot doorstromend verkeer; *—*
interdite, verkeer opgestremd. ▼—**atoire** *bn* wat
de bloedsomloop betreft; *appareil —*,
aderenstelsel; *troubles —s*, storingen in de
bloedsomloop. ▼—**er** *on.w* 1 rondlopen,
rondgaan, stromen (*le sang circule dans les*
veines); *circulez!*, doorlopen!; 2 in omloop
zijn; 3 heen en weer gaan, -rijden; 4 zich
verspreiden, rondgaan (*le bruit circule*).
circumpolaire *bn* om de pool (*région —*).
cire *v* 1 was; *jaune comme —*, zo geel als
saffraan (van gelaatskleur); *manier qn. comme*
de la — molle, alles met iemand kunnen doen;
— à modeler, boetseerwas; *cela va comme de*
—, dat sluit als een bus, zit als gegoten;
2 waskaars; 3 lak; *— à cacheter*, zegellak;
bâton de —, pijp lak; 4 oorsmeer; vuil in de
ogen. ▼**ciré** *m* oliejas. ▼**cirer** *ov.w* boenen,
met was inwrijven, poetsen van schoenen;
toile cirée, wasdoek. ▼**cireur** *m, -euse* *v*
I schoenpoetser (-ster), inwrijver (inwrijfster)
v. vloeren enz. II *-euse* *v* boenmachine.
▼**cireux, -euse** *bn* wasachtig.
cirque *m* 1 circus; 2 arena bij de Romeinen;
3 keteldal; 4 (*pop.*) Tweede Kamer; 5 herrie.
cirrhose *v* (*med.*) cirrose (leverziekte).
cirrus *m* vederwolk.
cis *vv* aan deze kant.
cisaille *v* snoeischaar, metaalschaar.
▼**cisailler** *ov.w* doorknippen.
cisalpin *bn* aan deze zijde der Alpen (van
Rome uit gerekend).
ciseau [*mv* **x**] *m* beitel; (*une paire de*) *—x*, een
schaar. ▼**cisel/er** *ov.w* 1 beitelen, ciseleren;
2 nauwkeurig verzorgen (*son style*). ▼—**eur** *m*
ciseleur (vervaardiger van gedreven
metaalwerk). ▼—**ure** *v* 1 het drijven van
metalen; 2 gedreven werk.
cisjuran *bn* aan deze zijde v. de Jura.
cisrhénan *bn* aan deze zijde v. d. Rijn.
cistercien I *zn m, -enne* *v* cistercienzer
monnik of kloosterzuster. II —, **-enne** *bn* wat
betrekking heeft op de cisterciënzers.
citadelle *v* citadel, centrum.
citadin I *zn m* stedeling. II *bn* stedelijk, stads-.
citateur I *zn m, -trice* *v* iem. die vaak anderen
citeert. II *m* verzameling citaten. ▼**citation** *v*
1 citaat; 2 dagvaarding v. e. deurwaarder; 3 —
(*à l'ordre du jour*), eervolle vermelding bij
dagorder v. e. militair.

cité v **1** oudste stadsgedeelte (*la — de Paris*); **2** de inwoners v. e. stad; **3** stad; *la — céleste*, het hemels paradijs; *droit de —*, burgerrecht; *— sainte*, Jeruzalem; **4** zeer grote stad; **5** stadswijk; *— ouvrière*, arbeiderswijk; *— universitaire*, universiteitswijk van Parijs.

citer *ov.w* **1** aanhalen, citeren; **2** aanvoeren van feiten; **3** voor de rechter dagvaarden; **4** bij mil. dagorder vermelden.

citerne v regenbak; *wagon-citerne*, tankwagon; *camion-citerne*, vrachtwagen met tank voor vloeistoffen (water, olie enz.); *avion-citerne*, moedervliegtuig (om te tanken).

cithare v citer. ▼**citariste** *m* of v citerspeler (-speelster).

citoyen *m*, **-enne** v **1** burger(es); *un drôle de —*, een rare snuiter; **2** tijdens de Fr. Revolutie aanspreektitel, die 'monsieur' verving. ▼**—neté** v burgerschap.

citrique *bn*: *acide —*, citroenzuur. ▼**citron** l *zn* *m* citroen; *— pressé, — à l'eau*, citroenkwast; (*pop.*) hoofd. ll *bn* citroengeel. ▼**—nade** v citroenkwast. ▼**—né** *bn* bereid met citroen. ▼**—nelle** v citroenbrandewijn. ▼**—ner** *ov.w* citroensap toevoegen, inwrijven met citroensap (*— un poisson*). ▼**—nier** *m* citroenboom.

citrouille v pompoen (*plk.*); (*pop.*) kop.

cive v bieslook.

civet *m* ragoût van wild met wijn en uien; *— de lièvre*, hazepeper.

civette v **1** civetkat; **2** bieslook.

civière v draagbaar.

civil l *bn* **1** burgerlijk; *cause —e*, civiele zaak; *discordes —es*, burgertwisten; *droits —s*, burgerrechten; *état —*, burgerlijke stand; *guerre —e*, burgeroorlog; **2** beleefd, beschaafd. ll *zn m* burger in tegenstelling met geestelijke of militair; *en —*, in burgerkleding.

civilisateur, -trice l *bn* beschavend. ll *zn m, -trice* v beschaver (beschaafster). ▼**civilisation** v **1** het beschaven; **2** beschaving; **3** (Frankrijk)kunde. ▼**civiliser** *ov.w* beschaven.

civilité v (*oud*) beleefdheid, beschaafdheid, wellevendheid; *faire des —s*, complimenten maken.

civique *bn* burgerlijk; *droits —s*, burgerrechten; *garde —*, burgerwacht, nationale reserve. ▼**civisme** *m* burgerzin.

clabaud/age *m* geschreeuw, (het) afgeven (op). ▼**—er** *on.w* **1** zonder reden blaffen; **2** kwaadspreken; **3** uitvaren, kijven. ▼**—eur** *m*, **-euse** v **1** schreeuwer (schreeuwster); **2** kwaadspreker (-spreekster).

clafoutis *m* vruchtentaart.

claie v hek-, traliewerk.

clair l *bn* **1** klaar, helder; *argent —*, gereed geld; *— comme le jour*, zonneklaar; **2** licht; *il fait —*, het is dag; *des yeux bleu —*, lichtblauwe ogen; **3** duidelijk. ll *bw*: *semer —*, dun zaaien; *j'y vois — maintenant*, nu zie ik het; *on ne voit plus —*, ik kan niet goed meer zien. lll *zn m* licht, helderheid; *— de lune*, maneschijn; *tirer une affaire au —*, een zaak ophelderen; *le plus —*, het grootste deel.

clairet *m* lichtrode wijn. ▼**clairette** v mousserende witte wijn.

claire†-voie† v **1** traliewerk, omheining met openingen; **2** rij ramen boven in het schip van gotische kerken; *à —*, met openingen, opengewerkt.

clairière v **1** open plek in een bos; **2** dunne plek in een weefsel.

clair†-obscur† *m* effect op een schilderij, waarbij een gedeelte in het volle licht staat, terwijl de rest donker is.

clairon *m* **1** hoorn; **2** hoornblazer. ▼**—ner** *on.w* op de hoorn blazen; *voix claironnante*, doordringende, schelle stem.

clairsemé *bn* dun (*blé —, cheveux —s*).

clair/voyance v **1** helderziendheid; **2** doorzicht, inzicht. ▼**—voyant** *bn* **1** helderziend; **2** scherpziend; **3** scherpzinnig.

clamer *ov.w* uitroepen, uitschreeuwen.

▼**clameur** v geschreeuw, geraas.

clamser (clamecer) *on.w* (*pop.*) doodgaan.

clan *m* **1** Schotse of lerse stam; **2** kliek.

clandestin *bn* heimelijk, clandestien; *publicité —e*, sluikreclame. ▼**—ité** v **1** heimelijkheid; **2** ondergronds verzet tijdens oorlog; **3** de leden v.d. ondergrondse.

claper (*arg.*) eten.

clapet *m* klep; *— de piston*, zuigerklep; (*pop.*) mond, klep.

clapier *m* konijnehol; *lapin de —*, tam konijn.

clapotage *m*, **clapotement** *m*, **clapotis** *m* gekabbel van golven. ▼**clapoter** *on.w* kabbelen van golven.

clapper *on.w* smakken.

claquage *m* spierverrekking.

claquant *bn* **1** klappend, klapperend; **2** (*pop.*) vermoeiend. ▼**claque** l v **1** klap; **2** claque (mensen, die betaald worden om te applaudisseren); **3** overschoen; **4** (*pop.*) *en avoir sa —*, er genoeg van hebben. ll *m* opvouwbare hoge hoed. ▼**claquement** *m* geklap, het klappen.

claquemurer l *ov.w* in een kamer opsluiten. ll *se —* zich in zijn kamer opsluiten.

claquer l *on.w* **1** klappen; *— des dents*, klappertanden; *— des mains*, in de handen klappen; *faire — son fouet* (*fam.*), zich gewichtig voordoen; **2** (*fam.*) barsten, springen; **3** (*pop.*) sterven; **4** (*pop.*) mislukken; **5** (*pop.*) *— du bec*, honger hebben. ll *ov.w* **1** een klap geven; **2** toejuichen; **3** (*pop.*) vermoeien; *se — un muscle*, een spier verrekken; **4** (*pop.*) verkopen.

claqueter *on.w* klepperen van ooievaars.

claquette v klepper, ratel; *danse à —s*, tapdans.

clarification v klaring. ▼**clarifier** *ov.w* helder maken, klaren van vloeistoffen.

clarine v koe-, schapebel.

clarinet/te v **1** klarinet; **2** klarinettist; **3** (*arg.*) geweer. ▼**—tiste** *m* klarinettist.

clarisse v claris (kloosterzuster).

clarté v **1** licht, helderheid; **2** duidelijkheid.

classe v **1** klas, klasse; *la rentrée des —s*, het begin van het nieuwe schooljaar; **2** schooltijd, les; *faire la —*, les geven; *faire ses —s*, school gaan; *en —*, tijdens de class; **3** stand; **4** rang; **5** mil. lichting; **6** klasse van planten of dieren. ▼**classement** *m* rangschikking, klassement. ▼**classer** *ov.w* rangschikken, classificeren, seponeren. ▼**classeur** *m* **1** hij, die indeelt, rangschikt; **2** map voor papieren, multo-map; **3** mappenkast.

classicisme *m* classicisme.

classi/fication v het indelen in klassen, classificatie. ▼**—fier** *ov.w* classificeren, indelen in klassen.

classique l *bn* **1** klassiek, voortreffelijk; **2** klassiek (van schrijvers uit oudheid en 17e eeuw); *les langues —s*, Latijn en Grieks; **3** wat de school betreft; *livre —*, schoolboek. ll *zn m* **1** groot, klassiek schrijver; **2** schrijver uit de 17e-eeuwse school v.h. classicisme.

claudication v (het) hinken. ▼**claudiquer** *on.w* hinken.

clause v clausule; *—-or*, goudclausule.

claustral [*mv aux*] *bn* van het klooster. ▼**claustration** v opsluiting in een klooster. ▼**claustrer** *ov.w* opsluiten i. e. klooster.

claustrophobie v claustrofobie, engtevrees.

clavecin *m* klavecimbel. ▼**—iste** *m* klavecimbelspeler.

clavelée v schapepokken.

claveter *ov.w* vastnagelen. ▼**clavette** v bout, pin.

clavicule v sleutelbeen.

clavier *m* **1** klavier v. piano enz.; **2** sleutelring.

clayère v oesterpark.

clayonnage *m* rijswerk. ▼**clayonner** *ov.w* van rijshout voorzien.

clébard (clebs) *m* (*pop.*) hond.

clef (clé) v **1** sleutel; *prendre la — des champs*, er vandoor gaan; *fermer à —*, op slot doen; *mettre la —s sur la fosse*, v. e. erfenis afzien; *mettre sous* —, achter slot doen; *la* — *d'un pays*, sterke grensvesting; *mettre la* — *sous la porte*, met de noorderzon vertrekken; **2** sleutel = verklaring, oplossing; **3** sleutel (*muz.*). (— *de sol* enz.); **4** sleutel v. e. muziekinstrument; **5** sleutel voor schroeven; — *anglaise*, Engelse sleutel; **6** sleutel van geheimschrift; **7** — *de voûte*, sluitsteen.

clématite v clematis (*plk.*).

clémence v vergevingsgezindheid, goedertierenheid. **▼clément** *bn* goedertieren, vergevingsgezind, genadig; *ciel* —, zacht klimaat; gunstig weer; gunstig lot.

clémentine v soort mandarijn.

clenche, clenchette v klink.

Cléopâtre v Cleopatra.

clepto/mane m of v kleptomaan. **▼—manie** v kleptomanie, zucht tot stelen.

clerc m **1** klerk bij notaris, wetgeleerde enz.; **2** toekomstig geestelijke, die de kruinschering heeft ontvangen; **3** geleerde.

clergé m geestelijkheid; — *régulier*, kloosterlingen; — *séculier*, wereld-geestelijken.

clérical [*mv* aux] **I** *bn* geestelijk, kerkelijk. **II** *zn m* klerikaal (iem. die de geestelijkheid een rol wil laten spelen in het openbare leven). **▼—isme** m de denkwijze der klerikalen.

clic! *tw* klik! klak!

clich/age m het maken v. e. cliché. **▼—é** m **1** cliché; **2** fotonegatief; **3** gemeenplaats. **▼—er** *ov.w* een cliché maken. **▼—erie** v atelier, waar men cliché's maakt; clichéfabriek. **▼—eur** m clichémaker.

client m **1** klant; **2** patiënt; **3** opdrachtgever. **▼clientèle** v klanten, cliënten.

clignement m het knipogen, knipoogje. **▼cligner** (*les yeux*) de ogen half sluiten. **II** *on.w*: — *des yeux*, knipogen.

clignot/ant m richtingaanwijzer (knipperlicht). **▼—ement** m (het) knipperen met de ogen. **▼—er** *on.w* geregeld met de ogen knipperen. **▼—eur** m **1** knipperlicht; **2** richtingaanwijzer.

climat m **1** klimaat; **2** landstreek; **3** zielsgesteltenis. **▼—ique** *bn* het klimaat betreffend; *station* —, herstellingsoord. **▼—isation** v air-conditioning. **▼—isé** *bn* voorzien van air-conditioning. **▼—iser** *ov.w* de lucht in een kamer of zaal koel houden; voorzien van air-conditioning. **▼—iseur** m ventilator, klimaatregelaar. **▼—ologie** v klimaatkunde. **▼—ologique** *bn* klimaatkundig.

clin m (*d'œil*) knipoogje; *en un* — *d'œil*, in een oogwenk.

clinicien m clinicus. **▼clinique I** *bn* klinisch (*med.*). **II** *zn v* **1** kliniek; **2** methode van diagnostiseren via directe observatie.

clinquant I *zn m* klatergoud (ook *fig.*). **II** *bn* opzichtig, blinkend.

clipper m **1** groot zeilschip; **2** transatlantisch vliegtuig.

clique v **1** kliek, bent; **2** fanfare; **3—s** *mv* klompen; *prendre ses* — *s et ses claques*, vertrekken met alles wat men bezit.

cliqueter *on.w* kletteren, rinkelen, klikken. **▼cliquetis** m gekletter, gerinkel. **▼cliquette** v klepper.

clitoris m clitoris.

clivage m het kloven van diamanten. **▼cliver** *ov.w* (diamanten) kloven.

cloaque m **1** riool, vuilnisput; **2** modderpoel; **3** (*fig.*) poel (*de vices*).

clochard m (*pop.*) vagebond.

cloche v **1** klok; *déménager à la* — *de bois*, met stille trom vertrekken; *qui n'entend qu'une* —, *n'entend qu'un son* (spr.w), bij een geschil moet men beide partijen horen; **2** stolp; — à *fromage*, kaasstolp; — à *plongeur*, duikerklok; **3** blaar; **4** (*fam.*) sukkel; **5** (*fam.*) *se taper la* —, goed eten.

cloche-pied (à —) *bw* op één been; *sauter à* —, hinken.

clocher I *zn m* **1** (klokke)toren; **2** parochie; **3** geboortestreek; *aller revoir son* —, zijn

geboorteplaats gaan opzoeken; *n'avoir vu que son* —, weinig van het leven afweten; *esprit de* —, kleinsteedsheid, bekrompenheid. **II** *on.w* **1** hinken; **2** niet geheel in orde zijn; *ce vers cloche*, er ontbreekt iets aan de maat van dat vers; *il y a qc. qui cloche*, er hapert iets aan.

clocheton m klokje. **▼clochette** v **1** klokje; **2** klokje (*plk.*).

cloison v (tussen)schot; — *étanche*, waterdicht schot (*scheepv.*). **▼—né** *bn* in afdelingen verdeeld, beschoten. **▼—ner** *ov.w* afschutten.

cloître m **1** kloostergang; **2** klooster. **▼cloîtrer I** *ov.w* **1** in een klooster opsluiten; **2** opsluiten. **II** *se* — in een klooster gaan, zich opsluiten (*fig.*).

clone m kloon.

clopin-clopant *bw* strompelend. **▼clopiner** *on.w* strompelen.

cloporte m pissebed.

cloque v (brand)blaar.

clore *ov.w* *onr.* **1** (af)sluiten; — *un compte*, een rekening afsluiten; — *un marché*, een koop sluiten; à *huis clos*, met gesloten deuren; *rester bouche close*, met de mond vol tanden staan; *trouver porte close*, voor een gesloten deur komen; **2** (*oud*) omringen, omheinen. **▼clos** m **1** omheind bouwland, erf; **2** wijngaard. **▼closerie** v **1** kleine boerderij; **2** kleine wijngaard. **▼clôture** v **1** omheining; tuinmuur; **2** sluiting. **▼clôturer** *ov.w* omheinen, afsluiten.

clou m **1** spijker; *un* — *chasse l'autre* (spr.w), de een zijn dood is de ander zijn brood, nieuwe zorgen doen de oude vergeten; — à *crochet*, duim; *gras comme un* —, broodmager; *clou de girofle*, kruidnagel; *river son* — à *qn.*, iem. de mond snoeren; *suspendre qc. à un* —, iets niet meer gebruiken; *cela ne vaut pas un* —, dat is geen cent waard; **2** aantrekkingspunt, voornaamste attractie; *c'était le* — *de la soirée*, het was de clou v.d. avond; **3** (*pop.*) 'ome jan' (bank van lening); **4** steenpuist; **5** (*pop.*) politiepost; **6** (*pop.*) machine, auto enz. in slechte staat. **▼—age** m, **▼—ement** m het vastspijkeren. **▼—er** *ov.w* **1** vastspijkeren; **2** kluisteren (aan bed); **3** vastzetten; **4** — *le bec à qn*, de mond snoeren. **▼—ter** *ov.w* met spijkers beslaan; *passage clouté*, met spijkers beslagen oversteekplaats. **▼—terie** v spijkerfabriek, -handel. **▼—tier** m spijkerfabrikant, handelaar in spijkers.

clown m, **-esse** v clown. **▼—erie** v **1** de gezamenlijke clowns; **2** clownenstreek. **▼—esque** *bn* clownachtig.

club m **1** sociëteit, club; **2** golfstok; **3** leren fauteuil.

cluse v rotskloof.

co, col, com, con *vv* mede.

coaccusé m medebeschuldigde.

coach m **1** postkoets; **2** auto met twee deuren en vier ramen.

co/acquéreur m medekoper. **▼—adjuteur** m coadjutor (ambtswaarnemer) v. e. bisschop. **▼—adjutrice** v plaatsvervangend abdis. **▼—agulable** *bn* stolbaar. **▼—agulant** *bn* stollend. **▼—agulation** v stolling. **▼—aguler I** *ov.w* doen stollen. **II** *se* — stollen. **▼—alisé** *bn* verbonden; *les* —*s*, de verbondenen. **▼—aliser I** *ov.w* doen samenspannen. **II** *se* — een bondgenootschap sluiten, zich verbinden, samenspannen. **▼—alition** v verbond, vakverbond, (het) samenspannen.

coaltar m koolteer.

coassement m gekwaak v. d. kikker. **▼coasser** *on.w* **1** kwaken v. d. kikker; **2** schreeuwen; **3** kuipen, samenspannen.

coauteur m **1** iem. die met een ander samen een boek schrijft; **2** medeplichtige.

coaxial *bn* op eenzelfde as aangebracht.

cobalt m kobalt.

cobaye m **1** Guinees biggetje, marmot(je); **2** (*fam.*) proefkonijn.

cobelligérant I *bn* medeoorlogvoerend. **II** *zn* m medeoorlogvoerende.

cobra m brilslang.

cocagne v: *mât de* —, mast voor het mastklimmen; *pays de* —, luilekkerland.
cocaïne v cocaïne. ▼**cocaïnomane** m of v verslaafde aan cocaïne.
cocarde v kokarde. ▼**cocardier** m, -ère v iem. die v. h. leger, uniformen enz. houdt.
cocasse bn belachelijk, zot. ▼**cocasserie** v zotternij.
coccinelle v 1 onze-lieve-heersbeestje; 2 Kever (VW).
coche m grote diligence; *manquer le* —, een goede gelegenheid laten voorbijgaan (de boot missen); — *d'eau*, trekschuit. ▼**cocher** I zn m koetsier. II *ov.w* 1 inkepen; 2 aankruisen. ▼**cochère** bn: *porte* —, inrijpoort.
cochevis m kuifleeuwerik.
cochon m 1 varken, zwijn (ook *fig.*); — *des blés*, hamster; — *d'Inde*, Guinees biggetje, marmot (je); — *de lait*, speenvarken; — *de mer*, bruinvis; 2 varkensvlees. ▼—**ner** *ov.w* (*pop.*) verknoeien. ▼—**nerie** v vuiligheid, smerige streek. ▼—**net** m 1 varkentje; 2 balletje (mikpunt) bij 'jeu de boules'.
cocktail m cocktail-party.
coco m 1 v kokosnoot; 2 aanspreektitel voor lieve kleine jongen (*mon petit* —); 3 kerel; *un joli, vilain* —, een fielt; 4 ei (*kindertaal*). II v (*fam.*) cocaïne.
cocon m pop van rups.
cocorico m kukeleku.
cocotier m kokospalm.
cocotte v 1 ijzeren pan (met deksel); — *minute*, snelkookpan; 2 kip (*kindertaal*); 3 *hue* —!, hop (paard)!; 4 vrouw van lichte zeden.
coction v 1 het koken; 2 spijsvertering.
cocu zn/bn bedrogen (echtgenoot). ▼**cocufier** *ov.w* (*plat*) bedriegen met een ander.
code m 1 wetboek; — *pénal*, wetboek van strafrecht; 2 voorschriften, regels; *phares* —, dimlichten; *se mettre en* —, dimmen; 3 code.
codébiteur m, -**trice** v medeschuldenaar (-schuldenares).
coder *ov.w* coderen.
codétenu m medegevangene.
codex m receptenboek van apothekers.
codicille m aanhangsel van een testament, dat dit wijzigt, codicil.
codification v (het) tot een wetboek verenigen. ▼**codifier** *ov.w* tot een wetboek verenigen.
codirecteur m, -**trice** v mede-directeur (-trice).
coéducation v gemeenschappelijke opvoeding van jongens en meisjes.
coefficient m coëfficiënt.
coéquation v belastingomslag.
coéquipier m, -**ère** v teamgenoot (-genote).
coercible bn samendrukbaar (bijv. van lucht). ▼**coercition** v dwang.
cœur m 1 hart (in verschillende betekenissen); *aller au* —, ontroeren; *les battements, les pulsations du* —, de slagen v. h. hart; *de bon, de grand, de tout son* —, van ganser harte, graag; *à contre cœur*, tegen de zin; *si le* — *vous en dit*, als u er zin in hebt; *au* — *de l'été*, in het hartje v. d. zomer; *avoir le* — *gros*, verdrietig zijn; *homme à* —, rechtschapen, moedig man; *loin des yeux, loin du* — (*spr.w*) uit het oog, uit het hart; *avoir le* — *sur la main*, het hart op de tong hebben; *mal de* —, misselijkheid; *je veux en avoir le* — *net*, ik wil er het mijne van hebben; *à* — *ouvert*, openhartig; *avoir le* — *à l'ouvrage*, in zijn werk opgaan; *par* —, uit het hoofd; *dîner par* —, niet eten; *peser sur le* —, verdriet doen; *prendre à* —, ter harte nemen; 2 harten (bij kaartspel).
coexist/ant bn tegelijk bestaand. ▼—**ence** v het gelijktijdig bestaan, -voorkomen. ▼—**er** *on.w* gelijktijdig bestaan, -voorkomen.
coffrage m bekisting (van beton). ▼**coffre** m 1 koffer; kist; *les* — *s de l'Etat*, de schatkist; achterbak (auto); 2 boei; — *d'amarrage*, meerboei; 3 borst (*avoir le* — *solide*). ▼**coffre†-fort†** m 1 brandkast; 2 (*arg.*)

gevangeniswagen. ▼**coffrer** *ov.w* (*fam.*) in de gevangenis stoppen. ▼**coffret** m koffertje, kistje; — *à bijoux*, juwelenkistje.
cogiter *on.w* (*iron.*) nadenken.
cognac m cognac.
cogne m (*pop.*) politieagent.
cognée v grote bijl; — *de bûcheron*, houthakkersbijl; *jeter le manche après la cognée*, alles in de steek laten.
cogner I *ov.w* slaan, inslaan. II *on.w* kloppen, stoten. III *se* — (*pop.*) vechten.
cognition v (*fil.*) kenvermogen.
cohabit/ation v het samenleven, -wonen van twee personen, inwoning. ▼—**er** *on.w* samenwonen als man en vrouw.
cohérence v samenhang. ▼**cohérent** bn samenhangend.
cohéritier m, -**ère** v medeërfgenaam (-gename).
cohésif, -ive bn samenvoegend. ▼**cohésion** v cohesie.
cohorte v 1 cohorte bij de Romeinen (het tiende gedeelte v. e. legioen); 2 (*fam.*) groep.
cohue v mensenmassa, gedrang.
coi, coite bn: *se tenir* —, zich koest houden.
coiffant *ov.w*: *chapeau qui a un bon* —, hoed die goed staat. ▼**coiffe** v 1 vrouwenmuts, -kap; 2 helm van pasgeboren kinderen; 3 voering v. e. hoed. ▼**coiffé** bn 1 gekapt; 2 met een muts of kap op; *être* — *d'un chapeau*, een hoed op hebben; *être né* —, met de helm geboren zijn; 3 ingenomen met (*être* — *d'une personne*). ▼**coiff/er** I *ov.w* 1 het hoofd bedekken met (— *d'un chapeau*); 2 kappen (*coiffer sainte Catherine*, op haar 25e jaar nog niet getrouwd zijn; *s'habiller comme un chien coiffé*, er bespottelijk uitzien. II *se* — 1 zich het hoofd bedekken, zijn hoed opzetten; 2 zijn haren doen, zich kappen; 3 weglopen met, ingenomen zijn met (*de* —). ▼—**eur** I zn m, -**euse** v kapper (-ster). II -**euse** v kaptafel. ▼—**ure** v 1 hoofddeksel; 2 kapsel.
coin m 1 hoek; *connaître dans les* —s, door en door kennen; — *de feu*, huiselijke, gemakkelijke leuningstoel; *les quatre* —s *du monde*, overal; *regarder du coin de l'œil*, iem. tersluiks aankijken; *tu m'en bouches un* —, (*fam.*) je verbaast me; 2 — *de terre*, lapje grond; 3 wig; 4 muntstempel.
coincer *ov.w* 1 met wiggen vastzetten; klemmen; *être coincé*, klem zitten; *se* —, vastlopen; — *la bulle*, (*pop.*) niets doen; 2 vangen (ook *fig.*).
coïncid/ence v samenloop van omstandigheden. ▼—**ent** bn gelijktijdig, samenvallend. ▼—**er** *on.w* samenvallen.
coin-coin m kwak-kwak (gekwaak v. e. eend).
coinculpé m medebeschuldigde.
coing m kweepeer.
coin-repas m eethoek.
cointéressé m medebelanghebbende.
coït m coitus.
coke m cokes.
col m 1 kraag, boord; *faux* —, losse boord; 2 hals van fles enz.; 3 bergpas.
colback m kolbak.
col†-bleu† m (*fam.*) zeeman.
col†-de-cygne† m zwanehals.
colégataire m medeërfgenaam.
coléoptère m kever.
colère I zn v woede, toorn; *se mettre en* —, woedend worden. II bn opvliegend, driftig. ▼**coléreux, -euse, colérique** bn driftig.
colibri m kolibrie.
colifichet m 1 snuisterij, kleinigheidje, prul; 2 vogelkoekje.
colimaçon m huisjesslak; *escalier en* —, wenteltrap.
colin m waterhoentje; koolvis.
colin-maillard m: *jouer à* —, blindemannetje spelen.
colique v buikpijn, koliek; *aimer comme la* —, kunnen missen als kiespijn; *avoir la* — (*fam.*), bang zijn; *donner la* — (*fam.*), veel verdriet doen.
colis m kist, pak, zak met waren; — *postal*,

postpakket.
collabor/ateur m, **-atrice** v 1 medewerker
(-ster); 2 collaborateur (iem. die samenwerkt
met de vijand). ▼—**ation** v 1 medewerking;
2 collaboratie (samenwerking met de vijand).
▼—**ationniste** m voorstander van
collaboratie. ▼—**er** on.w 1 medewerken
(aan); 2 collaboreren.
collage m 1 (het) behangen; 2 (het) lijmen;
3 (het) klaren (van wijn); 4 (fam.) (het)
samenwonen, 'hokken'. ▼**collant** l bn
1 klevend, plakkend; 2 nauwsluitend; 3 (fam.)
opdringerig, taai. II zn m panty.
collapsus m plotselinge lichamelijke inzinking,
collaps.
collatéral [mv aux] l bn zijdelings, zijwaarts;
ligne —e, zijlinie (van geslacht); parents
—aux, zijverwanten; nef —e, zijbeuk; points
—aux, de windstreken tussen de vier
hoofdwindstreken (bijv. n.o., z.w.). II zn m, -e
v zijverwant(e). III m zijbeuk.
collation v 1 vergelijking v.d. kopie met het
origineel; 2 lichte middag- of avondmaaltijd.
▼—**nement** m het collationeren. ▼—**ner**
l ov.w teksten vergelijken (collationeren).
II on.w een collatie gebruiken.
colle v 1 lijm; — de pâte, stijfsel; — de poisson,
vislijm; 2 vraagstuk, strikvraag; 3 tentamen;
4 donner une —, laten nablijven (op school).
collect/e v 1 collecte; 2 gebed tijdens de mis
na het epistel. ▼—**er** ov.w inzamelen, ophalen.
▼—**eur** l zn m collectant; — d'ondes, antenne.
II bn: égout —, hoofdriool.
collect/if, -ive l bn gezamenlijk,
gemeenschappelijk; antenne collective,
centrale antenne; billet —, gezelschapsbiljet.
II zn m verzamelwoord (bijv. la foule, la
troupe). ▼—**ion** v verzameling, collectie
(mode). ▼—**ionner** ov.w verzamelen (des
timbres-poste). ▼—**ionneur** m, **-euse** v
verzamelaar(ster). ▼—**ivement** bw
gezamenlijk. ▼—**ivisme** m collectivisme
(systeem, dat alle produktiemiddelen aan de
staat wil brengen). ▼—**iviste** l bn wat
betrekking heeft op het collectivisme. II zn m
collectivist. ▼—**ivité** v gemeenschap.
collège m 1 college; — électoral, kiescollege;
2 gemeentelijke middelbare school; — de
France, een universiteit te Parijs. ▼**collégial**
[mv aux] bn 1 wat een college betreft;
2 église —, stiftskerk. ▼**collégien** m, **-enne** v
middelbare scholier(e).
collègue m collega.
coller l ov.w 1 plakken, lijmen; — son front aux
vitres, zijn neus tegen de ruiten drukken; — qn.
sur place, aan de grond nagelen; avoir les yeux
collés sur, strak kijken naar; 2 klaren van wijn;
3 (fam.) iem. tot zwijgen brengen;
4 schoolhouden; 5 laten zakken voor een
examen; 6 (fam.) geven; — une beigne à qn.,
iem. een klap in het gezicht geven; 7 (pop.)
(iem.) achternalopen. II on.w 1 vastplakken,
kleven; voiture qui colle au sol, vastliggende
wagen; ça colle!, afgesproken!; 2 nauw
sluiten, spannen (le pantalon colle sur la
jambe).
col/lerette v kraagje. ▼—**let** m 1 kraag;
prendre qn. au —, iem. bij de kraag pakken; —
monté, waanwijs mens; 2 hals van tand;
3 wildstrik; 4 pelerine. ▼—**leter** l ov.w in de
kraag pakken. II se — vechten, elkaar in de
haren vliegen.
colleur m 1 aanplakker, lijmer, behanger;
2 (arg.) examinator. ▼**colleuse** v
plakmachine.
collier m 1 halsband; coup de —, grote
krachtsinspanning, moedige poging; cheval
franc du —, paard dat flink trekt; homme franc
du —, doortastend man, rondborstig man; —
de misère, slavenwerk, armoede; tirer à plein
—, uit alle macht trekken; 2 halssnoer;
3 halsstuk.
colliger ov.w verzamelen (in bundel).
colline v heuvel.
collision v 1 botsing, aanvaring, aanrijding; —
en chaîne, kettingbotsing; entrer en —, in

botsing komen; 2 handgemeen, gevecht.
collocation v 1 uitdelingslijst bij faillissement;
2 rangschikking.
collodion m collodium.
colloïdal [mv aux] bn lijmachtig.
colloque m samenspraak, forum.
collusion v samenspanning. ▼**collusoire** bn
(jur.) (heimelijk) afgesproken.
colmat/age m 1 inpoldering; 2 (het) stoppen
(v. lek). ▼—**er** ov.w dichtstoppen (v. barst).
colocataire m medehuurder.
Cologne v Keulen.
colomb/e v duif (dicht.). ▼—**ier** m 1 duiventil;
2 groot formaat papier (93 bij 63 cm).
▼—**ophile** m duivenmelker.
colon m 1 kolonist, planter; 2 pachtboer;
3 (fam.) kolonel. ▼**colonage** m deelbouw.
colonel m kolonel. ▼—**le** v kolonelsvrouw.
colon/ial, -iaux l bn koloniaal. II zn m
koloniaal. ▼—**iale** v koloniale infanterie. ▼—**ie**
v kolonie. ▼—**isateur** l zn m, **-trice** v iem. die
koloniseert. II bn koloniserend. ▼—**isation** v
kolonisatie. ▼—**iser** ov.w koloniseren.
colonnade v zuilenrij. ▼**colonne** v 1 kolom,
zuil; — de direction, stuurkolom; les —s
d'Hercule, de straat van Gibraltar; —
vertébrale, ruggegraat; 2 colonne (mil.);
cinquième —, vijfde colonne; 3 steunpilaar
(fig.).
colophane v (viool)hars.
coloquinte v 1 kolokwint, kwintappel.
2 (pop.) kop, hoofd.
color/ant l bn kleurend. II zn m kleurstof.
▼—**ation** v 1 het kleuren; 2 kleur. ▼—**é** bn
1 gekleurd; 2 met een hoge kleur; 3 kleurrijk,
briljant (style —). ▼—**er** l ov.w 1 kleuren;
2 verbloemen. II se — een kleur krijgen.
▼—**iage** m het kleuren (v. e. tekening enz.).
▼—**ier** ov.w kleuren met verf enz. ▼—**is** m 1 de
kunst v. h. kleuren; 2 koloriet, kleurenrijkdom.
▼—**iste** m kolorist, kleurenkunstenaar.
colossal, -aux bn geweldig, kolossaal.
▼**colosse** m 1 zeer groot standbeeld; 2 zeer
groot mens of dier (kolossus).
colport/age m het venten. ▼—**er** ov.w
1 venten; 2 verspreiden, rondstrooien (un
bruit). ▼—**eur** m marskramer, venter,
colporteur.
colt m 1 revolver; 2 automatisch pistool.
coltiner ov.w sjouwen. II se — (pop.) doen.
columbarium, columbaire m bewaarplaats
voor lijkurnen.
colza m koolzaad.
coma m 1 diepe slaap; 2 bewusteloosheid
vóór de dood. ▼**comateux, -euse** l bn van
coma. II zn m of v iem. die in coma is.
combat m strijd, gevecht; — d'avant-garde,
voorhoedegevecht; — de générosité, wedijver
in edelmoedigheid; mettre hors de —, buiten
gevecht stellen; livrer —, slag leveren; —
naval, zeegevecht; — de taureaux,
stieregevecht. ▼—**if, -ive** bn strijdlustig.
▼—**ivité** v strijdlust. ▼—**tant** m 1 vechter,
strijder; 2 kemphaan. ▼—**tre** ov.w bestrijden.
combien bw 1 hoeveel; 2 hoe.
combinaison v 1 combinatie, vereniging;
2 samenstelling, verbinding; 3 plan,
berekening; 4 damesondergoed (hemd en
broek aan elkaar); 5 overall. ▼**combine** v
(pop.) truc, foefje, combine. ▼**combiné** m
1 telefoonhoorn; 2 radiomeubel met
draaitafel, enz.; 3 korselet; 4 afdaling en
slalom (ski). ▼**combiner** ov.w 1 combineren,
verbinden; 2 beramen, in elkaar zetten (un
plan).
comble l zn m 1 toppunt; pour — de, tot
overmaat van; de fond en —, geheel en al;
2 kap v. e. gebouw; les —s, de hanebalken.
II bn boordevol; la mesure est —, de maat loopt
over. ▼**combler** ov.w 1 volmeten (une
mesure); 2 dichtgooien; 3 geheel vervullen
(les désirs); 4 overladen, overstelpen met.
combust/ible l zn m brandstof. II bn brandbaar.
l bn brandbaar. II zn m brandstof. ▼—**ion** v
verbranding.
comédie v 1 blijspel; — d'intrigue, klucht; —

de mœurs, zedenschildering in blijspelvorm; *secret de —*, geheim dat aan iedereen bekend is; **2** schouwburg; **3** *jouer la —*, komedie spelen, veinzen. ▼**comédien l** *zn m*, **-enne** *v* **1** blijspelspeler (-speelster); **2** komediant. **ll** *bn* gemaakt, aanstellend.

comestible l *bn* eetbaar. **ll** *zn m mv* voedsel.

cométaire *bn* wat de kometen betreft. ▼**comète** *v* **1** komeet, staartster; **2** smal lintje.

comices *m mv* **1** volksvergadering bij de Romeinen; **2** vergadering; *— agricoles*, landbouwcongres.

comique l *bn* **1** komisch; **2** wat het blijspel betreft; *poète —*, blijspeldichter; *acteur —*, blijspelspeler. **ll** *zn m* **1** het komische; **2** blijspelschrijver, -speler.

comité *m* comité, commissie, bestuur, raad; *— de direction*, bestuurscollege; *— électoral*, kiesvereniging; *en petit —*, in besloten kring; *— de lecture*, comité van kunstenaars, dat aangeboden toneelstukken na lezing accepteert of weigert.

commandant *m* **1** bevelhebber; *— de bord*, gezagvoerder; **2** majoor; **3** titel van kapitein v. e. oorlogsschip. ▼**command/e** *v* **1** bestelling, order, opdracht; *pleurs de —*, krokodilletranen; *fête, jeûne de —*, verplichte feestdag, -vastendag; *faire une —*, een bestelling doen; *livrer sur —*, op bestelling leveren; **2** stuurinrichting, krachtoverbrenging, aandrijving; *à — manuelle*, met handbediening. ▼**—ement** *m* **1** bevel, commando; **2** gezag; **3** dagvaarding, bevelschrift; **4** gebod (*les —s de Dieu*). ▼**—er l** *ov.w* **1** bevelen; *het bevel voeren over* (*— une armée*); **3** afdwingen (*— le respect*); **4** bestellen; **5** beheersen (*le fort commande la ville*). **ll** *on.w* **1** bevelen, heersen over; **2** beheersen (*— à ses passions*). ▼**—erie** *v* commandeurschap. ▼**—eur** *m*: *— de la Légion d'Honneur*, commandeur in het Legioen van Eer.

command/itaire l *zn m* (stille) vennoot. **ll** *bn*: *— associé —*, stille vennoot. ▼**—ite** *v* **1** commanditaire vennootschap; **2** de door de commanditaire vennoten gestorte sommen. ▼**—iter** *ov.w* geld steken in.

commando *m* kleine gevechtseenheid, commando.

comme l *vgw* **1** als, zoals, evenals; *— ça, zo; — qui dirait*, om zo te zeggen; *il faut*, zoals het hoort; *il est — mort*, hij is als dood; *—si, alsof; c'est tout —, (fam.)* het komt op hetzelfde neer; *elle est jolie — tout*, ze is verrekt mooi; **2** wat!, hoe!; *— il est bête!*, wat is hij dom! **ll** *vgw* **2** daar; **2** juist toen.

commémor/aison *v* gedachtenis der heiligen. ▼**—atif, -ive** *bn* ter nagedachtenis; *jour —*, herdenkingsdag. ▼**—ation** *v* herdenking; *— des morts*, Allerzielen. ▼**—er** *ov.w* herdenken.

commençant *m* beginneling. ▼**commencement** *m* begin, aanvang. ▼**commencer l** *ov.w* beginnen, het begin vormen van. **ll** *on.w* (*à, de*), beginnen (te); *— par*, beginnen met.

commende *v* prebende.

commensal *m* [*mv aux*] *m* disgenoot.

commensurable *bn* onderling meetbaar.

comment l *bw* **1** hoe?, wat?; *comment allez-vous?*, hoe gaat het met u?; *— donc!*, ach kom!; **2** waarom. **ll** *tw* wat!

comment/aire l *m* **1** commentaar, verklarende aantekeningen; *cela n'a pas besoin de —*, dat heeft geen uitleg nodig; **2** op- of aanmerking; *sa conduite prête aux —s*, zijn gedrag geeft aanleiding tot praatjes. ▼**—ateur** *m*, **-atrice** *v* commentator. ▼**—er** *ov.w* uitleggen, becommentariëren.

commérage *m* kletspraat.

commerçant l *bn* handeldrijvend. **ll** *zn m*, **-e** *v* koopman (-vrouw), handelaar(ster). ▼**commerc/e** *m* **1** handel; *chambre de —*, kamer van koophandel; *code de —*, wetboek van koophandel; *— de détail*, kleinhandel; *— extérieur*, buitenlandse handel; *faire le — de*, handelen in; *le haut —*, de grote kooplieden; *— intérieur*, binnenlandse handel; **2** omgang; **3** zaak. ▼**—er** *on.w* handelen. ▼**—ial** [*mv aux*] *bn* commercieel; *balance —e*, handelsbalans; *centre —*, winkelcentrum. ▼**—ialiser** *ov.w* in de handel brengen. ▼**—ialité** *v* verhandelbaarheid.

commère *v* **1** meter; **2** moedertje, vrouwtje; **3** kletskous; **4** actrice die bij een revue, samen met de compère, de verschillende taferelen inleidt.

commettre l *ov.w* **1** begaan, bedrijven; **2** (*oud*) in gevaar brengen (*sa réputation*); **3** *— qn. à*, belasten met, aanstellen; **4** toevertrouwen. **ll se —** zich inlaten met, zich compromitteren.

comminatoire *bn* dreigend; *lettre —*, dreigbrief.

commis *m* bediende, klerk, kantoorbediende; *— voyageur*, (*oud*) handelsreiziger.

commisération *v* medelijden.

commissaire *m* commissaris; *— de police*, commissaris van politie.

commissaire†-priseur† *m* vendumeester.

commissariat *m* **1** bureau v.d. commissaris; **2** ambt v.d. commissaris.

commission *v* **1** opdracht; **2** boodschap; **3** commissie; **4** commissiehandel; **5** commissieloon. ▼**—naire** *m* **1** commissionair, makelaar; **2** kruier, boodschaploper. ▼**—ner** *ov.w* **1** opdracht geven tot kopen of verkopen; **2** aanstellen.

commissure *v* voeg; *— s des lèvres*, mondhoeken.

commode l *bn* **1** gemakkelijk, geriefelijk; **2** toegeeflijk, inschikkelijk. **ll** *bw* **-ément**. **lll** *zn v* id., ladenkast. ▼**commodité** *v* gerief, gemak. **ll —s** *mv* w.c.

commotion *v* **1** schok (ook *fig.*); *— cérébrale*, hersenschudding; **2** opschudding. ▼**—ner** *ov.w* schokken (ook *fig.*).

commuable *bn* wat verzacht kan worden (van straf). ▼**commuer** *ov.w* verzachten (van straf).

commun l *bn* **1** gemeenschappelijk; *d'un — accord, d'une —e voix*, eenstemmig; *avoir en —*, gemeen hebben; *faire cause —e*, gemene zaak maken; *lieu —*, gemeenplaats; *maison —e*, gemeentehuis; *nom —*, gemeen naamwoord; *le sens —*, het gezond verstand; *cela n'a pas le sens —*, dat is onzin; **2** gewoon, alledaags; **3** plat, ordinair. **ll** *zn m* **1** de meerderheid der mensen; **2** volksklasse. **lll —s** *m mv* bijgebouwen. ▼**—al** [*mv aux*] **l** *bn* gemeentelijk. **ll** *zn* -**aux** *m mv* gemeentegronden. ▼**—ard** *m* aanhanger v.d. Parijse commune (1871). ▼**—auté** *v* **1** gemeenschap; **2** gemeenschappelijkheid; **3** broederschap. ▼**—e l** *v* gemeente. **ll C—** opstand te Parijs in 1871. ▼**—ément** *bw* gewoonlijk. ▼**—iant** *m*, **-e** *v* communicant(e).

communic/able *bn* mededeelbaar. ▼**—ant** *bn* met elkaar in verbinding staande. ▼**—ateur, -trice** *bn* verbindend. ▼**—atif, -ive** *bn* **1** mededeelzaam; **2** aanstekelijk (*rire —*). ▼**—ation** *v* **1** mededeling; *donner — de*, mededelen; **2** omgang, verkeer; *moyen de —*, middel van verkeer; *être en — avec*, in verbinding staan met; **3** telefonische aansluiting (gesprek). ▼**communier l** *on.w* **1** communiceren; **2** zich één gevoelen. **ll** *ov.w* de communie uitdelen. ▼**communion** *v* **1** communie (eucharistie); **2** communie (laatste deel der mis); **3** gelijke gezindheid; *— des saints*, gemeenschap der heiligen.

communiqué *m* communiqué; advertentie (tussen regels v. artikel). ▼**communiquer l** *ov.w* mededelen, overleggen, overbrengen (*une maladie*). **ll** *on.w* **1** van gedachten wisselen; **2** in verbinding staan. **lll se —** zich mededelen aan, zich uiten.

commun/isant *bn/zn* sympathiserend met/sympathisant met het communisme. ▼**—isme** *m* communisme. ▼**—iste l** *bn* communistisch. **ll** *zn m of v* communist(e).

commut/ateur *m* schakelaar, lichtknop.

▼—atif, -ive bn wat ruil betreft. ▼—ation v
1 vervanging; 2 verlichting van straf;
3 (over)schakeling.
compacité v dichtheid. ▼compact bn dicht.
compagn/e v 1 gezellin; 2 echtgenote. ▼—ie
1 gezelschap; la bonne —, de nette stand;
dame, demoiselle de —, juffrouw van
gezelschap; fausser —, weggaan, niet komen;
— de perdreaux, koppel patrijzen; tenir — à,
gezelschap houden; voyager de —,
gezamenlijk reizen; 2 compagnie (mil.);
3 maatschappij; et — (et Cie), en Co;
4 religieuze orde; la — de Jésus, de
jezuïetenorde. ▼—on m 1 kameraad,
metgezel; — d'armes, wapenbroeder; bon —,
vrolijke klant; — d'étude, studievriend; de pair
à —, op gelijke voet; — de voyage, reisgenoot;
2 (oud) gezel; 3 werkman, opperman.
▼—onnage m 1 leertijd v. e. gezel;
2 vakvereniging van werklieden.
comparable bn (à) te vergelijken met.
▼comparaison v vergelijking; degrés de —,
trappen van vergelijking; en — de, par — à,
vergeleken met; par —, vergelijkenderwijs;
n'est pas raison (spr.w.), iedere vergelijking
gaat mank.
comparaître on.w onr. (devant le tribunal),
voor de rechtbank verschijnen. ▼comparant
m comparant.
comparatif, -ive l bn vergelijkend. ll zn m
vergrotende trap. ▼comparé bn vergeleken;
littérature —e, vergelijkende letterkunde.
▼comparer ov.w vergelijken.
comparse m of v 1 figurant(e); 2 medewerker
(-ster), die een onbeduidende rol speelt.
compartiment m 1 vak(je), afdeling;
2 spoorwegcoupé. ▼—er ov.w in vakken,
stukjes verdelen.
comparution v het verschijnen voor de
rechtbank.
compas m 1 passer; 2 scheepskompas; avoir le
— dans l'œil, goed afstanden kunnen
schatten; 3 (pop.) benen. ▼—sé bn afgemeten
(démarche —e); stijf. ▼—ser ov.w 1 afmeten;
2 een bestek uitzetten (scheepv.); 3 wikken en
wegen.
compassion v medelijden.
compatibilité v verenigbaarheid,
overeenstemming. ▼compatible bn
verenigbaar, overeenstemmend (caractères
—s).
compatir on.w (à) medelijden hebben met.
▼compatissant bn medelijdend.
compatriote m of v landgenoot (-genote).
compendieux, -euse bn (oud) beknopt.
▼compendium m uittreksel, kort overzicht.
compens/ateur, -trice bn vereffenend,
compenserend. ▼—ation v vereffening,
vergoeding, schadeloosstelling; cela fait —,
dat weegt tegen elkaar op. ▼—er ov.w
vereffenen, vergoeden.
compère m 1 peter; 2 handlanger; 3 inleider v.
e. revuescène; 4 kerel; un rusé —, een
geslepen kerel.
compère-loriot m strontje (op oog).
compétence v bevoegdheid. ▼compétent
bn 1 bevoegd; 2 bekwaam.
compét/iteur m, -itrice v mededinger
(-ster). ▼—itif, -itive bn concurrerend.
▼—ition v 1 mededinging; 2 competitie.
compil/ateur m, -trice v compilator.
▼—ation v compilatie. ▼—er ov.w
compileren.
complainte v 1 klaaglied; 2 klacht.
complaire I ov.w onr. behagen. ll se — à
behagen scheppen in. ▼complaisance v
1 inschikkelijkheid, vriendelijkheid,
welwillendheid; ayez la — de, wees zo
vriendelijk om te, ll behagen.
▼complaisant bn welwillend, gedienstig.
complément m 1 aanvulling, complement;
2 bepaling; — direct, lijdend voorwerp; —
indirect, meewerkend of oorzakelijk voorwerp.
▼—aire bn aanvullend; angle —, complement
v. e. hoek.
complet, -ète l bn 1 volledig, compleet; au

(grand) —, voltallig; 2 vol (tramway —); ça
serait —!, dat moest er nog bijkomen; thé —,
thee met koekjes, bonbons enz. ll zn m
kostuum; — veston, colbertkostuum.
▼complètement bw volledig. ▼compléter
ov.w. aanvullen, volledig maken.
complexe l bn ingewikkeld, samengesteld.
ll zn m 1 het ingewikkelde; 2 complex (van
gevoelens enz.). ▼complex/é bn (fam.)
timide, geremd. ▼—ion v 1 gestel; 2 aard.
▼—ité v ingewikkeldheid. ▼complication v
1 ingewikkeldheid; 2 complicatie (bij ziekte);
les —s, de verwikkelingen.
complice l bn (de) medeplichtig (aan). ll zn m
of v medeplichtige. ▼complicité v
1 medeplichtigheid; 2 (fig.) verstandhouding.
complies v mv completen (een der kerkelijke
getijden).
compliment m 1 compliment; 2 plechtige
toespraak; 3 kindertoespraakje, -versje op een
verjaardag enz. ▼—er ov.w begroeten,
gelukwensen, zijn compliment maken. ▼—eur
m, -euse v vleier (-ster), iem. die te veel
complimenten maakt.
compliqué bn ingewikkeld, onoverzichtelijk.
▼compliquer l ov.w ingewikkeld maken. ll se
— ingewikkeld worden.
complot m komplot, samenzwering. ▼—er
l ov.w beramen. ll on.w een komplot smeden,
samenspannen. ▼—eur m samenzweerder.
componction v 1 berouw; 2 nederigheid;
3 ernst.
comportement m gedrag.
comporter l ov.w 1 dulden, nodig maken;
2 meebrengen. ll se — zich gedragen.
composant m samenstellend deel.
▼composante v component. ▼composé l bn
1 samengesteld; 2 gemaakt, bestudeerd;
visage —, gelegenheidsgezicht; maintien —,
bestudeerde houding. ll zn m samengesteld
woord, lichaam. ▼composer l ov.w
1 samenstellen; 2 componeren van muziek,
samenstellen v.e. literair werk, maken van
schilderij of beeldhouwwerk; 3 een passend
gezicht trekken, een passende houding
aannemen (— son visage, — son attitude).
ll on.w 1 huiswerk, proefwerk maken; 2 een
schikking treffen; schipperen. lll se — de
bestaan uit. ▼composite bn van verschillende
stijlen, heterogeen. ▼compositeur m, -trice
v 1 componist(e); 2 letterzetter (-ster);
3 amiable —, bemiddelaar. ▼composition v
1 samenstelling, verbinding; 2 compositie
(ook muz.); 3 werk; 4 opstel, proef(werk);
5 (het) (letter)zetten, drukproef; 6 (oud)
vergelijk.
compost m gemengde mest (compost).
▼—age m gemengde bemesting. ▼—er ov.w
1 gemengd bemesten; 2 afstempelen. ▼—eur
m veranderbare stempel.
compote v 1 soort ragoût; 2 vruchtenmoes;
en —, bont en blauw geslagen. ▼compotier
m compoteschaal.
compréhens/ibilité v begrijpelijkheid.
▼—ible bn begrijpelijk. ▼—if, -ive bn
begrijpend. ▼—ion v begrip,
bevattingsvermogen. ▼comprendre ov.w
onr. 1 begrijpen, vatten, verstaan; cela se
comprend, dat spreekt vanzelf; je n'y
comprends rien, ik begrijp er niets van;
2 omvatten, bestaan uit; y compris, met
inbegrip van; non compris, niet inbegrepen.
▼comprenette v (fam.): il a la — un peu
dure, hij is traag van begrip.
compresse v kompres (med.).
compress/eur bn samendrukkend; rouleau
—, wals (voor wegen). ▼—ibilité v
samendrukbaarheid. ▼—ible bn
samendrukbaar. ▼—ion v 1 samendrukking,
compressie (bij motor); taux de —,
compressieverhouding;
2 personeelsvermindering; 3 onderdrukking,
dwang.
comprimé m pastille, tablet.
comprimer ov.w 1 samendrukken,
samenpersen; 2 bedwingen, beteugelen.

compro/mettant *bn* compromitterend.
▼—mettre *ov.w onr.* 1 compromitteren, in opspraak brengen; 2 in gevaar, in verlegenheid brengen.
compromis *m* 1 schikking, vergelijk; 2 onderwerping aan arbitrage.
compromission *v* 1 het compromitteren van zichzelf of anderen; 2 geschipper.
comptabilité *v* boekhouding; — *en partie double*, dubbel boekhouden. **▼comptable** I *zn m* boekhouder; *officier* —, officier van administratie. II *bn* rekenplichtig; *machine* —, telmachine.
comptage *m* (het) tellen, telling.
comptant I *bn* contant; *prendre pour argent* —, voor goede munt aannemen; *vendre au* —, contant verkopen. II *zn m*: *du comptant*, contant geld. III *bw*: *payer* —, contant betalen.
compte *m* 1 rekening; *à* —, op afrekening; *au bout de* —, en fin de —, *tout* — *fait*, per slot van rekening; — *courant*, rekeningcourant; — (*courant des*) *chèques postaux* (*C.C.P.*), postrekening; *de* — *à demi*, voor gezamenlijke rekening; *donner son* — *à un domestique*, een knecht betalen en ontslaan; *mettre en ligne de* —, in aanmerking nemen; *en être quitte à bon* —, er goedkoop afkomen; *prendre qc. à son* —, iets op zijn verantwoording nemen; *régler*, *solder son* —, afrekenen; *tenir les* —*s*, de boeken bijhouden; 2 *il a son* —, hij heeft zijn verdiende loon; *faire son* — *de*, rekenen op; *le* — *n'y est pas*, het komt niet uit; *à bon* —, goedkoop; *les bons* —*s font les bons amis*, effen rekeningen maken goede vrienden; *erreur ne fait pas* —, men moet niet profiteren van een foutieve berekening (*spr.w*); — *rond*, rond getal; 3 rekenschap; *demander* —, rekenschap vragen; *rendre* —, rekenschap geven.
compte-gouttes *m* druppelflesje; *au* —, druppelsgewijs.
compte-minute *m* keukenwekker.
compter I *ov.w* 1 tellen; 2 berekenen; 3 rekenen, in rekening brengen (*il compte cet article trop cher*); *je compte venir sous peu*, ik ben van plan binnenkort te komen. II *on.w* 1 rekenen op (*sur*); 2 tellen, rekenen; *donner sans* —, met milde hand geven; 3 rekening houden met (*il faut* — *avec ses amis*); 4 meetellen (*une syllabe qui ne compte pas*).
compte†-rendu† *m* verslag.
compte-tours *m* toerenteller.
compteur *m*, **-euse** *v* 1 teller (-ster); 2 gas-, water-, elektriciteitsmeter.
comptoir *m* 1 toonbank; 2 bank; 3 handelskantoor (i.h. buitenland).
compulser *ov.w* doorsnuffelen, nazoeken.
comt/al [*mv aux*] *bn* grafelijk. **▼—e** *m* graaf. **▼—é** *m* graafschap. **▼—esse** *v* gravin.
con *zn m* (ook *bn*) (*plat*) lul(lig); *faire le* —, lullig doen.
concasser *ov.w* in stukken hakken, -slaan.
concave *bn* holrond, concaaf. **▼concavité** *v* holheid.
concéder *ov.w* verlenen, toestaan.
concentration *v* concentratie, samentrekking; *camp de* —, concentratiekamp. **▼—naire** *bn*: *la vie* —, het leven i.d. concentratiekamp. **▼concentr/é** I *bn* 1 geconcentreerd; 2 gesloten van karakter. II *zn m* concentraat, erts. **▼—er** *ov.w* 1 concentreren, samentrekken; 2 indampen; 3 — *sa colère*, zijn woede opkroppen. **▼—ique** *bn* concentrisch.
concept *m* begrip. **▼—ible** *bn* denkbaar, begrijpelijk. **▼—if**, **-ive** *bn*: *faculté* —*e*, begripsvermogen. **▼conception** *v* 1 bevruchting; — *contrôlée*, geboortenbeperking; *l'Immaculée Conception*, de Onbevlekte Ontvangenis; 2 begrip, opvatting.
concernant *vz* omtrent, betreffend. **▼concerner** *ov.w* betreffen.
concert I *zn m* 1 concert; 2 overeenstemming, eensgezindheid; — *de louanges*, eenstemmige lof. II *bw*: *de* —, eenstemmig. **▼—ation** *v* (werk)overleg. **▼—er** I *ov.w* beramen, op touw zetten. II *on.w* samen spelen. III *se* — samen overleggen. **▼concerto** *m* concertmuziek voor soloinstrument met begeleiding van orkest.
concession *v* 1 concessie; 2 toegeving (bij debat enz.); 3 gunning. **▼—naire** *m* houder v.e. concessie.
concevable *bn* begrijpelijk, denkbaar. **▼concevoir** *ov.w* 1 bevrucht worden; 2 begrijpen; 3 bedenken, uitvinden.
concierge *m* of *v* portier, huisbewaarder (-ster). **▼conciergerie** *v* 1 portierswoning; 2 portiersambt; 3 *C*—, bekende gevangenis te Parijs.
concile *m* concilie. **▼conciliabule** *m* 1 vergadering van schismatieke prelaten; 2 geheime samenkomst.
concili/ant *bn* verzoenend. **▼—ateur** *m*, **-trice** *v* verzoener (-ster), bemiddelaar (ster). **▼—ation** *v* verzoening, schikking. **▼—atoire** *bn* verzoenend, bemiddelend. **▼—er** I *ov.w* verzoenen. II *se* — verwerven, verkrijgen.
concis *bn* beknopt, bondig (*style* —). **▼concision** *v* beknoptheid, bondigheid.
concitoyen *m*, **-enne** *v* medeburger(es).
conclave *m* 1 vergadering der kardinalen ter verkiezing v.e. paus; 2 zaal, waar deze kardinalen vergaderen.
concluant *bn* overtuigend, afdoend. **▼conclure** *ov.w onr.* 1 afsluiten, een eind maken aan; 2 besluiten uit, een gevolgtrekking maken, een conclusie trekken. **▼conclusion** *v* 1 slot, einde; 2 het sluiten van — *d'un mariage*); 3 gevolgtrekking, conclusie.
concombre *m* komkommer.
concomitant *bn* bijgaande, begeleidend, samengaand; *sons* —*s*, bijtonen.
concord/ance *v* overeenstemming, overeenkomst. **▼—ant** *bn* overeenstemmend. **▼—at** *m* 1 concordaat (verdrag v.d. paus met een vorst of land over geestelijke zaken); 2 akkoord bij faillissement. **▼concorde** *v* eendracht; *rétablir la* —, de eendracht herstellen. **▼concorder** *on.w* kloppen, overeenstemmen.
concourir *ov.w onr.* 1 samenlopen; samenvallen van tijd; 2 medewerken; 3 wedijveren, mededingen. **▼concours** *m* 1 toeloop van volk, massa; 2 medewerking; 3 samenloop (— *de circonstances*); 4 vergelijkend examen; 5 wedstrijd; — *agricole*, landbouwtentoonstelling; — *général*, jaarlijkse wedstrijd tussen de beste leerlingen der hoogste klasse der Parijse lycea; — *hippique*, paardententoonstelling en -wedstrijd; *hors*—, buiten mededinging.
concret, **-ète** *bn* 1 vast, dik (*huile* —e); 2 concreet. **▼concrétion** *v* het stollen, dik worden; verharding; — *bi.aire*, galsteen. **▼concrétiser** *ov.w* concretiseren, vaste vorm geven.
conçu *a. dw* van **concevoir**.
concubin *m*, **-e** *v* iem. die in concubinaat leeft. **▼—age** *m* concubinaat.
concupiscence *v* zinnelijke begeerte.
concurr/emment *bw* 1 gezamenlijk, gelijktijdig; 2 (*avec*) in concurrentie met. **▼—ence** *v* 1 wedstrijd, mededinging; *être en* — *avec*, in strijd zijn met; 2 concurrentie; *faire* — *à*, concurreren; *pouvoir soutenir la* —, kunnen concurreren; *jusqu'à* — *de*, tot een bedrag van. **▼—encer** *ov.w* beconcurreren. **▼—ent** *m* 1 concurrent; 2 mededinger. **▼—entiel** *bn* concurrerend.
concussion *v* afpersing door ambtenaar of magistraat.
condamn/able *bn* afkeurenswaardig. **▼—ation** *v* 1 veroordeling; 2 afkeuring; *passer* —, ongelijk bekennen. **▼—atoire** *bn* veroordelend. **▼—é** *m*, **-e** *v* veroordeelde. **▼—er** *ov.w* 1 veroordelen; 2 afkeuren; 3 opgeven (v.e. zieke); 4 afsluiten, versperren; 5 dwingen.
condens/able *bn* verdichtbaar. **▼—ateur** *m*

condensator. ▼—ation v verdichting, condensatie. ▼—er ov.w 1 verdichten, condenseren; 2 beknopt weergeven.
condescend/ance v inschikkelijkheid, toegevendheid, neerbuigende vriendelijkheid. ▼—ant bn inschikkelijk, toegevend, neerbuigend vriendelijk. ▼condescendre on.w toegeeflijk zijn, zich verwaardigen te.
condiment m kruiderij, specerij.
condisciple m of v medeleerling(e).
condition v 1 voorwaarde; acheter qc. à —, iets kopen onder voorwaarde, dat men het mag teruggeven, als het niet bevalt; à — que (of: de met inf.), op voorwaarde dat; 2 rang, stand; 3 omstandigheid; 4 toestand, situatie; être en bonne —, in goede conditie zijn, lichamelijk fit zijn; 5 betrekking, dienst; être en — chez qn., bij iem. in dienst zijn. ▼conditionnel, -elle I bn voorwaardelijk. II zn m voorwaardelijke wijs.
conditionnement m verpakking; — de l'air, air-conditioning. ▼conditionner ov.w 1 als voorwaarde stellen; bedingen; 2 fabriceren onder inachtneming van goede omstandigheden (ces étoffes n'ont pas été bien conditionnées); 3 verpakken van goederen op smaakvolle of praktische wijze; 4 het verzorgen v.d. temperatuur en de vochtigheidsgraad v.d. lucht in een zaal.
condoléance v rouwbeklag.
conduct/eur, -trice I bn geleidend; fil —, geleidraad. II zn m, -trice v 1 leidsman, -vrouw; — de chameaux, kameeldrijver; 2 automobilist, treinbestuurder; conducteur; 3 leider v.e. werk, opzichter; — des ponts et chaussées, opzichter bij de waterstaat; 4 geleider van warmte enz. ▼—ibilité v geleidingsvermogen. ▼—ible bn geleidend. ▼—ion v 1 het pachten, huren.
conduire I ov.w onr. 1 leiden, begeleiden, geleiden, brengen; 2 besturen, mennen (une auto, une voiture); — bien sa barque, zijn zaken goed besturen; permis de —, rijbewijs; 3 aanvoeren (une armée), dirigeren (un orchestre). II se — zich gedragen. ▼conduit m buis, pijp, goot, kanaal. ▼conduite v 1 het leiden, leiding; faire la — à qn., iem. een eindje wegbrengen; 2 leiding, bestuur, besturing; — intérieure, gesloten auto; 3 aanvoering; avoir la — d'une armée, een leger aanvoeren; 4 gedrag; 5 leiding van buizen (— d'eau, — de gaz).
cône m 1 kegel; — tronqué, afgeknotte kegel; 2 dennappel.
confection v 1 het maken, vervaardiging; 2 confectie. ▼—ner ov.w maken, vervaardigen. ▼—neur m, -euse v kledingfabrikant(e).
confédér/ation v 1 statenbond; — helvétique, de Zwitserse bondsstaat; 2 bond; Confédération générale du travail (C.G.T.), arbeidersbond in Frankrijk. ▼confédéré I bn verbonden. II zn m bondgenoot.
conférence v 1 conferentie, beraadslaging; 2 tekstvergelijking; 3 voordracht, lezing op populaire toon; maître de —s, lector. ▼conférencier m, -ère v spreker (spreekster). ▼conférer I ov.w 1 vergelijken; cf. = conférez = vergelijk; 2 verlenen (un titre); toedienen (le baptême). II on.w beraadslagen, confereren.
confess/e/v: aller à —, gaan biechten. ▼—er I ov.w 1 biechten (ses péchés); 2 biecht horen; 3 bekennen; 4 belijden (sa foi). II se — biechten. ▼—eur m 1 biechtvader; 2 belijder (uit de tijd der kerkvervolgingen). ▼confession v 1 biecht; 2 bekentenis; 3 geloofsbelijdenis. ▼—nal [mv aux] m biechtstoel. ▼—nel, -elle bn wat de geloofsbelijdenis betreft, confessioneel.
confiance v 1 vertrouwen; digne de —, betrouwbaar; homme de —, vertrouwd man, vertrouwensman; inspirer de la —, vertrouwen inboezemen; place de —, vertrouwenspositie; 2 zelfvertrouwen. ▼confiant bn 1 goedgelovig; 2 vol zelfvertrouwen.

confidence v vertrouwelijke mededeling; mettre qn. dans la —, iem. in vertrouwen nemen; en — vertrouwelijk. ▼confident m, -e v vertrouweling(e). ▼—iel, -ielle bn vertrouwelijk. ▼confier I ov.w toevertrouwen. II se — à zijn vertrouwen stellen in.
configuration v uiterlijke vorm.
confinement m opsluiting. ▼confiner I on.w (à) grenzen aan. II ov.w opsluiten; atmosphère confinée, benauwde atmosfeer. ▼confins m mv grenzen.
confire ov.w onr. inmaken, konfijten.
confirmand m, -e v vormeling(e). ▼confirm/atif, -ive bn bevestigend. ▼—ation v 1 bevestiging; 2 het vormsel. ▼—er ov.w 1 bevestigen, steunen; 2 het vormsel toedienen.
confiscation v 1 verbeurdverklaring; 2 de verbeurd verklaarde goederen.
confis/erie v 1 banket-, suikerbakkerij; 2 banket-, suikergoedwinkel; 3 banket, taartjes, suikergoed; 4 fabriek van sardines in blik. ▼—eur m, -euse v suiker-, banketbakker (-ster).
confisquer ov.w verbeurd verklaren, in beslag nemen.
confit I bn 1 gekonfijt, ingemaakt; 2 — en dévotion, godzalig. II zn m: — d'oie, ganzevlees in vet. ▼—ure v vruchtengelei, jam. ▼—urerie v jamfabriek. ▼—urier I m, -ère v 1 jamfabrikant(e); 2 jamverkoper (-verkoopster). II m jampot.
conflagration v 1 brand; 2 algemene beroering (opstand, oorlog).
conflit m botsing, strijd, conflict.
confluent I bn ineenlopend. II zn m samenvloeiing van twee stromen. ▼confluer on.w samenvloeien.
confondre I ov.w 1 verwarren; 2 vermengen; 3 beschamen, verwonderen, verlegen maken; voilà qui me confond, ik sta er verstomd van. II se — 1 zich vermengen; 2 verward, verlegen worden; 3 se — en excuses, zich uitputten in verontschuldigingen.
conformation v bouw, gedaante; un vice de —, lichaamsgebrek.
conform/e (à) bn 1 overeenkomstig; être —à, overeenkomen met; 2 gelijkluidend; pour copie —, voor gelijkluidend afschrift. ▼—ément bw overeenkomstig. ▼—er I ov.w 1 vormen; bouwen; 2 schikken naar, regelen naar. II se — à zich schikken naar. ▼—isme m het zich onderwerpen aan de heersende gebruiken en regels. ▼—ité v overeenkomst; en — de, overeenkomstig.
confort m 1 hulp, bijstand; 2 gerief, gemak, comfort. ▼—able I bn gerieflijk, gezellig, comfortabel. II zn m 1 gerief; 2 gewatteerde leunstoel; 3 pantoffel. ▼—ant bn versterkend.
confrater/nel, -nelle I bn collegiaal. II bw —nellement v —nité v collegialiteit.
confrère m collega. ▼confrérie v broederschap, gilde.
confront/ation v 1 gelijktijdige ondervraging; 2 vergelijking van geschriften. ▼—er I ov.w 1 gelijktijdig ondervragen; 2 geschriften vergelijken. II on.w grenzen aan.
confus I bn 1 verward, onduidelijk, vaag; 2 verlegen. II bw -ément. ▼—ion v 1 verwarring, wanorde; 2 verlegenheid, beschaamdheid; 3 toeloop van mensen; en —, in overvloed.
congé m 1 verlof, vakantie; 2 afscheid, ontslag; donner — à qn., iem. ontslaan; recevoir son —, ontslag krijgen; 3 geleidebrief (voor drank enz.). ▼—diement m wegzending, ontslag. ▼—dier ov.w wegzenden, ontslaan.
congél/ateur m vriesvak. ▼—ation v bevriezing, stolling. ▼congeler ov.w doen bevriezen, doen stollen; crédits congelés, bevroren kredieten.
congénère I bn gelijksoortig. II zn m soortgenoot.
congénital [mv aux] bn erfelijk (maladie —e).
congère v sneeuwhoop.

congest/if, -ive *bn* wat betrekking heeft op congestie. ▼**—ion** *v* bloedaandrang, congestie. ▼**—ionner** *ov.w* bloedaandrang veroorzaken.

conglomérer *ov.w* samenhopen.

conglutination *v* het samenkleven. ▼**conglutiner** *ov.w* aaneenlijmen.

congratulation *v* (*oud*) felicitatie. ▼**congratuler** *ov.w* (*oud*) feliciteren.

congre *m* zeepaling.

congrég/aniste *bn* behorend tot een kloostercongregatie (*école —*). ▼**—ation** *v* 1 kloostercongregatie; 2 vereniging van leken, die onder leiding v.e. priester bepaalde godsdienstige oefeningen houden (congregatie); 3 college van kardinalen, dat een bepaalde taak heeft.

congrès *m* congres (in alle betekenissen). ▼**congressiste** *m* lid v.e. congres.

congru I *bn* 1 nauwkeurig, juist passend; 2 toereikend; *portion —e*, juist voldoende om te kunnen leven. **II** *bw* **congrûment**. ▼**—ence** *v* congruentie. ▼**—ent** *bn* 1 congruent; 2 passend.

conicité *v* kegelvorm.

conifères *m mv* coniferen (*plk.*).

conique *bn* kegelvormig.

conjectural [*mv aux*] *bn* hypothetisch. ▼**conjecture** *v* hypothese, veronderstelling. ▼**conjecturer** *ov.w* veronderstellen, vermoeden.

con/joint I *bn* nauw verbonden. **II** *zn m* echtgenoot. ▼**—jointement** *bw* samen, in overeenstemming. ▼**—joncteur** *m* stroomverbreker. ▼**—jonctif, -ive** *bn* 1 verbindend; *tissu —*, bindweefsel; 2 voegwoordelijk. ▼**—jonction** *v* 1 gemeenschap; 2 voegwoord. ▼**—jonctive** *v* 1 bindvlies (oog). ▼**—joncture** *v* 1 samenloop van omstandigheden; 2 gelegenheid; 3 conjunctuur.

conjugable *bn* vervoegbaar. ▼**conjugaison** *v* vervoeging.

conjugal [*mv aux*] *bn* echtelijk.

conjugué *bn* gekoppeld, gecombineerd, gezamenlijk. ▼**conjuguer** *ov.w* 1 vervoegen; 2 samenvoegen. ▼**conjungo** *m* (*pop.*) huwelijk.

con/juration I *v* samenzwering. **II —s** *mv* smeekbeden. ▼**—juré I** *bn* samenzwerend. **II** *zn m, -e v* samenzweerder (-zweerster). ▼**—jurer I** *ov.w* 1 smeken; 2 bezweren; 3 zweren. **II** *on.w* samenzweren. **III** *se —* samenzweren.

connaissable *bn* kenbaar. ▼**connaissance I** *v* 1 kennis; *parler en — de cause*, met kennis van zaken spreken; *faire — avec qn., faire la — de qn.*, kennis met iemand maken; *c'est une personne de ma —*, het is een kennis van me; *être en pays de —*, in bekend gezelschap zijn; 2 kennis = bekende; *il est de ma —*, het is een kennis van me; 3 bewustzijn. **II —s** *mv* kennis = wetenschap.

connaissement *m* cognossement, vrachtbrief.

connais/eur, -euse I *bn: œil —*, kennersblik. **II** *zn m, -euse v* kenner (-ster). ▼**connaître I** *ov.w onr.* 1 kennen; *ne — ni Dieu ni diable*, aan God noch gebod geloven; *je ne le connais ni d'Ève ni d'Adam*, ik ken hem totaal niet; *son monde*, zijn mensen kennen; *il ne se connaît plus*, hij is buiten zich zelf; 2 weten; *qc. à un sujet*, heel wat van een onderwerp afweten; *il n'y connaît pas grand'chose*, hij weet er niet veel van. **II** *on.w* berechten, tot rechtspreken bevoegd zijn; *— d'une affaire*, een zaak moeten berechten. **III** *se — à (en)* verstand hebben van.

connard *m* (*pop.*) beroerling.

conne I *bn* (*arg.*) dood. **II** *zn v* (*plat*) lul. ▼**connerie** *v* (*plat*) stommiteit, gelul.

connecter *ov.w* (*tech.*) verbinden.

connétable *m* (*oud*) hoogste officier in Frankrijk.

connex/e *bn* samenhangend, verwant. ▼**—ion** *v* 1 samenhang (— *des idées*); 2 verbinding; *boîte de —*, (*elektr.*) doos. ▼**—ité** *v*

samenhang, verwantschap.

connivence *v* medeplichtigheid (*oud*); verstandhouding.

connu, -e *v.dw* van **connaître**.

conque *v* 1 oorholte; 2 spiraalvormige schelp.

conquér/ant *m, -e* veroveraar (ster). ▼**—ir** *ov.w onr.* 1 veroveren; 2 voor zich winnen (*— les cœurs*). ▼**conquête** *v* verovering; *faire la — de*, veroveren; *air de —*, zelfvoldaan gezicht.

consacrant *m* priester, die de mis leest. ▼**consacré** *bn* 1 gewijd; 2 geijkt. ▼**consacrer I** *ov.w* 1 wijden; 2 — *à*, toewijden aan; 3 consacreren (van wijn en brood tijdens de consecratie); 4 ijken (*l'usage a consacré ce mot*). **II** *se —* 1 zich wijden; 2 zich inzetten.

consanguin *bn* verwant van vaders kant. ▼**—ité** *v* verwantschap van vaders kant.

consciemment *bw* bewust. ▼**conscience** *v* 1 geweten; *pour acquit de —*, om zich niets te verwijten te hebben; *en mon âme et —*, oprecht; *avoir qc. sur la —*, iets op zijn geweten hebben; *directeur de —*, geestelijk leidsman, biechtvader; *examen de —*, gewetensonderzoek; *se faire — de qc.*, ergens een gewetenszaak van maken; *avoir la — large*, een ruim geweten hebben; *liberté de —*, vrijheid van geweten; *la main sur la —*, met de hand op het hart; *avoir la — nette*, een zuiver geweten hebben; 2 plichtsgevoel; 3 bewustzijn, kennis. ▼**consciencieux, -euse** *bn* plichtsgetrouw, nauwgezet. ▼**conscient** *bn* bewust.

con/scription *v* loting voor de mil. dienst. ▼**—scrit** *m* 1 loteling, dienstplichtige; 2 groentje.

consécration *v* 1 consecratie; 2 inwijding, inzegening; 3 bekrachtiging.

consécutif, -ive *bn* achtereenvolgend; — *à*, volgend op, ten gevolge van; *proposition -ive*, gevolgaanduidende bijzin.

conseil *m* 1 raad(geving); 2 raadgevend lichaam; — *d'administration*, raad van beheer, bestuursraad; — *d'Etat*, Raad van State; — *de famille*, familieraad; — *de guerre*, krijgsraad; — *des ministres*, ministerraad; — *municipal*, gemeenteraad; *le président du —*, de minister-president; — *de révision*, keuringsraad (*mil.*); 3 raadsman; *avocat —*, juridisch adviseur; *médecin —*, medisch adviseur; 4 besluit, plan (*les —s de Dieu*). ▼**conseiller I** *ov.w* (aan)raden. **II** *zn m, -ère v* raadgever, raadgeefster, raadsman; raadslid; — *municipal*, gemeenteraadslid; — *fiscal*, belastingconsulent.

consentement *m* toe-, instemming; *du — de tous*, met algemeen goedvinden. ▼**consentir I** *ov.w onr.* (à) toestemmen; *qui ne dit mot consent* (spr.w), wie zwijgt stemt toe. **II** *ov.w* goedkeuren, toestaan.

conséqu/emment *bw* 1 bijgevolg; 2 — *à*, overeenkomstig. ▼**—ence** *v* 1 gevolgtrekking; 2 gevolg; *en —*, bijgevolg; 3 belang; *tirer à —*, van belang zijn; *sans —*, onbelangrijk. ▼**—ent** *bn: par —*, bijgevolg.

conservat/eur, -trice I *bn* 1 conservatief; 2 wat behoudt, beschermt. **II** *zn m, -trice v* 1 conservatief; 2 titel v.e. ambtenaar (conservator); — *des eaux et forêts*, opperhoutvester; — *des hypothèques*, hypotheekbewaarder. ▼**—ion** *v* behoud, het bewaren. ▼**—oire** I *bn* behoudend; *mesure —*, maatregel tot behoud. **II** *zn m* grote inrichting voor kunst (bijv. — *de musique*), conservatorium. ▼**conserve** *v* ingelegde vruchten enz.; *de —*, samen; *aller de —*, samen gaan; *naviguer de —*, samen varen. ▼**conserver I** *ov.w* 1 bewaren, behouden; *bien conservé*, jeugdig voor zijn leeftijd; 2 conserveren van vruchten enz. **II** *se —* 1 zich in acht nemen; 2 in stand blijven. ▼**conserverie** *v* conservenfabriek.

considérable *bn* aanzienlijk, belangrijk.

considérant *m* (*jur.*) considerans, beweeggrond.

considération I v 1 aanzien, achting; *agréez l'assurance de ma —,* hoogachtend; 2 overweging, nauwkeurig onderzoek; *en — de,* met het oog op, wegens; *prendre en —,* in aanmerking nemen. **II —s** mv beschouwingen, overdenkingen. **▼considérer** ov.w 1 achten; 2 beschouwen, overwegen; *tout bien considéré,* alles wel beschouwd.

consignation v in consignatie geven van goederen of geld. **▼consigne** v 1 order aan schildwacht (consigne); 2 arrest, schoolblijven; 3 bagagedepot; 4 onderpand (bij lening); *— automatique,* bagagekluis; 5 statiegeld. **▼consigner** ov.w 1 in bewaring geven, deponeren; 2 vermelden, weergeven; 3 arrest geven, school laten blijven; *— qn. à sa porte,* iem. de toegang tot zijn huis weigeren; 4 voorlopig berekenen (*— un emballage*).

consist/ance v 1 vastheid, dichtheid; 2 duurzaamheid. **▼—ant** bn 1 vast; 2 standvastig.

consister on.w (*en, dans*) bestaan uit, in.

consistoire m 1 consistorie (vergadering van paus en kardinalen); 2 kerkeraad.

consol/able bn troostbaar. **▼—ant** bn troostend. **▼—ateur** I zn m, **-trice** v trooster(es). **II** bn troostend. **▼—ation** v troost, vertroosting, troostend woord.

console v vooruitspringend s-vormig steunsel voor beelden, balkons enz. (console).

consoler ov.w troosten.

consolid/ation v versterking, bevestiging, consolidatie. **▼—er** ov.w versterken, consolideren.

consomm/ateur m, **-atrice** v 1 consument(e); 2 cafébezoeker (-ster). **▼—ation** v 1 verbruik; 2 consumptie; *prix à la —,* consumentenprijs; 3 voltooiing, voleindiging; *la — des siècles,* het einde der wereld.

consommé I bn volmaakt, bedreven. **II** zn m krachtige vleesbouillon.

consommer I ov.w 1 verbruiken, verteren; 2 volvoeren, volbrengen. **II** on.w drinken in een café. **III se —** verbruikt worden.

consomption v uittering, tering.

conson/ance v welluidende samenstemming van klanken. **▼—ant** bn welluidend samenklinkend. **▼—ne** v medeklinker. **▼—ner** (**consoner**) on.w welluidend samenklinken.

consort I bn: *prince —,* prins-gemaal. **II** zn **—s** m mv deelgenoten i. e. zaak; consorten (ongunstig).

conspir/ant bn samenwerkend. **▼—ateur** m, **-atrice** v samenzweerder (-zweerster). **▼—ation** v samenzwering, -spanning; *— du silence,* het doodzwijgen. **▼—er I** on.w 1 samenzweren, -spannen; 2 samenwerken. **II** ov.w beramen.

conspuer ov.w uitjouwen, honen.

constamment bw voortdurend, doorlopend. **▼constance** v standvastigheid, bestendigheid. **▼constant** bn 1 standvastig, onveranderlijk, bestendig; 2 zeker (*fait —*).

constat m proces-verbaal; *dresser un — de,* constateren, wijzen op; *— d'accident,* schadeformulier. **▼—ation** v constatering, vaststelling. **▼—er** ov.w constateren, vaststellen.

constellation v sterrenbeeld. **▼constellé** bn bezaaid met sterren. **▼consteller** ov.w met sterren bezaaien (ook met ridderordes enz.).

consternation v ontsteltenis. **▼consterné** bn ontsteld, verslagen. **▼consterner** ov.w hevig doen ontstellen.

constipation v hardlijvigheid, constipatie. **▼constipé** bn (*fam.*) verlegen, angstig. **▼constiper** ov.w verstoppen.

constituant I bn samenstellend; *partie —e,* bestanddeel. **II** zn **C—e** v grondwetgevende vergadering van 1789. **▼constitu/é/e** bn 1 samengesteld; *homme bien —,* iem. met een sterk gestel; 2 geplaatst, uitgezet (van geld). **▼—er I** ov.w 1 samenstellen, vormen; 2 toekennen (*une dot*); 3 aanstellen als, benoemen tot. **II se —** *prisonnier,* zich

overgeven, zich zelf aangeven. **▼—tif, -tive** bn samenstellend; *élément —,* bestanddeel. **▼—tion** v 1 samenstelling; 2 toekenning (*— d'une rente, d'une dot*); 3 gestel; 4 grondwet; 5 regel v. e. kloosterorde. **▼—tionnel, -elle** bn 1 grondwettig; 2 voortkomend uit het gestel.

constrict/eur bn samentrekkend; *muscle —,* sluitspier; *boa —,* boa constrictor. **▼—ion** v samentrekking, het samendrukken.

construct/eur m bouwer, maker, constructeur. **▼—if, -ive** bn (op)bouwend. **▼—ion** v 1 bouw, het bouwen; *bois de —,* timmerhout; *boîte de —,* bouwdoos; *chantier de —,* werf; 2 gebouw; 3 constructie, zinsbouw; 4 wisk. constructie. **▼construire** ov.w onr. 1 bouwen, construeren; 2 wisk. constructie maken.

consul m consul. **▼—aire** bn consulair. **▼—at** m consulaat.

consult/ant bn en zn consulterend (geneesheer); adviseur. **▼—atif, -ive** bn raadgevend; *avoir voix —ive,* een adviserende stem (inspraak) hebben. **▼—ation** v 1 consult, raadpleging; 2 spreekuur v. e. dokter; *cabinet de —,* spreekkamer v. e. dokter; 3 advies. **▼—er I** ov.w 1 raadplegen; 2 rekening houden met (*— ses forces*). **II** on.w beraadslagen.

consumer I ov.w 1 vernietigen; 2 verteren. **II se —** wegteren, zich uitputten.

contact m 1 aanraking, contact; *— à cheville,* stopcontact; *point de —,* raakpunt (*wisk.*), aanrakingspunt; *prendre le — avec l'ennemi,* voeling krijgen met de vijand; *— de terre,* aardleiding; 2 omgang. **▼—er** ov.w contact opnemen met.

contagi/eux, -euse bn besmettelijk, aanstekelijk (*exemple —*). **▼—on** v besmetting, aanstekelijkheid (*du rire*). **▼—onner** ov.w besmetten. **▼—osité** v besmettelijkheid.

container m container.

contamin/ation v 1 besmetting; 2 bezoedeling. **▼—er** ov.w 1 besmetten; 2 bezoedelen.

conte m verhaal, vertelsel; *— bleu, — de fées,* sprookje; *— de bonne (vieille) femme,* bakerpraatje; *— à dormir debout,* sterk verhaal; *les —s de la Mère l'Oie,* de sprookjes van Moeder de Gans; *— à rire,* grappig verhaal.

contempl/atif, -ive bn beschouwend (*ordre —*). **▼—ation** v beschouwing, bespiegeling. **▼—er** ov.w beschouwen.

contemporain I zn m, **-e** v tijdgenoot (-genote). **II** bn hedendaags, uit dezelfde tijd.

contempteur m, **-trice** v verachter (-ster).

conten/ance v 1 inhoud; 2 oppervlakte; 3 houding; *faire bonne —,* zich goed houden; *perdre —,* van streek raken. **▼—ant** m het voorwerp, dat inhoudt. **▼—eur** m laadbak, laadkist, container. **▼—ir I** ov.w onr. 1 bevatten, inhouden; 2 bedwingen, tegenhouden, in toom houden; *un caractère contenu,* een beheerst karakter. **II se —** zich bedwingen, inhouden.

content bn 1 tevreden; *manger tout son —,* zich dik eten; *être — de sa petite personne,* met zich zelf ingenomen zijn; 2 blij. **▼—ement** m 1 tevredenheid; *— passe richesse,* tevredenheid gaat boven rijkdom; 2 vreugde, blijdschap. **▼—er I** ov.w tevredenstellen; voldoen. **II se —** zich tevredenstellen met.

contentieux, -euse I bn 1 betwist, betwistbaar; 2 twistziek. **II** zn m geschil. **▼contention** v 1 inspanning; 2 geschil, twist, debat (*oud*).

contenu I zn m inhoud. **II** bn ingehouden, bedwongen (*colère —*); *caractère —,* gesloten karakter.

conter ov.w verhalen, vertellen; *il nous en conte,* hij maakt ons wat wijs; *en — à qn.,* iem. iets wijsmaken; *— des sornettes,* kletspraatjes verkopen.

contest/able bn betwistbaar. **▼—ataire** zn/bn opstandig, kritisch (iem.). **▼—ation** v

1 bestrijding; *sans* —, zonder tegenspraak;
2 geschil, twist; *entrer en* —, een twist
beginnen; *mettre en* —, bestrijden, betwisten.
▼—*e v: sans* —, ontegenzeglijk. ▼—**er** I *ov.w*
betwisten, bestrijden, contesteren. II *on.w*
twisten.

conteur I *zn m*, **-euse** *v* verteller (-ster). II *bn*
graag vertellend, praatziek.

contexte *m* samenhang v. d. tekst, context.
▼**contexture** *v* 1 weefsel; 2 samenhang.

contigu(ë) *bn* aangrenzend. ▼**contiguité** *v*
belending.

continence *v* kuisheid. ▼**continent** I *bn*
1 kuis (*oud*); 2 (*med.*) voortdurend; *fièvre*
—*e*, aanhoudende koorts. II *zn m* vasteland;
l'Ancien C—, de Oude Wereld; *le Nouveau
C*—, de Nieuwe Wereld.

continental [*mv* **aux**] *bn* tot het vasteland
behorend; *blocus* —, continentaal stelsel.

contingence I *v* toevalligheid. II—**s** *mv*
toevallige gebeurtenissen. ▼**contingent** I *bn*
toevallig. II *zn m* 1 aandeel; 2 lichting (*mil.*).
▼—**ement** *m* contingentering. ▼—**er** *ov.w*
contingenteren.

continu *bn* aanhoudend, doorlopend; *courant*
—, gelijkstroom; *fièvre* —*e*, aanhoudende
koorts; *proportion* —*e*, gedurige
evenredigheid. ▼—**ateur** *m*, **-atrice** *v*
voortzetter (-ster). ▼—**ation** *v* voortzetting,
vervolg. ▼—**el**, **-elle** *bn* voortdurend,
doorlopend. ▼—**er** I *ov.w* 1 voortzetten,
vervolgen, doorgaan met; 2 verlengen,
doortrekken (*un mur*); 3 vernieuwen,
verlengen (*un bail*). II *on.w* (*à of de*)
doorgaan (met), voortduren. ▼—**ité** *v*
1 voortduring; 2 samenhang. ▼**continûment**
bw doorlopend, voortdurend.

contondant *bn*: *instrument* —, stomp
voorwerp.

contorsion *v* 1 verdraaiing;
2 gelaatsverwringing. ▼**(se)** —**ner** zich in
bochten wringen, grimassen maken. ▼—**niste**
m slangemens.

contour *m* omtrek.

contourner *ov.w* 1 lopen om; 2 omtrekken;
3 verdraaien; *attitude contournée*, gemaakte
houding.

contra/ceptif I *zn m* anticonceptiemiddel.
II **-ive** *bn*: *produit* —, anticonceptiemiddel.
▼—**ception** *v* anticonceptie.

contract/ant I *bn* contracterend. II *zn m*
contractant. ▼—**er** I *ov.w* 1 doen
samentrekken, doen inkrimpen; 2 (af)sluiten,
een verbintenis aangaan; — *un bail*, een
contract sluiten; — *des dettes*, zich in
schulden steken; 3 krijgen, oplopen, enz.;
une habitude, een gewoonte aannemen; —
une maladie, een ziekte oplopen. II *se* —
inkrimpen, samentrekken. ▼—**if**, **-ive** *bn*
samentrekkend. ▼—**ile** *bn* samentrekbaar.
▼—**ilité** *v* samentrekbaarheid. ▼—**ion** *v*
samentrekking, inkrimping. ▼—**uel**, **-uelle** *bn*
contractueel. ▼—**ure** *v* spierverstijving.

contra/dicteur *m* tegenspreker. ▼—**diction** *v*
1 tegenspraak; *esprit de* —, geest van
tegenspraak; 2 tegenstrijdigheid;
3 onverenigbaarheid. ▼—**dictoire** *bn*
tegenstrijdig.

contraignable *bn* aan rechtsdwang
onderworpen. ▼**contraindre** *ov.w onr.*
1 dwingen, noodzaken; 2 bedwingen,
inhouden (*sa colère*). ▼**contraint** *bn*
gedwongen, gemaakt. ▼**contrainte** *v*
1 dwang; — *par corps*, gijzeling; *user de* —,
dwangmiddelen gebruiken;
2 gedwongenheid; *sans* —, ongedwongen.

contraire (à) I *bn* 1 tegengesteld, strijdig met;
2 schadelijk; 3 tegen-; *vent* —, tegenwind;
sort —, tegenspoed. II *zn m* het
tegenovergestelde, het tegendeel; *au* —,
integendeel; *au* — *de*, in tegenstelling met.
▼—**ment** (à) *bw* in tegenstelling met.

contralto, **contralte** *m* 1 alt(stem); 2 alt
(zangeres).

contrapontiste, **contrepointiste** *m*
contrapuntist (*muz.*).

contrar/iant *bn* 1 tegenstrevend; *esprit* —,
dwarsdrijver; 2 vervelend, wat de zaak in de
war stuurt (*une pluie* —*e*). ▼—**ier** *ov.w*
1 tegenwerken, dwarsbomen; 2 hinderen;
voilà qui me contrarie, dat vind ik vervelend;
avoir l'air contrarié, zuur kijken; — *des
couleurs*, contrasterende kleuren tegenover
elkaar zetten; ▼—**iété** *v* 1 teleurstelling;
2 moeilijkheid, onaangenaamheid.

contraste *m* tegenstelling, contrast.
▼**contraster** *on.w* een tegenstelling vormen.

contrat *m* overeenkomst, contract; — *de
mariage*, huwelijkscontract; — *notarié*,
notarieel contract.

contravention *v* overtreding.

contravis *m* tegenadvies.

contre I *vz* tegen; *là* —, daartegen; *par* —,
daarentegen; *laisser la porte tout* —, de deur
aan laten staan. II *zn m* 1 het tegen; *le pour et
le* —, het voor en tegen; *aller du pour au* —,
van het ene uiterste in het andere vallen;
2 klots bij biljartspel. ▼—**accusation**† *v*
tegenbeschuldiging. ▼—**alizé**† *m*
antipassaat. ▼—**allée**† *v* zijlaan. ▼—**amiral**
[*mv* **aux**] *m* schout-bij-nacht (*scheepv.*).
▼—**appel**† *m* tweede appèl, contra-appèl
(*mil.*). ▼—**attaque**† *v* tegenaanval.
▼—**attaquer** *ov.w* een tegenaanval doen.
▼—**balancer** *ov.w* opwegen tegen.
▼—**bande** *v* smokkelarij, smokkelwaren; *faire
la* —, smokkelen; *marchandises de* —,
smokkelwaar; *personnage de* —,
binnendringer. ▼—**bandier** *m*, **-ère** *v*
smokkelaar (ster). ▼—**bas** *bw*: *en* —, lager
gelegen. ▼—**basse** *v* 1 (contra)bas;
2 contrabassist. ▼—**batterie** *v* 1 tegenbatterij;
2 tegenmaatregel. ▼—**battre** *ov.w* een
vijandelijke beschieting beantwoorden.
▼—**buter** *ov.w* stutten. ▼—**carrer** *ov.w*
tegenwerken, dwarsbomen. ▼—**champ** *m*
filmopname, opgenomen in een richting,
tegengesteld aan de vorige. ▼—**cœur** (à) I *bw*
met tegenzin. II *zn m* haardplaat. ▼—**coup** *m*
terugslag. ▼—**courant**† *m* tegenstroom.
▼—**danse** *v* contradans, (*fam.*) bekeuring.
▼—**défense** *v* tegenweer. ▼—**digue**† *v*
steundijk. ▼—**dire** I *ov.w onr.* tegenspreken, in
tegenspraak zijn met. II *se* — zich zelf
tegenspreken. ▼—**dit** *m* verweerschrift; *sans*
—, ontegenzeglijk.

contrée *v* landstreek.

contre/-écrou† *m* contramoer.
▼—**enquête**† *v* tegenonderzoek.
▼—**espionnage** *m* contraspionage.
▼—**expertise**† *v* tegenonderzoek. ▼—**façon**
v namaak, nabootsing. ▼—**facteur** *m*
namaker. ▼—**faction** *v* namaak, nabootsing.
▼—**faire** *ov.w* 1 nabootsen, namaken;
2 veranderen (*sa voix*); 3 voorwenden (— *la
douleur*). ▼—**faiseur** *m*, **-euse** *v* naäper
(naäapster). ▼—**fait** *bn* 1 nagemaakt;
2 misvormd. ▼—**fenêtre**† *v* dubbel raam.
▼—**fiche**† *v* schoor.

(se) contreficher, **(se) contrefoutre** (*pop.*)
maling hebben aan.

contre/(-)fil (à) *bw* tegen de draad in.
▼—**fort** *m* 1 schoormuur; 2 uitloper v.e.
gebergte; 3 hielstuk. ▼—**haut** (**en** —) *bw*
hoger gelegen. ▼—**indication**† *v* (*med.*)
contra-indicatie. ▼—**jour** *m* vals licht; *à* —,
met de rug naar het licht. ▼—**maître**† *m*
opzichter, meesterknecht.
▼—**manifestation**† *v* tegenmanifestatie.
▼—**marche** *v* mars in richting, tegengesteld
aan de oorspronkelijke. ▼—**marque** *v* sortie
(kaartje, dat men ontvangt, als men de
schouwburg enz. even verlaat; dit kaartje dient
dan als nieuw toegangsbewijs). ▼—**mesure**
(à) *bw* tegen de maat in. ▼—**mur**† *m*
steunmeur. ▼—**offensive**† *v* tegenoffensief.
▼—**partie**† *v* 1 tegendeel; 2 tegenwaarde.
▼—**pente**† *v* tegenhelling.
▼—**performance**† *v* (*sp.*) slechte prestatie,
zwakke verrichting. ▼—**peser** *ov.w* opwegen
tegen, een tegenwicht vormen. ▼—**pied**† *m*
tegendeel; *prendre le* — *d'une opinion*, het

tegendeel beweren; *être à* —, (*sp.*) op het
verkeerde been staan. ▼—**plaqué** *m*
fineer(hout). ▼—**poids** *m* tegenwicht.
▼—**poil (à)** **1** tegen de haren in (*étriller un
cheval* —); *raser* —, opscheren; **2** tegen de
draad in; *prendre une affaire* —, verkeerd
aanpakken; *esprit* —, opstandige geest.
▼—**point** *m* contrapunt. ▼—**pointe** *v* scherp
v.d. punt v.d. sabelrug. ▼—**pointer** *ov.w* een
batterij richten tegen een andere. ▼—**poison**
m tegengif. ▼—**porte** *v* tochtdeur,
binnendeur. ▼—**pression** *v* tegendruk.
▼—**projet**† *m* tegenplan. ▼—**proposition**† *v*
tegenvoorstel.
contrer *ov.w* dubbleren (bridge); (*fam.*) zich
(met succes) verzetten tegen.
contre/-rail† *m* contrarail. ▼—**révolution**† *v*
contrarevolutie. ▼—**révolutionnaire**† *m*
voorstander van-, medewerker aan een
contrarevolutie. ▼—**seing** *m*
medeondertekening. ▼—**sens** *m*
1 tegengestelde, tegenovergestelde betekenis;
2 verkeerde zijde; *à* —, tegen de draad in,
averechts. ▼—**signature** *v*
medeondertekening. ▼—**signer** *ov.w*
medeondertekenen, contrasigneren.
▼—**temps** *m* tegenvaller, tegenspoed, strop; *à*
—, te onpas. ▼—**tirer** *ov.w* een afdruk maken
van een tekening enz. ▼—**torpilleur**† *m*
torpedojager (*mil.*). ▼—**type**† *m* filmpositief,
gemaakt v.e. ander positief. ▼—**valeur**† *v*
tegenwaarde. ▼—**venir (à)** *on.w* overtreden
(v.e. politievoorschrift enz.). ▼—**vent** *m*
vensterluik. ▼—**vérité** *v* onwaarheid.
▼—**visite**† *v* tweede onderzoek (*med.*), ter
controle v.h. eerste. ▼—**voie (à)** *bw* aan de
verkeerde kant v.d. trein.
contribu/able† *bn* belastingplichtig. **II** *zn m*
of *v* belastingplichtige. ▼—**ant** *m* bijdrager.
▼—**er** *on.w* **1** bijdragen; **2** medewerken.
▼—**tif, -ive** *bn* wat de belasting betreft; *part
—ive,* aanslag. ▼—**tion** *v* **1** bijdrage;
2 belasting.
contrister *ov.w* bedroeven.
contrit *bn* berouwvol. ▼**contrition** *v* berouw;
acte de —, akte van berouw; — *imparfaite,*
onvolmaakt berouw.
contrôlable *bn* controleerbaar. ▼**contrôl/e** *m*
1 controle, toezicht; — *des naissances,*
geboortebeperking; **2** plaats van controle;
3 waarmerk op goud en zilver; **4** tegenregister;
5 naamlijst; **6** kritiek. ▼—**er** *ov.w*
1 controleren; **2** waarmerken (van goud of
zilver); **3** inschrijven in het tegenregister.
▼—**eur** *m,* **-euse** *v* **1** controleur (-euse); —
d'aérodrome, luchtverkeersleider;
2 controletoestel.
contrordre *ov.w* tegenbevel.
controuvé *bn* verzonnen.
controversable *bn* betwistbaar.
▼**controvers/e** *v* twist (vooral over
godsdienstige onderwerpen). ▼—**er** *ov.w*
twisten (vooral over godsdienstige
onderwerpen). ▼—**iste** *m* theoloog, die
godsdienstige geschilpunten behandelt.
contumace *v* verstek; *condamner par* —, bij
verstek veroordelen.
contus *bn* gekneusd; *plaie* —*e,* kneuzing.
▼**contusion** *v* kneuzing. ▼—**ner** *ov.w*
kneuzen.
conurbation *v* randstad; stadsgewest.
convaincant *bn* overtuigend. ▼**convaincre**
ov.w onr. overtuigen. ▼**convaincu** *bn*
1 overtuigd; **2** schuldig bevonden.
convalesc/ence *v* beterschap, herstel (*med.*).
▼—**ent(e) I** *bn* herstellend. **II** *zn m,* **-e** *v*
herstellende zieke.
convenable *bn* **1** fatsoenlijk, behoorlijk,
gepast; **2** geschikt (*le moment* —).
▼**convenance I** *v* **1** overeenkomst, gelijkheid;
2 fatsoen; *marriage de* —, berekend huwelijk,
waarbij stand en geld een eerste rol spelen;
3 gepastheid, geschiktheid, gading; *trouver
qc. à sa* —, iets naar zijn gading vinden;
4 beschikking; *avoir à sa* —, beschikken. **II**—**s**
mv beschaafde gebruiken, regels der

beleefdheid (*respecter les* —*s*). ▼**convenir**
I *on.w onr.* (vervoegd met *avoir*) **1** lijken,
aanstaan, bevallen; **2** passen, voegen,
geschikt zijn. **II** (vervoegd met *être*)
1 overeenkomen, het eens worden (*nous
sommes convenus du prix*); **2** erkennen,
toegeven (*je conviens que j'ai tort*);
3 overeenstemmen, het eens zijn. **III** *onp.w: il
convient,* het is raadzaam, passend.
▼**convention I** *v* **1** verdrag, overeenkomst,
afspraak, contract; *une* — *verbale,* een
mondelinge afspraak; *une* — *tacite,* een
stilzwijgende afspraak; **2** wat gebruikelijk is,
de gewone manier van doen, conventie;
langage de —, gewone omgangstaal. **II**—**s** *mv*
bepalingen v. e. verdrag. ▼—**né** *bn: médecin*
—, arts met ziekenfondspraktijk. ▼—**nel,
-nelle** *bn* overeengekomen, gebruikelijk.
convent/ualité *v* kloosterleven. ▼—**uel,
-uelle** *bn* kloosterlijk (*la vie* —*uelle*).
convergence *v* **1** het samenkomen in een punt
van lichtstralen enz.; **2** overeenkomst,
gemeenschappelijkheid; — *d'efforts,*
gemeenschappelijke inspanning.
▼**convergent** *bn* in één punt samenkomend,
convergerend; *feux* —*s,* vuur, dat op één punt
is gericht. ▼**converger** *on.w* op één punt
gericht zijn, -samenkomen.
convers *bn: frère* —, lekebroeder,
werkbroeder; *sœur* —, lekezuster,
werkzuster.
conversation *v* gesprek, conversatie; *avoir de
la* —, gezellig kunnen praten; *changer la* —,
het gesprek op een ander onderwerp brengen.
▼**converser** *on.w* praten, converseren.
conversion *v* **1** bekering; **2** verandering,
omzetting; aanpassing; omscholing;
3 zwenking; **4** conversie (van rente).
▼**converti** *m,* **-e** *v* bekeerling(e); *prêcher un*
—, iem. proberen te overtuigen van iets,
waarvan hij reeds overtuigd is.
▼**convert/ibilité** *v* omzetbaarheid,
verwisselbaarheid. ▼—**ible** *bn* **1** omzetbaar,
verwisselbaar; **2** herleidbaar (*fraction* —).
▼—**ir** *ov.w* **1** bekeren; **2** omzetten,
veranderen; aanpassen; omscholen;
3 inwisselen; **4** converteren. ▼—**issable** *bn*
1 omzetbaar; **2** inwisselbaar; **3** bekeerbaar.
▼—**issement** *m* inwisseling. ▼—**isseur** *m*
1 bekeerder; **2** stroomwisselaar; — *de couple,*
koppelomvormer.
convexe *bn* bol. ▼**convexité** *v* bolheid,
rondheid.
conviction *v* overtuiging; *pièce à* —,
bewijsstuk.
convier *ov.w* uitnodigen. ▼**convive** *m* of *v*
gast (aan tafel).
convocation *v* oproeping.
convoi *m* **1** trein; — *de marchandises,*
goederentrein; — *de voyageurs,* reizigerstrein;
2 konvooi (*mil.*); **3** lijkstoet;
4 koopvaardijvloot. ▼**convoiement,
convoyage** *m* konvooiering.
convoiter *ov.w* begeren. ▼**convoitise** *v*
begerigheid, hebzucht.
convolvulus *m* winde (*plk.*).
convoquer *ov.w* op-, bijeenroepen.
convoy/er *ov.w* konvooieren. ▼—**eur** *m*
1 begeleidend schip; **2** begeleider v. e.
konvooi; **3** lopende band.
convulsé *bn* verwrongen, krampachtig
vertrokken (*visage* —). ▼**convulsif, -ive** *bn*
krampachtig. ▼**convulsion** *v* stuip(trekking),
kramp. ▼—**ner** *ov.w* krampachtig doen
samentrekken.
cooccupant *m* medebewoner.
coolie *m* koelie.
coopér/ateur *m,* **-atrice** *v* medewerker
(-ster). ▼—**atif, -ive I** *bn* samenwerkend. **II** *zn*
-ive *v* coöperatie. ▼—**ation** *v* samenwerking,
coöperatie. ▼—**er** *on.w* samenwerken.
coopt/ation *v* het aanvullen van leden v. e.
vereniging door de leden zelf. ▼—**er** *ov.w*
aannemen v. e. nieuw lid door de leden v. d.
vereniging zelf.
coordination *v* coördinatie, rangschikking,

samenwerking.
coordonn/ée v 1 coördinaat;
2 nevenschikkende zin; 3 *(fam.) donnez-moi
vos —s*, geef me uw adres, telefoonnummer
enz. ▼—**er** *ov.w* ordenen, rangschikken,
coördineren.
copain m *(fam.)* maat, kameraad.
coparticipation v deelgenootschap.
copeau *[mv x]* m spaander, krul; *vin de —x*,
wijn die geklaard wordt op spaanders.
Copenhague v Kopenhagen.
copiage m (het) kopiëren. ▼**copie** v
1 afschrift; *livre de copie de lettres
(copie-lettres, m)*, kopieboek; 2 netwerk v. e.
leerling; 3 kopij om te drukken; 4 reproduktie
v. e. kunstwerk; 5 filmafdruk; 6 nabootsing;
7 evenbeeld. ▼**copier** *ov.w* 1 kopiëren;
2 overschrijven, in het net schrijven;
3 namaken, een reproduktie maken; 4
nabootsen; 5 spieken. ▼**copieur** m
1 kopieermachine; 2 spieker.
copieux, -euse *bn* overvloedig *(repas —)*.
copilote m tweede piloot.
copine v *(fam.)* vriend(in). ▼**copiner** *on.w*
(fam.) een vriendschappelijke relatie hebben.
▼**copinerie** v *(fam.)* 1 vriendschap;
2 vriendenclub.
copiste m namaker, maker van reprodukties.
coposséder *ov.w* samen bezitten.
copra (coprah) m kopra.
coproduction v coproduktie, gezamenlijke
produktie.
copropriétaire m of v medeëigenaar
(-eigenares). ▼**copropriété** v
gemeenschappelijk eigendom.
copulatif, -ive *bn* verbindend. ▼**copulation** v
paring. ▼**copule** v koppelwerkwoord.
coq m 1 haan (ook van fazanten, enz.); *au
chant du —*, bij het krieken v. d. dag; *fier
comme un —*, zo trots als een pauw; *le —
gaulois*, de Gallische haan; — *d'Inde*,
kalkoense haan; *avoir des mollets de —*,
spillebenen hebben; *être comme un —* en
pâte, een heerenleventje leiden; *le — du village*,
haantje de voorste, jongen, waar alle meisjes
achteraan lopen; *être rouge comme un —*, zo
rood zijn als een kalkoense haan; *poids —*,
bantamgewicht (boksen); 2 weerhaan;
3 scheepskok. ▼**coq-à-l'âne** m
onsamenhangende taal; *faire des —*, van de
hak op de tak springen.
coque v 1 eierschaal; *sortir de sa —*, pas komen
kijken; *œuf à la —*, zachtgekookt ei; 2 dop; —
de noix, notedop; 3 cocon; 4 romp van schip
of vliegtuig.
coquelicot m klaproos.
coqueluche v 1 kinkhoest; 2 lieveling,
favoriet.
coquemar m waterketel.
coquerie v scheepskeuken, kombuis.
coquet, -ette I *bn* behaagziek, koket; *(fam.)*
vrij groot; *la coquette somme*, het aardige
bedrag. **II** *zn* **-ette** v kokette vrouw.
▼**coqueter** *on.w* koketteren.
coquet/ier m eierdopje. ▼—**ière** v eierkoker.
coquetterie v koketterie, behaagzucht.
coquillage m 1 schelpdier; 2 schelp.
▼**coquille** v 1 schelp; *faire payer ses —s*, iem.
afzetten; *rentrer dans sa —*, in zijn schulp
kruipen; 2 schaal (— *d'œuf*); dop (— *de
noix*); *sortir de sa —*, pas komen kijken; — *de
noix*, notedop (klein vaartuig); 3 schotel i. d.
vorm v. e. schelp; 4 papierformaat (56 bij 44
cm); 5 drukfout.
coquin I zn m v schelm, schurk; — *de sort!*,
wat een pech! **II** *bn* guitig. ▼—**erie** v
schelmenstreek.
cor m 1 hoorn; — *anglais*, althobo; *à — et à cri*,
met veel lawaai, met alle geweld; *emboucher le
—*, de hoorn aan de mond zetten; *au son du —*,
bij het hoorngeschal; 2 hoornblazer;
3 likdoorn; 4 tak v. e. gewei.
corail *[mv aux]* m koraal. ▼**corailleur** m
koraalvisser. ▼**corallien, -enne** *bn* wat koraal
betreft *(formation -enne)*. ▼**corallin** *bn*
koraalrood.

coran m koran.
corbeau *[mv x]* m 1 raaf; 2 doodbidder,
aanspreker; 3 zwartrok (priester) *(oud.)*;
4 muuranker.
corbeille v 1 korf; — *de fleurs*, bloemenmand;
— *de fruits*, vruchtenmand; — *à ouvrage*,
handwerkmandje; 2 bloemperk; 3 — *(de
mariage)*, geschenken van de bruidegom voor
zijn bruid.
corbi m *(pop.)* = corbillard m lijkkoets.
corbillon m korfje.
cordage m touwwerk. ▼**corde** v 1 touw,
koord; *avoir plus d'une — à son arc*, meer dan
één pijl op zijn boog hebben; *friser la —*, met
de hakken over de sloot komen; *montrer la —*,
kaal zijn van kleding, geen hulpmiddelen meer
hebben; — *à nœuds*, knoopladder; *sauter à la
—*, touwtje springen; — *à sauter*, springtouw;
tabac en —, gerolde pruimtabak; *tenir la —*, de
binnenbaan hebben (van paarden,
wielrenners); in het voordeel zijn; *usé jusqu'à
la —*, tot op de draad versleten; 2 strop; *mériter
la —*, de strop verdienen; *se présenter la — au
cou*, zich op genade of ongenade overgeven;
un homme de sac et de —, een galgeaas;
3 snaar; *instrument à —s*, snaarinstrument;
toucher la — sensible, de gevoelige snaar
raken; —*s vocales*, stembanden; 4 koorde.
cordé *bn* hartvormig.
cordeau *[mv x]* m 1 richtlijn; 2 lont.
cordée v 1 palingreep; 2 bergbeklimmers aan
een touw.
cordel/er *ov.w* vlechten. ▼—**ette** v touwtje.
▼—**ier** m franciscaner monnik. ▼—**ière** v
1 gordelkoord (van monniken, om
kamerjapon, enz.); 2 franciscanes; 3 snoer.
corder *ov.w* 1 draaien als touw; 2 een touwtje
binden om; 3 besnaren *(une raquette)*.
▼**corderie** v 1 touwslagerij; 2 touwhandel.
cordial *[mv aux]* **I** *bn* 1 hartversterkend;
2 hartelijk. **II** *zn m* hartversterkend middel.
▼—**ité** v hartelijkheid.
cordier m 1 touwslager; 2 touwverkoper;
3 staartstuk van strijkinstrument.
cordiforme *bn* hartvormig.
cordillère v bergketen.
cordon m 1 touw(tje), koord, snoer, band;
—*-bleu*, bekwame keukenmeid; *délier les —s*,
de veters losmaken; *le grand — de la Légion
d'Honneur*, ordeteken van grootkruis i. h.
Legioen van Eer; 2 — *médullaire*, ruggemerg;
— *nerveux*, zenuwdraad; — *ombilical*,
navelstreng; — *de soulier*, schoenveter; *tenir
les —s de la bourse*, de koorden v. d. beurs in
handen hebben; *tirer le —*, aan het touw
trekken om de deur te openen (bijv. van een
concierge); 2 grasrand; 3 bomenrij;
4 troepenlinie, rij. ▼—**ner** *ov.w* tot koord
vlechten.
cordonnerie v 1 schoenwinkel;
2 schoenmakerij.
cordonnet m tres van gouddraad, enz.
cordonnier m 1 schoenmaker;
2 schoenwinkelier; 3 schoenreparateur; *les
—s sont les plus mal chaussés*, (spr.w.) men
doet dikwijls voor anderen dingen, die men
voor zich zelf nalaat.
Corée (la) Korea.
coreligionnaire m of v geloofsgenoot
(-genote).
coriace *bn* 1 taai *(viande —)*; 2 taai,
volhoudend; 3 gierig.
Corinthe v Corinthe; *raisin de —*, krent.
▼**Corinthien I** zn m, **-enne** v Corinthiër,
-ische. **II** *bn* -enne Corinthisch.
cormoran m aalscholver.
cornac m 1 kornak; 2 *(fam.)* gids; leidsman.
▼**cornaquer** *ov.w* *(fam.)* leiden.
cornard m 1 horendrager; 2 *(pop.)* bedrogen
echtgenoot. ▼**corne** v 1 horen, gewei; —
d'appel, toeter; — *d'automobile*, autohoren;
bêtes à —s, hoornvee; *faire porter des —s à un
mari*, een echtgenoot bedriegen; 2 hoorn
(stof); *bouton de —s*, hoornen knoop; *manche
en — de cerf*, hertshoornen heft; 3 punt;
chapeau à trois —s, driepuntige steek;

4 schoenhoren; **5** ezelsoor (v. boek); **6** gaffel (*scheepv.*); **7** voelhoren, spriet. ▼**corné** *bn* hoornachtig. ▼**cornée** *v* hoornvlies.
▼**cornéen** *bn: lentille* —*ne*, contactlens.
corneille *v* kraai; — *d'église*, torenkraai; *bayer aux* —*s*, lanterfanten.
cornélien, **-enne** *bn* op de wijze van Corneille.
cornement *m* oortuiting.
cornemuse *v* doedelzak. ▼**cornemuseur** *m* doedelzakspeler.
corner I *on.w* **1** op een horen blazen; **2** toeteren; **3** tuiten der oren (*les oreilles me cornent*). II *ov.w* **1** omvouwen; **2** rondbazuinen. III *zn m* corner (*voetbal*).
▼**cornet** *m* **1** toeter, horentje; — *acoustique*, geluidshoren voor doven; — *à pistons*, klephoren; — *de postillon*, posthoren; **2** dobbelbeker; **3** inktkoker; **4** hoornblazer; **5** puntzakje; **6** (*fam.*) *se mettre qc. dans le* —, eten. ▼**cornette** *v* nonnenkap. ▼**cornettiste** *m* kornetblazer.
corniaud *m* **1** bastaardhond; **2** (*fam.*) dom iemand.
corniche *v* **1** kroonlijst; *route en* —, weg langs een steile berghelling; **2** (*arg.*) voorbereidende klas v. d. mil. academie te Saint Cyr.
cornichon *m* **1** augurk; **2** sufferd.
cornier, **-ère** *bn* op de hoek (*poteau* —).
corniste *m* hoornblazer.
cornouille *v* kornoelje (*plk.*).
cornu *bn* gehoornd.
corollaire *m* gevolg, uitvloeisel.
corolle *v* bloemkroon.
coron *m* mijnwerkershuis, -wijk.
coronaire *bn: artère* —, kransslagader.
coronal, **-aux** I *bn* wat het voorhoofd betreft (*os-*). II *zn m* voorhoofdsbeen.
corporal [*mv* **aux**] *m* corporale (*rk*).
corporat/if, **-ive** *bn* wat een vereniging, gilde, enz. betreft; *esprit* —, gildegeest. ▼—**ion** *v* vereniging, gilde, bond, genootschap.
▼—**isme** *m* gildewezen, corporatief systeem.
corporel, **-elle** *bn* lichamelijk; *art* —, body art; *infirmités corporelles*, lichaamsgebreken; *peine corporelle*, lijfstraf.
corps *m* **1** lichaam (= lijf); *se donner* — *âme*, zich met hart en ziel geven; — *de baleine*, keurslijf; *périr* — *et biens*, met man en muis vergaan; *un bourreau de son* —, iem. die zijn gezondheid niet ontziet; *saisir qn. à bras le* —, iem. om het middel grijpen; *à* —, man tegen man; *à son* — *défendant*, tegen wil en dank; *avoir le diable au* —, zich aanstellen; vechten als een bezetene; *un drôle de* —, een rare kerel; *à* — *perdu*, blindelings; **2** lichaam (= voorwerp); *les* — *célestes*, de sterrren, de planeten; — *du délit*, corpus delicti; *donner* — *à une idée*, een denkbeeld verwezenlijken; *prendre l'ombre pour le* —, schijn voor werkelijkheid nemen; **3** lijk; **4** hoofdgedeelte v.e. gebouw; — *de garde*, hoofdwacht; — *de logis*, hoofdgebouw; **5** stof; — *simple*, element; **6** omvang, dikte; *prendre du* —, dik worden; **7** korps; — *de ballet*, gezamenlijke dansers en danseressen, bijv. v. d. opera; — *diplomatique*, de diplomaten bij een mogendheid; — *franc*, vrijkorps; — *législatif*, wetgevende vergadering; — *médical*, de artsen; *venir en* —, gezamenlijk komen.
▼**corps à corps** *m* gevecht van man tegen man.
corpulence *v* gezetheid, dikte. ▼**corpulent** *bn* gezet, dik.
corpuscule *m* klein lichaampje.
correct *bn* **1** juist; **2** onberispelijk, correct.
▼—**eur** *m*, **-trice** *v* hij, zij, die drukproeven corrigeert (corrector). ▼—**if**, **-ive** I *bn* verbeterend. II *zn m* verbeterend middel.
▼—**ion** *v* **1** verbetering; *maison de* —, verbeteringsgesticht; *sauf* —, als ik het wel heb; **2** straf; **3** juistheid, zuiverheid (*du style*); **4** onberispelijkheid, netheid. ▼—**ionnel**, **-elle** I *bn* betrekking hebbend op lichte vergrijpen (*peine* —*elle*). II **-elle** *zn v* (*tribunal correctionnel*), rechtbank voor lichte vergrijpen (politierechter).

corrélat/if, **-ive** I *bn* een wederzijdse logische betrekking hebbend. II *zn m* een woord dat in logische betrekking tot een ander staat.
▼—**ion** *v* logisch verband.
correspond/ance *v* **1** overeenkomst, overeenstemming; **2** betrekking, verstandhouding; **3** briefwisseling, ingekomen stukken; *vente par* — (*V.P.C.*), postorderverkoop; **4** aansluiting (v. trein, enz.); **5** overstapkaartje. ▼—**ant** I *bn* overeenkomstig; *angles* —*s*, overeenkomstige hoeken. II *zn m* **1** zakenrelatie; **2** wetenschappelijke relatie v. e. academie, enz.; **3** correspondentievriend.
▼**correspondre** *on. w* **1** in verbinding staan; **2** correspondentie voeren; **3** overeenkomen; **4** beantwoorden aan.
corridor *m* gang.
corrigé *m* verbeterd werk. ▼**corrig/er** I *ov.w* **1** verbeteren; **2** bestraffen, afstraffen. II *se* — zijn gedrag, leven beteren. ▼—**eur** *m* zetter die de door de corrector aangegeven fouten verbetert. ▼—**ible** *bn* voor verbetering vatbaar.
corrobor/ant I *bn* versterkend. II *zn m* versterkend middel. ▼—**ation** *v* versterking.
▼—**er** *ov.w* versterken.
corrodant I *bn* bijtend, invretend. II *zn m* bijtend, invretend middel. ▼**corroder** *ov.w* uitbijten, aantasten.
corroi *m* leerbereiding. ▼**corroierie** *v* **1** leerbereiding; **2** leertouwerij.
corrompre I *ov.w* **1** bederven; **2** verminken (*un texte*); **3** omkopen. II *se* — bederven.
▼**corrompu** *bn* **1** bedorven; **2** verdorven.
corrosif, **-ive** I *bn* bijtend. II *zn m* bijtmiddel.
▼**corrosion** *v* uitbijting.
corroy/age *m* **1** het leertouwen; **2** het gloeiend smeden van ijzer. ▼—**er** *ov.w* **1** leer touwen; **2** ijzer gloeiend smeden. ▼—**eur** *m* leertouwer.
corrupt/eur, **-trice** I *bn* verderfelijk. II *zn m*, **-trice** *v* bederver (bederfster), verleider (verleidster). ▼—**ible** *bn* (*oud*) **1** bederfelijk; **2** omkoopbaar. ▼—**ion** *v* **1** bederf; **2** verdorvenheid; **3** omkoping.
corsage *m* lijfje van japon.
corsaire I *zn m* **1** kaperschip; **2** kaper, zeerover. II *bn: pantalon* —, kuitbroek.
Corse I *v* Corsica. II *m* Corsicaan. ▼**corse** *bn* Corsicaans.
corsé *bn* krachtig, sterk; *vin* —, volle wijn.
corselet *m:* — *de mailles*, maliënkolder.
corser *ov.w* krachtig maken; spannend maken.
corset *m* korset. ▼—**ier** *m*, **-ière** *v* korsettenmaker (-maakster).
cortège *m* **1** optocht, stoet; — *funèbre*, rouwstoet; **2** nasleep, gevolg.
cortès *v mv* Cortes.
cortex *m* hersenschors.
corton *m* (bekende) wijn uit de Côte d'Or.
corvéable *bn* verplicht tot herendiensten.
▼**corvée** *v* **1** herendienst; **2** corvee (*mil.*); **3** de soldaten die corvee hebben; **4** verschrikkelijk karwei.
corvette *v* korvet (*scheepv.*).
coryphée *m* **1** balletmeester, aanvoerder v.e. koor; **2** uitblinker, coryfee.
coryza *m* neusverkoudheid.
cosaque *m* kozak.
cosignataire *m* medeondertekenaar.
cosmétique I *bn* bevorderlijk voor de schoonheid. II *zn m* schoonheidsmiddel, haarmiddel.
cosmique *bn* kosmisch. ▼**cosmo/gonie** *v* leer v. d. vorming v. h. heelal. ▼—**graphe** *m* kosmograaf. ▼—**graphie** *v* kosmografie (beschrijving v. h. astronomische systeem).
▼—**graphique** *bn* kosmografisch. ▼—**logie** *v* kosmologie (kennis der wetten, die het heelal regeren). ▼—**naute** *m* kosmonaut. ▼—**polite** I *zn m* wereldburger. II *bn* als een wereldburger, kosmopolitisch. ▼—**politisme** *m* kosmopolitisme, wereldburgerschap.
▼**cosmos** *m* kosmos.
cossard *bn*/*zn* (*pop.*) lui(lak). ▼**cosse** *v* **1** dop

van peulvruchten; **2** (*pop.*) luiheid.
cosser *on.w* **1** elkaar met de horens stoten (van rammen); **2** vechten.
cossu *bn* rijk, welgesteld.
costal [*mv* **aux**] *bn* wat tot de ribben behoort.
costaud, costeau [*mv* **x**] *bn* (*pop.*) sterk, potig.
costum/e *m* **1** klederdracht; **2** kostuum, pak. **▼—é** *bn*: *bal* —, gekostumeerd bal. **▼—er** *ov.w* kleden. **▼—ier** *m*, **-ière** *v* **1** kostuummaker (-naaister); **2** kostuumverkoper (-verkoopster); **3** kostuumverhuurder (-verhuurster); **4** kostuumbewaarder (-bewaarster) in schouwburg.
cotangente *v* cotangens (*wisk.*).
cotation *v* notering. **▼cote** *v* **1** belastingaanleg; *faire une* — *mal taillée*, een vergelijk treffen; **2** notering; — *officielle*, officiële beursnotering; — *de clôture*, slotkoers; *cours à la* —, (*fam.*) goed bekend staan; **3** peil, waterstand; **4** letter, cijfer voor archiefstukken.
côte *v* **1** rib; — *à* —, zij aan zij; *rompre les —s à qn.*, iem. afranselen; *faire une* —*s à qn.*, iem achter de broek zitten; *se tenir les* —*s*, zijn buik vasthouden v. h. lachen; *on lui voit les* —*s*, men kan zijn ribben tellen; *avoir les* —*s en long*, (*fam.*) lui zijn; **2** helling; *la Côte d'Or*, gebergte in Midden-Frankrijk; *la Côte de l'Or*, de Goudkust; *la Côte d'Azur*, de Rivièra; *à mi-côte*, halverwege de helling; **3** kust; *faire* — *aller à la* —, schipbreuk lijden voor de kust; *être à la* —, zonder geld zitten; *op zwart zaad* zitten; **4** scherpe kant, ribbe; *étoffe à* —*s*, geribde stof.
côté *m* zijde, kant; *à* — *de*, naast; *le* — *d'un angle*, het been v. e. hoek; *de l'autre* —, aan de andere kant; *de* — *et d'autre, de tous* —*s*, van -, naar alle kanten; *bas* —, zijbeuk; *de ce* —, aan deze kant; *de* —, ter zijde; *du* — *de*, aan de kant van, in de richting van; *le* — *faible*, zwak, zwakke punt; *laisser de* —, weglaten; *mettre de* —, ter zijde leggen, opsparen; *je me range de votre* —, ik ben het met u eens; *mettre les rieurs de son* —, de lachers op zijn hand brengen; *les* —*s d'un triangle*, de zijden v. e. driehoek; *voir de quel* — *vient le vent*, de kat uit de boom kijken.
coteau [*mv* **x**] *m* **1** heuveltje; **2** helling, beplant met wijnstokken.
côtelé *bn* geribd. **▼côtelette** *I v* ribbetje. **II —s** bakkebaarden.
coter *ov.w* **1** nummeren, merken; **2** aanslaan in de belasting; **3** aangeven van peil of hoogte; **4** noteren (aan de beurs); *valeurs cotées à la bourse*, effecten die in de officiële beursnotering zijn opgenomen; *il est bien coté*, hij staat goed aangeschreven.
coterie *v* kliek; *esprit de* —, kliekgeest.
cothurne *m* (*oud*) toneellaars.
côtier, -ère *I bn* wat de kust betreft; *bâtiment* —, kustvaarder; *navigation cotière*, kustvaart. **II** *zn m* kustvaartuig.
cotillon *m* soort dans; *courir le* —, het gezelschap van vrouwen zoeken.
cotis/ant *zn/bn* contributiebetaler/-betalend. **▼—ation** *v* contributie, bijdrage. **▼—er** (*se*) hoofdelijk omslaan. **II se** — bijdragen, geld bij elkaar leggen.
coton *m* **1** katoen; *fil de* —, naaigaren; **2** watten; *il file un mauvais* —, hij is er slecht aan toe; *avoir les jambes en* —, zich slap voelen; *c'est* —, (*pop.*) het is moeilijk. **▼—nade** *v* katoenen stof. **▼—nerie** *v* katoenplantage. **▼—neux, -neuse** *bn* **1** wollig; **2** melig (v. vruchten); **3** kleurloos (v. stijl). **▼—nier, -nière** *I bn* wat de katoen betreft; (*industrie cotonnière*). **II** *zn m* katoenboom. **▼coton-poudre** *m* schietkatoen.
côtoyer *ov.w* gaan, rijden, enz. langs.
cotre *m* kotter (*scheepv.*).
cotte *v* **1** boerinnenrok; **2** — *de mailles*, maliënkolder.
cou, col *m* hals; *mettre à qn. la bride sur le* —, iem. te veel vrijheid laten; *se casser, se rompre*

le —, zijn nek breken; — *de cigogne*, geranium; *couper le* —, onthoofden; *se jeter au* — *de qn.*, iem. om de hals vallen; *prendre ses jambes à son* —, ervandoor gaan; *tordre le* —, worgen, de nek omdraaien.
couac *m* valse noot.
couard *I bn* laf. **II** *zn m* lafaard. **▼couardise** *v* lafheid.
couchage *m* **1** beddegoed; **2** slaapplaats. **▼couchant I bn** **1** ondergaand (*soleil* —); **2** *chien* —, staande hond. **II** *zn m* het westen. **▼couche** *v* **1** bed, legerstede (*oud*); **2** luier; **3** laag; *avoir, en tenir une* —, (*fam.*) dom zijn; **4** bevalling (meestal *mv*); *faire ses* —*s*, bevallen; *fausse* —, miskraam. **▼coucher I** *on.w* **1** in bed leggen; **2** neerleggen; — *sur le carreau*, doden; *la pluie a couché les blés*, de regen heeft het koren platgeslagen; **3** oplegen van kleuren; **4** opschrijven, vermelden; **5** aanleggen, mikken (— *en joue*). **II** *on.w* slapen, overnachten; *chambre à* —, slaapkamer; — *sur la dure, -op de harde grond* slapen; — *à la belle étoile*, onder de blote hemel slapen. **III se — 1** naar bed gaan; *allez vous* —!, loop naar de maan!; *comme on fait son lit, on se couche*, (*spr.w*) boontje komt om zijn loontje; *être couché*, in bed liggen; *place couchée*, ligplaats (*trein*); *se* — *comme* (*avec*) *les poules*, met de kippen op stok gaan; **2** ondergaan van zon, enz.; *le soleil est couché*, de zon is onder; **3** gaan liggen. **IV** *zn m* **1** het naar bed gaan; **2** ondergang van zon, enz.; **3** het gebruik v. e. bed (*payer 500 francs pour le* —); **4** bed, legerstede; **5** het te bed liggen. **▼couchette** *v* **1** id., klein bed; **2** krib, kooi. **▼coucheur** *m*: *mauvais* —, lastige vent.
couci-couci (couci-couça) *bw*: *Comment allez-vous? Couci-couci*, 't gaat wel, tamelijk goed.
coucou I *zn m* **1** koekoek; **2** koekoeksklok; **3** sleutelbloem; **4** (*oud*) vliegtuig. **II** *tw* —!, kiekeboe!
coude *m* **1** elleboog; *jouer des* —*s*, zich een weg banen; *lever, hausser le* —, graag drinken; *il ne se mouche pas du* —, hij doet de dingen goed; **2** bocht van weg of straat. **▼coudée** *v* ellebooglengte; *avoir ses coudées franches*, vrij spel hebben, de handen vrij hebben.
cou-de-pied *m* wreef.
couder *ov.w* ombuigen.
coudoiement *m* het stoten met de elleboog. **▼coudoyer** *ov.w* **1** aanstoten met de elleboog; **2** omgaan met, in aanraking komen met.
coudraie *v* hazelaarsbosje.
coudre *ov.w* onr. naaien; *bouche cousue*!, mondje dicht!; *machine à* —, naaimachine.
coudrier *m* hazelaar.
couenne *v* **1** zwoerd; **2** sukkel.
couette *v* **1** veren bed; **2** staartje (vlechtje).
couffin *m* mand.
couic! *tw* piep!; *faire* —, doodgaan.
couillon *m* (*pop.*) zak, idioot. **▼—nade** *v* stommiteit. **▼—ner** *ov.w* bedonderen.
couiner *on.w* (*fam.*) piepen.
coulage *m* **1** gieten van metaal; **2** weken van was; **3** het weglopen van vloeistoffen; **4** verspilling, wat er aan de strijkstok blijft hangen. **▼coulamment** *bw* vloeiend.
▼coulant I bn **1** vloeiend, stromend; *nœud* —, lus; *style* —, vlotte stijl; **2** vlot, coulant, handelbaar. **II** *zn m* schuifring. **▼coule** *v* **1** vermorsing, verspilling; *être à la* —, (*fam.*) uitgeslapen zijn, goed bij zijn; **2** pij. **▼coulé** *m* **1** binding (*muz.*); **2** doorstoot bij biljarten; **3** slepende danspas. **▼coulée** *v* **1** lopend schrift; **2** stroom, het wegstromen; **3** het gieten van metaal. **▼couler I** *on.w* **1** stromen, vloeien; — *de source*, van een leien dakje gaan; **2** glijden, voortgaan; — *sur qc.*, ergens overheen glijden; *des vers qui coulent bien*, vloeiende verzen; **3** lekken, druipen; *ce tonneau coule*, dit vat lekt; *son nez coule*, zijn neus lekt; *la chandelle coule*, de kaars druipt; **4** zinken v. e. schip (— *bas*); **5** voorbijgaan; **6** verrotten v. d. vruchten door regen (*la vigne*

a coulé); **7** doorstoten bij biljarten. **II** *ov.w* **1** gieten van metalen; — *une statue*, een standbeeld gieten; **2** in de week zetten (*la lessive*); **3** in de grond boren (— *bas un navire*); **4** doorbrengen (— *ses jours*); *se la — douce*, een gemakkelijk leventje leiden; **5** laten glijden, stoppen; — *un billet dans la main de qn.*, iem. een briefje in de hand stoppen, laten glijden; — *à l'oreille*, influisteren; **6** — *une pièce de théâtre*, een toneelstuk doen vallen.

couleur l *v* **1** kleur; *changer de* —, verbleken, blozen; *homme de* —, kleurling; — *voyante*, opzichtige kleur; **2** verf; —*s à l'eau*, waterverf; —*s à l'huile*, olieverf; **3** leugentje. **II** —*s* *mv* **1** livrei; **2** vlag.

couleuvre *v* slang; — *à collier*, ringslang; *avaler des* —*s*, beledigingen slikken.

coulis l *m* gezeefde saus of bouillon; — *d'écrevisses*, kreeftesoep. **II** *bn*: *vent* —; *tocht*.

coulissant *bn* verschuifbaar. ▼**coulisse** *v* **1** sleuf, sponning, rail; *porte à* —, schuifdeur; **2** toneelcoulisse; *dans les* —*s*, achter de schermen; **3** plaats, verzameling van niet-officieel erkende beursmakelaars; **4** *en* —, van opzij, heimelijk. ▼**coulisser** *on.w* schuiven.

couloir *m* **1** (nauwe) gang, doorgang, wandelgang; *intrigues de* —, politieke kuiperijen; **2** baan (bij zwemmen); **3** rijstrook; — *d'autobus*, busspoor, vrije busbaan; — *d'accès*, invoegstrook; **4** (*tennis*) dubbelstrook; **5** tramrails.

coup *m* **1** stoot, slag, steek, schot, enz.; daad, streek; — *d'air*, kou ten gevolge van tocht; *après* —, achteraf; *donner un* — *de balai*, even bijvegen; — *de bourse*, beursoperatie; *être dans le* —, meedoen; *faire les cent* —*s*, een losbandig leven leiden; *donner un* — *de chapeau*, zijn hoed afnemen; — *de chien*, gemene streek; — *du ciel*, gelukkige, buitengewone gebeurtenis; — *de colère*, vlaag van woede; — *de coin*, hoekschop; — *sur* —, keer op keer; — *de dent*, beet; — *de dés*, worp met dobbelstenen; *être dans (sur) le* —, meedoen; *faire* — *double*, twee stuks wild in één keer schieten, twee vliegen in één klap slaan; — *d'éperon*, spoorslag; — *d'essai*, proefstuk; — *d'État*, staatsgreep; *sans* — *férir*, zonder slag of stoot; — *de flotte*, pijlschot; — *de force*, gewelddaad; — *de fortune*, gelukkig toeval; — *de foudre*, bliksemschicht, plotselinge verliefdheid; — *de fouet*, zweepslag; — *franc*, vrije trap bij voetbal; — *de grâce*, genadeslag, genadeschot; — *de Jarnac*, gemene streek; *donner un* — *de main*, een handje helpen; — *de maître*, meesterlijke zet; *mettre qn. dans le* —, iem. meekrijgen; *monter le* —, bedriegen; — *de mer*, stortzee; *avoir du* — *d'œil*, een zuiver oordeel hebben, kijk hebben; *jeter un* — *d'œil*, een blik werpen; *donner un* — *de peigne*, even de haren opkammen; *percé de* —*s*, doorboord met kogels; — *de pied*, trap; *le* — *de pied de l'âne*, een trap achterna; — *de poing*, vuistslag, stomp; *porter* —, effect hebben; — *de réparation*, strafschop bij voetbal; — *de sang*, beroerte; — *de soleil*, zonnesteek; — *de sonnette*, ruk aan de bel; *sur le* —, dadelijk; *à* — *sûr*, zeker; — *de tête*, gril, inval, kopbal (bij voetballen); — *de théâtre*, onverwachte wending; — *de téléphone*, — *de fil*, telefoontje, telefonische oproep; *tenir le* —, weerstand bieden; — *de tonnerre*, donderslag; *tout à* —, plotseling; *tout d'un* —, ineens; *à tout* —, telkens; *tué sur le* —, op slag gedood; — *de vent*, windstoot; — *de volant*, ruk aan het stuur; **2** zet; — *monté*, doorgestoken kaart; *monter un* — *à qn.*, iem. erin laten lopen, bedriegen; *du premier* — *dadelijk*; *cela vaut le* —, dat is de moeite waard; **3** teug; *d'un seul* —, ineens; *boire à petits* —*s*, met kleine teugen drinken; — *de l'étrier*, het glaasje op de valreep.

coupable *bn* schuldig, misdadig.

coupage *m* het versnijden van wijn. ▼**coupant l** *zn* *m* de snede. **II** *bn* snijdend, scherp.

coup†-de-poing *m* **1** boksbeugel; **2** kleine zakrevolver.

coupe *v* **1** beker (ook als sportprijs); — *de challenge*, wisselbeker; *à loin de la* — *aux lèvres*, (*spr.w*) men moet de dag niet prijzen voor het avond is; **2** snede, het snijden, maaien, omhakken; *la* — *des cheveux*, het haarknippen; *la* — *des foins*, de hooioogst; — *sombre*, houthakkerij waarbij genoeg bomen gespaard worden om schaduw te laten; *faire une* — *sombre dans le personnel*, opruiming houden onder het personeel; *mettre en* — *réglée*, exploiteren, uitzuigen; **3** snit; **4** doorsnede; **5** cesuur van verzen; **6** couperen van kaarten; *être sous la* — *de qn.*, afhankelijk van iem. zijn; **7** Spaanse slag bij het zwemmen.

coupé *m* **1** gesloten rijtuig met twee plaatsen, coupé; **2** spoorwegwagon met een bank; **3** soort danspas; **4** gekapte bal bij tennis.

coupe/-cigares *m* sigarenknipper. ▼—-**circuit** *m* zekering.

coupée *v* (*mar.*) valreep.

coupe/-feu *m* brandgang in bos. ▼—-**file** *m* perskaart. ▼—-**gorge** *m* moordhol, gevaarlijke, beruchte plaats. ▼—-**légumes** *m* groentesnijder.

coupé-lit† *m* slaapcoupé.

coupe-papier *m* **1** papiersnijmachine; **2** vouwbeen.

couper l *ov.w* **1** snijden, doorsnijden, knippen, afknippen, maaien, hakken, omhakken, verbreken; — *les ailes*, kortwieken; — *la bourse à qn.*, iem. beroven; — *un bras*, een arm amputeren; — *à travers champs*, zich weg nemen dwars door de velden, de kortste weg nemen; — *les cheveux*, de haren knippen; — *la communication*, afbellen; — *le courant*, de stroom verbreken; — *court à*, een eind maken aan; — *le gaz*, geen gas meer geven; — *la gorge à qn.*, iem. de hals afsnijden, vermoorden; — *l'herbe sous les pieds de qn.*, iem. het gras voor de voeten wegmaaien; — *les lignes*, de linies doorbreken; — *le moteur*, de motor afzetten; — *les ponts*, de bruggen achter zich verbranden; — *la retraite*, de terugtocht afsnijden; — *le sifflet à qn.*, iem. de hals afsnijden, iem. de mond snoeren; — *dans le vif*, in het vlees snijden; afdoende maatregelen nemen; — *les vivres*, de aanvoer van levensmiddelen beletten; iem. de gewone steun onthouden; **2** verdelen; — *en deux*, in tweeën delen; **3** vermengen, versnijden (— *le vin*); **4** couperen van kaarten. **II se** — **1** zich snijden, (*fig.*) zich in de vingers snijden; **2** afgebroken worden; **3** zich tegenspreken. ▼**couperet** *m* **1** hakmes; **2** mes v.d. guillotine.

couperose *v* **1** rode puisten en vlekken in het gezicht; **2** sulfaat, vitriool. ▼**couperosé** *bn* vlekkerig en puisterig in het gezicht.

coupeur *m*, -**euse** *v* coupeur, coupeuse.

coupe-vent *m* windbreker; (*fam.*) *avoir un profil en* —, een smal gezicht hebben.

coupe-verre *m* glassnijder.

couplage *m* schakeling, koppeling. ▼**couple l** *v* **1** paar (*oud*); **2** koppelriem. **II** *m* **1** paar (echtpaar, mannetje en vrouwtje); **2** paar (bij elkaar horende mensen, enz.); **3** koppel van krachten. ▼**coupler** *ov.w* koppelen. ▼**couplet** *m* couplet, strofe.

coupole *v* **1** koepel; — *à la* — *v*, koepel. *v.* koepel.

coupon *m* **1** coupon (van stof); **2** coupon (rentebewijs); **3** toegangsbewijs voor schouwburgloge; **4** *coupon-réponse postal*, antwoordcoupon.

coupure *v* **1** insnijding; **2** bankbiljet; **3** coupure, schrapping, weglating; **4** onderbreking, afsluiting v. d. elektrische stroom.

coque *v* soort Vlaamse koek.

cour *v* **1** binnenplaats; — *d'honneur*, hoofdplein v. kasteel; **2** hof (houding); *la* — *céleste*, hemelhof; *côté* —, zijde v. h. toneel, rechts v. d. toeschouwers; *faire la* —, het hof maken; *la* — *du roi Pétaud*, een huishouden van Jan Steen; — *plénière*, vergadering van

vazallen, bijeengeroepen door de Fr. koning;
tenir — plénière, een zeer groot gezelschap
ontvangen; **3** (gerechts)hof; — *d'appel*, hof
van appel; — *d'assises*, gerechtshof; — *de
cassation*, hof van cassatie; — *des comptes*,
rekenkamer.

courage *m* **1** dapperheid, moed; *prendre son
— à deux mains*, de stoute schoenen
aantrekken; **2** ijver, goede wil. ▼**courageux,
-euse** *bn* dapper, moedig, flink.

couramment *bw* **1** vlot, vloeiend; *cet article
se vend —*, dit artikel wordt vlot verkocht;
parler —, vloeiend spreken; **2** gewoonlijk,
dagelijks. ▼**courant I** *bn* vloeiend, stromend,
lopend; *compte —*, rekening-courant; *chien
—*, jachthond; *écriture —e*, lopend schrift;
idées —es, gangbare meningen; *main —e*,
trapleuning; *mois —*, lopende maand;
monnaie —e, gangbare munt; *prix —*,
marktprijs, prijscourant. **II** *zn m* **1** loop,
stroom; — *d'air*, tocht, luchtstroom; *être au —*,
op de hoogte zijn; — *alternatif*, wisselstroom;
— *continu*, gelijkstroom; — *marin*,
zeestroming; *se mettre au —*, zich op de
hoogte stellen; *tenir au —*, op de hoogte
houden; *le dix — (ct)*, de
10e dezer. ▼**courante v 1** oude dans; **2** (*fam.*)
diarree.

courbatu(ré) *bn* stijf. ▼**courbature** *v*
stijfheid.

courb/e *bn* gebogen, krom. **II** *zn v* kromme lijn;
bocht (in de weg); *tirer —*. ▼**—er I** *ov.w*
krommen, (om)buigen; — *la tête*, het hoofd
buigen. **II** *on.w* buigen, krommen. **III** *se —*
zich buigen, bukken; ombuigen. ▼**—ette** *v*
overdreven beleefdheid. ▼**—ure** *v* kromming,
bocht.

coureur *m* **1** hardloper, hardravher,
(wiel)renner; — *de cafés*, kroegloper; — *de
femmes, de filles*, vrouwenjager; — *de places*,
baantjesjager; **2** loopjongen; **3** straatslijper,
zwerver; **4** strandloper (vogel). ▼**coureuse** *v*
vrouw van lichte zeden, straatmeid.

courge *v* pompoen. ▼**courgette** *v* vrucht
(tussen augurk en komkommer in).

courir I *on.w* hardlopen, hollen, rennen; —
après qn., iem. achterna hollen; — *après le
succès*, succes najagen; *le bruit court*, het
gerucht gaat; — *à sa perte*, zijn ondergang
tegemoet snellen; *par le temps qui court*,
tegenwoordig. **II** *ov.w* **1** jacht maken op (— *le
cerf*); **2** najagen (— *les honneurs*);
3 doorlopen (— *les champs*); — *les rues*, aan
iedereen bekend zijn (v. nieuws); **4** druk
bezoeken, aflopen; — *les bals*, alle bals
aflopen; **5** lopen; — *le danger*, gevaar lopen;
6 (*pop*) zich vervelen.

courlieu *m* [*mv x*], **courlis** *m* wulp.

couron/ne *v* **1** kroon (in alle betekenissen);
abdiquer la —, afstand doen v.d. troon;
discours de la —, troonrede; *joyaux de la —*,
kroonjuwelen; *triple —*, tiara; **2** krans; —
lunaire, kring om de maan; — *du martyre*,
martelaarskrans; — *mortuaire*, grafkrans; —
solaire, kring om de zon; **3** haar buiten de
kruinschering (v. monniken); **4** uitstekend
gedeelte van vestingwerk; **5** formaat papier
(36 à 46 cm). ▼**—né** *bn* **1** bekroond,
gekroond; **2** bekranst. ▼**—nement** *m*
1 kroning, kroningsfeest; **2** bekroning,
voltooiing; **3** kroonlijst, kap van gebouw.
▼**—ner** *ov.w* **1** kronen; **2** bekronen; *la fin
couronne l'œuvre*, (*spr.w*) eind goed, al goed;
3 bekransen, omkransen, omringen, beheersen
(*les collines couronnent la vallée*).

courre *on.w* (*oud*) hardlopen; *chasse à —*,
lange jacht.

courrier *m* **1** renbode, koerier; **2** postwagen,
schip dat post vervoert; **3** post; *dépouiller son
—*, de post nazien; *par retour du —*, per
omgaande; **4** kroniek in een krant; **5** afstand;
avion long-—, intercontinentaal lijnvliegtuig.
▼**courriériste** *m* kroniekschrijver in een krant.

courroie *v* leren riem; *serrer la — à qn.*, iem.
kort houden; — *de transmission*, drijfriem.

courroucer *ov.w* boos maken, vertoornen.

▼**courroux** *m* toorn (*dicht.*); *le — de la mer*,
de woede der golven.

cours *m* **1** loop (van zon, maan, sterren, rivier,
enz.); *donner — à*, de vrije loop laten; —
d'eau, rivier, beek; *en — de route*, onderweg;
le — des saisons, de wisseling der
jaargetijden; *le — de la vie*, de levensloop;
prendre son —, ontspringen; **2** wandelplaats;
3 cursus, college; *faire un —*, college geven;
suivre les — d'un professeur, college lopen bij
een professor; **4** leerboek; **5** omloop, prijs,
koers; *le — de la Bourse*, de beurskoers; *les
bruits qui ont —*, de in omloop zijnde
geruchten; — *du change*, wisselkoers; *cette
monnaie n'a plus —*, dit geld is niet gangbaar
meer; **6** (*scheepv.*) *au long —*, op de grote
vaart.

course *v* **1** het hardlopen, ren; — *de haies*,
hordenloop; — *d'obstacles* (*steeple-chase*),
hindernisren; *pas de —*, looppas; — *plate*,
vlakkebaanren; **2** wedstrijd, wedren, enz.;
champ de —s, paardenrenbaan; *cheval de —*,
renpaard; — *s de chevaux*, paardenrennen; —
de demi-fond, wedstrijd op de korte baan; —
de fond, langebaanwedstrijd; — *de relais*,
estafetteloop; **3** reis, tocht; **4** boodschap (*faire
des —s*); **5** loop (*la — du soleil*); **6** kaapvaart;
7 slag (van zuiger).

coursier *m* **1** renpaard; **2** loopjongen.

court I *bn* kort, bekrompen; *être (à) —
d'argent*, slecht bij kas zijn; *le dîner est un peu
—*, er is te weinig eten; *avoir l'haleine —é*,
kortademig zijn; *avoir la mémoire —é*, kort van
memorie zijn; *sauce —e*, onvoldoende saus;
tenir qn. de —, iem. kort houden. **II** *bw*: *arrêter
—*, plotseling doen stilstaan; *couper —*, een
einde maken; *rester (tout) —*, blijven steken;
tourner —, een scherpe draai nemen;
plotseling van richting veranderen; *tout —*,
kortaf. **III** *zn m* tennisbaan.

courtage *m* commissieloon, afsluitpremie.

courtaud I *bn*: *chien —*, hond met afgesneden
oren en staart. **II** *zn m.* -e *v* kort en dik persoon.

court†-bouillon† *m* bouillon met wijn.

court†-circuit† *m* kortsluiting. ▼**—er** *ov.w*
1 kortsluiting maken in; (*fig.*) kortsluiten op;
2 iem. passeren (*fig.*).

courtepointe *v* gestikte deken.

courtier *m* makelaar, agent.

courtine (*oud*) bedgordijn.

courtis/an *m* hoveling, vleier. ▼**—ane** *v*
geestige, elegante vrouw v. lichte zeden.
▼**—er** *ov.w* het hof maken, vleien; — *les
Muses*, dichten. ▼**courtois** *bn* hoffelijk,
beleefd. ▼**—ie** *v* hoffelijkheid, beleefdheid.

court-vêtu† *bn* met korte rokken.

couru *bn* **1** gezocht; **2** zeker.

couscous *m* koeskoes.

cousette *v* (*fam.*) naaistertje. ▼**couseuse** *v*
naaister.

cousin *m*, **-e** *v* **1** neef; nicht; — *germain*, volle
neef; **2** vriend; *être —s*, goede vrienden zijn;
3 mug; **4** — *de*, verwant met.

coussin *m* kussen. ▼**coussinet** *m* **1** kussentje;
2 lager.

cousu *bn* genaaid; *c'est du — main*, (*pop.*) het
is eerste klas (kwaliteit); — *d'or*, schatrijk.

coût *m* kosten. ▼**—ant** *bn*: *prix —*, kostprijs.

couteau [*mv x*] *m* **1** mes; — *de chasse*,
hartsvanger; — *à découper*, voorsnijmes; — *à
éplucher*, aardappelmesje; *guerre au —*, strijd
op leven en dood; *jouer du —*, zijn mes
trekken; — *à papier*, vouwbeen; **2** mes van
balans; **3** brandijzer (voor paarden).
▼**couteau†-scie†** *m* broodmes. ▼**coutelas** *m*
1 groot keukenmes; **2** korte brede sabel.
▼**coutelier** *m* messenfabrikant, -verkoper.
▼**coutellerie** *v* **1** messenfabriek;
2 messenwinkel; **3** snijdende voorwerpen
zoals messen, scharen, enz.;
4 messenfabricage.

coût/er *on.w* kosten; *aveu qui coûte*, pijnlijke
bekentenis; — *cher*, duur zijn, duur te staan
komen; *coûte que coûte*, tot elke prijs, het
koste, wat het wil; — *la vie*, het leven kosten; *il
m'en coûte de*, het valt mij zwaar. ▼**—eux,**

-euse bn duur, kostbaar.
coutil m 1 beddetijk; 2 dril.
coutre m kouter.
coutum/e v 1 gewoonte, gebruik; avoir — de, gewoon zijn; de —, gewoonlijk; une fois n'est pas —, eenmaal is geen maal; passé en —, tot gebruik geworden; 2 gewoonterecht. ▼—ier, -ière l bn (de) gewoon; droit —, gewoonterecht. II zn m boek waarin wetten zijn verzameld, die ontleend zijn aan het gewoonterecht.
coutur/e v 1 het naaien, naaikunst; la haute —, zeer chique kleding naar de nieuwste mode; 2 naad; battre à plate —, totaal verslaan; 3 litteken. ▼—ier m dameskleermaker. ▼—ière v naaister; répétition des —s, laatste repetitie voor de generale.
couvaison v broedtijd. ▼**couvée** v 1 de eieren die een vogel uitbroedt; 2 broedsel; 3 (fam.) het hele gezin.
couvent m 1 klooster; 2 meisjespensionaat geleid door zusters.
couver l ov.w 1 (uit)broeden; 2 broeden op, (fig.) beramen; — un dessein, een plan beramen; — une maladie, een ziekte onder de leden hebben; — des yeux, met de ogen verslinden. II on.w smeulen (ook fig.).
couvercle m deksel; il n'est si méchant pot qui ne trouve son —, (spr.w) (pop.) de lelijkste vrouw krijgt nog wel een man.
couvert l zn m 1 tafelbestek; mettre le —, de tafel dekken; un — d'argent, een zilveren couvert; 2 huisvesting; le vivre et le —, kost en inwoning; 3 briefomslag; 4 bescherming, beschutting; sous le — de la loi, gedekt door de wet; à — de, beschut tegen. II — (de) bn 1 bedekt met, bezaaid met; 2 bedekt; parler à mots —s, in bedekte termen spreken; pays —, beboste streek; temps —, betrokken weer; rester —, zijn hoed ophouden; 3 gekleed; 4 gedekt (il est — par les ordres de ses supérieurs). ▼—e v 1 glazuur; 2 soldatendeken. ▼—ure v 1 deken; 2 dakbedekking (pannen, enz.); 3 boekomslag; 4 dekking; troupes de —, dekkings-, grenstroepen; 5 schijn, voorwendsel; 6 dekking (op de beurs); faire la —, dekking geven; être à —, gedekt zijn.
couveuse v 1 broedkip, broedse kip; 2 broedmachine; 3 couveuse. ▼**couvi** bn: œuf —, half bebroed, bedorven ei. ▼**couvoir** m broednest, broedplaats.
couvre/-chef† m hoofddeksel. ▼—-feu† m 1 avondklok; 2 taptoe. ▼—-joint† m 1 voegkalk; 2 voeglat. ▼—-lit† m sprei. ▼—-pied(s) m 1 voetendeken; 2 sprei. ▼—-plat† m deksel v. e schotel.
couvreur m leidekker.
couvrir l ov.w onr. 1 af-, be-, toe-, overdekken; — d'éloges, erg prijzen; — d'étoffe, bekleden; — le feu, het vuur afdekken; — une maison, een huis met leien, pannen, enz. dekken; — un malade, een zieke toedekken; 2 beschermen, dekken; — une armée, een leger dekken; — l'échec, schaak afwenden door een stuk tussen de koning en het aanvallende stuk te plaatsen; 3 dekking van kosten; 4 verbergen, bewimpelen (— ses projets); 5 dekken (beschermen) — un subordonné, een ondergeschikte dekken; 6 opwegen tegen, dekken (les recettes couvrent les dépenses); 7 kleden; 8 afleggen (une distance); 9 ophogen v.e. bod (— une enchère); 10 overstemmen (le bruit). II se — 1 zich (warm) kleden; 2 zijn hoed opzetten; 3 betrekken v.d. lucht (le ciel se couvre); 4 zich overdekken met, zich overladen met, zich bezoedelen met; 5 zich verbergen; se — d'un prétexte, zich achter een voorwendsel verschuilen.
covendeur m medeverkoper.
coxalgie v heupjicht.
coyote m prairiewolf, coyote.
crabe m krab.
crac! tw krak!

crach/at m 1 spuug, fluim; 2 ridderkruis. ▼—ement m gespuw, het spuwen; — de sang, bloedspuwing. ▼—er l ov.w spuwen; — du coton, een droge keel hebben; — des injures, scheldwoorden uitbraken; c'est son portrait tout craché, hij is het sprekend; — ses poumons, t.b.c. hebben; (fam.) (geld) dokken. II on.w 1 spuwen; — au nez, in het gezicht spuwen; 2 spatten (la plume crache); 3 vonken van elektr. leiding. ▼—eur m, -euse v spuwer (-ster). ▼—in m fijne, doordringende regen. ▼—iner on.w motregenen. ▼—oir m spuwbak, kwispedoor; tenir le —, (pop.) aan één stuk doorpraten. ▼—otement m (het) spuwen, gesputter. ▼—oter on.w vaak spuwen.
crack m 1 uitstekend renpaard; 2 crack, bolleboos.
cracking m (het) kraken (v. olie).
craie v krijt; bâton de —, pijpje krijt; marquer à la —, een streepje aan de balk zetten.
crailler on.w krassen v. e. kraai.
craindre ov.w onr. (met subj.) 1 vrezen, bang zijn; craignant Dieu, godvruchtig; je crains pour sa vie, ik vrees voor zijn leven; 2 niet kunnen tegen; le tabac craint l'humidité, tabak kan niet tegen vocht. ▼**crainte** l zn v vrees, ontzag; la crainte de Dieu, de vreze des Heren. II vgw: de — que (met subj.), de — de, uit vrees dat (van). ▼**craintif, -ive** bn bang, vreesachtig.
cramoisi l zn m karmijnrood. II zn m karmijn.
crampe v kramp.
crampillon m kram.
crampon m 1 kram; 2 hechtwortel; 3 (fam.) lastig persoon van wie men niet af kan komen. ▼—ner l ov.w 1 krammen; 2 (pop.) lastig vallen, niet loslaten. II se — zich vastklemmen, -vastklampen. ▼—net m krammetje.
cran m 1 keep, kerf, gaatje in riem; baisser d'un —, een toontje lager zingen; descendre d'un —, achteruitgaan; monter d'un —, vooruitgaan; — de sûreté, rust van geweer, enz.; 2 lef, stoutmoedigheid (fam.).
crân/e m schedel. ▼—er on.w opscheppen. ▼—erie v kranigheid, dorstandheid. ▼—eur m, -euse v opschepper (-ster); braniemaker (-maakster). ▼—ien, -ienne bn wat de schedel betreft; os —s, schedelbeenderen. ▼—iologie v schedelleer.
crapaud m 1 pad; avaler un —, iets zeer vervelends moeten doen, -slikken; laid comme un —, foeilelijk; — volant, gierzwaluw; 2 lage leuningstoel; 3 kleine vleugel (piano); 4 jochie, ventje (fam.). ▼—ine v pigeons à la —, gekloofde, op een rooster gebraden duiven.
crapouillot m 1 loopgraafmortier; 2 projectiel voor de crapouillot (oorlog 14-18).
crapul/e v 1 liederlijkheid; 2 grauw; 3 smeerlap, schoft. ▼—erie v liederlijkheid, gemeenheid. ▼—eux, -euse bn liederlijk, gemeen.
craquage m (het) kraken (v. olie).
craque v leugen, opsnijderij (fam.).
craque/lage m het maken van gecraqueleerd (van barstjes voorzien) porselein. ▼—lé l bn met gebarsten glazuur (porcelaine —e). II zn m de barstjes van porselein. ▼—ler l ov.w (porselein) van barstjes voorzien. ▼—lin m 1 krakeling; 2 (fam.) zwak, nietig mannetje. ▼—lure v barstje in vernis of vert. ▼—ment m gekraak. ▼**craquer** l on.w 1 kraken, knarsen; 2 scheuren; 3 barsten; plein à —, overvol; 4 op springen staan; 5 in elkaar klappen, afknappen. II ov.w kraken (v. olie).
craquètement m 1 gekraak, geknars; 2 geklepper v. d. ooievaar; 3 het klappertanden. ▼**craqueter** on.w 1 herhaald zachtjes kraken; 2 klepperen van ooievaar.
crasse l zn v 1 vuil; 2 lage stand; être né dans la —, van zeer lage afkomst zijn; 3 gierigheid; 4 metaalslakken; 5 gemene streek (faire une — à qn.). II bn vuil, kras, grof; une ignorance —se, een grove onwetendheid. ▼**crasseux, -euse** l bn 1 vuil, smerig; 2 zeer gierig. II zn m 1 viezerd, vuilpoets; 2 vrek.

crassier *m* berg slakken.
cratère *m* **1** krater; **2** wijnschaal in de oudheid.
cravache *v* karwats, rijzweep. **▼cravacher** *ov.w* met de karwats slaan.
cravate *v* **1** das; *tenir qn. à la —*, iem. trachten te worgen; *— de chanvre,* (fam.) strop; **2** wimpel; **3** lint v. e. ridderorde. **▼cravater** *ov.w* (iem.) bij de kraag, in zijn nekvel pakken.
crawl *m* crawlslag. **▼—er** *on.w* crawlen.
crayeux, -euse *bn* krijtachtig, -houdend.
crayon *m* **1** potlood; *— d'ardoise,* griffel; **2** potloodtekening; **3** manier van tekenen. **▼—nage** *m* potloodtekening, krijttekening. **▼—ner** *ov.w* **1** tekenen met potlood of krijt; **2** schetsen.
créance *v* **1** vertrouwen, geloof; *attacher —, donner —,* **1** geloof hechten; *digne de —,* geloofwaardig; *lettres de —,* geloofsbrieven; **2** schuldvordering. **▼créancier** *m, -ère v* schuldeiser(es).
créateur I *zn m, -trice v* schepper, uitvinder (uitvindster), maker (maakster); *le C—,* God. **II** *bn* scheppend. **▼création** *v* **1** schepping, uitvinding; **2** (*d'un rôle*) eerste uitbeelding v.e. toneel-, filmrol; **3** oprichting, instelling. **▼créature** *v* **1** schepsel; **2** verachtelijk persoon; **3** beschermeling, protégé.
crécelle *v* **1** ratel in de kerk (voor Goede Vrijdag); **2** ratel (speelgoed); **3** ratel (iem. die veel praat); *voix de —,* schreeuwerige stem.
crécerelle *v* torenvalk.
crèche *v* **1** krib; **2** id., kinderbewaarplaats. **▼crécher** *on.w* (pop.) wonen.
crédence *v* **1** credenstafel; **2** dientafel.
crédibilité *v* geloofwaardigheid. **▼crédible** *bn* geloofwaardig.
crédit *m* **1** krediet, vertrouwen, afbetaling; *acheter à —,* op krediet kopen; *— agricole,* landbouwkrediet; *en blanc,* blanco krediet; *carte de —,* kredietkaart; *établissement de —,* bank; *faire — à qn.,* iem. krediet geven; *— foncier,* grondkrediet (bank); *lettre de —,* kredietbrief; *— municipal,* stadsbank van lening; *ouvrir un — à qn.,* iem. een krediet openen; *porter une somme, un article au — de qn.,* een som op iemands credit boeken; **2** gezag, invloed (*avoir du —*). **▼—er** *ov.w* crediteren. **▼—eur** *m* crediteur; *compte —,* creditrekening; *solde —,* creditsaldo.
credo *m* geloofsbelijdenis, beginsel.
crédule *bn* lichtgelovig. **▼crédulité** *v* lichtgelovigheid.
créer *ov.w* **1** scheppen; **2** uitvinden; **3** instellen, oprichten; **4** benoemen; **5** het eerst uitbeelden (*— un rôle*); **6** in de weg leggen (*— des obstacles*).
crémaillère *v* (*oud*) **1** haak (om een ketel op te hangen); *pendre la —,* een diner (of receptie) geven als men een nieuwe woning betrekt; **2** stelhout, -ijzer; **3** tandheugel; *la direction est à —,* de besturing is volgens het tandheugelsysteem; *chemin de fer à —,* tandradbaan.
crémation *v* lijkverbranding. **▼crématoire** *bn: four —,* lijkoven.
crème *v* **1** room; (*fig.*) het puikje; *café-—,* koffie met room; *— fouettée,* slagroom; *— à la glace,* roomijs; *la — de la —,* het puikje, de fijne lui; **2** vla; **3** *— de riz,* rijstebrij; **4** soort likeur uit planten (*— de menthe*); **5** kosmetiek, huidzalf als schoonheidsmiddel; **6** vel op melk; **7** soep. **▼crém/er** *ov.w* romen. **▼—erie** *v* winkel in zuivelprodukten, melkinrichting. **▼—et** *m* soort roomkaas. **▼—eux, -euse** *bn* roomhoudend (*lait —*). **▼—ier** *m, -ière v* verkoper (verkoopster) van zuivelprodukten, melkslijter.
crémone *v* spanjolet.
créne/au [*mv x*] *m* **1** kanteel, tinne; **2** schietgat; **3** (parkeer)ruimte; *rangement en —,* in file parkeren; **4** zendtijd. **▼—lage** *m* het kartelen, kartelrand. **▼—lé** *bn* **1** gekanteeld; **2** gekarteld, getand. **▼—ler** *ov.w* **1** van kantelen voorzien; **2** uittanden. **▼—lure** *v* **1** kanteelwerk; **2** gekerfde rand.
créole I *bn* Creools. **II** *zn* C— *m* of *v*

Creool(se).
créosote *v* creosoot. **▼créosoter** *ov.w* met creosoot insmeren.
crêpe I *v* flensje, pannekoek. **II** *m* **1** krip; *— de Chine,* soort dikke gekroesde zijde; **2** rouwband, floers; **3** crêpe (rubber).
crêpelé *bn* gekroesd, gekruld. **▼crêpelure** *v* het kroes -, gekruld zijn van haren. **▼crêper I** *ov.w* kroezen, krullen, touperen. **II** *se —* kroes worden; *se — le chignon,* elkaar in de haren vliegen.
crépi *m* pleisterkalk.
crépine *v* **1** soort franje; **2** sproeier, rooster.
crépinette *v* platte worst.
crép/ir *ov.w* bepleisteren. **▼—issage** *m* bepleistering.
crépit/ant *bn* **1** knetterend; **2** piepend (v.d. borst). **▼—ation** *v,* **—ement** *m* geknetter. **▼—er** *on.w* **1** knetteren; **2** piepen (v.d. borst).
crépu *bn* gekroesd, kroezig.
crépusculaire *bn* wat de schemering betreft; *animaux, papillons —s,* nachtdieren, -vlinders. **▼crépuscule** *m* schemering, ochtendgloren.
cresson *m* waterkers; *— alénois,* tuinkers; *— des prés,* pinksterbloem.
crésus *m* rijkaard.
crétacé *bn* krijtachtig.
crête *v* **1** kam v.d. haan; *baisser la —,* een toontje lager zingen, de moed laten zinken; *dresser, lever la —,* overmoedig worden; **2** top, bergkam, nok; *mettre du blé en —,* koren in de vorm v.e. piramide opstapelen; **3** kop v.e. golf.
Crète *v* Kreta.
crétin *m* **1** stommeling, ezel; **2** lijder aan kropziekte. **▼—erie** *v* stommiteit. **▼—isation** *v* (het) afstompen. **▼—iser** *ov.w* afstompen. **▼—isme** *m* **1** stompzinnigheid; **2** kropziekte.
crétois I *bn* Kretenzisch. **II** *zn* C— *m, -e v* Kretenzer (Kretenzische).
cretonne *v* cretonne.
creusage, creusement *m* het uithollen, graven. **▼creuser I** *ov.w* **1** uithollen, graven; *le travail creuse l'estomac,* werken wekt de eetlust op, maakt hongerig; *le chagrin a creusé ses joues,* het verdriet heeft hem vermagerd; **2** grondig bestuderen (*— un sujet*). **II** *se — la tête, le cerveau,* zich het hoofd breken.
creuset *m* smeltkroes.
creux, -euse I *bn* hol, diep; *assiette creuse,* diep bord; *cervelle, tête creuse* leeghoofd; *heures creuses,* stille uren; *joues creuses,* ingevallen wangen; *mer creuse,* holle zee; *rivière creuse,* diepe rivier; *trouver buisson —,* geen wild vinden; *ventre —,* lege maag; *yeux —,* holle ogen. **II** *zn m* holte, diepte; *avoir un bon —,* een diepe basstem hebben; *se sentir un — dans l'estomac,* een holle maag hebben. **III** *bw: sonner —,* hol klinken.
crevaison *v* het springen v.e. band, lekke band. **▼crevant** *bn* (pop.) **1** vermoeiend; **2** om je rot te lachen.
crevasse *v* kloof, barst. **▼crevasser I** *ov.w* doen barsten. **II** *se —* barsten.
crève *v* (pop.): *attraper la —,* kou vatten. **▼crève-cœur** *m* hartzeer. **▼crève-la-faim** (fam.) hongerlijder.
crever I *on.w* **1** barsten, springen; *la bombe a crevé,* de bom is gebarsten; *— de rage, — de jalousie, d'orgueil,* barsten van woede, jaloezie, hoogmoed; **2** sterven v.e. dier (*creperen v.e. mens*); *— de faim, de soif,* sterven van honger, dorst; *un pneu crevé,* een lekke band; *— de rire,* stikken v.h. lachen; **3** een lekke band krijgen (*il a crevé trois fois*). **II** *ov.w* **1** doen barsten, doorbreken (*l'eau a crevé la digue*); **2** uitsteken (*— un œil*); *ça crève les yeux,* dat springt in het oog. **III** *se —* springen, barsten; *se — de travail,* zich doodwerken.
crevett/e *v* garnaal. **▼—ier** *m* garnalennet.
cri *m* **1** kreet, gil, geschreeuw; *le — du cœur,* de stem v.h. hart; *le — de la conscience,* de stem v.h. hart; *le dernier —,* het nieuwste snufje; *à grands —s,* luidkeels; *le — public,* de openbare mening; **2** het weeklagen (*le — des opprimés*).

criaill/er *on.w* **1** geluid van fazant, pauw; **2** (*fam.*) schreeuwen, kijven. ▼**—erie** *v* geschreeuw, gekijf. ▼**—eur** *m*, **-euse** *v* schreeuwbek, schreeuwster, kijver (kijfster).
criant *bn* **1** duidelijk, sprekend; **2** weerzinwekkend. ▼**criard** *bn* **1** schreeuwerig; *dettes* —es, dringende schulden; **2** schel; *voix* —e, schelle stem; *couleurs* —es, schelle, opzichtige kleuren.
cribl/age *m* het zeven. ▼—e *m* zeef; *passer au* —, zeven. ▼**—er** *ov.w* zeven; *criblé de blessures*, overdekt met wonden; *criblé de dettes*, tot over de oren in de schuld. ▼**—eur** *m*, **-euse** *v* zever (zeefster). ▼**—ure** *v* vuil van het graan in de zeef achterblijft.
cric I *zn m* krik, dommekracht. II *tw* krak!
cri-cri *m* krekel.
criée *v*: *vendre à la* —, bij opbod verkopen; *vente à la* —, verkoping bij opbod. ▼**crier** I *on.w* **1** schreeuwen; — *à l'assassin*, moord roepen; — *à l'injustice*, schreeuwen dat men onrechtvaardig behandeld wordt; — *au feu*, brand roepen; — *au secours*, hulp roepen; — *à tue-tête*, luidkeels schreeuwen; **2** gillen; **3** knarsen, piepen, kraken. II *ov.w* **1** schreeuwen, roepen; — *famine*, zijn nood klagen; — *misère*, over zijn ellende klagen; — *vengeance*, om wraak roepen; **2** omroepen (*un objet perdu*); **3** bij opbod verkopen; **4** rondbazuinen; — *qc. sur les toits*, iets aan de grote klok hangen. ▼**crieur** *m*, **-euse** *v* **1** schreeuwer (-ster); **2** straatventer (-ster); **3** — *publié*, omroeper.
crim/e *m* **1** misdaad; — *d'Etat*, hoogverraad; *imputer qc. à* —, iets als een misdaad aanrekenen; — *de lèse-majesté*, majesteitsschennis; *voir du* — *à tout*, alles als een ernstige daad aanrekenen, alles ernstig opnemen; **2** de misdadigers. ▼**—inaliste** *m* kenner v.h. strafrecht. ▼**—inalité** *v* misdadigheid, criminaliteit. ▼**—inel** I *zn m*, **-elle** *v* misdadiger (-ster). II *bn* misdadig; strafrechtelijk; *affaire criminelle*, strafzaak. ▼**—inologie** *v* wetenschap der misdaden.
crin *m* lang haar aan hals en staart van sommige dieren, paardehaar; *un brave à tous* —s, een zeer dapper man; *cheval à tous* —s, paard waarvan manen en staart niet gekort zijn; *être comme un* —, prikkelbaar zijn; *homme à tous* —s, man met lange haren en baard; *matelas en* —, paardeharen matras.
crincrin *m* slechte viool.
crinière *v* **1** manen; **2** haarbos op helm; **3** lange, woeste haren.
crinoline *v* **1** paardeharen stof; **2** rok daarvan; **3** hoepelrok.
crique *v* **1** kreek; **2** scheur.
criquet *m* **1** sprinkhaan; **2** mager, goedkoop paardje; **3** schraal mannetje.
crise *v* **1** crisis; — *ministerielle*, kabinetscrisis; **2** hevige aanval v.e. ziekte; — *de larmes*, huilbui; — *du logement*, woningnood; — *de nerfs*, zenuwtoeval.
crispation *v* samentrekking (— *des muscles*); *donner des* —s, op de zenuwen werken. ▼**crisper** *ov.w* **1** samentrekken; **2** ongeduldig, tureluurs maken.
crissement *m* geknars. ▼**crisser** *on.w* knarsen, knarsetanden.
cristal [*mv* **aux**] *m* **1** kristal; **2** (*dicht.*) helderheid (*d'un ruisseau*); *l'eau* — *le* maken van kristal; **2** kristalfabriek. ▼**—lin** I *bn* kristalhelder; *lentille* —*e*, ooglens. II *zn m* ooglens. ▼**—lisation** *v* kristalvorming. ▼**—liser** I *ov.w* tot kristal maken. II *on.w* of **se** — kristalliseren. ▼**—lisoir** *m* kristalliseerbak. ▼**—lographie** *v* kristalbeschrijving.
critère *m* criterium, kenmerk; toets. ▼**critérium** *m* criterium, (beoordelings)wedstrijd.
criticisme *m* kennisleer.
critiquable *bn* aanvechtbaar. ▼**critiqu/e** I *bn* **1** kritisch; *esprit* —, kritische geest; *examen* —, kritisch onderzoek; **2** kritiek, beslissend; *le moment* —, het beslissende ogenblik; *l'âge* —, overgangsleeftijd bij vrouwen. II *zn m*

1 criticus, recensent; *un* — *d'art*, een kunstcriticus; **2** vitter. III *v* kritiek; *la* — *est aisée et l'art est difficile*, de beste stuurlui staan aan wal; — *d'art*, kunstkritiek; **2** hekeling; **3** de critici. ▼**—er** *ov.w* **1** recenseren, beoordelen; **2** hekelen. ▼**—eur** *m* vitter, criticaster.
croass/ement *m* gekras van raven en kraaien. ▼**—er** *on.w* krassen van kraaien en raven.
croc *m* **1** haak, bootshaak; — *de boucher, de viande*, vleeshaak; *moustaches en* —, snor met opstaande punten; *pendre son épée au* —, het leger verlaten; *pendre, mettre qc. au* —, ergens voorlopig mee uitscheiden; **2** hoektand van roofdieren; *avoir les* —*s*, (*fam.*) uitgehongerd zijn. ▼**croc†-en-jambe** *m* het beentje lichten.
croche *v* achtste noot; *double* —, zestiende noot; *triple* —, tweeëndertigste noot.
croche-pied† *m* (het) beentje lichten, haken, neerleggen.
crocher *ov.w* aanhaken. ▼**crochet** *m* **1** haakje, haak; *être aux* —*s de qn.*, op iemands kosten leven; **2** stok met haak v.e. voddenraper; **3** loper (om slot te openen); **4** het teken []; **5** haaknaald; *faire du* —, haken; **6** haakwerk; **7** swing (bij boksen); **8** omweg, plotselinge draai; **9** giftand; **10** haarkrul bij de slapen. ▼**—able** *bn* wat met een loper geopend kan worden (*serrure* —). ▼**—age** *m* het openen v.e. slot met een loper. ▼**—er** *ov.w* **1** openen met een loper; **2** haken. ▼**—eur** *m* **1** (*oud*) pakjesdrager; **2** inbreker die zich v.e. loper bedient.
crochu *bn* krom, gebogen (*nez* —); *avoir les mains (doigts) crochu(e)s*, lange vingers hebben; *ils ont des atomes* —*s*, (*fam.*) ze kunnen goed met elkaar overweg.
crocodile *m* krokodil.
crocus *m* krokus.
croire I *ov.w onr.* geloven, menen, denken; *à ce que je crois*, naar ik meen; *à* — *le* —, als men hem geloven mag; *je le crois honnête homme*, ik houd hem voor een eerlijk man; *je lui crois beaucoup de fantaisie*, ik geloof, dat hij veel fantasie heeft; *croyez m'en*, heus. II *on.w* geloven; *c'est à n'y pas* —, 't is ongelooflijk.
croisade *v* **1** kruistocht; *partir pour la* —, ter kruistocht trekken; **2** volksbeweging tegen een misbruik. ▼**crois/é** I *zn m* kruisvaarder. II *bn* gekruist; *rester les bras* —*s*, werkeloos toekijken; *feu* —, kruisvuur; *mots* —*s*, kruiswoordraadsel; *race* —*e*, gekruist ras; *étoffe* —*e*, gekeperde stof. ▼**—ée** *v* **1** venster, raam; **2** dwarsbeuk, transept; **3** kruispunt. ▼**—ement** *m* **1** het kruisen; **2** kruispunt; **3** kruising (van twee rassen). ▼**—er** I *ov.w* **1** kruisen; — *les bras*, werkeloos toezien; — *la baionnette*, de bajonet vellen; — *des races*, rassen kruisen; **2** doorstrepen; **3** tegenkomen. II *se* — **1** ter kruisvaart gaan; **2** elkaar ontmoeten. ▼**—ette** *v* kruisje. ▼**—eur** *m* kruiser (*scheepv.*); (—) *cuirassé*, pantserkruiser. ▼**—ière** *v* **1** patrouillevaart van oorlogsschepen; **2** *vitesse de* —, kruissnelheid; **3** pleziertocht, cruise. ▼**—illon** *m* **1** dwarshout v.e. kruis; **2** dwarsbeuk, transept.
croissance *v* groei. ▼**croissant** I *zn* **1** wassende maan; **2** Turkse vlag; **3** het Turkse rijk; **4** broodje i.d. vorm v.e. halve maan. II *bn* groeiend, toenemend, wassend. ▼**croît** *m* vermeerdering v.e. kudde door geboorte. ▼**croître** I *on.w onr.* groeien, wassen (van water), lengen (der dagen), toenemen; *mauvaise herbe croît toujours*, (*spr.w*) onkruid vergaat niet. II *ov.w* vergroten, verhogen, doen toenemen.
croix *v* kruis; *chemin de la* —, kruisweg; *faire une* — *à la cheminée*, een streepje aan de balk zetten; *la Croix du Sud*, het Zuiderkruis (sterrenbeeld); *la descente de* —, de kruisafneming; — *funéraire*, grafkruis; — *gammée*, hakenkruis; *mettre en* — kruisigen; — *pectorale*, borstkruis (bijv. van bisschoppen); — *ou pile*, kruis of munt; *prendre la* —, ter kruisvaart gaan; *la Croix-Rouge*, het Rode Kruis; *faire le signe de*

la C—, een kruisteken maken.
cromlech *m* loodrecht staand druïdisch steenmonument in Bretagne.
croquant I *bn* knappend. **II** *ov.w* boerenpummel. ▼**croquante** *v* kletskop (koekje).
croque au sel: *à la —*, alleen met zout bereid.
croque-madame, croque-monsieur *m* tosti (ham of kaas).
croquembouche *v* gebakje met knappende korst.
croque-mitaine† *m* boeman.
croque-mort† *m* (*pop.*) aanspreker, lijkdrager.
croquenot *m* (*pop.*) schoen.
croquer I *on.w* knabbelen, oppeuzelen; — *un héritage, une fortune,* een erfenis, een fortuin erdoor draaien; — *le marmot,* lang wachten; — *une note,* een noot overslaan; 2 schetsen; (*joli*) *à —,* snoezig.
croquet *m* 1 kletskop (koekje); 2 croquetspel.
croquette *v* 1 kroket; 2 chocoladeflik.
croqueur *m*, -euse *v* iem. die opeet, oppeuzelt.
croquignole *v* 1 knapkoekje; 2 knip voor de neus.
croquis *m* schets, ontwerp, plan.
crosse *v* 1 kromstaf; 2 kolfspel; *chercher des —s à qn.,* ruzie zoeken; 3 kolf v. e. geweer; *coups de —,* kolfslagen; *mettre le — en l'air,* zich overgeven; 4 kolfstok, hockeystick; 5 ombogen eind. ▼**crosseur** *m* kolfspeler.
crotale *m* ratelslang.
crotte I *zn v* 1 keutel, drol; 2 — *de bique,* onbelangrijk iets. **II** *tw* — *!,* stik! ▼**crottin** *m* paardevijg.
croulant I *bn* bouwvallig. **II** *zn* (*fam.*) 'oudje', (*mv*) ouwelui. ▼**croulement** *m* instorting. ▼**crouler** *on.w* instorten.
croup *m* kroep (*med.*).
croupe *v* 1 kruis v. e. paard; *monter en —,* achter iemand op een paard zitten; 2 bergkruin.
croupetons (à) *bw* gehurkt.
croupier *m* croupier (bij een speelbank).
croupière *v* staartriem van paard; *tailler des —s à qn.,* het iem. lastig maken.
croupion *m* stuit.
croupir *on.w* 1 stilstaan en daardoor bederven van water; 2 vervuilen; — *dans le vice,* zich in het slijk wentelen (*fig.*).
croust/ade *v* warm, knappend pasteitje. ▼**—illant** *bn* knappend (*gâteau —*). (*fig.*) pikant. ▼**—ille** *v* 1 korstje; 2 kleine maaltijd, hapje; 3 dun gebakken aardappelschijfje. ▼**—iller** *on.w* 1 korstjes brood eten; 2 knappen.
croût/e *v* 1 korst; *casser la (une) —,* een stukje eten; 2 roof v. e. wond; 3 slecht schilderij; *le marché aux —s,* schilderijenverkoop in de openlucht te Parijs; 4 *une vieille —,* (*fam.*) een ouwe zak. ▼**—er** *on.w* (*pop.*) eten. ▼**—eux, -euse** *bn* korstig. ▼**—on** *m* 1 korstje; 2 geroosterd stukje brood (soldaatje).
croy/able *bn* geloofwaardig. ▼**—ance** *v* 1 geloof; 2 mening, gevoelen. ▼**—ant** *v* gelovige.
cru I *zn m* 1 gewas (vooral wijngewas); *un grand —,* een beroemd wijngewas; 2 plaats waar een gewas, wijn groeit; *vin du —,* wijn die men drinkt in de streek waar hij verbouwd wordt; *de son —,* eigengemaakt, van eigen vinding. **II** *bn* 1 rauw; *monter — ,* zonder zadel rijden; 2 hard, schril (*couleurs —es, lumière —e*); 3 onverteerbaar, ruw (*de la soie —e*); 4 onverteerbaar, onrijp; 5 onwelvoeglijk, ruw, schuin (*anecdote —e*). **III** *v.dw* van **croire**.
crû *v.dw* van **croître**.
cruauté *v* wreedheid.
cruch/e *v* 1 kruik; *tant va la — à l'eau qu'à la fin elle se brise,* (*spr.w.*) de kruik gaat zo lang te water tot ze breekt; 2 sufferd. ▼**—on** *m* kruikje.
cruci/al [*mv* aux] *bn* kruisvormig. ▼**—féracées** *v* kruisbloemigen. ▼**—fère** *bn* een kruis dragend. ▼**—fié** *m*: *le C—,* Jezus Christus. ▼**—fiement** *m* kruisiging. ▼**—fier**

ov.w 1 kruisigen; 2 kastijden; 3 grieven, kwellen. ▼**—fix** *m* kruisbeeld. ▼**—fixion** *v* kruisiging. ▼**—forme** *bn* kruisvormig. ▼**—verbiste** *m/v* kruiswoordpuzzelaar, -aarster.
crudité *v* 1 rauwheid, ongaarheid; —*s,* (gerecht van) rauwe groenten; 2 ruw, ongepast woord of uitdrukking.
crue *v* 1 groei; 2 was v. h. water.
cruel, -elle *bn* wreed.
crûment *bw* ruw, onomwonden.
crustacé I *bn* met een schaal. **II** *zn m* schaaldier.
crypte *v* 1 grafkelder onder een kerk; 2 onderaards gedeelte v. e. kerk.
cryptogames *m mv* sporeplanten.
crypto/gramme *m* stuk in geheimschrift. ▼**—graphie** *v* geheimschrift.
cubage *m* inhoudsbepaling.
cubain I *bn* Cubaans. **II** *zn C— m, -e v* Cubaan(se).
cub/e I *zn m* 1 kubus; 2 derde macht. **II** *bn*: *un mètre —,* een kubieke meter. ▼**—er** *ov.w* 1 tot de derde macht verheffen; 2 de inhoud schatten in kubieke meters; — *du sable*); 3 een inhoud hebben v. e. bepaald aantal kubieke meters (*le tonneau cube 100 litres*); *cela cube* (*fam.*), dat loopt flink op. ▼**—ique** *bn* 1 kubusvormig; 2 kubiek; *racine —,* derdemachtswortel. ▼**—isme** *m* kunstschool v. h. kubisme. ▼**—iste** *m* aanhanger v. h. kubisme.
cubitus *m* ellepijp.
cucurbite *v* distilleerkolf.
cueill/age, cueillaison *v,* **cueille** *v* 1 het plukken, de pluk; 2 pluktijd. ▼**—ette** *v* vruchtenoogst. ▼**—eur** *m,* -euse *v* plukker (-ster). ▼**—ir** *ov.w onr.* 1 plukken; — *un baiser,* een kus stelen; *des lauriers, lauweren oogsten; 2 (*fam.*) inrekenen, arresteren. ▼**—oir** *m* 1 plukmand; 2 plukschaar.
cuill/er, cuillère *v* 1 lepel; — *à bouche,* eetlepel; *héron —,* lepelaar; — *à pot,* pollepel; — *à potage,* soeplepel; 2 snoeklepel. ▼**—erée** *v* lepelvol. ▼**—eron** *m* holte v. e. lepel.
cuir *m* 1 leer; — *à rasoir,* aanzetriem; 2 (dikke) huid; *entre — et chair,* tussen vel en vlees; — *chevelu,* schedelhuid; 3 uitspraakfout.
cuirass/e *v* 1 borstharnas; *défaut de la —,* gevoelige plek; 2 pantser v. e. schip, van sommige dieren. ▼**—é I** *bn* 1 gepantserd (*navire —*); 2 gehard, ongevoelig. **II** *zn m* pantserschip. ▼**—ement** *m* pantsering. ▼**—er** *ov.w* 1 pantseren; 2 harden. ▼**—ier** *m* kurassier.
cuire I *ov.w onr.* 1 koken, bakken, stoven (*dur à —,* een ongemakkelijk heer; *cuit à point,* juist goed gaar; *c'est cuit,* dat is verloren; *c'est du tout cuit,* dat zit gebakken; 2 bakken van stenen en aardewerk; *terre cuite,* terra cotta; 3 doen rijpen. **II** *on.w* 1 koken, stoven, bakken, braden; 2 branden, steken; *les yeux me cuisent,* mijn ogen branden, steken. **III** *onp.w: il vous en cuira!,* dat zal je opbreken! ▼**cuisant** *bn* 1 gemakkelijk kokend; 2 schrijnend (*douleur —e*); 3 grievend. ▼**cuisin/e** *v* 1 keuken; *batterie de —,* keukengereedschap; *chef de —,* chef-kok; — *roulante,* keukenwagen; 2 kookkunst; *livre de —,* kookboek; — *séjour,* woonkeuken; 3 het eten, voedsel; — *bourgeoise,* burgerpot; *faire la —,* koken; 4 geknoei, kuiperijen. ▼**—er I** *on.w* koken. **II** *ov.w* 1 klaarmaken, in elkaar zetten; 2 listig verhoren, uithoren. ▼**—ette** *v* kitchenette. ▼**—ier** *m* 1 kok; 2 kookboek. ▼**—ière** *v* 1 keukenmeid; 2 keukenfornuis; 3 braadtrommel.
cuissardes *v mv* lieslaarzen. ▼**cuisse** *v* 1 dij; *se croire sorti de la — de Jupiter,* prat zijn op zijn afkomst, verwaand zijn; 2 bout van vlees of gevogelte; —*s de grenouilles,* kikkerbilletjes. ▼**cuisseau** [*mv x*] *m* kalfslendestuk.
cuisson [*mv* koken, bakken, braden, stoven; — *du vernis,* het glazuren; 2 gaarheid; 3 stekende pijn.

cuissot *m* bout van groot wild.
cuistance *v* (*pop.*) (het) koken, eten.
▼**cuistot** *m* (*fam.*) kok.
cuistre *m* schoolfrik, kwast. ▼**cuistrerie** *v*
schoolvosserij, kwasterigheid.
cuit *v.dw van* **cuire**. ▼**cuite** *v* 1 het bakken van
stenen, aardewerk, enz.; 2 baksel; 3 stuk in de
kraag; *prendre une* —, zich bedrinken.
cuivrage *m* het verkoperen. ▼**cuivre I** *m*
1 koper; 2 kopergravure. **II** —s *mv* de
koperinstrumenten v.e. orkest. ▼**cuivré** *bn*
1 koperkleurig; 2 *voix* —e, metalen stem.
▼**cuivr/er** *ov.w* verkoperen. ▼—**eux, -euse**
bn koperachtig.
cul *m* 1 achterste, gat, kont (*pop.*); —
par-dessus tête, onderste boven; *montrer le* —,
gescheurde kleren hebben, de rug toedraaien,
ervandoor gaan; 2 ondereind, achtereind,
bodem; *le* — *d'une bouteille*, de bodem v.e.
fles; *faire* — *sec*, ad fundum leegdrinken; *le* —
d'un navire, de achtersteven v.e. schip.
culasse *v* 1 stootbodem v.e. kanon;
2 cilinderkop; *le joint de* — *est défectueux*, de
koppakking is doorgeslagen.
culbut/e *v* 1 buiteling; 2 zware val;
3 ondergang, val (*fig.*). ▼—**er I** *ov.w*
1 omverwerpen; 2 onder de voet lopen (— *un
ennemi*). **II** *on.w* tuimelen, vallen. ▼—**eur** *m*
tuimelaar. ▼—**is** *m* hoop door elkaar geworpen
voorwerpen.
cult-de-basse-fosse *m* onderaardse,
vochtige kerker.
cul†-de-four *m* gewelf v.e. nis.
cul†-de-jatte *m* 1 lamme; 2 iem. zonder
benen.
cul†-de-lampe *m* slotvignet.
cul-de-poule *m*: *bouche en* —, pruilmondje.
cul†-de-sac *m* blinde steeg.
culée *v* 1 landhoofd v.e. brug; 2 boomstronk.
culer *on.w* achteruitlopen v.e. schip; *le vent
cule*, de wind is gedraaid, zodat we hem nu in
de rug hebben.
culière *v* staartriem v.e. paard.
culinaire *bn* wat het koken betreft; *art* —,
kookkunst.
culmin/ant *bn* hoogste; *point* —, hoogste
punt; hoogtepunt; toppunt; culminatiepunt
v.e. hemellichaam. ▼—**ation** *v* culminatie.
▼—**er** *on.w* culmineren, in het culminatiepunt
staan.
culot *m* 1 vuil onder in een pijp; 2 laatste
broedsel van vogels; 3 laatste kind uit een
gezin; 4 laagst geplaatste in een wedstrijd;
5 lef, durf.
culott/e *v* 1 (korte) broek; — *de peau*,
oudgediende (soldaat); *cette femme porte la*
—, de vrouw heeft de broek aan; *tailler des* —s
à un navire, een schip op de vlucht jagen;
2 verlies bij het spel. ▼—**er** *ov.w* 1 iem. een
broek aandoen; 2 een pijp doorroken.
culpabil/iser I *ov.w* een schuldgevoel geven.
II se — een schuldgevoel krijgen. ▼—**ité** *v*
schuld.
culte *m* 1 eredienst; 2 godsdienst; 3 verering.
cul†-terreux *m* (*fam.*) boer.
cultiv/able *bn* bebouwbaar. ▼—**ateur I** *zn m*,
-trice *v* 1 landbouwer (-ster); 2 lichte ploeg.
II *bn* landbouwend. ▼—**é** *bn* 1 bebouwd;
2 ontwikkeld, beschaafd. ▼—**er** *ov.w*
1 bebouwen; 2 kweken; 3 beoefenen (*les
sciences*); 4 vriendschap onderhouden met
(— *ses amis*); *c'est un homme à* —, je moet die
man te vriend houden; 5 ontwikkelen (*la
mémoire*), beschaven.
cultuel, -elle *bn* wat de eredienst betreft.
cultural (*mv aux*) *bn* wat de landbouw betreft,
agrarisch. ▼**culture** *v* 1 bouw, bebouwing; —
alterne, wisselbouw; — *maraîchère*,
tuinbouw; 2 teelt; 3 bouwland;
4 ontwikkeling, beschaving, opvoeding; —
physique, lichaamsontwikkeling;
5 beoefening (— *des lettres*). ▼**culturel, -elle**
bn cultureel.
cumin *m* komijn; *liqueur de* —, kummel.
cumul *m* cumulatie, opstapeling. ▼—**ard** *m*
(*pop.*) iem. die verschillende ambten

gelijktijdig bekleedt. ▼—**er** *ov.w* (*des emplois*)
gelijktijdig verschillende ambten bekleden.
▼—**us** *m* stapelwolk.
cunéiforme *bn*: *écriture* —, spijkerschrift.
cupide *bn* begerig, inhalig, hebzuchtig.
▼**cupidité** *v* hebzucht, inhaligheid,
begerigheid.
cuprifère *bn* koperhoudend. ▼**cuprique** *bn*
koperachtig.
curabilité *v* geneeslijkheid. ▼**curable** *bn*
geneeslijk.
curaçao *m* curaçao (soort likeur).
curage, curement *m* het schoonmaken.
curatelle *v* curatorschap, curatele. ▼**curateur**
m, **-trice** *v* curator (-trice).
curatif, -ive *bn* genezend. ▼**cure** *v* 1 zorg
(*oud*); *n'avoir* — *de rien*, zich nergens om
bekommeren; *avoir* — *d'âmes*, zielzorg
uitoefenen; 2 (*med.*) kuur; 3 genezing;
4 pastoorschap; 5 pastorie.
curé *m* pastoor.
cure-dent† *m* tandestoker.
curée *v* 1 de ingewanden en het bloed v.h.
wild, dat men aan de jachthonden geeft;
2 verdeling v.d buit; — *des places*,
baantjesjagerij.
cure-ongles *m* nagelmesje.
cure-oreille† *m* oorlepeltje.
cure-pipe† *m* pijpdoorsteker.
curer I *ov.w* schoonmaken (*un égout, un
fossé*); — *le bois*, dode takken enz.
verwijderen. **II se** — *les oreilles*, zijn oren
schoonmaken. ▼**curet(t)age** *m* (*med.*)
curettage. ▼**cureter** *ov.w* curetteren.
▼**curette** *v* 1 krabber; 2 graveellepel.
curial (*mv aux*) *bn* wat de pastorie of pastoor
betreft; *maison* —e, pastorie.
curie *v* 1 onderdeel v.e. Romeinse stam; 2 zetel
v.d. senaat; 3 pauselijke curie.
curieux, -euse I *bn* 1 nieuwsgierig;
2 weetgierig; 3 eigenaardig, zonderling. **II** *zn
m* 1 nieuwsgierige; 2 het zonderlinge,
eigenaardige. ▼**curiosité** *v*
1 nieuwsgierigheid; 2 weetgierigheid;
3 merkwaardigheid, zeldzaamheid,
bezienswaardigheid.
curiste *m* iem. die een kuur maakt in een
badplaats.
cursif, -ive I *bn* lopend (van schrift). **II** *zn* -**ive**
v lopend schrift.
curviligne *bn* kromlijnig.
custode *v* 1 altaargordijn; 2 overste van
sommige kloosters; 3 achterruit v.e. auto.
cutané *bn* wat betrekking heeft op de huid.
▼**cuticule** *v* opperhuid. ▼**cutiréaction** *v*
(*med.*) huidreactie.
cuvage *m*, **cuvaison** *v* (het) gisten v.d. wijn in
een kuip. ▼**cuve** *v* tobbe, kuip; — *de
vendange*, wijnkuip; — *de réacteur*, reactorvat.
▼**cuvée** *v* kuipvol; *contes de la même* —,
verhalen uit dezelfde bron, koker.
cuveler *ov.w* beschoeien v.e. mijnschacht.
cuver I *on.w* gisten van wijn in de kuip. **II** *ov.w*:
— *son vin*, zijn roes uitslapen. ▼**cuvette** *v*
1 waskom; 2 terreininzinking, kom. ▼**cuvier** *m*
wastobbe.
cyanure *v* cyanide.
cybernét/ique *v* cybernetica, stuurkunde.
▼—**icien, -icienne** *bn* van de cybernetica.
cyclable *bn* berijdbaar voor fietsen; *trottoir* —
of piste —, fietspad. ▼**cycle** *m* 1 cyclus,
kringloop; — *lunaire*, maancyclus (19 jaar); —
solaire, zonnecyclus (28 jaar); *le* —
carlovingien, de serie epische gedichten over
Karel de Grote en zijn helden; 2 rijwiel; *salon
du* —, jaarlijkse rijwieltentoonstelling.
▼**cyclique** *bn* wat betrekking heeft op een
cyclus (*poèmes* —s); *maladie* —, telkens
terugkerende ziekte. ▼**cyclisme** *m*
wielersport. ▼**cycliste I** *bn* wat betrekking
heeft op wielrijden; *course* —, wielerwedstrijd.
II *zn m of v* wielrijder (-ster). ▼**cyclomoteur**
m bromfiets.
cyclone *m* wervelstorm, cycloon.
cyclopéen, -enne *bn* uit de tijd der cyclopen,
geweldig.

cyclotron *m* id., deeltjesversneller.
cyclotourisme *m* rijwieltoerisme.
cygne *m* zwaan; *le — de Cambrai*, Fénelon; *en col de —*, sierlijk gebogen.
cylindrage *m* het walsen, het mangelen, het rollen. ▼**cylindr/e** *m* **1** cilinder (ook van motor of stoommachine), rol; *passer au —*, mangelen; *— à vapeur*, stoomwals; **2** (*oud*) hoge hoed. ▼**—ée** *v* cilinderinhoud van motoren. ▼**—er** *ov.w* **1** de vorm geven v.e. cilinder; **2** mangelen, walsen rollen. ▼**—ique** *bn* cilindervormig.
cymbale *v* bekken, cimbaal. ▼**cymbalier** *m* cimbaalspeler, bekkenist.
cynégétique I *bn* wat de jacht betreft (*l'art —*). II *zn v* jachtkunst.
cynique I *bn* cynisch. II *zn m* cynicus.
▼**cynisme** *m* cynisme, schaamteloosheid.
cynodrome *m* baan voor windhonden.
cyprès *m* cipres (*plk.*).
cyprin *m* *— doré*, goudkarper.
cypriote I *bn* Cyprisch. II *zn* **C—** *m* of *v* bewoner (bewoonster) van Cyprus.
cyrillique *bn* Cyrillisch.
cystique *bn* wat de blaas of galblaas betreft; *calcul —*, galsteen; *conduit —*, galbuis.
▼**cystite** *v* blaasontsteking.
cytise *m* gouden regen (*plk.*).
cytologie *v* cellenleer.
czar *m*, **-ine** *v* tsaar; tsarina. ▼**czaréwitch** *m* tsarevitsj.

dab *m* (*arg.*) vader, baas. ▼**—esse** *v* moeder, bazin. ▼**—s** *m mv* ouders.
d'acc (*fam.*) *tw* afgesproken.
dactylo/(graphe) *m* of *v* typist(e).
▼**—graphie** *v* het typen. ▼**—graphier** *ov.w* typen. ▼**—logie** *v* (*oud*) het spreken met de vingers.
dada *m* paard (*kindertaal*); *c'est son —*, dat is zijn stokpaardje.
dadais *m* sufferd, onnozele hals.
dague *v* **1** dolk; **2** eerste gewei v.e. hert.
daguet *m* eenjarig hert.
dahlia *m* dahlia.
daigner *ov.w* zich verwaardigen te; de goedheid hebben te.
daim *m* **1** damhert; **2** hertsleer, zeemleer.
dais *m* baldakijn, troonhemel; *— de verdure*, bladerdak, prieel.
dallage *m* tegelvloer. ▼**dalle** *v* **1** vloersteen, tegel, plaat; **2** moot; **3** (*arg.*) keel; *avoir la — en pente*, graag drinken; **4** (*arg.*) *j(e n) 'entrave que —*, ik begrijp er niks van. ▼**daller** *ov.w* met tegels plaveien.
dalmatique *v* dalmatiek (wit bovenkleed van diakens en subdiakens).
dalton/ien, -ienne I *bn* kleurenblind. II *zn m, -ienne* *v* kleurenblinde. ▼**—isme** *m* kleurenblindheid.
damas *m* **1** damast; **2** damascener zwaard.
Damas *m* Damascus.
damasquiner *ov.w* ijzer of staal inleggen met goud of zilver.
damas/sé *bn* **1** gebloemd, damasten; **2** gedamasceerd. ▼**—ser** *ov.w* met bloemen doorweven. ▼**—serie** *v* damastweverij. ▼**—seur** *m*, **-seuse** *v* damastwever (-weefster).
dame I *zn v* **1** dame; *— de charité*, deftige dame die armen bezoekt; *— de compagnie*, juffrouw van gezelschap; *faire la grande —*, de deftige dame uithangen; *mourir pour sa —*, sterven voor zijn geliefde (in de middeleeuwen v.e. ridder); *Notre Dame*, Onze Lieve Vrouw; *— du palais*, hofdame; **2** dam (in damspel); *aller à —*, een dam halen; *jeu de —s*, damspel; *jouer aux —s*, dammen; **3** dame (in schaakspel); **4** vrouw (bij kaartspel). II *tw* drommels!; zeker!
dame†-jeanne† *v* grote, dikke mandfles.
damer *ov.w* een damsteen tot dam maken; *damer le pion à qn.*, iem. de loef afsteken. ▼**damier** *m* dambord; *étoffe en —*, geruite stof.
damnable *bn* verfoeilijk, verdoemenswaardig, schandelijk. ▼**damnation** *v* verdoemenis.
▼**damné** I *zn m* verdoemde; *souffrir comme un —*, verschrikkelijk lijden. II **—, -e** *bn* verdoemd, vervloekt; *être l'âme —e de qn.*, iem. met hart en ziel toegewijd zijn; *le — coquin!*, die vervloekte schurk! ▼**damner** *ov.w* verdoemen; *faire — qn.*, iem. razend maken.
damoiseau [*mv* **x**] *m* saletjonker.
dancing *m* id., openbare danszaal.
dandin/ement *m* wiegelende gang. ▼**—er** I *on.w* een slingerende gang hebben, schommelen. II *se —* wiegelen, waggelen (bijv. van eenden).
dand/y *m* dandy. ▼**—ysme** *m* het overdrijven van elegante manieren en conversatie.

Danemark *m* Denemarken.
danger *m* gevaar; *conjurer le —*, het gevaar bezweren; *en — de mort*, in levensgevaar; *hors de —*, buiten gevaar. ▾**dangereux, -euse** *bn* gevaarlijk.
danois, -e *bn* Deens. **II** *zn* **D—** *m*, **-e** *v* Deen(se). **III d—** *m* **1** Deense taal; **2** Deense bn
dans *vz* **1** (*plaats*) in, uit, op; *prendre — l'armoire*, uit de kast nemen; — *l'escalier*, op de trap; — *une île*, op een eiland; *fumer — une pipe*, uit een pijp roken; — *la rue*, op straat; — *le temps*, indertijd; *boire — un verre*, uit een glas drinken; **2** (*tijd*) over, binnen; — *un an*, over een jaar; — *la quinzaine*, over 14 dagen; **3** (*gesteldheid*) in; *être — l'abattement*, neerslachtig zijn; *être — le doute*, in twijfel verkeren; *être — l'embarras*, in verlegenheid zitten; — *l'intention de*, met de bedoeling te; *la lune est — son plein*, het is volle maan; **4** (*omgeving*) in, bij, op; — *l'armée*, bij het leger; *être — les ordres*, kloosterling zijn; — *un voyage*, op een reis; **5** *cela coûte — les dix francs*, dat kost ongeveer tien francs.
dansant *bn* **1** *soirée —*, avondpartijtje waarop gedanst wordt; **2** opwekkend tot dansen, fijn (*une valse —e*). ▾**dans/e** *v* **1** dans; — *de Saint-Guy*, vitusdans; *mener la —*, de stoot geven; **2** danswijs; **3** (*pop.*) pak slaag, standje. ▾**—er I** *on.w* dansen; *son cœur danse*, zijn hart popelt; *faire — les écus*, het geld laten rollen; *quand le chat est absent, les souris dansent*, (*spr.w*) als de kat van honk is dansen de muizen; *du vin à faire —*, zeer zure wijn; *faire — qn. sans violon*, iem. een pak slaag geven. **II** *ov.w* dansen (*— une valse*). ▾**—eur** *m*, **-euse** *v* danser(es).
dantesque *bn* dantesk.
Danube *m* Donau.
dard *m* **1** werpspies; **2** angel; **3** tong v.e. slang; **4** pijlvormig ornament; **5** korte vruchttak van appel- en pereboom; **6** (*arg.*) penis. ▾**—er** *ov.w* werpen; *le soleil darde ses rayons*, de zon zendt, werpt haar stralen; *ses regards sur qn.*, zijn blik op iem. vestigen.
dare-dare *bw* in allerijl, op stel en sprong.
darne *v* moot v. grote vis zoals zalm, enz.
dartois *v* amandelbroodje.
dartre *v* dauwworm, huiduitslag.
datable *bn* te dateren. ▾**datation** *v* datering. ▾**dat/e** *v* datum, dagtekening; *faire —*, een keerpunt vormen; *nouvelle de fraîche —*, recent nieuws; *payable à un mois de —*, betaalbaar op een maand zicht; *de vieille —*, oud. ▾**—er I** *ov.w* dateren. **II** *on.w* **1** dagtekenen; *à — de*, vanaf; *une toilette, qui date*, een ouderwets toilet; **2** een keerpunt vormen. ▾**—erie** *v* pauselijke kanselarij. ▾**—eur** *bn: timbre —*, datumstempel.
datif *m* 3e naamval.
datte *v* dadel; *des —s!*, (*pop.*) niks, hoor! ▾**dattier** *m* dadelpalm.
daube *v* **1** smoren van vlees; **2** gesmoord vlees.
dauphin *m* **1** Franse kroonprins; **2** dolfijn (vis). ▾**dauphine** *v* vrouw v.d. Franse kroonprins.
dauphinelle, -e I *bn* uit de Dauphiné. **II** *zn* **D—** *m*, **-e** *v* bewoner (bewoonster) v.d. Dauphiné.
daurade, dorade *v* goudbrasem.
davantage *bw* **1** meer; **2** langer.
davier *m* (*chir.*) tang.
de *vz* **1** van, over; *disposer —*, beschikken over; *parler —*, spreken over; **2** aan; — *ce côté*, aan deze kant; *mourir —*, sterven aan; *la pensée — ses parents*, de gedachte aan zijn ouders; **3** aan het; *flatteurs d'applaudir!*, en de vleiers aan het applaudisseren!; **4** als; *traiter — lâche*, als een lafaard behandelen; **5** door; *aimé — tous*, door allen bemind; *suivi — ses amis*, gevolgd door zijn vrienden; **6** bij; *la bataille — Waterloo*, de slag bij Waterloo; — *préférence*, bij voorkeur; **7** in; *boire d'un seul trait*, in één teug leegdrinken; **8** naar; *avide — gloire*, begerig naar roem; *le chemin — Paris*, de weg naar Parijs; *la soif — l'or*, de dorst naar goud; **9** (*onvertaald*) *assez d'argent*, genoeg geld;

une bouteille — vin, een fles wijn; *fromage — Hollande*, Hollandse kaas; *de jolies fleurs*, mooie bloemen; *long d'un mètre*, een meter lang; *une montre d'argent*, een zilveren horloge; *pas d'argent*, geen geld; *la ville — Paris*, de stad Parijs; **10** op; *jaloux —*, jaloers op; **11** met; *couvert — gloire*, bedekt met roem; *un écrivain — talent*, een schrijver met talent; *frapper de l'épée*, met de degen treffen; *se nourrir —*, zich voeden met; *saluer — la main*, met de hand groeten; **12** (om) te; *il est difficile —*, het is moeilijk om te; *c'est une honte — mentir*, het is een schande te liegen; **13** tegen; *abriter —*, protéger —, beschermen tegen; **14** tot, voor; *l'amour — la patrie*, de liefde tot het vaderland; **15** uit; *il est — France*, hij komt uit Frankrijk; *tirer de l'eau du puits*, water putten uit de put; **16** volgens; — *son propre aveu*, volgens zijn eigen bekentenis; **17** voor; *la crainte — la mort*, de vrees voor de dood; *quoi — nouveau?*, wat is er voor nieuws?
dé *m* **1** dobbelsteen (— *à jouer*); *jouer aux —s*, dobbelen; — *chargé*, *pipe*, valse (verzwaarde) dobbelsteen; *tenir le — de la conversation*, het hoogste woord voeren; **2** dominosteen; **3** vingerhoed (— *à coudre*).
dead-heat *m*: *faire —*, gelijk eindigen van paarden in een wedren.
déambulatoire *m* omgang achter het koor v.e. kerk. ▾**déambuler** *on.w* rondlopen, wandelen.
débâcle *v* **1** het kruien, losgaan v.h. ijs; **2** ineenstorting, ondergang. ▾**débâcler I** *ov.w: — un port*, een haven ontruimen (de niet-geladen schepen verwijderen). **II** *on.w* kruien van een rivier.
déballage *m* **1** het uitpakken; **2** uitgepakte goederen; **3** vliegende winkel; **4** goederen in een vliegende winkel; **5** (*fam.*) (openhartige) bekentenis. ▾**déballer I** *ov.w* uitpakken; **2** (*fam.*) te koop lopen met.
débandade *v* wilde vlucht, algemene verwarring; *à la —*, wanordelijk. ▾**débander I** *ov.w* **1** het verband wegnemen van (— *une plaie*); **2** ontspannen v.e. boog. **II** *se —* zich verspreiden.
débaptiser *ov.w* een andere naam geven.
débarbouill/age *m* het wassen v.h. gezicht. ▾**—er I** *ov.w* het gezicht wassen. **II** *se —* **1** zijn gezicht wassen; **2** (*fam.*) zich door een moeilijkheid heenslaan.
débarcadère *m* **1** losplaats van schepen, steiger; **2** spoorwegstation (van aankomst).
débard/age *m* het lossen. ▾**—er** *ov.w* **1** lossen; **2** gekapt hout uit bos -, stenen uit groeve vervoeren. ▾**—eur** *m* bootwerker, losser.
débarqu/ement *m* **1** ontscheping; **2** (het) lossen van waren; *quai de —*, perron van aankomst. ▾**—er I** *ov.w* **1** lossen, ontschepen; **2** iem. lozen. **II** *on.w* aan wal gaan, landen; *un nouveau débarqué*, een pas aangekomene, nieuweling; *au débarqué*, bij het uit de trein stappen, bij het landen.
débarras *m* **1** bevrijding, verlichting; **2** rommelkamer. ▾**—ser I** *ov.w* **1** opruimen (— *une chambre, une table*); ontdoen (— *qn. d'un fardeau*). **II** *se —* zich bevrijden van, zich ontdoen van (*se — de son par-dessus*).
débat *m* woordenwisseling, debat; *les —s d'un procès*, de openbare behandeling v.e. proces. ▾**débattre I** *ov.w* bespreken, debatteren over; — *le prix*, afdingen. **II** *se —: — contre*, worstelen tegen (— *la misère*).
débauchage *m* het aanzetten tot staking. ▾**débauch/e** *v* **1** onmatigheid in eten en drinken; **2** losbandigheid; *vivre dans la —*, een losbandig, liederlijk leven leiden. ▾**—é I** *bn* losbandig, liederlijk. **II** *zn* *m*, -e *v* losbandige man of vrouw. ▾**—er I** *ov.w* **1** op het slechte pad brengen; **2** overhalen tot staken; **3** arbeiders ontslaan. **II** *se —* tot losbandigheid vervallen.
déboct/ant *bn* (*pop.*) walgelijk. ▾**— er** *ov.w* (*pop.*) niet bevallen.
débet *m* debet.

débil/e *bn* zwak, tenger. ▼—**ité** *v* zwakheid, uitputting; —*mentale*, zwakzinnigheid. ▼—**iter** *ov.w* 1 verzwakken, uitputten; 2 ontmoedigen.

débine *v* (*pop.*) ellende, misère. ▼**débiner** I *ov.w* (*fam.*) afkammen, zwart maken. II se — ervandoor gaan.

débit *m* 1 verkoop (in het klein), omzet; 2 aftrek; *d'un —facile*, wat veel aftrek vindt, gemakkelijk verkoopbaar is; 3 winkel voor rookartikelen (—*de tabac*); — voor drankwaren (—*de vin*); 4 debetzijde; 5 verval van rivier, 6 gas-, elektriciteitsverbruik in een bepaalde tijd; 7 wijze van spreken (*avoir le — facile*). ▼—**ant** *m* kleinhandelaar, slijter. ▼—**er** *ov.w* 1 in het klein verkopen, slijten; 2 in omloop brengen (—*des nouvelles*); 3 voordragen, zeggen (—*un rôle*); 4 vertellen (—*des mensonges*); 5 hout, stenen, vlees enz. in stukken hakken; 6 een hoeveelheid water, gas, elektriciteit leveren in een bepaalde tijd; 7 op de debetzijde boeken. ▼—**eur** *m*, **-euse** *v* 1 verteller (-ster), verspreider (-ster) (—*de nouvelles*, —*de mensonges*); 2 iem. die in een winkel de klanten naar de kassa brengt om te betalen; —**eur** *m*, **-trice** *v* schuldenaar (schuldenares).

déblai I *m* afgraving. II —*s mv* afgegraven grond. ▼—**ement** *m* (het) afgraven, opruimen.

déblatérer I *ov.w* uitkramen (—*des sottises*). II *on.w* (—*contre*) heftig uitvaren tegen.

déblayer I *ov.w* afgraven, opruimen; —*le terrain*, de moeilijkheden uit de weg ruimen.

déblocage *m* 1 ontzet v.e. belegerde stad; 2 (het) vrijmaken v.d. weg; 3 deblokkering (*des crédits*). ▼**débloquer** *ov.w* 1 ontzetten v.e. belegerde stad; 2 vrijmaken v.d. weg; 3 deblokkeren van banksaldo's enz. II *on.w* (*fam.*) zwammen, kletsen.

déboire *m* 1 vieze nasmaak na drinken; 2 teleurstelling, verdriet.

déboisement *m* ontbossing. ▼**déboiser** *ov.w* ontbossen.

déboîtement *m* ontwrichting. ▼**déboîter** I *ov.w* ontwrichten, losmaken uit. II *on.w* zich losmaken uit een colonne of file.

débonder I *ov.w* de spon halen uit (een vat); —*son cœur, se —*, zijn hart luchten. II *on.w* weg-, overstromen.

débonnaire *bn* goedig; *Louis le D—*, Lodewijk de Vrome.

débord *m* 1 zoom van weg, slootkant; 2 (het) overlopen van gal. ▼—**ant** *bn* 1 overlopend; 2 (*fig.*) uitbundig, overweldigend (*joie—e*). ▼—**é** *bn* losbandig; —*de travail*, overladen met werk. ▼—**ement** *m* 1 overstroming; 2 uitspatting; 3 stortvloed (—*de paroles, d'injures*). ▼—**er** I *on.w* overstromen, buiten de oevers treden; overlopen. II *ov.w* 1 uitsteken buiten; 2 de rand, zoom afnemen; 3 overvleugelen, overstelpen; 4 omsingelen, een omtrekkende beweging maken (*mil.*).

débosseler *ov.w* uitdeuken.

débotte *m*, **débotté** *m* (*oud*) (het) ogenblik v.h. uittrekken v.d. laarzen; ogenblik van aankomst; *au —*, op het moment van aankomst, onvoorbereid. ▼**débotter** *ov.w* de laarzen uittrekken.

débouché *m* 1 uitgang, einde; 2 afzetgebied; 3 perspectief. ▼**déboucher** I *ov.w* 1 ontkurken, openen; 2 doorsteken v.e. pijp, ontstoppen. II *on.w* 1 uitkomen op een meer open ruimte (*la rue débouche sur la place*); 2 uitmonden van rivier.

déboucler I *ov.w* 1 losgespen; 2 vrijlaten v.e. gevangene; 3 de krullen uit haren halen. II se — uit de krul gaan.

débouler *on.w* 1 plotseling opspringen voor de jager van haas of konijn; 2 tuimelen (—*dans l'escalier*).

déboulonner *ov.w* 1 losschroeven; 2 omlaaghalen (—*une réputation*).

débouqu/ement *m* het varen uit een zeestraat; 2 zeestraat, -engte. ▼—**er** *on.w* uit een zeestraat, -engte varen.

débourber *ov.w* uit de modder halen, uitbaggeren.

débourrer I *ov.w* leeghalen (—*une pipe*). II se —magerder worden.

débours *m mv* voorschot, onkosten; *rentrer dans ses —*, de onkosten eruit halen. ▼—**er** *ov.w* uitgeven.

déboussoler *ov.w* (*fam.*) in de war brengen.

debout *bw* 1 staande, rechtop; *debout!*, opstaan!; *dormir —*, omvallen v.d. slaap; *contes à dormir —*, onzinnige verhalen; *mourir —*, al strijdend, midden in zijn werk sterven; *rester —*, blijven staan, - bestaan; *ça ne tient pas —*, dat is onzin; 2 *avoir le vent —*, tegenwind hebben.

débouter *ov.w* (*jur.*) afwijzen.

déboutonner I *ov.w* losknopen; *rire à ventre déboutonné*, zijn buik vasthouden v.h. lachen; *manger à ventre déboutonné*, tot barstens toe eten. II se — de kleren losknopen; zeggen wat men denkt.

débraillé I *bn* 1 slordig (v. kleren); 2 ongegeneerd. II *zn m* slordigheid in kleding.

débrancher *ov.w* 1 uitschakelen (van elektriciteit); 2 uitrangeren.

débrayage *m* 1 ontkoppeling; *pédale de —*, koppelingspedaal; 2 staking. ▼**débrayer** I *ov.w* ontkoppelen. II *on.w* (*pop.*) staken.

débridé *bn* ongebreideld, teugelloos. ▼**débrider** *ov.w* 1 onttomen (—*un cheval*); *sans —*, aan één stuk door, zonder ophouden; 2 losmaken; —*la mécanique*, het mechanisme soepeler maken; 3 (*arg.*) openen, het vuur openen.

débris *m mv* overblijfselen, puinhopen.

débrouill/age *m*, —**ement** *m* ontwarring. ▼—**ard** *bn* (*fam.*) bij de hand, zich gemakkelijk door moeilijkheden wetend te slaan. ▼—**er** I *ov.w* 1 ontwarren, ophelderen. II se — 1 zich door moeilijkheden heenslaan; 2 zich (zien te) redden; 3 (*iets*) versieren.

débroussailler *ov.w* van struikgewas ontdoen; (*fig.*) terrein effenen.

débûché *m* 1 (het) te voorschijn komen v.h. wild; 2 hoorngeschal op dat moment. ▼**débucher, débûcher** I *on.w* te voorschijn komen (van wild). II *ov.w* uit het woud jagen, opjagen van wild.

débusquer *ov.w* verdrijven.

début *m* 1 begin, eerste optreden; *dès le —*, van het begin af; 2 aanvangsworp of -zet, om te zien, wie beginnen mag bij een spel. ▼—**ant** *m*, **-e** *v* beginneling (e). ▼—**er** *on.w* 1 beginnen, voor het eerst optreden; 2 gooien, zetten om te zien, wie bij het spel mag beginnen.

deçà *vz* aan deze kant; *en —*, aan deze kant; —*et delà*, hier en daar, heen en weer; *au —*, aan deze zijde van.

décachetage *m* (het) ontzegelen. ▼**décacheter** *ov.w* ontzegelen.

décade *v* 1 tiental; 2 periode van tien dagen.

décadence *v* verval, ondergang. ▼**décadent** *bn* decadent, in verval; *les —s*, de kunstenaars uit de school v.h. symbolisme.

décaféiné *bn*: *café —*, cafeïnevrije koffie.

décagone *m* tienhoek.

décagramme *m* decagram.

décaiss/ement *m*, —**age** *m* (het) uitpakken uit een kist. ▼—**er** *ov.w* 1 uitpakken uit een kist; 2 uitbetalen.

décalage *m* 1 (het) verplaatsen, verzetten (ook *fig.*); 2 verschil in tijd of ruimte; 3 (het) niet aangepast zijn, gebrek aan overeenstemming.

décalaminer *ov.w* ontkolen.

décalcifier *ov.w* van kalk ontdoen.

décaler *ov.w* 1 verplaatsen, verzetten; 2 voor- of achteruitzetten.

décalitre *m* decaliter.

décalogue *m* de Tien Geboden.

décalquage *m*, **décalque** *m* afdruk, overdruk. ▼**décalquer** *ov.w* overdrukken; *papier à —*, calqueerpapier.

décamètre *m* decameter.

décamper *on.w* 1 (*oud*) het kamp opbreken; 2 zijn biezen pakken.

décanal [*mv* aux] *bn* dekenaal. ▼**décanat** *m*

dekenaat, dekenschap.
décaniller *on.w* (*fam.*) ervandoor gaan.
décantage *m*, **décantation** *v* (het) decanteren, langzaam overschenken van wijn.
▼décanter *ov.w* decanteren, langzaam overschenken van wijn.
décaper *ov.w* afkrabben.
décapitation *v* onthoofding. **▼décapiter** *ov.w* onthoofden.
décapot/able *bn: auto* —, met afneembare kap. **▼—er** *ov.w* (*une auto*) de kap afnemen.
décapsuleur *m* opener.
décarburer *ov.w* van kool zuiveren.
décarcasser (se) (*fam.*) zich uitsloven.
décarreler *ov.w* de tegels opbreken.
décasyllabique *bn* tienlettergrepig.
décati *bn* verlept, afgetakeld. **▼décatir** I *ov.w* 1 (*une étoffe*) ontglanzen; 2 doen verleppen. II *se*—verleppen.
décaver *ov.w* al het geld v.e. speler winnen; *décavé,* (*fam.*) geruïneerd
décéder *on.w* overlijden.
décèlement *m* ontdekking, ontmaskering.
▼déceler *ov.w* 1 ontdekken; 2 verraden.
décembre *m* december.
décemment *bw* fatsoenlijk, netjes. **▼décence** *v* fatsoen, welgevoeglijkheid.
décennal [*mv aux*] *bn* 1 tienjarig; 2 tienjaarlijks. **▼décennie** *v* decennium.
décent *bn* fatsoenlijk, welgevoeglijk.
décentralis/ateur, -atrice *bn* decentraliserend. **▼—ation** *v* decentralisatie. **▼—er** *ov.w* decentraliseren.
décentrer *ov.w* decentreren van lenzen.
déception *v* teleurstelling, afknapper.
décerner *ov.w* 1 toekennen (— *un prix*); 2 uitvaardigen.
décès *m* overlijden.
décevant *bn* 1 teleurstellend; 2 bedrieglijk.
▼décevoir *ov.w* 1 teleurstellen; 2 bedriegen.
déchaînement *m* ontketening, losbarsting; (het) woeden (— *de la tempête*). **▼déchaîner** I *ov.w* ontketenen (ook *fig.*). II *se*— losbarsten, woeden.
déchanter *on.w* (*fam.*) een toontje lager zingen.
déchaperonner *ov.w* de kap van bijv. een jachtvalk, een muur afnemen.
décharg/e *v* 1 ontlading; 2 ontheffing, verlichting; *pour la — de sa conscience,* om zijn geweten te ontlasten; 3 rechtvaardiging; *témoin à —,* getuige, die het voor de beschuldigde opneemt; 4 het ontladen, lossing (*la — d'une voiture*); 5 kwijting, kwitantie; *porter en —,* in mindering brengen; 6 het losbranden van vuurwapenen; 7 rommelkamer (ook *chambre de —*); 8 vuilnisbelt; 9 afwatering; *tuyau de —,* afvoerbuis; 10 dwarsstang, gewelfboog. **▼—ement** *m* 1 (het) ontladen; 2 (het) lossen. **▼—eoir** *m* afwatering. **▼—er** I *ov.w* 1 ontladen (van elektriciteit); 2 ontheffen, verlichten, verlossen; — *sa conscience,* zijn geweten ontlasten; — *sa bile,* zijn gemoed luchten; 3 rechtvaardigen, vrijpleiten (— *un accusé*); 4 lossen, ontladen; 5 kwijtschelden, kwiteren (— *un compte*); 6 afschieten (— *une arme à feu*); 7 ontladen (— *un fusil*); 8 laten weglopen. II *on.w* klaarkomen (orgasme). III *se* — de qc. sur qn., iets aan iem. overlaten.
décharn/é *bn* ontvleesd, zeer mager. **▼—er** *ov.w* van vlees ontdoen, vermageren.
déchaum/age *m* het onderploegen v.d. stoppels. **▼—er** *ov.w* de stoppels onderploegen (— *un champ*); licht ploegen.
déchauss/er I *ov.w* 1 de schoenen uittrekken (— *qn.*); 2 de fundamenten, de wortels blootleggen (— *un arbre, un mur*). II *se* — zijn schoenen uittrekken; *ses dents se déchaussent,* de wortels van zijn tanden liggen bloot. **▼—euse** *v* ploeg, in gebruik op wijnakkers.
dèche *v* (*pop.*) armoede, ellende.
déchéance *v* 1 verlies v.e. recht, vervallenverklaring; 2 afzetting v.d. koning; 3 (zonde)val (*la — de l'homme*).

déchet *m* 1 afval; — *de route,* hoeveelheid van zekere waren, waarvan men aanneemt, dat ze tijdens het vervoer verloren gaat; *produit de —,* afbraakprodukt; 2 vermindering, daling; 3 (*fig.*) uitschot.
déchiffr/able *bn* ontcijferbaar. **▼—age** *m*, **—ement** *m* ontcijfering. **▼—er** *ov.w* 1 ontcijferen; 2 van het blad spelen of zingen; 3 oplossen. **▼—eur** *m*, **-euse** *v* 1 goed ontcijferaar; 2 iem. die goed v.h. blad speelt of zingt; 3 iem. die goed is in het oplossen van raadsels.
déchiquet/age *m* (het) verscheuren. **▼—er** *ov.w* verscheuren, verknippen, onhandig snijden (van vlees); *feuille déchiquetée,* gekorven blad; *style déchiqueté,* stijl, die zich bezondigt aan te korte zinnen.
déchir/ant *bn* hartverscheurend. **▼—ement** I *m* verscheuring; — *de cœur,* hevig verdriet. II —*s mv* verdeeldheid. **▼—er** I *ov.w* 1 verscheuren; 2 teisteren, wonden (— *le cœur*); 3 slopen (— *un bateau*); 4 belasteren. II *se*—scheuren. **▼—ure** *v* scheur.
déchoir *on.w* onr. achteruitgaan, vervallen; *ange déchu,* gevallen engel.
déchristianisation *v* ontkerstening. **▼déchristianiser** *ov.w* ontkerstenen.
déchu *v.dw van* **déchoir**.
décidé *bn* beslist, vastberaden, vastbesloten. **▼décidément** *bw* beslist, vast, waarlijk. **▼décider** I *ov.w* 1 beslissen; 2 doen besluiten te (— *qn. à partir*). II *on.w* — *de,* beslissen over. III *se*— beslist worden; *se* — *à,* besluiten te.
décigrade *m* decigraad.
décigramme *m* decigram.
décilitre *m* deciliter.
décimal [*mv aux*] I *bn* tiendelig; *fraction* —*e,* tiendelige breuk; *système* —, decimaal systeem. II *zn* -*e v* 1 tiendelige breuk; 2 decimaal. **▼—ité** *v* tiendeligheid.
décime *m* 1 geldstuk van 10 centimes; 2 10 opcenten (bijv. op belasting).
décimer *ov.w* 1 decimeren (van elke tien man er een doden); 2 veel slachtoffers maken onder, teisteren (*les maladies décimèrent la population*).
décimètre *m* 1 decimeter; 2 decimeterliniaal.
décintr/age *m*, **—ement** *m* (het) wegnemen tijdens de bouw van de houten bogen v.e. gewelf. **▼—er** *ov.w* de houten bogen v.e. gewelf tijdens de bouw wegnemen.
décisif, -ive *bn* 1 beslissend; 2 beslist (*ton* —). **▼décision** *v* 1 beslissing, besluit; 2 beslistheid, vastberadenheid; *pouvoir* —*naire,* beslissingsmacht. **▼décisivement** *bw* op beslissende wijze, beslist.
déclam/ateur I *zn m —,* **-atrice** *v* 1 declamator (- trice); 2 hoogdravend schrijver (schrijfster) of redenaar (-ster). II *bn* hoogdravend, bombastisch. **▼—ation** *v* 1 declamatie, voordrachtskunst; 2 hoogdravendheid, bombast. **▼—atoire** *bn* hoogdravend, bombastisch. **▼—er** I *ov.w* voordragen, declameren. II *on.w* (*contre*) uitvaren tegen.
déclaratif, -ive *bn* verklarend. **▼déclaration** *v* 1 verklaring; — *de guerre,* oorlogsverklaring; — *d'impôts,* belastingaangifte; 2 liefdesverklaring. **▼déclarer** I *ov.w* 1 verklaren; 2 aangeven (— *un enfant*); 3 aangeven bij de douane; 4 uitspreken (— *une faillite*). II *se* — 1 uitkomen voor zijn mening; 2 uitbreken *enz.*; *l'hiver se déclare,* de winter breekt aan; *la maladie s'est déclarée,* de ziekte is uitgebroken, heeft zich geopenbaard; *l'orage se déclare,* het onweer barst los; 3 zijn liefde verklaren; 4 zich schuldig verklaren.
déclass/é I *bn* gezonken, beneden zijn stand geraakt. II *zn m* die beneden zijn stand is geraakt; verlopen sujet. **▼—ement** *m* 1 het schrappen v.d. lijst der marinelichting; 2 achteruitgang in stand; 3 waardevermindering van geld of aandelen. **▼—er** *ov.w* 1 van de lijst der marinelichting schrappen; 2 achteruit doen gaan in stand; 3 in waarde doen verminderen van geld of

aandelen.
déclench/ement m (fig.) aanzet, begin.
▼**—er** l ov.w 1 ontgrendelen (v. geweer);
2 inzetten (mil.). (— une attaque); 3 de stoot
geven tot, veroorzaken, in gang zetten, in
werking stellen. **Il se** — ingezet worden
(l'attaque se déclenche). ▼**—eur** m
ontspanner (bijv. van fototoestel).
déclic m veer, knip, druk op de knop (fot.); —
automatique, zelfontspanner.
déclin m einde, ondergang; vermindering; le —
de l'âge, de levensavond; le — des forces, het
afnemen der krachten; le — du jour, het vallen
v. d. avond; le — de la lune, het laatste kwartier;
être sur son —, achteruitgaan, aftakelen, op
zijn retour zijn. ▼**—able** bn verbuigbaar.
▼**—aison** v 1 verbuiging; 2 declinatie v. e. ster.
▼**—atoire** bn wrakend. ▼**—er** l on.w
1 verminderen, afnemen; 2 ondergaan, dalen
(v. e. ster); 3 afwijken (v. e. magneetnaald).
Il ov.w 1 verbuigen; 2 afslaan, weigeren;
3 wraken; 4 opgeven (son nom).
décliv/e l bn hellend. **Il** zn v: en —, hellend.
▼**—ité** v helling.
déclouer ov.w de spijkers halen uit.
décochement m het afschieten v.e. pijl.
▼**décocher** ov.w 1 afschieten (— une flèche)
2 geven, toeslingeren; — un trait, een steek
onder water geven.
décoction v 1 het afkoken van kruiden of
planten; 2 afkooksel.
décoder ov.w decoderen.
décoffrer ov.w de bekisting weghalen (v.
beton).
décoiffer ov.w de haren in de war brengen.
décolérer on.w ophouden boos te zijn; ne pas
—, boos blijven.
décollage m 1 het loskomen v. d. grond (van
vliegmachine); 2 (het) losweken;
3 economische vooruitgang.
décollement m 1 (het) losgaan van gelijmde
dingen; 2 losmaken v. e. orgaan.
▼**décoller** l on.w 1 loskomen v. d. grond (van
vliegmachine); 2 tot economische bloei
komen; 3 (fam.) vermageren. **Il** ov.w losmaken
van iets, dat gelijmd is; oreilles décollées,
uitstaande oren. **Ill se** — losgaan.
décolletage m 1 (het) decolleteren; 2 lage
hals. ▼**décolleté** m lage hals; en grand —, in
groot avondtoilet (van dames). ▼**décolleter**
ov.w laag uitsnijden.
décolonisation v dekolonisatie.
▼**décoloniser** ov.w dekoloniseren.
décolorant l bn ontkleurend. **Il** zn m
ontkleuringsmiddel, bleekmiddel.
▼**décoloration** v verkleuring. ▼**décoloré** bn
verkleurd, verschoten. ▼**décolorer** l ov.w
ont-, verkleuren. **Il se** — verschieten,
verbleken.
décombrer ov.w puin-, wegruimen.
▼**décombres** m mv puin.
décommander ov.w 1 afbestellen, 2 afzeggen
(— un dîner); se —, het laten afweten.
décomposable bn ontleedbaar.
▼**décomposé** bn 1 ontbonden, vergaan;
2 verwrongen, vertrokken (van gezicht).
▼**décomposer** l ov.w 1 ontleden; 2 bederven;
3 (chem.) afbreken. **Il se** — 1 ontleed worden;
2 bederven, tot ontbinding overgaan;
3 verwringen van gezicht. ▼**décomposition** v
1 ontleding; 2 ontbinding; produit de —,
afbraakprodukt; 3 (het) verwrongen zijn (—
des traits).
décompression v ontspanning, vermindering
van spanning, decompressie. ▼**décomprimer**
ov.w ontspannen, de spanning verminderen.
décompte m 1 korting, aftrek; trouver du —,
minder ontvangen dan men dacht; een
teleurstelling boeken; 2 afrekening.
▼**décompter** l ov.w korten, aftrekken. **Il** on.w
van slag zijn v. e. klok.
déconcert/ant bn verbijsterend. ▼**—er** ov.w
in de war brengen, verbijsteren.
déconfessionnaliser ov.w
deconfessionaliseren.

déconfit bn ontdaan, in de war, beteuterd.
▼**—ure** v 1 (fam.) nederlaag; 2 faillissement.
décongeler ov.w ontdooien.
déconner on.w (plat) lullen.
déconseiller ov.w afraden.
déconsidération v verlies van aanzien.
▼**déconsidérer** ov.w de achting doen
verliezen, in aanzien doen dalen.
décontenancer ov.w iem. zijn houding doen
verliezen, van zijn stuk brengen.
décontracté bn 1 ontspannen; 2 onbezorgd.
▼**décontracter** l ov.w ontspannen (lett.).
Il se — zich ontspannen (fig. en lett.).
déconvenue v tegenslag, pech.
décor m 1 versiering; 2 decoratie van toneel,
filmstudio; pièce à —s, decorstuk; peintre en
—s, decoratieschilder; 3 mooie omgeving;
(fam.) entrer dans le —, van de weg af raken;
4 schijn. ▼**—ateur, -trice** l bn wat de
decoratie betreft (peintre—). **Il** zn m
1 decormaker, decorschilder; 2 stoffeerder.
▼**—atif, -ive** bn versierend, decoratief;
personnage —, deftig persoon, die een
vergadering of feest opluistert door zijn
tegenwoordigheid. ▼**—ation** v 1 versiering;
2 decor; 3 ridderorde. ▼**—er** ov.w 1 versieren;
2 decoreren.
décortication v, **décorticage** m (het)
wegnemen, afvallen v. d. schors.
▼**décortiquer** ov.w 1 de schors wegnemen;
2 pellen (— du riz); 3 — un texte, een tekst
ontleden.
décorum m fatsoen, decorum (garder le —).
découcher on.w buitenshuis slapen
(stiekem).
découdre l ov.w onr. 1 lostornen; 2 de buik
openrijten. **Il** ov.w en —, handgemeen
worden. **Ill se** — lostornen, van naad.
découler on.w 1 wegvloeien; la sueur découle
de son front, het zweet stroomt hem van het
voorhoofd; 2 voortvloeien uit (fig.).
découpage m 1 (het) voorsnijden; 2 (het)
uitsnijden, -knippen, -hakken; 3 (het)
verdelen v.e. filmscenario in scènes.
▼**découpe** = **découpure**. ▼**découp/er**
l ov.w 1 in stukken snijden, voorsnijden;
couteau à —, voorsnijmes; fourchette à —,
voorsnijvork; 2 uitknippen, uitsnijden,
uithakken, uitzagen. **Il se** — scherp afsteken; le
clocher se découpait sur le ciel, de toren stak af
tegen de lucht. ▼**—eur** m snijder, voorsnijder.
▼**—euse** v snijmachine.
découple m, **découpler** m (het) loskoppelen
der jachthonden.
découplé bn: bien —, goed gebouwd.
découp/oir m 1 snijmachine; 2 steekbeitel.
▼**—ure** v 1 (het) uitknippen, -snijden,
-hakken, -zagen; 2 uitknipsel; 3 insnijding v. e.
blad; 4 insnijding v. d. kust.
décourag/eant bn ontmoedigend. ▼**—ement**
m moedeloosheid. ▼**—er** l ov.w ontmoedigen.
Il se — de moed verliezen.
découronn/ement m (het) ontnemen v. d.
kroon. ▼**—er** ov.w 1 ontkronen; 2 — un arbre,
de bovenste takken v. e. boom verwijderen.
décours m 1 afnemen der maan; 2 afnemen v.
e. ziekte.
décousu l bn 1 losgetornd;
2 onsamenhangend (style—). **Il** zn m gebrek
aan samenhang. **Ill** v.dw van découdre.
découvert l bn onbedekt; pays —, streek met
weinig bossen; la tête —e, blootshoofds. **Il** à
—, bw: combattre à —, met open vizier strijden;
être à —, ongedekt zijn. **Ill** zn m onbeboste
plaats, tekort. **IV** v.dw van découvrir.
▼**découverte** v ontdekking; aller à la —, op
ontdekking uitgaan. ▼**découvreur** m, **-euse** v
ontdekker (-ster). ▼**découvrir** l ov.w onr.
1 ontdekken; 2 zien, bemerken; 3 ontbloten,
het deksel, de (be)dekking wegnemen; — son
jeu, zich in de kaart laten kijken; — une maison,
het dak v. e. huis nemen; — un panier, het
deksel v. e. mand oplichten; 4 openbaren,
blootleggen (son cœur). **Il se** — 1 de hoed
afnemen; 2 zich dunner kleden; 3 zich
blootwoelen; 4 ophelderen van weer; 5 zich

blootgeven (i.e. gevecht); **6** zich openbaren, zijn gevoelens laten blijken; **7** geld voorschieten; **8** zichtbaar worden.
décrasser I ov.w **1** schoonmaken, reinigen; **2** beschaven, ontgroenen; **3** iem. in de adelstand verheffen. **II se —** 1 zich reinigen; **2** omhoog komen, terwijl men van lage afkomst is. ▼**décrassoir** m stofkam.
décrépir ov.w (kalk) afbikken.
décrépit bn afgeleefd.
décrépitation v geknetter. ▼**décrépiter** on.w knetteren.
décrépitude v afgeleefdheid.
décret m decreet, verordening, besluit. ▼**décréter** ov.w decreteren, verordenen.
décrier ov.w in diskrediet brengen, verguizen.
décrire ov.w onr. beschrijven.
décroch/age m, **—ement** m het af-, loshaken. **▼—er** ov.w **1** af-, loshaken; van de haak nemen (telefoon); *bâiller à se — la mâchoire,* zijn kaken uit elkaar gapen; **2** behalen (van prijs). ▼**décroche(z)-moi-ça** m (pop.) **1** oude kleren; **2** uitdrager; **3** uitdragerswinkel.
décroiser ov.w: *— les jambes,* de benen niet langer kruisen.
décroissement m, **décroissance** v vermindering, afneming. ▼**décroît** m (het) afnemen der maan. ▼**décroître** on.w onr. verminderen, afnemen; *la rivière décroît,* het water v. d. rivier valt.
décrott/age m (het) schoonmaken, poetsen. **▼—er** ov.w **1** poetsen, schoonmaken; **2** beschaven, ontwikkelen. **▼—eur** m schoonpoetser. **▼—oir** m voetschrapper.
décrue v val v. h. water.
déçu bn teleurgesteld.
déculotter ov.w de broek uittrekken.
décuple I bn tienvoudig. **II** zn m tienvoud. ▼**décupler** ov.w vertienvoudigen, (*fig.*) vergroten (verdubbelen).
décurion m hoofdman over tien bij de Romeinen.
décuvage m, **décuvaison** v overbrenging v. d. wijn van de kuip naar het vat. ▼**décuver** ov.w de wijn overbrengen v. d. kuip naar het vat.
dédaigner ov.w minachten, verachten, versmaden; *— de,* het beneden zich achten. ▼**dédaigneux, -euse** bn minachtend. ▼**dédain** m minachting.
dédale m doolhof. ▼**dédaléen, -enne** bn onontwarbaar.
dedans I bw (er) binnen, erin, van binnen; *il a donné —,* hij is erin gelopen; (*fam.*) *ficher qn. —,* iem. erin laten lopen; *en —,* van (naar) binnen; *là —,* daarbinnen; *mettre —,* erin laten lopen, bedriegen, in de gevangenis zetten; *par —,* binnenin; *personne en —,* in zichzelf gekeerd mens. **II** zn m het binnenste, inwendige; *au —,* van binnen.
dédica/ce v **1** opdracht v. e. boek; **2** kerkwijding. **▼—cer** ov.w een opdracht in een boek schrijven (*— un livre*). **▼—toire** bn de opdracht bevattend (*épître —*). ▼**dédier** ov.w **1** inwijden v. e. kerk; **2** opdragen v. e. boek.
dédire I ov.w onr. logenstraffen, verloochenen. **II se —** zijn woord herroepen; zijn woord niet houden. ▼**dédit** m herroeping.
dédommag/ement m schadeloosstelling; *en — de,* als schadeloosstelling voor. **▼—er** ov.w schadeloosstellen; *— de,* de schadeloosstellen voor.
dédouan/ement m uitklaring. **▼—er** ov.w **1** uitklaren; **2** (*fig.*) er weer boven op helpen.
dédoubl/ement m **1** (het) verenigen van twee helften tot een geheel; **2** splitsing, halvering. **▼—er** ov.w **1** de voering wegnemen; **2** splitsen, halveren; **3** aanlengen.
déductif, -ive bn deductief. ▼**déduction** v **1** korting, aftrek; *— faite de,* na aftrek van; **2** gevolgtrekking; **3** deductie. ▼**déduire** ov.w onr. **1** aftrekken (v. kosten); **2** uiteenzetten; **3** afleiden.
déesse v godin.
défail/lance v **1** zwakheid; **2** flauwte; *tomber en —,* flauwvallen; **3** tekortkoming. **▼—ant** bn

1 zwak, verzwakkend; **2** in zwijm vallend; **3** uitstervend (van geslacht). **▼—ir** on.w onr. **1** ontbreken; **2** in zwijn vallen.
défaire I ov.w onr. **1** vernietigen, los maken enz.; *— un ballot,* een baal openmaken; *ses cheveux sont défaits,* zijn haren zijn in de war; *— une couture,* een naad lostornen; *l'ennemi,* de vijand totaal verslaan; *— un lit,* een bed omwoelen; *— sa malle,* zijn koffer uitpakken; *— un nœud,* een knoop losmaken; *— les vis,* de schroeven losdraaien; *un visage défait,* een ontsteld gelaat; **2** vermageren, verzwakken (*la maladie l'a défait*); **3** bevrijden, ontdoen van. **II se —** de zich ontdoen van; *se — d'un domestique,* een knecht ontslaan; *se — d'un ennemi,* een vijand ombrengen. **III se —** **1** verzwakken, vermageren; **2** losgaan.
défaite v **1** nederlaag; **2** afzet, aftrek; **3** uitvlucht.
défalcation v korting, aftrekking. ▼**défalquer** ov.w korten, aftrekken.
défausser ov.w weer rechtbuigen.
défaut m **1** gebrek; *il a les —s de ses qualités,* hij heeft de gebreken, die een gevolg zijn van zijn goede hoedanigheden; *— corporel,* lichaamsgebrek; **2** (het) ontbreken; *à — de,* bij gebrek aan; *être en —,* falen; *faire —,* ontbreken; *mettre en —,* op een dwaalspoor brengen; *prendre en —,* op een fout betrappen; **3** verstek; *condamner par —,* bij verstek veroordelen; *donner —,* verstek laten gaan; **4** zwakke plaats; *des côtes,* plaats waar de ribben eindigen.
défaveur v ongenade. ▼**défavor/able** bn ongunstig. **▼—iser** ov.w benadelen.
défect/if, -ive bn onvolledig; *verbe —,* werkwoord, dat bepaalde vormen mist. **▼—ion** v afvalligheid; *faire —,* afvallen, afvallig worden. **▼—ueux, -ueuse** bn gebrekkig. **▼—uosité** v gebrekkigheid.
défend/able bn verdedigbaar. **▼—eur** m, **-eresse** v verweerder (-ster) in rechten. ▼**défendre** I ov.w **1** verdedigen; *à son corps défendant,* tegen wil en dank; **2** beschermen, beschutten; *du froid,* tegen de koude beschermen; **3** verbieden, ontzeggen; *sa maison à qn.,* iem. de toegang tot zijn huis ontzeggen. **II se —** 1 zich verdedigen; **2** zich beschermen, beschutten; *se — de la pluie,* zich beschermen tegen de regen; **3** nalaten, zich ontzeggen, zich onthouden; *je ne saurais m'en défendre,* ik kan het niet nalaten; **4** loochenen, ontkennen; *je ne m'en défends pas,* ik ontken het niet. ▼**défens/e/i** v **1** verdediging; *—passive,* luchtbeschermingsdienst; *sans —,* weerloos; **2** verbod; *— de fumer,* het is verboden te roken; **3** slagtand; **4** verdediger in een proces. **II —s** m v **1** verdedigingswerken; **2** verweermiddelen (recht). **▼—eur** m **1** verdediger; **2** beschermer; **3** advocaat. **▼—if, -ive** I bn verdedigend. **II** zn *-ive* v verdediging, tegenweer; *être, se tenir sur la défensive,* in het defensief zijn, een verdedigende houding aannemen. **▼—ivement** bw verdedigend.
défér/ence v eerbied, inschikkelijkheid. **▼—ent** bn inschikkelijk, gehoorzaam. **▼—er** I ov.w **1** verlenen, opdragen, toekennen (*— des honneurs*); **2** aangeven bij de rechtbank, aanklagen. **II** on.w **1** zich schikken naar (*— à l'usage*), voldoen aan (*— à un ordre*).
déferlement m (het) breken der golven; *un — d'enthousiasme,* (*fig.*) een golf van enthousiasme. ▼**déferler** I ov.w (de zeilen) ontplooien. **II** on.w breken van golven.
déferrer ov.w van ijzerbeslag ontdoen; *— un cheval,* het hoefbeslag v.e. paard wegnemen.
défeuillaison v bladerval. ▼**défeuiller** I ov.w ontbladeren. **II se —** de bladeren verliezen.
défi m **1** uitdaging; *mettre qn. au — de faire qc.,* iem. uitdagen, tarten iets te doen.
défiance v wantrouwen, argwaan. ▼**défiant** bn wantrouwend, achterdochtig.
déficeler ov.w het touw doen van.
déficience v tekortkoming. ▼**déficient** bn onvoldoend, onvolwaardig.
déficit m tekort; *couvrir un —,* een tekort

dekken. ▼—**aire** bn een tekort opleverend.
défier I ov.w uitdagen, tarten, trotseren (— le danger). **II se** — de wantrouwen.
défigurer ov.w **1** verminken; **2** verdraaien.
défilage m (het) uitrafelen.
défilé m **1** bergpas; **2** (het) voorbijtrekken.
▼**défiler I** ov.w **1** een draad halen uit, uitrafelen; **2** beveiligen voor kanonvuur.
II on.w defileren, voorbijtrekken. **III se** — (pop.) ervandoor gaan.
défini bn bepaald; article —, lidwoord van bepaaldheid; passé —, tweede verleden tijd.
▼**défin/ir** ov.w **1** bepalen, vaststellen;
▼—**issable** bn bepaalbaar.
▼—**itif, -ive** bn beslissend; sentence définitive, eindvonnis; en définitive, per slot van rekening. ▼—**ition** v bepaling, definitie.
▼—**itivement** bw voor goed, definitief.
déflagration v ontploffing.
déflation v deflatie.
défleurir I on.w de bloesem verliezen. **II** ov.w de bloesem doen vallen. ▼**défloraison** v,
défleuraison v (het) vallen der bloemen of bloesems. ▼**déflorer** ov.w **1** iets van zijn nieuwheid, zijn frisheid beroven;
2 verkrachten, ontmaagden.
défol/iant m ontbladeringsmiddel. ▼—**iation** v **1** bladerval; **2** ontbladering. ▼—**ier** ov.w ontbladeren.
défonçage m, **défoncement** m **1** (het) inslaan; **2** (het) diep omwerken v.e. akker.
▼**défonce** v (fam.) trip. ▼**défoncer I** ov.w **1** inslaan v.d. bodem (— un tonneau); **2** doen inzakken, gaten maken in (— une route);
3 diep omwerken v.e. akker. **II se** — (fam.) gaan trippen. ▼**défonceuse** v zware ploeg.
déformation v mis-, vervorming. ▼**déformer** ov.w **1** misvormen, vervormen; chaussée déformée, slecht wegdek; **2** verdraaien (— les faits).
défoul/ement m (het) afreageren. ▼—**er (se)** (fam.) zich afreageren.
défourn/age m, —**ement** m (het) uit de oven halen. ▼—**er** ov.w uit de oven halen.
défraîchir ov.w van zijn frisheid beroven, verflensen; articles défraîchis, verlegen goederen.
défrayer ov.w iem. vrijhouden; — la conversation, de conversatie gaande houden, het onderwerp v.e. gesprek zijn.
défrich/able bn ontginbaar. ▼—**ement** m **1** ontginning; **2** ontgonnen land.
▼—**er** ov.w ontginnen. ▼—**eur** m ontginner.
défriser ov.w **1** ontkrullen; **2** (pop.) teleurstellen.
défroisser ov.w gladstrijken.
défroncer ov.w gladstrijken; — les sourcils, weer een vrolijk gezicht trekken.
défroque v **1** nagelaten kleren v.e. monnik; **2** armoedige nagelaten goederen;
3 afleggertje. ▼**défroqué** m weggelopen priester. ▼**défroquer I** ov.w priester- of monnikskleed doen afleggen. **II se** — het priesterschap er aan geven.
défunt I bn overleden. **II** zn m, —e v overledene.
dégagé bn **1** vrij, ongedwongen; **2** wolkenloos (ciel—); **3** slank. ▼**dégagement** m **1** lossing, inlossing; **2** losheid, ongedwongenheid; **4** uitgang, gang; porte de —, geheime -, nooddeur. ▼**dégager** I ov.w **1** inlossen; — sa parole, zijn belofte houden; **2** vrij-, losmaken, bevrijden; — qn. de sa parole, iem. van zijn woord ontslaan; — une voie, een weg vrij maken; — un passage, een doorgang vrij maken; — un vaisseau, een schip vlot maken; — la taille, de lichaamsvormen goed laten uitkomen; — une odeur, een lucht afgeven. **II se** — de **1** zich vrijmaken, bevrijden uit; **2** opstijgen uit (van geur); **3** opklaren (le ciel se dégage); **4** volgen uit (un fait qui se dégage).
dégaine v (fam.) gestuntel.
dégainer I ov.w uit de schede trekken. **II** on.w het zwaard ter hand nemen.
déganter (se) zijn handschoenen uittrekken.

dégarnir I ov.w ontdoen, ontbloten; — une chambre, de meubels uit een kamer weghalen; — un arbre, een boom snoeien; bouche dégarnie, tandeloze mond; — un vaisseau, een sch.p ontakelen. **II se** — **1** lichtere kleren aantrekken; **2** bladeren, haren verliezen;
3 leeglopen (v.e. zaal).
dégât m schade, verwoesting.
dégauchir ov.w **1** vlak maken; **2** beschaven.
dégazer on.w lozen (v. tanker).
dégazonner ov.w van gras ontdoen.
dégel m (op)dooi.
dégelée v pak slaag.
dégeler I ov.w ontdooien. **II** onp.w dooien.
III se — (fig.) loskomen.
dégénér/ation, —escence v ontaarding, degeneratie. ▼—**er** on.w ontaarden, degenereren.
dégingandé bn slingerend (allure —e).
dégivr/age m (het) verwijderen van ijs; achterruitverwarming. ▼—**er** on.w ijsafzetting op autoruit of vliegtuigvleugel verwijderen, of tegengaan; — un réfrigérateur, een koelkast ontdooien.
déglacer ov.w ontglanzen van papier.
déglinguer ov.w (fam.) stukmaken.
déglutir ov.w inslikken. ▼**déglutition** v (het) inslikken.
dégobillage m (pop.) (het) braken.
▼**dégobiller** ov. en on.w (pop.) braken.
dégoiser ov.w (fam.) uitflappen. **II** on.w praten, kletsen.
dégommer ov.w **1** ontgommen; **2** ontslaan, aan de dijk zetten (fam.).
dégonfl/ard m (pop.) iemand, die zijn woord niet houdt. ▼—**ement** m het leeglopen (— d'un pneu). ▼—**er I** ov.w **1** leeg laten lopen; **2** aan de kaak stellen; **3** (fig.) verkleinen;
4 laten zakken (prijzen). **II** on.w zijn woord niet houden. **III se** — **1** leeglopen; **2** (fam.) weifelen, bang zijn.
dégorg/ement m afvloeiing, uitstorting.
▼—**eoir** m **1** afloop voor water; **2** bekopener (hengelaarsinstrument). ▼—**er I** ov.w **1** uitbraken; **2** doorsteken v.e. buis, doorspoelen. **II** on.w **1** overlopen;
2 uitmonden.
dégoter I ov.w op de kop tikken. **II** on.w (fam.) een indruk maken; ça dégot(t)e!, dat is eerste klas!
dégouliner on.w (af)druipen, druppelen.
dégourdi bn **1** lenig; **2** bijdehand. ▼**dégourdir** ov.w **1** lenig maken; se — les jambes, zich wat vertreden; **2** ontbolsteren, vrijer maken (— un jeune homme); **3** lauw maken.
dégoût m **1** walging, tegenzin; **2** verdriet.
▼**dégoûtant** bn walgelijk, misselijk, onuitstaanbaar; faire le —, de neus optrekken.
▼**dégoûté (de)** bn vies van, kieskeurig; faire le —, de neus optrekken.
▼**dégoûter I** ov.w **1** de eetlust ontnemen, doen walgen, afkerig maken; **2** vervelen. **II se** — (de) een afkeer, hekel krijgen aan.
dégoutter on.w lekken, druipen.
dégrad/ant bn onterend, vernederend.
▼—**ation** v **1** verval, vernedering, verdorvenheid; **2** ontzetting uit burgerrechten (— civique); **3** verlaging in mil. rang (— militaire); **4** schade, beschadiging;
5 nuancering van kleuren, lichtovergang.
▼—**er** ov.w **1** degraderen, in rang verlagen;
2 het burgerrecht ontnemen; **3** verlagen, onteren, vernederen; **4** beschadigen, vernielen; **5** uit laten lopen van kleuren.
dégrafer I ov.w loshaken. **II se** — **1** de haakjes van eigen kleren losmaken; **2** losraken.
dégraiss/age m, —**ement** m **1** ontvetting; **2** (het) ontvlekken. ▼—**er** ov.w **1** ontvetten, het vet afscheppen van (— un bouillon);
2 ontvlekken; **3** (arg.) stelen. ▼—**eur** m, -**euse** v iem. die stoffen, kleren ontvlekt; (arg.) belastingontvanger.
degré m **1** graad (in verschillende betekenissen); brevet du premier —, de second —, hulp-, hoofdakte; brûlure du premier —, brandwond in de eerste graad; — de latitude, — de longitude, breedte-, lengtegraad; — de

parenté, graad van verwantschap; *prendre ses
—s*, zijn universitaire examens maken; 2 trede,
sport; *par—s*, trapsgewijs; *—s de
comparaison*, trappen van vergelijking.

dégréer *ov.w* onttakelen (*scheepv.*).

dégressif, **-ive** *bn* afnemend.

dégrever *ov.w* (belasting)verlichting geven
aan.

dégringolade *v* 1 val, tuimeling; 2 (*arg.*) dood.
▼**dégringoler** I *on.w* tuimelen. II *ov.w*
afhollen (*— un escalier*).

dégrisement *m* ontnuchtering (ook *fig.*).
▼**dégriser** *ov.w* 1 ontnuchteren; 2 de ogen
openen.

dégross/ir *ov.w* 1 ruw bewerken, de
hoofdvorm geven; 2 ontbolsteren, beschaven.
▼**—issage** *m*, **—issement** *m* 1 (het) ruw
bewerken, (het) geven v.d. hoofdvorm; 2 het
beschaven.

déguenillé I *bn* in lompen gehuld. II *zn m*
schooier.

déguerp/ir I *on.w* de benen nemen, zich
wegpakken. II *ov.w* 1 afzien van, weigeren (*—
un héritage*); 2 ontruimen. ▼**—issement** *m*
1 (het) afzien van; 2 ontruiming.

dégueulasse *bn* (*pop.*) misselijk, smerig,
weerzinwekkend; *quel—!*, wat een walgelijk
iemand! ▼**dégueuler** *ov.w* (*pop.*)
(uit)braken, (*arg.*) een medeplichtige
aanbrengen.

déguis/é *bn* vermomd. ▼**—ement** *m*
1 vermomming; 2 veinzerij (*parler sans—*).
▼**—er** *ov.w* 1 vermommen, verkleden;
2 verbergen (*— ses sentiments*), veranderen,
verdraaien (*— sa voix*).

dégust/ateur *m* proever van wijn en likeuren.
▼**—ation** *v* het proeven van wijnen of likeuren.
▼**—er** *ov.w* 1 proeven (v. dranken); 2 genieten
(v. spijzen enz.); (*pop.*) *— des coups*, slaag
krijgen.

déhancher (se) 1 de heup ontwrichten;
2 waggelend, schommelend lopen.

dehors I *bn* buiten, naar buiten, eruit; *au—*,
van, naar buiten, uitwendig; *coucher—*,
buitenshuis overnachten; *de—*, van buiten; *de
— en dedans*, van buiten naar binnen; *en—*,
van, naar buiten; *la porte s'ouvre en—*, de deur
opent naar buiten; *mettre—*, wegjagen, de
deur uitzetten; *par—*, van buiten, buiten om;
mettre toutes voiles—, alle zeilen bijzetten.
II *vz*. *au* (of *en*) *—de*, buiten; *par—*, buitenom.
III *zn m* 1 buitenkant; 2 uiterlijk, schijn; *mv*
uiterlijk voorkomen; *juger par les—*, naar de
schijn oordelen; *sauver les—*, de schijn
redden.

déicide I *bn* godmoordend. II *zn m*
1 godmoordenaar; 2 godmoord. ▼**déification**
v vergoding, vergoddelijking. ▼**déifier** *ov.w*
vergoddelijken. ▼**déisme** *m* deisme. ▼**déiste**
m deist. ▼**déité** *v* godheid.

déjà *bw* al, reeds; *d'ores et—*, van nu af aan;
comment s'appelle-t-il—?, hoe heet hij ook
weer?; *c'est— bien beau*, dat is toch wel erg
mooi.

déjanter *ov.w* (van band) v.d. velg halen.

déjection *v* ontlasting.

déjet/é *bn* krom. ▼**—er** I *ov.w* krom maken.
II *se—* krom worden. ▼**—tement** *m* (het)
kromtrekken.

déjeuner I *zn m* 1 ontbijt (*petit—*); *— de soleil*,
stof, die gemakkelijk verschiet; 2 twaalfuurtje,
lunch; *— dinatoire*, uitgebreide warme lunch;
3 ontbijtservies. II *on.w* 1 ontbijten; 2 lunchen.

déjouer *ov.w* verijdelen.

déjuger I *ov.w* herroepen (*— un arrêt*). II *se—*
op een besluit terugkomen.

delà I *bw*: *au-delà*, *en-delà*, *par delà* 1 aan gene
zijde, aan de andere zijde; 2 daarenboven, nog
meer (*j'ai reçu des livres et au-delà*); *en et
—*, heen en weer, hier en daar. II *vz*: *au—de*,
par—, aan gene zijde van, aan de overzijde
van. III *zn m*: *l'au-delà*, het hiernamaals.

délabr/é *bn* bouwvallig, vervallen, zwak.
▼**—ement** *m* bouwvalligheid, verval,
achteruitgang (*— de la santé*). ▼**—er** *ov.w* tot
verval brengen, bederven, knakken (*— la

santé*).

délacer *ov.w* losrijgen.

délai *m* 1 termijn, tijd; *à bref—*, binnen korte
tijd; *dans les—s* (*voulus*), binnen de gestelde
tijd; 2 uitstel; *sans—*, onmiddellijk; *dans les
meilleurs—s*, zo spoedig mogelijk.

délaissement *m* 1 (het) verlaten, in de steek
laten; 2 verlatenheid; 3 afstand van recht of
goederen. ▼**délaisser** *ov.w* 1 verlaten, in de
steek laten; 2 afstand doen van goederen of
rechten.

délaiter *ov.w* (boter) uitkneden. ▼**délaiteuse**
v boterkneedmachine.

délard/ement *m* (het) uitsnijden van spek.
▼**—er** *ov.w* 1 spek uitsnijden; 2 afronden.

délassement *m* ontspanning, afleiding.
▼**délasser** I *ov.w* ontspannen, vermaken. II *se
—* zich ontspannen, uitrusten.

délateur *m*, **-trice** *v* aanbrenger (-ster),
verklikker (-ster). ▼**délation** *v* (het)
aanbrengen, verklikken.

délaver *ov.w* 1 (uit)wassen (bijv. van aquarel);
2 verregenen, doorweken.

délayage *m*, **délayement** *m* verdunning.
▼**délayer** *ov.w* verdunnen.

delco *m* verdeler (automotor).

délébile *bn* uitwisbaar (*encre—*).

délect/able *bn* zeer aangenaam, heerlijk.
▼**—ation** *v* genot. ▼**—er** I *ov.w* (*oud*)
verheugen, bekoren. II *se—* zich genoegen
scheppen in.

délég/ataire *m* of *v* iem. aan wie men een
vordering of eis overdraagt. ▼**—ateur** *m*,
-trice *v* iem. die een vordering of eis
overdraagt. ▼**—ation** *v* 1 overdracht van eis of
vordering; 2 volmacht; 3 commissie van
afgevaardigden. ▼**—ué** *m* afgevaardigde,
vertegenwoordiger. ▼**—uer** *ov.w*
1 afvaardigen; 2 overdragen van macht enz.

délestage *m*: *itinéraire de—*, omleidingsroute.
▼**délester** *ov.w* van ballast ontladen (*— la
nacelle d'un ballon*); ontlasten van verkeer.

délétère *bn* schadelijk, dodelijk.

délibér/atif, **-ive** *bn* betogend; *avoir voix
délibérative*, medezeggenschap hebben;
stemgerechtigd zijn. ▼**—ation** *v*
1 beraadslaging; 2 beslissing, besluit. ▼**—é**
I *bn* vastberaden, zelfbewust (*air—*); *de
propos—*, met opzet. II *zn m* beraadslaging
van rechters achter gesloten deuren.
▼**—ément** *bw* vastberaden, zelfbewust. ▼**—er**
on.w 1 beraadslagen; 2 bij zich zelf
overleggen.

délicat *bn* 1 fijn, heerlijk, lekker (*mets—*); 2 fijn
gemaakt (*ouvrage—*); 3 moeilijk, hachelijk
(*situation—e*); 4 fijngevoelig, nauwgezet,
gewetensvol; 5 teer, tenger, zwak;
6 kieskeurig; 7 lichtgeraakt. ▼**—esse** *v*
1 fijnheid, uitgezochtheid, lekkerheid van
spijzen; 2 fijnheid van werk; 3 moeilijkheid,
hachelijkheid; 4 fijngevoeligheid,
nauwgezetheid; 5 teerheid, tengerheid;
6 kieskeurigheid; 7 lichtgeraaktheid.

délices *v mv* genoegens, genot; *jardin de—*,
lustoord. ▼**délicieux**, **-euse** *bn* heerlijk,
lekker.

délictueux *bn* onrechtmatig, strafbaar.

délié I *bn* 1 dun, fijn; *taille—e*, slanke gestalte;
2 schrander, scherpzinnig, leep, uitgeslapen;
esprit—, schrandere geest. II *zn m* ophaal van
schrift. ▼**délier** *ov.w* 1 losmaken; *sans bourse
—*, zonder een cent te betalen; 2 ontslaan
(*délier d'un serment*).

délimitation *v* begrenzing. ▼**délimiter** *ov.w*
begrenzen, afbakenen.

délinéament *m* schets, omtrek. ▼**délinéer**
ov.w de omtrek schetsen.

délinqu/ance *v* misdadigheid; *—juvénile*,
jeugdcriminaliteit. ▼**—ant** I *zn m* delinquent.
II *bn* misdadig.

délirant *bn* 1 ijlend; 2 uitbundig, dol. ▼**délire**
m 1 ijlkoorts, het ijlen; 2 geestdrift, verrukking;
3 razernij, waanzin. ▼**délirer** *on.w* 1 ijlen; buiten
zichzelf zijn.

délit *m* misdrijf, overtreding, delict; *le corps du
—*, het corpus delicti; *prendre en flagrant—

op heterdaad betrappen.
délivrance v 1 bevrijding; 2 bevalling;
3 afgifte, uitreiking. ▼**délivre** m (med.)
nageboorte. ▼**délivrer** ov.w 1 bevrijden;
2 verlossen (une femme); 3 uitreiken, afgeven.
déloger I on.w verhuizen, weggaan; — sans
tambour ni trompette, met de stille trom
vertrekken. II ov.w (fam.) wegjagen,
verdrijven (— l'ennemi).
déloyal [mv aux] bn oneerlijk, ontrouw.
▼**déloyauté** v oneerlijkheid, trouweloosheid.
delta m delta (bij riviermond); aile (en) —,
deltavleugel.
déluge m 1 zondvloed; après nous le —, wie
dan leeft, wie dan zorgt; cela date du —, dat is
oude kost; 2 stortvloed; un — de larmes, een
vloed van tranen; un — d'injures, een stroom
van scheldwoorden.
déluré bn bijdehand, gewiekst. ▼**délurer** ov.w
ontgroenen, ontbolsteren.
délustrer ov.w ontglanzen.
démagogie v 1 volksmennerij. ▼**démagogique** bn
demagogisch, opruiend. ▼**démagogue** m
demagoog.
démaigrir ov.w minder dik maken.
démailler (se) ladderen (kous).
démailloter ov.w de luiers afdoen van.
demain bw morgen; de — en huit, en quinze,
over 8, over 14 dagen; la guerre de —, de
toekomstige oorlog; l'homme de —, het
komende geslacht.
démancher I ov.w (fam.) ontwrichten. II se —
zich inspannen.
demande v 1 verzoek, vraag; à la — de, op
verzoek van; article de —, veel gevraagd
artikel; il y a peu de — en cet article, dit artikel
wordt weinig gevraagd; — en mariage,
huwelijksaanzoek; l'offre et la —, vraag en
aanbod; à sotte —, sotte réponse (spr.w), een
gek kan meer vragen dan honderd wijzen
kunnen antwoorden; 2 bestelling; 3 vordering,
eis; — en divorce, eis tot echtscheiding;
4 verzoekschrift. ▼**demander** I ov.w 1 vragen,
verzoeken; — l'aumône, la charité, om een
aalmoes vragen; — son chemin, naar de weg
vragen; — le médecin, de dokter laten komen;
je ne demande pas mieux, dat is juist, wat ik
graag wou; heel graag; on vous demande, men
vraagt naar u, men heeft u nodig; 2 bestellen;
3 vorderen, eisen; — compte, raison,
rekenschap vragen; 4 — qn., iem. te spreken
vragen. II se — zich afvragen. ▼**demand/eur**
m, -eresse v eiser(es); — d'emploi,
werkzoekende.
démangeaison v 1 jeuking; 2 veel zin.
▼**démanger** on.w jeuken; la langue lui
démange, hij kan niet langer zijn mond
houden.
démantèlement m 1 het ontmantelen;
2 ontmanteling. ▼**démanteler** ov.w
ontmantelen.
démantibuler ov.w (fam.) onbruikbaar maken
v.e. machine; kapot maken.
démaquill/ant I bn reinigings-. II zn m
reinigingscrème. ▼**—er** I ov.w reinigen van
make-up of schmink. II se — zich
afschminken.
démarcatif, -ive bn wat de afbakening
betreft; ligne démarcative, grenslijn.
▼**démarcation** v afbakening, begrenzing;
ligne de —, grenslijn.
démarche v 1 gang; manier van lopen; 2 stap,
poging. ▼**démarcheur** m colporteur,
acquisiteur.
démarier ov.w uitdunnen van planten (— des
carottes).
démarqu/age m plagiaat. ▼**—er** ov.w 1 v.e.
merk ontdoen (— du linge); 2 op handige
wijze plagiëren; 3 afprijzen.
démarr/age m 1 (fam.) losgooien van
scheepskabels; 2 vertrek, start; frais de —,
aanloopkosten; période de —,
aanloopperiode; 3 (het) plotseling weglopen
v.e. renner. ▼**—er** I ov.w de kabels losgooien;
2 plotseling weglopen. II on.w 1 vertrekken; starten
(van bijv. renners); 2 plotseling weglopen van

renners. ▼**—eur** m starter, startmotor.
démasquer ov.w ontmaskeren; — ses
batteries, zijn plannen bekend maken.
démâter I ov.w de mast(en) wegnemen,
-breken. II on.w de mast(en) verliezen.
démêlé m 1 twist, geschil; avoir des — s avec la
justice, in aanraking komen met de justitie;
2 moeilijkheid. ▼**démêler** ov.w 1 ontwarren;
se —, zich redden uit; 2 ophelderen;
3 herkennen, onderscheiden, doorzien; — qn.
dans la foule, iem. in de menigte herkennen,
onderscheiden; 4 je n'ai rien à — avec vous, ik
heb niets met u te maken; avoir qc. à — avec
qn., een appeltje met iem. te schillen hebben.
▼**démêloir** m grove kam.
démembr/ement m versnippering,
verbrokkeling. ▼**—er** ov.w 1 in stukken
snijden; 2 versnipperen, verbrokkelen,
verdelen.
déménag/ement m verhuizing. ▼**—er** I ov.w
verhuizen. II on.w verhuizen; sa tête
déménage, zijn hoofd is op hol. ▼**—eur** m
verhuizer.
démence v 1 krankzinnigheid; 2 dwaasheid,
dwaas gedrag.
démener (se) spartelen, te keer gaan; se —
comme un possédé, se — comme le diable
dans un bénitier, te keer gaan als een bezetene;
2 zich uitsloven, zich weren.
dément I bn krankzinnig. II zn m, -e v
krankzinnige.
démenti m ontkenning, logenstraffing
(donner un —); il en a eu le —, hij heeft de kous
op de kop gekregen.
démentiel, -elle bn (op) krankzinnig(heid
wijzend).
démentir I ov.w onr. 1 ontkennen, loochenen;
2 logenstraffen; 3 tegenspreken;
4 verloochenen (son caractère). II se — 1 zich
zelf tegenspreken; 2 zich verloochenen.
démerder (se) (plat) zich uit de rotzooi
redden.
démérite m tekortkoming, fout, het laakbare.
▼**démériter** on.w iets laakbaars doen;
verkeerd handelen; — de, — auprès de,
tekortkomen jegens.
démesuré bn bovenmatig, grenzeloos.
▼**—ment** bw bovenmatig.
démettre ov.w 1 ontwrichten, verstuiken;
2 ontslaan, afzetten. II se — 1 verstuiken,
ontwrichten; 2 ontslag nemen.
démeublé bn zonder meubels; bouche
démeublée, tandeloze mond. ▼**démeubler**
ov.w de meubels weghalen.
demeurant: au —, overigens. ▼**demeur/e** v
1 woning, verblijf; à —, voor goed; la — de
l'âme, het lichaam; la — céleste, de hemel; la
dernière —, het graf; 2 uitstel; mettre qn. en —
de, iem. aanmanen te; il y a péril en la —, er is
gevaar bij uitstel; 3 verblijfsduur; être en — de,
in staat zijn te. ▼**—é** bn (fam.) achterlijk. ▼**—er**
on.w 1 wonen, verblijven; 2 blijven; — court,
blijven steken; où en sommes-nous
demeurés?, waar zijn we gebleven?
demi I bn half; trois heures et —e, half vier; midi
et —, half één overdag; minuit et —, half één
's nachts; une demi-heure, een half uur; une
heure et demie, anderhalf uur; à fourbe, fourbe
et demi (spr.w), een boef tegen baas; le
demi-gauche, de linkshalf (bij voetbal). II zn m
1 halve; 2 glas bier van ong. een halve liter;
3 halfspeler (bij voetbal). III -e v het halve uur
(sonner les —s). IV à —, bw half. ▼**—bas** m
kniekous. ▼**—cercle†** m halve cirkel.
▼**—circulaire†** bn halfcirkelvormig.
▼**—deuil†** m lichte rouw. ▼**—dieu†** m
halfgod. ▼**—finale†** v halve eindstrijd.
▼**—fond** m middenafstand (course de —;
coureur de —). ▼**—frère†** m halfbroer.
▼**—jour†** m schemerlicht.
démilitariser ov.w demilitariseren.
demi-/mal m: il n'y a que —, het is niet zo erg.
▼**—mesure†** v halve maatregel.
▼**—mondaine†** v vrouw van lichte zeden.
▼**—monde** m de vrouwen van verdachte
zeden. ▼**—mort†** bn half dood. ▼**—mot:**

entendre à —, maar een half woord nodig hebben (om te begrijpen).
déminer *ov.w* mijnen ruimen.
demi-/-pause† *v* halve maat rust (*muz.*).
▼**—pension**† *v* halve kost. ▼**—place**† *v:*
payer —, half geld betalen. ▼**-portion** *v* (*fam.*)
onderkruipsel. ▼**—reliure**† *v* band met leren
rug. ▼**—saison** *v: paletot de* —, demi.
▼**—sang** *m* halfbloed paard. ▼**—sœur**† *v*
halfzuster. ▼**—solde**† *v: officier en* —, officier
op half salaris, op wachtgeld. ▼**—sommeil** *m*
eerste slaap. ▼**—soupir**† *m* achtste rust
(*muz.*).
démission *v* ontslag, ontslagneming, aftreden;
donner sa —, ontslag nemen. ▼**—naire** I *bn*
aftredend; die zijn ontslag heeft ingediend,
heeft gekregen; (*ministre* —). II *zn m* of *v*
aftredend lid, ontslagen persoon. ▼**—ner** *on.w*
ontslag nemen.
demi-tarif *m: payer* —, half geld betalen.
▼**—tasse**† *v* kleintje koffie. ▼**—teinte**† *v*
halftint. ▼**—tour**† *m* halve draai; *faire* —,
rechtsomkeert maken.
démobilisation *v* demobilisatie.
▼**démobiliser** *ov.w* demobiliseren.
démocrate I *bn* democratisch. II *zn m* of *v*
democraat (-*crate*). ▼**—-chrétien** I *zn m*
christen-democraat. II *bn, -ne*
christen-democratisch. ▼**démocratie** *v*
democratie. ▼**démocratique** *bn*
democratisch. ▼**démocratiser** *ov.w*
democratiseren.
démodé *bn* uit de mode, ouderwets.
démographie *v* volksbeschrijving.
demoiselle *v* 1 juffrouw; — *d'honneur*,
bruidsmeisje; — *rester* —, ongetrouwd blijven;
2 libel; 3 straatstamper; 4 (*arg.*) fles wijn.
démol/ir *ov.w* 1 slopen, afbreken, vernietigen;
afkraken; 2 (*pop.*) neerslaan. ▼**—issage** *m*
1 (het) afbreken, slopen; 2 vernietigende
kritiek. ▼**—isseur** *m* sloper. ▼**—ition** I *v*
afbraak, sloping, vernietiging. II **—itions** *mv*
puin.
démon *m* 1 duivel, boze geest; *faire le* —, een
leven maken als een oordeel; 2 guitig kind.
démonétiser *ov.w* (geld) buiten omloop
stellen.
démoniaque I *bn* van de duivel bezeten. II *zn*
m of *v* iem. die van de duivel bezeten is.
démonstr/ateur *m*, **-atrice** *v* uitlegger
(-ster), verklaarder (-ster). ▼**—atif, -ive** *bn*
1 betogend, overtuigend; 2 zijn gevoelens
uitend, hartelijk; 3 *pronom* —, aanwijzend
voornaamwoord. ▼**—ation** *v* 1 bewijs,
betoog; 2 betoging; 3 betuiging van
vriendschap enz.; 4 schijnbeweging (*mil.*).
démont/able *bn* uit elkaar te nemen. ▼**—age**
m (het) uit elkaar nemen, demonteren. ▼**—er**
I *ov.w* 1 uit het zadel werpen; 2 uit elkaar
nemen; 3 in de war brengen; uit het veld slaan;
une mer démontée, een onstuimige zee. II se
— 1 uit elkaar genomen kunnen worden; 2 van
zijn stuk raken. ▼**démonte-pneu**† *m*
bandafnemer.
démontr/able *bn* bewijsbaar, aantoonbaar.
▼**—er** *ov.w* bewijzen, aantonen,
demonstreren.
démoralis/ateur, -atrice I *bn*
zedenbedervend, demoraliserend. II *zn m*,
-atrice *v* zedenbederver (-bederfster). ▼**—ation** *v* zedenbederf, demoralisatie. ▼**—er**
ov.w 1 (*oud*) bederven v.d. zeden;
2 ontmoedigen, demoraliseren.
démordre *on.w* 1 loslaten na bijten;
2 opgeven, afzien; *il n'en démordra pas*, hij
geeft niet op, blijft op zijn stuk staan.
démoulage *m* (het) uit de vorm halen.
▼**démouler** *ov.w* uit de vorm halen.
démultipl/ication *v*
overbrengingsverhouding (*rapport de* —).
▼**—ier** *ov.w* (de) snelheid verminderen.
démunir I *ov.w* ontdoen van, beroven van.
II *se* — uit handen geven, zich ontbloten (*se* —
d'argent).
démuseler *ov.w* 1 de muilkorf afdoen;
2 ontketenen (— *les passions*).

démystifier *ov.w* uit de droom helpen.
dénatalité *v* geboortevermindering.
dénationaliser *ov.w* denationaliseren; van de
volksaard beroven; weer tot particulier
eigendom maken.
dénatter *ov.w* losvlechten van haren.
dénaturaliser I *ov.w* de nationaliteit
ontnemen. II *se* — zijn nationaliteit verliezen.
dénaturation *v* onbruikbaarmaking (bijv. voor
consumptie). ▼**dénaturé** *bn* 1 ontaard;
2 onnatuurlijk; 3 onbruikbaar gemaakt,
gedenatureerd. ▼**dénaturer** *ov.w*
1 onbruikbaar maken voor consumptie,
denatureren; 2 vervalsen, verdraaien (— *une
parole*); — *une dépêche*, een telegram
verminken; 3 doen ontaarden.
dénazifier *ov.w* denazificeren.
dénégation *v* ontkenning, loochening.
déni *m* weigering; — *de justice*,
rechtsweigering.
déniaiser *ov.w* wereldwijs maken.
dénicher I *ov.w* 1 uit het nest halen (— *des
oiseaux*, nesten uithalen); 2 opsporen,
iemands huis, verblijfplaats vinden; op de kop
tikken, opduikelen; 3 verjagen, verdrijven; II
on.w 1 het nest verlaten; 2 er van door gaan.
▼**dénicheur** *m* 1 nestenuithaler;
2 opspoorder.
denier *m* 1 duit (oude munt van ¹⁄₁₂ sou);
2 penning; — *à Dieu*, godspenning; — *de Saint
Pierre*, St.-Pieterspenning; —*s publics*,
staatsinkomsten, openbare middelen; *argent
placé au* — *vingt*, (*oud*) geld, dat is uitgezet
tegen 5%.
dénier *ov.w* 1 ontkennen; 2 ontzeggen.
dénigr/ant *bn* afbrekend, geringschattend.
▼**—ement** *m* (het) afbreken, bekladden.
▼**—er** *ov.w* afbreken, bekladden.
déniveler *ov.w* ongelijk van hoogte maken.
▼**dénivellation** *v*, **dénivellement** *m*
hoogteverschil.
dénombrement *m* 1 opsomming; 2 telling.
▼**dénombrer** *ov.w* 1 opsommen; 2 tellen.
dénomin/ateur *m* noemer v.e. breuk. ▼**—atif,
-ive** *bn* benoemend. ▼**—ation** *v* benaming,
benoeming. ▼**dénommer** *ov.w* noemen; *un
dénommé X*, een zekere X.
dénonc/er *ov.w* 1 aangeven (— *un criminel*),
2 aanzeggen, aankondigen (— *la guerre*),
3 opzeggen (— *un traité*). ▼**—iateur** *m*,
-iatrice *v* aanbrenger (-ster). ▼**—iation** *v*
1 aangifte, aanklacht; 2 aankondiging;
3 opzegging.
dénoter *ov.w* te kennen geven, aanduiden,
verraden (*ses paroles dénotent le bon sens*).
dénouement *m* ontknoping. ▼**dénouer** *ov.w*
ontknopen, losknopen, ontwarren; *les langues
se dénouent*, de tongen komen los.
dénoyauter *ov.w* ontpitten.
denrée *v* (eet)waar.
dens/e *bn* dicht. ▼**—ification** *v* (het)
vergroten v.d. dichtheid. ▼**—ifier** *ov.w* de
dichtheid vergroten. ▼**—ité** *v* dichtheid.
dent *v* 1 tand, kies; *déchirer à belles —s*,
belasteren; *avoir la* —, (*pop.*) honger hebben;
manger du bout des —s, kieskauwen; —
canine, hoektand; *avoir une* — *contre qn.*, het
op iemand gemunt hebben; *coup de* —, tand;
— *creuse*, holle kies; *ne pas desserrer les —s*,
halsstarrig zwijgen; *grosse —*, kies. — *incisive*,
snijtand; *avoir mal aux —s*, kiespijn hebben;
n'avoir pas de quoi se mettre sous les —s, niets
te eten hebben; — *de l'œil*, oogtand (hoektand
uit bovenkaak); *rire du bout de —s*, lachen als
een boer, die kiespijn heeft; — *de sagesse*,
verstandskies; *être sur les —s*, doodop zijn;
2 tand van rad, kam, blad, enz.; *en —s de scie*,
zaagvormig; 3 bergpiek (*la Dent du Midi*);
4 slagtand (— *d'éléphant*). ▼**dentaire** *bn* wat
betrekking heeft op tanden of kiezen; *nerf* —,
tandzenuw. ▼**dentale** *v* tandletter.
dent†**-de-lion** *v* paardebloem.
denté *bn* getand. ▼**dentelé** *bn* getand.
▼**denteler** *ov.w* uittanden.
dentel/le *v* kant. ▼**—erie** *v* 1 (het) maken van
kant; 2 kantwinkel. ▼**—lière** *v* kantwerkster.

dent/elure v gekartelde rand. **▼—icule** m
tandje. **▼—ier** m vals gebit. **▼—ifrice l** bn wat
de verzorging der tanden betreft; *pâte —*,
tandpasta. **II** zn m tandpasta. **▼—ine** v
tandbeen. **▼—iste** m tandarts. **▼—ition** v
periode v. h. krijgen en uitvallen der tanden bij
kinderen. **▼—ure** v 1 gebit; 2 tandwerk van
kamrad.
dénuder l ov.w ontdoen, beroven; onbloten,
blootleggen. **II se—** zich uitkleden.
dénué bn ontbloot, berooid. **▼dénuement** m
armoede, gebrek.
dénutrition v ondervoeding.
dépann/age m herstel v. e. weigerend
mechanisme (auto's, vliegmachines enz.),
technische hulp bij pech. **▼—er** ov.w een
weigerend mechanisme herstellen (auto's,
vliegmachines enz.); (fam.) (iem.) helpen.
▼—eur m hersteller v. h. mechanisme van
auto's, vliegmachines enz. **▼—euse** v
reparatiewagen.
dépaqueter ov.w uitpakken.
dépareiller ov.w iets wegnemen of breken van
dingen, die bij elkaar horen (bijv. een kopje v.
e. servies).
déparer ov.w ontsieren.
départ m 1 vertrek; start; *être sur son —*, op het
punt staan te vertrekken; *faux —*, valse start; —
lancé, vliegende start; *capital de —*,
beginkapitaal; *point de —*, uitgangspunt, punt
van vertrek; 2 scheiding; *faire le —*,
onderscheid maken.
départager ov.w 1 beslissen; 2 een keuze
doen tussen; 3 scheiden.
département m 1 ministerie; 2 deel van
Frankrijk (Frankrijk bestaat uit 94
departementen); *les —s*, de provincie (in
tegenstelling met Parijs). **▼—al** [mv aux] bn
departementaal. **▼—aliser** ov.w 1 tot
departement maken; 2 een bevoegdheid aan
een departement overdragen.
départir ov.w onr. 1 verdelen, uitdelen;
2 scheiden; *se — de*, afzien van.
dépass/é bn uit (de mode), achterhaald.
▼—ement m 1 overschrijding (— de crédits);
2 inhaalmanoeuvre. **▼—er** ov.w 1 inhalen en
voorbijgaan; 2 overschrijden, te buiten gaan;
— les bornes, de perken te buiten gaan;
3 overtreffen, hoger zijn; 4 (fam.)
verwonderen.
dépassionner ov.w: *— un débat*, een debat uit
de emotionele sfeer halen.
dépaver ov.w opbreken (— une rue).
dépaysé bn 1 uit het vaderland verwijderd;
2 niet op zijn gemak, verlegen, de kluts kwijt;
se trouver — dans une société, zich niet op zijn
gemak voelen in een gezelschap. **▼dépayser**
ov.w 1 in een ander land, een andere omgeving
overplaatsen; 2 war in de war brengen; 3 om de
tuin leiden.
dépècement m, **dépeçage** m het in stukken
snijden (— d'un poulet). **▼dépecer** ov.w in
stukken snijden. **▼dépeceur** m 1 iem. die
gevogelte enz. in stukken snijdt; 2 sloper van
schepen.
dépêche v 1 ambtelijke mededeling;
2 telegram; *dépêche-mandat*, telegr.
postwissel. **▼dépêcher l** ov.w 1 snel afdoen
(— un travail, — un déjeuner), bespoedigen;
2 snel zenden; 3 naar de andere wereld helpen.
II se— zich haasten.
dépeigner ov.w iemands haren in de war
brengen.
dépeindre ov.w onr. beschrijven.
dépenaillé bn haveloos, in lompen; *figure —e*,
vervallen gelaat.
dépend/ance v 1 afhankelijkheid;
2 bijgebouw, dépendance. **▼—ant** bn
afhankelijk. **▼dépendre l** ov.w afnemen van
hetgeen hangt. **II** on.w (de) 1 afhangen (van);
cela dépend, dat hangt er van af; 2 behoren tot,
bij.
dépens m mv kosten: *aux — de*, ten koste van.
▼dépens/e/v 1 uitgave(n); 2 (oud)
provisiekamer; 3 gas-, elektriciteits-,
waterverbruik in een bepaalde tijd. **▼—er**

l ov.w 1 uitgeven, verteren; 2 verspillen,
verkwisten (— ses forces). **II se—**
1 uitgegeven, verspild worden; 2 zijn krachten
verspillen, zich niet sparen. **▼—ier, -ière l** bn
verkwistend. **II se—**; **▼—ier, -ière v 1** geldverspiller
(-ster); 2 bottelier, keldermeester(es).
déperdition v verlies, verval, afneming.
dépérir on.w kwijnen, afnemen, vervallen,
achteruitgaan. **▼dépérissement** m kwijning,
verzwakking, verval.
dépersonnalis/ation v depersonalisatie,
verlies v.d. eigen persoonlijkheid. **▼—er l** ov.w
anoniem maken. **II se—**, zijn persoonlijkheid
verliezen, anoniem worden.
dépêtrer (se) zich redden (uit), zich losmaken
(van).
dépeuplement m ontvolking. **▼dépeupler**
ov.w ontvolken; — un étang, een vijver
leegvissen; — une forêt, veel bomen uit een
bos halen.
déphasé bn gedesoriënteerd.
dépiauter ov.w (fam.) 1 villen; 2 schillen;
3 (fig.) uitpluizen.
dépil/age m ontharing. **▼—atoire** bn of zn m: .
(crème) —, ontharingscrème. **▼—er** ov.w
ontharen.
dépiquage m, **dépicage** m (het) dorsen.
▼dépiquer ov.w 1 dorsen; 2 lostornen.
dépister ov.w 1 op het spoor komen (ook fig.);
2 van het spoor brengen, het spoor bijster
maken.
dépit m spijt, verdriet, ergernis; *en — de*, in
weerwil van. **▼dépiter** ov.w ergeren,
verdrietig maken.
déplac/é bn misplaatst; *personne —e*,
ontheemde. **▼—ement** m 1 ver-,
overplaatsing; *frais de —*, reis-, verhuiskosten;
2 waterverplaatsing v. e. schip. **▼—er l** ov.w
1 ver-,overplaatsen; 2 water verplaatsen. **II se**
— van plaats veranderen.
déplaire l ov.w onr. mishagen, niet aanstaan;
ne vous en déplaise, met uw verlof; *n'en*
déplaise à ..., al vindt ... het niet goed. **II se—**
zich niet vermaken, zich vervelen.
▼déplaisant bn onaangenaam (manières
—es). **▼déplaisir** m misnoegen, verdriet.
déplantage m (déplantation v) verplanting.
▼déplanter ov.w verplanten, verpoten.
déplâtrer ov.w ontpleisteren.
dépliant m vouwblad, folder, opvouwbare
kaart. **▼déplier** ov.w ont-, openvouwen;
opzetten (v. vouwcaravan bijv.).
déplisser ov.w de plooien (er)uit halen,
gladstrijken.
déploiement m ontplooiing, ontwikkeling,
tentoonspreiding; *le — d'une armée*, het in
slagorde scharen v. e. leger; — des forces,
machtsvertoon.
déplomber ov.w 1 v. d. (douane)loodjes
ontdoen; 2 de vulling uit een kies verwijderen.
déplorable bn betreurenswaardig, ellendig.
▼déplorer ov.w betreuren.
déployer ov.w 1 ontplooien, ontvouwen,
uitspreiden; — les ailes, de vleugels uitslaan;
rire à gorge déployée, luidkeels lachen;
2 tentoonspreiden; 3 in slagorde scharen.
déplumer l ov.w plukken van gevogelte. **II se**
—zijn veren verliezen; (fam.) zijn haar
verliezen.
dépolir ov.w mat, dof maken (le verre).
dépolissage m (het) mat, dof maken.
dépoll/uer ov.w zuiveren. **▼—ueur** bn
(milieu)zuiverend. **▼—ution** v
(milieu)zuivering.
dépopulation v ontvolking.
déport m onbevoegdverklaring van zich zelf,
bijv. door rechter; *sans —*, onmiddellijk.
déportation v verbanning naar een
strafkolonie, concentratiekamp. **▼déporté** m
gedeporteerde. **▼déporter** ov.w 1 naar een
strafkolonie, concentratiekamp verbannen;
2 uit de koers brengen.
déposant l bn getuigend. **II** zn m 1 getuige;
2 inlegger van geld, depositogever.
dépose v (het) wegnemen.
déposer ov.w 1 neerleggen, neerzetten,

afzetten; **2** wegzetten, wegleggen;
3 deponeren, in bewaring geven; — *une
marque de fabrique,* een fabrieksmerk
deponeren; *marque déposée,* gedeponeerd
merk; **4** afzetten, ontslaan; **5** afstand doen van
(— *la couronne*); **6** een bezinksel vormen (v.
wijn); **7** — *son bilan,* zijn faillissement
aanvragen; **8** getuigen; **9** indienen (klacht).
▼**dépositaire** m en v bewaarder (-ster),
depothouder (-ster); — *d'un secret,* iemand,
aan wie men een geheim heeft toevertrouwd.
déposition v **1** — *de croix,* kruisafneming;
2 afzetting; **3** getuigenis; **4** indiening.
déposséder ov.w **1** het bezit ontnemen (— *un
propriétaire*); *qn. du ballon,* (sp.) iem. v. d.
bal zetten; **2** afzetten. ▼**dépossession** v
onteigening.
dépôt m **1** (het) neerzetten, neerleggen, enz.;
2 (het) in bewaring geven, deponeren;
3 deposito, inleg, pand; **4** bewaarplaats,
remise; — *mortuaire,* lijkenhuis; *mandat de —,*
bevel tot aanhouding; — *des tramways,*
tramremise; **5** depot (mil.); **6** bezinksel; **7** huis
van bewaring.
dépoter ov.w **1** (een plant) uit de pot nemen;
2 overgieten (— *du vin*).
dépotoir m **1** vuilnisbelt; **2** fabriek, waar men
vuil en afval verwerkt.
dépouille v **1** afgevallen, afgestroopte huid;
2 omhulsel; — *mortelle,* stoffelijk overschot;
3 buit. ▼**dépouillement** m **1** vervelling, het
afstropen; **2** beroving, het ontdoen van;
3 berooide toestand, kaalheid; **4** het nazien,
het opmaken v. e. overzicht; — *du scrutin,*
stemopneming. ▼**dépouiller** I ov.w
1 afstropen v. d. huid; **2** beroven, ontdoen,
afleggen; — *toute honte,* alle schaamte
afleggen; — *ses vêtements,* de kleren
uittrekken; — *le vieil homme,* de oude Adam
afleggen; **3** nazien, opmaken; — *le scrutin,* de
stemmen opnemen. **II se — 1** (de) zich
ontdoen van; **2** vervellen; **3** de bladeren
verliezen; **4** zich uitkleden; **5** bezinken (wijn).
dépourvu bn ontbloot; — *d'esprit,* zonder
verstand; *au —,* onverhoeds; *prendre au —,*
overvallen.
dépoussiérage m (het) stofvrij maken.
▼**—érer** ov.w **1** stofvrij maken; **2** vernieuwen.
déprav/ation v bederf; — *des mœurs,*
zedenbederf. ▼**—é** I bn be-, verdorven. **II** zn m,
-e v verdorven mens. ▼**—er** ov.w be-,
verderven.
déprécation v smeekgebed, afsmeking.
dépréci/ateur, -**atrice** I bn ver-
geringschattend. **II** zn m, -**trice** v iem. die
neerhaalt, afkamt. ▼**—ation** v
1 geringschatting; **2** waardevermindering,
depreciatie. ▼**—er** ov.w **1** geringschatten,
vernederen, afkammen; **2** in waarde doen
dalen.
déprédateur I zn m, -**trice** v
1 plunderaar(ster); **2** fraudepleger
(-pleegster); **3** verduisteraar(ster). **II** bn
verduisterend. ▼**déprédation** v **1** plundering,
verwoesting; **2** geldverduistering.
déprendre: se — de zich losmaken van.
dépressif, -**ive** bn **1** neerdrukkend,
ontmoedigend; **2** een inzinking veroorzakend
(*fièvre —ive*). ▼**dépression** v **1** inzinking (ook
fig.); **2** neerslachtigheid, ontmoediging;
3 daling v. d. luchtdruk, depressie;
4 waardevermindering, daling der prijzen,
gedruktheid v. d. markt.
déprim/ant bn deprimerend, neerdrukkend,
vernederend. ▼**—é** bn neerslachtig, lusteloos.
▼**—er** ov.w **1** neerdrukken; **2** vernederen,
verlagen.
dépuceler ov.w (vulg.) ontmaagden.
depuis I vz **1** sedert, sinds; **2** vanaf; — *peu,*
sinds kort. **II** bw sedertdien. **III** vgw — *que,*
sinds.
dépur/atif, -**ive** I bn bloedzuiverend. **II** zn m
bloedzuiverend middel. ▼**—ation** v zuivering.
▼**—atoire** bn bloedzuiverend. ▼**—er** ov.w
zuiveren.
députation v **1** (af)gezantschap;

2 lidmaatschap der Tweede Kamer. ▼**député**
m **1** afgezant; **2** lid der Tweede Kamer;
Chambre des —s, Tweede Kamer. ▼**députer**
ov.w afvaardigen.
déracine I bn ontworteld. **II** zn m iem. die zijn
geboorteland heeft verlaten. ▼**déracinement**
m ontworteling. ▼**déraciner** ov.w
1 ontwortelen; **2** uitroeien.
déradir ov.w **1** lenig, buigzaam maken;
2 handelbaar maken.
déraill/ement m ontsporing. ▼**—er** on.w
1 ontsporen; **2** van het goede pad raken (fig.).
▼**—eur** m versnelling v. e. fiets.
déraison v onverstand. ▼**—nable** bn
onverstandig. ▼**—ner** on.w onzin uitkramen,
doordraven.
dérang/é bn stuk, kapot, defect; *avoir le
cerveau —,* niet goed bij zijn hoofd zijn.
▼**—ement** m **1** verwarring, wanorde;
2 storing, stoornis, last; *être en —,* gestoord
worden. ▼**—er** I ov.w **1** verzetten, verplaatsen;
2 stuk, defect maken; **3** diarree veroorzaken
(*ces fruits dérangent le corps*); **4** storen; *ne
vous dérangez pas,* blijf zitten. **II se — 1** zich
moeite geven, zich laten storen; **2** stuk gaan,
defect raken; **3** in wanorde geraken.
dérap/age m (het) slippen. ▼**—er** on.w
slippen.
dératé bn zonder milt; *courir comme un —,*
rennen als een bezetene.
dératis/ation v ontratting. ▼**—er** ov.w
ontratten.
derechef bw opnieuw.
dérègl/é bn **1** onregelmatig (*pouls —*); van
slag; **2** zedeloos, losbandig. ▼**dérèglement** m
1 ongeregeldheid, wanorde; **2** losbandigheid,
zedeloosheid. ▼**dérégler** ov.w **1** van streek
brengen; **2** losbandig maken; **3** van slag
brengen, onnauwkeurig doen lopen (— *une
horloge*).
déréliction v geestelijke verlatenheid.
dérider I ov.w opmonteren (— *le front*). **II se
—** opgewekt(er) worden.
dérision v spot; *tourner en —,* belachelijk
maken. ▼**dérisoire** bn belachelijk; *prix —,*
spotprijs.
dérivatif, -**ive** I bn afleidend. **II** zn m afleidend
middel. ▼**dérivation** v **1** afleiding, aftakking;
boîte de —, aftakdoos; *canal de —,*
afwateringskanaal; **2** omleiding van rivier, van
verkeer; **3** afwijking van richting (v. kogel),
afdrijving van koers (*scheepv.*). ▼**dérive** v
1 afdrijving van koers van schip of
vliegmachine; *aller à la —,* afdrijven; **2** zwaard
v. e. schip; **3** (het) (uiteen) drijven v.
continenten; verschuiving. ▼**dérivé** m
afgeleid woord. ▼**dériver** I on.w **1** afdrijven;
2 voortvloeien, ontstaan, voortkomen. **II** ov.w
1 afleiden v. e. woord; **2** aftakken.
derma/tologie v leer der huidziekten.
▼**—tologiste, -tologue** m of v
huidspecialist(e). ▼**—tose** v huidziekte.
▼**derme** m lederhuid. ▼**dermique** bn huid-.
▼**dermite, dermatite** v huidontsteking.
dernier, -**ère** I bn **1** laatste; *avoir le —,* het
laatste woord hebben; *la dernière chose,* het
laatste; *rendre le — devoir,* de laatste eer
bewijzen; *en — lieu,* ten laatste, ten slotte;
dernière nouveauté, nieuwste mode; *rendre le
— soupir,* de geest geven; *le — venu,* de
laatstgekomene; **2** vorig; *dimanche —,*
verleden zondag; *au — point,* in de
hoogste graad; *c'est du — ridicule,* het is
hoogst, uiterst belachelijk; **4** laagste (*le — des
hommes*). **II** zn m, -**ère** v laatste.
▼**dernièrement** bw onlangs. ▼**dernier†-né†**
m, **dernière-née** v laatstgeborene.
dérobade v (het) terugkrabbelen, (het) zich
onttrekken. ▼**dérobé** bn stiekem; *escalier —,*
geheime trap; *heures —es,* snipperuurtjes; *à la
—e,* heimelijk, tersluiks. ▼**dérober** I ov.w
1 stelen, roven; — *un baiser,* een kus stelen; —
un secret, een geheim ontfutselen;
2 onttrekken, ontrukken (— *qn. au danger*);
3 verbergen; — *sa marche,* zijn middelen
geheim houden; — *la vue à qn.,* iem. het

uitzicht belemmeren. **II se — 1** zich onttrekken (aan), zich verbergen; **2** wegsluipen, de benen nemen; **3** *les jambes, les genoux se dérobaient sous lui*, de benen weigerden hun dienst, zijn knieën knikten.

dérog/ation *v* inbreuk. **▼—atoire** *bn* wat inbreuk maakt. **▼—er** *on.w* **1** (à) inbreuk maken op; **2** iets doen in strijd met zijn waardigheid of stand.

dérouill/age *m,* **—ement** *m* (het) ontdoen van roest. **▼—ée** *v* (*fam.*) pak slaag. **▼—er I** *ov.w* **1** van roest ontdoen; **2** beschaven, ontwikkelen; **3** lenig maken; **4** (*pop.*) een pak slaag geven. **II** *on.w* (*fam.*) slaag krijgen, gestraft worden.

déroul/age *m* (het) ontrollen. **▼—ement** *m* **1** (het) ontrollen; **2** (*fig.*) verloop, ontwikkeling. **▼—er I** *ov.w* **1** ontrollen; **2** ontwikkelen (*— ses plans*). **II se — 1** zich ontrollen; **2** zich ontvouwen (*le paysage se déroulait devant nos yeux*); **3** zich afspelen (*l'action se déroule*).

déroutant *bn* verwarrend. **▼déroute** *v* **1** wanordelijke vlucht; *mettre en —*, op de vlucht drijven; **2** ondergang. **▼dérouter** *ov.w* **1** op een verkeerd spoor brengen; **2** in de war brengen, uit het veld slaan.

derrick *m* boortoren.

derrière I *vz* achter. **II** *bw* achter, achteraan; *par —*, van achteren; *sens devant —*, achterstevoren. **III** *zn m* achterzijde, achterste deel, achterste; *montrer le —*, vluchten, zijn woord breken; *porte de —*, achterdeur; *les — d'une armée*, de achterhoede; *assurer ses —s*, zich in de rug dekken.

des = I de + les. II *m van onbep. lw* **un, une**.

dès I *vz* sedert, sinds, vanaf, reeds in; *— 1700*, reeds in 1700; *— la pointe du jour*, bij 't krieken v.d. dag; *— à présent*, van nu af aan. **II** *vgw —* **que** zodra.

désabonner *ov.w* als abonnee schrappen.

désabus/é *bn* wijzer geworden, nuchter. **▼—ement** *m* ontgoocheling. **▼—er** *ov.w* (*oud*) uit de dwaling helpen.

désaccord *m* **1** ongelijke stemming van muziekinstrumenten; **2** onmin, onenigheid, meningsverschil; *être en —*, het oneens zijn, in onmin leven; **3** tegenstelling, discrepantie. **▼—er** *ov.w* **1** ontstemmen; **2** onmin brengen tussen.

désaccoupler *ov.w* loskoppelen.

désaccoutumer I *ov.w* doen afwennen. **II se — afwennen**.

désaffectation *v* (het) onttrekken aan de oorspronkelijke bestemming. **▼désaffecter** *ov.w* aan de oorspronkelijke bestemming onttrekken, buiten gebruik stellen.

désaffection *v* afkeer, ongenegenheid.

désagréable *bn* onaangenaam.

désagrég/ation *v* (het) uiteenvallen. **▼—er I** *ov.w* uiteen doen vallen. **II se —** uiteenvallen.

désagrément *m* **1** onaangenaamheid, last; **2** misnoegen.

désaltér/ant *bn* de dorst lessend. **▼—er I** *ov.w* lessen. **II se —** zijn dorst lessen.

désamorcer *ov.w* onklaar, onschadelijk maken.

désappointement *m* teleurstelling. **▼désappointer** *ov.w* teleurstellen.

désapprendre *ov.w* onr. verleren.

désapprobateur, -trice I *bn* afkeurend. **II** *zn m,* **-trice** *v* hij, zij, die afkeurt. **▼désapprobation** *v* afkeuring. **▼désapprouver** *ov.w* afkeuren, veroordelen, kritiseren.

désarçonner *ov.w* **1** uit het zadel lichten; **2** van zijn stuk brengen, de mond snoeren.

désargenté *bn* (*fam.*) zonder geld. **▼désargenter** *ov.w* ontzilveren, van het verzilversel ontdoen.

désarm/ant *bn* ontwapenend (*fig.*). **▼—ement** *m* ontwapening. **▼—er I** *ov.w* **1** ontwapenen; *— un fusil*, een geweer in de rust zetten; *— un navire*, een schip onttakelen; **2** bedaren, stillen (*— la colère*). **II** *on.w* **1** de wapens neerleggen; **2** de bewapening verminderen.

désarroi *m* verwarring, wanorde, opschudding; *en —*, verward, in de war.

désarticul/ation *v* **1** ontwrichting; **2** afzetting in het gewricht. **▼—er** *ov.w* **1** ontwrichten, verstuiken; **2** afzetten in het gewricht.

désassembl/age *m,* **—ement** *m* (het) uit elkaar nemen. **▼—er I** *ov.w* uit elkaar nemen. **II se —** uit elkaar gaan.

désassimilation *v* uitscheiding. **▼désassimiler** *ov.w* uitscheiden.

désassorti *bn* onvolledig.

désastre *m* ramp. **▼désastreusement** *bw* rampzalig. **▼désastreux, -euse** *bn* rampzalig.

désavantag/e *m* nadeel. **▼—er** *ov.w* benadelen. **▼—eux, -euse** *bn* nadelig, onvoordelig.

désaveu [*mv* x] *m* ontkenning, verloochening. **▼désavouable** *bn* loochenbaar. **▼désavouer** *ov.w* **1** ontkennen, loochenen; *— un livre*, ontkennen, dat men de schrijver v.e. boek is; *— un enfant*, een kind niet als het zijne erkennen; **2** veroordelen, afkeuren; **3** herroepen.

désaxer *ov.w* uit zijn evenwicht brengen (*fig.*).

descellement *m* ontzegeling. **▼desceller** *ov.w* ontzegelen.

descend/ance *v* **1** afkomst; **2** nakomelingschap. **▼—ant I** *bn* afdalend; *ligne —e*, afdalende lijn; *marée —e*, eb. **II** *zn m,* **-e** *v* afstammeling(e). **▼—eur** *m* (sp.) afdaler. **▼descendre I** *ov.w* **1** naar beneden halen, -brengen, laten zakken; **2** afdalen (*l'escalier*); **3** doden, neerschieten; **4** afzetten, een land zetten (van reizigers). **II** *on.w* **1** af-, neerdalen, dalen, naar beneden gaan; *d'un arbre*, uit een boom klimmen; *— de cheval*, van het paard stijgen; *la mer descend*, het wordt eb; *en soi-même*, in zich zelve keren; *— à terre*, aan wal gaan; *— au tombeau*, sterven; *— de voiture*, uit een rijtuig stappen; **2** landen; **3** afstappen in een hotel; **4** afstammen, afkomstig zijn; **5** aftrekken van de wacht. **▼descente** *v* **1** daling, af-, neerdaling enz.; *— de la Croix*, kruisafneming; *— de voiture*, het stappen uit een rijtuig; **2** landing, inval (*— des Normands*); **3** huiszoeking (*— de justice*); **4** afvoerpijp; **5** breuk (*med.*); **6** (het) zakken v.h. water; **7** helling; **8** kleedje, mat; *— de lit*, kleedje voor het bed; **9** (*pop.*) *avoir une bonne —*, goed van innemen zijn (eten, drinken).

descript/eur *m* beschrijver. **▼—ible** *bn* te beschrijven. **▼—if, -ive** *bn* beschrijvend; *géométrie —ive*, beschrijvende meetkunde. **▼—ion** *v* beschrijving.

déséchouer *ov.w* vlot maken (*scheepv.*).

désembourber *ov.w* **1** uit de modder halen; **2** uit de ellende halen.

désemparer I *ov.w* ontredderen; *navire désemparé*, ontredderd schip. **II** *on.w* het veld ruimen; *sans —*, onmiddellijk.

désemplir I *ov.w* (gedeeltelijk) leeg maken. **II** *on.w: sa maison ne désemplit pas*, er zijn altijd veel mensen in zijn huis.

désencadrer *ov.w* uit de lijst halen.

désenchaîner *ov.w* v.d. ketenen bevrijden.

désenchantement *m* ontgoocheling, teleurstelling. **▼désenchanter** *ov.w* ontgoochelen, teleurstellen.

désencombrement *m* het uit de weg ruimen, vrijmaken (bijv. weg). **▼désencombrer** *ov.w* uit de weg ruimen.

désenfler *on.w* slinken.

désengagement *m* ontspanning (*politique de —*). **▼désengager** *ov.w* ontslaan v.e. verplichting.

désenivrer I *ov.w* ontnuchteren. **II se —** nuchter worden.

désennuyer *ov.w* de verveling verdrijven.

désensabler *ov.w* vlotbrengen.

désensibilis/ation *v* (het) minder gevoelig (ongevoelig) maken. **▼—er** *ov.w* minder lichtgevoelig maken (*fot.*), desensibiliseren.

désensorceler *ov.w* de betovering opheffen.

désentoilage *m* verdoeking. **▼désentoiler** *ov.w* verdoeken.

désentortiller *ov.w* uit de war maken.

désépaissir ov.w minder dik maken, uitdunnen.

déséquilibre m gebrek aan evenwicht, wanverhouding; onevenwichtigheid. ▼**déséquilibré** I bn onevenwichtig. II zn m, -e v onevenwichtig persoon. ▼**déséquilibrer** ov.w het evenwicht doen verliezen (ook fig.).

déséquiper ov.w onttakelen (scheepv.).

désert I bn eenzaam, verlaten; rue —e, uitgestorven straat. II zn m 1 woestijn, wildernis; prêcher dans le —, voor dovemansoren spreken; 2 (arg.) deserteur.

désert/er I ov.w verlaten; — la bonne cause, de goede zaak in de steek laten. II on.w 1 deserteren; 2 overlopen (— à l'ennemi). ▼**—eur** m 1 deserteur; 2 iem. die zijn partij in de steek laat. ▼**—ion** v 1 desertie; 2 verandering van partij.

désertique bn woestijnachtig.

désescalade v desescalatie.

désespér/ance v wanhoop. ▼**—ant** bn wanhopend, wanhopig. ▼**désespéré** I bn 1 wanhopig; 2 hopeloos. II zn m, -e v wanhopige; se battre en —s, als razenden vechten; courir comme un —, rennen als een bezetene. ▼**—ment** bw wanhopig. ▼**désespérer** I on.w (de) wanhopen (aan). II ov.w tot wanhoop brengen. III se — wanhopig, diep bedroefd zijn. ▼**désespoir** m wanhoop, vertwijfeling; je suis au —, het spijt me erg; faire qc. en — de cause, een laatste redmiddel beproeven; il est le — de sa famille, hij brengt zijn familie tot wanhoop, hij is de schandvlek van zijn familie; mettre au —, wanhopig maken.

déshabillage m ontkleding. ▼**déshabillé** m ochtendjapon (négligé). ▼**déshabiller** I ov.w 1 ontkleden; 2 uitkleden (afzetten). II se — zich uitkleden.

déshabituer I ov.w afwennen. II se — de ontwennen aan.

désherber ov.w wieden, onkruid verwijderen.

déshérité bn arme, misdeelde. ▼**déshériter** ov.w onterven.

déshonnête bn onfatsoenlijk, onbetamelijk. ▼**déshonnêteté** v onbetamelijkheid.

déshonneur m schande. ▼**déshonor/ant** bn onterend, smadelijk. ▼**—er** ov.w 1 onteren; 2 ontsieren.

déshydrat/ation v vochtverlies. ▼**—er** I ov.w uitdrogen. II se — uitdrogen.

déshypothéquer ov.w vrijmaken van hypotheek (— une maison).

désign/atif, -ive bn aanwijzend. ▼**—ation** v aanwijzing. ▼**—er** ov.w 1 aanwijzen, aanduiden; 2 bedoelen (— l'heure et le lieu).

désillusion v ontgoocheling. ▼**—ner** ov.w ontgoochelen.

désincarné bn (iron.) die het materiële veronachtzaamt of veracht.

désinence v uitgang v.e. woord.

désinfect/ant I bn desinfecterend, ontsmettend. II zn m ontsmettingsmiddel. ▼**—er** ov.w ontsmetten. ▼**—eur** bn ontsmettend. ▼**—ion** v ontsmetting.

désintégration v ontbinding. ▼**désintégrer** ov.w ontbinden.

désintéress/é bn 1 geen belang hebbend bij (il est — dans cette affaire); 2 belangeloos, onbaatzuchtig. ▼**—ement** m onbaatzuchtigheid. ▼**—er** I ov.w schadeloosstellen. II se — de geen belangstelling meer hebben voor; afstoten.

désintox/ication v ontwenning. ▼**—iquer** I ov.w genezen v.e. verslaving. II se — afkicken.

désinvolte bn ongedwongen, los, vrij. ▼**désinvolture** v ongedwongenheid, (te) vrije manieren.

désir m verlangen, wens. ▼**—able** bn wenselijk, begerenswaardig. ▼**—er** ov.w verlangen, wensen; se faire —, op zich laten wachten; ce travail ne laisse rien à —, dit werk laat niets te wensen over; le Désiré des Nations, de Messias. ▼**—eux, -euse** (de) bn verlangend (naar, om te).

désistement m afstand, afzien v.e. recht. ▼**désister se** (de) afstand doen van, afzien van.

désobéir on.w niet gehoorzamen. ▼**désobéissance** v ongehoorzaamheid. ▼**désobéissant** bn ongehoorzaam.

désobligeament bw onvriendelijk.

désobligeance v onvriendelijkheid. ▼**désobligeant** bn onvriendelijk. ▼**désobliger** ov.w onvriendelijk behandelen, voor het hoofd stoten, een ondienst doen.

désobstruction v (het) opruimen, vrij maken. ▼**désobstruer** ov.w opruimen, vrij maken.

désodoris/ant bn luchtververser. ▼**—er** ov.w (onaangename) lucht (geur) verdrijven.

désœuvré I bn werkeloos, zich gauw vervelend. II zn m werkeloze. ▼**désœuvrement** m werkeloosheid, ledigheid.

désolant bn droevig, treurig, naar. ▼**désolation** v 1 (oud) verwoesting, vernieling; 2 diepe droefheid, verslagenheid. ▼**désolé** bn diep bedroefd, verslagen. ▼**désoler** ov.w 1 (oud) verwoesten, vernielen; 2 diep bedroeven.

désolidariser (se) niet langer solidair zijn, zich losmaken.

désopilant bn dol vermakelijk. ▼**désopiler (se)** gieren v.h. lachen.

désordonné bn 1 slordig; 2 buitensporig; 3 losbandig.

désordre m 1 verwarring, wanorde; en —, in de war; 2 losbandigheid; 3 opstand, woeling; 4 stoornis (med.).

désorganis/ateur, -atrice bn desorganiserend. ▼**—ation** v desorganisatie, verwarring, wanorde. ▼**—er** ov.w desorganiseren, verwarring stichten, ontwrichten, verwoesten.

désorientation v verwarring. ▼**désorienter** ov.w 1 uit de koers, van de weg brengen; 2 in de war, van de wijs brengen.

désormais bw voortaan.

désosser ov.w 1 van beenderen of graten ontdoen; 2 uit elkaar halen, ontleden.

despote I zn m dwingeland. II bn tiranniek. ▼**despotique** bn despotisch, tiranniek. ▼**despotisme** m dwingelandij.

desquamer ov.w & on.w (se) vervellen, afschilferen.

desquels vnw = de lesquels.

dessaisir (se) de afstand doen van (se — d'un titre), uit handen geven. ▼**dessaisissement** m afstand.

dessaisonalisation v seizoencorrectie.

dessalé bn 1 ontzout; 2 bijdehand, sluw. ▼**dessaler** ov.w 1 minder zout maken; 2 (pop.) ontgroenen, ontbolsteren.

dessangler ov.w van de riemen ontdoen (— un cheval).

desséch/ant bn uitdrogend (vent —). ▼**—ement** m 1 uitdroging; 2 droogmaking. ▼**—er** ov.w 1 (uit)drogen; 2 droogleggen; 3 uitmergelen, doen vermageren; 4 ongevoelig maken (— le cœur).

dessein m 1 bedoeling, plan; dans le — de, met de bedoeling, om te; à —, met opzet; 2 ontwerp, schets (— d'un tableau).

desseller ov.w afzadelen.

desserre v het openen v.d. beurs; dur à la —, een slechte betaler zijn. ▼**desserrer** ov.w 1 ontspannen (v.e. boog); 2 losmaken, -draaien (— un écrou), -rijgen; ne pas — les dents, geen mond opendoen.

dessert m dessert.

desserte v 1 het aan tafel overgebleven eten; 2 waarneming v.d. dienst in een parochie; 3 dientafeltje; 4 (het) onderhouden v.d. verbinding; faire la — de, dienst doen op.

dessertir ov.w een juweel uit de vatting nemen.

desservant m waarnemend geestelijke. ▼**desservir** ov.w onr. 1 de tafel afnemen; 2 de dienst in een parochie waarnemen; 3 de verbinding onderhouden tussen, aandoen (van trein, enz.); 4 benadelen, schaden.

dessicatif, -ive I *bn* opdrogend. II *zn m* opdrogend middel. ▼**dessication** *v* (op)droging.

dessiller *ov.w: — les yeux à qn.,* iem. de ogen openen, iem. zijn dwaling doen inzien.

dessin *m* **1** tekening, tekenkunst; *s animés,* tekenfilm; — *d'imitation,* handtekenen; — *linéaire,* lijntekenen; *les arts du —,* architectuur, beeldhouwkunst, schilderen, tekenen, etsen; **2** ontwerp, plan; **3** patroon. ▼—**ateur** *m,* **-atrice** *v* tekenaar(ster). ▼—**er** I *ov.w* **1** tekenen; — *d'après nature,* naar de natuur tekenen; — *à la plume,* met de pen tekenen; *bande dessinée,* strip (verhaal). **2** doen uitkomen (— *les formes*). II **se** — uitkomen tegen, zich aftekenen tegen (*se — sur*).

dessouder I *ov.w* losmaken (wat gesoldeerd was); (*arg.*) doden. II **se** — loslaten.

dessoûler I *ov.w* ontnuchteren. II *on.w* nuchter worden.

dessous I *bw* onder, eronder; *au-dessous,* daarbeneden; *ci-dessous,* hieronder; *de —,* onderst; *vêtement de —,* ondergoed; *en —,* van onderen; *là-dessous,* daaronder; *mettre —,* op de grond werpen; *par-dessous,* onderlangs, onderdoor; *sens dessus —,* ondersteboven. II *vz: au — de,* onder; *au — 3 zéro,* onder nul; *de —,* van onder; *par —,* onderdoor. III *zn m* onderste deel, onderkant; *avoir le —,* het onderspit delven; — *de bouteilles,* flessenbakje; — *de bras,* sousbras; *le — des cartes,* het fijne v.d. zaak; — *de plat,* tafelmatje, placemat; *dessous-de-table,* geld onder de tafel. IV *zn m mv* ondergoed.

dessuinter *ov.w* (wol) ontvetten.

dessus I *bw* boven, daarboven, erop; *au-dessus,* boven, erboven; *ci-dessus,* hierboven; *de —,* bovenste; *habit de —,* bovenkleed; *rang de —,* bovenste rij; *mettre le doigt —,* de spijker op de kop slaan; *en —,* van boven; *là-dessus,* daarboven; *par-dessus,* eroverheen; *sens — dessous,* ondersteboven; *avoir le vent —,* boven de wind zijn; *passer — à qn.,* iem. overrijden. II *vz: au — de,* boven; *il est au-dessus de la médisance,* hij is boven laster verheven; *par-dessus,* overheen; *par-dessus le marché,* op de koop toe. III *zn m* **1** bovenkant; bovenste deel, bovenzijde; — *de-lit,* sprei; — *de la main,* rug v.d. hand; *le — du panier,* het neusje v.d. zalm; *du pied,* wreef; — *d'une table,* tafelblad; **2** voordeel, overhand; *avoir le —,* de overhand hebben.

déstalinisation *v* destalinisatie.

destin *m* lot, noodlot.

destinataire *m* of *v* geadresseerde. ▼**destination** *v* bestemming, plaats van bestemming.

destinée *v* **1** noodlot; **2** leven. ▼**destiner** *ov.w* bestemmen.

destitu/able *bn* afzetbaar. ▼—**er** *ov.w* ontslaan, afzetten, afzetting. ▼—**tion** *v* ontslag, afzetting.

déstocker *ov.w* voorraad verminderen.

destroyer *m* snelle torpedojager.

destruct/eur, -trice I *bn* vernielend, verwoestend. II *zn m,* **-trice** *v* vernieler (-ster). ▼—**ibilité** *v* vernielbaarheid. ▼—**ible** *bn* vernielbaar. ▼—**if, -ive** *bn* vernielend, verwoestend. ▼—**ion** *v* vernieling, verwoesting. ▼—**ivité** *v* vernielzucht.

désuet, -ète [*spr.:* deesuè] *bn* verouderd, in onbruik geraakt (*mot —*). ▼**désuétude** *v* onbruik; *tomber en —,* in onbruik geraken.

désun/ir *ov.w* verdeeld, onenig. ▼—**ion** *v* **1** verdeeldheid, tweedracht; **2** scheiding. ▼—**ir** *ov.w* **1** tweedracht zaaien; **2** scheiden.

détach/age *m* ontvlekking. ▼—**ant** *m* ontvlekkingsmiddel.

détach/é *bn* **1** los; *note —e,* niet verbonden noot; **2** onverschillig, ongedwongen (*air —*). ▼—**ement** *m* **1** losmaking, (het) los zijn, onthechting; **2** detachement (*mil.*). ▼—**er** I *ov.w* **1** losmaken, scheiden; afsplitsen; **2** detacheren (*mil.*); **3** afwenden (— *les yeux*); **4** toedienen (— *un coup de poing*); **5** doen

uitkomen (— *les contours*); **6** onthechten aan aardse goederen; **7** ontvlekken. II **se** — **1** losgaan; **2** zich afzonderen; **3** naar voren komen (van figuren, enz. op schilderij); **4** aftekenen, afsteken tegen; **5** te voorschijn komen.

détail *m* **1** bijzonderheid; **2** verkoop in het klein; *vendre en —, au —,* in het klein verkopen; **3** opsomming, gedetailleerde beschrijving. ▼—**lant** I *bn* in het klein verkopend (*marchand —*). II *zn m* kleinhandelaar. ▼—**ler** *ov.w* **1** in stukken hakken (— *un bœuf*); **2** in het klein verkopen; **3** in details vertellen.

détaler I *ov.w* goederen uit de etalage nemen. II *on.w* ervandoor gaan.

détartr/age *m* (het) verwijderen v. aanslag, tandsteen. ▼—**er** *ov.w* aanslag, tandsteen verwijderen. ▼—**eux** I *bn* de aanslag tegengaande. II *zn m* middel tegen aanslag.

détaxation *v* (het) verlagen, vrijstellen van belasting. ▼**détaxe** *v* vermindering, kwijtschelding v. belasting; teruggave v. te veel betaalde belasting. ▼**détaxer** *ov.w* verminderen, vrijstellen v. belasting.

détecter *ov.w* opsporen. ▼**détecteur** *m* detector. ▼**détection** *v* opsporing. ▼**détective** *m* detective; rechercheur.

déteindre I *ov.w onr.* doen verkleuren, - verschieten. II *on.w* **1** verkleuren, verschieten; **2** afgeven van kleuren; **3** invloed hebben.

dételage *m* (het) uitspannen. ▼**dételer** *ov.w* uitspannen.

détendre *ov.w* **1** ontspannen (ook *fig.*); **2** de gasdruk verminderen.

détenir *ov.w onr.* **1** vasthouden, bij zich houden, onrechtmatig in bezit houden; **2** gevangen houden.

détente *v* **1** trekker van geweer, enz.; *presser la —,* de trekker overhalen; **2** ontspanning (ook *fig.*); *il est dur à la —,* hij is op de penning, hij geeft niet graag.

détenteur *m,* **-trice** *v* houder (-ster). ▼**détention** *v* **1** bezit, onrechtmatig bezit; **2** gevangenschap, hechtenis. ▼**détenu** *m,* **-e** *v* gevangene.

déterg/ent *m* synthetisch wasmiddel, oplosmiddel. ▼—**er** *ov.w* reinigen met synth. middel.

détérioration *v* bederf, beschadiging. ▼**détériorer** *ov.w* bederven, beschadigen.

détermin/able *bn* bepaalbaar. ▼—**ant** *bn* **1** bepalend; **2** beslissend. ▼—**atif, -ive** I *bn* bepalend, bepalingaankondigend (*pronom —*). II *zn m* bepalend woord. ▼—**ation** *v* **1** vaststelling, bepaling (— *d'une date*); **2** beslissing, besluit; **3** vastberadenheid. ▼—**é** *bn* **1** bepaald, vastgesteld; **2** vastberaden, dapper; **3** — *à* vastbesloten te. ▼—**ément** *bw* **1** met beslistheid; **2** vastberaden. ▼—**er** *ov.w* **1** bepalen, vaststellen; **2** — *à* doen besluiten te; **3** beslissen, besluiten te. II **se** — bepaald worden; **se** — *à* besluiten tot, - te.

déterr/é/m, -e *v* opgegraven lijk; *avoir l'air d'un —,* eruitzien als de dood. ▼—**ement** *m* opgraving. ▼—**er** *ov.w* **1** opgraven; **2** opsporen. ▼—**eur** *m* **1** opgraver; **2** opspoorder.

détersif, -ive I *bn* zuiverend, reinigend (*med.*). II *zn m* schoonmaakmiddel. ▼**détersion** *v* zuivering, reiniging (*med.*).

détest/able *bn* afschuwelijk, verfoeilijk, zeer slecht (*temps —*). ▼—**ation** *v* (*oud*) afschuw, verfoeiing. ▼—**er** *ov.w* verfoeien, verafschuwen, een hekel hebben aan.

détirer *ov.w* uitrekken.

déton/ant *bn* ontplofbaar; *mélange —,* ontplofbaar mengsel. ▼—**ateur** *m* ontstekingsmiddel, schokbuis, slaghoedje. ▼—**ation** *v* knal, ontploffing. ▼—**er** *on.w* (plotseling) ontploffen.

détonner *on.w* **1** vals zingen, klinken; **2** vloeken, uit de toon vallen, lelijk afsteken.

détordre I *ov.w* losdraaien. II **se** — *le bras,* de arm verrekken.

détortiller *ov.w* ontwarren.

détour *m* **1** bocht; **2** omweg; *sans —,*

onomwonden, recht door zee. ▼**détourné** bn
1 afgelegen, stil (rue —e); 2 zijdelings,
verdraaid, slinks; chemin —, omweg; reproche
—, bedekt verwijt; sens —, overdrachtelijke
betekenis; voie —e, slinkse streek.
▼**détournement** m 1 verduistering van geld;
2 schaking, ontvoering, verleiding (de
mineur); 3 omlegging v.e. weg; 4 — de
pouvoir, gezagsmisbruik; 5 kaping.
▼**détourner** l ov.w 1 afwenden (— les yeux);
afleiden (— une rivière); 2 verdraaien (le sens
d'un mot); 3 afbrengen, afhouden; — de,
afkerig maken van; 4 verduisteren van geld;
5 schaken, ontvoeren; 6 kapen. ll se — 1 zich
afwenden, afwijken; 2 een omweg maken,
zijwaarts afslaan.
détracteur m, **-trice** v iem. die (fig.) afbreekt,
kwaadspreker (-spreekster). ▼**détraction** v
(het) afbreken, kwaadspreken.
détraqué l bn geestelijk gestoord, in de war,
lichamelijk gebroken. ll zn m, -e v geestelijk
gestoorde, gek, (lichamelijk) wrak.
▼**détraquer** ov.w in de war maken, defect
maken, van gang brengen (— une pendule).
détrempe v 1 tempera (waterverf met lijm en
eiwit); 2 temperaschildering; 3 (het)
ontharden van staal. ▼**détremper** ov.w
1 verdunnen; 2 ontharden van staal;
3 doorweken.
détresse v ellende, angst, nood; signal de —,
alarmknipperlicht (auto).
détriment m schade, nadeel; au — de, ten
nadele van, ten koste van.
détritus [spr.: -tüs] m afval, vuilnis.
détroit m 1 straat, zeeëngte; 2 bergpas.
détromper ov.w de ogen openen.
détrôner ov.w onttronen.
détrousser ov.w (oud of scherts.)
uitschudden, uitplunderen.
détruire ov.w vernielen, vernietigen.
dette v schuld; être accablé, criblé, perdu de
—s, tot over de oren in de schulden zitten; —
flottante, vlottende schuld; payer sa — à la
nature, sterven; payer sa — à son pays, zijn mil.
dienst vervullen; payer sa — à la société, de
doodstraf ondergaan; — publique,
staatsschuld; la — de la reconnaissance, de
plicht tot dankbaarheid; qui paye ses dettes,
s'enrichit, wie zijn schulden betaalt wordt niet
arm (spr.w)
deuil m 1 rouw, rouwtijd; faire son — de qc.,
ergens van afzien; ongles en —, nagels met
rouwranden; plonger dans le —, in rouw
dompelen; porter le — de qn., over iem. in de
rouw zijn; prendre le —, de rouw aannemen;
faire son — d'une chose, (fam.) iets
afschrijven; 2 sterfgeval; 3 lijkstoet;
4 rouwfloers.
deux telw. 1 twee; cela est clair comme — et —
font quatre, dat is zonneklaar; en — mots, in
een paar woorden; l'un des —, een van beiden;
à — pas d'ici, hier vlakbij; piquer des —, de
sporen geven; 2 tweede; le — janvier, de
tweede januari. ▼**deuxième** telw. tweede; au
—, op de tweede verdieping. ▼—**ment** bw ten
tweede.
deux-mâts m tweemaster.
deux-pièces m 1 tweedelig kostuum;
2 tweedelig badpak; 3 tweekamerflat.
deux-quatre m tweekwartsmaat.
deux-roues m tweewielig voertuig,
tweewieler.
deux-temps m 1 tweetaktmotor;
2 tweetaktbenzine.
dévaler l ov.w naar beneden laten zakken,
neerlaten. ll on.w naar beneden gaan,
-stromen, afdalen.
dévaliser ov.w uitplunderen, van geld, enz.
dévalorisation v waardevermindering.
▼**dévaloriser** ov.w in waarde verminderen;
geringschatten.
dévaluation v devaluatie. ▼**dévaluer** ov.w
devalueren.
devanc/ement m (het) van te voren gaan,
vooruitgaan; — d'appel, vervroegde
indiensttreding. ▼—**er** ov.w voor iem. of iets

uitlopen; 2 voorafgaan; 3 voorkomen,
voorbijstreven. ▼—**ier** m, **-ière** v voorganger
(-ster); les —s, de voorouders.
devant l vz voor (plaats), in tegenwoordigheid
van; au-devant de, tegemoet; par-devant
notaire, in tegenwoordigheid v.e. notaris;
passer — une maison, langs een huis gaan; —
que, voor (tijd). ll bw 1 ervoor, vooraan,
vooruit, voorop; marcher —, vooruit-,
vooroplopen; par-devant, van voren; passez
—!, gaat u voor!; 2 tevoren; ci-devant,
voorheen. lll zn m voorste gedeelte, voorzijde;
porte de —, voordeur; prendre les —s,
vooruitlopen, een voorsprong nemen; het
initiatief nemen.
devanture v uitstalkast, etalage.
dévast/ateur l zn m, **-atrice** v verwoester
(-ster). ll bn verwoestend. ▼—**ation** v
verwoesting. ▼—**er** ov.w verwoesten.
dévein/ard m pechvogel. ▼—**e** v pech.
développ/ateur m ontwikkelaar (fot.).
▼—**ement** m 1 ontwikkeling; 2 (het)
loswikkelen, ontvouwen; 3 uitwerking,
doorvoering v.e. thema; 4 ontwikkeling (fot.).
▼—**er** l ov.w 1 ontwikkeling; 2 loswikkelen,
ontvouwen; 3 uitwerken; 4 ontwikkelen (fot.).
ll se — flinker worden.
devenir l on.w worden; que
deviendra-t-il?, wat zal er van hem worden,
terecht komen? ll zn m wording, ontstaan.
dévergondage m losbandigheid,
schaamteloosheid. ▼**dévergondé** bn
schaamteloos, zedeloos. ▼**dévergonder (se)**
schaamteloos optreden.
déverguer ov.w de zeilen v.d. ra's doen.
déverrouiller ov.w ontgrendelen.
devers vz (oud) bij, naar, naar de kant van;
retenir des papiers par-devers soi, plannen
onder zijn berusting houden; par-devers le
juge, tegenover, in tegenwoordigheid v.d.
rechter.
dévers l bn uit het lood, scheef. ll zn m schuine
ligging, helling. ▼**déverser** l on.w scheef, uit
het lood zijn. ll ov.w uitstorten. lll se —
1 kromtrekken; 2 zich uitstorten, uitstromen.
▼**déversoir** m overlaat, overloop.
dévêtir l ov.w ontkleden. ll se — zich
uitkleden.
déviateur, -trice bn afwijkend. ▼**déviation** v
1 afwijking; 2 omgelegde weg. ▼—**niste** m
iem. die van de officiële politieke koers afwijkt.
dévidage m het afhaspelen. ▼**dévider** ov.w
afhaspelen, tot een kluwen winden; — un
rosaire, een rozenkrans door zijn vingers laten
glijden. ▼**dévidoir** m haspel.
dévier l ov.w afwijken, afbuigen. ll ov.w van
de rechte weg afbrengen, afwenden (— les
soupçons).
devin m, **-eresse** v (oud) waarzegger (-ster).
▼—**able** bn te raden. ▼—**er** ov.w 1 raden;
2 voorspellen; 3 doorzien. ▼—**ette** v
raadseltje; poser une —, een raadsel opgeven.
▼—**eur** m, **-euse** v rader (raadster).
dévirer ov.w terugdraaien.
devis m bestek.
dévisager ov.w brutaal, strak aankijken.
devise v 1 devies, lijfspreuk, wapenspreuk;
2 papiergeld. ▼**deviser** on.w keuvelen.
dévissage m (het) losschroeven. ▼**dévisser**
ov.w losschroeven.
dévoilement m ontsluiering, onthulling.
▼**dévoiler** ov.w ontsluieren, onthullen.
devoir l ov.w 1 verschuldigd zijn, te danken
hebben (je lui dois mon bonheur); 2 schuldig
zijn (je lui dois cent florins); 3 moeten; 4 zullen
(il ne devait pas revoir ses parents). ll se —
behoren te, moeten zijn; cela se doit, dat
behoort zo; un roi se doit à son peuple, een
koning behoort voor zijn volk te leven. lll zn m
1 plicht; rentrer dans son —, tot de
gehoorzaamheid terugkeren; se mettre en —
de, beginnen te; rendre ses —s à qn., bij
iemand zijn opwachting maken; rendre les
derniers —s à qn., iem. de laatste eer bewijzen;
2 —s, huiswerk.
dévolt/age m vermindering der elektr.

spanning. ▼—er *ov.w* de elektr. spanning verminderen.

dévolu I *bn* vervallen. II *zn m: jeter son — sur*, zijn keus laten vallen op. ▼**dévolution** *v* overdracht van recht.

dévorateur, -trice *bn* verslindend. ▼**dévorer** *ov.w* verslinden, verscheuren, verteren; *— un affront*, een belediging slikken; *l'ennui le dévore*, hij verveelt zich dood; *— ses larmes*, zijn tranen inhouden; *— son patrimoine*, zijn ouderlijk erfdeel erdoor draaien; *le remords le dévore*, de wroeging verteert hem; *une soif qui dévore*, een kwellende dorst; *— des yeux*, met de ogen verslinden. ▼**dévor/eur** *m*, **-euse** *v* verslinder (-ster) (*de livres*). ▼**—euse** *v* (*arg.*) 'hete griet'.

dévot I *bn* vroom, godsdienstig. II *zn m: faux —*, schijnheilige. ▼**dévotion** *v* vroomheid; *être à la — de qn.*, iem. met hart en ziel toegewijd zijn; *faire ses —s*, biechten en communiceren.

dévou/é *bn* toegewijd; *votre —*, uw toegenegen. ▼—**ement** *m* toewijding, verknochtheid. ▼—**er** I *ov.w* (toe) wijden, offeren. II se — zich toewijden, zich opofferen; *les soldats se dévouaient pour la patrie*, de soldaten offerden hun leven voor het vaderland.

dévoyer I *ov.w* van de weg afbrengen (*voyageur dévoyé*); van het goede pad brengen. II se — de verkeerde weg opgaan, ontsporen.

dextérité *v* handigheid, vaardigheid.
▼**dextralité** *v* rechtshandigheid.

dia! haar! (uitroep van voerlieden om de paarden naar links te doen gaan); *n'entendre ni à huhau (à hue) ni à dia*, niet naar rede luisteren.

diabète *m* suikerziekte. ▼**diabétique** I *bn* diabetisch. II *zn m* of *v* lijder(es) aan suikerziekte.

diable I *zn m* 1 duivel; *au —!*, weg met!; *le —, c'est que*, het ellendige is, dat; *c'est le — pour*, het is een heksentoer om; *loger le — dans sa bourse*, geen rooie cent hebben; *avoir le — au corps*, zeer ijverig zijn, als bezeten zijn; *se démener comme le — dans un bénitier*, tekeergaan als een bezetene; *ne craindre ni Dieu ni —*, nergens bang voor zijn; *envoyer qn. au —*, iem. naar de duivel wensen; *le — soit de l'homme*, de duivel hale de man; *faire le — à quatre*, een hels lawaai maken; *va-t'en au —!*, loop naar de duivel!; *voilà le —*, dat is juist de moeilijkheid; *travail fait à la —*, slordig werk; *il fait un froid du —*, het is duivels koud; *il est paresseux a u —*, hij is verdomd lui; 2 kerel; *bon —*, goeie knul; *pauvre —*, arme drommel; 3 transportwagentje met twee wielen voor bijv. koffers; 4 klein kacheltje om o.a. kastanjes te poffen. II *tw: diable!*, duivels!, drommels!; *que —!*, wat drommels! ▼**diabl/ement** *bw* duivels, buitengewoon. ▼—**erie** *v* 1 duivelskunst; 2 wildheid (bijv. van kinderen). ▼—**esse** *v* duivelin. ▼—**otin** *m* 1 duiveltje; 2 levendig kind, woelwater. ▼**diabolique** *bn* 1 duivels; 2 moeilijk.

diacon/al [*mv aux*] *bn* diakonisch. ▼—**at** *m* diakonaat, diakenschap. ▼—**esse** *v* diakones. ▼**diacre** *m* diaken.

diadème *m* diadeem.

diagnose *v* kunst v. h. stellen v. e. diagnose.
▼**diagnostic** *m* diagnose. ▼**diagnostiquer** *ov.w* een diagnose stellen.

diagonal I [*mv aux*] *bn* diagonaal. II *zn* -e *v* diagonaal.

diagramme *m* diagram.

dialectal [*mv aux*] *bn* dialektisch. ▼**dialect/e** *m* dialekt. ▼—**icien** *m*, **-enne** *v* iem. die zeer scherp redeneert. ▼—**ique** I *bn* wat tot de redeneerkunst behoort. II *zn v* redeneerkunst. ▼—**ologie** *v* dialektstudie.

dialog/ique *bn* geschreven in de vorm v. e. samenspraak. ▼—**isme** *m* dialoogkunst. ▼—**ue** *m* samenspraak, dialoog. ▼—**uer** *on.w* 1 een samenspraak houden; 2 dialogen schrijven. ▼—**uiste** *m* schrijver van filmdialogen.

diamant *m* 1 diamant; *— brut*, ruwe diamant; *édition —*, boek van zeer klein formaat; 2 legaat of geschenk voor de executeur bij een erfenis. ▼—**aire** I *bn* diamantachtig. II *zn m* 1 diamantwerker; 2 diamanthandelaar. ▼—**é** *bn* van diamanten voorzien. ▼—**er** *ov.w* doen schitteren als diamant. ▼—**ifère** *bn* diamant bevattend.

diamétral [*mv aux*] *bn* de middellijn volgend; *ligne —e*, middellijn. ▼—**ement** *bw* lijnrecht; *— opposés*, lijnrecht tegenover elkaar staand. ▼**diamètre** *m* middellijn; doorsnede.

diane *v* (*oud*) reveille (*mil.*); *battre, sonner la —*, de reveille slaan, - blazen.

diantre! *tw* (*oud*) drommels!

diapason *m* 1 stemvork; 2 omvang v. d. stem of een instrument; 3 peil, stemming; *se mettre au — de*, zich aanpassen bij.

diaphane *bn* doorschijnend, doorzichtig.
▼**diaphanéité** *v* doorschijnendheid, doorzichtigheid.

diaphorétique I *bn* het zweten bevorderend. II *zn m* zweetmiddel.

diaphragm/e *m* 1 middenrif; 2 neusbeen; 3 tussenschot van vruchten; 4 lensopening; 5 pessarium. ▼—**er** *on.w* diafragmeren.

diapo(sitive) *v* dia(positief).

diapré *bn* bont. ▼**diaprer** *ov.w* bont, veelkleurig maken. ▼**diaprure** *v* veelkleurigheid, bontheid.

diarrhée *v* diarree.

diathermie *v* bestraling (*med.*).

diatonique *bn* opklimmend met hele en halve noten.

diatribe *v* spotschrift, scherpe kritiek.

dicline *bn* eenslachtig (*plk.*).

dico *m* (*arg. school voor:*) dictionnaire.

dicotylédone *bn* tweezaadlobbig (*plk.*).

dictame *m* balsem (*fig.*).

dictaphone *m* dictafoon.

dictateur *m* dictator. ▼**dictatorial** [*mv aux*] *bn* dictatoriaal. ▼**dictature** *v* dictatuur.

dictée *v* 1 (het) dicteren; *écrire sous la —*, het gedicteerde opschrijven; 2 dictee. ▼**dicter** *ov.w* 1 dicteren; 2 voorzeggen; 3 ingeven; 4 voorschrijven, opleggen.

diction *v* zegging, voordracht.

dictionnaire *m* woordenboek; *c'est un vrai —, un — vivant*, hij is een wandelende encyclopedie.

dicton *m* spreekwijze, spreuk.

didactique I *bn* lerend, didactisch. II *zn v* onderwijskunst.

didactyle *bn* tweevingerig.

dièdre I *bn* door twee vlakken gevormd. II *zn m* tweevlakshoek.

diélectrique *bn* isolerend.

dièse *m* kruis (*muz.*). ▼**diéser** *ov.w* een halve toon verhogen.

diète *v* 1 dieet; *mettre à la —*, op dieet stellen; *— lactée*, melkdieet; 2 rijksdag. ▼**diététicien** *m*, **-ne** *v* diëtist(e). ▼**diététique** I *bn* een dieet betreffend, dieet-. II *zn v* 1 voedingsleer; 2 hygiëne.

Dieu *m* God, godheid; *l'argent est son —*, het geld is zijn afgod; *chacun pour soi et — pour tous*, (*spr.w*) ieder voor zich en God voor allen; *ne craindre ni — ni diable*, nergens bang voor zijn; *ce que femme veut, — le veut*, (*spr.w*) de wil v. d. vrouw is wet; *la Fête-Dieu*, het H. Sacramentsfeest; *homme de —*, priester, heilig mens; *l'homme propose et — dispose*, (*spr.w*) de mens wikt, maar God beschikt; *Hôtel-Dieu*, hospitaal; gasthuis; *Dieu merci, grâce à —*, God zij dank; *plût à —*, gave God; *recevoir le bon —*, communiceren; *trêve de —*, godsvrede.

diffam/ant *bn* lasterlijk, onterend. ▼—**atrice** I *bn* lasterlijk. II se. ▼—**atrice** *v* lasteraar(ster). ▼—**ation** *v* laster, eerroof. ▼—**atoire** *bn* lasterlijk; *écrit —s*, smaadschrift. ▼—**er** *ov.w* belasteren.

différ/emment *bw* verschillend. ▼—**ence** *v* verschil, onderscheid. ▼—**enciation** *v* (het) onderscheiden. ▼—**encier** *ov.w* onderscheiden.

différend *m* geschil; *partager le —*, van beide

kanten wat toegeven.
différent *bn* **1** verschillend; **2** verscheiden.
différent/iel, -ielle *I bn*: *calcul—*,
differentiaalrekening. **II** *zn m* differentieel.
▼—**ielle** *v* differentiaal (*wisk.*).
différer I *ov.w* uitstellen; *sans—*, zonder
verwijl, onmiddellijk; *émission différée de
télévision*, later uitgezonden (opgenomen)
tv-uitzending (*émission en différé*). **II** *on.w*
verschillen.
difficile *bn* **1** moeilijk; **2** lastig (*un homme—*);
kieskeurig. ▼**difficulté v 1** moeilijkheid;
2 bezwaar, tegenwerping; *soulever une—*, een
tegenwerping maken; **3** geschil, verschil van
mening. ▼**difficultueux, -euse** *bn* (*oud*)
zwaar op de hand, zwaartillend.
difforme *bn* mismaakt. ▼**difformité** *v*
mismaaktheid, lelijkheid.
diffracter *ov.w* breken van lichtstralen.
▼**diffraction** *v* straalbreking.
diffus *bn* **1** verspreid, verstrooid (*lumière—e*);
2 langdradig, breedsprakig (*style—*).
▼—**ément** *bw* **1** verspreid, verstrooid;
2 langdradig, breedsprakig. ▼—**er** *ov.w*
1 verspreiden, verstrooien (*— la lumière*),
verbreiden (*— une nouvelle*); distribueren (v.
boeken); **2** uitzenden (per radio en tv). ▼—**eur**
m **1** diffusieketel; **2** lamp met verstrooid licht;
3 distributeur (v. boeken). ▼—**ible** *bn*
verstrooibaar. ▼—**ion** *v* **1** verspreiding,
verbreiding, verstrooiing; distributie;
2 langdradigheid, breedsprakigheid; **3** radio-,
tv-uitzending.
digérer *ov.w* **1** verteren; **2** overdenken,
overwegen; **3** verkroppen, slikken, geduldig
dragen (*— une offense*).
digest *m* samenvatting, uitgave met
samenvattingen.
digest/e *bn* gemakkelijk verteerbaar.
▼—**ibilité** *v* verteerbaarheid. ▼—**ible** *bn*
gemakkelijk verteerbaar. ▼—**if, -ive** *I bn* de
spijsvertering bevorderend; *appareil—*,
spijsverteringsorganen. **II** *zn m*
spijsverteringsmiddel. ▼—**ion** *v* spijsvertering.
digital [*mv aux*] *bn* **1** wat de vingers betreft;
empreinte—e, vingerafdruk; **2** digitaal, cijfer-.
▼**digitale** *v* vingerhoedskruid, digitalis.
▼**digité** *bn* **1** gevingerd; **2** handvormig
samengesteld (*plk.*). ▼**digiti/forme** *bn*
vingervormig. ▼—**grades** *m mv* teengangers.
digne (de) 1 waardig; *—d'envie*,
benijdenswaardig; *— de foi*, geloofwaardig; *—
de punition*, strafwaardig; **2** deftig.
▼**dignitaire** *m* hoogwaardigheidsbekleder.
▼**dignité** *v* **1** waardigheid; **2** deftigheid.
digon *m* wimpelstok.
digression *v* uitweiding.
digue *v* dam, dijk; *opposer des—s à*, een dam
opwerpen tegen (*fig.*).
dilacération *v* (het) vaneenscheuren.
▼**dilacérer** *ov.w* vaneenscheuren.
dilapid/ateur, -atrice *I bn* verkwistend. **II** *zn
m, -atrice* verkwister (-ster). ▼—**ation** *v*
verkwisting, verspilling. ▼—**er** *ov.w*
verkwisten, verspillen.
dilat/abilité *v* uitzettingsvermogen. ▼—**er**
bn uitzetbaar. ▼—**ation** *v* uitzetting. ▼—**er**
I ov.w **1** uitzetten; *yeux dilatés*, opengesperde
ogen; **2** verheugen, verblijden; *— le cœur*, het
hart verheffen. **II se—** uitzetten.
dilatoire *bn* vertragend, uitstel beogend.
dilection *v* tedere, vrome liefde.
dilemme *m* dilemma.
dilettante *m* [*mv—s* of dilettanti]
kunstliefhebber (als amateur).
▼**dilettantisme** *m* kunstliefde.
diligemment *bw* **1** spoedig; **2** zorgvuldig.
▼**diligence** *v* **1** (*oud*) vlijt, ijver, spoed; *faire
—*, zich haasten; *en—*, met spoed;
2 zorgvuldigheid; **3** diligence; *—d'eau*,
trekschuit. ▼**diligent** *bn* ijverig, nijver,
naarstig.
diluer *ov.w* verdunnen. ▼**dilution** *v*
verdunning.
diluvial [*mv aux*] *bn* diluviaal. ▼**diluvien,
-enne** *bn* wat betrekking heeft op de

zondvloed; *pluie diluvienne*, wolkbreuk.
dimanche *m* zondag; *air de —*, opgeruimd
gezicht; *— gras*, laatste zondag voor de vasten;
— de Quasimodo, eerste zondag na Pasen; *—
des Rameaux*, Palmzondag.
dîme *v* tiende (belasting).
dimension *v* afmeting.
dimin/uer I *ov.w* verminderen, verkleinen,
verlagen (*— le prix*). **II** *on.w* verminderen,
afnemen, kleiner, zwakker worden; *les jours
diminuent*, de dagen worden korter; *— de prix*,
in prijs dalen. ▼—**utif, -ive I** *bn* verkleinend.
II *zn m* **1** verkleinwoord; **2** verkleining,
miniatuur. ▼—**ution** *v* vermindering,
verkleining, verlaging (*— de prix*).
dimorphe *bn* tweevormig.
dinanderie *v* geelkoperwerk.
dînatoire *bn* wat een diner vervangt (*déjeuner
—*).
dinde *v* **1** wijfjeskalkoen; **2** domme, onnozele
vrouw. ▼**dindon** *m* **1** kalkoense haan;
2 domme man; *être le — de la farce*, het kind v.
d. rekening zijn. ▼—**neau** [*mv x*] *m* jonge
kalkoen. ▼—**ner** *ov.w* (*oud*) beetnemen,
bedriegen.
dîner I *m* avondmaal, (*gewest.*) middagmaal.
II *on.w*: *— en ville*, uit eten gaan; *— d'un
faisan*, bij het middagmaal fazant eten; *donner
à —*, een diner geven; *j'en ai dîné*, ik heb er de
maag van vol. ▼**dînette** *v* **1** kleine maaltijd;
2 poppenservies. ▼**dîneur** *m, -euse* **v 1** eter
(eetster), gast; **2** veeleter (-eetster).
dinghy (dinghie) *m* id., opblaasbare
reddingboot.
dingue *bn* (*pop.*) maf, gek (op).
▼**dinguer** *on.w* (*fam.*) vallen.
diocésain *bn* diocesaan. ▼**diocèse** *m*
(aarts)bisdom.
dioptrique *v* leer der straalbreking.
diphtérie *v* difteritis.
diphtongue *v* tweeklank. ▼—**atie** *v*
tweeklankvorming.
diplom/ate *m* diplomaat. ▼—**atique I** *bn* **1** diplomatiek;
corps —, de gezamenlijke diplomaten bij een
regering; **2** wat diploma's betreft; *texte —*,
nauwkeurige tekstuitgave. **II** *zn v*
oorkondenleer, handschriftenkennis.
diplôme *m* diploma, akte, bul. ▼**diplômé** *bn*
gediplomeerd.
dipode *bn* tweevoetig.
diptère *m* tweevleugelig insekt.
diptyque *m* tweeluik.
dire I *ov.w* onr. **1** zeggen, vertellen; *c'est à —*,
d.w.z.; *pour ainsi —*, om zo te zeggen; *aussitôt
dit, aussitôt fait*, zo gezegd, zo gedaan; *c'est
beaucoup —*, dat is sterk; *je sœur vous en dit*,
als u zin hebt; *comme qui dirait*, als het ware;
dites donc!, zeg eens!; *ou pour mieux —*, of
beter gezegd; *sans mot —*, zonder iets te
zeggen; *qui ne dit mot, consent*, (spr.w.) wie
zwijgt, stemt toe; *on dirait d'un fou*, het is net
of hij gek is; *les on-dit, les qu'en dira-t-on*, de
publieke mening, de praatjes der mensen; *il n'y
a pas à —*, ontegenzeglijk; *qu'est-ce à —?*, wat
betekent dat?; *que veut— cela?*, wat betekent
dat?; *cela va sans —*, dat spreekt vanzelf; *soit
dit entre nous*, tussen ons gezegd; *soit dit en
passant*, in het voorbijgaan gezegd; *c'est tout
dit*, dat is alles; *à vrai —*, om de waarheid te
zeggen; **2** opzeggen (*— sa leçon*); **3** afspreken;
c'est dit, dat is afgesproken; **4** bevelen; *vous
n'avez qu'à —*, u hoeft slechts te bevelen
volgens. **II** *on.w* declameren. **III** *se —* **1** bij zich zelf
zeggen; **2** zich uitgeven voor; **3** gezegd
worden; *cela ne se dit pas*, dat zegt men niet.
IV *zn m* het zeggen, wat men zegt; *au —de*,
volgens.
direct I *bn* rechtstreeks; *complément—*,
lijdend voorwerp; *ligne—*, rechte linie; *train
—*, doorgaande trein. **II** *zn m* rechte stoot (bij
boksen); *émission en—*, directe uitzending.
direct/eur I *zn m, -trice* **v** directeur (-trice)
de conscience, geestelijke leidsman,
biechtvader. **II** *bn* leidend. ▼—**ion** *v* **1** richting;
2 leiding; **3** stuurinrichting van auto. ▼—**ive**
v richtlijn, richtsnoer.
▼—**oire** *m* **1** Directoire

(bestuur in Frankrijk van 1795-1799); **2** raad van beheer. ▼**director/at** *m* **1** directeurschap; **2** duur v. h. directeurschap. ▼**—ial** [*mv* **aux**] *bn* **1** wat de directeur of directrice betreft; **2** wat het Directoire betreft.

dirig/eable I *bn* bestuurbaar (*ballon*—). II *zn* *m* luchtschip. ▼**—eant** I *bn* leidend, heersend. II *zn m* leider, bestuurder, machthebber. ▼**—er** *ov.w* leiden, besturen; richten. ▼**—isme** *m* geleide economie (*économie dirigée*).

discern/able *bn* te onderscheiden. ▼**—ement** *m* **1** onderscheid(ing). **2** onderscheidingsvermogen, doorzicht. ▼**—er** *ov.w* onderscheiden.

disciple *m* leerling, volgeling; *les —s d'Emmaüs*, de Emmausgangers.

disciplin/aire I *bn* wat de tucht betreft. II *zn m* soldaat v. e. tuchtklasse. ▼**—e** *v* **1** tucht; — *scolaire*, schooltucht; *compagnie de —*, strafcompagnie; **2** discipline, leervak, tak v. wetenschap. ▼**—é** *bn* onder tucht staande. ▼**—er** *ov.w* aan tucht wennen, - onderwerpen.

discobole *m* diskuswerper.

discontinu *bn* telkens onderbroken. ▼**—ation** *v* onderbreking; *sans —*, onophoudelijk, zonder onderbreking. ▼**—er** *ov.w* ophouden. ▼**—ité** *v* afbreking, onderbreking.

disconvenance *v* wanverhouding; — *d'âge*, ongelijkheid in leeftijd (van bijv. man en vrouw). ▼**disconvenir** *on.w onr.* **1** niet passen, niet aanstaan; *cela ne me disconvient pas*, dat staat me wel aan; **2** ontkennen.

discophile *m* discofiel, platenliefhebber.

discord *bn* ontstemd (*piano*—). ▼**—ance** *v* wanklank, gebrek aan harmonie, onenigheid. ▼**—ant** *bn* **1** onharmonisch, vals klinkend; **2** niet overeenstemmend, niet bij elkaar passend; *couleurs —es*, vloekende kleuren. ▼**—e** *v* tweedracht; *pomme de —*, twistappel. ▼**—er** *on.w* **1** ontstemd zijn (*muz.*); **2** het oneens zijn.

discothèque *v* **1** grammofoonplatenverzameling; **2** discotheek, dancing; **3** platenuitleen, discotheek.

discount *m* **1** prijsverlaging; **2** discount-winkel.

discour/eur *m*, -**euse** *v* veelprater (-praatster). ▼**—ir** *on.w onr.* **1** praten, uitweiden; **2** kletsen, babbelen.

discours *m* **1** redevoering; — *de réception*, eerste rede van een nieuw academielid; **2** gesprek, rede; taal, rede; *les parties du —*, de rededelen.

discourtois *bn* onbeleefd, onhoffelijk, onheus.

descrédit *m* **1** verlies van krediet; **2** verlies van vertrouwen, - van achting. ▼**discréditer** *ov.w* in diskrediet brengen.

discret, -**ète** *bn* **1** bescheiden; **2** voorzichtig, bedachtzaam, behoedzaam; **3** stilzwijgend. ▼**discrètement** *bw* **1** bescheiden; **2** voorzichtig, bedachtzaam, behoedzaam; **3** stilzwijgend. ▼**discrétion** *v* **1** bescheidenheid; *vin à —*, wijn zoveel als men belieft; *se rendre à —*, zich onvoorwaardelijk overgeven; *être à la — de qn.*, aan iem. overgeleverd zijn; **2** bedachtzaamheid, voorzichtigheid; *âge de —*, leeftijd des onderscheids; *avec —*, voorzichtig; **3** stilzwijgendheid.

discrimin/ant *bn* onderscheidend. ▼**—ation** *v* onderscheidingsvermogen. ▼**—atoire** *bn* discriminerend. ▼**—er** *ov.w* onderscheiden; discrimineren.

disculpation *v* rechtvaardiging. ▼**disculper** I *ov.w* rechtvaardigen, vrijpleiten. II *—se* zich vrijpleiten.

discursif, -**ive** *bn* gevolgtrekkend; *méthode —ive*, deductieve methode.

discussion *v* redetwist, bespreking, discussie; *cela est sujet à —*, dat is nog de vraag. ▼**discut/able** *bn* betwistbaar. ▼**—ailler** *on.w* (*fam.*) bekvechten. ▼**—er** I *ov.w* **1** bespreken; **2** nauwkeurig onderzoeken, overwegen. II *on.w* redetwisten. ▼**—eur**, -**euse** *bn* van

redetwisten houdend, graag in de contramine zijnde (*caractère —*).

disert *bn* welbespraakt.

disette *v* schaarste, gebrek (— *de vivres*); — *de pensées*, gedachtenarmoede.

diseur *m*, -**euse** *v* **1** hij, zij, die zegt; — *de bonne aventure*, waarzegger (-ster); — *de bons mots*, moppentapper; **2** declamator, -trice; **3** grootspreker (-spreekster).

disgrâce *v* **1** ongenade; *tomber dans la — de*, in ongenade vallen bij; **2** (*oud*) ongeluk. ▼**disgrac/ié** *bn* **1** in ongenade, uit de gunst; **2** misdeeld. ▼**—ier** *ov.w* in ongenade doen vallen. ▼**—ieux**, -**ieuse** *bn* **1** onbevallig; **2** onaangenaam.

disjoindre *ov.w onr.* scheiden. ▼**disjoint** *bn* gescheiden; *degré —*, interval van niet op elkaar volgende noten (bijv. c-e). ▼**disjoncteur** *m* stroomonderbreker. ▼**disjonction** *v* scheiding.

dislocation *v* **1** ontwrichting, het uiteenvallen (*la — d'un empire*); **2** verstuiking, ontwrichting; **3** ontbinding v. e. leger, v. e. optocht; **4** (*aard*)verschuiving. ▼**disloquer** I *ov.w* **1** ontwrichten, verbrokkelen (— *un empire*); **2** verstuiken, ontwrichten; **3** ontbinden v. e. leger, v. e. optocht; **4** uit elkaar nemen (— *une machine*). II *se* — **1** ontwricht worden; **2** los gaan; **3** uiteenvallen, verbrokkelen.

disparaître *on.w onr.* **1** verdwijnen; **2** sterven.

disparate I *bn* onverenigbaar, niet bij elkaar passend; *couleurs —s*, schreeuwende kleuren. II *zn v* (*oud*) tegenstelling, wanverhouding. ▼**disparité** *v* tegenstelling, wanverhouding; — *de salaire*, loonongelijkheid.

disparition *v* verdwijning. ▼**disparu** I *bn* verdwenen, vermist; overleden. II *v.dw* van disparaître.

dispendieux, -**euse** *bn* kostbaar, duur.

dispensaire *m* polikliniek, armenapotheek.

dispensateur *m*, -**trice** *v* uitdeler (-deelster).

dispense *v* vrijstelling, ontheffing, dispensatie. ▼**dispenser** I *ov.w* **1** vrijstellen, ontheffen, ontslaan; **2** uitdelen, uitreiken. II *se* — **de** de vrijheid nemen, iets niet te doen; zich ergens van ontslagen achten.

disperser I *ov.w* verspreiden, verstrooien. II *se* — zich verspreiden, uiteengaan. ▼**dispersif**, -**ive** *bn* verstrooiend, verspreidend. ▼**dispersion** *v* **1** verstrooiing, verspreiding; **2** kleurschifting.

disponibilité I *v* beschikbaarheid; *mettre un officier en —*, een officier op non-activiteit stellen. II *—s* beschikbare dingen, - gelden. ▼**disponible** *bn* **1** beschikbaar; **2** op non-actief.

dispos *bn* fris, opgewekt.

disposant *m*, -**e** *v* iem. die een donatie schenkt.

disposer I *ov.w* **1** rangschikken, plaatsen; **2** voorbereiden (— *qn. à la mort*); **3** in orde maken, gereed maken. II *on.w* **1** beschikken over (— *de*); **2** beslissen. III *se* — zich gereed maken om te.

dispositif *m* **1** inrichting, samenstelling; **2** mil. opstelling; **3** apparaat; toestel; — *cœur-poumon artificiel*, hart-longmachine; **4** mechanisme.

disposition *v* **1** plaatsing, rangschikking, inrichting; **2** beschikking; *avoir à sa —*, te zijner beschikking hebben; **3** aanleg; **4** gesteldheid, stemming, vatbaarheid voor ziekten; **5** toebereidselen, maatregelen.

disproportion *v* wanverhouding, onevenredigheid. ▼**—né** *bn* onevenredig, ongelijk.

dispute *v* twist, woordenwisseling, twistgesprek; *il est hors de — que*, het is buiten kijf, dat. ▼**disputer** I *on.w* **1** betwisten, twisten; **2** — *de*, wedijveren in. II *ov.w* **1** betwisten; — *le terrain à qn.*, de vijand het terrein betwisten; **2** (*fam.*) een standje geven. III *se* — **1** elkaar betwisten, wedijveren; **2** twisten; **3** betwist worden.

disquaire *m* platenhandelaar.

disqualifi/cation *v* uitsluiting v. e. wedstrijd.

▼—er *ov.w* van wedstrijden uitsluiten.
disque *m* 1 discus; 2 schijf (van zon of maan); *frein à* —, schijfrem; 3 grammofoonplaat; 4 signaalschijf.
dissecteur *m* ontleder. ▼**dissection** *v* ontleding, lijkopening.
dissemblable *bn* ongelijk, verschillend.
▼**dissemblance** *v* ongelijkheid, verschil.
dissémination *v* verspreiding (vooral van rijpe zaden); — *nucléaire*, verspreiding van kernwapens. ▼**disséminer** *ov.w* verspreiden, verstrooien.
dissension *v* verdeeldheid, onenigheid, twist.
dissentiment *m* onenigheid, verschil van mening.
disséquer *ov.w* 1 ontleden, opensnijden v.e. lijk; 2 uitpluizen.
dissert/ation *v* verhandeling. ▼—er *on.w* een verhandeling schrijven, uitweiden.
dissidence *v* afscheiding, scheuring (in een partij). ▼**dissident** I *bn* afwijkend, andersdenkend. II *zn m* afgescheidene; dissident.
dissimilation *v* dissimilatie.
dissimilitude *v* ongelijkheid.
dissimul/ateur *m, -atrice* *v* veinzer (-ster); huichelaar(ster). ▼—**ation** *v* veinzerij, huichelarij. ▼—è *bn* geveinsd, huichelachtig. ▼—er *ov.w* 1 verbergen; 2 ontveinzen.
dissip/ateur *m, -atrice* *v* verkwister (-ster), doordraaier (-ster). ▼—**ation** *v* 1 verkwisting; 2 losbandigheid; 3 verstrooiing; 4 verstrooidheid; 5 verdamping (— *d'un nuage*). ▼—è *bn* I losbandig; 2 verstrooid, speels. ▼—er I *ov.w* 1 doen verdwijnen, uiteenjagen (*le soleil dissipe les nuages*); 2 verbrassen, verkwisten (— *son bien*). II se —: *le brouillard se dissipe*, de mist trekt op.
dissoci/able *bn* scheidbaar (chem.). ▼—**ation** *v* scheiding van samenstellende elementen (chem.). ▼—er *ov.w* scheiden in ionen (chem.).
dissolu *bn* losbandig, zedeloos. ▼—**bilité** *v* oplosbaarheid. ▼—**tion** *v* 1 oplossing; 2 ontbinding, verbreking (— *d'un mariage*); 3 losbandigheid, zedeloosheid. ▼**dissolvant** I *bn* 1 oplossend; 2 zedenbedervend (*livre* —). II *zn m* oplossend middel.
disson/ance *v* wanklank, vals akkoord. ▼—**ant** *bn* vals klinkend, onstemd. ▼—**er** *on.w* vals klinken, een wanklank vormen.
dissoudre *ov.w onr.* 1 oplossen; 2 ontbinden (— *un mariage*); 3 opheffen (— *un parti*). ▼**dissous, -oute** *bn* 1 opgelost; 2 ontbonden.
dissua/der *ov.w* (van een plan) afbrengen, ontraden; afschrikken. ▼—**sif** *bn* afschrikkend. ▼—**sion** *v* (het) v.e. plan afbrengen, ontraden, afschrikking.
dissyllabe I *bn* tweelettergrepig. II *zn m* tweelettergrepig woord. ▼**dissyllabique** *bn* tweelettergrepig.
dissymétrie *v* asymmetrie.
distanc/e *v* 1 afstand; *tenir à* —, op een afstand houden; *garder ses* —*s*, afstand houden (verkeer); 2 tussentijd, verschil. ▼—**er** *ov.w* 1 voorbijkomen, achter zich laten; 2 overtreffen; 3 diskwalificeren. ▼—**iation** *v*: *effet de* —, vervreemdingseffect. ▼—**ier (se)** zich distanciëren, afstand nemen. ▼**distant** *bn* 1 verwijderd; 2 koel, gereserveerd, afstandelijk.
distendre *ov.w* uitrekken. ▼**distension** *v* uitrekking, spanning.
distill/ateur *m* likeur-, cognacstoker. ▼—**ation** *v* 1 overhaling, distillatie; 2 distillaat. ▼—**atoire** *bn*: *appareil* —, distilleertoestel. ▼—**er** I *ov.w* 1 overhalen, distilleren; 2 uitstorten, verspreiden. II *on.w* afdruppelen. ▼—**erie** *v* 1 distilleerderij; 2 beroep van distillateur.
distinct *bn* 1 duidelijk, helder; 2 verschillend. ▼—**if, -ive** *bn* onderscheidend, kenmerkend; *signe* —, onderscheidingsteken; *trait* —, kenmerk. ▼—**ion** *v* 1 onderscheid; *sans* — *de personne*, zonder aanzien des persoons; 2 eer (bewijs), consideratie; 3 verdienste; *un officier de* —, een verdienstelijk officier;

4 beschaafdheid, gedistingeerdheid.
distingué *bn* 1 voortreffelijk, verdienstelijk; 2 beschaafd, voornaam. ▼**distinguer** *ov.w* 1 onderscheiden; 2 karakteriseren, het kenmerk zijn van; 3 opmerken.
distordre *ov.w* verdraaien. ▼**distorsion** *v* verdraaiing, verwringing.
distraction *v* 1 verstrooidheid; 2 ontspanning, afleiding; 3 scheiding, splitsing; 4 verduistering. ▼**distraire** I *ov.w onr.* 1 verstrooien, ontspanning-, afleiding bezorgen; 2 scheiden, splitsen; 3 verduisteren. II se —1 gescheiden worden; 2 zich ontspannen, afleiding vinden; 3 opgeven (*se* — *d'un projet*). ▼**distrait** *bn* verstrooid. ▼**distrayant** *bn* verstrooiend, afleiding bezorgend.
distribu/able *bn* ver-, uitdeelbaar. ▼—**er** *ov.w* 1 verdelen, uitdelen; — *des lettres*, brieven bezorgen; — *des prix*, prijzen uitreiken; 2 ver-, indelen, inrichten. ▼—**teur, -trice** *v* 1 uitdeler, uitreiker, verspreider, stroomverdeler; 2 — *de vapeur*, stoomregulator; 3 — *automatique*, automaat. ▼—**tif, -ive** *bn* verdelend, uitdelend. ▼—**tion** *v* 1 verdeling, uitdeling, uitreiking; — *de prix*, prijsuitreiking; 2 bestelling, bezorging van brieven; 3 indeling, inrichting, schakeling.
district *m* district.
dit I *bn* 1 afgesproken (*c'est une chose* —*e*); 2 bijgenaamd (*Charles* — *le Téméraire*). II *zn m* 1 spreuk; 2 gezegde; 3 middeleeuwse vertelling.
dithyrambe *m* 1 Bacchuszang; 2 geestdriftig lyrisch gedicht; 3 overdreven lof.
diurétique *m* middel ter bevordering v. d. urine-afscheiding.
diurnal *m [mv aux] bn* dagelijks. II *[mv aux] zn m* dagelijks gebedenboek. ▼**diurne** *bn* dagelijks, wat in een dag geschiedt; *fleur* —, dagbloem; *papillon* —, dagvlinder.
diva *v* beroemde zangeres, diva.
divagation *v* 1 (*oud*) afdwaling; 2 geraaskal, onzinnige taal; 3 het buiten de oevers treden. ▼**divaguer** *on.w* 1 (*oud*) af-, ronddwalen, rondzwermen; 2 buiten de oevers treden; 3 raaskallen, onzin praten.
divan *m* divan; *divan-lit*, divanbed.
diverg/ence *v* 1 (het) uiteenlopen van lijnen, van stralen; 2 verschil (— *d'opinions*). ▼—**ent** *bn* 1 uiteenlopend; 2 verschillend. ▼—**er** *on.w* 1 uiteenlopen van lijnen of stralen; 2 verschillen, afwijken.
divers *bn* verschillend(e), verscheiden; *faits* —, gemengd nieuws. ▼—**ement** *bw* verschillend, anders. ▼—**ifier** *ov.w* afwisselen, afwisseling brengen in. ▼—**ion** *v* 1 afleiding; 2 afleidende beweging (*mil.*). ▼—**ité** *v* 1 afwisseling, verscheidenheid; 2 verschil.
divertir I *ov.w* 1 afleiden, vermaken. II se — zich vermaken; *se* — *de*, zich vrolijk maken over. ▼—**issant** *bn* vermakelijk. ▼—**issement** *m* 1 vermaak; 2 zang- of dansnummer tijdens pauze.
divette *v* (*oud*) operette- of café-chantantzangeres.
dividende *m* 1 deeltal; 2 dividend; 3 aandeel in een faillissement.
divin I *bn* 1 goddelijk; 2 verrukkelijk, hemels enz.; *bonté* — *el*, grote goedheid! II *zn m* het goddelijke.
divinat/eur, -trice *bn* waarzeggend. ▼—**ion** *v* wichelarij, waarzeggerij. ▼—**oire** *bn* betrekking hebbend op waarzeggerij, wichelarij; *baguette* —, wichelroede.
divini/sation *v* vergoddelijking. ▼—**ser** *ov.w* 1 vergoddelijken, vergoden; 2 verheerlijken. ▼—**té** *v* 1 godheid; 2 goddelijke natuur; 3 heidense god (in); 4 beminde, aangebedene.
divis *bn* verdeeld; *par*—, deelsgewijs. ▼—**er** *ov.w* 1 verdelen; 2 delen; 3 onenigheid, tweedracht zaaien. ▼—**eur** *m* deler; *commun* —, gemene deler; *le plus grand commun* —, de grootste gemene deler. ▼—**ibilité** *v* deelbaarheid. ▼—**ible** *bn* deelbaar. ▼—**ion** *v* 1 deling; 2 verdeling; 3 deel; 4 divisie;

5 verdeeldheid; **6** afdeling. ▼—**ionnaire** I *bn* tot een divisie behorend. II *zn m* divisiegeneraal.

divorce *m* **1** echtscheiding; **2** scheiding. ▼**divorcer** *on.w* **1** (echt)scheiden (— *d'avec sa femme*) **2** breken met.

divulg/ateur, -atrice I *bn* verspreidend (van nieuws, v.e. geheim). II *zn m*, **-atrice** *v* verspreider (-ster) van nieuws, v.e. geheim. ▼—**ation** *v* verspreiding (— *d'un secret*). ▼—**uer** *ov.w* verspreiden (— *un secret*); bekend maken.

dix I *telw*. **1** tien; *je vous l'ai dit déjà — fois*, ik heb het je al vaak gezegd; **2** tiende (*Charles dix, le dix novembre, chapitre dix*). II *zn m*: *un dix*, een tien i.h. kaartspel. ▼—**huit** *telw*. **1** achttien; **2** achttiende. ▼—**huitième** I *telw*. **1** achttiende. II *zn m* achttiende deel. ▼—**ième** I *telw*. tiende. II *zn m* tiende deel. ▼—**neuf** *telw*. **1** negentien; **2** negentiende. ▼—**neuvième** I *telw*. negentiende. II *zn m* negentiende deel. ▼—**sept** *telw*. **1** zeventien; **2** zeventiende. ▼—**septième** I *telw*. zeventiende. II *zn m* zeventiende deel.

dizain *m* tienregelig couplet. ▼**dizaine** *v* **1** tiental; **2** tientje v.d. rozenkrans.

djinn *m* geest (in Arabië).

do *m* do of c (*muz.*).

docile *bn* **1** gedwee, volgzaam, gehoorzaam, mak; **2** leerzaam. ▼**docilité** *v* **1** gedweeheid, volgzaamheid, gehoorzaamheid, makheid; **2** leerzaamheid.

dock *m* **1** ontlaadplaats voor schepen; **2** pakhuis; **3** dok; —*flottant*, drijvend dok. ▼**docker** *m* dokwerker.

docte *bn* (*oud*) geleerd.

docteur *m* **1** doctor; — *en droit, ès lettres, ès sciences*, doctor in de rechten, in de letteren, in de wis- en natuurkunde; *être reçu —*, promoveren; — *de la loi*, — *en Israël*, schriftgeleerde; — *de l'Eglise*, kerkleraar; **2** dokter (*med.*). ▼**doctor/al** [*mv aux*] *bn* **1** doctoraal; **2** schoolmeesterachtig. ▼—**at** *m* doctorstitel, doctoraat; *passer son —*, promoveren.

doctrin/aire *bn/zn* doctrinair, leerstellig (iemand). ▼—**al** [*mv aux*] *bn* leerstellig. ▼**doctrine** *v* leer, geloofsleer, leerstelsel.

document *m* document, bewijsstuk, oorkonde. ▼—**aire** I *bn* de aard v.e. bewijsstuk hebbend. II *zn m* documentaire film. ▼—**aliste** *m/v* archiefbeheerder. ▼—**ariste** *m/v* maker/maakster v. documentaire films. ▼—**ation** *v* documentatie, het staven met . documenten. ▼—**er** *ov.w* documenteren; met documenten staven.

dodécaphon/ie *v* twaalftonig stelsel. ▼—**isme** *m* twaalftonig stelsel.

dodeliner, dodiner I *ov.w* (*oud*) heen en weer wiegelen (*un enfant*). II *on.w* knikkebollen.

dodo *m* bed (kindertaal); *aller au —*, naar bed gaan; *faire —*, slapen.

dodu *bn* mollig.

dog-cart *m* dog-car.

doge *m* doge (van Venetië).

dogmat/ique I *bn* **1** leerstellig; **2** stellig (*ton —*). II *zn m* dogmaticus. III *v* geloofsleer. ▼—**iser** *on.w* **1** leerstellingen onderwijzen; **2** op besliste toon spreken. ▼—**isme** *m* **1** leerstelligheid; **2** verzekering op besliste toon. ▼**dogme** *m* dogma, geloofspunt.

dogue *m* **1** dog; *être d'une humeur de —*, slecht gehumeurd zijn; **2** bullebak.

doigt *m* vinger, vingerdikte; (*doigt*) *annulaire*, ringvinger; — *auriculaire, petit —*, pink; *savoir sur le bout du —*, op zijn duimpje kennen; *être à deux — s de sa perte*, op de rand v.d. afgrond zijn; *donner sur les — s à qn.*, iem. op de vingers tikken; *avoir de l'esprit jusqu'au bout du —*, veel verstand hebben, zeer geestig zijn; — *de gant*, vinger v.e. handschoen; *gros —*, grote teen; *j'en mettrais les — s au feu*, ik zou er mijn hand voor in het vuur willen steken; *mettre le — dessus*, de spijker op de kop slaan; — *du milieu*, middelvinger; *montrer qn. du —, au —*, iem. met de vinger nawijzen, openlijk

bespotten; *s'en mordre les —s*, er berouw over hebben; *se mettre le — dans l'œil*, zich schromelijk vergissen; *ne faire œuvre de ses dix —s*, niets uitvoeren; *les — s du pied*, de tenen; *un — de vin*, een slokje wijn. ▼**doigté** *m* **1** aanslag (*muz.*); **2** vingerzetting (*muz.*); **3** handigheid. ▼**doigter** *on.w* de vingers op een instrument zetten.

doit *m* debet; — *et avoir*, debet en credit.

dol *m* (*jur.*) bedrog, misleiding.

dolce *bw* zacht (*muz.*). ▼**dolcissimo** *bw* zeer zacht (*muz.*).

doléances *v mv* klachten; *présenter ses — à qn.*, zijn beklag bij iem. doen. ▼**dolent** *bn* klagend.

dolichocéphale I *bn* langschedelig. II *zn m* langschedelige.

dolmen *m* Bretons hunnebed.

dolomitique *bn*: *Alpes —s*, Dolomieten.

dom *m* titel van o.a. benedictijnen en kartuizers.

domaine *m* **1** gebied; *tomber dans le — public*, vrij van auteursrechten worden, gemeengoed worden; **2** domein; — *de l'Etat*, staatsdomein; **3** landgoed; **4** eigendomsrecht. ▼**domanial** [*mv aux*] *bn* tot een domein behorend.

dôme *m* **1** koepel (dak); — *des cieux*, hemelgewelf; — *de verdure*, bladerdak; **2** dom; **3** ronde top van vulkanisch gebergte.

domestication *v* (het) tam maken. ▼**domesticité** *v* **1** dienstbaarheid; **2** huispersoneel; **3** tamheid, het huisdier zijn. ▼**domestique** I *bn* **1** huiselijk; **2** binnenlands (*guerres —s*); **3** tam; *animaux —s*, huisdieren. II *zn m* of *v* **1** knecht, dienstbode; **2** huis-, dienstpersoneel. ▼**domestiquer** *ov.w* tot huisdier maken; knechten.

domicil/e *m* woonplaats, woning, domicilie; *à —*, aan huis; *établir son —*, zich vestigen; *sans —*, zonder vaste woonplaats. ▼—**iaire** *bn* wat de woning betreft; *visite —*, huiszoeking. ▼—**ié** *bn* woonachtig. ▼—**ier (se)** zich vestigen.

domin/ant *bn* overheersend, voornaamste. ▼—**ante** *v* **1** hoofdtrek; **2** grote quint. ▼—**ateur, -atrice** I *bn* heerszuchtig. II *zn m, -atrice* *v* heerser (es). ▼—**ation** I *v* overheersing, heerschappij. II —**s** *mv* de Machten (eerste orde der engelenhiërarchie) ▼—**er** I *on.w*: — *sur*, heersen over; overheersen. II *ov.w* beheersen, uitsteken boven (*cette montagne domine la ville*).

dominicain *m*, **-e** *v* dominica(a)n (es).

dominical [*mv aux*] *bn* **1** wat de Heer betreft; *l'Oraison —e*, het Onze Vader; **2** wat de zondag betreft; *lettre —e*, zondagsletter.

domino *m* **1** maskeradekostuum; **2** gemaskerde op een bal masqué; **3** dominospel, -steen; *jouer aux —s*, dominoën.

dommage *m* schade; *c'est — que* (met *subj.*), het is jammer, dat; *dommages et intérêts, dommages-intérêts*, schadevergoeding; — *corporel*, lichamelijk letsel. ▼**dommageable** *bn* nadelig, schadelijk.

dompt/able *bn* te temmen, tembaar. ▼—**age** *m*, —**ement** *m* (het) temmen. ▼—**er** *ov.w* **1** temmen; **2** onderwerpen (*des villes*), bedwingen, beteugelen (*sa colère*). ▼—**eur** *m*, **-euse** *v* temmer (-ster).

don *m* **1** gift, schenking; — *gratuit*, vrijwillige gift; **2** gave, aanleg; *les —s de Bacchus*, de wijn; *les —s de Cérès*, het koren; *les —s de Flore*, de bloemen; *les —s de la Fortune*, de rijkdom; *avoir le — des langues*, een talenknobbel hebben; *avoir le — des larmes*, kunnen schreien, wanneer men wil; *les —s de la nature*, de natuurlijke begaafdheden; **3** heer, don. ▼**donat/aire** *m* of *v* begiftigde. ▼—**eur** *m, -rice* *v* schenker (-ster), gever (geefster). ▼—**ion** *v* schenking, gift.

donc I *voegw* dus II *bw* dan, toch; *allons —!*, kom!; *comment —!*, hoe heb ik het nu!

dondon *v*: *une grosse —*, (*fam.*) een dik 'mens'.

donjon *m* slottoren.

donn/ant *bn* (*oud*) mild, vrijgevig, goedgeefs; *donnant, donnant*, gelijk oversteken. ▼—**e** *v* (het) geven van kaarten; *fausse —, maldonne*, het verkeerd geven. **▼—ée** *v* gegeven.

donner I *ov.w* geven, schenken enz.; — *l'assaut*, bestormen; — *bataille*, slag leveren; — *le bonjour*, groeten; — *la chasse*, achtervolgen, jacht maken op; — *un combat*, een gevecht leveren; — *un coup d'épaule*, een handje helpen; — *sa démission*, ontslag vragen; *je vous le donne en dix, en vingt*, ik zeg het u; *à entendre*, te verstaan geven; — *le jour*, — *la vie*, het leven schenken; — *sa main*, zijn hand schenken; — *une maladie*, een ziekte overbrengen; — *la mort*, doden; — *un œuf pour avoir un bœuf*, een spierinkje uitwerpen om een kabeljauw te vangen; — *une pièce*, een stuk op laten voeren; — *la question*, op de pijnbank leggen; *cela donne à réfléchir*, dat geeft te denken; — *un roman*, een roman uitgeven, schrijven; — *un résultat*, resultaat opleveren; — *vue sur*, uitzien op. **II** *on.w*: — *au but*, het doel raken; — *contre*, stoten op, tegen; — *dans un piège* in een hinderlaag vallen, in de val lopen; *le vent donne dans les voiles*, de wind blaast in de zeilen; *l'alcool donne dans la tête*, alcohol stijgt naar het hoofd; *le soleil me donne dans les yeux*, de zon schijnt me in de ogen; *ne savoir où — de la tête*, geen raad weten; — *sur*, uitzien op. — *sur l'ennemi*, de vijand aanvallen; — *sur les nerfs*, zenuwachtig maken. **III se —** zich inzetten; *se — des airs*, groot, gewichtig doen; *se — l'air de*, doen, alsof; *se — un chapeau neuf*, zich een nieuwe hoed aanschaffen; *se — pour*, zich uitgeven voor; *se — du bon temps*, een vrolijk leventje leiden. **▼donneur** *m*, **-euse** *v* gever (geefster), iem. die graag geeft; — *de sang*, donor; (*pop*.) aangever, verklikker.

dont *vnw* wiens, waarvan, van wie, wier; *la manière —*, de wijze, waarop; *ce —*, datgene waarvan. - waarover.

donzelle *v* wicht, grietje.

dopage *m zie* doping. **▼doper** *ov.w* een opwekkend middel geven, stimuleren. **▼doping** *m* (het) geven v. e. opwekkend middel (sport), doping.

dorade, daurade *v* goudvis, - brasem.

doré *bn* verguld, goudgeel; door de zon gebruind; *la jeunesse —e*, de rijke jongelui; *langue —*, fluwelen tong; — *sur tranche*, verguld op snee.

dorénavant *bw* voortaan.

dorer *ov.w* **1** vergulden; — *la pilule*, de pil vergulden; — *sur tranche*, op snee vergulden; **2** met eigeel bestrijken; **3** (goud) bruin kleuren (door de zon). **▼doreur, -euse I** *bn* vergulden (*ouvrier —*). **II** *zn m*, -euse *v* vergulder (-ster).

dorien, ienne I *bn* Dorisch. **II** *zn D— m*, -enne *v* Doriër, Dorische. **▼dorique** *bn* (*arch*.) Dorisch.

dorloter *ov.w* vertroetelen.

dorm/ant *bn* **1** slapend; *eau —e*, stilstaand water; **2** vast, onbeweeglijk; *chassis —*, raam, dat niet geopend kan worden; *pont —*, vaste brug. **▼—eur I** *m*, -euse *v* slaper (slaapster), langslaper (- slaapster). **II**-euse *v* **1** oorknop; **2** slaapstoel. **▼—ir** *zn.w onr.* slapen; *laisser — une affaire*, een zaak laten rusten; — *debout*, omvallen v. d. slaap; *un conte à — debout*, een onzinnig verhaal; *qui dort dîne*, wie slaapt, heeft geen honger (*spr.w*); *il n'est pire eau que l'eau qui dort* (*spr.w*), stille waters hebben diepe gronden; *laisser — des fonds*, fondsen renteloos laten liggen; — *comme une marmotte*, — *comme une souche*, slapen als een os; — *la grasse matinée*, een gat in de dag slapen; *ne — que d'un œil*, licht slapen, wantrouwen koesteren; — *sur les deux oreilles*, vast slapen, zich veilig, zeker wanen; — *à poings fermés*, vast slapen; — *d'un profond sommeil*, vast slapen; — *pour toujours*, dood zijn. **▼—itif, -ive I** *bn* (*oud*) slaapverwekkend. **II** *zn m* slaapmiddel. **▼—ition** *v* dood der H. Maagd.

dorsal [*mv aux*] *bn* wat de rug betreft; *épine —e*, ruggegraat; *vertèbre —e*, ruggewervel.

dortoir *m* slaapzaal.

dorure *v* **1** verguldsel; **2** (het) vergulden.

doryphore *m*, **doryphora** *m* coloradokever.

dos *m* rug, keerzijde; *en — d'âne*, naar beide zijden aflopend; *avoir bon —*, een brede rug hebben; *courber le —*, buigen, bukken, toegeven; *être sur le —*, in bed liggen; *mettre tout sur son —*, al zijn geld aan kleren besteden; *mettre qc. sur le — de qn.*, iets een ander op zijn dak schuiven; *se mettre qn. à —*, iem. tegen zich innemen; *monter sur le — de qn.*, iem. lastig vallen; *le — d'un papier*, de keerzijde v. e. papier; *j'en ai plein le —*, ik heb er de buik van vol; *tourner le —*, de rug toekeren, de hielen lichten.

dos/age *m* dosering. **▼—e** *v* dosis. **▼—er** *ov.w* doseren, afpassen. **▼—eur** *m* doseringsapparaat.

dossard *m* rugnummer. **▼dossier** *m* **1** leuning v. e. stoel; **2** achterwand v. e. rijtuig; **3** dossier. **▼dossière** *v* draagriem v. e. paard.

dot [*spr.*: dot] *v* bruidsschat (ook van kloosterzuster). **▼dotal** [*mv aux*] *bn* wat de bruidsschat betreft.

dotation *v* **1** schenking; **2** jaargeld; **3** gezamenlijke inkomsten v. e. ziekenhuis. **▼doter** *ov.w* **1** een bruidsschat schenken; **2** begiftigen; **3** inkomsten schenken aan een ziekenhuis, kerk enz.

douaire *m* weduwgift. **▼douairière** *v* **1** weduwe in het bezit v. e. weduwgift; **2** deftige weduwe.

douan/e *v* **1** douanebeambten; **2** douanekantoor; **3** in- en uitvoerrechten. **▼—ier I** *zn m* douanebeambte. **II** *bn* **-ère** wat de douane betreft; *union —ère*, tolunie.

douar *m* Arabisch tentenkamp.

doublage *m* **1** (het) voeren v. e. stof; **2** metalen buitenhuid v. e. schip; **3** nasynchronisatie. **▼doubl/e I** *bn* **1** dubbel; *bière —*, zwaar bier; *comptabilité en partie —*, dubbel boekhouden; — *emploi*, onnodige herhaling; — *fripon*, aartsschurk; *être à — sens*, een dubbele betekenis hebben; *fermer une porte à — tour*, een deur op het nachtslot doen; **2** dubbelhartig (*âme —*). **II** *zn m* **1** (het) dubbele, tweevoud; **2** doorslag, kopie, duplicaat; **3** oude Fr. munt; **4** dubbelganger; **5** (*sp.*) dubbelspel. **III** *bw*: *y voir —*, dubbel zien. **▼—é m 1** verguld of verzilverd metaal; **2** stoot v. d. losse band (biljart). **▼—ement** *zn m* verdubbeling. **II** *bw* dubbel. **▼—er I** *ov.w* **1** verdubbelen; — *la classe*, blijven zitten; — *le pas*, de pas versnellen; **2** dubbelvouwen, -leggen; **3** voorbijrijden, -varen; omvaren; — *à droite*, rechts inhalen; — *un cap*, om een kaap varen; — *un vaisseau*, een schip voorbij varen; **4** voeren (v. kleding); **5** een buitenhuid geven aan een schip; **6** vervangen (v. e. toneel- of filmspeler); **7** nasynchroniseren. **II** *on.w* verdubbelen. **▼—et m 1** valse steen; **2** gelijke worp; **3** dubbele lens; **4** twee verschillende woorden, die van hetzelfde woord zijn afgeleid. **▼—on m 1** Spaanse gouden munt; **2** drukfout (door herhaling). **▼—ure v 1** voering; **2** id.; vervangend toneelspeler.

douceâtre *bn* **1** met een weeë zoete smaak; **2** (*fig*.) zoetelijk. **▼doucement I** *bw* **1** zacht, zachtjes; **2** kalm, langzaam (*marcher —*); **3** tamelijk, niet al te best. **II** *tw* kalmpjes aan! **▼doucereux, -euse** *bn* **1** weeïg zoet; **2** (*fig*.) zoetelijk, zoetsappig. **▼doucet, -ette I** *bn* (*oud*) lief, zoet. **II** *zn* -ette *v* veldsla. **▼douceur I** *v* **1** zoetheid; **2** zachtheid, zachtzinnigheid, zachtmoedigheid; *en —*, zachtjes; *se poser en —*, een zachte landing maken; **3** liefelijkheid, bevalligheid, genot. **II —s** *mv* **1** suikergoed; **2** fooien, verval; **3** vleiende, lieve woordjes.

douch/e *v* **1**, stortbad; **2** teleurstelling. **▼—er** *ov.w* **1** een douche geven; **2** bekoelen (bijv. van geestdrift); **3** (*fam*.) iem een standje geven. **▼—eur** *m*, -euse *v* hij, zij, die een douche neemt.

doucir *ov.w* slijpen, polijsten. **▼doucissage** *m* (het) slijpen, polijsten van metaal of

spiegelglas.
doué bn begaafd, begiftigd met (— de).
▼**douer** ov.w (de) begiftigen (met).
douille v 1 patroonhuls; 2 fitting.
douillet, -ette l bn 1 zacht, mollig (lit—);
2 kleinzerig, kouwelijk, week, verwend. ll zn
-ette v gewatteerd kindermanteltje.
douleur v 1 pijn; 2 smart; pour un plaisir, mille
—s (spr.w). het leven biedt meer leed dan lief.
▼**douloureuse** v (fam.) rekening, gelag.
▼**—eusement** bw 1 pijnlijk; 2 smartelijk,
droevig. ▼**—eux, -euse** bn 1 pijnlijk;
2 droevig, smartelijk.
doute m twijfel, onzekerheid; mettre, révoquer
qc. en —, iets in twijfel trekken; sans —,
ongetwijfeld, zeker; sans aucun —, stellig,
zeker; avoir des —s sur, vermoedens hebben.
▼**douter (de)** l on.w twijfelen (aan); ne — de
rien, voor niets terugdeinzen. ll se — (de)
vermoeden; je m'en doutais, ik vermoedde het
wel, ik dacht het wel. ▼**douteur** m, -euse v
twijfelaar(ster). ▼**douteux, -euse** bn
twijfelachtig, onzeker; jour —, zwak licht,
schemerlicht.
douve v 1 duig; 2 sloot, gracht.
Douvres Dover (stad in Engeland).
doux, douce l bn 1 zoet; 2 zacht, zachtzinnig,
zachtmoedig; — comme un agneau, zo mak als
een lam; billet —, minnebriefje; prix —; matige
prijs; vent —, matige wind; 3 liefelijk, bevallig,
aangenaam, heerlijk; faire les yeux — à qn.,
iem. verliefd aankijken. ll bw filer —, zoete
broodjes bakken; en douce, onopgemerkt,
stilletjes. lll tw: tout —!, kalm aan!, zacht wat!
lV zn m het zoete enz.
douz/ain m 1 oude zilveren Fr. munt (stuiver);
2 twaalfregelig gedicht. ▼**—aine** v dozijn;
twaalftal (ongeveer twaalf); à la —, bij het
dozijn. ▼**—e** tw. 1 twaalf; 2 twaalfde (Louis
—; le — janvier). ▼**—ième** l tw. twaalfde.
ll zn m twaalfde deel. ▼**—ièmement** bw ten
twaalfde.
doxologie v gebed ter ere van God.
doyen m, -enne v 1 oudste in jaren of
dienstijd; 2 deken; 3 voorzitter v.e. faculteit.
▼**—né** m 1 waardigheid v.d. deken; 2 woning
v.d. deken.
draconien, -enne bn draconisch, overdreven
streng.
dragage m 1 uitbaggering.
dragée v 1 suikeramandel (muisje gebruikt bij
doopfeesten); tenir la — haute à qn., iem. lang
laten wachten, alvorens men iets geeft; 2 fijne
jachthagel, (pop.) blauwe boon; 3 gemengd
zaad.
drageoir m bonbondoos.
drageon m wortelloot.
dragon m 1 draak; 2 dragonder; 3 streng,
onhandelbaar persoon; — de vertu,
overdreven deugdzame, preutse vrouw;
4 feeks.
dragonne v sabelkwast.
drague v 1 baggermachine, -molen;
2 sleepnet. ▼**draguer** ov.w 1 uitbaggeren;
2 schelpen, schelpdieren vissen met een
sleepnet; 3 mijnen opruimen; 4 versieren (v.
meisjes). ▼**dragueur** l zn m 1 baggerman; 2 —
de mines, mijnenveger; 3 versierder (v.
meisjes). ll bn baggerend; bateau —,
baggerschuit, baggermolen. ▼**dragueuse** v
zie drague.
drain m draineerbuis. ▼**—age** m drainage,
ontwatering. ▼**—er** ov.w draineren,
droogleggen. ▼**—eur** m drooglegger,
draineur.
drais/ienne v oudste model fiets. ▼**—ine** v
inspectiewagentje voor de spoorlijnen.
drama/tique bn 1 wat betrekking heeft op
toneelwerken; auteur —, toneelschrijver;
acteur —, toneelspeler; 2 aangrijpend,
ontroerend. ▼**—tiser** ov.w 1 voor het toneel
bewerken (— un roman); 2 dramatisch
voorstellen. ▼**—turge** m toneelschrijver.
▼**—turgie** v toneelschrijfkunst. ▼**drame** m
1 toneelspel; 2 drama; — lyrique, opera;
3 vreselijke gebeurtenis, ramp.

drap m laken; être dans de beaux —s, er lelijk
inzitten; — de lit, beddelaken; se mettre entre
deux —s, tussen de lakens kruipen; —
mortuaire, doodskleed; selon la — la robe
(spr.w), wie 't breed heeft, laat het breed
hangen; tailler en plein —, het er goed van
nemen.
drapeau [mv x] m 1 vlag; — blanc, vlag der
Bourbons, witte vlag; le (drapeau) tricolore, de
vlag der Franse republiek; être sous les —x, in
militaire dienst zijn; (fam.) planter un —,
weggaan zonder betalen; porter le —, voorop
lopen; se ranger sous le — de qn., iemands
partij kiezen; 2 luier.
drap/ement m (het) draperen. ▼**—er** l ov.w
1 met laken (vooral rouwkleed) bedekken;
2 kleding smaakvol doen neerhangen (— une
statue); 3 berispen, op de kaak stellen. ll se — dans
sa dignité, op zijn strepen gaan staan. ▼**—erie**
v 1 lakenfabriek; 2 het weven van laken;
3 sierlijk neerhangend kleed, draperie. ▼**—ier**
m 1 lakenhandelaar; 2 lakenfabrikant, -wever.
▼**drap†-housse†** m hoeslaken.
drastique bn en zn m snel en sterk werkend
(purgeermiddel).
dressage m dressuur, (het) africhten; (fam.)
strenge opvoeding. ▼**dresser** l ov.w
1 oprichten; rechtop zetten; — l'oreille, de oren
spitsen; 2 opmaken, gereedmaken; — un
chapeau, een hoed opmaken; — un lit, een bed
opmaken; — la table, de tafel dekken;
3 opwerpen, oprichten; — une batterie, een
batterij opwerpen; — ses batteries, zijn
maatregelen nemen; 4 opstellen, opmaken (—
un acte); — un plan, een plan opmaken;
5 africhten, dresseren; 6 recht maken (une
bordure), plat maken (une pierre), glad maken
(une glace); — une hale, een heg bijknippen.
ll se — zich oprichten, overeind komen; se —
sur la pointe des pieds, op de tenen gaan staan;
les cheveux se dressaient sur sa tête, de haren
rezen hem te berge. ▼**dresseur** m africhter.
▼**dressoir** m aanrechttafel, dressoir.
dribbler ov.w of on.w dribbelen (voetbal).
drill m 1 (het) drillen (mil.); 2 (het) inslijpen via
drills (onderwijs). ▼**drille** m (oud) soldaat;
bon —, goeie vent; vieux —, ouwe losbol,
- schuinsmarcheerder.
drive (spr.: draiv) m drive (tennis).
drogue v 1 bestanddeel van verfwaren,
apothekersmiddelen, scheikundige stoffen;
2 (slecht) geneesmiddel; 3 slechte waar;
drugs. ▼**drogu/é** l zn m druggebruiker. ll bn
iem. die onder de drugs zit. ▼**—er** l ov.w 1 veel
geneesmiddelen geven; drugs laten
gebruiken. ll se — drugs gebruiken. ▼**—erie** v
1 drogerijen; 2 drogisterij. ▼**—iste** m drogist.
droit l bn 1 recht; — comme un cierge,
kaarsrecht; avoir le corps —, la taille —, recht
van lijf en leden zijn; un coup —, een directe
(boksen); se tenir —, rechtop staan; 2 oprecht,
rechtschapen; avoir le cœur —, oprecht,
rechtschapen zijn; 3 schrander; avoir le sens
—, l'esprit —, een helder verstand hebben;
4 rechts; être le bras — de qn., iemands
rechterhand zijn. ll bw 1 recht, rechtuit; aller —
au but, recht op het doel afgaan; marcher —,
rechtuit lopen, zijn plicht doen; tout —,
rechtuit; 2 verstandig, juist; juger —, juist
oordelen; raisonner —, verstandig redeneren.
lll zn m recht; à bon —, met recht; avoir le —
de, être en —, het recht hebben om; — de
d'ainesse, eerstgeboorterecht; donner — à,
gelijk geven aan; — d'entrée, invoerrecht;
étudiant en —, student in de rechten; faire son
—, in de rechten studeren; faire valoir son —,
zijn recht doen gelden; force n'est pas —
(spr.w), geweld is geen recht; les —s de
l'homme, de rechten v.d. mens; le — du plus
fort, het recht v.d. sterkste; —s de présence,
presentiegelden; revenir de —, rechtens
toekomen; —s de sortie, uitvoerrechten; à tort
ou à —, terecht of ten onrechte; — de vote,
kiesrecht.
droit/e v 1 rechterzijde; à — et à gauche, van -,
naar -, aan alle kanten; tourner à —, rechts

afslaan; **2** rechterzijde van de Kamer; *voter à —,* rechts stemmen; **3** rechtervleugel v.e. leger; **4** rechterhand; **5** rechte lijn; *une — perpendiculaire,* een loodlijn. ▼**—ier, -ière** I *bn* rechtshandig. II *zn m,* **-ière** *v* rechtshandig persoon. III *(fam.)* lid der rechterzijde v.d. Kamer. ▼**—isme** *m* rechtse houding *(pol.).* ▼**—iste** *bn/zn m/v (pol.)* rechts (iemand).

droiture *v* **1** rechtschapenheid, oprechtheid; **2** schranderheid; *— de jugement,* gezond oordeel; *— d'esprit,* schranderheid van geest.

drolatique *bn* grappig. ▼**drôle** I *bn* grappig, koddig. II *zn m* of *v* **1** grappenmaker, snaak; *un — de corps,* een rare kerel; *une — d'aventure,* een eigenaardig avontuur; *une — d'idée,* een gek idee; **2** schurk. ▼**—ment** *bw* erg. ▼**drôlerie** *v (fam.)* grap, klucht. ▼**drôlesse** *v (oud)* gemene meid, straatmeid, slet.

dromadaire *m* dromedaris.

dronte *m* dodaars.

dropé *m,* **dropée** *v* hippie. ▼**droper (dropper)** *ov.w* **1** droppen; **2** *(fam.)* in de steek laten; laten vallen; **3** buiten de maatschappij gaan leven. ▼**drop-out** *m zie* **dropé**. ▼**droppage** *m* (het) droppen.

drosser *ov.w (mar.)* doen afdrijven.

dru I *bn* **1** sterk, flink; **2** dicht *(pluie—e);* **3** vrolijk, levendig. II *bw* dicht opeen *(semer —).*

druid/e *m,* **-esse** *v* Keltisch priester(es). ▼**—ique** *bn* druidisch. ▼**—isme** *m* godsdienst der druiden.

drummer *m* drummer.

dryade *v* id., bosnimf.

du = *de le.*

dû, due I *bn* verschuldigd. II *zn m* het verschuldigde.

dual/isme *m* **1** dualisme; **2** twee staten onder één vorst. ▼**—iste** I *bn* volgens het dualisme. II *zn m* dualist. ▼**—ité** *v* tweeheid, vereniging van twee verschillende eigenschappen.

dubitatif, -ive *bn* twijfelend, wat twijfel uitdrukt. ▼**dubitation** *v* opgeworpen twijfel.

duc *m* **1** hertog; *grand —,* groothertog; **2** ooruil; *grand —,* oehoe; *moyen —,* ransuil; *petit —,* steenuil; **3** vierwielig rijtuig met twee plaatsen en achterplaats voor een bediende. ▼**ducal** [*mv* **aux**] *bn* hertogelijk.

ducat *m* dukaat. ▼**ducaton** *m* oud zilveren geldstuk.

duché *m* hertogdom; *duché-pairie,* gebied, waaraan de titel van hertog en pair was verbonden. ▼**duchesse** *v* **1** hertogin; **2** deftig doende dame; **3** rustbed met leuning; **4** soort sappige peer.

ductile *bn* **1** rekbaar; **2** meegaand, soepel. ▼**ductilité** *v* rekbaarheid.

duègne *v* **1** oude dame die (in Spanje) toezicht op jong meisje houdt; **2** lastige oude vrouw.

duel *m* **1** duel; *se battre en —,* duelleren; **2** *(gram.)* dualis. ▼**—iste** *v* iemand, die graag duelleert.

duettiste *m* of *v* iem. die in een duet speelt of zingt. ▼**duetto** *m* klein duet voor twee stemmen of instrumenten.

dulcifier *ov.w (oud)* verzachten, aanzoeten.

dulcinée *v* beminde, geliefde.

dum-dum *v* dum-dumkogel.

dûment *bw* behoorlijk.

dune *v* duin.

dunette *v* kampanje *(scheepv.).*

Dunkerque Duinkerken.

duo *m* **1** duet, paar, duo; **2** gelijktijdig spreken van twee personen *(— d'injures)*.

duodé/cennal [*mv* **aux**] *bn* twaalfjarig. ▼**—cimal** [*mv* **aux**] *bn* twaalftallig. ▼**—cimo** *bw* ten twaalfde. ▼**—nite** *v* ontsteking van de twaalfvingerige darm. ▼**—num** *m* twaalfvingerige darm.

dup/e *v* bedrogene; gemakkelijk te bedriegen persoon; *être la — de qn.,* door iem. bedrogen worden. ▼**—er** *ov.w* bedriegen, beetnemen, foppen. ▼**—erie** *v* bedriegerij, fopperij. ▼**—eur** *m,* **-euse** *v* bedrieger (-ster), fopper (-ster).

duplex *m* **1** telecommunicatiesysteem

(uitzenden en ontvangen); **2** appartement op twee verdiepingen. ▼**duplicat/a** *m* afschrift, duplicaat. ▼**—eur** *m* duplicator. ▼**—ion** *v* verdubbeling. ▼**duplicité** *v* **1** *(oud)* dubbelheid; **2** dubbelhartigheid.

duquel [*mv* **desquels**] *vnw* = **de lequel**.

dur I *bn* **1** hard, moeilijk, zwaar; *être — à la détente,* op de duiten zijn; *mer —e,* woelige zee; *hiver —,* strenge winter; *temps —s,* slechte tijden; *avoir la tête —e,* dom zijn, een harde kop hebben; *vie —e,* hard, zwaar leven; *voix —e,* schorre stem; **2** hardvochtig, ruw; *cœur —,* ongevoelig hart. II *bw: entendre —,* hardhorig zijn; *travailler —,* hard werken. III *zn* **-e** *v: coucher sur la —e,* op de harde grond slapen.

durable *bn* duurzaam, blijvend.

duramen *m* kernhout.

durant *vz* gedurende, tijdens; *une heure —,* een uur lang.

durcir I *ov.w* hard maken, verharden. II *on.w* hard worden. III *se —* hard worden. ▼**durcissement** *m* hardwording, verharding.

durée *v* duur, duurzaamheid. ▼**durer** *on.w* **1** duren; **2** lang duren *(le temps lui dure);* **3** duurzaam, houdbaar zijn *(vin qui dure);* **4** blijven; *ne pouvoir — en place,* niet stil kunnen zitten; *faire feu qui dure,* zuinig zijn; zijn gezondheid sparen.

dureté I *v* **1** hardheid; **2** hardvochtigheid. II **—s** *mv* harde woorden.

durillon *m* eeltknobbel.

durit *m* verbindingsslang.

duvet *m* **1** dons; **2** vlasharen op kin; **3** donzen matras; **4** vruchtpluis. ▼**—é, —eux, -euse** *bn* donzig. ▼**—er (se)** met dons bedekt worden.

dynamique I *bn* dynamisch. II *zn v* leer der krachten (dynamica). ▼**dynamisme** *m* dynamiek, stuwkracht; *— vital,* voortvarendheid.

dynamit/age *m* (het) opblazen door middel van dynamiet. ▼**—e** *v* dynamiet. ▼**—er** *ov.w* opblazen door middel van dynamiet. ▼**—erie** *v* dynamietfabriek. ▼**—eur** *m,* **-euse** *v* **1** dynamietfabrikant; **2** bedrijver (bedrijfster) van aanslagen met dynamiet; **3** iem. die tradities wil opblazen.

dynamo *v* dynamo. ▼**—électrique** *bn* elektrodynamisch. ▼**—mètre** *m* dynamometer. ▼**—métrie** *v* dynamometrie (het meten van krachten).

dynastie *v* vorstenhuis. ▼**dynastique** *bn* wat een vorstenhuis betreft; *politique —,* politiek, die het regerende vorstenhuis wil handhaven, die het regerende vorstenhuis wil handhaven.

dyne *v* eenheid van kracht.

dys- *voorvoegsel dat aangeeft:* stoornis, last (bijv.: **dysacousie** *v* gehoorstoornis; **dyscalculie** *v* moeilijkheden bij het rekenen).

dysenterie *v* dysenterie, buikloop. ▼**dysentérique** I *bn* wat dysenterie betreft. II *zn m* of *v* lijder(es) aan dysenterie.

dyspepsie *v* slechte spijsvertering. ▼**dyspeptique** I *bn* wat de slechte spijsvertering betreft. II *zn m* of *v* lijder(es) aan dyspepsie.

e *m*; *e fermé*, gesloten e (zoals in thee); — *muet*, stomme e; — *ouvert*, open e (zoals in vet).
eau [*mv* x] **I** v **1** water; *Administration des Eaux et Forêts*, administratie die de stromen, vijvers en bossen v.d. staat beheert; — *bénite*, wijwater; *l'— m'en vient à la bouche*, het water komt me in de mond; *buveur d'—*, droog persoon; — *de Cologne*, reukwater; *coup d'épée dans l'—*, vergeefse poging; — *dormante*, stilstaand water; *faire —*, lek zijn; *faire de l'—*, water innemen; *se jeter à l'—*, zich verdrinken; *médecin d'— douce*, slechte dokter; *mettre à l'—*, te water laten; *mettre de l'— dans son vin*, zijn eisen matigen, water bij de wijn doen; *nager entre deux —x*, beide partijen willen sparen; *il n'est pire — que l'— qui dort*, (spr.w) stille waters hebben diepe gronden; — *de pluie*, regenwater; — *potable*, — *à boire*, drinkwater; — *de source*, bronwater; *tant va la cruche à l'— qu'à la fin elle se brise*, (spr.w) de kruik gaat zo lang te water tot ze breekt; *tirant d'—*, diepgang; *voie d'—*, lek; **2** regen; **3** meer, rivier, zee; **4** zweet; *suer sang et —*, water en bloed zweten; *être en —*, nat bezweet zijn; **5** sap van vruchten; **6** glans van edelstenen; *un diamant de la plus belle —*, een diamant van het zuiverste water. **II** —x *mv* **1** waterwerken (*les grandes —x de Versailles*); **2** mineraal bronwater; — *minérale*, mineraal bronwater; *prendre les —x*, de baden gebruiken, een badkuur houden; *ville d'—x*, badplaats; **3** regenval, sneeuwval; **4** loop; *être dans les —x de qn.*, in iem.'s zog varen.
eau†-de-vie v **1** cognac; **2** brandewijn.
eau†-forte† v ets.

ébahi *bn* verbaasd, verbluft, onthutst; *il resta tout —*, hij stond stomverbaasd te kijken. **▼ébahir I** *ov.w* verbazen. **II s'—** verbaasd staan. **▼ébahissement** *m* (stomme) verbazing.
ébarb/er *ov.w* afvijlen. **▼—oir** *m* schraapmes. **▼—ure** v schraapsel.
ébats *m mv* gestoei, vermaak; *prendre ses —*, zich verlustigen, zich vermaken. **▼ébattre (s')** zich vermaken, stoeien, dartelen.
ébaubi *bn* (fam.) verstomd, verbluft. **▼ébaubir (s')** stomverbaasd zijn.
ébauchage *m* (het) ontwerpen, schetsen. **▼ébauche** v **1** ontwerp, schets; **2** zwakke poging. **▼ébaucher** *ov.w* ontwerpen, schetsen; — *un sourire*, zwakjes, onmerkbaar glimlachen. **▼ébauchoir** *m* **1** steekbeitel; **2** boetseerstift.
ébaudir (s') (*oud*) zich vermaken.
ébène v ebbehout; *cheveux d'—*, pikzwarte haren.
ébénier *m*: *faux —*, goudenregen.
ébéniste *m* meubelmaker, schrijnwerker. **▼—erie** v **1** meubelhandel; **2** (het) meubelmaken, meubelmakersvak; **3** houten kast.
éberlué *bn* (fam.) stomverbaasd.
éblou/ir I *ov.w* **1** verblinden; **2** overbluffen. **II s'—** zich laten verblinden. **▼éblouissant** *bn* verblindend. **▼éblouissement** *m* **1** verblinding; **2** duizeling.
ébonite v eboniet.
éborgner *ov.w* **1** een oog uitsteken; **2** de onnodige knoppen verwijderen.

éboueur *m* vuilnisman, straatveger.
ébouillant/age *m* (het) dompelen in kokend water. **▼—er I** *ov.w* in kokend water dompelen, met kokend water overgieten. **II s'—** zich branden in (aan) kokend water.
éboul/ement *m* instorting, bergstorting. **▼—er I** *ov.w* doen instorten. **II on.w** instorten. **III s'—** instorten. **▼—is** *m* puin.
ébourgeonnement, ébourgeonnage *m* (het) verwijderen v. d. overtollige boomknoppen.
ébouriff/ant *bn* overbluffend, ongelooflijk. **▼—er** *ov.w* **1** (de haren) in de war maken; **2** stomverbaasd doen staan, schokken, doen schrikken.
ébranch/age, —ement *m* (het) verwijderen van overtollige takken. **▼—er** *ov.w* van takken ontdoen, snoeien. **▼—oir** *m* snoeimes.
ébranlement *m* **1** schok, trilling; **2** ontroering, schok; **3** (het) wankelen (*fig.*). **▼ébranler I** *ov.w* **1** doen schudden, doen trillen; **2** ontroeren, schokken; **3** aan het wankelen brengen, ondermijnen (— *la santé*). **II s'—** **1** zich in beweging zetten (*le train s'ébranle*); **2** wankelen; **3** schudden; **4** ontroerd worden.
ébrécher *ov.w* **1** hoeken maken in (— *un couteau*); **2** verminderen, een bres slaan in.
ébriété v dronkenschap.
ébrouement *m* gesnuif van paarden. **▼ébrouer (s')** snuiven van paarden.
ébruitement *m* verspreiding v.e. gerucht. **▼ébruiter I** *ov.w* verspreiden van geruchten. **II s'—** de ronde doen.
ébullition v **1** (het) koken; *point d'—*, kookpunt; **2** beroering, opschudding.
éburné, éburnéen, -enne *bn* **1** ivoorachtig; **2** ivoorkleurig; *substance —e*, tandivoor.
écaillage *m* **1** (het) afschrappen v.d. schubben v.e. vis; **2** (het) openen v.e. oester. **▼écaille** v **1** schub v.e. vis; **2** schaal (bijv. v.e. oester); **3** schild v.d. schildpad; **4** schildpad (stof); **5** schilfer; *les —s lui sont tombées des yeux*, de schellen zijn hem v.d. ogen gevallen. **▼écailler I** *ov.w* **1** (een vis) afschrappen; **2** oesters openen. **II s'—** afschilferen. **▼écailler** *m*, **-ère** v oesterverkoper (-verkoopster). **▼écailleux, -euse** *bn* **1** schubbig; **2** schilferig.
écale v schil, dop, bolster; — *d'œuf*, eierschaal. **▼écaler** *ov.w* doppen, ontbolsteren, pellen.
écarlate I *zn* v **1** scharlaken; **2** scharlaken stof. **II** *bn* scharlakenkleurig.
écarquiller *ov.w* **1** uitspreiden (— *les jambes*); **2** opensperren (— *les yeux*).
écart *m* **1** afwijking v.d. weg; *faire un —*, een zijsprong maken (v.e. paard); **2** afgelegen plek, afgelegen gedeelte v.e. dorp of stad; **3** verschil, afstand; *à l'—*, op een afstand, terzijde; *mettre à l'—*, terzijde leggen; *tenir à l'—*, erbuiten houden; **4** uitspatting, buitensporigheid. **▼écarté I** *bn* afgelegen. **II** *zn m* écarté (kaartspel).
écartèlement *m* **1** (het) vierendelen; **2** (*fig.*) (het) heen en weer geslingerd worden. **▼écarteler** *ov.w* **1** vierendelen; **2** (*fig.*) heen en weer slingeren.
écartement *m* **1** (het) opzij schuiven, terzijdestelling; **2** afstand, uitwijking, afwijking; — *des rails*, spoorbreedte. **▼écarter I** *ov.w* **1** uitspreiden (— *les jambes*); **2** verwijderen, op een afstand houden (— *la foule*); **3** van de rechte weg afbrengen; **4** afwenden (— *un malheur*), wegnemen, bezweren (— *un danger*), uit de weg ruimen; afbuigen. **II s'—** **1** afwijken; **2** uit elkaar drijven; **3** opzij gaan.
ecchymose v blauwe plek.
ecclésiastique I *bn* kerkelijk. **II** *zn m* geestelijke.
écervelé *bn* dom, lichtzinnig, onbezonnen.
échafaud *m* **1** schavot; **2** guillotine; **3** doodstraf; **4** steiger; **5** podium, stellage. **▼—age** *m* **1** steigerwerk; **2** (het) opslaan v.e. steiger; **3** breedvoerige redenering. **▼—er I** *on.w* een steiger oprichten. **II** *ov.w*

opbouwen, in elkaar zetten (— un roman).
échalas m 1 stok om planten te steunen;
2 lang en schraal persoon (bonestaak). ▼**—ser**
ov.w planten met stokken steunen.
échalote v sjalot.
échancrer ov.w rond uitsnijden.
▼**échancrure** v 1 ronde uitsnijding;
2 kustinham.
échang/e m 1 ruil, (ver)wisseling; en — de, in
ruil voor; roué d'—, reserveviel; 2 handel;
libre-échange, vrijhandel. ▼**—eable** bn
ruilbaar. ▼**—er** ov.w ruilen, wisselen,
uitwisselen. ▼**—eur** m verkeersplein,
'klaverblad'.
échanson m schenker.
échantillon m monster, staal; — sans valeur,
monster zonder waarde; donner un — de son
savoir-faire, zijn bekwaamheid tonen.
▼**—nage** m 1 (het) maken van stalen;
2 stalencollectie. ▼**—ner** ov.w stalen maken.
échappatoire v uitvlucht. ▼**échappé** m
ontsnapte. ▼**échappée** v 1 (oud) uitstapje,
onbezonnen streek; 2 kort ogenblik (— de
beau temps); 3 opening, doorkijk (— de vue);
4 ontsnappingspoging (wielersport).
▼**échappement** m 1 ontsnapping; 2 uitlaat
van motor; — libre, open knalpot;
3 echappement (in klok of horloge).
▼**échapper I** on.w ontsnappen, uit de handen
vallen; laisser — l'occasion, de gelegenheid
laten voorbijgaan; — à la mort, aan de dood
ontsnappen; ce mot m'a échappé, dat woord is
mij ontgaan; ce mot m'est échappé, dat woord
is mij ontvallen; la patience m'échappe, ik
verlies mijn geduld. **II** ov.w: il ne l'échappera
pas, hij zal de dans niet ontspringen; l'— belle,
er goed afkomen; — la mort, de dood
ontkomen; — un verre, een glas laten vallen.
III s'— 1 ontsnappen; 2 zijn zelfbeheersing
verliezen; 3 uitlopen (sp.).
écharde v splinter.
écharner ov.w het vlees v.e. huid halen.
écharpe v 1 sjerp; 2 draagband; porter le bras
en —, de arm in een doek dragen; en —,
schuin, overdwars; prendre en —, schuin
inrijden op; onder flankvuur nemen.
écharper ov.w 1 ernstig wonden; 2 in de pan
hakken.
échasse v 1 stelt; être monté sur des —s,
gemaakt, hoogdravend spreken; 2 steigerpaal;
3 strandruiter (vogel). ▼**échassier** m
steltloper (vogel).
échaudé I zn m soes. **II** bn 1 verschrompeld;
2 met heet water overgoten, gebrand; chat —
craint l'eau froide, (spr.w) een ezel stoot zich
geen twee maal aan dezelfde steen.
▼**échauder** ov.w 1 met heet water begieten;
2 branden met kokende vloeistof; 3 in het
nauw brengen; 4 (een koper) afzetten.
▼**échaudoir** m wasplaats in een abattoir.
échauffant bn 1 verhittend; 2 verstoppend
(med.); 3 verhit (fig.). ▼**échauffement** m
1 verhitting; 2 verstopping (med.); 3 begin
van gisting van granen of meel; 4 opwinding.
▼**échauffer I** ov.w 1 verhitten; 2 verstopping
veroorzaken; 3 opwinden, prikkelen; — la bile
à qn., iem. kwaad maken. **II** s'— 1 warmlopen;
2 (fig.) opgewonden raken.
échauffourée 1 stoutmoedige, mislukte
onderneming; 2 schermutseling.
échauguette v 1 wachttoren; 2 kraaienest
(scheepv.).
èche, esche v aas (voor vis).
échéance v vervaldag; à courte —, op kort
zicht; à longue —, op lang zicht. ▼**échéant** bn
vervallend; le cas —, als het geval zich
voordoet.
échec I zn m 1 tegenslag, nederlaag; 2 schaak;
l'— du roi, herdersmat; donner, faire —,
schaak geven; — et mat, schaakmat; —
perpétuel, eeuwig schaak; (fig.) tenir qn. en
—, iem. in het nauw brengen, in bedwang
houden. **II** —s mv schaakspel, -stukken; jouer
aux —s, schaken. **III** bn schaak; être (en) —,
schaak staan.
échelette v laddertje. ▼**échelle** v 1 ladder; —

de corde, touwladder; faire la courte — à qn.,
iem. op zijn schouders laten klimmen; monter à
l'—, happen, op de kast zitten; — sociale,
maatschappelijke ladder; tirer l'— après qn.,
qc.,erkennen dat men het iem. niet kan
verbeteren, iets niet verbeteren kan; 2 schaal,
peil, reeks; sur une vaste —, in het groot;
3 toonladder; — des couleurs, kleurengamma;
— mobile, glijdende schaal.
échelon m 1 sport v.e. ladder; 2 rang, trap; à
l'— de, op het niveau van; par —s,
trapsgewijze; 3 echelon (mil.). ▼**—nement** m
1 (het) van afstand tot afstand plaatsen;
2 (het) regelmatig verdelen. ▼**—ner** ov.w
1 van afstand tot afstand plaatsen,
echelonneren (mil.); 2 regelmatig over een
zekere periode verdelen.
écheniller ov.w rupsen vernietigen.
écheveau [mv x] m 1 streng; 2 ingewikkelde
zaak; démêler l'— d'une affaire, een zaak
ontwarren. ▼**échevelé** bn 1 verward (van
haar); 2 wild (danse —e). ▼**écheveler** ov.w
de haren in de war maken.
échevin m wethouder. ▼**—age** m
1 wethouderschap; 2 de gezamenlijke
wethouders. ▼**—al** [mv aux] bn wat de
wethouder(s) betreft.
échine v 1 ruggegraat; avoir l'— souple,
kruiperig zijn; frotter l'—, afrossen; courber
(plier) l'—, (fig.) het hoofd buigen; 2 rugstuk
v.e. varken. ▼**échiner (s')** zich afbeulen.
▼**échinodermes** m mv stekelhuidigen.
échiquet bn geruit. ▼**échiquier** m
1 schaakbord; 2 kruisnet.
écho I m echo; se faire l'— d'une nouvelle, een
nieuwtje rondbazuinen; trouver un —,
instemming vinden. **II** —s mv allerlei in een
krant.
échoir on.w 1 ten deel vallen; le cas échéant,
als het geval zich voordoet; 2 vervallen van
wissels, enz.
échoppe v 1 pothuis, kraam; 2 etsnaald;
3 keet. ▼**échopper** ov.w met de etsnaald
graveren.
échotier m, **-ére** v redacteur (-trice), belast
met de nieuwtjes, het allerlei.
échou/age m 1 stranding (scheepv.);
2 strandplaats (scheepv.). ▼**—ement** m
1 stranding; 2 mislukking. ▼**—er I** on.w
1 stranden; 2 mislukken; 3 zakken voor een
examen. **II** ov.w op het strand zetten. **III** s'—
stranden.
écimer ov.w de toppen van planten
wegsnijden.
éclabouss/ement m bespatting met modder.
▼**—er** ov.w 1 met modder bespatten; 2 de
ogen uitsteken. ▼**—ure** v modderspat.
éclair m 1 bliksemstraal, weerlicht; —s de
chaleur, weerlicht; il fait des —s, het weerlicht;
—s en nappes, zwaar onweer waarbij het aan
alle kanten bliksemt; rapide comme un —,
bliksemsnel; guerre —, bliksemoorlog;
fermeture —, ritssluiting; 2 lichtstraal,
flikkering; — de génie, geniale inval;
3 geglaceerde roomsoes.
éclairage m verlichting; gaz d'—, lichtgas;
sous cet —, in dat licht bezien. ▼**éclairagiste**
m verlichtingsspecialist.
éclairc/ie v 1 open plek in de wolken,
opklaring; 2 open plek in een bos. ▼**—ir I** ov.w
1 licht(er) maken, opklaren; 2 polijsten,
glanzend maken, oppoetsen; 3 aanlengen (—
une sauce); uitdunnen (— un bois); — les
rangs, de gelederen dunnen; 4 ophelderen,
duidelijk maken. **II** s'— opklaren. ▼**—issage** m
uitdunning. ▼**—issement** m opheldering.
éclairé bn ontwikkeld, verlicht (esprit —).
▼**éclairement** m 1 verlichting;
2 opheldering. ▼**éclairer I** ov.w 1 verlichten
(ook fig.); 2 onderrichten, leren;
3 duidelijkheid verschaffen; belichten;
4 verkennen ten behoeve van (— une armée).
II on.w licht geven; schitteren, fonkelen.
III s'— 1 verlicht worden; 2 verlicht,
ontwikkeld worden; 3 verkennen; 4 opklaren.
▼**éclaireur** m 1 verkenner (mil.); 2 padvinder.

éclat m 1 scherf (— d'obus); splinter; voler en —s, in stukken vliegen; 2 uitbarsting, knal; — de joie, opwelling van vreugde; — de rire, schaterlach; rire aux —s, schaterlachen; —s de voix, luid geschreeuw; 3 schandaal, ruchtbaarheid; action d'—, opzienbarende daad; faire de l'—, opzien baren; craindre l'—, schandaal vrezen; 4 schittering (l'— du soleil); l'— des fleurs, de glans, de schoonheid der bloemen; 5 roem. ▼—ant bn 1 schitterend; 2 beroemd, schitterend, luisterrijk; 3 hard, schel (son —). ▼—ement m (het) springen, ontploffen. ▼—er on.w 1 barsten, springen; 2 uitbreken (la guerre a éclaté); 3 losbarsten, uitbarsten; — de rire, in lachen uitbarsten; — en injures, in scheldwoorden uitbarsten; 4 schitteren; 5 versplinteren.

éclectique I bn eclectisch. II zn m eclecticus. ▼**éclectisme** m systeem v.d. eclecticus.

éclipse v 1 zons- of maansverduistering; phare à —, vuurtoren met flikkerlicht; 2 vermindering, afwezigheid. ▼**éclipser** ov.w 1 verduisteren; 2 onzichtbaar maken; 3 in de schaduw stellen (fig.). ▼**écliptique** v zonneweg (ecliptica).

éclisse v 1 spaan; 2 spalk. ▼**éclisser** ov.w spalken (— une jambe).

éclopé I zn m. -e v 1 kreupele, hinkende, gewonde. II bn kreupel, hinkend, gewond. ▼**écloper** ov.w kreupel maken, verminken.

éclore on.w onr. 1 uit het ei komen; 2 ontluiken (des fleurs fraîches écloses, pas ontloken bloemen; 3 aanbreken v.d. dag; 4 bekend worden van een plan. ▼**éclosion** v 1 (het) uit het ei komen; 2 ontluiking; 3 (het) bekend worden v.e. plan.

éclus/age m (het) schutten v.e. schip. ▼—e v sluis; — à sas, schutsluis. ▼—er ov.w 1 afsluiten met een sluis; 2 schutten. ▼—ier m, -ière v sluiswachter (-ster).

écœur/ant bn walglijk, ergelijk. ▼—ement m walging. ▼—er ov.w doen walgen.

écoinçon, écoinson m 1 hoeksteen; 2 hoekkast.

école v school (in versch. betekenissen); auto—, rijschool; — des beaux arts, academie voor beeldende kunsten; — de bataillon, bataljonsschool; être à bonne —, een goede leerschool hebben; avoir été à rude —, een harde leerschool doorlopen hebben; faire l'— buissonnière, spijbelen; — des Chartes, school voor handschriftkunde; prendre le chemin de l'—, de langste weg nemen; — de compagnie, compagnieschool; — de droit, rechtskundige faculteit; faire —, school maken; — française, de Franse (schilders)school; — de guerre, hogere krijgsschool; haute —, hoge rijschool; — ménagère, huishoudschool; — normale, normaalschool (voor onderwijzers); — normale supérieure, opleidingsschool voor leraren; — polytechnique, polytechnische school (voor ingenieurs, artillerie- en genieofficieren); — primaire, lagere school; — primaire supérieure, ± mavoschool; — professionnelle, technische school; le quartier des —s, de studentenwijk (Quartier latin); — secondaire, middelbare school; sentir l'—, schoolmeesterachtig zijn; vaisseau —, schoolschip; voiture—, leswagen. ▼**écolier** I zn m. -ère v 1 scholier; chemin des —s, de langste weg; 2 beginneling; faute d'—, domme fout. II bn: manières —es, schooljongensmanieren.

écolog/ie v ecologie. ▼—iste m/v ecoloog, -oge. ▼—ique bn ecologisch.

éconduire ov.w onr. afschepen.

économat m ambt of kantoor v.d. huisbeheerder.

économe I bn zuinig, spaarzaam. II zn m huisbeheerder, administrateur v.e. klooster, gesticht, enz. (econoom).

économétr/ie v econometrie. ▼—ique bn econometrisch.

économ/ie v 1 zuinigheid; avoir de l'—, zuinig

zijn; 2 besparing, spaargeld; faire des —s, sparen; 3 huishoudkunde; 4 economie; — commerciale, bedrijfsleer; — politique, staathuishoudkunde; — dirigée, geleide economie; 5 opbouw (v.e. verhaal). ▼—ique bn 1 wat het beheer v.e. huishouden, klooster, gesticht, enz. betreft; 2 staathuishoudkundig, economisch; les économiquement faibles, de economisch zwakkeren; 3 zuinig. ▼—iser I ov.w spaarzaam zijn met, bezuinigen op; ses forces, zijn krachten sparen; — son temps, zijn tijd goed indelen. II on.w sparen. ▼—iste m staathuishoudkundige, econoom.

écoper I ov.w hozen; (pop. oud) hijsen (drinken). II on.w (pop.) een uitbrander, slagen krijgen.

écorce v 1 schors; 2 schil; 3 korst (— terrestre); 4 het uiterlijk. ▼**écorcer** ov.w v.d. schors ontdoen, schillen.

écorch/é m anatomische voorstelling van mens of dier zonder huid. ▼—ement m (het) villen. ▼—er ov.w 1 villen; — l'anguille par la queue, bij het eind beginnen; il crie avant qu'on l'écorche, hij schreeuwt al voordat hij geslagen wordt; 2 ontvellen (bras écorché); 3 villen, afzetten; 4 — les oreilles, het gehoor kwetsen; 5 radbraken (— une langue). ▼—erie v 1 vilderij; 2 afzetterszaak. ▼—eur m 1 vilder; 2 afzetter. ▼—ure v schram, ontvelling, schaafwond.

écorner ov.w 1 de horens afbreken; vent à — les bœufs, hevige storm; 2 de hoeken afbreken; 3 verminderen, aanspreken; — ses revenus, zijn kapitaal aanspreken.

écossais(e) I bn Schots; douche —e, afwisselende koud- en warmwaterdouche; hospitalité —e, grote onbaatzuchtige gastvrijheid. II zn E—, -e v Schot(se). III m Schotse taal. ▼**écossaise** v Schotse polka. ▼**Ecosse** (l') v Schotland.

écoss/er ov.w doppen (des pois); (pop.) (geld) uitgeven, dokken. ▼—eur m, -euse v hij, zij, die dopt.

écosystème m ecosysteem.

écot m 1 gelag; payer son —, zijn aandeel bijdragen om een gezelschap te vermaken; 2 tafelgezelschap.

écoul/ement m 1 (het) weglopen, afvloeien van water; 2 (het) wegtrekken v.e. menigte; 3 afzet van waren, 'outlet'; 4 (het) vlieden v.d. tijd. ▼—er I ov.w verkopen, van de hand doen. II s'— 1 weglopen, afvloeien; 2 wegtrekken v.e. menigte; 3 voorbijgaan, vlieden v.d. tijd.

écourter ov.w 1 een staart korten; 2 te kort knippen (— les cheveux); 3 bekorten.

écoute v 1 schoot (scheepv.); 2 plek waar men kan luisteren zonder gezien te worden; appareillage d'—, afluisterapparatuur; être aux —s, staan te luisteren; 3 luisterpost; heure d'—, blijf aan uw (radio)toestel!; 4 oor van wild zwijn. ▼**écouter** I ov.w 1 luisteren (naar); n'— que d'une oreille, slechts met een half oor luisteren; s'— parler, met veel zelfbehagen spreken; 2 verhoren, inwilligen (— une prière); 3 gehoor geven aan; te rade gaan bij (— sa raison). II s'— te veel aandacht schenken aan zijn eigen kwalen. ▼**écouteur** m, -euse v 1 luisteraar(ster); 2 luistervink; 3 telefoonhoorn, koptelefoon.

écoutille v dekluik (scheepv.).

écouvillon m cilindervormige borstel.

écrabouill/age m, —ement m (het) verpletteren, vermorzelen. ▼—er ov.w (pop.) verpletteren, vermorzelen.

écran m 1 schermpje, dat men in de hand hield om zich te beschermen tegen de hitte v.e. haard; 2 haardscherm; 3 projectie-, tv-scherm; à l'—, op het witte doek; le petit —, de tv, de beeldbuis; 4 filmkunst; 5 filter.

écras/ant bn verpletterend. ▼—ement, —age m verplettering. ▼—er I ov.w 1 verpletteren, vermorzelen, platdrukken; nez écrasé, platte neus; coup écrasé, smash (tennis); 2 vernietigen, in de schaduw stellen; 3 overrijden; 4 overladen, overstelpen; écrasé de travail, overladen met werk; 5 (pop.) en —,

maffen; 6 (arg.): écrase!, laat maar zitten!
II s'— verpletterd worden, te pletter vallen.
▼—eur m, **-euse** v wegpiraat.
écrém/age m afroming. **▼—er** ov.w
1 afromen (van iets het beste nemen.
▼—euse v ontromer. **▼—oir** m roomlepel.
écrêter ov.w de kam ontnemen (— un coq);
2 afschieten v.h. bovenste deel (— un
bastion); 3 de hoogte verminderen (— une
côte); 4 vlak maken (— une route).
écrevisse v 1 rivierkreeft; 2 grote smidstang;
3 Kreeft (sterrenbeeld).
écrin m juwelenkistje.
écrire ov.w onr. schrijven, opschrijven; —
comme un chat, een keukenmeidenhand
hebben; c'était écrit, het moest zo zijn; il est
écrit, het staat vast; par écrit, schriftelijk; il sait
—, hij heeft een goede stijl. **▼écrit** m
1 geschrift, 2 akte, overeenkomst. **▼écriteau**
[mv x] m opschrift, bordje. **▼écritoire** v
inktkoker, schrijfgereedschap. **▼écriture** v
1 schrift, handschrift, schrijfkunst, schrijfwijze;
— anglaise, schuinschrift; — de chat,
keukenmeidenpootje; une jolie —, een mooie
hand; l'E— sainte, les saintes E—s, de H.
Schrift; 2 stijl; 3—s mv boekhouding,
correspondentie; commis aux —s,
boekhouder.
écrivaill/er on.w slecht schrijven, prulwerk
maken. **▼—eur** m (fam.) veelschrijver (zonder
talent).
écrivain m schrijver, schrijfster (van boeken);
femme —, schrijfster.
écrivass/er on.w slecht schrijven, prulwerk
maken. **▼—ier** m, **-ière** v (fam.) veelschrijver
(-schrijfster), schrijver zonder talent.
écrou m 1 moer; 2 bewijs van
gevangenneming; lever l'—, uit de gevangenis
ontslaan.
écrouell/es v mv kliergezwel. **▼—eux, -euse**
I bn lijdend aan kliergezwellen. II zn m, **-euse**
v lijder(es) aan kliergezwellen.
écrouer ov.w achter slot en grendel zetten.
écroulement m 1 instorting; 2 ineenstorting
(— des espérances); vernietiging, verlies.
▼écrouler (s') 1 instorten, ineenstorten; 2 te
gronde gaan.
écroûter ov.w van de korst ontdoen.
écru bn niet geprepareerd; toile —e,
ongebleekt linnen; fil —, ongewassen garen.
ectoplasme m ectoplasma, zichtbare
uitstraling uit een medium.
écu m 1 oude zilveren munt (daalder, ter
waarde van 3 of 6 francs); il a des —s, hij zit er
goed bij; mettre — sur —, potten; il n'a pas un
— vaillant, hij is straatarm; 2 schild;
3 wapenschild; 4 middelste gedeelte v.h.
borstschild van insekten.
écubier m ankergat.
écueil m klip.
écuelle v 1 kom, nap; arriver à l'— lavée, de hond
in de pot vinden; manger à la même —, gelijke
belangen hebben. **▼écuellée** v komvol,
napvol.
éculé bn 1 waarvan de hak versleten is;
2 afgezaagd (fig.).
écum/age m (het) afschuimen. **▼—ant** bn
1 schuimend; 2 schuimbekkend. **▼—e** v
1 schuim; — de mer, meerschuim; 2 uitvaagsel
(schuim). **▼—er** I ov.w afschuimen; — la
marmite de qn., tafelschuimen; — les mers,
zeeschuimen; — des nouvelles, op nieuwtjes
lopen. II ov.w 1 schuimen; 2 schuimbekken.
▼—eur m: — de marmite, tafelschuimer; — de
mer, zeerover. **▼—eux, -euse** bn schuimend.
▼—oire v schuimspaan.
écureuil m eekhoorn.
écurie v paardestal; — de courses, renstal;
cette chambre est une —, die kamer is vuil, die
kamer lijkt wel een stal; c'est un cheval à l'—,
dat kost doorlopend geld aan onderhoud;
fermer l'— quand les chevaux sont dehors, de
put dempen, als het kalf verdronken is; homme
qui sent l'—, ordinaire man.
écusson m 1 wapenschildje; 2 uithangbord;

3 dekplaatje op sleutelgat; 4 beenschub.
▼—ner ov.w 1 oculeren; 2 van wapenschild
voorzien. **▼—noir** m okuleermes.
écuyer m 1 schildknaap; 2 voorsnijder (—
tranchant); grand —, tranchant,
oppervoorsnijder; 3 stalmeester; grand —,
opperstalmeester; 4 ruiter, pikeur, kunstrijder.
▼écuyère v paardrijdster, amazone,
kunstrijdster; bottes à l'—, rijlaarzen.
eczéma m uitslag. **▼—teux, -teuse** I bn wat
uitslag betreft. II zn m, **-teuse** v lijder(es) aan
uitslag.
éden m lusthof, paradijs. **▼édénien, -enne,
édénique** bn paradijsachtig.
édenté bn tandeloos. **▼édenter** ov.w 1 de
tanden v.e. persoon breken of uittrekken; 2 de
tanden v.e. kam, een zaag, enz. breken.
édicter ov.w uitvaardigen (van wetten).
édicule m gebouwtje, kiosk.
édifiant bn stichtelijk, zeer leerzaam (iron.).
▼édificateur bn stichtend, opbouwend.
▼édification v bouw, stichting. **▼édifice** m
(groot) gebouw. **▼édifier** ov.w 1 bouwen,
stichten, oprichten; 2 stichten (fig.);
3 inlichten.
édile m 1 Romeins magistraat, belast met het
toezicht op de openbare gebouwen;
2 stadsbestuurder v.e. grote stad. **▼édilité** v
1 ambt v.d. Rom. aedilis; 2 lichaam, dat in de
grote steden toezicht houdt op gebouwen,
wegen, enz.
Edimbourg m Edinburgh.
édit m edict.
éditer ov.w uitgeven. **▼éditeur, -trice** I bn
uitgevend. II zn m, **-trice** v uitgever
(uitgeefster). **▼édition** v 1 uitgave; 2 oplaag;
maison d'—s, uitgeversmaatschappij.
▼éditorial [mv aux] I bn van de uitgever, van
de redactie. II zn m algemeen oriënterend
artikel v.d. redactie.
édredon m 1 eiderdons; 2 dekbed.
éduc/abilité v opvoedbaarheid. **▼—able** bn
opvoedbaar. **▼—ateur** m, **-atrice** v opvoeder
(-ster). **▼—atif, -ative** bn 1 opvoedend;
2 onderwijskundig. **▼—ation** v 1 opvoeding;
être sans —, manquer d'—, onopgevoed,
onbeschaafd zijn; faire l'— de, opvoeden;
maison d'—, instituut, internaat; —
professionnelle, vakopleiding; 2 (het)
kweken.
édulcoration v verzoeting. **▼édulcorer** ov.w
1 verzoeten; 2 (fig.) verzachten.
éduquer ov.w (fam.) (een kind) opvoeden.
effacement m 1 uitwissing; 2 uitwissing,
2 vergetelheid, teruggetrokkenheid. **▼effacé**
bn 1 uitgewist; 2 teruggetrokken, bescheiden.
▼effacer I ov.w 1 uitwissen, uitvegen;
2 doorhalen, schrappen; 3 uitdelgen (— un
péché); 4 overtreffen, overschaduwen. **II s'—**
1 uitgewist worden; 2 op de achtergrond
blijven; 3 verbleken, verdwijnen.
effarant bn 1 angstaanjagend; 2 ontstellend.
▼effaré bn ontsteld, ontdaan, verschrikt.
▼effarement m ontsteltenis, schrik.
▼effarer ov.w doen ontstellen, verschrikken.
effarouchant bn schrikaanjagend.
▼effaroucher ov.w bang maken,
afschrikken.
effectif, -ive I bn werkelijk, effectief. II zn m
werkelijk aantal soldaten, leerlingen,
studenten.
effectuer ov.w verwezenlijken, uitvoeren; —
un payement, een betaling doen; — une
promesse, een belofte volbrengen.
effémination v verwekelijking, verwijfdheid.
▼efféminé bn verwijfd. **▼efféminer** ov.w
verwekelijken.
effervescence v 1 opbruising; 2 gisting;
3 onstuimigheid; l'— des passions, het vuur
der hartstochten. **▼effervescent** bn
1 bruisend; comprimé —, bruistablet; 2 vurig.
effet I m 1 gevolg, uitwerking; 2 indruk, effect;
il me fait l'— d'être malade, hij lijkt mij ziek te
zijn; 3 daad; en —, inderdaad; plus de paroles
que d'—, veel geschreeuw en weinig wol; à cet
—, daartoe; 4 effect bij verschillende spelen;

5 arbeidskracht; **6** wissel, handelspapier;
effect; — *négociable*, verhandelbaar effect;
—*s publics*, staatspapieren. **II —s** *mv*
goederen, meubelen, kleren.
effeuil/age *m* (het) ontbladeren. **▼—aison** *v*
(het) vallen der bladeren. **▼—ement** *m* (het)
ontbladerd zijn. **▼—er I** *ov.w* **1** ontbladeren;
2 ontdoen van kroonbladeren. **II s'—** zijn
bladeren, zijn kroonbladeren verliezen.
▼—euse *v* (*fam.*) striptease-danseres.
efficace *bn* doeltreffend, afdoend.
▼efficacité *v* kracht, werkdadigheid.
efficience *v* efficiency, efficiëntie. **▼efficient**
bn daadwerkelijk, efficiënt.
effigie *v* afbeelding, beeldenaar; *exécuter qn.
en* —, in plaats v.d. misdadiger ter dood te
brengen, hem vervangen door een pop.
effil/age *m* (het) uitrafelen. **▼—é I** *bn* mager
en lang. **II** *zn m* franje. **▼—er** *ov.w* **1** uitrafelen;
2 uitdunnen van haren. **▼—ocher**, **—ochage** *m* (het)
uitrafelen. **▼—ocher**, **—oquer** *ov.w*
uitrafelen. **▼—ochure**, **—ure** *v* rafel.
efflanqué *bn* broodmager.
effleur/ement, **—age** *m* (het) even aanraken,
strijken langs; *touche à effleurage*, tiptoets.
▼—er *ov.w* even aanraken, strijken —, scheren
langs; — *un sujet*, een onderwerp even
aanraken.
effloresc/ence *v* **1** (het) in bloei komen;
2 verwering; **3** uitslag (v.d. huid). **▼—ent** *bn*
1 bloeiend; **2** verwerend; **3** vlammend.
effluent I *bn* uitstromend. **II** *zn m*
uitstromende vloeistof.
effluve *m* uitwaseming.
effondrement *m* **1** omgraving v.d. grond;
2 instorting, ineenstorting. **▼effondrer I** *ov.w*
1 omgraven; **2** doen inzakken; **3** instoten,
intrappen. **II s'—** instorten, inzakken.
efforcer (s') zich inspannen, pogen. **▼effort**
m **1** inspanning, poging; — *de l'eau*, drang
v.h. water; *faire tous ses* —*s*, al zijn krachten
inspannen; **2** verrekking; *se donner un* —, zich
verrekken; **3** breuk.
effraction *v* inbraak.
effraie *v* kerkuil.
effrangement *m* (het) uitrafelen. **▼effranger**
I *ov.w* uitrafelen. **II s'—** uitrafelen.
effrayant *bn* verschrikkelijk, verbazend,
geweldig. **▼effrayer I** *ov.w* verschrikken.
II s'— verschrikken, bang worden.
effréné *bn* teugelloos, mateloos,
ongebreideld, losbandig.
effritement *m* **1** uitmergeling v.d. grond;
2 afbrokkeling, verwering. **▼effriter I** *ov.w*
1 uitmergelen v.d. grond; **2** verbrokkelen,
verweren. **II s'—1** uitgemergeld worden;
2 verbrokkelen, verweren.
effroi *m* schrik, ontzetting.
effronté I *bn* brutaal, schaamteloos. **II** *zn m*, **-e**
v schaamteloze, brutale man of vrouw.
▼—ment *bw* brutaal, schaamteloos.
▼effronterie *v* brutaliteit, schaamteloosheid.
effroyable *bn* verschrikkelijk, verschrikkelijk.
effusion *v* **1** uitstorting, (het) vergieten (— *de
sang*); **2** ontboezeming, hartelijkheid, warmte;
avec —, hartelijk; — *de colère*, uitbarsting van
woede.
égailler (s') zich verstrooien, zich verspreiden.
égal [*mv* **aux**] **I** *bn* gelijk; *faire jeu* —, (*sp.*)
gelijkspelen; **2** gelijkmatig (*caractère* —);
3 effen (*terrain* —); **4** onverschillig; *cela m'est*
—, dat is me onverschillig, laat me koud; *c'est*
—, het doet er niet toe. **II** *zn m* gelijke; *à l'* — *de*,
evenals, zoals; *sans* —, zonder weerga; *traiter
avec qn. d'* — *à* —, met iem. omgaan als met
zijn gelijke. **▼—able** *bn* te evenaren.
▼—ement *bw* **1** gelijk; **2** eveneens, ook.
▼—er *ov.w* **1** gelijk zijn aan; **2** evenaren;
3 gelijk maken; — *à*, gelijkstellen met.
▼—isateur *bn*: *but* —, gelijkmaker (*sp.*).
▼—isation *v* gelijkmaking, (het) gelijkmaken
(*sp.*). **▼—iser** *ov.w* **1** gelijkmaken; **2** effenen.
▼—itaire I *bn* gelijkheid der mensen
voorstaand. **II** *zn m* voorstander van
gelijkheid. **▼—ité** *v* **1** gelijkheid;
2 gelijkmatigheid (— *d'humeur*); **3** effenheid.

4 gelijkvormigheid.
égard *m* **1** oplettendheid, beleefdheid; *avoir* —
à, rekening houden met; **2** welwillendheid; *à
l'* — *de*, ten opzichte van, wat betreft; *eu* — *à*,
gelet op; *à tous* (*les*) —*s*, in ieder opzicht.
égar/ement *m* **1** (het) verdwalen; **2** verlies;
3 afdwaling; **4** verstandsverbijstering (— *de
l'esprit*); **5** losbandigheid, buitensporigheid.
▼—er I *ov.w* **1** op een dwaalspoor brengen,
doen dwalen; **2** wegmaken; **3** verbijsteren.
II s'—1 verdwalen; **2** afdwalen; **3** in de war
raken, buiten zich zelf raken.
égayant *bn* vrolijk, opvrolijkend. **▼égayer
I** *ov.w* **1** opvrolijken; **2** losser maken (— *le
style*); **3** uitdunnen. **II s'—** zich vermaken.
Egée: *la mer* —, de Egeïsche zee.
égide *v* bescherming (*l'* — *des lois*).
églantier *m* wilde roos, eglantier.
▼églantine *v* bloem v.d. egelantier.
églefin *m* schelvis.
église *v* **1** kerk; *gueux comme un rat d'* —, arm
als Job; *pilier d'* —, trouwe kerkganger; **2** Kerk;
les gens d'E—, de geestelijken; *E*— *militante*,
strijdende Kerk; *Père de l'E*—, kerkvader;
retrancher de l'E—, in de ban doen;
3 geestelijke stand.
églogue *v* kleine herderszang.
égocentr/ique *bn* egocentrisch. **▼—isme** *m*
egocentrisme.
égoïne *v* handzaag.
égoïsme *m* egoïsme. **▼égoïste I** *zn m* of *v*
egoïst(e). **II** *bn* egoïstisch.
égorg/ement *m* (het) vermoorden, slachting.
▼—er *ov.w* **1** de keel afsnijden; **2** vermoorden.
▼—eur *m* moordenaar.
égosiller (s') lang en hard schreeuwen.
égotisme *m* **1** eigendunk, zelfingenomenheid;
2 gewoonte om zich steeds met zich zelf bezig
te houden. **▼égotiste** *m* **1** iem. met veel
eigendunk; **2** iem. die zich steeds met zich zelf
bezighoudt.
égout *m* **1** riool; *rat d'* —, rioolruimer; **2** drop,
(het) afdruipen; **3** verzamelplaats van
gepeupel. **▼égoutier** *m* rioolruimer.
égout/tage, **—tement** *m* **1** (het) uitdruipen;
2 (het) verwijderen van overtollig water,
drooglegging. **▼—ter** *ov.w* **1** laten uitdruipen
(— *du linge*); **2** droogleggen (— *un terrain*).
▼—toir *m* **1** vergiet; **2** afdruiprek;
3 droogrekje (*fot.*). **▼—ture** *v* de laatste
druppels, bijv. uit een fles.
égrainage *m* zie **égrenage**. **▼égrainer** *ov.w*
zie **égrener**.
égrapp/age *m* (het) afristen van druiven.
▼—er *ov.w* afristen. **▼—oir** *m* instrument voor
het afristen van druiven.
égratigner *ov.w* **1** krabben; **2** licht
omploegen; **3** licht beschadigen; **4** krenken.
▼égratignure *v* **1** krab, schram; **2** kwetsing
der eigenliefde.
égren/age *m* **1** (het) uitkorrelen van graan,
pellen; **2** (het) afristen. **▼—er** *ov.w* **1** graan
uitkorrelen, pellen; **2** afristen; — *un chapelet*,
de kralen v.e. rozenkrans door zijn vingers
laten glijden. **▼—euse** *v* afristmachine voor
mais en katoen.
égrillard *bn* dartel, uitgelaten, schuin.
égriser *ov.w* (diamanten) ruw slijpen.
égrugeoir *m* vijzel. **▼égruger** *ov.w*
fijnstampen, bijv. van suiker.
Egypte (*l'*) *v* Egypte. **▼égypt/ien, -ienne I** *bn*
Egyptisch. **II** *zn* **E**—*m*, **-ienne** *v* Egyptenaar,
Egyptische. **III** *m* Egyptische taal. **▼—ologie** *v*
egyptologie. **▼—ologue** *m/v* egyptoloog,
-oge.
eh! *tw* hè!, wel!; *eh bien*, welnu.
éhonté *bn* schaamteloos.
eider *m* eidergans, -eend.
éjaculation *v* uitstorting; ejaculatie.
▼éjaculer *ov.w* uitspuiten.
éject/able *bn* uitwerpbaar; *siège* —,
schietstoel. **▼—er** *ov.w* **1** uitwerpen; **2** (*fam.*)
er uitgooien. **▼—eur** *m* uitwerper van geweer.
▼—ion *v* uitwerping, lozing, ontlasting.
élaboration *v* (het) be-, ver-, uitwerken.
▼élaborer *ov.w* be-, ver-, uitwerken.

élagage *m* (het) snoeien, uitdunnen.
▼**élaguer** *ov.w* **1** (bomen) uitdunnen; **2** een literair werk bekorten, besnoeien. ▼**élagueur** *m* snoeier, uitdunner van bomen.

élan *m* **1** aanloop; *prendre son* —, een aanloop nemen; **2** sprong; **3** geestdrift, vuur, elan (*l'— des troupes*); **4** opwelling (*— du cœur*); **5** drang, streven; **6** eland.

élancé *bn* slank. ▼**élancement** *m* **1** (het) vooruit springen; **2** steek, stekende pijn; **3** zielsverheffing; verzuchting tot God. ▼**élancer** I *ov.w* oprichten. II *ov.w* steken (van wond enz.). III *s'* — **1** vooruit snellen, toeschieten; *il s'élança sur son cheval*, hij wierp zich op zijn paard; **2** zich verheffen tot (*son âme s'élançait vers Dieu*); **3** slank worden, opschieten.

élargir *ov.w* **1** verbreden, verwijden; **2** (een gevangene) vrijlaten; **3** verruimen (*fig.*). ▼**élargissement** *m* **1** verwijding, verbreding; **2** vrijlating v. e. gevangene; **3** genoegen, vreugde.

élasticité *v* rekbaarheid, veerkracht. ▼**élastique** I *bn* rekbaar, veerkrachtig; *avoir une conscience* —, een ruim geweten hebben; *gomme* —, gomelastiek. II *zn m* elastiek(je).

élavé *bn* vaal.

elbeuf *m* naam v. e. soort laken.

eldorado *m* eldorado.

élect/eur *m*, -**rice** v **1** kiezer(es); **2** keurvorst(in). ▼**—if, -ive** *bn* verkozen. ▼**—ion** v verkiezing. ▼**—oral** [*mv aux*] *bn* wat betrekking heeft op een verkiezing; *loi —e*, kieswet; *prince* —, oudste zoon v. d. keurvorst. ▼**—orat** *m* **1** kiesrecht; **2** waardigheid v. e. keurvorst; **3** keurvorstendom; **4** electoraat, de kiezers.

électr/icien *m* elektriciën. ▼**—icité** v elektriciteit, (*fam.*) (het) licht. ▼**—ification** v elektrificatie. ▼**—ifier** *ov.w* elektrificeren, van stroom voorzien. ▼**—ique** *bn* **1** elektrisch; **2** bezielend. ▼**—isable** *bn* elektriseerbaar. ▼**—isant** *bn* **1** elektriserend; **2** bezielend. ▼**—isation** v elektrisering, (het) elektrisch zijn of worden. ▼**—iser** *ov.w* **1** elektriseren; **2** bezielen.

électro/-aimant† *m* elektromagneet. ▼**—cardiogramme** *m* film v. d. elektrisch opgenomen hartslag, elektrocardiogram, ECG. ▼**—chimie** v elektrochemie. ▼**—chimique** *bn* elektrochemisch. ▼**—choc** *m* shock (*med.*). ▼**—cuter** *ov.w* terechtstellen door middel v. d. elektrische stroom. ▼**—cuteur, -trice** *bn* dodend door elektriciteit (*courant* —). ▼**—cution** v elektrokutie (dood door elektrische stroom). ▼**—de** v elektrode. ▼**—dynamique** I *zn v* elektrodynamica. II *bn* elektrodynamisch. ▼**—dynamisme** *m* elektriciteitsverschijnselen. ▼**—encéphalogramme†** *m* elektro-encefalogram, EEG. ▼**—gène** *bn* elektriciteit ontwikkelend. ▼**—lyse** v ontleding door elektriciteit. ▼**—lyser** *ov.w* door elektriciteit ontleden. ▼**—magnétique** *bn* elektromagnetisch. ▼**—magnétisme** *m* elektromagnetisme. ▼**—ménager** *bn* elektrisch (voor huishoudelijke gebruik). ▼**—métallurgie** v elektrische metaalbewerking. ▼**—mètre** *m* elektrometer. ▼**—moteur** *m* elektromotor. ▼**—moteur, -trice** *bn* elektriciteit opwekkend.

électron *m* elektron. ▼**—icien** *m* elektronicus. ▼**—ique** I *bn* betrekking hebbend op elektronen. II *zn v* elektronenleer, elektronica.

électro/phone *m* afspeelapparaat, pick-up met ingebouwde versterker. ▼**—scope** *m* elektroscoop. ▼**—scopie** v elektroscopie. ▼**—technique** I *bn* elektrotechnisch. II *zn v* elektrotechniek. ▼**—thérapie** v geneeswijze met behulp van elektriciteit, elektrotherapie.

élégamment *bw* bevallig, elegant. ▼**élégance** v bevalligheid, sierlijkheid, elegante manieren. ▼**élégant** I *bn* bevallig, sierlijk, elegant. II *zn m*, -e *v* fat, modegek.

élégiaque I *bn* elegisch. II *zn m* elegiedichter. ▼**élégie** v treurzang, treurdicht.

élément *m* **1** element (verschillende betekenissen); *les quatre —s*, lucht, vuur, aarde en water; **2** grondslag; **3** beginsel. ▼**—aire** *bn* **1** bij de grondstof behorend; elementair; *corps* —, enkelvoudig lichaam; (*fam.*) *c'est* —, dat is wat het minste; **2** eenvoudig, de hoofdzaken betreffend; *livre —*, boek, dat de beginselen v. e. wetenschap bevat, boek voor beginners.

éléphant *m* olifant. ▼**—eau** [*mv x*] *m* jonge olifant. ▼**—esque** *bn* (*fam.*) geweldig. ▼**—iasis** v olifantsziekte.

élevage *m* (het) fokken.

élévat/eur, -trice I *bn* optrekkend, ophijsend; *chariot —* (*à fourche*), vorkheftruck. II *zn m* **1** optrekkende spier; **2** lift; **3** elevator; **4** scheepskameel. ▼**—ion** v **1** hoogte, verhevenheid (*— de terrain*); **2** opheffing v. d. hostie; **3** verheffing; *É— de la Croix*, het feest der Kruisverheffing; *— de la voix*, stemverheffing; *— à la puissance*, machtsverheffing; **4** bevordering; **5** verhevenheid, grootheid; *— d'âme*, zielegrootheid; *— de style*, verhevenheid van stijl; **6** verhoging (*— du prix*); **7** richtingshoek v. e. kanon; **8** (op)stijging. ▼**—oire** *bn* opheffend, opvoerend; *pompe —*, zuigperspomp.

élève *m of v* **1** leerling(e); **2** jong dier, dat door een fokker wordt verzorgd; **3** jonge plant of boom. ▼**élevé** *bn* **1** opgevoed; *bien —*, beschaafd; *mal —*, onbeschaafd, ongemanierd; **2** hoog; **3** verheven. ▼**élever** I *ov.w* **1** opheffen (*— un fardeau*); verheffen (*— la voix*); verhogen (*— un mur*); *— les prix*, de prijzen verhogen, doen stijgen (*— la température*); **2** bouwen (*— une maison*); **3** oprichten; **4** bevorderen; **5** opvoeden, fokken; **6** verheffen (*— le cœur*); **7** — *jusqu'aux nues*, hemelhoog prijzen; **8** (in een macht) verheffen. II *s'* — **1** zich verheffen; *le brouillard s'élève*, de mist trekt op; **2** opslaan van prijzen; **3** opsteken v. d. wind; **4** (*— contre*) zich verzetten tegen, opstaan tegen; **5** gesticht worden; **6** bedragen; *le prix s'élève à dix francs*, de prijs bedraagt tien francs. ▼**éleveur** I *m*, **-euse** *v* fokker (-ster). II **-euse** *v* couveuse.

elfe *m* elf.

élider *ov.w* de slotklinker vervangen door een apostrof (bijv. *de* veranderen in *d'*).

éligibilité v verkiesbaarheid. ▼**éligible** *bn* verkiesbaar.

élimer *ov.w* verslijten (v. stof).

élimin/ation v verwijdering, schrapping, uitschakeling. ▼**—atoire** *bn* wat schrapping, verwijdering ten gevolge heeft; (*épreuve*) —, voor-, afvalwedstrijd. ▼**—er** *ov.w* **1** verwijderen; **2** schrappen (*— un candidat*); **3** verdrijven (*— un poison*); **4** elimineren (*wisk.*).

élire *ov.w onr.* (ver)kiezen; *— domicile*, zich vestigen.

élision v vervanging van slotklinker door apostrof (zie *élider*).

élitaire *bn* elitair (tot elite behorend). ▼**élite** v keur, bloem; *d'—*, zeer bekwaam, hooggstaand. ▼**élitiste** *bn* elitair (aan elite de voorkeur gevend).

élixir *m* elixer.

elle *vnw* zij, haar.

ellébore *m* nieskruid; *— noir*, kerstroos.

ellip/se v **1** ellips; **2** weglating v. e. woord. ▼**—soïdal** [*mv aux*] *m* ellipsvormig. ▼**—tique** *bn* **1** ellipsvormig; **2** met een weglating.

Elme *m*: *feu Saint Elme*, sint-elmsvuur.

élocution v wijze van uitdrukken, voordracht, stijl; *avoir l'— facile*, zich gemakkelijk weten uit te drukken.

éloge *m* lof, lofrede; *— funèbre*, lijkrede; *faire l'— de*, prijzen. ▼**élogieux, -euse** v prijzend (*paroles —euses*).

éloigné *bn* ver, verwijderd. ▼**éloignement** *m* **1** afstand, verwijdering; *en —*, in de verte, in het verschiet; **2** afkeer. ▼**éloigner** I *ov.w*

1 verwijderen; — *une pensée*, een gedachte van zich afzetten; **2** wegjagen, verdrijven; **3** vervreemden; **4** uitstellen, vertragen. **II s'**— zich verwijderen.

élonger *ov.w* spannen langs.

éloquemment *bw* welsprekend. ▼**éloquence** *v* (wel)sprekendheid. ▼**éloquent** *bn* welsprekend.

élu I *m* 1 verkozen, gekozen. **II** *zn m* **1** gekozene; **2** uitverkorene. **III** *v.dw van* **élire**.

élucidation *v* verklaring, opheldering. ▼**élucider** *ov.w* verklaren, ophelderen.

élucubration *v* weinig zinvol produkt van veel hoofdbrekens.

éluder *ov.w* handig vermijden.

Elysée *m* **1** verblijf der zaligen; **3** paleis v. d. Fr. president. ▼**élyséen, -enne** *bn* betrekking hebbend op het verblijf der zaligen.

elzévir *m* **1** oude uitgave van Elzevier; **2** lettertype. ▼**—ien, -ienne** *bn* **1** uitgegeven door de Elzeviers; **2** in elzevierformaat.

émaciation *v* sterke vermagering. ▼**émacié** *bn en* mager.

émail [*mv aux*] *m* **1** brandverf, glazuur; **2** emailwerk; **3** tandglazuur; **4** bontheid, kleurenpracht. ▼**—lage** *m* (het) emailleren. ▼**—ler** *ov.w* **1** brandschilderen, emailleren; **2** met veel kleuren tooien (*les fleurs émaillent la prairie*); ▼**—lerie** *v* emailleerkunst. ▼**—leur** *m* brandverfschilder. ▼**—lure** *v* **1** emailleerkunst; **2** brandschilderwerk.

émanation *v* **1** uitwaseming, uitdamping; **2** uitvloeisel.

émancip/ateur, -atrice I *bn* vrijmakend. **II** *zn m*, **-atrice** *v* vrijmaker (-maakster). ▼**—ation** *v* **1** vrijmaking; **2** mondigverklaring; **3** gelijkstelling in rechten, emancipatie. ▼**—er** *ov.w* **1** vrijmaken; **2** mondig verklaren; **3** gelijke rechten geven, emanciperen.

émaner *on.w* **1** uitvloeien, uitstromen; **2** uitgaan van, voortkomen uit, voortvloeien uit.

émargement *m* (het) tekenen (voor ontvangst). ▼**émarger** *ov.w* **1** afsnijden, verkleinen v. d. rand; **2** een kanttekening maken; **3** voor ontvangst tekenen.

émasculation *v* castratie. ▼**émasculer** *ov.w* castreren.

embâcle *m* ijsdam in een rivier.

emball/age *m* **1** verpakking; **2** eindspurt (wielrennen). ▼**—ement** *m* opwinding, drift. ▼**—er** I *ov.w* **1** inpakken; **2** bezielen, meeslepen; **3** in de gevangenis zetten; **4** (*arg.*) een vuistslag geven. **II s'**— **1** op hol slaan; **2** opvliegen; **3** enthousiast worden; **4** voluit draaien (v. motor), loeien. ▼**—eur** *m* (in)pakker.

embarbouiller I *ov.w* in de war brengen. **II s'**— in de war raken.

embarcadère *m* **1** steiger (voor het inschepen); **2** station van vertrek.

embarcation *v* kleine roeiboot, - stoomboot, klein zeilscheepje; *mettre les* — *s à la mer*, de boten uitzetten.

embardée *v* plotselinge zwenking van schip, auto, enz.

embargo *m* **1** embargo; **2** beslaglegging, verschijningsverbod van boeken, tijdschriften.

embarquement *m* inscheping. ▼**embarquer** I *ov.w* **1** inschepen, inladen, ophalen met auto (*pop.*); **2** aan boord krijgen (— *une lame*); **3** betrekken in. **II** *on.w* **1** aan boord gaan, in een wagen, een trein stappen; **2** op reis gaan; **3** over het dek slaan (*la mer embarque*). **III s'**— **1** zich inschepen, in een wagen of trein stappen; **2** zich wikkelen in — *dans un procès*; *qui s'est embarqué, doit achever*, wie a heeft gezegd, moet ook b zeggen.

embarras *m* **1** versperring, hindernis; — *de voitures*, verkeersopstopping; *faire de l'*—, voornaam, gewichtig doen; **2** verlegenheid, verwarring, moeilijkheid; *l'*— *du choix*, moeilijke keus; — *gastrique*, maagstoornis; *se trouver dans l'*—, in geldnood zitten. ▼**embarrassant** *bn* **1** hinderlijk; **2** moeilijk.

▼**embarrassé** *bn* **1** verlegen; **2** in moeilijkheid, in geldverlegenheid; **3** zwaar (hoofd). ▼**embarrasser** I *ov.w* **1** versperren (— *une rue*); **2** hinderen; **3** in verlegenheid brengen; in de bewegingen belemmeren (*habits, souliers qui embarrassent*). **II s'**— **1** verlegen worden; **2** in verwarring raken; *s'*— *dans un discours*, de draad kwijtraken; **3** *s'*— *de*, zich bekommeren om.

embauchage *m of* **embauch/e** *v* indienstneming, aanwerving van troepen, personeel. ▼**—er** *ov.w* in dienst nemen. ▼**—eur** I *m*, **-euse** *v* persoon, die in dienst neemt. **II** *m* ronselaar, werver.

embauchoir *m* leest.

embaum/ement *m* balseming. ▼**—er** I *ov.w* **1** balsemen; **2** met heerlijke geuren vullen (— *une chambre*). **II** *on.w* een heerlijke geur verspreiden. ▼**—eur** *m* iem. die balsemt.

embellie *v* kalmte na rukwind, tijdelijke opklaring. ▼**embellir** I *ov.w* **1** verfraaien, mooier maken; **2** opsmukken, overdrijven (v. e. verhaal). **II** *on.w* mooier worden. **III s'**— mooier worden. ▼**embellissement** *m* **1** verfraaiing; **2** opsmukking v. e. verhaal.

emberlificoter *ov.w* (*pop.*) verwarren.

embêtant *bn* (*fam.*) vervelend. ▼**embêtement** *m* (*fam.*) **1** verveling, onaangenaamheid; **2** moeilijkheid, verdriet. ▼**embêter** I *ov.w* (*pop.*) vervelen, plagen. **II** (*pop.*) *s'*— zich stom vervelen.

emblav/age/ *m* (het) bezaaien met koren. ▼**—er** *ov.w* met koren bezaaien. ▼**—ure** *v* korenveld.

emblée (d') *bw* in het begin, dadelijk; *prendre une ville d'*—, een stad stormenderhand nemen.

emblématique *bn* zinnebeeldig. ▼**emblème** *m* **1** zinnebeeld; **2** kenteken.

embobiner *ov.w* **1** om een klos of spoel winden; **2** (*fam.*) inpalmen.

emboît/age *m* **1** (het) inpakken; **2** (het) in de band zetten v. e. boek; **3** losse band v. e. boek; **4** (het) uitjouwen v. e. toneelspeler of redenaar. ▼**emboîter** *ov.w* **1** inpakken; **2** in een band zetten; **3** ineenschuiven; — *le pas*, vlak achter elkaar lopen, iem. getrouw navolgen; **4** uitjouwen v. e. redenaar of toneelspeler.

embolie *v* embolie (*med.*).

embonpoint *m* gezetheid; *prendre de l'*—, dik worden.

embosser (s') dwars gaan liggen v. e. schip.

embouche, embauche *v* vetweide.

embouch/er *ov.w* **1** aan de mond zetten (— *un instrument*); — *la trompette*, hoogdravend spreken; **2** iem. de woorden in de mond geven; **3** *être mal embouché*, vuile taal spreken, ruw in de mond zijn. ▼**—oir** *m* mondstuk v. e. muziekinstrument. ▼**—ure** *v* **1** mond van rivier; **2** mondstuk v. h. bit v. e. paard; **3** mondstuk v. e. muziekinstrument; **4** wijze, waarop men het blaasinstrument aan de mond zet, - waarop men blaast.

embouquer *on.w* een zeeëngte binnenvaren.

embourber I *ov.w* **1** in de modder zetten, rijden (— *une voiture*); **2** iem. in een slechte zaak betrekken. **II s'**— **1** in de modder blijven steken; **2** zich in moeilijkheden storten, zich vastwerken.

embourgeoiser (s') verburgerlijken.

embout *m* versiering v. h. eind (v. e. stok, paraplu).

embouteill/age *m* **1** blokkade v. e. haven; **2** verkeersopstopping; **3** overbezetting. ▼**—er** *ov.w* **1** blokkeren; **2** het verkeer versperren; **3** overbezetten.

embout/ir *ov.w* **1** uitkloppen (*cuivre embouti*); **2** met metaal bekleden; **3** met veel geweld aanrijden (— *une auto*). ▼**—issage** *m* (het) uitkloppen van metalen.

embranch/ement *m* **1** vertakking; **2** kruispunt; **3** zijtak v. e. spoorweg; **4** hoofdafdeling v. e. wetenschap, - v. h. dierenrijk. ▼**—er** *ov.w* (wegen, buizen) samenvoegen.

embras/ement *m* 1 hevige brand, vuurzee; 2 oproer. **▼—er** *ov.w* 1 in brand steken; 2 fel verlichten; 3 in vuur en vlam zetten; *— les cœurs,* de harten doen ontgloeien.

embrass/ade *v* omhelzing. **▼—ement** *m* omhelzing. **▼—er** *ov.w* 1 omhelzen; 2 kussen; 3 omringen, omgeven; 4 omvatten; *qui trop embrasse, mal étreint,* (spr.w) men moet niet te veel hooi op zijn vork nemen; 5 kiezen, aangrijpen; *— l'occasion,* de gelegenheid aangrijpen; *— un parti,* partij kiezen; 6 overzien. **▼—eur** *m,* **-euse** *v* iem. die graag kust.

embrasure *v* 1 venster-, deuropening; 2 schietgat voor kanonnen.

embray/age *m* 1 koppeling; 2 koppelingsmechanisme. **▼—er** *ov.w* 1 koppelen; 2 (pop.) weer aan het werk gaan. **▼—eur** *m* koppeling (smechanisme).

embrigadement *m* 1 het verenigen tot brigades; 2 indeling. **▼embrigader** *ov.w* 1 tot brigades verenigen; 2 indelen.

embringuer *ov.w* (fam.) er in luizen.

embrocation *v* 1 (het) aanbrengen v. vette, warmtegevende vloeistof; 2 deze vloeistof.

embrocher *ov.w* 1 aan het spit steken; 2 aan de degen rijgen.

embrouill/amini *m* —, **ement** *m* verwarring. **▼—er** *l ov.w* verwarren, verwarring stichten. **ll s'**— in de war raken, de kluts kwijtraken.

embroussaillé *bn* 1 vol struiken; 2 verward.

embrumer *ov.w* 1 in mist hullen; 2 somber, triest maken.

embrun *m* 1 nevelige lucht; 2 fijne spatten der golven.

embry/ologie *v* leer der ontwikkeling en v. h. ontstaan der kiem. **▼—ologique** *bn* betrekking hebbend op de embryologie. **▼—on** *m* kiem, embryo. **▼—onnaire** *bn* betrekking hebbend op de kiem; *état* —, staat van wording.

embu *l bn* dof. **ll** *zn m* doffe kleur.

embûche *v* 1 hinderlaag; *tendre des —s,* hinderlagen leggen; 2 (fig.) valstrik.

embuer *l ov.w* met wasem bedekken. **ll s'**— beslaan.

embuscade *v* 1 hinderlaag; *dresser, mettre une* —, een hinderlaag leggen; *se mettre en —,* zich verdekt opstellen; 2 troep, die in hinderlaag ligt. **▼embusquer** *l ov.w* in hinderlaag leggen. **ll s'**— 1 zich in hinderlaag leggen; 2 een ongevaarlijk baantje krijgen tijdens een oorlog.

éméché (fam.) aangeschoten.

émeraude *v* 1 smaragd; 2 smaragdgroen (vert d'—).

émerg/ence *v* 1 (het) opduiken; 2 uittreding v. e. lichtstraal; *point d'—,* punt van uittreding v. e. lichtstraal; punt van waar een bron ontspringt. **▼—ent** *bn* uit het water opduikend, te voorschijn komend, uittredend (rayons —s). **▼—er** *on.w* 1 opduiken, uit het water te voorschijn komen, uitsteken boven (le clocher émerge des arbres); 2 ontspringen v. e. bron; 3 te voorschijn komen, duidelijk worden (la vérité émerge).

émeri *m* amaril, smergel; *bouchon à l'—,* geslepen stop; *toile d'—,* schuurlinnen; (fam.) bouché à l'—, erg stom.

émerillon *m* dwergvalk.

émérite *bn* 1 rustend; 2 zeer bekwaam.

émersion *v* (het) opduiken, droogvallen van land.

émerveill/ement *m* verbazing. **▼—er** *ov.w* verbazen, verstomd doen staan.

émétique *l bn* wat doet braken (poudre —). **ll** *zn m* braakmiddel.

émetteur *l zn m,* **-trice** *v* emittent(e). **ll** *m* zender (radio). **ll** *bn* uitzendend; *poste —, station —trice,* zendstation. **▼émettre** *ov.w* onr. 1 uitgeven, in omloop brengen; 2 uitstralen, uitzenden (— des rayons); 3 uiten, te kennen geven (— une opinion); — un vœu, een gelofte afleggen.

émeu, émou *m* emoe.

émeut/e *v* opstand, oproer, muiterij. **▼—ier**

l zn m, **-ière** *v* opruier (-ster), muiter. **ll** *bn* opruiend.

émiett/ement *m* 1 verkruimeling; 2 verbrokkeling. **▼—er** *ov.w* 1 verkruimelen; 2 verbrokkelen. **ll s'**— 1 tot kruimels worden; 2 afbrokkelen.

émigr/ant *l zn m* landverhuizer, emigrant. **ll** *bn* verhuizend, emigrerend. **▼—ation** *v* 1 landverhuizing, emigratie; 2 landverhuizers; 3 vogeltrek. **▼émigré** *m,* **-e** *v* uitgewekene. **▼émigrer** *on.w* 1 zijn land voorgoed verlaten, emigreren; 2 trekken van vogels.

émincé *m* in dunne plakjes gesneden vlees. **▼émincer** *ov.w* in dunne plakjes snijden.

éminemment *bw* uitstekend, in de hoogste mate, voortreffelijk. **▼éminence** *v* 1 hoogte; 2 voortreffelijkheid, uitstekendheid; 3 E—, Eminentie. **▼éminent** *bn* 1 hoog, uitstekend (lieu —); 2 uitstekend, voortreffelijk. **▼éminentissime** *bn* zeer verheven (van kardinalen).

émir *m* emir. **▼—at** *m* emiraat; E—s arabes unis, Verenigde Arabische Emiraten.

émissaire *l zn m* 1 geheime bode of agent; 2 afvoerkanaal. **ll** *bn: le bouc* —, de zondebok.

émission *v* 1 uitgifte (van aandelen); 2 uitstraling (— de chaleur); 3 lozing (— d'urine); — sanguine, aderlating; 4 voortbrenging; — de voix, geluidgeving; 5 uitzending (radio); poste d'—, zendstation.

emmagasin/age, —**ement** *m* 1 (het) opslaan van waren in een pakhuis. **▼—er** *ov.w* 1 opslaan van waren in een pakhuis; 2 ophopen, verzamelen.

emmaillotement *m* inbakering. **▼emmailloter** *ov.w* 1 inbakeren; 2 inwikkelen, strak inrijgen.

emmanch/er *ov.w* 1 een steel zetten aan; 2 op touw zetten. **▼—ure** *v* armsgat.

emmêl/ement *m* verwarring, (het) door elkaar halen. **▼emmêler** *l ov.w* verwarren. **ll s'**— verward raken.

emménag/ement *m* (het) vervoeren en plaatsen van meubels in een nieuwe woning. **▼emménager** *l on.w* zijn meubelen overbrengen naar een nieuwe woning. **ll** *ov.w* installeren. **lll s'**— 1 een nieuwe woning inrichten; 2 meubels kopen.

emmener *ov.w* wegbrengen, wegvoeren, meenemen; (sp.) aanvoeren.

emmental (emmenthal) *m* emmentaler kaas.

emmerd/ant *bn* (vulg.) vervelend, klierig. **▼—ement** *m* (vulg.) verveling. **▼—er** *ov.w* (vulg.) 1 vervelen; 2 lak hebben aan. **ll s'**— zich vervelen. **▼—eur** *m,* **-euse** *v* klier.

emmitoufler *l ov.w* warm instoppen. **ll s'**— zich warm instoppen.

emmurer *ov.w* 1 (een stad) ommuren; 2 opsluiten tussen vier muren.

émoi *m* 1 ontroering; 2 onrust, zorg; *mettre en —,* in rep en roer brengen.

émollient *l bn* verzachtend. **ll** *zn m* verzachtend middel (méd.).

émolument *m* 1 erfenis; 2—s *mv* traktement.

émond/age, —**ement** *m* (het) snoeien. **▼—er** *ov.w* snoeien. **▼—es** *v mv* gesnoeide takken. **▼—eur** *m* snoeier. **▼—oir** *m* snoeimes.

émotif, -ive *bn* 1 wat gemoedsaandoeningen betreft; 2 gemakkelijk te ontroeren, emotioneel. **▼émotion** *v* 1 ontroering, aandoening; 2 gisting, beroering. **▼—nel, -nelle** *bn* emotioneel. **▼—ner** *l ov.w* (fam.) ontroeren. **ll s'**— ontroerd worden. **▼émotivité** *v* gevoeligheid, (het) spoedig ontroerd zijn, emotionaliteit.

émott/age, —**ement** *m* (het) breken der kluiten. **▼—er** *ov.w* kluiten breken.

émoucher *ov.w* vliegen wegjagen (— un cheval).

émoulu *bn* geslepen; *se battre à fer —,* met scherpe wapens vechten; frais —, kersvers; frais — de l'université, pas van de universiteit af.

émousser *ov.w* 1 minder scherp, stomp maken; 2 afstompen, verzwakken.

émoustiller *ov.w* (fam.) opvrolijken.

émouvant bn ontroerend, aangrijpend.
▼émouvoir I ov.w onr. 1 bewegen, in beweging brengen, aanzetten; — la bile à qn., iem. boos maken; le vent émeut les flots, de wind zweept de golven op; — le pouls, de pols versnellen; — à la sédition, aanzetten tot oproer; 2 ontroeren, aangrijpen. II s'— 1 in beweging komen, 2 ontroerd, onrustig, opgewonden worden; le peuple commence à s'—, het volk begint oproerig te worden.
empaill/age, —ement m 1 (het) matten van stoelen; 2 (het) opzetten van dieren. **▼—er** ov.w 1 (stoelen) matten; 2 (dieren) opzetten. **▼—eur** m, -euse v opzetter(-ster) van dieren.
empaler ov.w spietsen (lijfstraf).
empanacher ov.w met een pluim versieren.
empanner ov.w beschadigen (scheepv.).
empaquetage m (het) inpakken.
▼empaqueter ov.w 1 inpakken; 2 (pop.) arresteren.
emparer (s') zich meester maken, bemachtigen.
empât/e/ein bn 1 kleverig; 2 vet, pafferig, log; langue empâtée, dikke tong. **▼—ement** m 1 kleverigheid; 2 pafferigheid, logheid. **▼—er** ov.w 1 kleverig maken; 2 pafferig maken; 3 vetmesten (— une poule); 4 met deeg bestrijken of vullen; 5 verf opleggen in verschillende lagen.
empattement m 1 uitspringend metselwerk a.d. voet v.e. muur; 2 basis, voet; 3 (auto) wielbasis.
empaumer ov.w inpalmen. **▼empaumure** v 1 palm v.e. handschoen; 2 kroon v.h. gewei v.e. hert.
empêchement m verhindering, beletsel; avoir un —, opgehouden worden. **▼empêcher** I ov.w beletten, verhinderen; — qn. de faire qc., iemand beletten iets te doen; — la vue, het uitzicht belemmeren. II s'— de nalaten; il ne put s'— de rire, hij kon niet nalaten te lachen. **▼empêcheur** m, -euse v hij, zij die belet.
empeigne v bovenleer van schoenen.
empennage m 1 stabilisatievlak van luchtschip of vliegtuig; 2 vleugel van vliegtuigbom. **▼empenner** ov.w van veren voorzien.
empereur m 1 keizer; 2 zwaardvis.
emperler ov.w beparelen.
empesage m (het) stijven. **▼empesé** bn 1 gesteven; 2 gemaakt. **▼empeser** ov.w stijven (v. goed).
empester I ov.w 1 besmetten met pest; 2 verpesten. II ça empeste ici!, het stinkt hier!
empêtrer I ov.w 1 de poten vastbinden; 2 (ver)wikkelen, betrekken (— qn. dans une affaire). II s'— zich verwikkelen (— dans une affaire), verward raken.
emphase v 1 gezwollenheid, hoogdravendheid; 2 klem op een woord. **▼emphatique** bn 1 gezwollen, hoogdravend; 2 met de klemtoon.
emphysème m emphysema, windgezwel.
emphytéose v erfpacht.
empiècement m pas, opgezet (ingebreid) stuk (in een kledingstuk).
empierrement m verharding v.e. weg. **▼empierrer** ov.w verharden (v.e. weg).
empiétement m inbreuk. **▼empiéter** I ov.w zich op onwettige wijze toeeigenen. II on.w (sur) inbreuk maken op, in iem. 's rechten treden; la mer empiète sur les côtes, de zee slaat stukken van de kust af.
empiffrer I ov.w (pop.) volproppen (met voedsel). II s'— zich volproppen.
empilement, empilage m opstapeling. **▼empiler** ov.w 1 opstapelen; 2 (fam.) bedriegen, stelen. **▼empileur** m 1 persoon die opstapelt; 2 (fam.) dief.
empire m 1 keizerrijk, rijk; premier —, keizerrijk van Napoleon I; second —, keizerrijk van Napoleon III; 2 macht, heerschappij; avoir de l'— sur ses passions, zijn hartstochten weten te beheersen; style —, stijl uit het eerste keizerrijk.
empirer I ov.w erger maken. II on.w erger

worden.
empir/ique bn empirisch. **▼—isme** m 1 ervaringsleer; 2 kwakzalverij. **▼—iste** m empirisch filosoof of arts.
emplacement m 1 bouwgrond; 2 plaats, waar een gebouw of stad vroeger stond.
emplâtre m 1 pleister; 2 sukkel; 3 (pop.) oorvijg.
emplette v 1 inkoop; 2 (het) gekochte.
emplir ov.w 1 vullen; 2 vervullen (— de joie).
emploi m 1 gebruik; mode d'—, gebruiksaanwijzing; — abusif, misbruik; faire double —, nodeloos herhalen, dubbel boeken; 2 werk, bezigheid, werkgelegenheid; donner de l'— à qn., iem. werk verschaffen; 3 ambt, post. **▼employ/able** bn bruikbaar. **▼—é** m, -e v beambte, ambtenaar (ambtenares), bediende, loontrekkende. **▼—er** I ov.w 1 gebruiken, besteden; — le vert et le sec, alles in het werk stellen om zijn doel te bereiken; 2 in dienst hebben; 3 iem. als kruiwagen gebruiken, zich van iem. bedienen. II s'— gebruikt worden. **▼—eur** m, -euse v werkgever (-geefster).
emplumé bn bedekt met veren.
empocher ov.w 1 in de zak steken; 2 krijgen, oplopen (— des coups).
empoignade v (fam.) heftige ruzie.
▼empoignant bn aangrijpend. **▼empoigne** v 1 (het) grijpen; 2 greep; acheter à la foire d'—, gappen. **▼empoigner** ov.w 1 grijpen, pakken; 2 arresteren; 3 boeien, aangrijpen.
empois m stijfselpap.
empoisonn/ant bn (fam.) vervelend. **▼—ement** m vergiftiging. **▼—er** ov.w 1 vergiftigen (ook fig.); cette odeur empoisonne toute la chambre, die lucht verpest de hele kamer; 2 bederven; 3 slecht eten geven; 4 (fam.) vervelen. **▼—eur** I zn m, -euse v 1 giftmenger (-mengster); 2 (zeden) bederver (-bederfster); 3 slechte kok; 4 vervelend iemand. II bn vergiftigend.
empoissonnement m (het) uitzetten van vis. **▼empoissonner** ov.w vis uitzetten in.
emport m vracht.
emporté bn driftig, opvliegend.
▼emportement m drift, opvliegendheid; les —s de la jeunesse, de jeugdige uitspattingen.
emporte-pièce m ponsmachine; à l'—, bijtend, raak, scherp.
emporter I ov.w 1 wegnemen, meenemen, wegdragen, wegvoeren; ce liquide emporte les taches, die vloeistof verwijdert vlekken; ce remède emporte la fièvre, dat geneesmiddel verdrijft de koorts; 2 veroveren; 3 doen sterven, wegrukken (une grave maladie l'a emporté); 4 meesleuren (une passion qui emporte qn.; être emporté par les vagues); 5 behalen (— un avantage); l'— sur, het winnen van, overtreffen. II s'— 1 driftig worden; 2 op hol slaan v.e. paard.
empoté bn (fam.) onhandig.
empourprer ov.w purper, vuurrood kleuren.
empoussiérer ov.w bedekken met stof.
empreindre ov.w onr. drukken in, prenten in, doordrenken. **▼empreinte** v 1 indruk, afdruk; — digitale, vingerafdruk; 2 teken, kenmerk, stempel.
empressé bn 1 druk bezig, haastig, bedrijvig; 2 gedienstig, galant; agréez mes civilités —es, hoogachtend. **▼empressement** m 1 ijver, werkzaamheid; 2 gedienstigheid, bereidwilligheid. **▼empresser (s')** 1 zich haasten; 2 zich beijveren; s'— auprès de qn., naar iem. 's gunst dingen.
emprise v 1 beslaglegging; 2 invloed, vat.
emprisonnement m gevangenneming, -schap, gevangenisstraf. **▼emprisonner** ov.w gevangennemen, in de gevangenis zetten, opsluiten.
emprunt m 1 lening; nom d'—, schuilnaam; vertu d'—, schijndeugd; 2 het geleende; 3 ontlening. **▼emprunté** bn 1 geleend; nom —, valse naam; 2 gemaakt, aanstellerig; manières —es, aanstellerige manieren; visage —, gelegenheidsgezicht; 3 verlegen;

4 ontleend. ▼**emprunt/er** *ov.w* **1** — à lenen van; **2** — à (de) ontlenen aan; **3** ontvangen, krijgen (*la lune emprunte sa lumière du soleil*); **4** zich bedienen van, gebruik maken van; — le bras de qn., gebruik maken van iemands hulp; **5** aannemen (— *le masque de la vertu*).
▼—**eur** *m*, **-euse** *v* **1** lener (leenster); **2** iem. die graag leent.
empuantir *ov.w* verpesten.
empyrée *m* **1** hoogste hemel; **2** (*dicht.*) firmament; **3** zevende hemel.
ému I *bn* **1** ontroerd, aangedaan; **2** gevoelig. II *v.dw van* émouvoir.
émulation *v* wedijver. ▼**émule** I *m* of *v* mededinger (-dingster). II *bn* mededingend.
émuls/if, -ive I *bn* oliegevend (*plk.*). II *zn m* oliehoudend zaad. ▼—**ion** *v* emulsie.
▼—**ionner** *ov.w* tot emulsie maken.
en I *vz* **1** aan; — *tête*, aan het hoofd; **2** al; — *forgeant on devient forgeron*, al doende leert men; **3** als een; *agir* — *héros*, als een held handelen; **4** in; — *deux ans*, in twee jaar; — *France*, in Frankrijk; — *1900*, in 1900; — *plein champ*, in het open veld; *dîner* — *ville*, buitenshuis eten; **5** met; *bordé* — *or*, met goud afgezet; **6** naar; *aller* — *France*, naar Frankrijk gaan; **7** op; — *sabots*, op klompen; **8** over; *d'aujourd'hui* — *quinze*, over veertien dagen; **9** te; *venir* — *aide*, te hulp komen; **10** tot; *de mal* — *pis*, van kwaad tot erger; **11** van; *montre* — *or*, horloge van goud, gouden horloge. II *vnw* ervan, erover, enz.; *c'* — *est assez*, dat is genoeg; *il n'* — *croyait pas ses yeux*, hij geloofde zijn ogen niet; *il s'* — *faut de beaucoup*, het scheelt veel; *je m'* — *tiens à ce que j'ai dit*, ik houd me aan hetgeen ik gezegd heb; *je vous* — *prie*, als 't u belieft; *où* — *sommes-nous?*, waar zijn we gebleven?; — *vouloir à*, boos zijn, kwalijk nemen. III *bw* ervandaan, weg; *il* — *vient*, hij komt er vandaan; *s'* — *aller*, weggaan; — *venir aux injures*, elkaar gaan uitschelden.
enamourer I *ov.w* verliefd maken. II **s'**— verliefd worden.
énarque *m* oud-leerling v.d. E.N.A. (Ecole nationale d'administration).
encablure *v* kabellengte (*scheepv.*).
encadr/ement *m* **1** (het) om-, inlijsten; **2** omlijsting, lijst; **3** encadrering (*mil.*). ▼—*er ov.w* **1** in-, omlijsten; **2** omringen, omgeven; **3** in het leger opnemen, encadreren (*mil.*). ▼—**eur** *m* lijstenmaker.
encager *ov.w* **1** in een kooi opsluiten; **2** gevangen zetten.
encaissable *bn* invorderbaar. ▼**encaisse** *v* kasgeld.
encaissé *bn* met hoge oevers, met hoge bermen; *chemin* —, holle weg; *ville* —*e*, door hoogten omgeven stad.
encaiss/ement *m* **1** inning; **2** bedding, holte, greppel. ▼—*er ov.w* **1** innen; **2** krijgen, ontvangen (— *un soufflet*); **3** verdragen.
▼—**eur** *m* wisselloper, incasseerder.
encan *m* veiling bij opbod (*vendre à l'*—).
encanailler (s') zich met schooiers, met gemeen volk afgeven.
encapuchonner *ov.w* met een kap bedekken.
encaqu/ement *m* (het) haringkaken. ▼—*er ov.w* haring kaken. ▼—**eur** *m*, **-euse** *v* haringkaker (-kaakster).
encart *m* inlegvel. ▼—**age** *m* **1** bijgevoegd blad; **2** (het) tussenvoegen v.e. blad. ▼—**er**, —**onner** *ov.w* **1** een blad tussenvoegen; **2** op een kaart bevestigen (— *des boutons*, *des épingles*).
en-cas, encas *m* **1** iets, dat van tevoren is klaargemaakt voor geval van nood (vooral van spijzen); **2** lichte maaltijd; **3** grote parasol, die ook als paraplu kan dienen.
encaserner *ov.w* in een kazerne onderbrengen.
encastr/able *bn* inbouw-. ▼—**ement** *m* keep, sponning. ▼—*er ov.w* invatten, inbouwen (in een muur).
encaustique *v* boenwas, wrijfwas.
▼**encaustiquer** *ov.w* met boenwas inwrijven.

encavement *m* (het) kelderen van wijn.
▼**encaver** *ov.w* wijn kelderen.
enceindre *ov.w onr.* omringen. ▼**enceinte** I *v* ringmuur, omheining, omwalling; — *acoustique*, stel luidsprekerboxen. II *bn v* zwanger.
encens *m* **1** wierook; **2** (grote) lof. ▼—**ement** *m* bewieroking. ▼—*er ov.w* **1** bewieroken; **2** erg vleien. ▼—**eur** *m* vleier, iem. die lof toezwaait. ▼—**oir** *m* wierookvat; *donner de l'* — *à qn.*, *casser à qn. l'* — *sur le nez*, iem. erg vleien.
encéphal/e *m* (grote en kleine) hersenen.
▼—**ique** *bn* de hersens betreffend. ▼—**ite** *v* hersenontsteking. ▼—**ogramme** *m* encefalogram, EEG. ▼—**ographie** *v* radiografisch hersenonderzoek.
encercl/ement *m* omsingeling. ▼—*er ov.w* **1** met een hoepel omgeven; **2** omsingelen.
enchaînement *m* **1** (het) ketenen; **2** aaneenschakeling, verband (*l'* — *des idées*). ▼**enchaîner** *ov.w* **1** ketenen; **2** boeien (— *la fureur*); **3** winnen (— *les cœurs*); **4** kluisteren, doen bevriezen (— *une rivière*), onbeweeglijk maken, binden (— *la langue*); **5** aaneenschakelen, logisch op elkaar laten volgen (— *des idées*); **6** (*film*) inregelen (v. beeld); **7** snel antwoorden.
enchant/é *bn* **1** verrukt, aangenaam; **2** betoverd; *la flûte* —*e*, de toverfluit; **3** verrukkelijk, betoverend; *jardin* —, lusthof.
▼—**ement** *m* **1** betovering; *comme par* —, als bij toverslag; **2** bekoring; **3** iets verrukkelijks, verrukking. ▼—*er ov.w* **1** betoveren; **2** bekoren, in verrukking brengen. ▼—**eur** I *zn m*, -**eresse** *v* tovenaar (tovenares). II —, -**eresse** *bn* bekoorlijk, verrukkelijk.
enchâsser *ov.w* **1** in een reliekschrijn zetten; **2** vatten (— *un diamant*); **3** inlassen.
▼**enchâssure** *v* vatting, montuur.
enchatonner *ov.w* (een edelsteen) zetten.
enchausser *ov.w* met stro afdekken.
enchemisage *m* (het) infaken. ▼**enchemiser** *ov.w* infaken (— *un livre*).
enchère *v* opbod; *folle* —, rouwkoop; *mettre*, *vendre aux* —*s*, bij opbod verkopen; *mise aux* —*s*, openbare verkoping. ▼**enchér/ir** I *ov.w* **1** het bod verhogen (— *une maison*); **2** duurder maken. II *on.w* **1** duurder worden; **2** — *sur*, hoger bieden, (*fig.*) overtreffen.
▼—**issement** *m* prijsverhoging. ▼—**isseur** *m* opbieder; *le dernier et plus offrant* —, de hoogste en laatste bieder; *fol* —, iem. die een dwaas opbod doet.
enchevalement *m* (het) stutten v.e. huis, enz.
enchevêtrement *m* verwarring.
▼**enchevêtrer** *ov.w* **1** een halster omdoen; **2** verwarren, vermengen.
enclave *v* enclave. ▼**enclaver** *ov.w* **1** insluiten; **2** met bouten of spieën vastmaken; **3** inmetselen.
enclenchement *m* koppeling, raderwerk.
▼**enclencher** *ov.w* koppelen, in elkaar doen grijpen, indrukken.
enclin (à) *bn* geneigd tot.
enclore *ov.w onr.* omheinen, omgeven.
▼**enclos** *m* omheinde ruimte, erf.
enclouage *m* (het) aanbrengen van een pen (*med.*). ▼**enclouer** *ov.w* **1** vernagelen; **2** aanbrengen v.e. pen (*med.*).
enclume *v* aambeeld; *se trouver entre l'* — *et le marteau*, tussen twee vuren zitten; *remettre un ouvrage sur l'* —, een werk omwerken; *il a le cœur dur comme une* —, hij heeft een hart van steen.
encoch/e *v* **1** insnijding, keep; **2** werkbank van klompenmaker. ▼—**ement** *m* (het) inkepen. ▼—*er ov.w* inkepen.
encod/age *m* (het) coderen. ▼—*er ov.w* coderen. ▼—**eur** *m* codeermachine, codeerder.
encoignure *v* **1** hoek; **2** hoekkast, hoekmeubel.
encoll/age *m* **1** (het) lijmen; **2** lijm, stijfsel, pap. ▼—*er ov.w* met lijm, gom, pap insmeren.
▼—**eur** I *m*, -**euse** *v* plakker (-ster). II **-euse** *v*

plakmachine.

encolure v 1 hals v.e. paard; *gagner d'une —*, met een halslengte winnen; 2 halswijdte; boordmaat; 3 uiterlijk, voorkomen.

encombrant bn 1 in de weg staand; 2 hinderlijk, vervelend. **▼encombre/e** m hindernis, beletsel; *sans —*, zonder ongelukken. **▼—ement** m 1 belemmering; 2 opstopping; 3 drukte. **▼—er** ov.w belemmeren, versperren.

encontre à l' —: *aller à l'* — de qn., tegen iem. ingaan, iem. tegenwerken; *à l'* — de, in tegenstelling met.

encorbellement m (arch.) uitstek; *en* —, uitstekend, erkervormig.

encorder (s') zich tegelijk met andere bergbeklimmers vastbinden aan een touw.

encore I bw 1 nog; 2 nogeens, alweer; 3 ook; *non seulement... mais encore*, niet alleen..., maar ook; 4 en dan nog; *ce vin est cher, encore est-il mauvais*, die wijn is duur en dan is hij nog slecht ook (op de koop toe); 5 *encore... si*, als... tenminste. II **—que** vgw (met subj.) hoewel, ofschoon.

encorner ov.w met de horens stoten.

encourag/eant bn be-, aanmoedigend. **▼—ement** m be-, aanmoediging. **▼—er** ov.w 1 aanmoedigen; 2 bevorderen.

encourir ov.w onr. zich op de hals halen.

encrassement m 1 (het) vuil worden; 2 (het) vuil maken; 3 vuil. **▼encrasser** I ov.w vuil maken. II **s'** — 1 zich vuil maken; 2 zich encanailleren.

encre v inkt; *c'est la bouteille à l'* —, dat is een duistere zaak; — *de Chine*, oostindische inkt; *écrire de bonne* — *à qn.*, iem. een brief op poten schrijven; — *d'imprimerie*, drukinkt; *noir comme l'* —, pikzwart; — *sympathique*, onzichtbare inkt. **▼encr/er** ov.w met inkt insmeren. **▼—eur** bn/zn *rouleau* —, inktrol. **▼—ier** m inktkoker.

encroût/é/e bn 1 met een korst bedekt; 2 met mortel bestreken; 3 vol (van). **▼—ement** m 1 aankorsting; 2 bestrijking met mortel; 3 verstomping van verstand. **▼—er** I ov.w 1 met een korst bedekken; 2 met mortel bestrijken. II **s'** — 1 een korst krijgen; 2 dom worden, er achterlijke of domme gewoontes of meningen op na gaan houden.

encuvage, encuvement m (het) in een kuip doen. **▼encuver** ov.w in een kuip doen.

encyclique v encycliek, zendbrief.

encycloped/ie v encyclopedie; — *vivante*, veelweter. **▼—ique** bn alle wetenschappen omvattend (*esprit* —). **▼—iste** m 1 medewerker aan een encyclopedie; 2 medewerker aan de 18e-eeuwse Fr. Encyclopédie.

endémie v inheemse ziekte. **▼endémique** bn eigen aan een bepaalde streek (van ziekten).

endenté bn met tanden; *homme bien* —, iemand met een goede eetlust.

endettement m (het) schulden maken. **▼endetter** I ov.w in schulden steken. II **s'** — schulden maken.

endeuiller ov.w in rouw dompelen.

endiablé bn 1 van de duivel bezeten; 2 dol, razend, hels (*musique* —*e*); *être* — de, verzot zijn op.

endiguement, endigage m indijking. **▼endiguer** ov.w indijken.

endimancher I ov.w zondagse, feestelijke kleren aantrekken. II **s'** — zijn zondagse, feestelijke kleren aantrekken.

endive v 1 andijvie; 2 (mv) witlof.

endivisionner ov.w 1 tot divisies verenigen; 2 aan een divisie toevoegen.

endo/crine bn endocrien, met inwendige uitscheiding. **▼—crinien, -ienne** bn endocrien.

endoctrin/ement m (het) indoctrineren. **▼—er** ov.w indoctrineren, onderrichten, voor zijn opvattingen winnen.

endogène bn endogeen.

endolorir ov.w pijn doen. **▼endolorissement** m pijn, pijnlijkheid.

endommag/ement m (het) beschadigen. **▼—er** ov.w beschadigen.

endorm/ant bn 1 slaapverwekkend; 2 vervelend. **▼—eur** m, **-euse** v 1 slaapverwekkend mens; 2 bedrieger (-ster). **▼endormi** bn 1 ingeslapen; 2 suf, loom. **▼endormir** I ov.w onr. 1 in slaap maken; 2 paaien, bedriegen door valse voorspiegelingen; 3 verdoven, doen bedaren; 4 vervelen. II **s'** — inslapen (ook *fig.*).

endos, endossement m endossement. **▼endosser** ov.w 1 aantrekken; 2 endosseren, overdragen; 3 een ronde rug geven aan een boek; 4 op zich nemen. **▼endosseur** m endossant (van wissel).

endroit m 1 plek, plaats; *à l'* — de, ten opzichte van; *par son bel* —, van zijn goede zijde; *de bon* —, uit goede bron; *par* —*s*, hier en daar; *le petit* —, een zekere plaats; 2 woonplaats; 3 rechte zijde v.e. stof.

enduire ov.w onr. insmeren, bestrijken. **▼enduit** m 1 smeersel, olie, zalf; 2 pleisterlaag.

endurance v uithoudingsvermogen, taaiheid; *course d'* —, betrouwbaarheidsrit (auto). **▼endurant** bn geduldig, lijdzaam.

endurc/i bn 1 verstokt (*pécheur* —); 2 ingeworteld (*haine* —*e*); 3 ongevoelig. **▼—ir** I ov.w 1 hard maken; 2 harden, gehard maken; 3 ongevoelig maken. II **s'** — 1 hard worden; 2 gehard worden; 3 zich wennen aan. **▼—issement** m 1 harding; 2 verharding, verstoktheid; 3 ongevoeligheid.

endurer ov.w verduren, verdragen, lijden.

énergéticien m energiedeskundige. **▼énergétique** bn wat kracht betreft; *besoin* —, energiebehoefte. **▼énergie** v 1 kracht; 2 geestkracht, wilskracht; 3 arbeidsvermogen. **▼énergique** bn 1 krachtig; 2 wilskrachtig. **▼énergisant** bn/zn energiegevend (middel).

énergumène m of v 1 bezetene; 2 dolleman, woesteling; 3 dweper.

énerv/ant bn 1 verslappend, uitputtend (*chaleur* —*e*); 2 vervelend. **▼—ation** v verslapping, uitputting. **▼—é** bn slap, uitgeput. **▼—ement** m 1 verslapping; 2 verveling; 3 zenuwafmatting. **▼—er** I ov.w 1 verslappen, verzwakken, de zenuwen afmatten; 2 prikkelen. II **s'** — zenuwachtig worden.

enfaîtement m nokbedekking. **▼enfaîter** ov.w 1 de nok v.e. dak met pannen of lood dekken; 2 tot de rand vullen.

enfance v 1 kindsheid (tot ongeveer 12 jaar); *dès sa tendre* —, van kindsbeen af; 2 de kinderen; 3 kindsheid van oude mensen; *tomber en* —, kinds worden; 4 kinderachtigheid (*faire des* —*s*). **▼enfant** I zn m of v 1 kind; — *adoptif*, aangenomen kind; — *de l'amour*, onecht kind; — *d'Apollon*, dichter; — *de la balle*, iem. die van kind af in het bedrijf is geweest; *vous êtes bien bon* — de, u bent wel erg onnozel om te; *faire l'* —, kinderachtig doen; *ne faites pas l'* —!, doe niet zo onnozel!; — *de Mars*, krijger; — *de Paris*, geboren Parijzenaar; *c'est l'* — de son père, het is sprekend zijn vader; *l'* — prodigue, de verloren zoon; — *terrible*, kind, persoon dat (die) zijn ouders of anderen compromitteert, door er allerlei dingen uit te flappen, die niet verteld mochten worden; 2 afstammeling (*les* —*s d'Adam*); 3 gevolg (*la paresse est l'* — *du luxe*). II bn: *il est bien* —, hij is erg kinderachtig. **▼enfant/ement** m 1 baring, bevalling; 2 voortbrenging (*d'un ouvrage*). **▼—er** ov.w 1 baren; 2 voortbrengen, (een plan) maken. **▼—illage** m 1 kinderachtigheid; 2 beuzelarij. **▼—in** bn 1 kinderlijk; 2 kinderachtig.

enfariner ov.w met meel bestrooien; *gueule, bouche enfarinée*, goedgelovigheid, misplaatst vertrouwen.

enfer I m 1 hel; *aller, mener un train d'* —, met een razende vaart rijden; *jouer un jeu d'* —, zeer grof spelen; *métier d'* —, hondebaantje; *les peines de l'* —, de helse smarten; 2 de duivels-

3 hevige smart; *avoir l'— dans le cœur*, door berouw gefolterd worden. **II —s** *mv* onderwereld.

enfermé *m* muffe lucht; *sentir l'—*, muf ruiken. **▼enfermer** *ov.w* **1** opsluiten, wegsluiten; **2** in een gevangenis, in een gekkenhuis sluiten; **3** omringen; *(sp.)* insluiten; **4** bevatten.

enferrer I *ov.w* met een degen doorboren. **II s'—** zich in een zwaard storten; **2** zich vastpraten.

enfièvrement *m* koortsachtigheid. ▼**enfiévrer** *ov.w* **1** koortsig maken; **2** sterk opwinden, overprikkelen.

enfilade *v* **1** rij, reeks; *chambres en —*, in elkaar lopende kamers; *2* lengtevuur. ▼**enfilage** *m* (het) enfilerend beschieten. ▼**enfilée** *v* = **enfilade.** ▼**enfiler** *ov.w* **1** een draad in een naald steken, een draad door kralen halen; *des perles*, parels rijgen, zijn tijd verknoeien; **2** inslaan (v.e. weg); **3** met een degen doorsteken; **4** enfilerend vuur geven; **5** (*vulg.*) naaien. ▼**enfileur** *m*, **-euse** *v* aanrijger (-ster).

enfin *bw* **1** eindelijk; **2** kortom.

enflamme *bn* **1** brandend, vlammend (ook *fig.* — *de colère*); **2** ontsteken (van wond). ▼**enflammer I** *ov.w* **1** in brand steken, doen ontbranden; **2** verhitten (*le sang*); **3** doen ontsteken (*une plaie*); **4** aanvuren, doen ontbranden (*la colère*), bezielen; **5** ergeren, boos maken. **II s'—1** ontbranden, vlam vatten; **2** ontsteken in liefde enz.

enflé *bn* **1** gezwollen; **2** ijdel, trots. ▼**enfler I** *ov.w* **1** doen zwellen (*une rivière*), opblazen (*un ballon*), vullen; — *sa voix*, zijn stem uitzetten; **2** vergroten, vermeerderen; *le courage*, de moed aanwakkeren; — *un compte*, een rekening opvoeren; **3** overdrijven, aandikken (*un récit*). **II s'—1** zwellen (*les voiles s'enflent*), groter worden; **2** hoogmoedig worden.

enfleurer *ov.w* de geur van bloemen geven. **enflure** *v* **1** opzwelling; **2** gezwollenheid, hoogmoed.

enfonc/é *bn* diepliggend (*yeux —s*), diep, hol. ▼**—ement** *m* **1** (het) inslaan (— *d'un clou*), (het) openbreken, intrappen; **2** diepte, holte, bocht; **3** achtergrond van schilderij. ▼**—er I** *ov.w* **1** inslaan, openbreken, intrappen; — *son chapeau sur la tête*, zijn hoed diep in de ogen zetten; **2** indrijven (— *les éperons*), indrukken; **3** doorbreken (*mil.*); **4** inprenten. **II** *on.w* zinken, zakken; *se laisser* —, zich laten overbluffen. **III s'—1** zinken, zakken; *s'— dans les livres*, zich in de boeken verdiepen; **2** zich te gronde richten; **3** ergens diep ingaan.

enfouir *ov.w* **1** in de grond stoppen, begraven; **2** verbergen. ▼**enfouissement** *m* begraving, bedelving.

enfourcher *ov.w* **1** schrijlings (op een paard) gaan zitten; — *sa bécane*, op zijn fiets stappen; — *son dada*, zijn stokpaardje berijden; **2** op een hooivork steken.

enfourner *ov.w* **1** in de oven stoppen; **2** (*fam.*) ergens in stoppen, proppen. ▼**enfourneur** *m* iem. die in de oven stopt (inschieter).

enfreindre *ov.w onr.* overtreden.

enfuir (s') *onr.* **1** (ont)vluchten; **2** voorbijgaan, vlieden; **3** lekken, overkoken.

enfumer *ov.w* **1** met rook vullen; **2** zwart maken met rook, bewalmen; **3** door rook verdrijven (— *des abeilles*).

enfûtage *m* (het) fusten. ▼**enfûtailler** *ov.w* fusten.

engag/é I *zn m* vrijwilliger, beroepsmilitair. **II** *bn* **1** geëngageerd; **2** vastzittend (*mar.*). ▼**engageant** *bn* vriendelijk, innemend. ▼**engagement** *m* **1** verbintenis, verplichting; *faire face, honneur à ses —s*, zijn verplichtingen nakomen; **2** verloving; **3** verpanding; **4** vrijwillige dienstneming als soldaat; **5** mil. schermutseling; **6** (*sp.*) aftrap; **7** inschrijving; **8** engagement. ▼**engager I** *ov.w* **1** verpanden; **2** verbinden, verplichten; **3** in dienst nemen; *à —à*, uitnodigen om te; **5** verwikkelen, brengen in; **6** aangaan,

beginnen; — *le feu*, het vuur openen; — *ses capitaux*, zijn kapitaal in een zaak steken; — *qn. dans une voie*, iem. een weg doen inslaan; **7** overhalen, doen besluiten; **8** inzetten. **II s'—1** zich verbinden, zich verplichten; **2** dienst nemen; **3** zich begeven; *s'— dans un sentier*, een pad inslaan; **4** zich wagen; **5** zich engageren.

engainer *ov.w* **1** in de schede steken; **2** als een schede omvatten (*plk.*).

engazon/nement *m* (het) bedekken, bezaaien met gras. ▼**—ner** *ov.w* met gras bezaaien, bedekken.

engeance *v* **1** ras; **2** gespuis, tuig.

engelure *v* kloof; *—s aux mains*, winterhanden; *—s aux pieds*, wintervoeten.

engendrement *m* verwekking. ▼**engendrer** *ov.w* **1** verwekken; **2** voortbrengen, ten gevolge hebben.

engerbage *m* **1** (het) tot schoven binden; **2** (het) opstapelen van vaten. ▼**engerber** *ov.w* **1** tot schoven binden; **2** opstapelen van vaten.

engin *m* toestel, apparaat, instrument, werktuig; *—s de guerre*, oorlogstuig; — *blindé*, pantserwagen; — *spécial of — guidé*, geleid projectiel.

englober *ov.w* **1** verenigen; **2** omvatten.

engloutir *ov.w* **1** verzwelgen; **2** verspillen. ▼**engloutissement** *m* verzwelging.

engluer *ov.w* **1** met lijm insmeren; **2** met een lijmstok vangen; **3** lijmen (*fig.*).

engommer *ov.w* gommen.

engoncer *ov.w* **1** een korte hals geven; **2** wegproppen.

engorgement *m* verstopping (ook *med.*). ▼**engorger** *ov.w* verstoppen; overvoeren (v. markt).

engouement *m* **1** verstopping (*med.*); **2** overlading der maag; **3** overdreven bewondering. ▼**engouer I** *ov.w* verstoppen, verstikken. **II s'—** de weglopen met.

engouffrer *ov.w* **1** in een afgrond storten, verzwelgen.

engoulevent *m* nachtzwaluw.

engourdir *ov.w* verstijven. ▼**engourdissement** *m* **1** verdoving, verstijving; **2** traagheid v.d. geest.

engrais *m* **1** mest; — *chimique*, kunstmest; **2** vetweide. ▼**—sement, —sage** *m* **1** (het) vetmesten; **2** (het) vet worden. ▼**—ser I** *ov.w* **1** vetmesten; **2** mesten; **3** met vet besmeuren; **4** verrijken. **II** *on.w* dik worden. ▼**—seur** *m* vetweider.

engrangement *m* (het) in de schuur brengen. ▼**engranger** *ov.w* in de schuur brengen.

engraver I *ov.w* (een schip) op het droge zetten. **II s'—** op het zand vastlopen.

engrenage *m* raderwerk, kamraderen; *c'est un —*, daar kom je niet uit. ▼**engrènement** *m* **1** (het) met koren voorzien v.e. molen; **2** (het) vetmesten door middel van graan. ▼**engrener** *ov.w* **1** de molen voorzien van graan; **2** vetmesten met graan; **3** aan het rollen brengen (— *une affaire*); *qui bien engrène, bien finit*, (*spr.w*) een goed begin is het halve werk; **4** schoven in een dorsmachine doen. ▼**engrenure** *v* **1** (het) in elkaar grijpen van twee kamraderen; **2** schedelnaad.

engrosser *ov.w* (*vulg.*) zwanger maken.

engueul/ement *m*, **—ade** *v* (*pop.*) (het) uitschelden. ▼**—er** *ov.w* (*pop.*) uitschelden, afsnauwen.

enguirlander *ov.w* **1** omkransen; **2** (*fam.*) met mooie woorden om de tuin leiden; **3** uitschelden, afsnauwen.

enhardir *ov.w* stoutmoedig maken.

enharnacher *ov.w* **1** (een paard) optuigen; **2** toetakelen.

enherber *ov.w* tot grasland maken, met gras bezaaien.

enième *bn* zoveelste.

énigmatique *bn* raadselachtig. ▼**énigme** *v* raadsel; *le mot de l'—*, de oplossing.

enivr/ant *bn* **1** bedwelmend; **2** verleidelijk. ▼**—ement** *m* **1** (het) zich bedrinken;

2 dronkenschap; **3** bedwelming, opgewondenheid. ▼—er I ov.w **1** dronken maken; **2** bedwelmen. II s'— zich bedrinken.
enjambée v grote stap.
enjambement m enjambement.
enjamber I ov.w stappen over (— un fossé). II on.w **1** met grote passen lopen; **2** zich een gedeelte toeëigenen van eens anders grond (— sur le champ d'un voisin); **3** doorlopen v.e. vers in het volgende.
enjaveler ov.w (le blé) op hopen leggen.
enjeu [mv x] m inzet.
enjoindre ov.w onr. bevelen.
enjôler ov.w paaien, inpalmen. ▼**enjôleur** m, -euse v mooiprater (-praatster).
enjoliv/ement m verfraaiing. ▼—er ov.w **1** verfraaien; **2** opsmukken. ▼—eur m: — de roue, sierdop, wieldop. ▼—ure v klein versiersel.
enjoué bn opgeruimd. ▼**enjouement** m opgeruimdheid.
enkysté bn ingekapseld.
enlacement m ineenvlechting. ▼**enlacer** ov.w **1** ineenvlechten; **2** — qn. dans ses bras, iem. omhelzen.
enlaidir I ov.w lelijk maken. II on.w lelijk worden. ▼**enlaidissement** m verlelijking.
enlèvement m **1** (het) wegnemen; **2** schaking. ▼**enlever** ov.w **1** wegnemen, -halen, -voeren; **2** schaken; **3** wegmaken (— une tache); **4** tot geestdrift brengen, pakken (— l'auditoire); **5** stelen; **6** overrompelen (— un poste); **7** optillen, opheffen, oplichten; **8** wegdraven (door ziekte); **9** vlug afdoen, vlot spelen; **10** (pop.) beknorren.
enlevure v reliëf van beeldhouwwerk.
enliser (s') **1** wegzakken in drijfzand, vast komen te zitten (bijv. van auto); **2** vastlopen.
enlumin/er ov.w **1** kleuren; **2** versieren met gekleurde tekeningen; **3** vuurrood maken. ▼—eur m verluchter van handschriften. ▼—ure v **1** verluchting; **2** gekleurde prent; **3** hoogrode kleur; **4** bombast.
enneigement m besneeuwing; bulletin d'—, sneeuwbericht (weerbericht). ▼**enneiger** ov.w be-, insneeuwen.
ennemi I zn m, -e v vijand(in); — mortel, doodsvijand. II bn vijandig, vijandelijk; couleurs —es, niet bij elkaar passende kleuren; vent —, tegenwind.
ennoblir ov.w veredelen. ▼**ennoblissement** m veredeling.
ennuager (s') bewolkt worden.
ennui I m verveling. II—s mv verdriet, zorgen. ▼**ennuy/ant** bn vervelend. ▼—er I ov.w **1** vervelen; **2** lastig vallen. II s'— zich vervelen; s'— de, verlangen naar. ▼—eusement bw vervelend, lastig. ▼—eux, -euse bn vervelend, lastig.
énonc/é m inhoud, uiteenzetting, vermelding. ▼—er ov.w uiteenzetten, uitdrukken, vermelden. ▼—iatif, -ive bn verklarend. ▼—iation v vermelding, verklaring.
enorgueillir I ov.w trots, hoogmoedig maken. II s'— de trots zijn op.
énorm/e bn geweldig, ontzaglijk. ▼—ément bw buitengewoon, uitermate. ▼—ité v **1** geweldigheid, ontzaglijkheid; **2** stommiteit.
enquérir (s') onr. onderzoeken. ▼**enquêt/e** v onderzoek; — judiciaire, getuigenverhoor. ▼—er ov.w een onderzoek instellen. ▼—eur m, -euse v **1** onderzoeker (-ster); **2** armenbezoeker (-ster).
enquiquin/ant bn (fam.) stierlijk vervelend. ▼—er ov.w (fam.) naar de pomp laten lopen.
enracinement m (het) wortel schieten. ▼**enraciner** I ov.w wortel doen schieten. II s'— wortel schieten.
enrag/é/é I bn **1** dol (chien —); **2** dol, razend, woedend; être — de, dol, verzot zijn op. II zn m bezetene, dolleman. ▼—eant bn on dol te worden. ▼—er I on.w woedend zijn; j'enrage, 't is om dol te worden; faire — qn., iem. razend maken.
enraiement, enrayement m (het) stopzetten. ▼**enray/age** m **1** (het) zetten van

spaken; **2** (het) blokkeren. ▼—er I ov.w **1** spaken zetten in; **2** blokkeren; **3** stuiten (— une maladie); **4** de eerste vore ploegen. II s'— vastlopen, weigeren. ▼—ure v eerste vore.
enrégimenter ov.w **1** tot een regiment vormen; **2** bij een regiment indelen; **3** aanwerven voor een partij.
enregistr/ement m **1** inschrijving; **2** aangifte van bagage; **3** registratie; **4** opname (film, band, grammofoon); — magnétique, bandopname. ▼—er ov.w **1** inschrijven; faire — ses bagages, zijn bagage aangeven; **2** opnemen (grammofoonplaten, film). ▼—eur, -euse bn optekenend; caisse enregistreuse, kasregister.
enrhumer I ov.w verkouden maken. II s'— verkouden worden.
enrichi I bn (sinds korte tijd) rijk geworden; verrijkt (v. uranium). II zn m nieuwe rijke. ▼**enrichir** I ov.w **1** rijk maken, verrijken; **2** versieren. II s'— rijk worden. ▼**enrichissement** m **1** verrijking; **2** sieraad.
enrober ov.w een laag om iets heen maken.
enrôlement m dienstneming. ▼**enrôler** I ov.w **1** aanwerven van soldaten; **2** in dienst nemen; **3** werven voor een partij. II s'— **1** in mil. dienst treden; **2** zich aansluiten bij een partij.
enroué bn hees, schor. ▼**enrouement** m heesheid, schorheid. ▼**enrouer** I ov.w hees, schor maken. II s'— hees, schor worden.
enroulement m **1** oprolling, winding, krul; **2** spiraalvormige versiering (arch.). ▼**enrouler** ov.w oprollen.
enrubanner ov.w met linten tooien.
ensablement m **1** verzanding; **2** zandverstuiving. ▼**ensabler** ov.w **1** verzanden; **2** op het zand zetten v. e. schip.
ensacher ov.w (graan) in zakken doen.
ensanglanter ov.w met bloed bevlekken, bebloeden; — la scène, bloed doen vloeien op het toneel.
enseignant I bn onderwijzend; corps —, onderwijzend personeel. II zn m: les —s, het onderwijzend personeel.
enseigne I v **1** uithangbord; — à bière, slecht schilderij, - portret; être logés à la même —, in dezelfde ongunstige omstandigheden verkeren; coucher à l'— de la lune, de la belle étoile, onder de blote hemel slapen; — lumineuse, lichtbak; à bon vin il ne faut point d'—, (spr.w) goede wijn behoeft geen krans; **2** kenteken, kenmerk; **3** vaandel, standaard; combattre sous les —s de, tot iem.'s partij horen, iem.'s mening delen; —s déployées, met vliegende vaandels; à telle(s) — (s) que …, het beste bewijs is dat … II m **1** (oud) vaandrig; **2** luitenant-ter-zee 2e klasse.
enseignement m **1** onderwijs; être dans l'—, bij het onderwijs zijn; — libre, bijzonder onderwijs; — primaire, lager onderwijs; — professionnel, vak-, ambachtsonderwijs; — secondaire, middelbaar onderwijs; — supérieur, hoger onderwijs; **2** les. ▼**enseigner** ov.w **1** onderwijzen, onderrichten; **2** wijzen (— le chemin).
ensellé bn **1** met een zadelrug; **2** ingedeukt.
ensemble I bw samen, tegelijk. II zn m **1** geheel; **2** eenheid, eenstemmigheid; **3** japon en mantel; **4** verzameling (wisk.); théorie des —s, verzamelingenleer. ▼**ensemblier** m binnenhuisarchitect. ▼**ensembliste** bn behorend tot de verzamelingenleer.
ensemencement m (het) in-, bezaaien. ▼**ensemencer** ov.w in-, bezaaien.
enserrer ov.w bevatten, omvatten, insluiten.
ensevelir I ov.w **1** in een lijkwade wikkelen; **2** begraven; **3** bedelven; **4** verbergen (— un secret). II s'— **1** begraven worden; **2** zich begraven, zich afzonderen; s'— dans la retraite, zich uit de wereld terugtrekken. ▼**ensevelissement** m (het) begraven, begrafenis.
ensiforme bn zwaardvormig (plk.).
ensiler, ensiloter ov.w (graan) in silo's doen.
ensoleillé/lé bn zonnig. ▼—lement m zonnige periode; heures d'—, zonne-uren. ▼—ler ov.w

1 doen schitteren; **2** vrolijk maken.
ensommeillé *bn* slaperig.
ensorcel/ant *bn* betoverend. **▼—er** *ov.w*
1 beheksen, betoveren; **2** bekoren, verleiden.
▼—eur *m,* **-euse** *v* tovenaar (tovenares), heks.
▼—lement *m* **1** beheksing, betovering;
2 verleidelijkheid, bekoring.
ensuite *bw* vervolgens, daarna. **▼ensuivre**
(s') *onr. onp.w: il s'ensuit,* daaruit volgt.
entacher *ov.w* besmetten, bezoedelen.
entaille *v* **1** keep, insnijding; **2** diepe
snijwond. **▼entailler** *ov.w* kerven.
entame *v* eerste druk, snee, enz. **▼entamer**
ov.w **1** aansnijden; **2** licht beschadigen;
3 beginnen.
entartrer *ov.w* met ketelsteen bedekken.
entassement *m* opeenhoping. **▼entasser**
ov.w opeenhopen, opstapelen; *feuilles
entassées,* dicht op elkaar staande bladeren.
ente *v* **1** ent; **2** geënte boom; **3** penseelsteel.
entendement *m* verstand, oordeel, inzicht.
  ▼entendre *v* iem. die verstaat, begrijpt; *à
  bon — salut, à bon — demi-mot suffit,* (spr.w)
  een goed verstaander heeft maar een half
  woord nodig. **▼entendre I** *ov.w* **1** horen; *à
  l'—,* naar zijn zeggen; — *à demi,* maar half
  horen; — *dur,* hardhorig zijn; **2** luisteren naar;
  3 een verhoor afnemen; **4** begrijpen; — *à
  demi-mot,* dadelijk snappen; *laisser —,* laten
  doorschemeren; **5** verhoren (*— une prière*);
  6 verstaan; *qu'entendez-vous par là?,* wat
  bedoelt u daarmee?; **7** verstand hebben van,
  kennen (*— son métier*); **8** willen, eisen,
  verlangen (*j'entends que vous fassiez votre
  devoir*). **II** *on.w* (*— à*), luisteren naar. **III s'—**
  1 elkaar horen, - verstaan; **2** gehoord worden;
  3 vanzelf spreken; *cela s'entend,* dat spreekt
  vanzelf; **4** het eens zijn; *ils s'entendent bien,* zij
  kunnen het goed met elkaar vinden; *ils
  s'entendent comme larrons en foire,* zij spelen
  onder een hoedje; **5** verstand hebben van (*s'—
  à*) (*il s'entend à la musique*). **▼entendu I** *bn*
  1 afgesproken, overeengekomen; *bien —,*
  natuurlijk; **2** bekwaam, verstandig; *prendre un
  air —,* een gezicht trekken alsof men er alles
  van af weet. **II** *zn m: faire l'—,* gewichtig doen,
  net doen alsof men er alles van af weet.
enténébrer *ov.w* in duisternis hullen.
entente *v* **1** betekenis; *à double —,*
dubbelzinnig; **2** begrip, verstand;
3 overeenstemming, overeenkomst; **4** *E—,*
verbond van Frankrijk, Engeland, Rusland,
enz. tegen Duitsland en Oostenrijk (Eerste
Wereldoorlog).
enter *ov.w* **1** enten; **2** aanbreien (*— des bas*);
3 grondvesten; **4** aaneenvoegen.
entériner *ov.w* **1** bekrachtigen, ratificeren;
2 goedkeuren.
entérite *v* darmontsteking. **▼entéro-**
voorvoegsel met betekenis: 'ingewanden',
bijv. **entérologie** leer v.d. ingewanden.
enterrement *m* **1** begrafenis;
2 begrafenisstoet; **3** begrafeniskosten.
  ▼enterrer I *ov.w* **1** in de grond stoppen,
  bedelven, kuilen; — *un secret,* een geheim
  goed bewaren; — *ses talents,* zijn talenten
  begraven; **2** begraven v. e. dode; *il a enterré
  tous ses fils,* hij heeft al zijn zoons overleefd;
  3 beëindigen, uitluiden (*— le carnaval*);
  4 naar de andere wereld helpen (*ce médecin
  enterre tous ses malades*); **5** in de doofpot
  stoppen (*— une affaire*). **II s'—** **1** zich
  begraven; **2** bedolven worden.
en-tête† *m* hoofd v. e. brief, opschrift.
entêté *bn* koppig. **▼entêtement** *m*
koppigheid. **▼entêter** *ov.w* **1** naar het hoofd
stijgen, duizelig maken; *vin qui entête,* koppige
wijn; **2** naar het hoofd stijgen (hoogmoedig
maken).
enthousiasmant *bn* enthousiasmerend.
  ▼enthousias/me *m* id., geestdrift,
  vervoering. **▼—mer I** *ov.w* bezielen,
  vervoeren. **II s'—pour** dwepen met. **▼—te** *bn*
  geestdriftig, enthousiast.
entich/é/b *bn* (de) **1** behept, besmet met;
2 ingenomen met. **▼—ement** *m* overdreven

voorliefde, gehechtheid. **▼—er** *ov.w* een
verkeerde voorliefde voor iets bijbrengen.
entier, -ère I *bn* **1** heel, geheel, volkomen;
cheval —, niet gecastreerde hengst; *tout —,*
geheel en al; *homme tout —,* man die zich
geheel aan zijn taak wijdt; *nombre —,* geheel
getal; **2** onbuigzaam, halsstarrig. **II** *zn m: en
—,* geheel en al. **▼entièrement** *bw* geheel en
al, volkomen.
entité *v* wezen.
entoil/age *m* linnen voering. **▼—er** *ov.w* **1** op
linnen plakken; **2** met linnen voeren.
entoir *m* entmes.
entôler *ov.w* beroven (door hoer).
entomo/logie *v* insektenleer. **▼—logique** *bn*
insektenkundig. **▼—logiste** *m*
insektenkenner. **▼—phage I** *bn*
insektenetend. **II** *zn m* insekteneter.
entonn/age *m,* **—ement** *m,* **—aison** *v* (het) in
vaten of tonnen gieten. **▼—er** *ov.w* **1** in vaten
of tonnen gieten; **2** naar binnen gieten; hijsen;
3 aanheffen (v. e. lied). **▼—oir** *m* **1** trechter; *en
—,* trechtervormig; *vallée en —,* keteldal;
2 granaattrechter; **3** (*pop.*) keelgat.
entorse *v* **1** verstuiking; **2** verdraaiing; *donner
une — à un texte,* een tekst verdraaien.
entortill/age/m *m* **1** omwikkeling, (het)
wikkelen; **2** gedraai; **3** verwardheid.
  ▼—ement *m* **1** omwikkeling; **2** verwardheid,
  duisterheid van stijl. **▼—er** *ov.w*
  1 omwikkelen; **2** verward uitdrukken (*— ses
  pensées*); **3** met mooie woorden paaien.
entour *m* omgeving (vaak *les entours*); *à l'—,*
rondom, in het rond; *à l'— de,* rondom,
om . . . heen. **▼—age** *m* **1** rand, hetgeen
omringt; **2** omgeving (personen). **▼—er** *ov.w*
omgeven, omringen.
entourloupette *v* (*fam.*) poets.
entournure *v* armsgat; *gêné dans les —s,*
slecht op zijn gemak.
en-tout-cas *m* grote parasol die ook als
paraplu kan dienen.
entr(e)- *voorvoegsel met betekenis:* **1** tussen,
onder; **2** even; **3** elkaar (*zeker in combinatie
met 'se'*), *bijv.* **s'entraider** elkaar helpen.
entracte *m* **1** pauze tussen twee bedrijven;
2 tussenspel.
entraide *v* wederzijdse hulp. **▼entraider (s')**
elkaar helpen.
entrailles *v mv* **1** ingewanden; *le fruit de vos
—,* de vrucht van uw schoot (uit het
weesgegroet); **2** het binnenste, de schoot (*les
— de la terre*); **3** gevoel, liefde; *homme sans
—,* ongevoelig man; — *de père,* vaderliefde,
vaderhart; **4** kinderen; *ses propres —,* zijn
eigen vlees en bloed.
entrain *m* **1** levendigheid, opgewektheid,
ijver; **2** vaart, gang (*l'— d'une pièce de
théâtre*); *sans —,* lusteloos. **▼entraîn/ant** *bn*
meeslepend. **▼—ement** *m* **1** wegvoering,
(het) mee-, voortslepen; **2** de meeslepende
kracht (*l'— des passions*); **3** training. **▼—er**
ov.w **1** meeslepen, wegvoeren, meesleuren;
2 meeslepen (*fig.*), verleiden; **3** met zich
meebrengen; **4** trainen; **5** gang maken.
▼—eur *m* **1** trainer; **2** gangmaker. **▼—euse** *v*
animeermeisje.
entrant *m* **1** binnenkomende; **2** nieuweling.
entr'apercevoir *ov.w* vaag waarnemen, half
zien.
entrave *v* hinderpaal, belemmering.
▼entraver *ov.w* **1** hinderen, belemmeren;
2 (*arg.*) begrijpen.
entre *vz* **1** tussen; — *deux âges,* van
middelbare leeftijd; — *l'arbre et l'écorce il ne
faut pas mettre le doigt,* (spr.w) men moet zich
niet in familietwisten mengen; *suspendre —
ciel et terre,* ophangen; *être enfermé — quatre
murs,* in de gevangenis zitten; *nager — deux
eaux,* onder water zwemmen; — *la poire et le
fromage,* bij het dessert; *prendre qn. — ses
bras,* iem. in zijn armen nemen; — *quatre
planches,* in de doodskist; *regarder qn. — les
yeux,* iem. strak aankijken; *être — deux vins,*
aangeschoten zijn; **2** onder, te midden van; —
autres, onder anderen; — *quatre yeux,* onder

vier ogen; *soit dit — nous*, onder ons gezegd en gezwegen; *— tous*, in de hoogste mate; **3** *d'—*, uit, van, onder; *l'un d'— vous*, een van u.

entrebâillement *m* kier. ▼**entrebâiller** *ov.w* op een kier zetten.

entrechat *m* sprong (*ook* danssprong).

entre-choquer I *ov.w* tegen elkaar slaan. **II s'—** tegen elkaar stoten.

entrecôte *v* ribstuk.

entrecouper *ov.w* **1** doorsnijden; **2** onderbreken.

entrecroisement *m* kruising. ▼**entrecroiser (s')** elkaar kruisen.

entre-deux *m* **1** middenstuk; **2** tussenzetsel; **3** opgooibal (bij basketball).

entre-deux-guerres *m* periode tussen twee oorlogen.

entrée *v* **1** ingang, toegang; **2** (het) binnentreden, -trekken, -varen, enz., intrede; *l'— à l'Académie*, de toelating als lid tot de Fr. Academie; *l'— d'un acteur*, het opkomen van een toneelspeler; *— en possession*, inbezitneming; **3** entree (toegangsgeld); *— de faveur*, vrijkaart; **4** begin (*l'— de l'automne*); **5** invoer; *droit d'—*, invoerrecht; **6** eerste gang aan een diner, voorgerecht.

entrefaite *v: sur ces entrefaites*, ondertussen, inmiddels.

entrefilet *m* klein krantenberichtje.

entregent *m* omgangsvormen; *avoir de l'—*, zich goed kunnen bewegen onder mensen.

entre-jambes *m* kruis (v. broek).

entrelacement *m* dooreenvlechting. ▼**entrelacer** *ov.w* dooreen-, ineenvlechten. ▼**entrelacs** *m* vlechtwerk, loofwerk.

entrelarder *ov.w* larderen; *viande entrelardée*, doorregen vlees.

entremêler *ov.w* dooreenmengen.

entremets *m* licht tussengerecht.

entremett/eur I *m*, **-euse** *v* bemiddelaar(ster). **II -euse** *v* koppelaarster. ▼**entremettre (s')** *onr.* tussenbeide komen. ▼**entremise** *v* bemiddeling, tussenkomst.

entrepont *m* tussendek.

entrepos/er *ov.w* opslaan in een entrepot. ▼**—eur** *m* **1** entrepothouder; **2** depothouder van artikelen, waarvan de staat het monopolie bezit, zoals tabak. ▼**—itaire** *m* iem. die goederen in entrepot heeft. ▼**entrepôt** *m* opslagplaats, pakhuis.

entreprenant *bn* ondernemend. ▼**entreprendre I** *ov.w onr.* **1** ondernemen, beginnen; **2** aannemen (van werk, levering, enz.); **3** aanvallen; **4** bespotten; **5** proberen te winnen; **6** aantasten; **7** onder handen nemen. **II** *on.w: — sur*, inbreuk maken op; *— sur la vie de qn.*, iem. naar het leven staan. ▼**entrepreneur** *m*, **-euse** *v* **1** aannemer (-neemster); **2** ondernemer (-neemster). ▼**entreprise** *v* **1** onderneming, plan, operatie; **2** aanneming; *donner à l'—*, aanbesteden; **3** aanslag, inbreuk; **4** *—s*, verleidingspogingen.

entrer I *on.w* **1** binnengaan, -komen, -rijden, -varen; *— en chaire*, de preekstoel beklimmen; *faire — un clou dans un mur*, een spijker in een muur slaan; *— en colère*, woedend worden; *— dans le commerce*, in de handel gaan; *— en condition*, in dienst treden; *— en convalescence*, aan de beterhand zijn; *— en correspondance avec qn.*, een briefwisseling met iem. aangaan; *— dans le détail*, in bijzonderheden afdalen; *— dans une famille*, door een huwelijk in een familie komen; *faire — qc. dans un livre*, iets in een boek opnemen; *— en guerre*, een oorlog beginnen; *— en matière*, terzake komen, beginnen; *— en religion*, in het klooster gaan; *— au service*, soldaat worden; *— au service de qn.*, in iem.'s dienst treden; *— dans la vie*, het levenslicht aanschouwen; **2** deelnemen aan, treden in; *— dans les idées de qn.*, iem.'s opvattingen delen, in iem.'s gedachten treden; **3** deel uitmaken van; *il entre dix mètres d'étoffe dans cette robe*, er gaan 10 meter stof in die japon; *boisson où il*

entre du sucre, drank die suiker bevat. **II** *ov.w* **1** binnenbrengen, binnenrijden, enz.; **2** invoeren, importeren; **3** boeken.

entre-rail *m* ruimte tussen de rails.

entre-regarder *ov.w* toevallig kijken.

entresol *m* tussenverdieping.

entre-temps *of* **entre temps I** *bw* ondertussen. **II** *zn m* (*ook*) tussentijd.

entre/teneur *m* hij die een vrouw onderhoudt. ▼**—tenir I** *ov.w onr.* **1** onderhouden; *— la paix*, de vrede bewaren; **2** een onderhoud hebben, spreken. **II s'—** *avec qn.*, zich met iem. onderhouden. ▼**—tien** *m* **1** onderhoud; **2** onderhoud (gesprek).

entretoise *v* dwarshout, verbindingsijzer.

entre-tuer (s') elkaar doden.

entre-voie *v* ruimte tussen twee spoorbanen.

entrevoir *ov.w onr.* **1** vaag -, even zien; **2** vaag voorzien (*— un malheur*). ▼**entrevue** *v* samenkomst, afgesproken onderhoud.

entrisme *m* celvorming (*pol.*).

entropie *v* **1** energieverlies; **2** verval.

entrouvert *bn* op een kier. ▼**entrouvrir I** *ov.w onr.* **1** van elkaar schuiven (*— les rideaux*); **2** half openen, op een kier zetten. **II s'—** op een kier gezet worden, half opengaan.

énumér/atif, -ive *bn* optellend, -sommend. ▼**—ation** *v* opsomming. ▼**—er** *ov.w* opsommen, optellen.

envahir *ov.w* **1** een inval doen in, binnenrukken, overweldigen; **2** zich verspreiden over, overstromen, aantasten, bevangen (van koude), bedekken (van planten). ▼**envahissement** *m* **1** inval, overweldiging; **2** uitbreiding, overstroming, (het) uitbreken, overwoekering. ▼**envahisseur** *m* overweldiger.

envasement *m* verzanding, onbruikbaar worden door aanslibbing (van haven). ▼**envaser** *ov.w* met modder bedekken. **II s'—** wegzakken in de modder.

enveloppage, enveloppement *m* (het) omwikkelen, omwindelen, omslag. ▼**enveloppe** *v* **1** omwindsel; **2** omslag, enveloppe; **3** buitenband; **4** voorkomen, schijn. ▼**envelopper I** *ov.w* **1** in-, omwikkelen, wikkelen, omhullen; **2** verbergen (*— ses pensées*); **3** omsingelen; **4** betrekken (*— qn. dans une affaire*). **II s'—** **de** zich wikkelen in.

envenimement *m* **1** vergiftiging; **2** verbittering. ▼**envenimer** *ov.w* **1** vergiftigen, infecteren; **2** verbitteren; **3** aanstoken.

enverguer *ov.w* aan de ra bevestigen (*— la voile*).

envergure *v* **1** zeilbreedte; **2** vlucht, vleugelbreedte (van vliegmachine); **3** uitgestrektheid; **4** omvang van geest, sterkte v.d. wil.

envers *vz* jegens.

envers *m* keerzijde, verkeerde zijde; *à l'—*, verkeerd, onderst(e) boven.

envi *m: à l'—*, om strijd, om het hardst. ▼**enviable** *bn* benijdenswaardig. ▼**envie** *v* **1** afgunst, nijd; *faire —*, nijd, jaloezie opwekken; *porter — à*, benijden; **2** zin, lust, trek; *avoir — de*, lust hebben tot; *mourir d'— de*, branden van verlangen om te; **3** dwangnagel; **4** moedervlek. ▼**envier** *ov.w* **1** benijden; **2** sterk verlangen, hevig begeren. ▼**envieusement** *bw* afgunstig. ▼**envieux, -euse I** *bn* afgunstig. **II** *zn m*, **-euse** *v* afgunstige.

environ I *bw* ongeveer, omstreeks. **II** *zn m: à l'—*, in het rond. ▼**—nant** *bn* omringend. ▼**—nement** *m* milieu. ▼**—ner** *ov.w* omringen, omgeven; *— une place*, een vesting omsingelen. ▼**—s** *mv* omstreken, omtrek.

envisager *ov.w* **1** in het gezicht zien; **2** beschouwen, overwegen.

envoi *m* **1** verzending, toezending; **2** zending, pakket; **3** opdracht (slotcouplet v. e. ballade); **4** *coup d'—*, aftrap (voetbal).

envol *m* (het) opstijgen (v. e. vliegmachine).

▼—ée v 1 (het) wegvliegen, vlucht; 2 drang naar het hogere. ▼—ement m (het) wegvliegen. ▼—er (s') 1 wegvliegen; 2 vluchten, ontsnappen; 3 snel voorbijgaan, vervliegen.

envoût/ant bn boeiend, betoverend. ▼—ement m betovering (lett. & fig.). ▼—er ov.w 1 betoveren (in de beeldje); 2 betoveren, boeien.

envoyé m (af)gezant. ▼envoyer I ov.w onr. 1 zenden, sturen, af-, weg-, uitzenden; — un baiser, een kus toewerpen; — chercher, laten halen; — qn. dans l'autre monde, iem. naar de andere wereld helpen; — qn. à la mort, iem. de dood inzenden; — promener, coucher, paître qn., iem. op ruwe wijze wegsturen; 2 aftrappen (— le ballon). Il s'— (pop.) gebruiken, nemen (— un verre). ▼envoyeur m, -euse v afzender (-ster).

enzyme m enzym.

éocène m Eoceen.

éolien, -ne bn 1 van Aeolië, Aeolisch; 2 van, door de wind, eolisch. ▼éolienne v motor, bewogen door windkracht.

éon m aeon, eeuwigheid.

éosine v eosine (rode verfstof).

épagneul m patrijshond.

épais, -se bn 1 dik, dicht; avoir la langue —se, moeilijk spreken; 2 grof, log, stompzinnig. ▼—seur v 1 dikte; 2 dichtheid; 3 grofheid, logheid, stompzinnigheid. ▼—sir I ov.w 1 verdikken; 2 dichter maken. Il ov.w of s'— dichter of dikker worden. ▼—sissement m 1 verdikking; 2 verdichting.

épanchement m 1 overvloeiing, uitstorting; 2 ontboezeming. ▼épancher ov.w 1 uitgieten; — du sang, bloed vergieten; 2 uitstorten (— son cœur).

épandage m (het) verspreiden, uitstrooien. ▼épandre ov.w verspreiden; uitstrooien.

épanou/ir I ov.w 1 doen ontluiken; 2 opvrolijken, doen stralen (— le visage). Il s'— 1 ontluiken; 2 stralen, vrolijk worden (son visage, son cœur s'épanouit). ▼—issement m 1 (het) ontluiken; 2 opheldering, (het) stralen (van gelaat), vrolijkheid.

épargnant m, -e v spaarder (-ster). ▼épargne v 1 spaarzaamheid; 2 (het) sparen; — de peine, besparing van moeite; — de temps, tijdsbesparing; caisse d'—, spaarbank; 3 spaargeld (vivre de ses —s). ▼épargner ov.w sparen, besparen (ook fig.).

éparpillement m verstrooiing, verspreiding. ▼éparpiller ov.w verstrooien, verspreiden. ▼épars bn verstrooid, verspreid; cheveux —, losse, woeste haren.

épatant bn (fam.) kras, buitengewoon. ▼épate v (pop.): faire de l'—, drukte maken; branie schoppen. ▼épaté bn 1 plat (nez —); 2 (fam.) verstomd. ▼épatement m 1 platheid; 2 (fam.) stomme verbazing. ▼épater I ov.w 1 de voet breken (— un verre); 2 (fam.) verbazen, paf doen staan. Il s'— 1 languit vallen; 2 paf staan. ▼épateur m (fam.) branieschopper.

épaulard m zwaardvis.

épaul/e v schouder; faire qc. par-dessus l'—, iets slordig doen; graisser les —s à qn., iem. afrossen; marcher des —s, trots lopen; prêter l'— à qn., iem. een handje helpen; regarder qn. par-dessus l'—, iem. over de schouder - minachtend aankijken; avoir la tête enfermée dans les —s, een korte hals hebben. ▼—ée v 1 schouderstoot; 2 schoudervracht. ▼épaulé-jeté m (sp.) drukken (bij gewichtheffen). ▼épaul/ement m 1 borstwering; 2 steunmuur. ▼—er ov.w 1 (een geweer) in de aanslag brengen; 2 v.e. borstwering voorzien; 3 helpen. ▼—ette v 1 schouderstuk; 2 epaulet; gagner l'—, als beloning voor moed tot officier bevorderd worden; 3 schoudervulling.

épave v 1 voorwerp waarvan de eigenaar onbekend is; 2 wrakstuk, strandgoed; droit d'—, strandrecht; 3 wrak (mens).

4 overblijfsel (les —s d'une fortune).

épée v degen, zwaard; — de chevet, stokpaardje; des coups d'— dans l'eau, vruchteloze pogingen; danse des —s, zwaarddans; homme d'—, soldaat; passer au fil de l'—, over de kling jagen; à la pointe de l'—, met geweld; poursuivre l'— dans les reins, op de voet achtervolgen.

épeiche v grote bonte specht.

épeler ov.w spellen.

éperdu bn buiten zichzelf, radeloos. ▼éperdument bw hevig, hartstochtelijk.

éperlan m spiering.

éperon m 1 spoor (in versch. betekenissen) donner des —s, presser de l'—, de sporen geven; 2 golfbreker; 3 uitloper van gebergte. ▼—ner ov.w 1 de sporen geven; 2 sporen aandoen (— un coq); 3 aansporen; 4 rammen (scheepv.).

épervier m 1 sperwer; 2 werpnet.

éphémère I bn 1 één dag durend; 2 kortstondig. Il zn m eendagsvlieg. ▼éphéméride v 1 scheurkalender; 2 dagkalender; 3 dagboek.

épi m 1 aar; 2 wilde lok; 3 dakversiering; 4 dwarsaftakking; en —, dwars op elkaar. ▼épiage m aarvorming.

épicarpe m vruchthuid.

épice v specerij; pain d'— (s), (peper)koek. ▼épicé bn kruidig, gekruid (ook fig.).

épicentre m aardbevingscentrum, epicentrum.

épic/er ov.w kruiden. ▼—erie v 1 specerijen, kruideniers waren; 2 kruidenierswinkel; 3 handel in specerijen, - in kruidenierswaren. ▼—ier m, -ère v kruidenier(ster).

épicurien, -enne I bn epicuristisch, zinnelijk. Il zn m, -enne v epicurist(e).

épidém/ie/icité v epidemisch karakter. ▼—ie v epidemie. ▼—iologie v leer der besmettelijke ziekten. ▼—ique bn 1 epidemisch; 2 om zich heen grijpend, aanstekelijk.

épiderme m opperhuid. ▼épidermique bn 1 v.d. opperhuid; 2 oppervlakkig.

épidiascope m epidiascoop.

épier I ov.w bespieden, afluisteren, afkijken; — l'occasion, op een gelegenheid loeren. Il on.w aren schieten.

épieu [mv x] m jachtspies.

épieur m, -euse v bespieder (-ster), afkijker (-ster), afluisteraar(ster).

épigastre m maagstreek.

épiglotte v strotklep.

épigone m 1 iem. van het tweede geslacht; 2 (slecht) navolger.

épigrammatique bn epigrammatisch, scherp en stekelig. ▼épigramme v 1 puntdicht; 2 hatelijkheid.

épigraphe v 1 opschrift; 2 motto. ▼épigraphie v studie v.d. inscripties.

épil/age m, —ation v ontharing. ▼—atoire bn ontharings-.

épilepsie v vallende ziekte. ▼épileptique I bn 1 lijdend aan vallende ziekte, bij vallende ziekte behorend; 2 woest. Il zn m of v lijder(es) aan vallende ziekte.

épiler ov.w ontharen, haren uittrekken.

épilogue m 1 slotwoord, naschrift, -rede; 2 slot. ▼épiloguer I on.w vitten. Il ov.w afkeuren, aanmerkingen maken op.

épinard(s) m spinazie; plat d'—s, slecht, te groen schilderij.

épine v 1 stekel, doorn; être sur des —s, op hete kolen zitten; tirer une — du pied, iem. uit de zorgen helpen, uit de verlegenheid redden; — blanche, meidoorn; 2 heester met dorens; 3 moeilijkheid; 4 — dorsale, ruggegraat.

épinette v spinet.

épineux, -euse bn 1 stekelig, doornig; 2 netelig.

épine†-vinette† v berberis.

épingl/e v 1 speld; haarspeld, wasknijper; coup d'—, speldeprik (fig.); — de sûreté, veiligheidsspeld; tiré à quatre —s, onberispelijk gekleed; tirer son — du jeu, zich handig uit een netelige zaak terugtrekken; cela ne vaut pas une —, dat is mij geen cent waard;

chercher une — dans une botte de foin, een naald in een hooiberg zoeken, iets onmogelijks beproeven; *virage en — à cheveux*, haarspeldbocht; **2** speldengeld, handgeld. ▼**—er** *ov.w.* vast-, opspelden; *velours épinglé*, fijn geribd fluweel. ▼**—erie** *v* **1** speldenfabriek; **2** speldenhandel.

épinière *bn* tot de ruggegraat behorend; *moelle* —, ruggemerg.

épinoche *v* stekelbaars.

Épiphanie *v* Driekoningen, Verschijning des Heren.

épiphyse *v* pijpbeenaangroeisel.

épiploon *m* (*anat.*) darmnet.

épique *bn* episch.

épiscopal [*mv aux*] *bn* bisschoppelijk. ▼**épiscopat** *m* **1** bisschoppelijke waardigheid; **2** gezamenlijke bisschoppen (episcopaat); **3** tijd gedurende welke een bisschop zijn waardigheid uitoefent.

épiscope *m* episcoop.

épisode *m* episode, gebeurtenis. ▼**épisodique** *bn* episodisch, bijkomstig.

épissure *v* ineengevlochten knoop.

épistème *v* wetenschappen v.e. bep. groep of periode. ▼**épistémologie** *v* kritische studie v.d. wetenschap.

épistolaire *bn* tot een brief behorend; *style* —, briefstijl. ▼**épistolier** *m*, **-ère** *v* iem. die veel of goed brieven schrijft.

épitaphe *v* grafschrift.

épithalame *m* bruiloftsgedicht.

épithélium *m* (*anat.*) epitheel.

épithète *v* benaming, toevoegsel.

épitoge *v* **1** (*oud*) mantel over toga; **2** schouderversiering (professoren).

épître *v* **1** brief; **2** brief in verzen; **3** epistel.

épizootie *v* epidemische ziekte onder dieren.

éploré *bn* badend in tranen, treurig, droevig.

éployer *ov.w.* uitspreiden, ontplooien.

épluch/age, —ement *m* **1** (het) schoonmaken van groenten; **2** (het) schillen van aardappelen; **3** (het) uitpluizen (ook *fig.*); **4** (het) verwijderen van overtollige vruchten. ▼**—er** *ov.w* **1** groenten schoonmaken; **2** (aardappels) schillen; (af)pellen; **3** uitpluizen, napluizen (ook *fig.*); **4** overtollige vruchten uit bomen verwijderen. ▼**—eur** *m*, **-euse** *v* **1** schoonmaker (-maakster) van groenten; **2** aardappelschiller (-jasster); *couteau* —, aardappelschilmes; **3** uitpluizer (-pluister). ▼**—ure** *v* **1** afval, schillen; **2** pluis.

épointer *ov.w* de punt breken, stomp maken.

éponge *v* **1** spons; *tissu* —, badstof; *serviette* —, badstofhanddoek; *passer l'— sur*, de spons over iets halen, iets vergeten en vergeven; **2** sponsdier. ▼**éponger I** *ov.w* **1** afsponsen; **2** wegwerken. **II s'—** afwissen (*s'— le front*).

épopée *v* epos.

époque *v* **1** tijdstip; *faire* —, een belangrijk feit vormen; **2** tijdperk.

épouiller *ov.w* ontluizen.

époumoner (s') zich hees praten, zich buiten adem schreeuwen.

épousailles *v mv* (*humor.*) bruiloft. ▼**épous/e** *v* echtgenote. ▼**—ée** *v* bruid. ▼**—er** *ov.w* **1** trouwen met, huwen; **2** tot de zijne maken (*une opinion*), zich aansluiten bij (*un parti*), aannemen (*la forme*). ▼**—eur** *m* trouwlustige.

épousset/age *m* (het) afstoffen. ▼**—er** *ov.w* **1** afstoffen; **2** (*fam.*) afrossen, slaan. ▼**—te** *v* borstel, plumeau.

époustoufler *ov.w* (*fam.*) verbazen.

épouvantable *bn* verschrikkelijk, ontzettend, afschuwelijk. ▼**épouvantail** *m* **1** vogelverschrikker; **2** schrikbeeld. ▼**épouvante** *v* schrik, ontzetting, ontsteltenis; *jeter dans l'—*, met schrik slaan. ▼**épouvanter** *ov.w* schrik aanjagen, met schrik slaan.

époux *m* echtgenoot; *les* —, het echtpaar.

éprentes *v mv* buikpijn.

éprendre (s') *onr.* (de) verliefd worden op, hartstochtelijk gaan beminnen.

épreuve *v* **1** proef (neming); *faire l'— de*, beproeven; *mettre à l'—*, op de proef stellen; *à l'— de*, bestand tegen; **2** beproeving; **3** rit,

wedstrijd; **4** examen; *—s écrites*, schriftelijk examen; **5** afdruk, proefblad; *— négative*, (*fot.*) negatief; *— positive*, (*fot.*) positief; **6** drukproef.

épris *bn* verliefd.

éprouv/ant *bn* zwaar, vermoeiend. ▼**—er** *ov.w* **1** beproeven, op de proef stellen; **2** ondervinden, voelen. ▼**—ette** *v* reageerbuisje.

épucer *ov.w* vlooien.

épuis/able *bn* uitputbaar. ▼**—ant** *bn* uitputtend. ▼**—ement** *m* **1** uitputting; **2** uitpomping, bemaling. ▼**—er I** *ov.w* **1** leegpompen, droogmaken, leegscheppen; **2** uitputten; *livre épuisé*, uitverkocht boek. **II s'—1** uitgeput worden; (*fig.*) afknappen; **2** uitverkocht raken. ▼**—ette** *v* **1** schepnet; **2** hoosvat.

épurat/if, —ive, —oire *bn* zuiverend. ▼**épuration** *v* zuivering. ▼**épure** *v* **1** projectietekening; **2** afgewerkte tekening. ▼**épurement** *m* zuivering (vooral *fig.*). ▼**épurer** *ov.w* zuiveren, verbeteren.

équanimité *v* gelijkmoedigheid.

équarr/ir *ov.w* **1** vierkant maken, hakken, enz.; **2** villen. ▼**—issage, —issement** *m* **1** (het) vierkant maken, hakken, enz.; **2** (het) villen. ▼**—isseur** *m* vilder. ▼**—issoir** *m* **1** vilderij; **2** vildersmes; **3** slagbeitel.

équateur *m* evenaar.

Équateur *m* Ecuador.

équation *v* vergelijking; *— à trois inconnues*, vergelijking met drie onbekenden.

équatorial [*mv aux*] *bn* wat de evenaar betreft; *ligne —e*, evenaar.

équatorien, -enne I *bn* uit Ecuador. **II zn** E—, *m*, **-enne** *v* bewoner (bewoonster) van Ecuador.

équerr/age *m* tweevlakshoek. ▼**—e** *v* winkelhaak; *cette grange n'est pas d'—*, die schuur staat niet haaks, is niet in het lood. ▼**—er** *ov.w* haaks maken.

équestre *bn* wat het paardrijden betreft; *statue* —, ruiterstandbeeld.

équi- voorvoegsel: gelijk-. ▼**équiangle** *bn* gelijkhoekig.

équidés *m mv* paardachtigen.

équidistant *bn* op gelijke afstand.

équilatéral [*mv aux*] *bn* gelijkzijdig; *ça m'est* —, (*fam.*) 't is mij om het even.

équilibr/e *m* evenwicht; *— européen*, Europees evenwicht; *perdre l'—*, zijn evenwicht verliezen. ▼**—er** *ov.w* in evenwicht brengen; *esprit bien équilibré*, evenwichtige geest. ▼**—iste** *m* evenwichtskunstenaar, koorddanser.

équille *v* smelt (vis).

équin *bn* wat betrekking heeft op het paard; *pied* —, horrelvoet.

équinoxe *m* nachtevening. ▼**équinoxial** [*mv aux*] *bn: ligne —e*, evenaar.

équipage *m* **1** bemanning, equipage; **2** eigen rijtuig; **3** reisuitrusting, paarden, bedienden, enz.; **4** legertrein; **5** kleding. ▼**équipe** *v* ploeg (werklieden, sport); *— de football*, voetbalelftal; *chef d'—*, ploegbaas, aanvoerder v.e. sportploeg. ▼**équipée** *v* dwaze onderneming, onbezonnen streek.

équipement *m* **1** uitrusting; **2** bemanning; **3** installatie; accommodatie; *travaux d'—*, bouwwerkzaamheden. ▼**équiper** *ov.w* **1** uitrusten (van leger, schip); **2** bemannen; **3** optuigen v.e. paard; **4** monteren; **5** installeren. ▼**équipier** *m* teamgenoot.

équitable *bn* rechtvaardig, billijk.

équitation *v* rijkunst.

équité *v* rechtvaardigheid, billijkheid.

équi/valence *v* gelijkwaardigheid. ▼**—valent I** *bn* gelijkwaardig. **II zn** *m* **1** gelijk bedrag, gelijke waarde, -hoeveelheid; **2** woord of uitdrukking van dezelfde betekenis. ▼**—valoir** *on.w onr.* (à) gelijke waarde hebben, opwegen tegen.

équi/voque I *bn* **1** dubbelzinnig; **2** verdacht. **II zn** *v* **1** dubbelzinnigheid; **2** woordspeling; **3** misverstand. ▼**—voquer** *on.w* **1** op

dubbelzinnige wijze spreken of schrijven;
2 woordspelingen maken.
érable *m* ahorn, esdoorn (*plk.*).
éradication *v* uitroeiing, ontworteling.
éraflement *m* (het) schrammen, schaven.
▼**érafler** *ov.w* schrammen, schaven.
▼**éraflure** *v* schram, schaafwond.
éraill/ement *m* schorheid. ▼—*er ov.w*
1 omkrullen v.h. ooglid; *yeux éraillés*, ogen
waarvan het ooglid omgekruld is, rood
ontstoken ogen; 2 uitrafelen; 3 schor maken;
voix éraillée, schorre stem. ▼—*ure v*
1 uitrafeling; 2 schram.
Érasme *m* Erasmus.
ère *v* 1 jaartelling; 2 tijdperk.
érectile *bn* die (dat) overeind kan komen (bijv.
haren). ▼**érection** *v* 1 oprichting; 2 instelling;
3 (het) stijf worden, erectie.
éreint/ant *bn* afmattend. ▼—*ement m* 1 (het)
afmatten; 2 (het) afbroken (van kritiek). ▼—*er
ov.w* 1 afmatten; 2 afrossen; 3 afbreken.
▼—*eur m* criticus die alles afbreekt.
érémitique *bn* wat de kluizenaars betreft (*vie
—*).
érésipèle *zie* **érysipèle**.
éréthisme *m* 1 overprikkeldheid; 2 hevige
hartstocht.
erg *m* 1 erg (eenheid van arbeid); 2 streek in de
Sahara.
ergologie *v* fysiologische studie v.d.
spierarbeid..
ergonomie *v* studie v.d. werkomstandigheden.
ergot *m* 1 spoor v.e. haan; *se dresser sur ses
—s*, op zijn achterste poten gaan staan;
2 brand in het koren; 3 stift, pen.
ergot/age *m* —*ement m*, —*erie v*
haarkloverij, vitterij. ▼—*er on.w* haarkloven,
vitten. ▼—*eur, -euse l bn* vitterig,
haarklovend. Il *zn m*, -*euse v* vitter (vitster),
haarklover (-kloofster).
ergothérapie *v* ergotherapie, arbeidstherapie.
éricacées *v mv* heideachtigen.
ériger l *ov.w* 1 oprichten; 2 vestigen;
3 verheffen. **Il s'**— 1 opgericht worden; 2 **s'**—
en zich opwerpen tot, zich uitgeven voor.
ermit/age *m* 1 kluizenaarswoning;
2 afgelegen landhuis. ▼—*e m* kluizenaar.
éroder *ov.w* eroderen, uitslijpen.
érogène, érotogène *bn* ero(to)geen, lust
opwekkend.
érosif, -ive *bn* uitschurend, wegvretend,
bijtend. ▼**érosion** *v* uitschuring, wegvreting.
érotique l *bn* 1 wat liefde betreft; 2 zinnelijk.
Il *zn v* erotiek. ▼**érotiser** *ov.w* erotisch
karakter aan iets geven. ▼**érotisme** *m*
1 ziekelijk liefdesverlangen; 2 (het) erotische.
errance *v* (het) dwalen; zwerven. ▼**errant** *bn*
dwalend, dolend; *tribus —es*,
nomadenstammen; *chevalier* —, dolende
ridder; *le Juif* —, de wandelende jood.
▼**errata** *m* lijst der te verbeteren drukfouten.
▼**erratique** *bn* 1 ongeregeld (*fièvre —*);
2 dwalend, zwervend; *bloc* —, zwerfblok.
▼**erratum** *m* aanduiding v.e. drukfout.
erre *v* gang, vaart.
errements *m mv* fouten. ▼**errer** *on.w*
1 dwalen, dolen, zwerven; 2 zich vergissen,
dwalen. ▼**erreur** *v* 1 dwaling; *induire en* —,
op een dwaalspoor brengen; 2 vergissing; —
de calcul, rekenfout; *sauf* —, vergissingen
voorbehouden, als ik mij niet vergis. ▼**erroné**
bn verkeerd. ▼—*ment bw* ten onrechte.
ersatz *m* ersatz, surrogaat.
érubescent *bn* rood wordend.
éructation *v* oprisping, boer. ▼**éructer** *on.w*
boeren.
érudit l *bn* geleerd. **Il** *zn m* geleerde, erudiet.
▼**érudition** *v* geleerdheid, eruditie.
éruptif, -ive *bn* 1 vulkanisch; 2 vergezeld van
uitslag (*fièvre éruptive*). ▼**éruption** *v*
1 vulkanische uitbarsting, eruptie; 2 uitslag,
puistjes, vlekken.
érysipèle *m* belroos, wondroos.
érythème *m* rode huiduitslag.
ès *vz* = *en les*; *docteur* — *lettres*, doctor in de
letteren; *docteur* — *sciences*, doctor in de wis-

en natuurkunde.
esbroufe *v* (*fam.*) kale opschepperij.
▼**esbroufer** *ov.w* (*fam.*) overbluffen door dik
te doen. ▼**esbroufeur** *m*, -**euse** *v* (*fam.*)
kouwe druktemaker, opschepper.
escabeau [*mv* x] *m*, **escabelle** *v* krukje,
voetenbankje.
escadre *v* eskader, smaldeel.
escadrille *v* escadrille.
escadron *m* eskadron.
escalade *v* 1 beklimming; 2 bestorming met
stormladders; 3 inklimming (van inbrekers).
▼**escalader** *ov.w* 1 bestormen met
stormladders; 2 beklimmen; 3 beklimmen.
▼**escalator** *m* roltrap.
escale *v* 1 aanlegplaats, aanleghaven; *faire* —,
een haven binnenlopen; 2 landingsplaats van
vliegtuigen; *sans* —, zonder tussenlanding;
3 trip.
escalier *m* trap; — *en colimaçon*, — *tournant*,
wenteltrap; — *dérobé*, geheime trap; —
roulant, roltrap.
escalope *v* lapje (vlees), mootje (vis); — *de
veau*, kalfsoester.
escamot/able *bn* intrekbaar; *train
d'atterissage* —, intrekbaar landingsgestel.
▼—*age m* (het) wegmoffelen, ontfutselen.
▼—*er ov.w* 1 wegmoffelen, ontfutselen;
2 inslikken van woorden. ▼—*eur m*, -**euse** *v*
1 goochelaar(ster); 2 zakkenroller (-ster).
escampette *v*: *prendre la poudre d'*—,
vluchten, het hazepad kiezen.
escapade *v* 1 dolle streek, uitspatting;
2 ontsnapping; 3 plichtsverzuim.
escarbille *v* sintel.
escarboucle *v* karbonkel.
escarcelle *v* buidel; *fouiller à l'*—, in de beurs
tasten.
escargot *m* 1 huisjesslak; 2 alikruik; *aller
comme un* —, zeer langzaam opschieten;
escalier en —, wenteltrap. ▼—**ière** *v*
1 slakkenkwekerij; 2 schotel bereid met
slakken.
escarmouche *v* schermutseling (ook *fig.*).
escarpe l *v* binnenglooiing v.e. fortgracht. **Il** *m*
(*arg.*) beroepsmoordenaar, dief die zo nodig
een moord bedrijft (*oud*).
escarpé *bn* 1 steil; 2 moeilijk. ▼**escarpement**
m steile helling.
escarpin *m* dansschoentje.
escarpolette *v* schommel.
Escaut *m* Schelde.
eschatologie *v* leer der dingen die komen na
de dood.
Eschyle *m* Aeschylus.
escient: *m: à bon* —, welbewust, met opzet; *à
mon* —, met mijn medeweten.
esclaffer (s') schaterlachen.
esclandre *m* schandaal; *faire un* —, iem. in het
openbaar een standje geven.
esclavag/e *m* 1 slavernij; 2 onderworpenheid,
afhankelijkheid; 3 halssnoer. ▼—*iste l bn: les
Etats* —, de slavenstaten (in de VS). **Il** *zn*
voorstander v.d. slavernij. ▼**esclave l** *bn*
slaafs. **Il** *zn m* of *v* slaaf, slavin.
escogriffe *m* (*fam.*) lange slungel.
escomptable *bn* verdisconteerbaar.
▼**escompte** *m* disconto. ▼**escompter** *ov.w*
1 disconteren; 2 van tevoren opmaken (— *un
héritage*); 3 door uitspattingen verwoesten
(— *sa vie*).
escopette *v* (oude) buks.
escorte *v* konvooi, geleide, gevolg; *faire* —,
begeleiden. ▼**escorter** *ov.w* begeleiden,
beschermen. ▼**escorteur** *m* klein
escortevaartuig.
escouade *v* kleine troep, groep.
escourgeon, écourgeon *m* wintergerst.
escrime *v* schermkunst; *faire de l'* —, schermen;
— *à l'épée*, degenschermen; — *au fleuret*,
floretschermen. ▼**escrimer**: *s'* — (*à*), zich
(zonder veel succes) inspannen. ▼**escrimeur**
m schermer.
escroc *m* oplichter, handige bedrieger.
▼**escroquer** *ov.w* oplichten. ▼**escroquerie** *v*
oplichterij.

esculape m dokter.
esgourde v (arg.) oor.
ésotér/ique bn 1 geheim, voor ingewijden;
2 onbegrijpelijk, esoterisch. **▼—isme** m 1 leer
voor ingewijden, geheimtaal; 2 (het)
onbegrijpelijke; esoterisme.
espac/e l m 1 ruim; 2 ruimte, afstand,
tijdruimte; — vital, 'Lebensraum'. **II** l v spatie.
▼—ement m 1 afstand tussen twee
voorwerpen, tussenruimte; 2 ruimte tussen
woorden en regels, spatiëring. **▼—er** ov.w
1 plaatsen met tussenruimte(s); 2 spatiëren;
3 een tijd laten verlopen tussen.
espada m stierendoder, espada.
espadon m zwaardvis.
espadrille v gymnastiekschoen met
gevlochten zool of zool van touw, slipper.
Espagne v Spanje. **▼espagnol, -e** l bn Spaans.
II zn **E—**, m, **-e** v Spanjaard, Spaanse. **III** m
(het) Spaans.
espagnolette v spanjolet.
espalier m 1 leiboom; 2 muur met leibomen.
espar m lang stuk hout op een schip (mast, ra,
enz.).
espèce v 1 soort, aard; l'— humaine, het
menselijk geslacht; de toute —, allerlei;
2 geval; c'est un cas d'—, dat is een apart geval;
en l'—, in het onderhavige geval; 3 baar geld;
en —s sonnantes, in klinkende munt;
4 gedaante; communier sous les deux —s,
communiceren onder de gedaanten van brood
en wijn.
espérance v hoop, verwachting; être hors d'—,
sans —, door de dokter opgegeven zijn; une
jeune fille, qui a des —s, een jong meisje dat
geld te wachten heeft.
espérantiste l bn wat betrekking heeft op
Esperanto. **II** zn m of v beoefenaar(ster) van
Esperanto, esperantist. **▼espéranto** m
Esperanto.
espérer l ov.w hopen (op), verwachten.
II on.w — en vertrouwen op.
espiègle l bn guitig, olijk. **II** zn m of v guit,
snaak. **▼—rie** v guitenstreek.
espion m, **-ne** v 1 spion(ne); 2 spionnetje.
▼—nage m spionage. **▼—ner** ov.w
bespioneren, bespieden.
esplanade v voorplein.
espoir m 1 hoop, verwachting; dans l'— de, in
de hoop te; 2 persoon in wie men zijn hoop
stelt.
esprit l m 1 geest = ziel; rendre l'—, de geest
geven; 2 geest = ingeving Gods,
bovennatuurlijke kracht; l'— de Dieu, de geest
Gods; le Saint-Esprit, L'Esprit-Saint, de
Heilige Geest; 3 geest = onstoffelijk wezen;
—s célestes, engelen; — s de ténèbres,
immondes, duivelen; le malin —, de duivel;
4 geest = spook, elf, enz.; — frappeur,
klopgeest; 5 geest = verstand, talent, oordeel,
begrip, schranderheid, geestigheid, enz.; avoir
de l'—, geestig zijn; avoir l'— juste, een gezond
verstand hebben; faire de l'—, geestig willen
zijn; homme d'—, geestig man; perdre l'—, het
verstand verliezen; trait d'—, geestige zet;
6 aanleg; avoir l'— du commerce,
handelsgeest, aanleg voor de handel hebben;
7 geest = overheersende trek (l'— du siècle);
8 geest = zin, bedoeling (l'— des lois); 9 geest
= bedoeling v.e. werk, schrijver, enz.; entrer
dans l'— de son rôle, zijn rol goed opvatten;
10 geest = aard, karakter; — turbulent,
onrustige aard; 11 geest = denkend wezen; —
fort, vrijdenker; 12 geest = vluchtige stof; —
de vin, spiritus; 13 inspirerend gevoel; —
d'équipe, teamgeest; — de corps, solidariteit.
II —s m mv 1 gemoederen, geesten; échauffer
les —, de gemoederen verhitten; 2 geesten;
—s vitaux, levensgeesten; perdre ses —s, het
bewustzijn verliezen; reprendre ses —s, weer
bijkomen.
esquif m licht bootje.
esquille v beensplinter.
Esquimau [mv x] l m Eskimo. **II e—** m
1 tricotjasje; 2 ijsje met chocolade.
esquint/ant (fam.) bn vermoeiend. **▼—er**

ov.w (fam.) erg vermoeien, afmatten.
esquisse v schets. **▼esquisser** ov.w schetsen;
— un sourire, even glimlachen; — un geste,
een vaag gebaar maken, een begin v.e. gebaar
maken.
esquive v (het) ontwijken v.e. steek of slag,
stap opzij. **▼esquiver** l ov.w ontwijken (ook
fig.). **II s—** ontsnappen, ongemerkt
ontkomen.
essai m 1 proef, beproeving; coup d'—,
proefstuk; faire l'— de, beproeven; 2 keuring
van metalen; 3 verhandeling; 4 (rugby) try.
essaim m 1 zwerm (bijen); 2 menigte, drom.
▼—age m (het) zwermen van bijen. **▼—er**
on.w 1 zwermen van bijen; 2 wegtrekken,
verhuizen (fam.).
essarter ov.w ontginnen; struiken en distels
verwijderen nadat de bomen gekapt zijn.
▼essarts m mv ontgonnen land.
essayage m (het) passen. **▼essayer** l ov.w
1 proberen, beproeven; — du vin, wijn
proeven; 2 passen (— un vêtement);
3 keuren, toetsen (— de l'or). **II** on.w (— de)
1 proberen (te), trachten (te); 2 de proef
nemen met (— d'un remède). **III s—** à zijn
krachten beproeven, trachten. **▼essayeur** l m
1 toetser, keurder van edele metalen;
2 testrijder. **II** m, **-euse** v passer (-ster) van
kleren. **▼essayiste** m/v schrijver van letterk.
verhandelingen, essayist.
essence v 1 (het) wezen; 2 vluchtige olie;
3 benzine; 4 extract; 5 soort (hout).
▼essentiel, -elle l bn 1 wezenlijk;
2 noodzakelijk; 3 vluchtig (huile essentielle).
II zn m hoofdzaak, (het) voornaamste.
▼essentiellement bw 1 wezenlijk;
2 bijzonder, in hoge mate; recommander —,
bijzonder aanbevelen.
esseulé bn verlaten.
essieu [mv x] m as.
essor m 1 vlucht; prendre son —, opvliegen
(lett.); zich verheffen, zich vrijmaken;
2 ontwikkeling, uitbreiding.
essor/age m (het) wringen, centrifugeren.
▼—er ov.w wringen, centrifugeren (— du
linge). **▼—euse** v wringer, centrifuge.
essoucher ov.w boomstronken verwijderen.
essoufflement m (het) buiten adem zijn.
▼essouffler l ov.w buiten adem brengen.
II s'— 1 buiten adem raken; 2 (zijn) inspiratie
verliezen; 3 achteruitgaan; s'— à, er niet in
slagen.
essuie/-glace† m uitwisser van auto.
▼—main(s) m handdoek. **▼—meuble†** m
stofdoek. **▼—pieds** m deurmat. **▼—verres**
m glazendoek.
essuy/age m (het) schoonmaken, afdrogen,
afvegen. **▼—er** ov.w 1 schoonmaken,
afvegen, afdrogen; 2 lijden, doorstaan; — un
affront, een belediging ondergaan; — une
perte, een verlies lijden; — un refus, een
weigering krijgen; — le premier feu, de
vuurdoop ondergaan; — une tempête, een
hevige storm doorstaan.
est m oosten; vent d'—, oostenwind; longitude
—, oosterlengte; Berlin Est, Oost-Berlijn;
l'Allemagne de l'Est, Oost-Duitsland.
establishment m id., gevestigde orde.
estacade v paalwerk (in rivier, haven, enz.).
estafette v renbode.
estafilade v houw, snede.
est-allemand bn Oostduits.
estaminet m herberg, klein café; pilier d'—,
kroegloper.
estampage m stempeling, afdruk. **▼estamp/e**
v 1 plaat, gravure; 2 stempel. **▼—er** ov.w
1 stempelen; 2 (pop.) afzetten. **▼—eur** m
stempelaar. **▼—illage** m afstempeling. **▼—ille**
v stempel. **▼—iller** ov.w bestempelen.
estarie, starie v ligtijd v.e. schip.
est-ce que? uitdrukking die een vraag inleidt
(= vraagteken voor aan de zin).
esthète m of v minnaar (minnares) v.
schoonheid en kunst. **▼esthétici/en** m,
-enne v kenner (-ster) van schoonheid,
estheticus. **▼—enne** v

schoonheidsspecialiste. ▼**esthétique** l zn v
schoonheidsleer, esthetica. ll bn smaakvol,
esthetisch.

estim/able bn achtens-, prijzenswaardig.
▼**—ateur** m schatter. ▼**—atif, -ative** bn
schattend; devis —, kostenberekening,
raming. ▼**—ation** v schatting, begroting.
▼**—atoire** bn wat betrekking heeft op een
schatting. ▼**estime** v 1 achting; être en grande
—, hoog geacht worden; 2 goede naam; être
perdu d'—, zijn goede naam kwijt zijn, slecht
aangeschreven staan; 3 gegist bestek
(scheepv.). ▼**estimer** ov.w 1 (hoog)achten;
2 schatten, ramen; 3 geloven, menen, van
mening zijn.

estivage m 1 (het) overbrengen v.h. vee naar
de bergweiden gedurende de zomer; 2 tijd die
het vee 's zomers op de bergweiden
doorbrengt; 3 (het) vaststouwen der lading.
▼**estival** [mv aux] bn zomers. ▼**estivant** m
zomergast in badplaats. ▼**estiver** ov.w het vee
's zomers naar de bergweiden brengen.

estoc m 1 lange degen (oud); frapper d'—,
steken; 2 boomstronk. ▼**estocade** v
1 degenstoot; 2 onverwachte ruwe aanval.

estomac m 1 maag; avoir un —, d'autruche,
een maag van ijzer hebben; avoir l'— creux,
een lege maag hebben; peser sur l'—, zwaar op
de maag liggen; sentir son — dans les talons,
uitgehongerd zijn; 2 maagstreek; 3 durf (avoir
de l'—). ▼**estomaquer** (fam.) l ov.w
onaangenaam verrassen, onderdonderen. ll s'—
1 zich ergeren; 2 zich hees praten of
schreeuwen.

estompe v 1 doezelaar; 2 gedoezelde
tekening. ▼**estomper** ov.w 1 doezelen; 2 de
omtrekken vervagen; 3 verzachten, minder
grof maken (— un récit).

Estonie v Estland. ▼**estonien, -enne** l bn
Estlands. ll zn E—m, -**enne** v Estlander,
Estlandse.

estourbir (pop.) ov.w mollen, doden.
estrade 1 weg (oud); battre l'—, op
verkenning uitgaan, de wegen onveilig maken
door voorbijgangers uit te schudden;
2 verhoging, podium.

estragon m dragon.
estrope v (mar.) strop.
estropié bn kreupel, verminkt. ▼**estropier**
ov.w 1 kreupel maken, verminken;
2 verminken (un mot), radbraken (une
langue).

estuaire m 1 inham die bij eb droogloopt;
2 brede riviermond, estuarium.
estudiantin bn studenten-, studentikoos.
esturgeon m steur (vis).

et vgw en.
établ/age m stalgeld. ▼**—e** v veestal. ▼**—er**
ov.w op stal zetten.
établi m werkbank.
établir l ov.w 1 vestigen, oprichten, enz.; — un
camp, een kamp opslaan; — un compte, een
rekening opmaken; — un fait, een feit
vaststellen, staven; — les fondements, de
grondslagen leggen; — un juge, een rechter
aanstellen; — une machine, een machine
monteren; une réputation établie, een
gevestigde reputatie; — des troupes, troepen
opstellen; il est établi, het staat vast; 2 een
betrekking bezorgen (— un fils);
3 uithuwelijken. ll s'—1 zich vestigen; 2 zich
opwerpen als; 3 (fig.) vaste voet krijgen; s'—
au coin du feu, bij de haard gaan zitten.
▼**établissement** m 1 stichting, oprichting,
vestiging, enz.; l'— d'un compte, het opmaken
v.e. rekening; l'— d'un fait, het vaststellen, de
staving v.e. feit; l'— d'une règle, de vaststelling
v.e. regel; 2 instelling, inrichting, gebouw; —
de bains, badinrichting; — de crédit,
kredietinstelling; 3 (het) bezorgen v.e. positie,
(het) uithuwelijken (l'— de ses enfants);
4 nederzetting, kolonie.
étage m 1 verdieping; 2 staat, rang; gens de
bas —, mensen van lage stand; 3 geologische
laag; 4 trap (raket). ▼**—ment** m trapsgewijze
plaatsing, -ligging. ▼**étager** ov.w trapsgewijs

plaatsen. ▼**étagère** v etagère.
étai m 1 stut, schoor; 2 stag (scheepv.);
3 steun (fig.).
étain m tin; feuilles d'—, bladtin.
étal [mv **als**] m 1 vleesbank; 2 slagerij;
3 uitstaltafel (op markt).
étal/age m 1 uitstalling; 2 tentoonspreiding,
(het) pronken met — (de science); faire — de,
pronken met (faire — de sa richesse); 2 plaats
ov.w uitstallen. ▼**—agiste** m 1 verkoper met
stalletje op straat; 2 etaleur.
étale bn mer —, stille zee (noch eb, noch
vloed); navire —, stilliggend schip; vent —,
gelijkmatige wind.
étalement m (het) uitstallen, uitspreiden,
uitsmeren; l'— des vacances, de
vakantiespreiding. ▼**étaler** l ov.w 1 uitstallen,
ten toon spreiden; — son jeu, zijn kaarten
openleggen; pronken met (— sa science);
2 uitspreiden, -smeren; 3 (fam.) laten vallen.
ll s'— 1 uitgestald worden; 2 pronken, zich
laten bewonderen; 3 languit gaan liggen (s'—
sur l'herbe); 4 (fam.) vallen.
étalier m, -**ère** v vleesverkoper (-verkoopster)
voor rekening v.e. slager.
étalon m hengst.
étalon m 1 muntstandaard; —-or,
goudstandaard; 2 standaardmaat, -gewicht.
▼**—nage, —nement** m ijking, ijk. ▼**—ner**
ov.w ijken. ▼**—neur** m ijker.
étamage m vertinning.
étambot m achtersteven (scheepv.).
étamer ov.w vertinnen. ▼**étam\u eur** m
vertinner.
étamine v 1 zeefdoek; passer à l'—, streng
onderzoeken; 2 etamine (wollen weefsel);
3 meeldraad.
étamper ov.w gaten slaan in ijzer, ponsen.
étamure v vertinsel.
étanch/e bn waterdicht; — au gaz, gasdicht.
▼**—éité** v waterdichtheid. ▼**—ement** m
1 lessing van dorst; 2 stelping van bloed;
3 (het) dichten v.e. lek; 4 (het) waterdicht
maken. ▼**—er** ov.w 1 lessen; 2 stelpen;
3 dichten (v.e. lek); 4 waterdicht maken.
étançon m stut, schoor. ▼**—nement** m (het)
stutten, schoren. ▼**—ner** ov.w stutten,
schoren.
étang m vijver.
étape v 1 rustplaats, pleisterplaats, (het)
rusten op een pleisterplaats of halte; brûler les
—s, (fig.) doorhollen; 2 dagmars, afstand
tussen twee rustplaatsen, etappe.
état m 1 toestand, staat; en — de, in staat te; —
d'âme, zielsgesteldheid; — de choses,
toestand; tenir en bon —, onderhouden; faire
— de, op iets rekenen; en — de grâce, in staat
van genade; en tout — de cause, in ieder
geval; hors d'— de, niet in staat te; — de
nature, natuurstaat; 2 stand, beroep, status; —
civil, burgerlijke stand; — militaire, militaire
stand; le tiers —, de derde stand; 3 staat, voet
waarop men leeft; tenir un grand —, op grote
voet leven; 4 staat = lijst; — de services, staat
van dienst; 5 staat; chef d'—, staatshoofd;
coup d'Etat, staatsgreep; homme d'—,
staatsman; raison d'—, politieke reden; 6 staf
— major, generale staf; 7—s mv States; —
généraux, Staten-Generaal. ▼**étatiser** ov.w
onder staatsbeheer plaatsen. ▼**étatisme** m
staatssocialisme. ▼**étatiste** m aanhanger v.h.
staatssocialisme.
état†-major†* m staf (mil.).
Etats-Unis m mv Verenigde Staten.
étau [mv **x**] m bankschroef; être pris, serré
comme dans un —, in de klem zitten.
étayage, étayement m (het) stutten, schoren.
▼**étayer** ov.w 1 stutten, schoren;
2 ondersteunen (fig.), adstrueren.
et caetera (etc.) enz.
été l zn m zomer; en —, 's zomers; — de la Saint
Martin, zomerse dagen, die vaak begin
november voorkomen; opleving die begin
grijsaard; se mettre en —, zomerse kleren
aantrekken. ll v dw van être.
éteignoir m 1 domper (ook fig.); 2 slaapmuts

(pop.).

éteindre I ov.w onr. 1 blussen (— le feu); — la chaux, kalk blussen; 2 uitdoven; 3 minder helder maken van kleuren (— les couleurs d'un tableau); 4 lessen (— la soif); 5 uitroeien (— une race); 6 delgen (— une dette); 7 verdoven, bedwingen (— une révolte), beteugelen (— son amour). II s'—1 uitgaan, uitdoven (la lumière s'est éteinte); 2 minder helder worden; 3 uitsterven v.e. ras; 4 gestild worden; 5 wegsterven (la voix s'éteint); 6 langzaam sterven, wegkwijnen. ▼**éteint** bn 1 uitgedoofd (volcan —); 2 geblust (chaux —e); 3 dof (couleur —e); 4 mat, dof (voix —e); 5 uitgestorven (race —e).

étendage m 1 drooglijnen; 2 droogschuur, rek.

étendard m standaard, vaandel; lever l'— de la révolte, in opstand komen.

étendoir m 1 droogstok, -lijn; 2 droogplaats.

étendre I ov.w 1 uitbreiden, vergroten; 2 uitstrekken, uitspreiden, uitleggen; — du beurre, boter smeren; — qn. par terre, iem. op de grond werpen; — la vue sur, zijn blik laten gaan over; — un tapis, een kleed uitleggen; 3 verdunnen (— du vin avec de l'eau); 4 uitrekken. II s'—1 zich uitstrekken, zich uitrekken; 2 uitrekken; 3 zich verbreiden; 4 — sur, uitweiden over. ▼**étendu** bn 1 uitgestrekt; 2 uitgespreid (ailes —es); 3 met water verdund (vin —). ▼**étendue** v 1 uitgestrektheid, uitgebreidheid, omvang; 2 lengte, tijdsduur.

éternel, -elle I bn eeuwig; la Ville éternelle, Rome. II E— m God. ▼—**lement** bw eeuwig. ▼**éterniser** I ov.w 1 zeer lang laten duren; 2 vereeuwigen. II s'—1 zich vereeuwigen; 2 lang duren; 3 ergens zeer lang blijven. ▼**éternité** v 1 eeuwigheid; de toute —, sinds onheuglijke tijden; 2 zeer lange tijd.

éternuement m genies. ▼**éternuer** on.w niezen.

étésien bn: vent —, noordenwind in de Middell. Zee.

étêter ov.w de top v.e. boom verwijderen, afknotten.

éthane m ethaan.

éther m 1 ether; 2 (dicht.) lucht. ▼**éther/é** bn etherisch; âme —e, reine ziel; la voûte —e, het uitspansel. ▼—**isation** v verdoving door middel van ether. ▼—**iser** ov.w verdoven door middel van ether. ▼—**isme** m verdoving door middel van ether. ▼—**omane** m of v persoon, verslaafd aan ether. ▼—**omanie** v verslaafdheid aan ether.

Ethiopie v Ethiopië. ▼**éthiopien** I zn m Ethiopiër. II bn Ethiopisch.

éthique I bn zedenkundig. II zn v zedenleer.

ethnique bn 1 heidens; 2 wat volk of ras betreft. ▼**ethno/graphe** m beschrijver van landen en volkeren. ▼—**graphie** v land- en volkenkunde. ▼—**graphique** bn etnografisch. ▼—**logie** v volkenkunde. ▼—**logique** bn volkenkundig. ▼—**logue, —logiste** m volkenkundige.

éthologie v beschrijving van diergedrag, ethologie.

éthyle m ethyl.

éthylène m ethyleen. ▼**éthylique** I bn: intoxication —, vergiftiging door ethylalcohol. II zn m/v alcoholist(e).

étiage m laagste stand v.h. water.

étincel/ant bn schitterend. ▼—**er** on.w 1 vonken; 2 fonkelen, schitteren. ▼—**le** v vonk. ▼—**lement** m 1 (het) vonken; 2 fonkeling, schittering.

étiolement m 1 spichtigheid van planten; 2 verbleking; 3 verzwakking v.d. geest. ▼**étioler** I ov.w 1 spichtig doen worden van planten; 2 doen verbleken. II s'—1 spichtig opgroeien van planten; 2 bleek worden; 3 wegkwijnen.

étiologie v leer der ziekteoorzaken.

étique bn mager, spichtig.

étiquetage m (het) voorzien van etiketten.

▼**étiqueter** ov.w van etiketten voorzien.

▼**étiquette** v 1 etiket; 2 hofetiquette, ceremonieel; 3 beschaafde omgangsvormen; manquer à l'—, tegen de omgangsvormen zondigen.

étir/able bn rekbaar. ▼—**age** m (het) uitrekken (bijv. v. glas). ▼—**ement** m (het) (zich) uitrekken. ▼—**er** I ov.w rekken. II s'— zich uitrekken.

étoc m 1 klip; 2 boomstronk.

étoffe v 1 stof (voor kleding); 2 stof (onderwerp bijv. voor een brief); 3 aanleg, geschiktheid; slag (avoir l'— d'un héros); 4 materiaal. ▼**étoffé** bn 1 vet, dik, mollig; 2 krachtig (style —); 3 vol (van stem); 4 ruim (van kleed). ▼**étoffer** ov.w 1 stof verschaffen voor; 2 dikker, gezetter maken; 3 spannender maken.

étoile v 1 ster; une —, een (toneel-, film)ster; — du berger, du matin, du soir, Venus; coucher à la belle —, à l'enseigne de l'—, onder de blote hemel slapen; — filante, vallende ster; 2 gesternte; être né sous une bonne —, onder een gelukkig gesternte geboren zijn; 3 ridderorde in stervorm; 4 plein, waarop verschillende wegen stervormig samenkomen; 5 sterretje (*); 6 bles; 7 generaalsster. ▼**étoilé** bn 1 bezaaid met sterren (ciel —); bannière —e, de Stars and Stripes; 2 stervormig; 3 stervormig gebarsten. ▼**étoilement** m stervormig barst. ▼**étoiler** ov.w 1 met sterren bezaaien; 2 een stervormige barst maken.

étole v stool.

étonn/amment bw verwonderlijk, verbazend. ▼—**ant** bn 1 verwonderlijk; 2 buitengewoon. ▼—**ement** m verwondering. ▼—**er** I ov.w verwonderen, verbazen. II s'— zich verwonderen.

étouff/ant bn verstikkend, benauwd, smoorheet. ▼—**ée** v (het) stoven, smoren. ▼—**ement** m benauwdheid. ▼—**er** I ov.w 1 verstikken, doen stikken; 2 uitdoven; 3 onderdrukken, dempen (une révolte), smoren (la voix); 4 in de doofpot stoppen; 5 (pop.) pikken, stelen, doen verdwijnen. II on.w stikken; on étouffe ici, het is hier om te stikken. ▼—**eur** m worger. ▼—**oir** m 1 doofpot; 2 demper v.e. piano; 3 benauwde zaal.

étoupe v werk, poetskatoen; mettre le feu aux —s, de poppen aan het dansen maken.

étouper ov.w breeuwen.

étourderie v 1 onbezonnenheid, lichtzinnigheid; 2 onbezonnen daad.

▼**étourdi** I bn 1 onbezonnen, lichtzinnig; à l'—e, onbezonnen, lichtzinnig; 2 duizelig. II zn m onbezonnene, wildzang. ▼**étourdiment** bw onbezonnen, lichtzinnig.

étourd/ir I ov.w 1 verdoven; — la douleur, de pijn verminderen; 2 duizelig maken; 3 vermoeien, gek maken, doof maken (cet enfant m'étourdit); 4 even braden; 5 stillen (— la faim). II s'—1 bedwelmd, verdoofd, gevoelloos worden; 2 afleiding zoeken, om zijn verdriet te vergeten. ▼—**issant** bn 1 oorverdovend; 2 overstelpend, verbluffend. ▼—**issement** m 1 verdoving, bedwelming; 2 duizeling; 3 verbazing, ontsteltenis; 4 afleiding, om zijn smart te vergeten.

étourneau [mv x] m 1 spreeuw; 2 onbezonnen jonge man.

étrange bn vreemd, eigenaardig, zonderling. ▼**étranger, -ère** I bn 1 vreemd (= buitenlands); 2 vreemd (niet tot de familie of een gezelschap behorend); 3 niet behorend bij. II zn m, -ère v vreemdeling(e). III m de vreemde, het buitenland. ▼**étrangeté** v vreemdheid, zonderlingheid, eigenaardigheid.

étranglé bn 1 gesmoord (voix —e); 3 bekort, te beknopt (discours —). ▼**étranglement** m 1 worging; 2 vernauwing, beklemming, engte. ▼**étrangler** I ov.w 1 worgen; 2 beklemmen; 3 in de doofpot stoppen; 4 te gronde richten. II on.w stikken; — de soif, versmachten van dorst. III s'—1 zich worgen; 2 elkaar stikken; 3 stikken;

4 nauwer worden. ▼**étrangleur** *m*, **-euse** *v* worger (-ster).

étrave *v* voorsteven.

être *on.w* **1** zijn, bestaan; *cela ne sera pas*, dat zal niet gebeuren; *c'est cela*, juist; *c'est que*, dat komt, omdat; *n'est-ce pas?*, nietwaar?; *— dix*, met zijn tienen zijn; *le temps n'est plus que*, de tijd is voorbij, dat; **2** liggen, staan, zitten; **3** *koppelwerkwoord* = zijn (*il est malade*; *il est médecin*); **4** *hulpwerkwoord van tijd* = zijn, hebben (*il est resté*; *il s'est lavé*); **5** *hulpwerkwoord v.d. lijdende vorm* = worden (*il était surpris par l'orage*); **6** (met **à**) — *à l'agonie*, op sterven liggen; *il est à craindre*, het is te vrezen; *c'était à qui remporterait la victoire*, zij streden om het hardst om de overwinning; *c'est à lui de parler*, het is zijn beurt om te spreken; *je suis à vous*, ik ben tot uw dienst; **7** (met **de**) — *de la partie*, van de partij zijn; **8** (met **y**) *je n'y suis pour rien*, ik heb er geen schuld aan; *vous y êtes*, gij hebt het geraden; **9** (met **en**) *j'en suis pour mon argent*, ik ben mijn geld kwijt; *il n'en est rien*, er is niets van waar; *où en sommes-nous?*, waar zijn wij gebleven?

être *zn m* **1** (het) bestaan; **2** (de) werkelijkheid; **3** wezen; *l'Être suprême*, het Opperwezen.

étreindre *ov.w onr.* **1** omarmen; **2** samentrekken, vaster aanhalen; **3** drukken. ▼**étreinte** *v* **1** omarming, omsingeling; **2** (het) vaster aanhalen; **3** druk.

étrenne *v* **1** geschenk, vooral op Nieuwjaar en Kerstmis; **2** handgeld; **3** eerste gebruik. ▼**étrenner** *I ov.w* voor het eerst (*of:* als eerste) gebruiken (*— un costume*). *II on.w* (*pop.*) een pak slaag, een uitbrander krijgen.

êtres *m mv: les — d'une maison*, de inrichting, verdeling v.e. huis.

étrier *m* stijgbeugel; *coup de l'—*, glaasje op de valreep; *courir à franc —*, het paard de vrije teugel laten; *avoir le pied à l'—*, gereed zijn om te vertrekken, de voet in de stijgbeugel hebben (*fig.*); *vider les —*, zandruiter worden; *tenir l'— à qn.*, de stijgbeugel voor iem. vasthouden, iem. in het zadel helpen (*fig.*).

étrill/e *v* roskam. ▼**—er** *ov.w* **1** roskammen; **2** afrossen, toetakelen; **3** (*fam.*) afzetten.

étripage *m* **1** (het) uithalen v.d. ingewanden; **2** (*fam.*) slachtpartij. ▼**étriper** *I ov.w* de ingewanden halen uit. *II s'—* (*fam.*) elkaar afrossen, afslachten.

étriqué *bn* smal, te nauw, bekrompen. ▼**étriquer** *ov.w* **1** te nauw maken (*— un habit*); **2** niet voldoende uitwerken (*— un sujet*).

étrivière *v* stijgbeugelriem; *donner des coups d'—*, slaan, corrigeren.

étroit *bn* **1** nauw, eng, smal; *amitié —e*, innige vriendschap; *être logé à l'—*, te klein behuisd zijn; *vivre à l'—*, armoedig leven; **2** bekrompen (*idées —es*); **3** streng, strikt; *discipline —e*, strenge tucht; *sens —*, strikte zin. ▼**—ement** *bw* **1** nauw, strak; **2** van nabij, op de voet; **3** streng, nauwgezet. ▼**—esse** *v* **1** nauwheid, smalheid; **2** bekrompenheid.

étron *m* drol.

étude *v* **1** studie; *homme sans —*, onontwikkeld man; *maître d'—s*, surveillant; **2** etude (*muz.*); **3** studiezaal; **4** kantoor van notaris, deurwaarder, advocaat; **5** gekunsteldheid; *sans —*, ongekunsteld. ▼**étudiant** *m*, **-e** *v* student(e). ▼**étudier** *I ov.w* bestuderen; *douleur étudiée*, voorgewende, geveinsde smart. *II on.w* studeren. *III s'—* à zich toeleggen op.

étui *m* etui, koker, foedraal.

étuve *v* **1** zweetbad; **2** droogoven. ▼**étuver** *ov.w* **1** stoven; **2** in een droogoven zetten; **3** uitstomen.

étymolo/gie *v* woordafleiding. ▼**—gique** *bn* wat woordafleiding betreft (*dictionnaire —*). ▼**—giste** *m* kenner v.d. woordafleidingen.

eu *v. du* van **avoir**.

eucharistie *v* het H. Sacrament.

euclidien, **-ne** *bn* van Euclides.

eugénique *v* leer v.d. rasverbetering, eugenese.

euh! *tw* hm, hm!, zo zo!

eunuque *m* eunuch.

euphém/ique *bn* verbloemend, eufemistisch. ▼**—isme** *m* verbloemende, verzachtende uitdrukking, eufemisme.

euphon/ie *v* welluidendheid. ▼**—ique** *bn* om de welluidendheid te verhogen.

euphorbe *v* wolfsmelk.

euphor/ie *v* levensvreugde, euforie. ▼**—ique** *bn* v.d. levensvreugde. ▼**—isant** *I bn* levensvreugde opwekkend. *II zn m* pepmiddel. ▼**—iser** *ov.w* een optimistisch gevoel geven.

eurafricain *bn* Europa en Afrika betreffend. ▼**eurasien** *I bn* Indo-europees. *II zn m* Indo-europeaan, Eurazië. ▼**eurocrate** *m* Europees ambtenaar. ▼**euromarché** *m* Euromarkt. ▼**Europe** *v* Europa. ▼**européaniser** *ov.w* Europees maken, een Europees karakter geven. ▼**européen**, **-enne** *I bn* Europees. *II zn* E— *m*, -enne *v* Europeaan(se). ▼**Eurovision** *v* Eurovisie.

euscarien, **-enne**, **euskarien**, **-enne** *I bn* Baskisch. *II zn* E—*m*, -enne *v* Baskiër, Baskische.

euthanas/ie *v* pijnloze dood. ▼**—ique** *bn* van *of* met betrekking tot de euthanasie.

eux *vnw m mv* zij, hen.

e.v. = *en ville*.

évacu/ant, **-atif**, **-ive** *I bn* afvoerend, ontlastend (*med.*). *II zn m* ontlastend middel (*med.*). ▼**—ation** *v* **1** ontlasting; **2** ontruiming. ▼**—er** *ov.w* **1** ontlasten, lozen; **2** afvoeren (*des blessés*); **3** ontruimen, verlaten.

évad/é *I bn* ontsnapt. *II zn m* ontsnapte (gevangene). ▼**évader (s')** *I* ontsnappen (*— de la prison*); **2** een uitvlucht vinden.

évalu/able *bn* te schatten. ▼**—ation** *v* schatting, begroting. ▼**—er** *ov.w* schatten, begroten.

évanescent *bn* geleidelijk verdwijnend, vervliegend.

évangé/liaire *m* evangelieboek. ▼**—lique** *bn* **1** evangelisch; **2** protestants. ▼**—lisateur** *m*, **-trice** *v* evangelieprediker (-ster). ▼**—lisation** *v* evangelieprediking. ▼**—liser** *ov.w* het evangelie preken aan iem. ▼**—liste** *m* evangelist. ▼**évangile** *m* evangelie; *côté de l'—*, evangeliekant v.h. altaar; *parole d'—*, zekere waarheid.

évanouir (s') **1** verdwijnen, vervliegen; **2** flauwvallen, in zwijm vallen. ▼**évanouissement** *m* **1** verdwijning; **2** bezwijming.

évapor/able *bn* verdampbaar. ▼**—ateur** *m* verdampingstoestel. ▼**—ation** *v* verdamping. ▼**—atoire** *bn* wat de verdamping betreft; *appareil —*, verdampingstoestel. ▼**—é** *I bn* lichtzinnig. *II bn*, -e *v* lichtzinnig man, -vrouw. ▼**—er** *I ov.w* **1** doen verdampen; **2** (*pop.*) ontfutselen. *II s'—* **1** verdampen; **2** lichtzinnig worden; **3** verdwijnen, vervliegen.

évasé *bn* wijd open; *nez —*, neus met wijde neusgaten. ▼**évasement** *m* verwijding. ▼**évaser** *ov.w* verwijden.

évasif, **-ive** *bn* ontwijkend. ▼**évasion** *v* ontsnapping. ▼**évasivement** *bw* ontwijkend.

évasure *v* wijde opening.

évêché *m* **1** bisdom; **2** bisschoppelijke waardigheid; **3** bisschoppelijk paleis.

éveil *m* **1** (het) op zijn hoede zijn; *être en —*, op zijn hoede zijn; *tenir en —*, opmerkzaam doen blijven; **2** waarschuwing, wenk, alarm; *donner l'— à qn.*, iem. een wenk geven, waarschuwen. ▼**éveillé** *bn* schrander, levendig, vrolijk. ▼**éveiller** *ov.w* **1** wekken; *il ne faut pas — le chat qui dort*, (*spr.w*) men moet geen slapende honden wakker maken; **2** opwekken; *— l'attention*, de aandacht trekken; **3** alarmeren. ▼**éveilleur** *m*, **-euse** *v* wekker (-ster).

événement *m* **1** gebeurtenis; **2** uitslag, afloop;

3 ontknoping v.e. litterair werk.
évent m 1 open lucht; mettre à l'—, luchten; tête à l'—, lichtzinnig persoon; 2 mufheid, verschaaldheid; 3 luchtkanaal; 4 spuitgat van walvissen.
éventail m waaier ▼—**liste** m 1 fabrikant van waaiers; 2 handelaar in waaiers; 3 waaierschilder.
éventaire m uitstalling buiten de winkel, mars.
éventé bn 1 verschaald; 2 in de wind; 3 bekend. ▼**éventer** I ov.w 1 luchten; 2 volbrassen (— une voile); 3 doen verschalen; 4 verijdelen; 5 de lucht krijgen (van wild); 6 — une mine, een mijn ontdekken en buiten werking stellen, lont ruiken. II s'— 1 zich koelte toewaaien; 2 verschalen.
éventr/er I de buik openscheuren, -snijden; 2 met geweld openen, openbreken. ▼—**eur** m: Jack l'E—, Jack the Ripper.
éventualité v mogelijkheid, gebeurlijkheid. ▼**éventuel, -elle** I bn mogelijk, wisselvallig. II zn m emolumenten. ▼—**lement** bn bij voorkomende gelegenheid.
évêque m bisschop.
évertuer (s') zijn best doen, zich inspannen, zich afsloven.
éviction v 1 onteigening; 2 verwijdering, uitsluiting.
évidage, évidement m uitholling, openwerking.
évidemment bw klaarblijkelijk, natuurlijk. ▼**évidence** v duidelijkheid, zekerheid; mettre en —, op de voorgrond plaatsen, duidelijk laten uitkomen; se rendre à l'—, zich gewonnen geven. ▼**évident** bn duidelijk, vanzelfsprekend.
évider ov.w uithollen, openwerken.
évier m gootsteen.
évinc/ement m verdringing. ▼—**er** ov.w 1 verdringen; 2 iem. ontzetten uit zijn bezit.
évit/able bn te vermijden. ▼—**ement** m uitwijking; gare d'—, rangeerterrein. ▼—**er** ov.w vermijden, ontwijken; évitez qu'il ne vous voie, zorg er voor, dat hij je niet ziet.
évocateur, -trice bn wat voor de geest brengt, wat herinneringen oproept (un style —). ▼**évocation** v 1 bezwering; 2 herinnering, het zich weer voor de geest halen.
évoluer on.w 1 manoeuvreren, zwenkingen uitvoeren; 2 zich ontwikkelen; 3 van mening veranderen. ▼**évolution** v 1 manoeuvre, zwenking; 2 ontwikkeling. ▼—**nisme** m evolutieleer. ▼—**niste** m aanhanger der evolutieleer.
évoquer ov.w 1 bezweren; 2 voor de geest roepen; 3 een zaak naar een andere rechtbank verwijzen (— une affaire).
ex vz gewezen, vroeger (ex-officier).
exacerbation v verergering v.e. ziekte. ▼**exacerber** ov.w verergeren v.e. pijn.
exact bn 1 juist, nauwkeurig; l'heure —e, de juiste tijd; les sciences —es, de exacte wetenschappen; 2 stipt, nauwgezet; 3 une diète —e, een streng dieet. ▼—**ement** bw nauwkeurig, juist, stipt.
exact/eur m uitzuiger. ▼—**ion** v 1 invordering (bijv. van belastingen); 2 afpersing, knevelarij.
exactitude v 1 nauwkeurigheid, juistheid; 2 stiptheid, nauwgezetheid.
exagér/ateur m, -**atrice** v, —**eur** m, -**euse** v overdrijver (-drijfster). ▼—**atif, -ive** bn overdreven, overdrijvend. ▼—**ation** v overdrijving. ▼—**é** I bn overdreven. II zn m (het) overdrevene. ▼—**ément** bw overdreven. ▼—**er** ov.w overdrijven.
exaltation v 1 verheerlijking; 2 vervoering, bezieling, zielsverrukking; 3 overspanning; 4 verkiezing tot paus; 5 (tijdelijk) opgewekt gevoel. ▼**exalté** I bn overspannen, opgewonden. II zn m, -e v overspannen, opgewonden persoon. ▼**exalter** I ov.w 1 verheerlijken; hemelhoog prijzen; 2 overprikkelen, overspannen; 3 in vervoering brengen, verrukken; — les esprits, de gemoederen doen ontvlammen. II s'— zich opwinden, in vuur raken.

examen m 1 onderzoek; à l'—, bij nader inzien; 2 examen; — d'entrée, toelatingsexamen; — de passage, overgangsexamen; — de sortie, eindexamen; être reçu à un —, voor een examen slagen; être refusé à un —, voor een examen zakken. ▼**examinateur** m, **-trice** v examinator (-trice). ▼**examiner** ov.w 1 onderzoeken; 2 examineren; 3 opnemen, onderzoekend aankijken.
exanthème m rode huiduitslag.
exaspér/ant bn ergerlijk. ▼—**ation** v 1 verbittering; 2 verergering, crisis in een ziekte. ▼—**er** I ov.w 1 verbitteren; 2 verergeren van ziekte, pijn. II s'— 1 zich ergeren; 2 erger worden.
exaucement m verhoring. ▼**exaucer** ov.w verhoren.
excavateur m graafmachine. ▼**excavation** v 1 uitgraving; 2 holte. ▼**excaver** ov.w uitgraven.
excédant bn 1 overschietend; 2 afmattend; 3 lastig. ▼**excédent** m overschot, teveel, overmaat; — démographique, bevolkingsoverschot. ▼**excéder** I ov.w 1 te boven gaan, overschrijden (— son pouvoir); 2 overtreffen; 3 afmatten, vermoeien; 4 vervelen, lastig vallen. II s'— 1 zich te buiten gaan; 2 zich uitputten, zich afmatten.
excell/emment bw uitmuntend, uitstekend. ▼—**ence** v 1 uitmuntendheid, voortreffelijkheid; par —, bij uitstek; 2 E—, Excellentie. ▼—**ent** bn uitmuntend, uitstekend. ▼—**entissime** bn allervoortreffelijkst. ▼—**er** on.w uitmunten.
excentrer ov.w het middelpunt verplaatsen. ▼**excentricité** v 1 uitmiddelpuntigheid, (het) ver v.h. centrum liggen; 2 eigenaardigheid. ▼**excentrique** I bn 1 excentrisch, afgelegen, ver v.h. centrum gelegen; 2 zonderling. II zn m 1 zonderling; 2 excentriek (schijf).
excepté I vz uitgezonderd; — les enfants (onveranderlijk), uitgezonderd de kinderen. II bn uitgezonderd; les enfants —s, (veranderlijk), uitgezonderd de kinderen. ▼**excepter** ov.w uitzonderen. ▼**exception** v uitzondering; à l'— de, met uitzondering van; par —, bij uitzondering. ▼**exceptionnel, -elle** bn uitzonderlijk, buitengewoon. ▼—**lement** bw 1 bij wijze van uitzondering; 2 buitengewoon.
excès m 1 overmaat, uiterste; à l'—, uitermate, hoogst; 2 buitensporigheid, uitspatting; 3 overdrijving; — de douleur, overdreven smart; pousser à l'—, overdrijven; — de pouvoir, machtsoverschrijding; — de travail, overmatige arbeid. ▼**excessif, -ive** bn overdreven, buitensporig. ▼**excessivement** bw uiterst, bovenmatig.
exciper (de) on.w zich beroepen (op).
excipient m bindmiddel.
exciser ov.w wegsnijden. ▼**excision** v wegsnijding.
excit/abilité v prikkelbaarheid. ▼—**able** bn prikkelbaar. ▼—**ant** I bn opwekkend. II zn m opwekkend middel. ▼—**ateur, -atrice** I bn opwekkend, prikkelend. II zn m, **-atrice** v ophitser (-ster), aanstoker (aanstookster). ▼—**atif, -ive** bn opwekkend, prikkelend. ▼—**ation** v 1 opwekking, prikkeling; 2 aansporing; 3 ophitsing, opruiing. ▼—**er** ov.w 1 opwekken, prikkelen; 2 aanvuren, aanmoedigen; 3 ophitsen (— un chien), opruien; 4 verwekken (— la soif).
exclam/atif, -ive bn uitroepend; point —, uitroepteken. ▼—**ation** v uitroep; point d'—, uitroepteken. ▼—**er** I on.w uitroepen. II s'— uitroepen.
exclure ov.w onr. uitsluiten, wegjagen. ▼**exclus/if, -ive** bn 1 uitsluitend; vente —ive, alleenverkoop; 2 eenzijdig; 3 exclusief (bijv. v. model). ▼—**ion** v uitsluiting; à l'— de, met uitsluiting van. ▼—**ivement** bw uitsluitend, niet inbegrepen (du mois de janvier au mois de mars —). ▼—**ivité** v 1 (het) aparte; 2 eenzijdigheid; 3 alleenverkoop, alleenvertoningsrecht.

excommuni/cation v kerkelijke ban. ▼—er ov.w in de kerkelijke ban doen.

excré/ment m 1 uitwerpsel; 2 uitvaagsel. ▼—ter ov.w uitscheiden. ▼—tion v uitscheiding.

excroissance v uitwas.

excursion v 1 uitstapje, tochtje; 2 inval; 3 uitweiding. ▼—ner on.w een tochtje maken. ▼—niste m maker v.e. plezierreisje, toerist.

excusable bn vergeeflijk, te verontschuldigen. ▼excuse v verontschuldiging; faire des —s, excuus vragen; faites —, neem me niet kwalijk; — valable, geldig excuus. ▼excuser I ov.w verontschuldigen; excusez du peu!, alsof het niets was! II s'— zich verontschuldigen; qui s'excuse, s'accuse, (spr.w) wie zich zelf verontschuldigt, geeft toe dat hij schuldig is.

exécr/able bn verfoeilijk, afschuwelijk. ▼—ation v 1 afschuw; avoir en —, verfoeien; 2 uitvaagsel, gruwel; 3 verwensing, vervloeking. ▼—er ov.w verafschuwen, verfoeien.

exécut/able bn uitvoerbaar. ▼—ant m, -e v speler (speelster) op concert. ▼—er I ov.w 1 uitvoeren, volbrengen; 2 uitvoeren van muziek, zang enz.; 3 maken (— une statue); 4 terechtstellen; 5 gerechtelijk verkopen (van de goederen v.e. schuldenaar). II s'— besluiten iets tegen zijn zin te doen, zich in iets schikken. ▼—eur m, -trice v uitvoerder (-ster); — testamentaire, uitvoerder v.e. testament; — des hautes œuvres, beul. ▼—if, -ive I bn uitvoerend; pouvoir —, uitvoerende macht. II zn m uitvoerende macht. ▼—ion v 1 uitvoering; 2 (het) maken; 3 uitvoering van muziek, zang enz.; 4 — capitale, terechtstelling; 5 gerechtelijke verkoop. ▼—oire bn 1 uitvoerbaar; 2 invorderbaar.

exégèse v uitlegging, tekstverklaring. ▼exégète m bijbelverklaarder. ▼exégétique bn wat tekstverklaring betreft.

exemplaire I bn voorbeeldig. II zn m exemplaar. ▼exemple m voorbeeld; à l'— de, in navolging van; prendre — sur, een voorbeeld nemen aan; sans —, ongehoord; servir d'—, tot voorbeeld strekken; par —, 1 bij voorbeeld; 2 nu nog mooier!

exempt bn 1 vrijgesteld (— du service militaire); 2 bevrijd (— de soucis). ▼exempté I bn vrijgesteld. II zn m iemand, die vrijgesteld is (un — de service). ▼exempter ov.w vrijstellen, ontheffen. ▼exemption v vrijstelling, ontheffing.

exerçant bn praktizerend (médecin —). ▼exercer I ov.w 1 africhten (— des recrues); 2 oefenen (— le corps); 3 uitoefenen, beoefenen; 4 op de proef stellen (— la patience). II s'—zich oefenen. ▼exercice m 1 oefening; faire l'—, exerceren; 2 lichaamsbeweging; prendre de l'—, beweging nemen; 3 uitoefening, beoefening, bediening, ambt.

exergue m 1 (ruimte voor) inscriptie; 2 bijschrift, hoofd.

exfoliation v afschilfering, ontbladering. ▼exfolier I ov.w 1 een plant van zijn bladeren ontdoen; 2 afschilferen. II s'— afschilferen.

exhal/aison v uitwaseming. ▼—ation v uitwaseming. ▼—er I ov.w 1 uitwasemen, uitademen; — le dernier soupir, de laatste adem uitblazen; 2 uiten (— des plaintes; luchten (— sa douleur); uitbraken (— sa bile). II s'— 1 zich verspreiden, opstijgen; 2 zijn gemoed luchten (s'— en injures).

exhaussement m op-, verhoging. ▼exhausser v w op-, verhogen.

exhaustif, -ive bn 1 uitputtend; 2 een onderwerp uitputtend, diepgaand (étude —ive).

exhérédation v onterving. ▼exhéréder ov.w onterven.

exhib/er ov.w 1 vertonen, overleggen; 2 ten toon spreiden. ▼—ition v 1 vertoning, overlegging; 2 tentoonspreiding; 3 tentoonstelling, demonstratie; faire — de, te koop lopen met. ▼—itionniste m naaktloper.

exhortation v aansporing, vermaning. ▼exhorter ov.w aansporen, vermanen.

exhumation v opgraving. ▼exhumer ov.w 1 opgraven; 2 voor de dag brengen, opdiepen.

exig/eant bn veeleisend. ▼—ence v 1 eis; 2 aanmatiging. ▼—er ov.w eisen, vereisen. ▼—ibilité v invorderbaarheid. ▼—ible bn opeisbaar, invorderbaar.

exigu(ë) bn klein, bekrompen, eng, gering. ▼exiguïté v kleinheid, bekrompenheid.

exil m 1 ballingschap; 2 verbanningsoord; 3 onaangename verblijfplaats; 4 aarde, menselijk leven tegenover de hemel en het hemels leven. ▼exilé m, -e v banneling(e). ▼exiler I ov.w verbannen. II s'— in ballingschap gaan.

exinscrit bn aangeschreven (van cirkel).

existant I bn bestaand. II zn m de mens zelf. ▼existence v 1 bestaan; 2 leven, levenswijze; 3 aanwezige voorraad. ▼existentialisme m wijsbegeerte, verdedigd door Heidegger, Sartre e.a. ▼—iste I bn existentialistisch. II zn m existentialist. ▼existentiel, -elle bn wat betrekking heeft op het bestaan. ▼exister I on.w bestaan, leven. II zn m bestaan.

exit m 1 aanduiding, dat de toneelspeler het toneel moet verlaten; 2 (het) afgaan.

ex-libris m boekmerk.

exode v uittocht, exodus; — des cerveaux, braindrain.

exonder (s') droogvallen.

exonération v vrijstelling. ▼exonérer ov.w vrijstellen.

exorbitant bn buitensporig, overdreven. ▼exorbité bn uitpuilend (van ogen).

exorc/isation v bezwering. ▼—iser ov.w 1 bezweren; 2 streng vermanen. ▼—iseur m bezweerder. ▼—isme m bezwering. ▼—iste m duivelbanner.

exorde m aanhef v.e. rede.

exotérique bn openbaar, openlijk.

exotique bn uitheems. ▼exotisme m uitheemsheid.

expans/ibilité v uitzetbaarheid van gassen. ▼—ible bn uitzetbaar. ▼—if, -ive bn 1 uitzetbaar; 2 mededeelzaam, uitbundig. ▼—ion v 1 uitzetting; 2 vergroting; 3 uitbreiding (— d'un pays); 4 verbreiding (— d'une doctrine); 5 mededeelzaamheid, behoefte om zich te uiten. ▼—ionniste m voorstander van uitbreiding van zijn land. ▼—ivité v mededeelzaamheid, behoefte om zich te uiten.

expatriation v (het) verlaten v.h. vaderland, (het) verdreven worden uit het vaderland. ▼expatrier I ov.w uit het vaderland verdrijven. II s'—zijn vaderland verlaten.

expectant bn afwachtend; médecine —, geneeskunde, die de natuur zoveel mogelijk haar gang laat gaan. ▼expectative v afwachting; être dans l'—, een afwachtende houding aannemen.

expector/ant I bn slijmoplossend. II zn m slijmoplossend middel. ▼—ation v (het) opgeven van slijm. ▼—er ov.w slijm opgeven.

exped/ient I m uitweg, redmiddel: être fertile en —s, overal wat op weten. II — (de) bn dienstig, raadzaam, passend. ▼—ier ov.w 1 af-, ver-, toezenden; 2 verhaasten, snel afdoen; 3 afschepen; 4 een kopie maken; écriture expédiée, lopend schrift; 5 naar de andere wereld helpen. ▼—iteur m, -trice v 1 afzender (-ster); 2 expediteur. ▼—itif, -ive bn voortvarend, doortastend; le dîner n'est pas — comme le déjeuner, het avondeten wordt niet zo snel afgedaan als het middagmaal. ▼—ition v 1 ver-, af-, toezending; 2 zending; 3 uitvoering; homme d'—, voortvarend mens; 4 krijgstocht, ontdekkingsreis, expeditie; 5 afschrift. ▼—itionnaire I m 1 verzender, expediteur; 2 klerk, die afschriften maakt. II bn 1 afschriften makend (commis —); 2 wat betrekking heeft op een krijgstocht (armée —). ▼—itivement bw voortvarend.

expérience v 1 proef, proefneming; sujet d'—, proefdier; 2 ondervinding, ervaring; par —, bij

ondervinding, proefondervindelijk.
expériment/al [*mv* **aux**] *bn*
proefondervindelijk; *sciences —es,*
ervaringswetenschappen. **v—ateur** *m,* **-trice**
v proefnemer (-neemster). **v—ation** *v*
proefneming. **v—é** *bn* ervaren. **v—er** *I* *ov.w*
beproeven, proeven nemen met. **II** *on.w*
proeven nemen.
expert *I* *m* deskundige; — *comptable,*
accountant. **II** *bn* bedreven, deskundig.
v expertis/e *v* 1 deskundig onderzoek,
schatting; 2 rapport v.e. deskundige. **v—er**
ov.w deskundig onderzoeken, taxeren.
expiateur, -trice *bn* verzoenend. **v expiation**
v boetedoening; *l'— suprême,* de doodstraf.
v expiatoire *bn* verzoenend; *sacrifice —,*
zoenoffer. **v expier** *ov.w* uitboeten, boeten
voor.
expir/ant *bn* 1 stervend; 2 verdwijnend,
uitstervend. **v—ation** *v* 1 uitademing;
2 vervaltijd, einde van een termijn. **v—er**
I *ov.w* uitademen. **II** *on.w* 1 sterven, de laatste
adem uitblazen; 2 eindigen v.e. termijn,
vervallen.
explétif, -ive *I* *bn* aanvullend (*mot —*). **II** *zn* *m*
aanvullend woord.
explic/able *bn* verklaarbaar. **v—ateur** *I* *bn*
uitleggend, verklarend. **II** *zn* *m* uitlegger,
verklaarder. **v—atif, -ive** *bn* verklarend,
uitleggend. **v—ation** *v* verklaring, uitlegging;
demander une — à qn., iem. rekenschap
vragen.
explicite *bn* klaar, duidelijk, uitdrukkelijk.
v—ment *bw* in duidelijke bewoordingen,
uitdrukkelijk.
expliquer *I* *ov.w* uitleggen, verklaren. **II s'—**
1 verklaard worden; 2 rekenschap geven; *je ne
me l'explique pas,* het is mij niet duidelijk, ik
begrijp dat niet.
exploit *m* 1 heldendaad; 2 (ironisch)
lichtzinnige daad; 3 exploot.
exploit/able *bn* ontginbaar, bebouwbaar.
v—ant *I* *zn* *m* 1 ondernemer; 2 ontginner.
II *bn* exploot doende (*huissier —*). **v—ation** *v*
1 beheer, ontginning, exploitatie;
2 geëxploiteerd bos, landgoed enz.;
3 uitbuiting. **v—er** *I* *ov.w* 1 beheren,
ontginnen, exploiteren; 2 uitbuiten; 3 ten
nutte maken, partij trekken van. **II** *on.w*
dagvaarden, exploot doen. **v—eur** *m,* **-euse** *v*
uitbuiter (-ster).
explor/able *bn* te onderzoeken. **v—ateur** *m,*
-trice *v* onderzoeker (-ster),
ontdekkingsreiziger (-ster). **v—ation** *v*
1 onderzoeking; *voyage d'—,* ontdekkingsreis;
2 onderzoek (*med.*). **v—er** *ov.w*
1 onderzoeken, doorzoeken, een
ontdekkingsreis doen in; 2 nauwkeurig
onderzoeken (*med.*).
explos/er *on.w* ontploffen, exploderen.
v—eur *m* mijnontsteker. **v—ible** *bn*
ontplofbaar. **v—if, -ive** *I* *bn* ontploffend,
ontplofbaar, explosief. **II** *zn* *m* springstof.
v—ion *v* 1 ontploffing; explosie; *faire —,*
ontploffen; 2 uitbarsting (*fig.*) (*— de la
colère*).
export/able *bn* exporteerbaar. **v—ateur** *m*
exporteur. **v—ation** *v* 1 export;
2 geëxporteerde goederen. **v—er** *ov.w*
uitvoeren, exporteren.
exposant *m,* **-e** *v* 1 inzender (-ster) op een
tentoonstelling; 2 exponent (*wisk.*). **v exposé**
m uiteenzetting, verslag. **v exposer** *I* *ov.w*
1 tentoonstellen, uitstallen, vertonen; — *un
criminel,* een misdadiger aan de kaak stellen;
2 blootstellen, plaatsen; *maison exposée au
midi,* op het zuiden liggend huis; — *à l'air,*
luchten; — *sa vie,* zijn leven in de waagschaal
stellen; 3 uiteenzetten (— *ses idées*); 4 te
vondeling leggen; 5 belichten (*fot.*). **II s'—**
zich blootstellen aan. **v exposition** *v*
1 uitstalling, tentoonstelling; — *universelle,*
wereldtentoonstelling; *l'— d'un criminel,* het
aan de kaak stellen v.e. misdadiger;
2 blootstelling, plaatsing, ligging; — *au midi,*
ligging op het zuiden; *l'— à l'air,* het luchten;

l'— d'un tableau, de plaatsing v.e. schilderij
ten opzichte v.h. licht; 3 uiteenzetting; 4 (het)
te vondeling leggen; 5 belichting (*fot.*); *temps
d'—,* belichtingstijd.
exprès, -esse *I* *bn* uitdrukkelijk, duidelijk. **II** *zn*
m speciale koerier. **III** *bw* opzettelijk; *faire —,*
opzettelijk, expres doen.
express *I* *zn* *m* sneltrein. **II** *bn* snel (*train —,
bateau —*); *colis —,* pakje per expresse
bestelling.
expressément *bw* uitdrukkelijk.
expressif, -ive *bn* vol uitdrukking,
veelbetekenend. **v expression** *v*
1 uitdrukking (in alle betekenissen); *réduire à
sa plus simple —,* tot de eenvoudigste vorm
herleiden, zoveel mogelijk verkorten of
verkleinen (*réduire un pays à sa plus simple
—*); *réduire une fraction à sa plus simple —,*
een breuk vereenvoudigen; 2 uitpersing.
v—nisme *m* expressionisme (kunstrichting).
v—niste *m* expressionist. **v expressivement**
bw vol uitdrukking, veelbetekenend.
v exprimable *bn* uit te drukken. **v exprimer**
I *ov.w* 1 uitdrukken; 2 uitpersen. **II s'—** zich
uitdrukken.
expropriation *v* onteigening. **v exproprier**
ov.w onteigenen.
expuls/é *m* verdrevene, uitgewezene. **v—er**
ov.w 1 verdrijven, verjagen, het land uitzetten;
2 lozen, afvoeren (*med.*). **v—if, -ive** *bn*
afvoerend, uitdrijvend (*med.*); *douleurs
expulsives,* barensweeën. **v—ion** *v*
1 verdrijving, verjaging, (het) uit het land
zetten; 2 lozing, afvoer (*med.*).
expurgation *v* zuivering (v.e. boek).
v expurger *ov.w* (een boek) zuiveren.
exquis *bn* uitgezocht, fijn, puik, heerlijk;
douleur —, felle plaatselijke pijn. **v exquisité**
v uitgezochtheid, fijnheid.
exsangue *bn* bloedeloos, bloedarm.
exsud/ant *bn* zweet veroorzakend. **v—at** *m*
uitzweetsel. **v—ation** *v* uitzweting. **v—er**
ov.w uitzweten.
extase *v* 1 extase, geestvervukking;
2 opgetogenheid. **v extasier (s')** 1 in extase,
in geestvervukking geraken; 2 opgetogen
worden. **v extatique** *bn* 1 extatisch; 2 diep
(*joie —*).
extens/eur *m* 1 broekpers; 2 rektoestel.
v—ibilité *v* rekbaarheid. **v—ible** *bn* rekbaar.
v—if, -ive *bn* uitbreidend. **v—ion** *v*
1 uitbreiding; *prendre de l'—,* zich uitbreiden;
par —, in ruimer betekenis; 2 uitrekking, (het)
uitstrekken.
exténuant *bn* afmattend. **v exténuation** *v*
afmatting, uitputting. **v exténuer** *ov.w*
afmatten, uitputten.
extérieur *bn* 1 uitwendig, uiterlijk;
2 buitenste; 3 buitenlands (*commerce —*).
v—ement *bw* uitwendig, van buiten.
v extériorisation *v* (het) tentoonspreiden,
uitdrukking. **v—iser** *ov.w* tentoonspreiden,
uitdrukken. **v—ité** *v* uitwendigheid.
extermin/ateur *m,* **-atrice** *bn* verderf
brengend, uitroeiend; *l'ange —,* de engel des
verderfs. **v—ation** *v* uitroeiing; *guerre d'—,*
vernietigingsoorlog. **v—er** *I* *ov.w* uitroeien,
vernietigen, verdelgen. **II s'—** (*fam.*) zich
kapot werken.
externat *m* 1 externaat; 2 assistentschap van
med. studenten in een ziekenhuis. **v externe**
I *bn* 1 uitwendig; *angle —,* buitenhoek;
influence —, invloed van buiten; 2 extern
(niet-inwonend). **II** *zn* *m* of *v*
1 niet-inwonende leerling(e); 2 med.
student(e), die assisteert in een ziekenhuis.
exterritorialité *v* (het) niet aan de orden van
een vreemd land onderworpen zijn van gezant
of consul; exterritorialiteit.
extinct/eur *m* snelblusapparaat; — *mousse,*
schuimblusapparaat. **II—, -trice** *bn* blussend.
v—ion *v* 1 blussing; 2 uitdoving;
3 uitsterving; 4 verlies (— *de la voix*);
5 delging (*l'— d'une dette*); 6 (het) doen
verdwijnen, afschaffing, verdelging.
v extinguible *bn* blusbaar.

extirpateur *m* uitroeier, verdelger.
▼**extirpation** *v* uitroeiing, verdelging.
▼**extirper** *ov.w* uitroeien, verdelgen.
extorquer *ov.w* afdwingen, afpersen.
▼**extorsion** *v* afpersing.
extra I *m* 1 iets extra's; *plat d'—*, extra schotel; *vin d'—*, extra wijn; 2 tijdelijke hulp (knecht, dienstbode). II *bn* buitengewoon (*un vin —*). III *voorvoegsel* 1 buitengewoon (*extra-fin*); 2 buiten (*extra-parlementaire*).
extra-conjugal [*mv* aux] *bn* buitenechtelijk.
extract/eur *m* 1 uittrekker; 2 patroontrekker.
▼**—ible** *bn* uittrekbaar. ▼**—ion** *v* 1 (het) (uit)trekken; (*— d'une dent*); 2 (het) delven, winnen (kolen, petroleum); 3 worteltrekking; 4 afkomst.
extrader *ov.w* uitleveren. ▼**extradition** *v* uitlevering.
extra-fin† *bn* zeer fijn, prima.
extraire *ov.w* onr. 1 uittrekken (*— une dent*); 2 delven, winnen; 3 ontlenen; 4 halen uit (*— de la prison*); 5 worteltrekken. ▼**extrait** *m* 1 extract; 2 uittreksel.
extra/-légal [*mv* aux] *bn* onwettig.
▼**—lucide**† *bn* helderziend. ▼**—muros** *bw* buiten (de muren van) een stad. ▼**—ordinaire** *bn* 1 buitengewoon; *ambassadeur —*, buitengewoon gezant; 2 zonderling, eigenaardig. ▼**—parlementaire**† *bn* buitenparlementair. ▼**—polation** *v* deductie door analogie. ▼**—poler** *on.w* deduceren door analogie. ▼**—(-)terrestre**† I *bn* buitenaards. II *zn m* buitenaards wezen. ▼**—utérin**† *bn* buitenbaarmoederlijk.
extra/vagance *v* buitensporigheid, dwaasheid, onzinnigheid; *dire des —s*, onzin vertellen. ▼**—vagant** *bn* buitensporig, onzinnig. ▼**—vaguer** *on.w* onzin praten, gekke dingen doen.
extravaser (s') uitvloeien.
extra/version *v* extraverte houding. ▼**—verti** *bn* extravert.
extrême I *bn* 1 uiterst, laatst; *l'— gauche*, de uiterste linkervleugel in het parlement; *l'— droite*, de uiterste rechtervleugel; 2 buitengewoon, zeer groot (*douleur —, joie —*); 3 in uitersten vervallend, overdreven; *être — en tout*, steeds in uitersten vervallen. II *zn m* 1 uiterste, tegengestelde; *les —s se touchent* (*spr.w*), de uitersten raken elkaar; 2 buitenspeler. III *bw*: *à l'—*, tot het uiterste; *pousser à l'—*, tot het uiterste drijven. ▼**extrêmement** *bw* buitengewoon, uiterst.
extrême-onction *v* het H. Oliesel.
Extrême-Orient *m* Verre Oosten.
extrém/isme *m* extremisme. ▼**—iste** I *zn m/v* extremist(e). II *bn* extremistisch. ▼**extrémité** I *v* 1 einde; 2 uiterste; *être à l'—*, op het uiterste liggen; *pousser à l'—*, tot het uiterste drijven; 3 overdrijving; 4 buitensporigheid. II **—s** *mv* handen en voeten.
extrinsèque *bn* 1 uiterlijk; 2 nominaal.
extroversion *zie* extraversion.
exubérance *v* 1 overvloed, weelderigheid; 2 gezwollenheid van stijl. ▼**exubérant** *bn* 1 overvloedig, weelderig; 2 uitbundig, opgewonden; 3 gezwollen (*style —*).
exulcération *v* verzwering. ▼**exulcérer** *ov.w* het begin van een verzwering veroorzaken.
exultation *v* gejuich, jubel, grote blijdschap. ▼**exulter** *on.w* jubelen.
exutoire *m* (*fig.*) uitlaatklep.
ex-voto *m* ex-voto, geloftegift.

fa *m f* (*muz.*).
fable *v* 1 fabel; 2 F— fabelleer; 3 verzinsel; 4 voorwerp van spot, van ergernis (*il est la — de la ville*); 5 handeling v.e. litt. werk.
fabliau, fableau [*mv* x] *m* Frans volksverhaaltje in verzen uit de 12e of 13e eeuw.
fablier *m* fabelboek.
fabric/ant *m* fabrikant. ▼**—ateur** *m*, **-atrice** *v* maker (maakster), vervaardiger (-ster) (in ongunstige zin). ▼**—ation** *v* 1 fabricage; 2 fabrikaat.
fabricien, fabricier *m* kerkmeester.
fabrique *v* 1 fabriek; *marque de —*, fabrieksmerk; 2 het vervaardigen, maaksel; *de mauvaise —*, van slecht maaksel; 3 *conseil de —*, kerkeraad. ▼**fabriquer** *ov.w* 1 fabriceren, vervaardigen; 2 uitvoeren (*pop.*); 3 verzinnen.
fabul/ateur, -atrice I *bn* vol verzinsels. II *m/v* leugenmaniak, simulant. ▼**—ation** *v* 1 (het) simuleren; 2 verbeelding. ▼**—eusement** *bw* 1 fabelachtig; 2 ongelooflijk (*— riche*). ▼**—eux, -euse** *bn* 1 fabelachtig, denkbeeldig; 2 ongelooflijk (fabelachtig). ▼**—iste** *m* fabeldichter.
façade *v* 1 voorgevel; 2 uiterlijk, schijn.
face *v* 1 gezicht, gelaat, voorkomen, aanzien, gedaante; *à — de*, ten aanschouwe van; *une — de carême*, een bleek gelaat; *changer de —*, van aanzien veranderen; *en —*, openlijk, in het gezicht; *en — de*, tegenover; *la maison d'en —*, het huis aan de overkant; *— à —*, van aangezicht tot aangezicht; *faire — à*, gekeerd zijn naar, het hoofd bieden aan; *faire — à ses engagements*, zijn verplichtingen nakomen; *portrait de —*, van voren gezien portret; *regarder en —*, in het gezicht kijken; *sauver la —*, de schijn redden; *voiture de —*, tegenligger; 2 buitenzijde, voorzijde (*la — de la maison*); 3 beeldzijde v.e. munt; *pile ou —*, kruis of munt; 4 oppervlakte (*la — de l'eau*); 5 kant, zijde; *considérer sous toutes ses —s*, van alle kanten bekijken.
face(-)à(-)face *m* debat tussen twee personen (*tv*).
facet†**-à-main** *m* lorgnet met steel.
facétie *v* grap, mop. ▼**facétieux, -euse** *bn* grappig, koddig.
facette *v* facet, vakje. ▼**facetter** *ov.w* in facetten slijpen (*— un diamant*).
fâché *bn* 1 boos, kwaad; *— contre*, boos op; 2 *je suis —*, het spijt me. ▼**fâcher** I *ov.w* boos maken, ontstemmen. II **se —** kwaad -, boos worden, zich ergeren. ▼**fâcherie** *v* onenigheid, twist, gekibbel. ▼**fâcheux** I *bn* 1 droevig, verdrietig, jammer; *il est — que*, het is jammer dat; 2 ergerlijk, onaangenaam, hinderlijk; *un — troisième*, derde persoon, die te veel is. II *zn m* lastig, hinderlijk mens.
facho *m* (*fam.*) fascist.
facial [*mv* aux] *bn* wat het gelaat betreft; *angle —*, gelaatshoek; *chirurgie —e*, gelaatschirurgie. ▼**faciès** *m* 1 gelaat, gelaatsuitdrukking; 2 uiterlijk.
facile *bn* 1 gemakkelijk; 2 vlug (*esprit —*); 3 vloeiend, los (*style —*); 4 toegeeflijk, inschikkelijk, gedienstig (*caractère —*); 5 toegevend; *femme —*, vrouw van lichte

zeden. ▼**facilité** v 1 gemakkelijkheid;
2 vlugheid (— d'esprit); 3 losheid,
vloeiendheid (— de style);
4 inschikkelijkheid, gedi.enstigheid;
5 toegevendheid, luchtigheid (femme d'une
grande —). ▼**faciliter** ov.w
vergemakkelijken.
façon l v 1 manier, wijze; de la bonne —,
duchtig; de cette —, op die manier; de — que,
zodat; c'est une — de parler, bij wijze van
spreken; 2 uiterlijk, voorkomen; 3 soort (une
— d'écrivain); 4 plichtpleging (sans —);
5 werk, maaksel; 6 maakloon; travailler à —,
werken tegen maakloon; 7 snit, vorm. ll —s
mv complimenten.
faconde v welbespraaktheid.
façonn/age, —**ement** m bewerking,
fatsoenering. ▼—**er** ov.w 1 bewerken;
2 bewerken v.d. grond; 3 beschaven, vormen
(— l'esprit); 4 — à, wennen aan. ▼—**ier,** -**ière**
l bn complimenteus. ll zn m, -**ière** v
maakloonwerker (-ster).
fac-similé m kopie, facsimile.
fact/age m 1 bezorging van waren, bestelling
van brieven; 2 bezorg-, bestelloon;
3 dienstverrichting. ▼—**eur** m 1 postbode;
2 witkiel; 3 commissionair; 4 fabrikant van
muziekinstrumenten; 5 factor.
factice bn kunstmatig.
facti/eux, -**euse** l bn oproerig. ll zn m, -**euse** v
oproermaker (-maakster).
faction v 1 wacht (mil.); être en (de) —, op
wacht staan; 2 (het) lang wachten;
3 oproerige partij. ▼—**naire** m schildwacht.
factorerie v factorij.
factoriel, -**elle** bn van de factoren, in factoren.
factotum m manusje-van-alles.
factum m schotschrift, verweerschrift.
facturation v facturering. ▼**factur/e** v
1 bewerking, vervaardiging; 2 factuur; —
simulée, pro forma factuur. ▼—**er** ov.w
factuur brengen, factureren. ▼—**ier** m
1 facturist; 2 factuurboek.
facultaire bn universitair.
facultat/if, -**ive** bn naar verkiezing, op
verzoek (arrêt —).
faculté l v 1 bevoegdheid, recht; 2 vermogen,
gave, macht, bekwaamheid; 3 faculteit; la —
de médecine (la Faculté), de dokters. ll —s mv
1 geldmiddelen, vermogen; 2 aanleg,
vermogens.
fada m dwaas, sufferd.
fadaise v flauwiteit. ▼**fadasse** bn erg flauw.
▼**fade** bn flauw, smakeloos; couleur —, bleke
kleur.
fadé bn goed in zijn soort.
fadeur v flauwheid, flauwiteit.
fading m fading (radio).
faf m (fam.) fascist.
faffes v mv (arg.) bankpapier. ▼**fafiot** m
(pop.) 1 bankbiljet; 2 kinderschoentje.
fagne v bergmoeras.
fagot m 1 takkenbos; débiter des —s,
kletspraatjes verkopen; — d'épines, nurks;
sentir le —, naar de mutsaard rieken; vin de
derrière les —s, de beste wijn v.d. wijnbouwer;
2 bundel, pak. ▼—**er** l ov.w 1 tot
takkenbossen binden; 2 toetakelen. ll se —
(fam.) zich toetakelen, zich opdirken. ▼—**in** m
1 takkenbosje; 2 hanswworst.
faiblard (fam.) bn zwakjes.
faible l bn 1 zwak (in versch. betekenissen)
(enfant —; caractère —, esprit —); du thé —,
slappe thee; du vin —, lichte wijn; 2 gering,
klein; une — quantité, een geringe
hoeveelheid; — revenu, een klein inkomen.
ll zn m 1 zwak persoon, zwakkeling; les
économiquement —s, de minder bedeelden;
2 zwakke plaats; le — d'une place, de zwakke
plaats v.e. vesting; 3 zwak; avoir du — pour,
een zwak hebben voor; prendre qn. par son —,
iem. in zijn zwak tasten. ▼**faiblesse** l
1 zwakheid, zwakte; 2 geringheid (la — d'une
fortune); 3 flauwte. ▼**faiblir** on.w
1 verzwakken; 2 gaan liggen v.d. wind;
3 verslappen, wankelen, afnemen.

faïenc/e v plateelwerk, aardewerk. ▼—**erie**
plateelfabriek, handel in plateel. ▼—**ier** m
plateelfabrikant, handelaar in plateel.
faille v 1 faille (grove zijden stof); 2 breuk in de
aardkorst; 3 breuk; 4 fout.
failli m iem. die failliet is.
faill/ibilité v feilbaarheid. ▼—**ible** bn feilbaar.
▼**faillir** on.w onr. 1 falen; 2 ontbreken, in de
steek laten, ten einde lopen; le cœur lui faut, de
moed ontzinkt hem; le jour commence à —, de
dag loopt ten einde; sa mémoire lui a failli, het
geheugen liet hem in de steek; 3 te kort
schieten (— à son devoir); 4 bijna; il a failli
tomber, hij is bijna gevallen; 5 failliet gaan.
▼**faillite** v 1 faillissement; faire —, failliet
gaan; 2 mislukking, ineenstorting.
faim v 1 honger; une — de loup, une —
canine, honger als een paard; la — chasse le
loup du bois, (spr.w) honger is een scherp
zwaard; manger à sa —, zijn buik vol eten;
2 begeerte, zucht (— de gloire).
faine v beukenootje.
fainéant l bn nietsdoend, lui. ll zn m
nietsdoener, luilak. ▼—**er** on.w nietsdoen,
luieren. ▼—**ise** v nietsdoen, luiheid.
faire l ov.w onr. 1 maken, voortbrengen,
bouwen, vervaardigen, schrijven, enz.; — de
nécessité vertu, van de nood een deugd
maken; — des petits, jongen krijgen; 2 leveren,
verschaffen; — les fonds d'une entreprise, de
geldmiddelen voor een onderneming
verschaffen; 3 doen, verrichten, enz.; —
attention, opletten; — l'aumône, een aalmoes
geven; aussitôt dit, aussitôt fait, zo gezegd, zo
gedaan; grand bien vous fasse, wel bekome
het u; chemin faisant, onderweg; — défaut,
ontbreken; — son droit, in de rechten
studeren; — faillite, failliet gaan; — la guerre,
oorlog voeren; — la leçon à qn, iem. de les
lezen; — une lecture, een lezing houden; —
naufrage, schipbreuk lijden; — la paix, vrede
sluiten; — part de, meedelen; une lettre de
—-part, een huwelijks-, verlovings-,
overlijdensannonce; — partie de, deel
uitmaken van; — saillie, uitsteken; — une
sottise, een dwaasheid uithalen; — le tour du
monde, een reis om de wereld maken;
4 zeggen, antwoorden; bien, fit-il, goed, zei hij;
5 vormen, africhten, onderrichten; 6 inrichten,
schoonmaken, in orde brengen; — la chambre,
de kamer schoonmaken, - in orde maken; —
les chaussures, de schoenen poetsen; — sa
barbe, zich scheren; — le lit, het bed opmaken;
7 nabootsen, doen alsof; — le malade, zich
ziek houden; — le mort, zich dood houden;
8 uitmaken, veroorzaken; — l'admiration de
tous, aller bewondering opwekken; 9 krijgen;
— ses dents, tanden krijgen; 10 — du bois,
hout halen; — de l'eau, water innemen;
11 afleggen; — du 80 à l'heure, 80 km per uur
afleggen; — son chemin, slagen;
12 voorstellen, spelen voor (— un
personnage); — le généreux, de edelmoedige
uithangen; 13 een prijs vragen (— un objet
100 francs). ll hulpw.w laten, doen; —
travailler qn., iem. laten werken. lll onp.w: il
fait beau, mauvais, het is mooi, slecht weer; il
fait bon ici, het is hier lekker; il fait du vent, het
waait. IV (se) —1 gedaan, gemaakt enz.
worden; 2 wennen (se — à); 3 worden; se —
vieux, oud worden; se — soldat, soldaat
worden; 4 comment se fait-il?, hoe komt het?;
s'en — , (fam.) kwaad worden; zich generen;
zich bezorgd maken. V zn m 1 het doen; 2 de
wijze van schilderen, beeldhouwen, enz.
faire-part m: une lettre de —, een geboorte-,
verlovings-, huwelijks-,
overlijdensaankondiging.
fair-play bn sportief.
faisable bn doenlijk.
faisan m 1 fazant; 2 (pop.) oplichter. ▼—**deau**
[mv x] m jonge fazant. ▼—**der** ov.w adellijk
laten worden. ▼—**derie** v fazantenkooi. ▼—**e,**
—**de** v wijfjesfazant.
faisceau [mv x] m 1 bundel; — lumineux,
lichtbundel; 2 geweerrot; 3 pijlenbundel met

bijl van de Romeinen en de fascisten.
faiseur m, **-euse** v 1 maker (maakster); —
d'esprit, grappenmaker; 2 intrigant(e),
opschepper (-ster).
fait I bn 1 gemaakt; *habits tout —s*,
confectiegoederen; 2 gebouwd; *être bien —
de sa personne*, welgevormd zijn; 3 — à,
gewend aan; 4 geschikt, passend;
5 volwassen; 6 *prix* —, vaste prijs. II zn m
1 daad; *les —s et gestes*, het doen en laten;
prendre sur le —, op heter daad betrappen; *les
hauts* —s, de heldendaden; 2 iets passends;
ceci n'est pas mon —, dit is niets voor mij;
3 feit; *au* —, ter zake; *de* —, werkelijk; *de ce* —,
uit dien hoofde; *du* — de, wegens, ten gevolge
van; *en* — de, in zake; *être au* — *de qc.*, van
iets op de hoogte zijn; *être sûr de son* —, zeker
zijn van hetgeen men beweert; —*s divers*,
gemengd nieuws; *le — est que*, het is een feit
dat; *venir au* —, ter zake komen; 4 *tout à* —,
geheel; 5 *si* —, ja, jawel. III v.dw van **faire**;
(fam.) gepakt, gevangen (—*s comme des
rats*).
faîtage m nok, nokbalk. **▼faîte** m 1 nok; 2 top;
3 toppunt. **▼faîtière** I zn v 1 nokpan;
2 dakvenstertje. II bn wat de nok betreft;
lucarne —, dakvenster.
fait-tout, faitout m keukenpot.
faix m last (ook fig.).
fakir, faquir m fakir.
falaise v steile kust, steile rots aan zee.
falbalas m mv overdreven versierselen,
opsmuk.
fallacieux, -euse bn bedrieglijk.
falloir I onp.w onr. 1 moeten; *il (vous) faut
partir, il faut que vous partiez*, u moet
vertrekken; *comme il faut*, zoals het hoort; *il le
faut*, het moet; 2 nodig hebben, nodig zijn; *il
me faut de l'argent*, ik heb geld nodig; *il faut
beaucoup de courage pour gravir ce mont*, er is
veel moed nodig om die berg te beklimmen.
II s'en — schelen; *il s'en faut de beaucoup*, het
scheelt veel; *tant s'en faut que*, wel verre van,
bij lange na niet; *il s'en faut de peu, peu s'en
faut*, het scheelt weinig.
falot I zn m 1 stoklantaarn; 2 (arg.) krijgsraad.
II bn 1 bespottelijk, gek; 2 onbetekenend,
onbenullig.
falsifi/cateur, -trice I bn vervalsend. II zn m,
-trice v vervalser (-ster). **▼—cation** v
vervalsing. **▼—er** ov.w vervalsen.
faluche v (oud) studentenmuts.
falzar m (pop.) broek.
famé bn befaamd; *bien —*, te goeder naam
bekend; *mal —*, berucht.
famélique I bn hongerlijdend. II zn m
hongerlijder.
fameusement bw (fam.) geweldig,
verbazend. **▼fameux, -euse** bn 1 befaamd,
beroemd; 2 geweldig, verbazend;
3 uitstekend (*un vin* —).
familial [mv aux] bn van de familie, van het
gezin; *réunion* —e, familiereünie. **▼familiale**
v grote gezinsauto.
familiariser I ov.w wennen. II se —
1 gemeenzaam worden; 2 wennen; 3 zich
eigen maken (*se — avec une langue*).
▼familiarité v vertrouwelijkheid, familiariteit.
▼familier, -ère bn 1 gemeenzaam,
vertrouwd, vertrouwelijk; 2 vrij; 3 bekend,
eigen; *voix familière*, bekende stem;
4 alledaags; *les —s d'une maison*, de
huisvrienden. **▼familièrement** bw
vertrouwelijk.
familistère m verbruikscoöperatie.
famille v 1 gezin; *père de* —, huisvader; *vie de
—, gezinsleven*; 2 de kinderen v.e. gezin (*avoir
de la —*); 3 familie; 4 huis, geslacht; *un fils de
—*, jongeman van goeden huize; 5 geslacht
(*plk.; dierk.*).
famine v hongersnood; *crier* —, zijn nood
klagen; *réduire par la* —, uithongeren; *salaire
de* —, hongerloon.
fana (fam.) = **fanatique**.
fanal [mv aux] m 1 scheepslantaarn;
2 vuurbaken, kustlicht; 3 koplicht van auto of

locomotief; 4 (fig.) baken.
fanat/ique I bn dweepziek. II zn m fanaticus,
dweper. **▼—iser** ov.w dweepziek maken.
▼—isme m 1 geestdrijverij; 2 overdreven
bewondering.
fanchon m 1 Fransje; 2 hoofddoekje.
fane v 1 gevallen blad; 2 loof.
fané bn 1 verwelkt; 2 flets. **▼faner** ov.w 1 het
gemaaide gras omkeren om het tot hooi te
laten worden; 2 doen verwelken; 3 doen
verbleken, - verschieten. **▼faneuse** v
hooimachine.
fanfare v 1 militaire muziek;
2 trompetgeschal; 3 fanfarekorps; 4 snoeverij.
fanfaron, -onne I bn opschepperig,
snoevend. II zn m, **-onne** v 1 snoever,
opschepper (-ster); 2 lafaard, die zich als held
voordoet. **▼—nade** v snoeverij, opschepperij.
▼—ner on.w snoeven, opscheppen.
fanfreluche v versiering, franje.
fange v modder, slijk (ook fig.). **▼fangeux,
-euse** bn modderig.
fanion m vaantje.
fanon m 1 halskwab (rund); 2 (walvis)baard.
fantaisie v 1 fantasie, verbeeldingskracht;
2 gril; 3 fantasie (muz.). **▼fantaisiste** bn
grillig, fantastisch.
fantasmagorie v 1 schimmenspel;
2 zinsbetovering.
fantasme m droom.
fantasque bn 1 grillig; 2 zonderling,
eigenaardig (*costume* —).
fantassin m infanterist.
fantastique bn 1 wat de verbeelding betreft;
2 fantastisch, onbeschrijflijk (mooi).
fantoche m 1 marionet; 2 belachelijk individu.
fantomatique bn spookachtig. **▼fantôme** m
1 spook, geestverschijning; *le vaisseau* —, de
Vliegende Hollander; 2 hersenschim, illusie;
3 mager mens.
faon [spr.: fã] m jong hert, reekalf.
faquin m brutale druktemaker, windbuil.
faramineux, -euse bn fantastisch,
buitensporig.
farandole v rondedans van Provençaalse
oorsprong.
faraud (pop.) I bn fatterig, opgedirkt. II zn m
fat.
farce I zn v 1 klucht; 2 grap, mop; *faire une —
à qn.*, iem. een poets bakken; 3 gekruid en
gehakt vlees waarmee men gevogelte, vis, enz.
opvult. II —s mv: *faire ses —s*, de bloemetjes
buiten zetten, aan de zwier gaan. III bn
grappig. **▼farceur m, -euse** v grappenmaker
(-maakster).
farcir ov.w 1 gevogelte, vis, enz. opvullen met
gekruid en gehakt vlees; 2 (fig.) doorspekken
met (de). **▼farcissure** v vulsel.
fard m 1 schmink; *piquer un* —, (fam.) blozen;
2 veinzerij; *parler sans* —, onbewimpeld
spreken, spreken zonder er doekjes om te
winden.
farde v 1 baal koffie van 185 kg; 2 last;
3 bundel papieren. **▼fardeau** [mv x] m last
(ook fig.).
farder I ov.w 1 schminken, blanketten;
2 verbloemen, bemantelen; 3 opsmukken.
II on.w 1 drukken (van last); 2 ver-, inzakken.
farfadet m kwelduiveltje.
farfelu bn (fam.) gek, raar.
farfouiller on.w (fam.) snuffelen (in).
faribole v ijdele praatjes, zotteklap.
farin/acé bn meelachtig. **▼—age** m maalgeld.
▼farin/e v meel; —*lactée*, melkpoeder; *de la
même* —, van hetzelfde slag. **▼—er** ov.w met
meel bestrooien. **▼—eux, -euse** I bn
meelachtig, melig. II —eux zn m mv
meelspijzen. **▼—ier** m meelhandelaar.
farniente m zalig nietsdoen.
farouche bn 1 wild, ongetemd (*bête* —);
2 (mensen)schuw; 3 ruw, barbaars, wreed.
fart m skiwas. **▼—er** ov.w met was insmeren.
fascicule m 1 aflevering; 2 bladzijde uit
reservistenboekje met inlichtingen voor
mobilisatie.
fascinage m rijswerk.

fascinateur, -trice = fascinant bn
betoverend, fascinerend. ▼**fascination** v
1 betovering; 2 (het) biologeren.

fascine v takkenbos, rijshout.

fasciner ov.w 1 fascineren, (door aankijken)
tot zich trekken; 2 betoveren, inpalmen; 3 van
takkenbossen of rijshout voorzien.

fasciser ov.w fascistisch maken. ▼**fascisme** m
fascisme, dictatuur. ▼**fasciste** I zn m/v
fascist(e). II bn fascistisch.

faste I m 1 pracht, praal; 2 hovaardij, uiterlijk
vertoon. II —s mv geschiedboeken. III bn
gunstig.

fastidieux, -euse bn vervelend.

fastueux, -euse bn praalziek, prachtlievend,
rijk.

fat I zn m 1 fat, verwaande kwast;
2 onbeduidend mens. II bn verwaand, fatterig.

fatal [mv als] bn 1 onvermijdelijk, beslissend;
l'heure —, het stervensuur; 2 noodlottig;
coup —, dodelijke slag. ▼—**isme** m id.,
noodlotsleer. ▼—**iste** I zn m fatalist. II bn
fatalistisch. ▼—**ité** v 1 noodlot,
onvermijdelijkheid; 2 ramp. ▼**fatidique** bn
noodlottig.

fatigant bn vermoeiend, vervelend. ▼**fatigue**
v 1 vermoeidheid; accablé de —, doodmoe;
2 vermoeiend werk; cheval de —, werkpaard;
pantalon de —, werkbroek. ▼**fatigué** bn moe,
vermoeid. ▼**fatiguer** I ov.w 1 vermoeien;
2 bewerken (— la terre); 3 aanmaken (— la
salade); 4 vervelen; je suis fatigué de vous
avertir sans cesse, het verveelt mij u
voortdurend te moeten waarschuwen. II on.w
1 zich aftobben, zich afsloven; 2 te veel te
dragen hebben (pourra qui fatigue).

fatras m woordenkraam, omhaal.

fatuité v verwaandheid, ingebeeldheid.

fatum m noodlot.

faubourg m 1 voorstad; 2 buitenwijk.
▼**faubourien, -enne** I bn wat betrekking
heeft op volksbuurten (accent —). II zn m,
-enne v bewoner (bewoonster) v.e. voorstad
of buitenwijk.

fauch/age m het maaien. ▼—**aison** v maaitijd.
▼—**ard** m snoeimes. **fauche** v 1 (oud)
maaitijd; 2 (het) platzak zijn. ▼**fauch/é** blut.
▼—**ée** v 1 het door een maaier op één dag
gemaaide; 2 hetgeen een maaier kan maaien
zonder zijn zeis te wetten. ▼—**er** I ov.w
1 afmaaien; 2 wegmaaien, vernietigen. II on.w
1 (een vuurwapen) spreiden; 2 (pop.) stelen.
▼—**eur** I m, -euse v 1 maaier (ster); 2 hij, zij
die wegmaait, vernietigt. II -euse v
maaimachine; la F—, (lit.) de Dood. ▼—**eux,
—eur** m hooiwagen (spin). ▼—**on** m kleine
zeis. ▼—**ure** v (het) maaien.

faucille v sikkel. ▼**faucillon** m kleine sikkel.

faucon m valk, (fig.) havik. ▼—**neau** [mv x] m
jonge valk. ▼—**nerie** v 1 (het) africhten van
valken; 2 valkejacht; 3 plaats waar men valken
grootbrengt. ▼—**nier** m valkenier; grand —,
oppervalkenier aan het Fr. hof.

faufil m rijgdraad. ▼—**age** m (het) vastrijgen.
▼—**er** I ov.w 1 vastrijgen;
2 binnensmokkelen. II **se**— binnendringen.
▼—**ure** v rijgsel.

faun/e I m faun. II v 1 dierenwereld, fauna;
2 werk over de dieren van een bepaald land.
▼—**esque** bn faunachtig. ▼—**ique** bn wat de
dierenwereld betreft.

fauss/aire m vervalser. ▼—**ement** bw vals.
▼—**er** I ov.w 1 vervalsen; — sa parole, zijn
woord schenden; — compagnie à qn., iem. in
de steek laten; 2 verdraaien (fig.);
3 verwringen, verdraaien, krom buigen; 4 vals
spelen of zingen (— une note); 5 een
verkeerde richting geven aan (— l'esprit de
qn.). II on.w vals spelen of zingen. ▼—**et** m
1 kopstem; 2 zanger met kopstem. ▼—**eté** v
1 valsheid; 2 onjuistheid, onwaarheid.

faut (il) zie falloir.

faute v 1 gebrek, (het) ontbreken; avoir — de,
gebrek hebben aan; faire —, ontbreken; ne pas
se faire — de, niet nalaten te; — de, bij gebrek
aan; — de mieux, bij gebrek aan beter; 2 fout,

schuld, misslag; être en —, schuld hebben;
c'est sa faute à propre —, het is zijn eigen schuld.
▼**fauter** on.w (fam.) een misstap doen, een
fout begaan, vreemd gaan.

fauteuil m leun-, armstoel; — académique,
zetel in de Fr. Academie; — de bicyclette,
fietsstoeltje; — d'orchestre, stalles; occuper le
—, een vergadering leiden; arriver dans un —,
(fam.) gemakkelijk winnen.

fauteur m, -trice v aanstichter (-ster),
aanstoker (aanstookster).

fautif, -ive bn 1 foutief; 2 schuldig;
3 onbetrouwbaar (mémoire fautive).
▼**fautivement** bw verkeerd.

fauve I bn rossig; les bêtes —s, de wilde dieren,
het rood wild. II zn m 1 rossige kleur; 2 wild
dier; 3 schilder behorend tot het fauvisme (ca.
1900). ▼**fauverie** v wildedierenafdeling in
dierentuin of beestengaard.

fauvette v bastaardnachtegaal.

Fauvisme m id., richting in de schilderkunst.

faux v zeis.

faux, fausse I bn 1 vals = onwaar, onjuist,
verkeerd; —se alarme, loos alarm; —se
couche, miskraam; — jour, vals licht; —
départ, valse start; faire —se route, verdwalen;
2 vals = schijnbaar; —se porte, geheime deur;
—se attaque, schijnaanval; 3 vals =
nagemaakt; —se clef, loper; 4 vals =
onoprecht; 5 vals = verkeerd, misplaatst; —se
honte, valse schaamte; 6 vals = onwelluidend;
une note —se, een valse noot. II bw chanter
—, vals zingen; jouer —, vals spelen. III zn m
1 het valse, het onjuiste; 2 vervalsing, valsheid
in geschrifte.

faux-filet m lendestuk.

faux-fuyant† m uitvlucht.

faux-monnayeur† m valsemunter.

faveur v 1 gunst; à la — de la nuit, onder
begunstiging van de duisternis; billet de —,
vrijkaart; en — de, ten gunste van; prix de —,
speciale prijs; les —s, de liefdesgunsten van
een vrouw; 2 zijden lintje. ▼**favorable** bn
gunstig. ▼**favori, -ite** I bn geliefkoosd; jeu —,
lievelingsspel; mot —, stopwoordje. II zn m
1 gunsteling; 2 bakkebaard; 3 paard dat
favoriet is bij wedrennen. III -ite v maîtresse.
▼**favoriser** ov.w begunstigen, bevoordelen,
aanmoedigen.

fayot m (arg.) 1 boon; 2 uitslover. ▼—**ter**
on.w zich uitsloven.

fébrifuge I bn koortsverdrijvend. II zn m
koortsverdrijvend middel. ▼**fébrile** bn
koortsig, koortsachtig (ook fig.). ▼**fébrilité** v
koortsigheid.

fécal [mv aux] bn wat betrekking heeft op
uitwerpselen. ▼**fèces** v mv 1 droesem;
2 menselijke uitwerpselen.

fécond bn vruchtbaar. ▼—**ant**, —**ateur**,
-**atrice** bn vruchtbaar makend. ▼—**ation** v
bevruchting, inseminatie. ▼—**er** ov.w
1 vruchtbaar maken; 2 bevruchten. ▼—**ité** v
vruchtbaarheid.

fécul/e v aardappelmeel, zetmeel. ▼—**ence** v
1 rijkdom aan zetmeel; 2 drabbigheid. ▼—**ent**
I bn 1 zetmeelhoudend; 2 drabbig. II zn m
zetmeelhoudende groente. ▼—**erie** v
aardappelmeelfabriek.

fédér/al [mv aux] bn verbonden. ▼—**aliser**
ov.w tot een (staten)bond verenigen.
▼—**alisme** m stelsel v.e. statenbond.
▼—**aliste** I bn betrekking hebbend op een
statenbond, federalistisch. II zn m voorstander
v.e. statenbond. ▼—**atif, -ative** bn betrekking
hebbend op een statenbond. ▼—**ation** v
1 statenbond; 2 (vakver)bond. ▼—**é** I bn
verbonden. II zn m soldaat der commune in
1871. ▼—**er** ov.w tot een (staten)bond
verenigen.

fée I zn v 1 fee; conte de —s, sprookje; 2 zeer
bevallige, geestige vrouw; vieille —, ouwe
tang. II bn betoverd. ▼**féerie** v
1 sprookjeswereld; 2 toverachtig schouwspel;
3 feeënspel. ▼**féerique** bn sprookjesachtig,
toverachtig.

feignant (pop.) I bn lui. II zn m luilak.

▼**feindre** I *ov.w onr.* veinzen, doen alsof.
II *on.w* enigszins kreupel zijn (v.e. paard).
▼**feint** *v.dw* van **feindre**. ▼**feinte** *v*
1 veinzerij; 2 verdichting; 3 schijnbeweging.
▼**feinter** I *on.w* een schijnbeweging maken
(*sp.*). II *ov.w* 1 door een schijnbeweging iem.
uitspelen; 2 (*fam.*) beduvelen.
feld-maréchal [*mv* **aux**] *m* veldmaarschalk.
feldspath *m* veldspaat.
fêlé *bn* gebarsten; *tête* —*e*, iem. die niet goed
bij het hoofd is. ▼**fêler** I *ov.w* doen barsten.
II *se* — barsten.
félibre *m* Provençaals dichter. ▼**félibrige** *m*
Provençaalse dichtersschool.
félicitation *v* gelukwens. ▼**félicité** *v*
gelukzaligheid, groot geluk. ▼**féliciter** *ov.w*
gelukwensen.
félidés *mv* katachtigen. ▼**félin** I *bn*
katachtig. II *zn m* katachtig dier.
fellag(h)a *m* Algerijns partisaan.
fellah *m* boer in Egypte, N.-Afrika, enz.
félon, -onne I *bn* verraderlijk. II *zn m* verrader.
▼**félonie** *v* verraad.
▼**fêlure** *v* barst, scheur.
femelle *v bn* vrouwelijk. II *zn v* wijfje.
fémin/in I *bn* vrouwelijk. II *zn m* vrouwelijk
geslacht (*taalk.*), het vrouwelijke. ▼**—iser**
ov.w vrouwelijk maken, verwijfd maken.
▼**—isme** *m* vrouwenbeweging. ▼**—iste** *m* of *v*
aanhanger (-ster) v.h. feminisme. ▼**—ité** *v*
vrouwelijkheid.
femme I *zn v* vrouw; — *de chambre*,
kamermeisje, kamenier; — *de charge*,
huishoudster; — *de ménage*, werkvrouw; —
de tête, kordate vrouw; *prendre* —, trouwen.
II *bn* vrouwelijk. ▼**femmelette** *v* 1 zwak,
tenger vrouwtje; 2 verwijfde man, oud wijf.
fémoral *bn v.* dij, kuit. ▼**fémur** *m* dijbeen.
fenaison *v* 1 hooioogst; 2 hooitijd.
fend/age *m* (het) splijten. ▼**—ant** I *bn*
opschepperig. II *zn m* 1 grootspreker,
opschepper; 2 slag met het scherp v.h. zwaard.
▼**—erie** *v* (het) splijten van ijzer. ▼**—eur** *m*
klover (van hout, enz.). ▼**—illé** *bn* vol barstjes.
▼**—illement** *m* (het) barsten. ▼**—iller** I *ov.w*
vol kleine barstjes maken. II *se* — kleine
barsten krijgen. ▼**fendre** I *ov.w* splijten,
kloven; — *l'air*, de lucht doorklieven; *un bruit
qui fend la tête*, een oorverdovend lawaai; —
un cheveu en quatre, haarkloven; — *le cœur*,
het hart breken; — *la foule*, door de menigte
dringen; *geler à pierre* —, vriezen dat het
kraakt. II *se* — 1 barsten, splijten; 2 een uitval
doen (bij schermen); 3 afdokken, betalen
(*pop.*).
fenêtrage, fenestrage *m* vensterwerk.
▼**fenêtre** *v* venster, raam; — *à guillotine*,
schuifraam; *à la* —, voor het raam; *fausse* —,
blind raam; *jeter son argent par la* —, zijn geld
verspillen.
fenil *m*, **fenière** *v* hooischuur, -zolder.
fennec *m* woestijnvos.
fenouil *m* venkel (*plk.*).
fente *v* 1 spleet, kloof, barst; 2 uitval bij het
schermen.
féodal [*mv* **aux**] *bn* feodaal, wat betrekking
heeft op het leenstelsel. ▼**—isme** *m*
feodalisme. ▼**—ité** *v* leenstelsel,
leenverhouding.
fer I *m* 1 ijzer; *l'âge du* —, het ijzeren tijdperk;
chemin de —, spoorweg; — *doux*, week ijzer;
— *forgé*, gesmeed ijzer; *santé de* —, ijzeren
gestel; 2 zwaard, degen; *croiser le* —, het
zwaard kruisen, duelleren; 3 hoefijzer; *tomber
les quatre* — *s en l'air*, op de rug vallen;
4 ijzeren werktuig; — *à friser*, krulijzer; — *à
repasser*, strijkijzer; — *à souder*, soldeerbout;
5 punt (v.e. lans, v.e. pijl); — *de lance*,
lanspunt, (*fig.*) (aanvals)-spits, speerpunt.
II **—s** *mv* 1 boeien, ketenen; *jeter dans les* —*s*,
in de gevangenis werpen; 2 gevangenschap,
slavernij.
fer/-blanc *m* blik. ▼**—blanterie** *v* blikslagerij,
het vak van blikslager. ▼**—blantier** *m*
blikslager.
férial [*mv* **aux**] *bn* wat werkdagen betreft; *jour*

—, werkdag. ▼**férie** *v* weekdag (behalve
zaterdag). ▼**férié** *bn*: *jour* —, rust-, feestdag.
férir *ov.w* (*oud*) slaan; *sans coup* —, zonder
slag of stoot.
fermage *m* pachtsom.
fermant *bn* sluitend; *à jour* —, bij het vallen
v.d. avond.
ferme I *bn* 1 vast, stevig; *la terre* —, het
vasteland; *être* — *sur ses jambes*, vast op zijn
benen staan; *d'une main* —, met vaste hand;
2 krachtig, flink (*parler d'un ton* —);
3 vastbesloten; 4 vast (beurs). II *bw*: *tenir* —,
volhouden. III *tw ferme!*, volhouden!, houd
moed!, houd je goed! IV *zn v* 1 huurcontract;
donner à —, verpachten; *prendre à* —,
pachten; 2 boerderij, pachthoeve;
ferme-modèle, modelboerderij; 3 verpachting
v.e. belasting. ▼**—ment** *bw* 1 stevig; 2 vast.
ferment *m* gist. ▼**—ation** *v* gisting. ▼**—er**
on.w gisten (ook *fig.*). ▼**—escible** *bn* dat kan
gisten.
fermer I *ov.w* 1 sluiten, afsluiten; — *la bouche
à qn.*, iem. de mond snoeren; — *boutique*, zijn
zaak opheffen; — *à clef*, op slot doen; — *à
double tour*, op het nachtslot doen; *dormir à
poings fermés*, slapen als een roos; — *la porte
sur qn.*, de deur achter iem. dichtdoen; — *les
yeux*, inslapen, sterven; — *les yeux sur qc.*, iets
door de vingers zien; 2 omheinen (— *un
jardin*); omgeven, omringen (— *une ville de
murailles*). II *on.w* sluiten; — *mal*, slecht
sluiten. III *se* — gesloten worden.
fermeté *v* 1 vastheid, stevigheid;
2 standvastigheid, vastberadenheid.
fermette *v* klein boerderijtje (gebruikt als
buitenhuis).
fermeture *v* sluiting, slot.
fermier *m*, **-ière** *v* pachter (-ster).
fermoir *m* slot (van boek), sluiting (van
portemonnaie), beugel (van tas).
féroce *bn* 1 wild, verscheurend (*bête* —);
2 wreed; 3 verschrikkelijk (*faim* —).
▼**férocité** *v* 1 wildheid; 2 wreedheid.
ferrage *m* 1 (het) beslaan van paarden;
2 (het) in de boeien slaan.
ferraill/e *v* oud ijzer. ▼**—er** *on.w* 1 slecht
schermen; 2 duelleren op degen of sabel;
3 twisten, krakelen. ▼**—eur** *m* 1 handelaar in
oud ijzer; 2 beginnend schermer;
3 vechtersbaas; 4 twistziek man.
ferré *bn* 1 met ijzer beslagen; *bâton* —,
bergstok; *voie* —*e*, spoorweg; 2 doorkneed
(*être* — *sur un sujet*); 3 ijzerhoudend (*eau*
—*e*); *chemin* —, verharde weg. ▼**ferrer** *ov.w*
1 (met ijzer) beslaan (— *un cheval*);
2 aanslaan v.e. vis.
ferret *m* nestel v.e. veter.
ferreur *m* werkman die paarden beslaat.
ferreux, -euse *bn* ijzerhoudend.
ferronn/erie *v* 1 ijzerfabriek; 2 klein ijzerwerk.
▼**—ier** *m*, **-ière** *v* verkoper (verkoopster) van
klein ijzerwerk.
ferroviaire *bn* van de spoorwegen.
ferrugineux, -euse *bn* ijzerhoudend.
ferrure *v* ijzerbeslag.
ferry-boat *m* veerpont voor treinen.
fertil/e *bn* vruchtbaar. ▼**—isant** *bn*
vruchtbaarmakend. ▼**—isation** *v* het
vruchtbaar maken. ▼**—iser** *ov.w* vruchtbaar
maken. ▼**—ité** *v* vruchtbaarheid.
féru *bn* gewond; — *d'amour*, dolverliefd.
férule *v* plak; *être sous la* —, onder de plak
zitten.
ferv/emment *bw* vurig. ▼**—ent** I *bn* 1 vurig;
2 ijverig. II *zn m* vurig bewonderaar. ▼**—eur** *v*
1 vuur, innigheid; 2 grote ijver.
fesse *v* bil; *donner sur les* —*s à qn.*, iem. een
pak voor de broek geven. ▼**fessée** *v* 1 pak
voor de broek; 2 vernederende nederlaag.
fesse-mathieu† [*mv* **x**] *m* 1 woekeraar;
2 gierigaard.
fesser *ov.w* voor de broek geven. ▼**fessier** I *zn*
m de billen. II *bn* bil-.
festin *m* feestmaal.
festival [*mv* **als**] *m* muziekfeest.
festivité *v* feest.

feston m 1 guirlande; 2 feston;
3 architectonische versiering. ▼—ner ov.w
1 met guirlandes, loofwerk versieren;
2 festonneren; 3 (over de weg) zwabberen.
festoyer on.w fuiven.
fêtard m fuifnummer, pretmaker.
fête v 1 feest; la Fête-Dieu, Sacramentsdag;
faire — à qn., iem. feestelijk ontvangen; faire la
—, fuiven; se faire une — de qc., zich op iets
verheugen; il n'est pas tous les jours —, het is
niet alle dagen kermis; — des Fous,
narrenfeest in de middeleeuwen; 2 naamdag;
souhaiter la — à qn., iem. op zijn naamdag
gelukwensen. ▼fêter ov.w 1 vieren;
2 feestelijk ontvangen.
fétich/e m 1 fetisj, mascotte; 2 persoon of
voorwerp waarvoor men een blinde verering
koestert. ▼—isme m 1 fetisjdienst; 2 blinde
verering. ▼—iste l z.n m fetisjdienaar. II bn
behorend bij het fetisjisme.
fétide bn stinkend. ▼fétidité v stank.
fétu m 1 strohalm; 2 prul.
feu [mv x] l z.n m 1 vuur; — d'artifice,
vuurwerk; le — du ciel, de bliksem; craindre
qn. comme le —, erg bang voor iem. zijn; c'est
le — et l'eau, zij zijn water en vuur; faire du —,
vuur aanleggen; faire — qui dure, zijn
gezondheid sparen; feu-follet, dwaallichtje;
jeter — et flamme, vuur en vlam spuwen;
mettre le pot au —, de soep opzetten; mettre à
— et à sang, te vuur en te zwaard verwoesten;
j'en mettrais ma main au —, ik zou er mijn hand
voor in het vuur willen steken; F— Saint-Elme,
sint-elmsvuur; prendre —, vuur vatten; n'y voir
que du —, er geen steek van begrijpen;
2 brand; au —!, brand!; jeter des cris de —,
wanhopige kreten uitstoten; 3 vuur van
geweer, kanon, enz.; arme à —, vuurwapen;
bouche à —, vuurmond; coup de —, schot;
être entre deux —x, tussen twee vuren zitten;
faire —, vuur geven; 4 haardstede, gezin;
5 dood op de brandstapel (condamner au —);
6 ster, maan, meteoor; 7 licht v.e. schip,
kustlicht; 8 lamp v.e. voertuig; — arrière,
achterlicht; — stop, stoplicht; — de position,
stadslicht, navigatielicht; —x de croisement,
dimlicht; donner le — vert à, (fig.) het groene
licht geven voor, toestemming geven tot/voor;
9 warmte, gloed; 10 licht (les —x du jour);
11 hevigheid, vuur; 12 geestdrift, vuur;
13 uitslag, branderigheid. II—x mv: —x de
Bengale, bengaals vuur. III bn wijlen; — la
princesse, la feue princesse, wijlen de prinses.
feudataire v leenman.
feuill/age m gebladerte. ▼—aison v het
bladeren krijgen. ▼feuill/e v 1 blad (versch.
betekenissen); — morte, dor blad; — de
placage, fineer; trembler comme une —, beven
als een riet; — volante, vlugschrift; 2 vel;
3 lijst; — de paye, loonstaat; — de présence,
presentielijst; — de route, marsorder; 4 (pop.)
oor; dur de la —, hardhorend. ▼—é bn (oud)
bebladerd. ▼—ée v (oud) 1 bladerdak;
2 veldlatrine. ▼—e-morte bn gele kleur als
van dode bladeren. ▼—er l ov.w bladeren
krijgen. II ov.w een sleuf maken in. ▼—et m
1 blad v.e. boek; 2 boekmaag. ▼—etage m
bladerdeeg. ▼—eté m bladerdeeg. ▼—eter
ov.w 1 doorbladeren; 2 — de la pâte,
bladerdeeg maken; pare-brise feuilleté,
voorruit van gelaagd glas. ▼—eton m
feuilleton. ▼—etonniste m
feuilletonschrijver. ▼—ette v vat van ong.
125 liter. ▼feuillu bn bladerrijk. ▼feuillure v
(tech.) sleuf, sponning.
feuler on.w grommen (kat).
feutrage m 1 (het) maken van vilt; 2 bevilten.
▼feutre m 1 vilt; 2 vilten hoed. ▼feutrer
ov.w 1 bevilten; à pas feutrés, sluipend,
geruisloos; en termes feutrés, in bedekte
termen; 2 opvullen (— une selle).
fève v boon; gâteau de la —,
driekoningengebak; donner un pois pour avoir
une —, (spr.w.) een spieringske uitwerpen om
een kabeljauw te vangen.
février m februari.

fez m fez.
fil foeil; — donc!, foeil, foeil; faire — de, de neus
optrekken voor, maling hebben aan.
fiabilité v betrouwbaarheid, bedrijfszekerheid.
▼fiable bn betrouwbaar.
fiacre m aapje, huurrijtuig.
fiançailles v mv verloving. ▼fianc/é m, -e v
verloofde. ▼—er l ov.w verloven. II se — zich
verloven.
fiasco m mislukking; faire —, vallen v.e.
toneelstuk, mislukken.
fiasque m wijdbuikige Italiaanse fles met lange
hals, omgeven door vlechtwerk.
fibre v 1 vezel; 2 gevoelige snaar. ▼fibreux,
-euse bn vezelig. ▼fibrillation v (med.)
fibrillatie, (het) samentrekken v.d. vezels in de
hartspier. ▼fibrille v vezeltje. ▼fibro-ciment
m vezelgips, eterniet, asbestcement.
▼fibrome m bindweefselgezwel.
ficaire v speenkruid.
ficel/age m (het) vastbinden met touw. ▼—é
bn vastgebonden met touw; être mal —,
(fam.) slecht gekleed zijn. ▼—er ov.w
vastbinden met touw, een touw doen om
(— un paquet). ▼—ier m 1 rol van touw;
2 (pop.) gladde jongen. ▼ficelle v 1 touwtje;
2 (pop.) gladde jongen; 3 kneep, foefje.
▼ficellerie v 1 touwfabriek; 2 touwhandel.
fichant bn (fam., oud) beroerd, vervelend
fiche v 1 pin, spie; — de contact, stekker;
2 kaart, velletje voor aantekeningen;
3 speelmerk, fiche.
ficher l ov.w 1 met de punt slaan in; 2 (fam.)
geven, doen, gooien, enz. (ook fiche) (verl.
deelw. fichu); fiche-moi le camp, smeer 'm,
loop naar de bliksem; — qn. dedans, iem. erin
laten lopen; — une gifle, een oorvijg geven; je
t'en fiche, kun je begrijpen; fiche-moi la paix,
laat me met rust; — qn. à la porte, iem. de deur
uitgooien. II se — : se — de qc., lak hebben aan
iets; je m'en fiche, ik heb er maling aan, het kan
me geen steek schelen.
fichier m ficheskast, fichesdoos, verzameling
fiches. ▼fichiste m documentalist.
fichtre! tw drommels! ▼fichtrement bw
(fam.) erg, verduiveld.
fichu l bn (pop.) 1 beroerd, slecht; 2 weg, naar
de maan; 3 être mal —, er beroerd aan toe zijn;
4 in staat. II z.n màs -, hoofd-, schouderdoek.
fictif, -ive bn 1 ingebeeld, fictief;
2 overeengekomen (valeur fictive). ▼fiction v
verzinsel, fictie.
fidèle l bn 1 trouw; 2 betrouwbaar. II z.n —s m
mv gelovigen. ▼fidélité v 1 trouwheid,
getrouwheid; 2 betrouwbaarheid.
fiduciaire bn zonder intrinsieke waarde;
monnaie —, bankpapier.
fief m leen (goed); — électoral, kiesdistrict
waar men zeker is van de meerderheid der
stemmen. ▼fieffé bn 1 in leen hebbend;
2 volslagen, aarts-; fripon —, aartsschurk.
▼fieffer ov.w met een leen begiftigen.
fiel m 1 gal; 2 wrok; 3 bittere smart. ▼fielleux,
-euse bn bitter (ook fig.).
fiente v drek, mest, vogelpoep. ▼fienter on.w
drek lozen, poepen (v. vogels).
fier (se — à) vertrouwen op.
fier, -ère l bn 1 trots, hooghartig; 2 fier, edel
(âme fière); 3 moedig, vermetel; 4 verduiveld,
geweldig (un — coquin). II z.n m: faire le —,
zich groot houden. ▼fièrement bw 1 trots;
2 moedig; 3 geducht. ▼fierté v 1 trots,
hooghartigheid; 2 fierheid, adeldom,
verhevenheid; 3 moed, vermetelheid.
fièvre v 1 koorts; — cérébrale,
hersenvliesontsteking; — typhoïde, tyfus;
tomber de — en chaud mal, van de regen in de
drop komen; 2 gisting, opwinding.
▼fiévreusement bw koortsachtig,
zenuwachtig. ▼fiévreux, -euse bn 1
koortsachtig, zenuwachtig.
fifille v 1 klein meisje; 2 zeur, slappe jongen.
fifre m 1 kleine houten dwarsfluit; 2 pijper.
figer l ov.w doen stollen; un sourire figé, een
stijf, gedwongen lachje. II se — stollen.
fignolage m (pop.) gepeuter. ▼fignoler ov.w

(pop.) overdreven zorg besteden aan.
figue *v* vijg; *faire la — à qn.*, iem. uitsliepen, iem. voor de gek houden; *moitié —, moitié raisin*, half goed, half slecht, half willens, half onwillens. ▼**figuier** *m* vijgeboom.
figuline *v* terra-cotta aardewerk.
figur/ant *m* figurant. ▼**—atif, -ive** *bn* figuurlijk, zinnebeeldig, figuratief; *plan —*, grondtekening. ▼**—ativement** *bw* zinnebeeldig, figuurlijk. ▼**—ation** *v* 1 voorstelling, afbeelding; 2 de gezamenlijke figuranten.
figure *v* 1 vorm, gedaante; *sous la — de*, in de vorm van; 2 gezicht, uiterlijk, gelaatsuitdrukking; *faire bonne, mauvaise —*, een goed, slecht figuur slaan; *faire triste —*, een figuur slaan, 'afgaan'; 3 pop in het kaartspel; 4 voorafbeelding; 5 dans-, stijl-, wiskundige figuur. ▼**figuré** *l bn* 1 met afbeeldingen; 2 figuurlijk; *le sens —*, de figuurlijke betekenis; 3 beeldrijk *(style —)*. II *zn m* figuurlijke betekenis; *au —*, in figuurlijke betekenis. ▼**figurément** *bw* figuurlijk. ▼**figurer** *l ov.w* afbeelden, voorstellen. II *on.w* 1 een rol spelen, op de voorgrond treden; 2 voorkomen; 3 voor figurant spelen. III *se —* zich voorstellen, zich verbeelden. ▼**figurine** *v* beeldje.
fil *m* 1 draad, vezel, telefoondraad; *— à broder*, borduurgaren; *avoir qn. au bout du —*, met iem. per telefoon spreken; *— à coudre*, naaigaren; *donner un coup de —*, opbellen; *donner de — à retordre*, veel te doen geven, last bezorgen; *aller de droit —*, van dichte bij naar zee gaan; *— de fer*, ijzerdraad; *par —*, telegrafisch; *perdre le —*, de draad kwijtraken; *— de perles*, parelsnoer; *— à plomb*, schietlood; *— télégraphique*, telegraafdraad; *tenir les —s*, het heft in handen houden; *ne tenir qu'à un —*, aan een zijden draadje hangen; *—s de la Vierge*, herfstdraden; 2 loop v.h. leven, v.e. rivier; 3 snede, scherpe kant; *passer au — de l'épée*, over de klinge jagen; *donner le —, à*, aanzetten. ▼**filage** *m* (het) spinnen. ▼**filament** *m* 1 vezel; 2 gloeidraad. ▼**—eux, -euse** *bn* vezelig, draderig. ▼**filandreux. -euse** *bn* 1 vezelig, draderig *(viande filandreuse)*; 2 langdradig.
filant *bn: étoile —e*, vallende, verschietende ster.
filasse *v* geheekeld vlas of hennep; *cheveux de —*, vlasharen. ▼**filasseur** *m* eigenaar v.e. spinnerij. ▼**filateur** *m* eigenaar v.e. spinnerij. ▼**filature** *v* 1 spinnerij; 2 (het) spinnen; 3 (het) volgen, nagaan van misdadigers; *prendre qn en —*, schaduwen, volgen.
file *v* rij, gelid, file; *à la —*, achter elkaar; *à la (en) —* indienne, achter elkaar; *chef de —*, vleugelman; *s'embrouiller dans les feux de —* *(fam.)* van zijn stuk raken; *feu de —*, gelederenvuur.
filé *m* 1 garen; 2 goud- of zilverdraad. ▼**filer** *l ov.w* 1 spinnen; *— doux*, zoete broodjes bakken; 2 doorbrengen; *— ses jours*, zijn leven slijten; *— des jours d'or et de soie*, een kalm en gelukkig leven lijden; 3 vieren *(scheepv.);* *— un câble*, een kabel vieren; *— huit nœuds*, acht knopen lopen; 4 zachtjes laten zwellen en weer af laten nemen (*— un son*); 5 volgen, nagaan (*— un voleur*). II *on.w* 1 wegvloeien; 2 walmen; 3 ervandoor gaan; *— à l'anglaise*, er stiekem tussenuitgaan, vertrekken zonder afscheid te nemen; 4 ladderen.
filet *m* 1 net; *faire qn. dans ses —s*, iem. in zijn strikken weten te vangen; 2 draadje; *sa vie ne tient qu'à un —*, zijn leven hangt aan een zijden draadje; 3 straaltje, stroompje, scheut; *— de voix*, schraal stemmetje; *— de vinaigre*, scheutje azijn; 4 tongriem; *avoir le — bien coupé*, goed v.d. tongriem gesneden zijn; 5 helmdraad; 6 dunne plak; *— de bœuf*, ossehaas; 7 rand v.e. muntstuk; 8 lijstje; 9 (schroef)draad *(— de vis)*. ▼**—age** *m* 1 het trekken v.e. schroefdraad; 2 het stropen met netten of strikken. ▼**—er** *ov.w* schroefdraden maken.

fileur *m*, **-euse** *v* 1 spinner (-ster); 2 eigenaar (eigenares) van spinnerij; 3 iem. die een verdachte of misdadiger nagaat.
filial [*mv aux*] *bn* kinder(lijk) *(amour —)*. ▼**filiale** *v* dochteronderneming, filiaal. ▼**filiation** *v* 1 afstamming, afkomst; 2 samenhang (van ideeën).
filière *v* 1 trekplaat, -ijzer (voor het trekken van draad); 2 schroefsnijmachine; 3 gewone weg, serie formaliteiten om tot een bepaald resultaat te komen; *la — administrative*, de ambtelijke weg; 4 borderel.
filiforme *bn* 1 draadvormig; 2 zeer dun, zwak.
filigrane *m* 1 filigraanwerk (van goud, zilver of glas); 2 watermerk. ▼**filigraner** *ov.w* 1 tot filigraanwerk maken; 2 voorzien v.e. watermerk.
filin *m* tros *(scheepv.)*.
fillasse *v (ong.)* meid.
fille *v* 1 dochter; *la — aînée des rois de France*, de universiteit; *la — aînée de l'Eglise*, Frankrijk; 2 ongetrouwd meisje; *rester —*, ongetrouwd blijven; *vieille —*, oude vrijster; 3 meisje *(jeune —, petite —)*; 4 meid; *— d'auberge*, kelnerin; *— de ferme*, boerenmeid; 5 publieke vrouw (*— de joie, — publique*); 6 non in sommige ordes. ▼**fillette** *v* 1 (klein) meisje; 2 *(pop.)* halve fles (wijn).
filleul *m*, **-e** *v* petekind; *— de guerre*, soldaat aan het front, door een liefdadige dame als 'petekind' aangenomen.
film *m* 1 film; *— éducatif*, onderwijsfilm; *— sonore*, geluidsfilm; *— d'animation*, tekenfilm; 2 film, dun laagje. ▼**—er** *ov.w* (ver)filmen. ▼**—ique** *bn* film-. ▼**—ologie** *v* filmkunde. ▼**—othèque** *v* filmverzameling, filmotheek.
filon *m* 1 (mijn)ader; 2 baantje, buitenkansje; *avoir un riche —*, een beste baan hebben.
filou *m* schurk, bedrieger, valsspeler. ▼**filoutage** *m* bedrog, zakkenrollerij, vals spel. ▼**filouter** *ov.w* zakkenrollen, vals spelen.
fils *m* 1 zoon; *les — d'Apollon*, de dichters; *le — de Dieu, le — de l'homme*, Jezus Christus; *un — de famille*, een jongeman van goeden huize; *les — de Mars*, de krijgslieden; *de père en —*, van vader op zoon; *c'est le — de son père*, hij is sprekend zijn vader; *tel père, tel —*, *(spr.w)* de appel valt niet ver van de boom; *petit-fils*, kleinzoon; 2 afstammeling; 3 kloosterling; *les — de saint Benoît, les — de saint Ignace*, de benedictijnen, de jezuïeten.
filtrage *m* filtrering. ▼**filtrant** *bn* filtreer-. ▼**filtration** *v* 1 filtrering; 2 het doorsijpelen van water. ▼**filtre** *m* 1 filter; 2 gefiltreerde koffie (ook: *café-filtre*). ▼**filtrer** *l ov.w* filtreren. II *on.w*. doorsijpelen van water.
fin *l zn v* 1 einde; *à la —*, eindelijk, ten slotte; *en — de compte*, per slot van rekening; *la — couronne l'œuvre*, *(spr.w)* eind goed, al goed; *faire une —*, zijn leven veranderen, een geregeld leven gaan leiden, gaan trouwen; *faire une bonne —*, goed afsterven; *— juin, ultimo juni; —s de série*, restanten; *mener à bonne —*, afmaken; *mettre — à*, een eind maken aan; *prendre —*, eindigen; *tirer à sa —*, ten einde lopen; *toucher à sa —*, op sterven liggen; 2 doel, oogmerk; *arriver, en venir à ses —s*, zijn doel bereiken; *à cette —*, daarom; *la — justifie les moyens*, het doel heiligt de middelen; *les —s dernières, les quatre —s de l'homme*, de vier uitersten. II *m* 1 fijn linnengoed; 2 fijn goud of zilver; 3 het fijne; *le — du —*, het allerfijnste; 4 slimmerd, loze vos. III *bn* 1 fijn; *la — fleur*, de bloem, de keur; *herbes —es*, fijngehakte groenten; *pluie —e*, fijne regen, motregen; 2 fijn, zuiver; *pierre —e*, echte steen, edelsteen; 3 fijn, uitstekend (*un vin —*); 4 geestig; schrander (*physionomie —e*); 5 slank *(taille —e)*; 6 slim, leep; *un — renard, un — matois*, een loze vos; *bien — qui le prendra*, je zult heel slim moeten zijn om hem te vangen; *plus — que lui n'est pas bête*, laat hem maar lopen; 7 laatst, diep; *le — fond*, het diepste; *le — mot*, het laatste woord, het fijne v.d. zaak. IV *bw* fijn; *prendre une bille trop —*, een bal te fijn spelen (biljart).

final [*mv* **als**] *bn* **1** wat het eind betreft, laatste; **2** doelaanwijzend; *proposition —e*, doelaanwijzende bijzin. ▼**finale, final** *m* **1** finale (*muz.*); **2** (*sp.*) finale, 'final'. ▼**finalement** *bw* tenslotte. ▼**finaliste** *m/v* finalist(e). ▼**finalité** *v* gerichtheid op een einddoel; **2** eindigheid; **3** bestemming.

financ/e l *v* **1** geldvak (*entrer dans la —*); **2** financiers, kapitalisten; *la haute —*, de geldaristocratie, de kapitalistenwereld. II **—es** *mv* financiën. ▼**—ement** *m* financiering. ▼**—er** l *ov.w* financieren. II *on.w* (*fam.*) dokken. ▼**—ier, -ière** l *bn* financieel; *le marché —*, de geldmarkt. II *zn m* financier, kapitalist. ▼**—ièrement** *bw* financieel.

finass/er *on.w* (*fam.*) draaien, slimme streken aanwenden. ▼**—erie** *v* (*fam.*) draaierij, slimmeigheidje.

finaud l *bn* sluw, slim, uitgeslapen. II *zn m*, *-e v* slimmerd, uitgeslapen persoon. ▼**—erie** *v* list, slimheid, uitgeslapenheid.

fine *v* goede cognac.

finement *bw* **1** handig; **2** fijn, verfijnd.

finesse *v* **1** fijnheid; **2** lekkere smaak; **3** geestigheid, schranderheid; **4** slankheid; **5** slimheid; **6** nuance (*les —s d'une langue*).

finette *v* flanelachtige stof.

fini l *bn* **1** beperkt; **2** aarts-, volleerd (*un fripon —*); **3** afgeleefd, uitgeleefd. II *zn m* **1** afwerking, voortreffelijkheid; **2** het eindige. ▼**finir** l *ov.w* **1** (be)eindigen, afmaken, voltooien, nabewerken; *— ses jours*, zijn laatste levensdagen slijten, sterven; *— un plat*, een gerecht opeten; *— un verre*, een glas leegdrinken; **2** afmaken, doden (*— un ennemi*). II *on.w* **1** eindigen, aflopen, uitscheiden, ophouden; *il a fini par payer*, ten slotte heeft hij betaald; *il finira mal*, het zal slecht met hem aflopen; **2** *— en*, uitgaan op (*ce mot finit en x*); **3** *en —, en — avec*, een eind maken aan.

finish (*sp.*) **1** eind van een bokswedstrijd; **2** eindsprint; **3** laatste beetje afwerking.

finissage *m* afwerking. ▼**finisseur** *m*, **-euse** *v* afwerker (-ster). ▼**finition(s)** *v* (*mv*) afwerking.

finlandais l *bn* Fins. II *zn* F— *m*, *-e v* Fin(se). ▼**Finlande** *v* Finland. ▼**finnois** l *bn* Fins. II *zn m* Fins (taal).

fiole *v* **1** flesje; **2** (*fam.*) tronie, snuit, smoel.

fion *m* (*pop.*) keurige afwerking; *donner le coup de —*, keurig afwerken.

fiord, fjord *m* fjord.

fioriture *v* (muzikale) versiering.

firmament *m* uitspansel.

firme *v* firma, firmanaam.

fisc *m* **1** staatskas; **2** fiscus. ▼**fiscal** [*mv* **aux**] *bn* wat de staatskas of de belastingen betreft; *fraude —*, belastingfraude, -ontduiking. ▼**fiscalité** *v* belastingwezen, -wetten.

fiss/ible *bn* splijtbaar. ▼**—ile** *bn* splijtbaar. ▼**—ion** *v* splitsing (*la — de l'atome*). ▼**—ure** *v* spleet, barst. ▼**—urer** l *ov.w* splijten. II *on.w* splijten, barsten.

fiston *m* (*pop.*) zoon, ventje.

fistule *v* fistel (*med.*).

fixage *m* (het) fixeren (*fot.*). ▼**fixateur** *m* **1** fixeermiddel (*fot.*); **2** fixeerspuit. ▼**fixatif** *m* fixatief (voor tekeningen). ▼**fixation** *v* **1** (het) vastmaken; **2** vaststelling (*la — de l'heure*); **3** (het) fixeren (*fot.*).

fixe l *bn* vast, onveranderlijk; *beau —*, bestendig weer; *idée —*, dwangvoorstelling; *regard —*, strakke blik. II *zn m* vast inkomen. III *tw* stal (*mil.*).

fixe-chaussette† *m* sokophouder.

fixe-cravate† *m* dassenhouder.

fixer *ov.w* **1** vastmaken, bevestigen; **2** fixeren (van tekening, pastel); **3** vestigen; *— les yeux sur*, zijn blik vestigen op; **4** vaststellen, bepalen; *— une heure*, een uur vaststellen; *— le prix*, de prijs bepalen; **5** strak aankijken; **6** trekken (*— l'attention*); **7** prenten (*— qc. dans la mémoire*). ▼**fixité** *v* vastheid, strakheid (*la — du regard*).

flac! *tw* klets!, plomp!

flache *v* **1** rotsspleet; **2** kuil in weg of straat.

flacon *m* **1** stopfles; **2** fles. ▼**—nage** *m* stel flacons. ▼**—nier** *m* **1** flaconmaker; **2** flaconetui.

fla-fla *m* (*pop.*) **1** het zoeken van effecten in de schilderkunst; **2** poeha, bluf.

flagell/ants *m mv* flagellanten, geselaars. ▼**—ation** *v* geseling. ▼**—er** *ov.w* geselen (ook *fig.*).

flageoler *on.w* knikken (van knieën).

flageolet *m* **1** octaaffluit; **2** witte boon; **3** spillebeen.

flagorn/er *ov.w* flikflooien, op lage wijze vleien. ▼**—erie** *v* flikflooierij, lage vleierij. ▼**—eur** *m*, **-euse** *v* flikflooier(-ster), lage vleier(-ster).

flagrant *bn* in het oog springend, duidelijk, klaarblijkelijk; *en — délit*, op heter daad.

flair *m* **1** reuk v.e. hond; **2** reukzin, fijne neus; *avoir du —*, een fijne neus hebben. ▼**—er** *ov.w* **1** ruiken; **2** vermoeden (ruiken).

flamand l *bn* Vlaams. II *zn* F— *m*, *-e v* Vlaming, Vlaamse.

flamant *m* flamingo.

flamb/age *m* (het) zengen. ▼**—ant** *bn* vlammend; *tout — neuf*, spiksplinternieuw.

flamb/ard, —art *m*: *faire le —*, de branieschopper uithangen.

flamb/eau [*mv* **x**] *m* **1** toorts, fakkel; *le — du jour*, de zon; *le — de la nuit*, de maan; *retraite aux —x*, fakkeloptocht; **2** licht, kaars; *allumer le — de l'hymen*, trouwen; **3** hoge kandelaar. ▼**—ée** *v* **1** fel vuurtje; **2** opwelling, uitbarsting. ▼**—er** l *on.w* vlammen, branden; *être flambé*, verloren, geruïneerd zijn. II *ov.w* zengen, afbranden, schroeien (*— un poulet*), flamberen.

flamberge *v* degen; *mettre — au vent*, de degen trekken.

flamb/eur *m* (*arg.*) iem. die grof speelt. ▼**—oiement** *m* (het) vlammen. ▼**—oyant** *bn* vlammend, schitterend; *style —*, laat-gothische stijl. ▼**—oyer** *on.w* vlammen, schitteren.

flamingant l *zn m* vurig voorstander der Vlaamse beweging. II *bn* **1** Vlaams sprekend; **2** van de Vlaamse beweging.

flamme *v* **1** vlam; *les —s éternelles*, de hellestraf; *livrer aux —s*, tot de brandstapel veroordelen; *—s de Bengale*, bengaals vuur; **2** vuur, geestdrift; **3** (*dicht.*) liefde; **4** wimpel; **5** lansvaantje. ▼**flammèche** *v* vonk.

flan *m* **1** room-, eiertaart; **2** muntplaatje; **3** (*pop.*) flauwekul; *à la —*, slordig; **4** (*pop.*) *en être, en rester comme deux ronds de —*, stomverbaasd staan.

flanc *m* **1** flank, zijde, zijkant; *à — de*, tegen de zijkant van; *se battre les —s*, zich vergeefs inspannen; *être sur le —*, te bed liggen, uitgeput zijn; *prêter le —*, de flank ongedekt laten, zich blootstellen; *tirer au —*, (*pop.*) niks uitvoeren; **2** moederschoot. ▼**flanc†-garde†** *v* flankdekking.

flancher *on.w* (*pop.*) wijken, zwichten.

Flandre *v* Vlaanderen.

flandrin *m* (*fam.*) lange slungel.

flanelle *v* flanel.

flân/er *on.w* **1** slenteren; **2** zijn tijd verbeuzelen, luilakken. ▼**—erie** *v* **1** (het)slenteren; **2** (het) luilakken. ▼**—eur** *m*, **-euse** *v* slenteraar(-ster).

flanqu/ement *m* flankering. ▼**—er** *ov.w* **1** flankeren; **2** geven, toedienen; *— un soufflet*, een oorvijg geven; **3** gooien, werpen; *— à la porte*, de deur uitgooien. ▼**—eur** *m* soldaat die tot de flankdekking of een zijpatrouille behoort.

flapi *bn* (*pop.*) uitgeput, doodmoe.

flaque *v* plas.

flash (*mv* **flashes**) *m* **1** flitslampje; **2** flitsinrichting; **3** korte filmscène; **4** kort belangrijk bericht; **5** trip. ▼**—cube** *m* flitsblokje. ▼**—er** *on.w* flitsen.

flasque l *bn* slap, week. II *zn m* wieldop.

flatt/er l *ov.w* **1** vleien; **2** strelen, aaien; **3** flatteren (*un tableau*); **4** strelen (*fig.*: *l'oreille*). II *se —* **1** zich vleien; **2** zich iets

inbeelden (*il se flatte d'être populaire*).
▼**—erie** v vleierij. ▼**—eur** I zn m, **-euse** v vleier (-ster). II bn vleiend. ▼**—eusement** bw vleiend.
flatulence v winderigheid, flatulentie.
▼**flatulent** bn winderig. ▼**flatuosité** v wind.
flavescent bn geelachtig.
fléau [mv x] m 1 dorsvlegel; 2 hefboom v.e. balans; 3 gesel, plaag (*le — de la guerre*).
fléchage v wegaanduiding (met pijlen).
▼**flèche** I zn v 1 pijl, schicht; *faire — de tout bois*, alle middelen aanwenden om zijn doel te bereiken; *la — du Parthe*, hatelijkheid bij het afscheid nemen; 2 punt, spits; — de mer, dolfijn; *se trouver en —*, als voorloper fungeren; 3 tong v.e. balans; 4 zijde spek; 5 richtingaanwijzer; 6 flitslicht. II bn (arg.) platzak. ▼**flèche** bn versierd met pijlen.
▼**fléchette** v pijltje.
fléchir I ov.w 1 buigen (— les genoux); 2 vertederen, vermurwen. II on.w 1 doorbuigen; 2 wijken; 3 zwichten, toegeven. ▼**fléchissement** m 1 het doorbuigen; 2 daling, achteruitgang.
flegmatique bn 1 flegmatisch; 2 slijmerig. ▼**flegme** m 1 flegma; 2 slijm.
flémard, flemmard I bn lui. II zn m luilak.
▼**flemmarder** on.w (pop.) luieren. ▼**flemme** v (pop.) luiheid; *battre la (sa) —, tirer sa —*, luieren.
Flessingue Vlissingen.
flet m bot (vis).
flétan m heilbot.
flétrir I ov.w 1 doen verwelken; *joues flétries*, fletse wangen; 2 brandmerken (ook fig.); 3 onteren, belasteren. II se — verwelken. ▼**flétrissure** v 1 brandmerk; 2 schandvlek; 3 het verwelken.
fleur I v 1 bloem, bloesem; *être en —s*, in bloei staan; — de lis, lelie der Bourbons; — printanière, lentebloem; les quatre —s, soort hoestdrankje; *semer des —s sur la tombe de qn.*, een dode prijzen; — de soufre, zwavel; 2 vruchtenwaas; 3 frisheid, glans; à la — de l'âge, in de bloei van het leven; 4 bloem, kleur, puikje; 5 sieraad, bloemrijke uitdrukking (les —s de l'éloquence); 6 oppervlakte; à — d'eau, aan de oppervlakte van het water; *avoir des yeux à — de tête*, uitpuilende ogen hebben; à — de peau, aan de opperhuid, oppervlakkig (fig.). II **—s** mv schimmel, kaam op wijn of bier. ▼**fleurage** v 1 gebloemd patroon; 2 aardappelmeel (— de pommes de terre).
▼**fleuraison** v 1 bloei; 2 bloeitijd.
fleurdelisé bn met de Franse lelie versierd.
fleurer v 1 geuren, rieken.
fleuret m 1 floret; 2 floretzijde; 3 mijnboor.
fleurette v 1 bloempje; 2 minnepraat, flirt; *conter —*, het hof maken. ▼**fleur/i** bn 1 bloeiend, in bloei; *barbe —e*, witte baard; *la boutonnière —e*, met een bloem in het knoopsgat; *Pâques —es*, Palmpasen; 2 fris, gezond (*teint —*); 3 bloemrijk (*style —*). ▼**—ir** I ov.w met bloemen versieren. II on.w bloeien (ook fig.). ▼**—issant** bn bloeiend, met bloemen bedekt. ▼**—iste** I zn m 1 bloemkweker; 2 handelaar in bloemen. II bn wat kunstbloemen betreft; *ouvrière —*, maakster van kunstbloemen. ▼**—on** m 1 bloemvormig arch. sieraad; 2 bloem- of bladvormig vignet; 3 bloempje v.e. bloeiwijze. ▼**—onner** ov.w versieren met bloemvormige arch. sieraden.
fleuve m stroom, rivier; *roman- —*, (omvangrijke) generatieroman.
flex/ibilité v 1 buigzaamheid; 2 lenigheid van geest; 3 gedweeheid. ▼**—ible** bn 1 buigzaam; 2 lenig; 3 gedwee. ▼**—ion** v buiging. ▼**—ionnel** bn met buigingsuitgangen. ▼**—ueux, -euse** bn met veel buigingen, met veel krommingen. ▼**—uosité** v bochtigheid.
flibust/e v vrijbuiterij. ▼**—er** I on.w vrijbuiten. II ov.w afgappen, ontstelen. ▼**—erie** v 1 vrijbuiterij; 2 oplichterij. ▼**—ier** m 1 vrijbuiter; 2 oplichter.
flic m (pop.) politieagent.

flicflac tw klits klats, klets.
flingot m (pop.) geweer, spuit. ▼**flingue** v vuurwapen. ▼**flinguer** ov.w (pop.) schieten.
flipper I zn m flipperkast. II on.w 1 in elkaar klappen (na de uitwerking v.e. drug); 2 gedeprimeerd zijn; 3 flipperen.
flirt m 1 het flirten; 2 flirt (persoon). ▼**—age** m het flirten. ▼**—er** on.w flirten. ▼**—eur** m, **-euse** v flirter (-ster).
floc I zn m plons. II tw boem!, plons!
floche I bn pluizig, wollig. II zn v kwastje ter versiering.
flocon m vlok; —s d'avoine, havervlokken. ▼**—ner** on.w in vlokken neervallen. ▼**—neux, -euse** bn vlokkig.
flonflons m mv harde akkoorden.
flop m 1 vallend geluid; *faire —*, vallen; 2 mislukking, flop.
flopée v (pop.) grote hoeveelheid.
floraison v 1 bloei; 2 bloeitijd. ▼**floral** [mv aux] bn wat betrekking heeft op bloemen; *Jeux —aux*, letterkundige wedstrijden te Toulouse. ▼**—ies** v mv bloementoonstelling. ▼**flore** v 1 plantenwereld; 2 plantenbeschrijving. ▼**floréal** m achtste maand v.h. republikeinse jaar (van 20 of 21 april tot 19 of 20 mei). ▼**florès** m: *faire —*, uitblinken, veel opgang maken. ▼**flori/cole** bn levend op bloemen. ▼**—culture** v bloementeelt. ▼**—fère** bn bloemendragend. ▼**—lège** m bloemlezing.
florin m florijn, gulden.
florissant bn bloeiend (fig.), welvarend.
flot I m 1 golf; 2 opkomend water, vloed; 3 stroom; à —s, bij stromen; 4 à —, vlot; *remettre à —*, weer vlot maken; *se remettre à —*, er weer bovenop komen; 5 houtvlot. II **—s** mv 1 zee; 2 menigte.
flott/able bn drijvend. ▼**—age** m vervoer per vlot. ▼**—aison** v waterspiegel; *ligne de —*, waterlijn. ▼**—ant** bn 1 drijvend; *ligne —e*, vissnoer met dobber; *moteur —*, zwevende motor; 2 wapperend, golvend, wijd (*robe —e*); 3 besluiteloos; 4 vlottend (*dette —e*). ▼**—ard** m (arg.) adelborst.
flott/e I v 1 vloot; — aérienne, luchtvloot; 2 dobber; 3 (pop.) water, regen. II **—s** mv (pop.) des —s, een heleboel. ▼**—ement** m 1 (het) drijven; 2 golvende beweging v.h. front v.e. marcherende troep; 3 aarzeling, besluiteloosheid. ▼**—er** on.w 1 drijven; 2 golven, wapperen; 3 weifelen, dobberen; 4 zweven (v. gedeelteheid); 5 (pop.) regenen. ▼**—eur** m 1 houtvlotter; 2 drijver (van hengel, van watervliegtuig); 3 vlotter (van carburator). ▼**—ille** v flottielje.
flou/e I bn wazig, onscherp (fot.). II zn m wazigheid (bij schilderen, fotograferen, film).
flouer ov.w (fam.) bedotten, ontrollen, stelen.
fluctu/ant bn onvast, onbestendig, wisselend. ▼**—ation** v wisselvalligheid, veranderlijkheid, het op- en neergaan. ▼**—er** on.w op- en neergaan, wisselvallig zijn.
fluet, -ette bn teer, tenger.
fluid/e I bn 1 vloeibaar of gasvormig; 2 vloeiend (*style —*). II zn m 1 niet-vaste stof; 2 fluïdum. ▼**—ifier** ov.w vloeibaar maken. ▼**—ité** v vloeibaarheid, gasvormigheid.
fluoresc/ence v fluorescentie. ▼**—ent** bn fluorescerend; *tube —*, T.L.-buis.
flût/e I v 1 fluit; — à bec (— douce), blokfluit; *jeu de —s*, fluitregister v.e. orgel; *jouer de la —*, op de fluit spelen; — de Pan, herdersfluit; petite —, piccolo; *ce qui vient de la —, s'en va par le tambour*, (spr.w) zo gewonnen, zo geronnen; 2 fluitspeler; 3 lang broodje (fluit); 4 lang en nauw champagneglas; 5 lange wijnfles. II **—s** mv 1 benen (fam.); *jouer de ses —s*, ertussenuit gaan, 'm smeren; 2 des —s!, morgen brengen! III tw stik! ▼**—eau** [mv x] m fluitje. ▼**—er** on.w fluitspelen. ▼**—iste** m of v fluitist(e).
fluvial [mv aux] bn de rivieren betreffende. ▼**fluviatile** bn de rivieren betreffende.
flux m 1 stroom; — de paroles, woordenvloed;

— de sang, dysenterie; 2 vloed. ▼fluxion v
1 gezwel; — de poitrine, longontsteking;
2 méthode des —s, differentiaalrekening.
foc m fok (scheepv.).
focal [mv aux] bn wat het brandpunt betreft;
distance — e, brandpuntsafstand. ▼—iser
ov.w in het brandpunt plaatsen, (Eng.)
focussen, concentreren, richten op.
foehn m föhn.
foène, foëne, fouëne v aalgeer.
foetal [mv aux] bn wat de foetus betreft.
▼foetus m foetus, lichaamsvrucht.
foi v 1 geloof; n'avoir ni — ni loi, God noch
gebod kennen; profession de —,
geloofsbelijdenis; 2 gegeven woord; ma —,
par ma —, sur ma —, op mijn woord; donner
—, zijn woord geven; 3 vertrouwen; ajouter
—, à, geloof hechten aan; digne de —,
geloofwaardig; 4 trouw; bonne —, goede
trouw; de bonne —, te goeder trouw;
mauvaise —, kwade trouw.
foie m lever; avoir les —s, (pop.) in de rats
zitten; — gras, ganzelever.
foin I zn m 1 hooi; être bête à manger du —, zo
dom als een ezel zijn; avoir du — dans ses
bottes, er goed bij zitten; 2 te maaien gras; faire
les —s, maaien; rhume des —s, hooikoorts;
3 (pop.) herrie (faire du —). II tw weg met!, ik
heb maling aan!
foire v 1 kermis, jaarmarkt; 2 jaarbeurs;
3 (pop.) hevige diarree; 4 (fam.) angst.
▼foirer on.w 1 (pop.) hevige diarree hebben;
2 mislukken, missen; 3 niet pakken v.e.
schroef. ▼foireux, -euse I bn 1 hevige
diarree hebbend (pop.); 2 laf; 3 mislukkend,
missend. II zn m, -euse v lafbek.
fois v keer, maal; une — pour toutes, eens en
voor altijd; à la —, tegelijk; des —, soms,
misschien; y regarder à deux —, zich twee
maal bedenken; toutes les — que, telkens als;
une — que, zodra.
foison v overvloed; à —, in overvloed.
▼—nement m 1 (het) krioelen; 2 (het)
overvloedig voorkomen; 3 (het) uitzetten.
▼—ner on.w 1 krioelen; 2 in overvloed
voorkomen; cette province foisonne en blé, er
is een overvloed van koren in deze streek;
3 uitzetten.
fol, folle bn = fou. ▼folasse bn een beetje
getikt.
folâtre bn uitgelaten, dartel, speels. ▼folâtrer
on.w dartelen, stoeien. ▼folâtrerie v
dartelheid, uitgelatenheid.
folichon bn (fam.) uitgelaten, dartel.
folie v 1 krankzinnigheid; 2 dwaasheid,
buitensporigheid, dwaze streek (faire des
—s); aimer à la —, hartstochtelijk beminnen;
3 landhuisje, buitenplaatsje.
folié bn bebladerd.
folio m 1 blad; 2 nummer v.e. bladzijde.
folklor/e m folklore. ▼—ique bn folkloristisch.
▼—iste m/v folklorist.
folle bn = fou. ▼follement bw dwaas, gek.
▼follet, -ette bn: poil —, vlasharen v.e.
baard, donsveertjes; feu —, dwaallichtje.
folliculaire v (ong.) slecht journalist.
foment/ateur m, -atrice v onruststoker
(-stookster), aanstoker (aanstookster). ▼—er
ov.w 1 pappen, broeien; 2 aanstoken,
aanwakkeren (— des troubles).
fonçage m 1 (het) inheien van palen; 2 (het)
inzetten v.e. bodem in een vat; 3 delving,
boring. ▼fonçailles v mv 1 bodemduigen v.e.
ton; 2 onderlaag v.e. bed.
foncé bn donker.
foncement m 1 (het) boren v.e. put; 2 (het)
voorzien v.e. bodem; 3 (het) inheien van
palen. ▼foncer I ov.w 1 een bodem zetten in
een vat of ton; 2 (een put) boren; 3 een paal
inheien; 4 donker maken. II on.w 1 zich
storten op, aanvallen; 2 rennen; — dans le
brouillard, (fam.) doordazen; 3 donker
worden. ▼foncier, -ère bn 1 wat de bodem,
de grond betreft; 2 grondig, voornaamste,
qualité foncière, grondeigenschap.
▼foncièrement bw in de grond, door en

door.
fonction v 1 ambt, beroep, functie;
appartement de —, ambtswoning; faire — de,
dienstdoen als; relever de ses —s, ontslaan;
2 ambtsbezigheden, werkzaamheden;
3 lichaamsverrichting. ▼—naire m/v
ambtenaar (ambtenares). ▼—narisme m
ambtenarij. ▼—nel, -elle bn functioneel.
▼—nement m werking, werkwijze. ▼—ner
on.w werken, lopen (cette machine
fonctionne bien).
fond m 1 bodem; aller à —, zinken; sans —,
bodemloos; de — en comble, van onder tot
boven; 2 grondsop (le — d'une bouteille);
3 achterkant, achterste gedeelte; au — de, in
het diepst van, achterin; 4 achtergrond v.e.
schilderij; 5 kern, wezen v.e. zaak; à —,
grondig; au —, eigenlijk;
6 uithoudingsvermogen, taaiheid; course de
—, lange-afstandsrit; 7 diepste, verborgenste;
au — du cœur, in het diepst v.h. hart; aller au
— des choses, de dingen grondig doen.
fondamental [mv aux] bn wezenlijk,
voornaamste; pierre —e, grondsteen.
▼fondant I bn sappig, in de mond smeltend.
II zn m 1 fondant; 2 smeltmiddel.
fond/ateur m, -atrice v stichter (-ster),
oprichter (-ster). ▼—ation v 1 fundament,
grondslag; 2 stichting, oprichting.
fondé I bn 1 gemachtigd, bevoegd; être — à,
bevoegd zijn te; 2 gegrond (une accusation
—e). II zn m: — de pouvoir, procuratiehouder,
gevolmachtigde.
fondement m 1 fundament, grondslag;
2 grond; sans —, ongegrond; 3 anus.
▼fonder ov.w 1 grondvesten; 2 stichten,
oprichten; 3 gronden.
fond/erie v 1 smelterij, gieterij; 2 (het) gieten
van metalen. ▼—eur I zn m, -euse v
metaalgieter (-ster), -smelter (-ster),
wassmelter (-ster). II -euse v gietmachine.
▼fondre I ov.w 1 smelten; 2 gieten;
3 mengen, doen samensmelten (van kleuren).
II on.w 1 smelten; 2 — sur, zich werpen op,
aanvallen, overvallen; 3 (fam.) vermageren.
fondrière v 1 modderpoel, moeras; 2 kuil,
kloof.
fonds m 1 grond; 2 kapitaal; placer son argent
à — perdu, zijn geld op lijfrente beleggen; —
publics, effecten; 3 zaak; 4 voorraad, schat.
fondu m 1 ineensmelting, uitlopen van
kleuren; 2 geleidelijke verschijnen of
wegvloeien v.e. filmbeeld; ouverture en —,
(Eng.) fade-in. ▼fondue v gerecht bestaande
uit gesmolten kaas, boter, kruiden en kirsch; —
bourguignonne, vleesfondue.
fontaine v 1 bron; — de Jouvence,
verjongingsbron; 2 put; 3 fontein.
▼fontainier m verkoper van kranen,
fonteintjes, aanlegger van waterleidingen.
fontanelle v (anat.) fontanel.
fonte v 1 (het) smelten; 2 (het) gieten;
3 gietijzer (fer de —); 4 pistoolholster.
fontis, fondis m (grond)verzakking.
fonts m mv doopvont (les — baptismaux);
tenir sur les —, ten doop houden.
foot m (fam.) voetbal; jouer au —, voetballen.
▼—ball m voetbal; jouer au —, voetballen.
▼—balleur m voetballer. ▼—ing m
wandelsport.
for m: le — intérieur, het geweten.
forage m 1 boring; 2 oude belasting op de
wijn.
forain I bn 1 vreemd, buitenlands; 2 wat
kermissen of jaarmarkten betreft; marchand —,
kermiskoopman. II zn m kermiskoopman,
acteur in kermistenten.
forban m 1 vrijbuiter; 2 bandiet.
forçage m 1 (het) dwingen; 2 (het) trekken
v.e. plant; 3 overwicht v.e. munt.
forçat m 1 galeiboef; 2 dwangarbeider; 3 slaaf
(v.h. werk).
force I zn v 1 kracht; — ascensionnelle,
stijgkracht; — d'esprit, geesteskracht;
scherpzinnigheid; — de frappe,
commandotroepen; — motrice, drijfkracht; —

portative, draagvermogen; *prendre une ville de vive —*, een stad stormenderhand innemen; *un tour de —*, een krachttoer; *de toutes ses —s*, uit alle macht; **2** macht, geweld; *à — de travailler il a réussi*, door hard te werken is hij geslaagd; *à — de bras*, door mensenhanden (niet door machines); *agent de la — publique*, agent van politie; *les —s aériennes*, de luchtmacht; *la — des choses*, de drang der omstandigheden; *— n'est pas droit, (spr.w)* macht is geen recht; *faire — de rames*, uit alle macht roeien; *— lui fut de se rendre*, hij was gedwongen zich over te geven; *maison de —*, tuchthuis; *— majeure*, overmacht; *user de —*, geweld gebruiken. **II** *bw* zeer veel, een hoop. ▼forcé *bn* **1** gemaakt *(un rire —)*; **2** geforceerd *(une marche —e)*; **3** gedwongen; *atterrissage —*, noodlanding; *travaux —s*, dwangarbeid; **4** verbogen. ▼forcément *bw* **1** met geweld; **2** noodzakelijk.

forcené *I bn* waanzinnig, dol, woedend. **II** *zn m, -e v* waanzinnige, dolleman.

forceps *m* verlostang.

forcer *I ov.w* **1** openbreken, forceren *(— une porte)*; **2** stormenderhand veroveren; **3** dwingen *(— à)*; noodzaken, afdwingen *(— le respect)*; *avoir la main forcée*, gedwongen zijn iets tegen zijn zin te doen; **4** verdraaien, geweld aandoen; *— le sens d'un mot*, de betekenis van een woord verdraaien; **5** verkrachten. **II** *se —* **1** zich overspannen, zich te veel inspannen; **2** zich geweld aandoen. **III** *on.w* **1** klemmen v.e. deur; **2** *— de voiles*, alle zeilen bijzetten.

forcerie *v* broeikas.

forcir *on.w* dik worden *(fam.)*.

forclusion *v* vervallenverklaring v.e. recht.

forer *ov.w* doorboren.

forestier, -ère *bn* wat de wouden betreft; *garde —*, boswachter.

foret *m* (dril)boor.

forêt *m* v woud, bos; *— vierge*, oerwoud.

foreur *m* boorder. ▼foreuse *v* boormachine.

forfait *m* **1** misdaad; **2** overeenkomst tot het leveren van goederen of het verrichten van werk tegen een vastgestelde prijs. ▼*—aire bn* voor een aangenomen som. ▼*—ure v* **1** misdrijf v.e. ambtenaar in functie; **2** misdrijf v.d. leenman tegen de leenheer.

forfanterie *v* opsnijderij.

forficule *v* oorworm.

forg/e *v* **1** smidse; **2** ijzergieterij. ▼*—eable bn* smeedbaar. ▼*—eage, —ement m* (het) smeden. ▼*— er ov.w* **1** smeden; *en forgeant on devient forgeron, (spr.w)* al doende leert men; **2** verzinnen, uit de duim zuigen; **3** valse documenten maken. ▼*—eron m* smid. ▼*—eur m* **1** smeder; **2** verzinner.

forjeter *I on.w* uitspringen (bijv. van een muur). **II** *ov.w* uitbouwen.

forlancer *ov.w* opjagen (van wild).

formage *m* vorming.

formal/iser (se)... de zich ergeren aan, beledigd zijn over. ▼*—isme m* vormendienst, vormelijkheid. ▼*—iste bn* vormelijk. ▼*—ité v* formaliteit.

format *m* formaat.

form/ateur *m v*, -atrice *v* vormer (-ster). ▼*—ation v* vorming, formatie; *— de combat*, slagorde; *cours de — supplémentaire*, bijscholingscursus.

forme *I v* **1** vorm; *en bonne et due —*, volgens de regels; **2** uiterlijk, schijn *(juger sur la —)*; **3** gedaante, snit, leest, bol v.e. hoed; *chapeau haut de —*, hoge hoed; **4** regeringsvorm *(— monarchique)*; **5** lichamelijke conditie; *être hors de —*, niet in vorm zijn (bij sport); **6** bok. **II** *—s mv* manieren, omgangsvormen; *observer les —s*, de omgangsvormen in acht nemen; *manquer de —s*, slechte manieren hebben. ▼formel, -elle *bn* **1** uitdrukkelijk, stellig; **2** formeel; **3** wat betreft de vorm. ▼former *ov.w* **1** vormen; **2** stichten, oprichten (van zaak, enz.); **3** vormen = opvoeden, drillen *(— la jeunesse, — des*

soldats); **4** vormen = uitmaken; **5** vormen = nemen; *— une résolution*, een besluit nemen.

formidable *bn*: ontzaglijk, geweldig, geducht.

formique *bn*: *acide —*, mierezuur.

formul/aire *m* **1** formulierenboek, receptenboek; **2** geloofsbelijdenis. ▼*—ation v* formulering. ▼formul/e *v* formule, formulier. ▼*—er ov.w* formuleren, duidelijk uitdrukken, inkleden.

forni/cateur *m v*, -trice *v* ontuchtige. ▼*—cation v* ontucht. ▼*—quer on.w* ontucht bedrijven.

fort *I bn* **1** sterk, krachtig; *un esprit —*, een vrijdenker; *— comme un Turc*, sterk als een beer; *boissons —es*, sterke drank; *se faire — de*, zich beroemen op; *place —e*, vesting; *c'est plus — que moi*, het gaat vanzelf, ik kan er niks aan doen; **2** dik; **3** aanzienlijk, groot *(une — somme)*; **4** moeilijk, zwaar *(une — e tâche, une terre —e)*; **5** knap, scherpzinnig, handig; *une — e tête*, een knappe kop; **6** onstuimig, hevig; *une — e mer*, een onstuimige, hoge zee. **II** *bw* **1** krachtig, sterk; *aller un peu —*, een beetje overdrijven; *crier —*, hard schreeuwen; *sentir —*, sterk ruiken; **2** zeer, erg. **III** *zn m* **1** fort; **2** de sterke, de machtige; *les —s de la Halle*, de lastdragers der Hallen; **3** midden, hartje *(au — de l'orage, au — de l'hiver)*; **4** sterke zijde *(l'histoire est mon —)*; **5** kracht; *le — de l'âge*, de kracht v.h. leven; **6** sterkste plek; *le — du navire*, het midden v.h. schip; **7** leger, bijv. van een wolf. ▼fortement *bw* **1** sterk; **2** stevig.

forteresse *v* vesting; *— volante*, vliegend fort.

fortifi/ant *I bn* versterkend. **II** *zn m* versterkend middel. ▼*—cation v* **1** (het) versterken; **2** versterkingskunst; **3** vestingwerk. ▼*—er ov.w* versterken.

fortin *m* klein fort.

fortiori (à) *bw* des te meer.

fortuit *bn* toevallig.

fortune *v* **1** toeval, kans; *dîner à la — du pot*, eten wat de pot schaft; **2** geluk *(bonne —)*, ongeluk *(mauvaise —)*; *bonnes —s*, succes in de liefde; **3** lot, fortuin; *officier de —*, officier die als soldaat zijn loopbaan is begonnen; *revers de —*, tegenspoed; *tenter —*, zijn geluk beproeven; **4** Fortuna; **5** fortuin; *faire —*, fortuin maken. ▼fortuné *bn* **1** gelukkig, door de fortuin begunstigd; **2** rijk, gefortuneerd.

forure *v* boorgat, gat v.e. sleutel.

fosse *v* **1** kuil, gat; *— d'aisances*, beerput; **2** grafkuil; *— commune*, algemeen graf; *avoir un pied dans la —*, met één been in het graf staan; **3** holte; *— nasale*, neusholte; **4** mijnschacht. ▼fossé *m* **1** sloot; **2** kloof *(fig.)*. ▼fossette *v* **1** knikkerkuiltje; **2** kuiltje in de wangen.

fossil/e *I bn* **1** versteend; **2** erg verouderd. **II** *zn m* verstening. ▼*—isation v* verstening. ▼*—iser I ov.w* doen verstenen. **II** *se —* verstenen.

fossoyer *ov.w* sloot-, grafgraven. ▼fossoyeur *m* doodgraver.

fou *I bn*, folle *v* (voor een mannel. woord, dat begint met klinker of stomme h fol) **1** gek; **2** dwaas, zot; *une brise folle*, een veranderlijke bries; *un — rire*, een onbedaarlijke lach; **3** dol; *— de*, dol op; *un chien —*, een dolle hond; **4** buitensporig, overmatig; *un succès —*, een uitbundig succes. **II** *zn m*, folle *v* **1** gek; *— furieux*, dolleman; *plus on est de —s, plus on rit, (spr.w)* hoe meer zielen, hoe meer vreugd; **2** nar; *la fête des —s*, het middeleeuwse narrenfeest; **3** raadsheer (bij schaakspel).

fouchtra! *tw* verdorie!

foudre *I zn v* **1** bliksem; *coup de —*, bliksemslag, liefde op het eerste gezicht; *comme la —*, bliksemsnel. **II** *m* **1** *un — de guerre*, vesting, geducht krijger; **2** okshoofd, fust. ▼foudroiement *m* (het) treffen door de bliksem, (het) neerslaan, enz. *(zie* foudroyer). ▼foudroy/ant *bn* **1** verpletterend, vernietigend; **2** een snelle dood veroorzakend; *apoplexie —e*, beroerte die een plotselinge dood ten gevolge heeft; *poison —*, snelwerkend vergif. ▼*—er ov.w*

1 treffen (v.d. bliksem); 2 vernietigen, wegmaaien (bijv. — *un régiment*); 3 plotseling doden (bijv. door elektrische schok); 4 neerslaan. II *on.w* bliksemen.
fouet *m* 1 zweep; *coup de* —, zweepslag (ook *med.*); *donner le* —, een pak slaag geven, geselen; *faire claquer son* —, zich laten gelden; *frapper la balle de plein* —, de bal vol raken; 2 gesel; 3 (*fig.*) staartveren. ▼—**tard** *m*: *le Père F*—, Zwarte Piet. ▼—**tée** *v* afstraffing. ▼—**tement** *m* (het) slaan, (het) striemen, (het) kletteren. ▼—**ter** *ov.w* 1 met de zweep slaan; 2 afstraffen, kastijden; *il n'y a pas de quoi* — *un chat*, het is de moeite niet waard om er over te spreken; *avoir bien d'autres chiens (chats) à* —, wel wat anders te doen hebben; 3 striemen (v.d. wind), kletteren (v.d. regen); 4 geselen (ook *fig.*); 5 klutsen, kloppen; *crème fouettée*, slagroom.
fou-fou *bn*, **fofolle** *v* een beetje gek.
fouger *on.w* omwoelen v.d. grond.
foug/eraie *v* met varens begroeide plek. ▼—**ère** *v* varen (*plk.*); ▼—**erole** *v* kleine varen.
fougue *v* vuur, onstuimigheid, drift; *mât de* —, bezaansmast. ▼**fougueux, -euse** *bn* vurig, onstuimig, driftig.
fouille *v* opgraving. ▼**fouill/er** *ov.w* 1 opgraven, opdelven; 2 doorzoeken; aftasten; 3 fouilleren; *style fouillé*, uiterst nauwkeurige stijl. II *on.w* zoeken in, snuffelen in. ▼—**eur** *m* graver, snuffelaar. ▼—**euse** *v* vrouw die belast met de douane of de politie andere vrouwen fouilleert.
fouillis *m* warboel, gewriemel.
fouinard I *zn m* (*pop.*) snuffelaar, onbescheidene, slimmerd. II *bn* (*pop.*) nieuwsgierig, onbescheiden, slim. ▼**fouine** *v* 1 steenmarter; 2 slimmerd; 3 hooivork, gaffel. ▼**fouiner** *on.w* (*pop.*) 1 in andermans zaken snuffelen; 2 er stilletjes vandoor gaan. ▼**fouineur, -euse** = **fouinard**.
fouir *ov.w* graven, omwroeten. ▼**fouisseur, -euse** I *bn* geschikt voor graven (*patte —euse*). II *zn -eur m* graafdier.
foulage *m* 1 (het) vollen v. stof; 2 (het) doordrukken; 3 (het) treden v. druiven. ▼**foulant** *bn*: *pompe —e*, perspomp.
foulard *m* 1 soort zijde; 2 zijden hals- of zakdoek.
foule *v* 1 menigte; *en* —, in groten getale; 2 het gros der mensen; *se tirer de la* —, boven het gros der mensen uitsteken, op de voorgrond treden.
foulée *v* 1 spoor v.e. dier; 2 pas v.e. sportman; 3 gang, loop.
fouler I *ov.w* 1 persen; 2 vollen v. stof; 3 doordrukken; 4 (ver)trappen, de voet zetten op; — *aux pieds*, vertrappen; — *le sol natal*, de geboortegrond betreden; 5 verstuiken, verzwikken; 6 onderdrukken. II *se* — (*la rate*), zich uitsloven.
foulque *v* waterhoen, meerkoet.
foulure *v* verstuiking, verzwikking.
four *m* 1 oven; — *à bachot*, drilschool voor opleiding voor het baccalauréat; *ce n'est pas pour lui que chauffe le* —, dat is niet voor hem bestemd, weggelegd; — *à chaux*, kalkoven; 2 fiasco; echec; *faire* —, mislukken; *cette pièce est un* —, dat stuk is een prul; 3 *petit* —, gebakje.
fourb/e I *zn m* bedrieger. II *bn* vals, bedrieglijk. ▼—**erie** *v* schelmenstreek, bedrog.
fourbi *m* (*fam.*) 1 spullen (v.e. soldaat); 2 rommel, troep; 3 ding.
fourb/ir *ov.w* polijsten, poetsen. ▼—**issage**, —**issement** *m* (het) polijsten. ▼—**isseur** *m* zwaardveger.
fourbu *bn* uitgeput, doodop.
fourche *v* 1 hooi-, mestvork, gaffel; 2 tweesprong; 3 vork v.e. fiets; 4 —*s patibulaires*, galg. ▼**fourch/e** *bn* gevorkt. ▼—**ée** *v* hooivork vol. ▼—**er** *on.w* zich vertakken; *la langue lui a fourché*, hij heeft zich versproken. ▼—**et** *m* 1 vork met twee tanden; 2 klauwzeer; 3 vork v.e. tak. ▼—**etée** *v* vork vol. ▼—**ette** *v* 1 vork; *une belle* —, een flinke

eter; *déjeuner à la* —, warme lunch; — *du Père Adam*, de vingers; 2 vorkbeen. ▼—**on** *m* 1 tand v.e. vork; 2 gaffel v.e. boom. ▼—**u** *bn* gevorkt, gespleten; *pied* —, gespleten hoef, bokspoot. ▼—**ure** *v* gaffel, vork, tweesprong.
fourgon *m* 1 bagagewagen, legerwagen, vrachtwagen; 2 pook. ▼—**ner** *on.w* 1 poken; 2 ondersteboven halen. ▼—**nette** *v* bestelwagen.
fourgue, fourgat *m* (*arg.*) heler. ▼**fourguer** *ov.w* 1 (*arg.*) aan een heler verkopen; 2 (*fam.*) in de maag splitsen.
fourme *v* soort kaas.
fourmi *v* mier; *avoir des* —*s*, niet stil kunnen staan of zitten. ▼**fourmilier** *m* miereneter. ▼**fourmilière** *v* 1 mierenhoop; 2 menigte. ▼**fourmill/ement** *m* 1 gekrioel; 2 jeuk, kriebeling. ▼—**er** *on.w* 1 krioelen; 2 kriebelen.
fournaise *v* 1 gloeiende oven; 2 vuurzee.
▼**fourneau** [*mv* **x**] *m* 1 oven; *haut* —, hoogoven; 2 fornuis; — *à charbon*, kolenfornuis; — *à gaz*, gasfornuis; — *à pétrole*, petroleumstel; 3 — *économique*, gaarkeuken; 4 — *d'une pipe*, kop v.e. pijp; 5 (*pop.*) stommeling. ▼**fournée** *v* 1 ovenvol; 2 personen die tegelijk benoemd worden in dezelfde functie; 3 veroordeelden die hetzelfde lot ondergaan.
fourni *bn* 1 dicht (*barbe —e*); 2 welvoorzien (*magasin bien* —).
fournil *m* bakhuis.
fourniment *m* uitrusting v.e. soldaat.
fourn/ir *ov.w* 1 voorzien van, leveren; 2 verschaffen (— *des renseignements*); 3 afleggen, volbrengen (— *une course*). II *on.w* 1 leveren; 2 voorzien in (— *aux besoins*). III *se* — *chez qn.*, zijn inkopen doen bij iem. ▼—**issement** *m* inleg. ▼—**isseur** *m* leverancier. ▼—**iture** *v* 1 levering, leverantie; 2 benodigdheden; 3 toekruiden bij sla.
fourrag/e/veevoer. ▼—**er** I *on.w* 1 foerageren; 2 rommelen (— *dans des papiers*). II *ov.w* verwoesten. ▼—**ère** I *zn v* 1 hooiweide; 2 foeragewagen; 3 vangsnoer (*mil.*). II *bn* tot veevoeder dienend. ▼—**eur** *m* 1 foerageur (*mil.*); 2 plunderaar.
fourré I *zn m* kreupelhout. II *bn* 1 dicht begroeid; 2 met bont gevoerd; 3 verguld, verzilverd; 4 *langue* —*e*, bereide ossetong; *bonbon* —, gevulde bonbon.
fourreau [*mv* **x**] *m* 1 schede, foedraal; 2 nauwe japon.
fourrer I *ov.w* 1 steken, stoppen; — *son nez dans*, zijn neus steken in; 2 met bont voeren. II *se* — 1 zich verbergen; 2 zich indringen. ▼**fourre-tout** *m* (*fam.*) 1 rommelkamer; 2 soepele ruime reistas.
fourreur *m* 1 bontwerker; 2 bontverkoper.
fourrier *m* 1 foerier; 2 voorbode.
fourrière *v* plaats waar de politie voorlopig in beslag genomen dingen bewaart.
fourrure *v* bont, pels.
fourvoiement *m* af-, verdwaling.
▼**fourvoyer** I *ov.w* 1 doen verdwalen; 2 op een dwaalspoor brengen. II *se* — 1 verdwalen; 2 zich vergissen.
foutaise *v* wissewasje.
foutoir *m* (*vulg.*) troep.
foutre I *ov.w* (*pop.*) 1 uitvoeren, doen; 2 geven; — *à la porte*, er uit gooien; — *le camp*, 'm smeren. II *se* — donderen, vallen; *se* — *à poil*, (*fam.*) zich uitkleden. III *se* — de, lak hebben aan. IV *tw* (*pop.*) verdomme.
foutriquet *m* niksnut.
foutu *bn* (*pop.*) 1 slecht; 2 verloren, mislukt; 3 in vorm, in staat; *mal* —, vermoeid.
foyer I *m* 1 haard (ook *fig.*); 2 haardkleedje; 3 huiselijke haard, haardstede; 4 foyer in schouwburg; 5 brandpunt. II —**s** *mv* vaderland, haardstede.
frac *m* (heren)rok.
fracas *m* 1 lawaai, geratel, misbaar. ▼—**sant** *bn* 1 oorverdovend; 2 inslaand als een bom. ▼—**ser** *ov.w* verbrijzelen.
fraction *v* 1 (het) breken (v.h. brood); 2 breuk; — *décimale*, tiendelige breuk; 3 gedeelte.

v—naire bn: nombre —, gebroken getal.
v—nel bn die (dat) verdelend werkt. **v—ner**
ov.w in delen splitsen, versnipperen.

fracture v 1 (het) breken; 2 breuk. **v fracturer**
ov.w openbreken; — un coffre-fort.

fragile bn 1 breekbaar; 2 zwak; 3 gemakkelijk
te verleiden. **v fragilité** v 1 breekbaarheid;
2 zwakheid.

fragment m 1 scherf, 2 fragment. **v—aire** bn
fragmentarisch. **v—ation** v (het) in stukken
verdelen. **v—er** ov.w in stukken verdelen.

frai m 1 viskuit; 2 (het) kuitschieten; 3 pootvis.

fraîch/e l bn ize **frais**. II zn v 1 avondkoelte;
2 briesje. **v—ement** bw 1 pas; — cueilli, pas
geplukt; 2 koel (accueillir qn. —). **v—eur** v
1 koelte; 2 koude; attraper une —, een kou
vatten; 3 frisheid, helderheid; 4 briesje. **v—in**
m geur v. verse vis. **v—ir** on.w 1 aanwakkeren
v.d. wind; 2 fris worden v.h. weer.

frairie v (oud) 1 smulpartij; 2 volksfeest.

frais, fraîche l bn 1 fris = koel; 2 fris, vers; des
troupes —es, verse troepen; du pain —, vers
brood; rasé de —, pas geschoren; 3 recent (de
—e date); nous voilà —, we staan er mooi op.
II zn m frisse lucht; prendre le —, een luchtje
scheppen.

frais m mv kosten; en être pour ses —, met de
gebakken peren blijven zitten; faux —,
onvoorziene onkosten; faire ses —, zijn
onkosten goed maken; se mettre en —,
onkosten maken, zijn best doen; à peu de —,
zonder veel kosten, zonder veel moeite.

fraise v 1 aardbei; 2 geplooide kraag uit de 16e
en 17e eeuw; 3 freesboor.

frais/er ov.w frezen. **v—eur** m frezer. **v—euse**
v freesmachine.

fraisier m aardbeiplant.

framboise/e v framboos. **v—er** ov.w geurig
maken met frambozensap. **v—ier** m
frambozestruik.

framée v werpspies der Franken.

franc m frank.

franc, franche l bn 1 vrij; — arbitre, vrije wil;
— de port, franco; ville —che, vrije stad;
2 openhartig, vrijmoedig; 3 zuiver, echt (vin
—); —che aversion, oprechte afkeer; moineau
—, huismus. II **franc** bw ronduit.

franc, franque l bn Frankisch. II zn F—m,
F—que v Frank, Frankische.

français l bn Frans. II zn F—m, F—e v
Fransman, Française. III zn m Fr. taal.
v France (la) v Frankrijk.

franchement bw openhartig, vrijmoedig.

franchir ov.w overstappen, overspringen; —
des difficultés, moeilijkheden overwinnen; —
le pas, de beslissende stap doen.

franchise v 1 openhartigheid, vrijmoedigheid;
2 vrijdom, vrijheid; 3 vrijstelling; — de port,
portvrijdom; en —, zonder rechten te betalen;
4 asielrecht.

franchiss/able bn overkomelijk. **v—ement** m
(het) overschrijden, overklimmen.

francien m middeleeuws dialect van Parijs en
omstreken.

francique zn m en l bn Frankisch.

francisation v verfransing.

franciscain l bn franciscaans. II zn m, -e v
franciscaner, franciscanes.

franciser ov.w verfransen.

francisque v strijdbijl der Franken.

franc†-maçon† m vrijmetselaar.
v franc-maçonnerie v vrijmetselarij.

franco bw 1 franco; 2 (pop.) vrijuit.

franco-/allemand † bn Frans-Duits.
v—phile l bn fransgezind. II zn m of v
fransgezinde. **v—phobe** l bn anti-Frans. II zn
m of v iem. die anti-Frans is. **v—phone** bn
Frans sprekend.

franc-parler m openhartigheid.

franc†-tireur† m vrijschutter, partisaan.

frange v franje. **v franger** ov.w versieren met
franje.

frangin m, -e v broer, zuster (pop.); —e (arg.),
vrouw.

frangipane v 1 soort parfum; 2 amandelpas;
3 dikke room met amandelgeur.

franglais m Franse taal met sterke Engelse
invloed.

franquette v: à la bonne —, zonder
complimenten.

frappant bn treffend, sprekend. **v frappe** v
1 (het) slaan van munten; 2 aanslag op
schrijfmachine, doorslag (bij meer dan één);
faute de —, tikfout; 3 force de —,
commandotroepen; mil. (atoom) macht,
waarmee men snel kan terugslaan; 4 (pop.)
schurk. **v frappe-devant** m voorhamer.

v frappement m (het) slaan. **v frapper** l ov.w
1 slaan; — une monnaie, een munt slaan; —
du pied, schoppen; 2 treffen; — les yeux, in
het oog vallen, indruk maken; 3 met ijs koelen
(— du vin). II on.w kloppen, slaan (— à la
porte). III se — bang zijn (un malade qui se
frappe). **v frappeur** m, -euse v hij, zij, die
slaat, klopt.

frasque v kuur, streek.

fratern/el, -elle bn broederlijk. **v—ellement**
bw broederlijk. **v—isation** v verbroedering.
v—iser on.w verbroederen. **v—ité** v
1 broederlijke liefde; 2 broederschap.
v fratricide l bn broedermoord betreffend.
II zn m broedermoordenaar.

fraud/e v 1 bedrog; 2 smokkelarij; faire passer
en —, binnensmokkelen. **v—er** l ov.w
bedriegen. II on.w bedrog plegen. **v—eur** m,
-euse v bedrieger (-ster), smokkelaar (-ster).
v—uleusement bw bedrieglijk. **v—uleux,
-euse** bn bedrieglijk.

frayer l ov.w banen. II on.w 1 kuit schieten;
2 omgaan met. III se — zich banen.

frayeur v angst, afgrijzen, schrik.

fredaine v (fam.) onbezonnen jeugdstreek.

fredonnement m geneurie. **v fredonner** ov.
en on.w neuriën.

frégate v fregat.

frein m 1 toom, teugel; 2 gebit; ronger son —,
zich verbijten; 3 rem; — assisté, bekrachtigde
rem; — à tambour, trommelrem; — à vide,
vacuümrem; — dans le moyeu, terugtraprem;
— de secours, noodrem. **v—age** m 1 het
remmen; 2 de remmen. **v—er** ov.w en on.w
remmen.

frelatage, frelatement m vervalsing.
v frelater ov.w vervalsen.

frêle bn 1 breekbaar; 2 zwak, teer, tenger.

frelon m horzel.

freluche v 1 zijden kwastje; 2 onbeduidend
iets; 3 herfstdraad. **v freluquet** m saletjonker.

frémir on.w 1 sidderen, rillen, beven;
2 ritselen, trillen, bruisen. **v frémissement** m
(het) sidderen enz.

frênaie v essenbosje, essenlaan. **v frêne** m
1 es; 2 essehout.

frén/sie v waanzin, razernij, dolle woede;
avec —, hartstochtelijk. **v—tique** bn
1 razend, woedend, dol; 2 uitbundig,
geestdriftig (applaudissements —s).

fréquemment bw dikwijls. **v fréquence** v
herhaling, veelvuldigheid. **v fréquent** bn
herhaald, veelvuldig. **v—ation** v 1 omgang;
2 herhaald bezoek. **v fréquenter** l ov.w
1 dikwijls bezoeken; une rue fréquentée, een
drukke straat; 2 omgaan met. II—chez on.w
dikwijls bezoeken.

frère m 1 broer, broeder; — d'armes,
wapenbroeder; — consanguin, halfbroer; —s
jumeaux, tweelingbroers; 2 frater, broeder; —
mineur, minderbroeder. **v frérot** m (fam.)
broertje.

fresque v fresco.

fressure v grote inwendige organen v.e. dier.

fret m 1 bevrachting v.e. schip; 2 vrachtloon;
3 vracht, lading. **v frètement** m 1 (het)
verhuren v.e. schip; 2 (het) uitrusten v.e.
schip. **v fréter** ov.w 1 een schip verhuren;
2 een schip uitrusten. **v fréteur** m verhuurder
v.e. schip.

frétill/ant bn spartelend. **v—ement, —age** m
(het) spartelen, huppelen. **v—er** on.w
spartelen, huppelen, kwispelen.

fretin m 1 katvis; 2 uitschot, zootje.

frett/e v ijzeren ring of band. **v—er** ov.w met

een ijzeren ring of band beslaan.
freudien, -ienne bn Freudiaans.
freux m roek.
friable bn brokkelig.
friand I bn **1** verzot op lekkernij; **2** lekker. **II** zn m **1** lekkerbek; **2** soort gebakje. ▼**—ise** v **1** lekkerbekkerij; **2** snoepgoed, suikerwerk.
fric m (pop.) geld; faire un fric-frac (pop.), inbreken.
fricandeau [mv x] m gelardeerd(e) vis of vlees.
fricassée/ée v **1** vleesragoût; **2** oude dans; **3** mengelmoes. ▼**—er** ov.w **1** stukjes vlees als ragoût toebereiden; **2** verbrassen, verkwisten. ▼**—eur** m slechte kok.
fricatif, -ive bn wrijvend.
fric-frac(†) m inbraak.
friche v braakland; laisser en —, braak laten liggen.
frichti m (fam.) maaltijd, gerecht.
fricot m (pop.) (opgestoofd) eten. ▼**—er** I ov.w **1** klaarmaken (eten); **2** bekokstoven. **II** on.w iets uitvreten. ▼**—eur** m, **-euse** v (pop.) malafide handelaar(ster), profiteur (-euse).
friction v **1** wrijving; **2** haarwassing met reukwater; **3** onenigheid. ▼**—ner** ov.w (in)wrijven.
frigidaire m koelkast. ▼**frigid/e** bn **1** koud; **2** frigide. ▼**—ité** v **1** koude; **2** frigiditeit.
▼**frigo** m (pop.) **1** bevroren vlees; **2** koelkast.
▼**frigorifère** m koelruimte. ▼**frigorifier** ov.w koelen v. vlees, enz. ▼**frigorifique** bn verkoelend; wagon —, koelwagen.
frileux, -euse bn kouwelijk.
frimaire m 3e maand v.d. republik. kalender (21 nov. - 20 dec.).
frimas m rijp; les —, de winter.
frime v (pop.) **1** schijn; pour la —, voor de grap; **2** gezicht.
frimousse v (fam.) kinderlijk gezicht.
fringale v **1** geeuwhonger; **2** geweldig verlangen.
fringant bn vurig (cheval —), vrolijk, vitaal. ▼**fringuer** I on.w dansen, huppelen. **II** ov.w kleden. ▼**fringues** v mv (pop.) kleren.
friper ov.w **1** verkreukelen; **2** (pop.) opschrokken. ▼**friperie** v **1** oude kleren en meubelen; **2** uitdragerij. ▼**fripier** m, **ère** v uitdrager (-draagster).
fripon, -onne I bn schelms. **II** zn m, **-onne** v schelm, schurk. ▼**—nerie** v schelmen-, schurkenstreek.
fripouille v (pop.) schurk, schooier. ▼**fripouillerie** v schurkenstreek.
friquet m ringmus.
frire ov.w en on.w bakken, braden.
frisage m (het) krullen.
frise v **1** fries; **2** baai.
Frise (la) v Friesland.
frisé bn gekruld; chou —, boerenkool.
friselis m geritsel.
fris/er/ I ov.w **1** krullen; **2** scheren, strijken langs; — la quarantaine, naar de veertig lopen; — la prison, gevaar lopen in de gevangenis te komen. **II** on.w krullen. ▼**—ette** v krulletje.
frison, -onne I bn Fries. **II** zn **F**— m, **-onne** v Fries, Friezin.
frisotter ov.w in (tot) krulletjes draaien.
frisquet, -ette I bn frisjes. **II** bw (pop.) il fait —, het is frisjes.
frisson m huivering, rilling; donner le —, doen rillen. ▼**—nement** m rilling. ▼**—ner** on.w huiveren, rillen.
frisure v **1** (het) krullen; **2** gekrulde haren.
frit I bn **1** gebakken; **2** (fam.) verloren. **II** zn m gebakken aardappel. ▼**—erie** v frietkraam. ▼**—es** v friet(en). ▼**—ure** v **1** (het) bakken; **2** bakvet; **3** gebakken vis.
Fritz m (fam.) Duits soldaat.
frivole I bn **1** nietig, beuzelachtig; **2** oppervlakkig, kleingeestig. **II** zn m oppervlakkigheid. ▼**frivolité** v **1** beuzelarij, nietigheid; **2** soort kantwerk (frivolité).
froc m **1** pij; prendre le —, in het klooster gaan; **2** monnikskap; **3** (pop.) broek.

froid I bn **1** koud; cela me laisse —, dat laat me koud; **2** koel. **II** bw battre — à qn., iem. koel ontvangen. **III** zn m **1** koude; j'ai —, ik ben koud; il fait —, het is koud; il a pas — aux jeux, hij is voor geen kleintje vervaard; il fait un — de loup, het is verschrikkelijk koud; prendre —, kou vatten; **2** koelheid; être en — avec, een koele verhouding hebben met; jeter un —, een plotselinge stilte veroorzaken (bijv. in een vergadering). ▼**—ement** bw **1** koud; **2** koel. ▼**—eur** v **1** koude; **2** koelheid. ▼**—ir** on.w koud worden. ▼**—ure** v koude.
froiss/ement m **1** (het) verfrommelen; **2** tegenstrijdigheid; **3** beleidiging. ▼**—er** I ov.w **1** verkreukelen, verfrommelen; **2** kneuzen; **3** kwetsen (fig.). **II** se— de zich ergeren aan, zich beledigd voelen door. ▼**—ure** v kreuk.
frôlement m lichte aanraking. ▼**frôler** ov.w licht aanraken, strijken langs.
fromage m kaas; — de cochon, hoofdkaas; — glacé, roomijspudding; — d'Italie, preskop; entre la poire et le —, aan het einde v.d. maaltijd. ▼**fromager, -ère** I bn wat kaas betreft (industrie —ère). **II** zn m, **-ère** v kaasverkoper (-verkoopster), -maker (-maakster). ▼**fromagerie** v **1** kaasmakerij; **2** kaashandel.
froment m tarwe.
fronc/e v vouw, plooi. ▼**—ement** m fronsing, rimpeling. ▼**—er** ov.w **1** fronsen, rimpelen; **2** plooien. ▼**—is** m de plooien.
frondaison v **1** (het) uitkomen der bladeren; **2** loof.
frond/e I v slinger. **II** F— v burgeroorlog tijdens de minderjarigheid van Lodewijk XIV. ▼**—er** ov.w **1** slingeren; **2** hekelen. ▼**—eur** m **1** slingeraar; **2** aanhanger der Fronde; **3** vitter, tegenspreker.
front I zn m **1** voorhoofd; **2** hoofd; courber le —, het hoofd buigen; **3** top, kruin (le — d'une montagne); **4** front, voorkant; faire —, het hoofd bieden; **5** (politiek) front; **6** onbeschaamdheid. **II** de— bw **1** van voren; **2** naast elkaar, tegelijkertijd; mener de —, gelijktijdig doen, - uitvoeren. ▼**frontal** [mv aux] bn wat het voorhoofd betreft; os —, voorhoofdsbeen.
frontalier, -ère bn van de grens. ▼**frontière** I zn v grens. **II** bn van de grens; ville —, grensstad.
frontispice m **1** voorgevel; **2** titelplaat, titelblad met vignetten.
fronton m driehoekige of halfronde gevelversiering boven de ingang v.e. gebouw.
frott/age m (het) wrijven, boenen. ▼**—ée** v **1** (pop.) pak slaag; **2** schurft. ▼**—ement** m **1** wrijving; **2** wrijving (fig.), onenigheid. ▼**—er** I ov.w **1** boenen, wrijven; se — les yeux, zich de ogen uitwrijven; **2** afrossen, afranselen. **II** on.w wrijven tegen. **III** se—: se — à (fam.), aanvallen; qui s'y frotte, s'y pique, het is geen katje, om zonder handschoenen aan te pakken. ▼**—eur** m vloerenboener. ▼**—is** m **1** dunne, doorschijnende kleurlaag; **2** (arg.) biljart. ▼**—oir** m **1** wrijflap; **2** wrijfborstel; **3** strijkvlak v. lucifersdoos.
frou-frou m geritsel van bladeren en kleren; faire du —, kouwe drukte maken. ▼**froufrouter** on.w ritselen, ruisen.
froussard (pop.) I zn m lafbek. II bn laf. ▼**frousse** v (pop.) grote angst, rats.
fructidor m 12e maand v.d. republ. kalender (van 18 of 19 aug. -16 of 17 sept.). ▼**fructif/ère** bn vruchtdragend. ▼**—iant** bn vruchtgevend. ▼**—ication** v **1** vrucht dragen; **2** winst opleveren. ▼**fruct/ose** m vruchtensuiker. ▼**—ueux, -euse** bn **1** vruchtdragend; **2** winstgevend.
frugal [mv aux] bn sober. ▼**frugalité** v soberheid.
frugivore I bn vruchtetend. **II** zn m vruchteneter.
fruit m **1** vrucht (ook fig.); arbre à —, vruchtboom; — à noyau, steenvrucht; — à pépins, pitvrucht; — sec, gedroogde vrucht, mislukkeling; — défendu, verboden vrucht;

—*s de mer*, allerlei soorten vis en zeedieren;
2 kind; 3 opbrengst; *sans* —, vergeefs. ▼**fruité**
bn smakend naar de vrucht (*vin* —).
▼**fruit/erie** v 1 fruitbewaarplaats;
2 fruithandel; 3 fruitwinkel. ▼—**iculteur** *m*
fruitteler. ▼—**ier I** *bn* vruchtdragend; *arbre* —,
vruchtboom. **II** *zn m* 1 fruit-, groenteverkoper;
2 fruitkelder. ▼—**ière** v fruitverkoopster.

frusques v *mv* (*pop.*) oude kleren, -
meubelen.

fruste *bn* 1 afgesleten; 2 *style* —, ongepolijste
stijl.

frustr/ant *bn* frustrerend. ▼—**ation** v
1 beroving; 2 frustratie. ▼—**er** *ov.w*
1 beroven; 2 teleurstellen, frustreren.

fuégien, -enne I *bn* Vuurlands. **II** *zn* F— *m*,
-**enne** v Vuurlander, Vuurlandse.

fuel *m* (**fuel-oil**†) stookolie.

fugace *bn* vluchtig; verschietend (*couleur* —).
▼**fugacité** v 1 vluchtigheid;
2 vergankelijkheid.

fugit/if, -ive I *bn* 1 voortvluchtig;
2 voorbijgaand, vergankelijk, vluchtig. **II** *zn m*,
-**ive** v vluchteling(e). ▼—**ivement** *bw*
vluchtig.

fugue v 1 fuga (*muz.*); 2 (*fam.*) slippertje.
▼**fuguer** *on.w* (*fam.*) een slippertje maken,
heimelijk op stap gaan. ▼**fugueur** *m* (kind)
dat van huis wegloopt.

fuir I *on.w onr.* 1 vluchten; 2 wijken (*front qui
fuit*); 3 lekken. **II** *on.w* ontvluchten,
vermijden (— *le danger*). ▼**fuite** v 1 vlucht;
2 lek; 3 het lekken; 4 uitvluchten.

fulgur/ant *bn* bliksemend. ▼—**ation** v
weerlicht zonder donder. ▼—**er** *on.w*
schitteren, flikkeren.

fuligineux, -euse *bn* roetachtig.

fulmicoton *m* schietkatoen.

fulmin/ant *bn* 1 de bliksem slingerend
(*Jupiter* —); 2 heftig uitvarend. ▼—**ation** v
1 slingering v.d. ban; 2 knal. ▼—**er I** *ov.w*
slingeren v.d. ban. **II** *on.w* heftig uitvaren.

fumable *bn* rookbaar. ▼**fumage** *m* 1 (het)
roken v. vis enz.; 2 (het) mesten. ▼**fumant** *bn*
1 rokend; 2 dampend; 3 (*fam.*) *un coup* —,
een prima stoot. ▼**fume-cigare**,
fume-cigarette *m* sigaren-, sigarettepijpje.
▼**fumée** v 1 rook, damp; *il n'y a pas de feu
sans* — (*spr.w*), geen rook zonder vuur;
2 ijdelheid; 3 —*s*, bedwelming, dronkenschap;
4 —*s*, verblinding. ▼**fumer** *on. en ov.w*
1 roken, dampen; 2 (*pop.*) woedend zijn;
3 roken van vis enz.; 4 bemesten. ▼**fumerie** v
1 rookgewoonte; 2 opiumkit.

fumet *m* 1 geur (van eten, wijn); 2 lucht van
wild.

fum/ette v stickie. ▼—**eur** *m*, -**euse** v roker
(rookster). ▼—**eux, -euse** *bn* 1 walmend;
2 bedwelmend, zwaar (*vin* —); 3 verward,
onduidelijk.

fumier *m* mest, mesthoop.

fumigène *bn*: *grenade* —, rookbom.

fumiger *ov.w* beroken.

fumist/e *m* 1 schoorsteenveger,
schoorsteenmaker; 2 (*pop.*) bedrieger,
fantast. ▼—**erie** v 1 beroep v.
schoorsteenveger; 2 (*pop.*) bedriegerij,
grappenmakerij.

fumoir *m* 1 rooksalon; 2 rokerij.

fumure v bemesting.

funambule *m* of v koorddanser(es).

funèbre *bn* 1 wat begrafenis, dood, lijk betreft;
oraison —, lijkrede; *pompes* —*s*,
begrafenisvereniging; 2 somber, doods.

fun/érailles v *mv* begrafenis. ▼—**aire** *bn* wat
de begrafenis betreft; *drap* —, lijkkleed.

funeste *bn* 1 dodelijk; 2 noodlottig, rampzalig.

funiculaire I *bn* met kabels werkend; *chemin
de fer* —, kabelbaan. **II** *zn m* kabelbaan.

funin *m* (*mar.*) want.

fur *m*: *au* — *à mesure*, tegelijk achter elkaar;
au — *à mesure que*, naarmate.

furax *bn* (*arg.*) woedend.

furet *m* 1 fret; 2 snuffelaar, speurhond (*fig.*).
▼—**age** *m* 1 konijnenjacht met de fret; 2 het
snuffelen. ▼—**er** *on.w* 1 jagen met een fret;

2 snuffelen. ▼—**eur** *m*, -**euse** v 1 jager met
een fret; 2 snuffelaar(ster).

fureur v 1 woede; razernij; *entrer en* —,
woedend worden; 2 (tijdelijke)
krankzinnigheid; 3 hartstocht; *faire* —, furore
maken; — *du jeu*, speelwoede; 4 bezieling.
▼**furibond** *bn* woedend. ▼**furie** v 1 woede,
razernij; *entrer en* —, woedend worden;
2 onstuimigheid, onstuimige moed;
3 helleveeg, furie. ▼**furieusement** *bw*
1 woedend; 2 (*fam.*) verbazend (— *riche*).
▼**furieux, -euse** *bn* 1 woedend, razend;
2 dol; 3 hevig (*vent* —); 4 geweldig.
▼**furioso** *bn* (*muz.*) met woede.

furoncle *m* steenpuist.

furtif, -ive *bn* steels, heimelijk. ▼**furtivement**
bw heimelijk, steels.

fusain *m* 1 houtskool; 2 houtskooltekening.
▼—**iste, fusiniste** *m*/v houtskooltekenaar
(-ares).

fuseau [*mv* x] *m* 1 spil; *jambes en* —,
spillebenen; 2 kantklos; 3 skibroek; 4 strook;
— *horaire*, tijdzone.

fusée v 1 vuurpijl; 2 ontstekingsbuis, raket;
avion —, raketvliegtuig; — *engin*,
aandrijfraket.

fuselage *m* frame, romp (v.e. vliegtuig).

fuselé *bn* 1 spilvormig; 2 dun uitlopend
(*doigts* —*s*).

fuser *on.w* 1 wegsmelten, vervloeien;
2 branden zonder te ontploffen (van kruit);
3 knetterend uiteenspatten. ▼**fusibilité** v
smeltbaarheid. ▼**fusible I** *bn* smeltbaar. **II** *zn
m* smeltveiligheid, zekering.

fusil *m* 1 geweer; *coup de* —, geweerschot, te
hoge rekening; — *pneumatique*, windbuks;
2 vuurslag; *battre le* —, vuur slaan;
3 aanzetstaal; 4 schutter; 5 (*pop.*) maag.
▼**fusilier** *m* fuselier. ▼**fusill/ade** v
geweervuur. ▼—**ement** *m* (het) fusilleren.
▼—**er** *ov.w* fusilleren. ▼—**eur** *m* hij die
fusilleert.

fusion v 1 (het) smelten; 2 samensmelting,
vereniging, fusie. ▼—**nement** *m* vereniging,
fusie. ▼—**ner** *ov.w* verenigen, samensmelten.
▼—**niste** *m* voorstander van fusie op politiek
of industrieel gebied.

fustigation v geseling. ▼**fustiger** *ov.w*
1 geselen; 2 hekelen.

fût *m* 1 fust; — *perdu*, fust inbegrepen; 2 lade
v.e. vuurwapen; 3 orgelkast; 4 handvat van
boor, zaag enz.; 5 boomstam.

futaie v 1 bos van hoogopgaand hout, dat
bestemd is om gehakt te worden; 2 grote
boom.

futaille v vat.

futé *bn* geslepen.

futil/e *bn* 1 nietig, onbeduidend;
2 beuzelachtig. ▼—**ité** v 1 nietigheid;
2 beuzelarij.

futur I *bn* toekomstig. **II** *zn m* 1 toekomende
tijd; 2 toekomst. **III** *m*, -**e** v aanstaande
(bruidegom of bruid). ▼—**isme** *m* futurisme.
▼—**iste I** *bn* futuristisch. **II** *zn m* of v
aanhanger (-ster) v.h. futurisme.

fuyant I *bn* 1 vluchtend; 2 verdwijnend (*jour*
—); 3 wijkend (*front* —). **II** *zn m* verschiet.
▼**fuyard I** *bn* vluchtend. **II** *zn m* vluchteling.

gabardine v gabardine.
gabare v 1 lichter; 2 grote aak; 3 groot treknet.
gabari(t) m 1 model; 2 voorgeschreven vorm; 3 doorrijhoogte.
gabegie v wanorde door slecht beheer of bestuur.
gabelle v zoutbelasting (van 1340–1789).
gabelou m scheldnaam voor douanecommiezen en belastingambtenaren.
gabion m schanskorf (*mil.*). ▼—**ner** ov.w met schanskorven beschermen.
gable, gâble m puntgevel.
gâchage m (het) vermorsen, verknoeien, knoeiboel.
gâche v 1 kalkschop; 2 schootplaat v.e. slot.
gâcher ov.w vermorsen, verknoeien.
gâchette v 1 spanveer v.e. geweer; 2 sluitveer v.e. slot.
gâch/eur m knoeier, morser, prutser, saboteur; (*pop.*) spelbederver. ▼—**is** m 1 mortel; 2 knoeiboel; 3 verwarring; 4 verspilling.
gadget m (nieuw) grapje, grappig ding.
gadin m (*fam.*) val; *ramasser un —*, vallen.
gadoue v modder.
gaélique I bn Keltisch. II zn m het Keltisch.
gaffe I n (*arg.*) cipier. II v 1 bootshaak; 2 flater; 3 (*pop.*) *faire —*, opletten. ▼**gaffer** I ov.w aanhaken met een bootshaak. II (*fam.*) on.w 1 een flater begaan; 2 uitkijken. ▼**gaffeur** m, **-euse** v (*fam.*) bokkenschieter (-ster).
gag m gag, grap.
gaga (*fam.*) I bn kinds. II zn m iem. die kinds is.
gage m 1 (onder)pand; *laisser pour —*, verliezen; *mettre en —*, verpanden; 2 blijk, bewijs; 3 waarborg; 4 pand (bij spel); 5 *les —s*, het loon; *être aux —s de*, in loondienst zijn van. ▼**gag/er** ov.w 1 wedden; 2 bezoldigen. ▼—**erie** v: *saisie-gagerie*, beslaglegging. ▼—**eur** m, **-euse** v wedder (-ster). ▼—**eure** v weddenschap. ▼—**iste** m 1 loontrekkende (die geen knecht is); 2 stafmuzikant.
gagnable bn te winnen. ▼**gagnant** m winnaar (bij spel of loterij). ▼**gagne-pain** m 1 kostwinner; 2 kostwinning. ▼**gagne-petit** m scharenslijper. ▼**gagner** I ov.w 1 verdienen; *— le ciel*, vroom leven; *— gros*, veel verdienen; *— sa vie*, de kost verdienen; 2 winnen; *— du terrain*, veld winnen; 3 oplopen v.e. ziekte (*— un rhume*); 4 bereiken; *— les champs*, het hazepad kiezen; *— le large*, zee kiezen; 5 omkopen, op zijn hand krijgen (*— un témoin*); 6 aangrijpen, overvallen, bevangen. II on.w 1 winnen, er beter op worden; 2 weiden; 3 zich uitbreiden (*le feu gagne*); 4 vooruitgaan; *— au vent*, oploeven. III **se —** 1 verkregen -, verdiend worden; 2 opgelopen worden (van ziekte).
gai I bn 1 vrolijk, opgeruimd; 2 lichtelijk aangeschoten; *avoir le vin —*, een vrolijke dronk hebben; 3 mooi speelruimte. II tw kop op!, wees eens vrolijk! ▼—**ement** bw vrolijk, opgeruimd. ▼—**eté** v vrolijkheid; *de — de cœur*, van ganser harte.
gaillard I bn 1 vrolijk, opgewekt; 2 flink; 3 gewaagd, een beetje schuin. II zn m 1 flinke vent, vrolijke kwant; 2 heerschap; 3 plecht. ▼**gaillarde** v 1 lichtzinnige vrouw; 2 galjard

(8-puntsletter); 3 oude dans; 4 muziek bij deze dans.
gaîment = **gaiement**, *zie* **gai**.
gain m 1 winst; *avoir — de cause*, zijn zaak winnen; 2 het winnen; 3 verdienste.
gain/e v 1 schede, foedraal; 2 step-in; *—-culotte*, panty; 3 onderstel (bijv. van klok). ▼—**er** ov.w zomen, overtrekken. ▼—**erie** v 1 fabriek van foedralen, scheden; 2 handel in scheden, foedralen; 3 schedewerk. ▼—**ette** v step-in. ▼—**ier** m schedemaker.
gaîté = **gaieté**, *zie* **gai**.
gala m galafeest; *soirée de —*, gala-avond; *habit de —*, galakleding.
galactomètre m melkweger.
galalithe v galaliet, soort plastic.
galamment bw hoffelijk, galant, voorkomend.
▼**galant** I bn 1 hoffelijk, galant; *intrigue —e*, liefdesavontuur; 2 keurig, net; 3 van lichte zeden (*femme —e*). II zn m verliefde man; *vert —*, oude vrouwengek. ▼—**erie** v 1 hoffelijkheid; 2 galanterie tegenover dames; 3 de elegante dames; 4 voorkomendheid, kleine geschenken.
galantine v koud vlees met gelei.
galapiat m (*fam.*) deugniet, vagebond.
galaxie v melkweg.
galbe m 1 omtrek, vorm v.e. gebouw, beeld, enz.; 2 menselijk figuur. ▼**galbé** bn 1 goed gevormd; 2 gewelfd.
gale v 1 schurft; *n'avoir pas la — aux dents*, veel eten; 2 kwaadspreker (-spreekster), kreng.
galée v galei.
galéjade v grap, opsnijderij.
galène v zwavellood; *poste à —*, kristalontvanger.
galère v 1 galei; *que diable allait-il faire dans cette —?*, waar bemoeide hij zich ook mee?; 2 galeistraf; 3 slavenleven.
galerie v 1 gaanderij, zuilengang; 2 overdekt balkon; 3 schilderijenverzameling; 4 album met tekeningen en portretten; 5 galerij in schouwburg; 6 de omstanders, het publiek; 7 mijngang; 8 (*— de voiture*) imperiaal.
galérien m galeiboef; *vie de —*, hondeleven.
galerne v w.n.w. wind op de Fr. kust v.d. Atlantische Oceaan.
galet m 1 strandkei, kiezel in rivier; 2 rolletje, wieltje.
galetas m 1 zolderkamer; 2 ellendig krot.
galette v 1 platte koek; 2 scheepsbeschuit; 3 (*pop.*) geld. ▼**galetteux, -euse** bn (*pop.*) rijk.
galeux, -euse bn schurftig, met kale plekken; *la brebis galeuse*, de 'rotte appel'.
Galice v Galicië (Spanje).
Galicie v Galicië (Oostenrijk). ▼**galicien, -enne** I bn Galicisch (Spanje en Oostenrijk). II zn G—m, **-enne** v Galiciër, -sche.
Galilée v Galilea. ▼**galiléen, -enne** I bn Galilees. II zn G—m, **-enne** v Galileeër, -se.
galimatias m onzin, wartaal.
galion m galjoen (*scheepv.*).
galiote v kleine galei.
galipette v (*fam.*) 1 luchtsprong; 2 zotheid.
galle v galnoot; *du chêne*, eikegalnoot.
Galles v: *le pays de —*, Wales.
gallican I bn gallicaans. II zn m gallicaan. ▼—**isme** m gallicanisme.
gallicisme m typische Fr. uitdrukking.
gallinacés m mv hoenderachtigen.
gallique bn: *acide —*, galzuur.
gallo- voorvoegsel met betekenis: Gallisch, Frans. ▼**gallo-belge** bn Frans-Belgisch.
gallois I bn uit Wales. II zn G—m, **-e** v inwoner (inwoonster) van Wales.
gallomanie v overdreven bewondering voor alles wat Frans is.
gallon m gallon.
gallo/phobe I bn de Fransen hatend. II zn m v iem. die de Fransen haat. ▼—**phobie** v haat tegen de Fransen. ▼—**romain** bn Gallo-Romeins. ▼—**roman** bn Gallo-Romaans.
gallot m Frans, dat in Bretagne gesproken

wordt.
gallup m opiniepeiling, Gallup-enquête.
galoche v 1 klompschoen; **2** grote tol.
galon m 1 galon, tres, boordsel; *quand on prend du —, on n'en saurait trop prendre*, (*spr.w*) als je iets neemt, als je op je zelf roemt, moet je het goed doen. ▼**—ner** ov.w van een galon voorzien.
galop m galop; *prendre le —*, beginnen te galopperen; **2** soort dans; **3** (*fam.*) uitbrander. ▼**—ade** v gegalloppeer. ▼**—ant** bn galopperend; *phtisie —e*, vliegende tering. ▼**—er** l on.w 1 galopperen; **2** rennen, hollen. ll ov.w 1 (een paard) de galop laten aannemen (*— un cheval*); **2** (*fam.*) kwellen. ▼**—eur** m, **-euse** v galopdanser(es). ▼**—in** m 1 loopjongen; **2** koksjongen; **3** brutale aap, rakker.
galuchat m vissehuid.
galurin (*pop.*) hoed.
galvan/ique bn galvanisch. ▼**—isation** v galvanisering. ▼**—iser** ov.w galvaniseren. ▼**—isme** m galvanisme. ▼**galvano** m langs elektr. weg verkregen cliché. ▼**—mètre** m galvanometer.
galvauder l ov.w 1 verknoeien; **2** te grabbel gooien, onteren. ll se — zich zelf weggooien, zijn naam te grabbel gooien.
gambade v luchtsprong. ▼**gambader** on.w dansen, huppelen.
gambe v: *viol de —*, viola da gamba.
gambette m of v 1 tureluur (*vogel*); **2** (*pop.*) been.
Gambie v Gambia.
gambiller (*fam.*) on.w 1 al zittend met de benen slingeren; **2** (*pop.*) dansen.
gambit m gambiet.
gamelle v 1 eetketel; **2** soldatenkeuken.
gamète m paarcel.
gamin m, -e v 1 kwajongen, guit, ondeugend meisje; **2** straatjongen. ▼**—er** on.w kwajongensstreken uithalen. ▼**—erie** v kwajongensstreek.
gamme v 1 toonladder; *changer de —*, uit een ander vaatje tappen; *chanter sa — à qn.*, iem. de waarheid zeggen; *— de couleurs*, kleurengamma; **2** serie.
gammé bn: *croix —e*, hakenkruis.
ganache v 1 onderkaak v.e. paard; **2** (*fam.*) sukkel, domoor.
Gand m Gent.
gandin m fat.
gandoura v mouwloze tuniek.
gang m misdadigersbende.
Gange m Ganges.
ganglion m zenuwknoop, peesknoop, (opgezette) lymfklier.
gangrène v 1 koudvuur; **2** boomkanker; **3** (*fig.*) kanker, bederf. ▼**gangren/é** bn 1 aangetast door koudvuur; **2** verdorven. ▼**—er** ov.w 1 koudvuur veroorzaken; **2** verderven. ▼**—eux, -euse** bn koudvuurachtig.
gangster m gangster. ▼**gangstérisme** m gangsterdom.
gangue v 1 gangsteen; **2** omhulsel. ▼**gangué** bn omhuld, beplakt.
ganse v bandje, koord.
gant m handschoen; *— de boxe*, bokshandschoen; *— de toilette*, washandje; *se donner les —s*, zich zelf de eer geven; *jeter le —*, de handschoen toewerpen; *prendre des —s*, voorzichtig te werk gaan; *relever le —*, de uitdaging aannemen; *cela me va comme un —*, dat past me precies. ▼**gantelet** m ijzeren handschoen. ▼**gant/er** l ov.w iem. handschoenen aantrekken; *ces gants me gantent bien*, die handschoenen passen me goed; *— du sept*, maat 7 voor handschoenen hebben; *cela me gante*, (*fam.*) dat past me wel. ll se — handschoenen aantrekken, - kopen. ▼**—erie** v 1 handschoenenvak; **2** handschoenenhandel; **3** handschoenenfabriek; **4** handschoenenwinkel. ▼**—ier** m, **-ière** v 1 handschoenmaker (-maakster);

2 handschoenenverkoper (-verkoopster).
gap m kloof (*fig.*).
garage m 1 (het) wegzetten; **2** garage, hangar; **3** garagebedrijf. ▼**garagiste** m garagehouder.
garance l zn v meekrap. ll bn rood.
garant m borg; *se porter —de*, borg blijven voor. ▼**—ie** v waarborg, garantie; *donner des —s*, zekerheid verschaffen. ▼**—ir** ov.w 1 garanderen, instaan voor; **2 — de**, beschutten tegen.
garce v 1 deerne; **2** hoer, slet; **3** rotwijf; *cette — de vie*, dat rotleven.
garçon m 1 jongen; **2** jongeman, kerel; *bon —*, aardige vent; **3** vrijgezel; *rester —*, niet trouwen; **4** kelner; **5** knecht; *— de courses*, loopjongen; *— tailleur*, kleermakersknecht. ▼**—ne** v vrijgevochten meisje, 'halve jongen'. ▼**—net** m jongetje. ▼**—nier, -ère** bn jongensachtig. ▼**—nière** v vrijgezellenkamer, -woning.
garde l v 1 bewaking, bescherming, hoede, toezicht; *être, se tenir sur ses —s*, op zijn hoede zijn; *mettre en — contre*, waarschuwen voor; *prendre —*, oppassen; **2** wacht, lijfwacht; *corps de —*, hoofdwacht; *être de —*, de wacht hebben; *— nationale*, burgerwacht; *— d'honneur*, erewacht; *monter la —*, de wacht betrekken; *relever la —*, de wacht aflossen; *officier de —*, officier v.d. wacht; **3** gevest; **4** afweerbeweging bij boksen, schermen, enz.; **5** rug v.e. boek. ll m 1 gardesoldaat, soldaat v.d. lijfwacht; **2** bewaker, wachter; *— forestier*, boswachter; *— messier*, oogstbewaker. ▼**garde-/à-vous** m in de houding (*mil.*) ▼**—†-barrière** m of v baanwachter (-ster). ▼**—boue** m spatbord. ▼**—†-champêtre** m veldwachter. ▼**—†-chasse**(†) m jachtopziener. ▼**—(†)-chiourme**(†) m bewaker v. galeiboeven, ruwe oppasser. ▼**—-corps** m leuning. ▼**—-côte** m kustwachter (ook schip). ▼**—†-enfants** m/v kinderoppas. ▼**—-feu** m vuurscherm. ▼**—-fou** m borstwering, leuning v.e. brug. ▼**—†-frein**(†) m remmer. ▼**—†-magasin**(†) m magazijnmeester. ▼**—†-malade**† m of v ziekenverpleger (-verpleegster). ▼**—-manger** m vliegenkast. ▼**—-meuble**(†) m meubelbewaarplaats. ▼**—-nappe**(†) m tafelmatje.
gardénia m gardenia (*plk.*).
garde†-pêche(†) m 1 opzichter v.d. visserij; **2** schip v.d. visserijpolitie. ▼**garde†-port**(†) m havenmeester.
garder l ov.w 1 bewaren, houden; *— la chambre*, de kamer houden; *— le silence*, het stilzwijgen bewaren; **2** bewaken, behoeden, passen op; *— une poire pour la soif*, een appeltje voor de dorst bewaren; *Dieu vous garde*, God behoede u!; **3** nakomen (*les commandements de Dieu*). ll on.w oppassen voor (*gardez qu'on ne vous voie*). lll se — 1 oppassen, vermijden; **2** zich in acht nemen voor (*se — du froid*). ▼**garderie** v 1 bos waarover een jachtopziener toezicht houdt; **2** kinderbewaarplaats. ▼**garde-robe**† v 1 kleerkamer; **2** alle kleren v.e. persoon. ▼**gardeur** m, **-euse** v hoeder (-ster). ▼**garde†-voie**(†) m baanwachter. ▼**garde-vue** m zonneklep.
gardian m veehoeder in de Camargue.
gardien l bn beschermend; *ange —*, bewaarengel. ll zn m, -enne v 1 bewaker (bewaakster); **2** de but, keeper; *— de la paix*, Parijse politieagent; **2** gardiaan. ▼**—nage** m 1 bewaking; **2** bewakingsdienst.
gardon m voorn.
gare v 1 station; *— aérienne*, luchthaven; *— de marchandises*, goederenstation; *— terminus*, eindstation; **2** vluchthaven.
gare tw pas op!
garenne l v 1 konijnhol, konijnenberg; **2** verboden visplaats in rivier. ll m wild konijn.
garer l ov.w binnenloodsen, stallen, parkeren. ll se — 1 uitwijken; **2** parkeren; **3—de**, oppassen voor.

gargantua *m* veelvraat. ▼**gargantuesque** *bn* eigen aan Gargantua (aan een reus, aan een grote eter).

gargariser (se) gorgelen. ▼**gargarisme** *m* gorgeldrank.

gargot/*e v* 1 kleine, goedkope herberg; 2 slechte, onzindelijke eetgelegenheid. ▼**—er** *ov.w* slecht, onzindelijk koken of eten. ▼**—ier** *m*, **-ière** *v* houder (-ster) van slechte gaarkeuken of herberg.

gargouill/*e v* waterspuwer. ▼**—ement** *m* (het) borrelen van spijs, dranken of gas in maag, enz. ▼**—er** *on.w* 1 borrelen (in maag, enz.); 2 in het water ploeteren. ▼**—is** *m* (het) kletteren van water.

gargoulette *v* 1 koelkruik; 2 *(fam.)* keel.

garnement *m*: *mauvais* —, deugniet.

garni *bn* voorzien, gemeubileerd *(chambre —e)*. ▼**garnir** l *ov.w* 1 voorzien van (— *de*); 2 bezetten, vullen (— *une rue*); 3 versterken; 4 garneren, versieren; 5 stofferen (— *un fauteuil*); 6 optuigen (— *un cheval*); 7 meubelen. **ll se —** 1 zich vullen *(la salle se garnit)*; 2 zich instoppen tegen *(se — contre le froid)*.

garnison *v* garnizoen.

garniss/**age** *m* (het) bezetten, versterken, garneren, stofferen, optuigen, meubelen *(zie* **garnir**). ▼**—eur** *m*, **-euse** *v* stoffeerder (-ster). ▼**garniture** *v* 1 versiersel, belegsel; 2 garnituur, stel; — *de foyer*, haardstel; 3 opvulsel van stoel; 4 pakking.

garrigue *v* dor land, gewas aan de Middell. Zee.

garrot *m* 1 schoft van dier; 2 knevel. ▼**—ter** *ov.w* knevelen.

gars *m (fam.)* jongen, jongeman.

gascon, **-onne** l *bn* 1 Gascons; 2 opschepperig. **ll** *zn* G— *m*, **-onne** *v* 1 Gascogner, Gasconse; 2 opsnijder (-ster). ▼**—isme** *m* Gasconse uitdrukking of uitspraak. ▼**—nade** *v* opsnijderij. ▼**—ner** *on.w* 1 met een Gascons accent spreken; 2 opsnijden.

gas-oil *m* dieselolie.

gaspill/**age** *m* verkwisting. ▼**—er** *ov.w* verkwisten; — *son temps*, zijn tijd verspillen. ▼**—eur**, **-euse** l *bn* verkwistend. **ll** *zn* *m*, **-euse** *v* verkwister (-ster).

gast(é)ro- *voorvoegsel:* buik-, maag-. ▼**gastrique** *bn* van de maag; *suc* —, maagsap. ▼**gastrite** *v* ontsteking v.h. maagvlies. ▼**gastro-entérite** *v* maag-darmontsteking.

gastro/nome *m* gastronoom, lekkerbek. ▼**—nomie** *v* kunst van lekker eten. ▼**—nomique** *bn* wat lekker eten betreft.

gâté l *bn* 1 bedorven; 2 verwend. **ll** *zn* *m* het bedorven gedeelte.

gâteau *[mv* **x**] *m* 1 koek; — *des Rois*, driekoningenkoek; *maman*——, moeder die kinderen verwent; 2 voordeel, buit; *partager le* —, de buit delen.

gâter *ov.w* 1 bederven; — *le métier*, onder de prijs werken; 2 verwennen. ▼**gâterie** *v* verwennerij. ▼**gâte-sauce(†)** *m* koksjongen.

gâteux, **-euse** l *bn* kinds, seniel. **ll** *zn* *m/v* seniel iemand.

gâtine *v* ondoordringbare, moerassige en onvruchtbare grond.

gâtisme *m* seniliteit.

gauch/**e** l *bn* 1 links; 2 onhandig. **ll** *bw*: *à* —, links, naar links; *de* —, links, van links. **lll** *zn* *v* 1 linkerhand; 2 linkerzijde (ook in de Kamer); *prendre la* —, links houden. ▼**—er** *m*, **-ère** *v* linkshandig persoon. ▼**—erie** *v* onhandigheid. ▼**—ir** l *on.w* 1 kromtrekken; 2 uitwijken om een slag te ontwijken. **ll** *ov.w* 1 krom maken; 2 de uiteinden der vleugels v.e. vliegtuig laten zakken. ▼**—issement** *m* (het) kromtrekken. ▼**—iste** l *bn* ultra-links. **ll** *zn* *m/v* een ultra-links iemand in de politiek.

gaucho *m* Argentijnse veehoeder.

gaudriole *v* gewaagde mop, uitspatting.

gaufrage *m* (het) drukken van figuren op stoffen of leer.

gaufr/*e v* 1 honingraat; 2 wafel. ▼**—er** *ov.w*

---

drukken van figuren op stoffen of leer. ▼**—ette** *v* wafeltje. ▼**—ier** *m* wafelijzer.

gaulage *m* (het) afslaan van vruchten.

Gaule *v* Gallië.

gaul/*e v* 1 lange stok, gard; 2 hengelstok. ▼**—ée** *v* de afgeslagen vruchten. ▼**—er** *ov.w* (vruchten) afslaan. ▼**—ette** *v* kleine gard. ▼**—is** *m* lange tak.

gaullien, **-ienne** *bn* v. De Gaulle. ▼**gaullisme** *m* id. ▼**gaulliste** l *zn m/v* gaullist(e), aanhanger (-ster) (v.d. politiek) van De Gaulle. **ll** *bn* gaullistisch.

gaulois l *bn* 1 Gallisch; 2 wat schuin. **ll** *zn* G— *m*, **-e** *v* Galliër, Gallische. ▼**gauloise** *v* soort sigaret. ▼**gauloiserie** *v* gewaagde mop.

gauss/**er (se) (de)** voor de gek houden. ▼**—erie** *v* spotternij. ▼**—eur**, **-euse** l *bn* spottend. **ll** *zn m*, **-euse** *v* spotter (-ster).

gavage *m* (het) volproppen.

gave *m* bergstroom in de Pyreneeën.

gaver *ov.w* 1 vetmesten; 2 volproppen (met eten of kennis).

gavial *m* snavelkrokodil.

gavotte *v* soort dans.

gavroche *m* straatjongen.

gaz *m* gas; — *de combat*, gifgas; — *d'éclairage*, lichtgas; *employé du* —, gasfitter; *mettre les* —, gas geven.

gaze *v* gaas.

gazé *m* slachtoffer van gifgas. ▼**gazéification** *v* vergassing, (het) gasvormig maken. ▼**gazéifier** *ov.w* gasvormig maken, vergassen. ▼**gazéiforme** *bn* gasvormig.

gazelle *v* gazelle.

gazer l *ov.w* 1 met gaas bedekken; 2 bewimpelen; 3 vergassen; 4 schroeien in een gasvlam. **ll** *on.w* hard rijden van auto's; *ça gaze*, dat gaat gesmeerd.

gazette *v* 1 krant; 2 kletskous.

gazeux, **-euse** l *bn* 1 gasachtig, -vormig; 2 gas-, koolzuurhoudend; *eau gazeuse*, spuitwater.

gazier *m* gasfitter. ▼**gazo/duc** *m* gasleiding. ▼**—gène** *m* gasgenerator. ▼**—mètre** *m* gashouder.

gazon *m* 1 kort gras; 2 grasveld. ▼**—nant** *bn* grasachtig. ▼**—née** *v* grasveld. ▼**—nement**, **—nage** *m* het bezoden. ▼**—ner** *ov.w* bezoden.

gazouill/**ement** *m* 1 gekwel; 2 gemurmel v.e. beek. ▼**—er** *on.w* 1 kwelen; 2 murmelen; 3 beginnen te praten van kinderen. ▼**—is** *m* 1 gekwel; 2 gemurmel.

geai *m* vlaamse gaai.

géant l *bn* reusachtig. **ll** *zn m* reus; *à pas de* —, met reuzenschreden.

géhenne *v* 1 hel; 2 straf op de pijnbank; 3 diepe smart.

geignard *m*, **-e** *v*, **geigneur** *m*, **-euse** *v (pop.)* griener, dreiner, zeurder. ▼**geignement** *m* gegrien, gedrein. ▼**geindre** *on.w* onr. kermen, grienen, zeuren.

geisha *v* Japanse zangeres en danseres.

gel *m* vorst; *le* — *des salaires*, het bevriezen v.d. lonen.

gélatine *v* gelatine. ▼**gélatineux**, **-euse** *bn* gelatine-achtig.

gelé *bn (pop.)* dronken. ▼**gelée** *v* 1 vorst; — *blanche*, rijp; 2 vleesgelei; 3 vruchtengelei. ▼**geler** l *ov.w* bevriezen. **ll** *on.w* bevriezen. **lll** *onp.w* vriezen; *il gèle à pierre fendre*, het vriest dat het kraakt. ▼**gélif**, **-ive** *bn* wat door de vorst splijt.

gelinotte *v* hazelhoen.

gélivure *v* spleten in bomen of stenen, veroorzaakt door de vorst.

gélule *v* gelatine-achtige capsule.

gelure *v* het bevriezen van lichaamsdelen.

gémeaux *m mv* Tweelingen (sterrenbeeld). ▼**géminé** *bn* gepaard, twee aan twee.

gémir *on.w* 1 zuchten, kermen, kreunen; *faire* — *la presse*, veel publiceren; 2 huilen v.d. wind. ▼**gémiss/ant** *bn* zuchtend, kermend, kreunend. ▼**—ement** *m* gezucht, gekerm, gekreun.

gemm/age *m* (het) insnijden van dennen om hars te winnen. ▼**—ation** *v* knopvorming,

2 tijd der knopvorming. ▼**gemme I** *zn v*
1 edelsteen; 2 knop; 3 hars. **II** *bn*: *sel* —,
steenzout. ▼**gemmé** *bn* versierd met
edelstenen. ▼**gemmer I** *on.w* knop dragen.
II *ov.w* dennen insnijden om hars te winnen.
▼**gemmifère** *bn* 1 edelsteen bevattend;
2 knopdragend.

gémonies *v mv*: *vouer qn. aux* —, iem. in het
openbaar beschimpen.

gênant *bn* lastig, hinderlijk.

gencive *v* tandvlees (meestal *mv*).

gendarme *m* 1 veldwachter; 2 *(fam.)* manwijf;
3 kleine fout in edelsteen; 4 *(pop.)* bokking.
▼**gendarmerie** *v* 1 de gendarmen; 2 kazerne
der gendarmen.

gendre *m* schoonzoon.

gène *m* *(biol.)* geen.

gêne *v* 1 last, hinder; 2 verlegenheid, stijfheid;
sans —, ongegeneerd; 3 geldverlegenheid;
vivre dans la —, in kommervolle
omstandigheden leven; 4 pijnbank, foltering
(oud.). ▼**gêné** *bn* verlegen, gegeneerd; 2 in
geldverlegenheid; 3 gehinderd in zijn
bewegingen; *silence* —, pijnlijke stilte.

généa/logie *v* 1 stamboom; 2 geslachtkunde.
▼—**logique** *bn* genealogisch; *arbre* —,
stamboom. ▼—**logiste** *m* geslachtkundige.

gêner I *ov.w* 1 hinderen, in verlegenheid
brengen; 2 in geldverlegenheid brengen;
3 drukken op, verhinderen *(ces droits gênent
le commerce)*; 4 *(oud)* folteren. **II se** — 1 zich
generen; 2 zich behelpen.

général [*mv aux*] **I** *bn* algemeen. **II** *bw*: *en* —,
in het algemeen. **III** *zn m* 1 *(het)* algemene;
2 generaal; — *de brigade*, generaal-majoor; —
de division, luitenant-generaal. ▼**générale** *v*
1 generaalsvrouw; 2 alarm *(mil.)*; 3 generale
repetitie. ▼**généralis/ateur, -atrice** *bn*
generaliserend; —**ation** *v* generalisatie.
▼—**er** *ov.w* generaliseren. ▼**généralissime** *m*
opperbevelhebber. ▼**généralité** *v*
1 algemeenheid; 2 meerderheid.

génér/ateur, -atrice *bn* voortbrengend; *idée
génératrice*, grondgedachte; *son* —,
hoofdtoon. **II** *zn m* 1 stoomketel; 2 generator.
▼—**atif, -ive** *bn* voortbrengend. ▼—**ation** *v*
1 voortplanting; 2 geslacht. ▼—**atrice** *v*
dynamo.

génér/eusement *bw* edelmoedig. ▼—**eux,
-euse** *bn* 1 edelmoedig; 2 moedig;
3 vrijgevig, mild; 4 vruchtbaar; 5 vol *(vin* —).
▼**générique I** *bn* wat tot geslacht of soort
behoort. **II** *zn m* eerste gedeelte v.e. film,
waarin de titel en de namen der
medewerkenden vermeld worden.
▼**générosité** *v* 1 edelmoedigheid; 2 mildheid,
vrijgevigheid; 3 volheid van wijn; 4—**s**
weldaden, milde gaven.

Gênes *v* Genua.

genèse *v* ontstaan, wording.

genêt *m* brem.

génétique I *bn* wat de wording, de
voortplanting betreft. **II** *zn v* afstammingsleer,
genetica. ▼**génétiste** *v* iem. die de
voortplanting van planten en dieren
bestudeert of regelt.

gêneur *m*, -euse *v* lastpost.

Genevois *zn* [*bn*] (inwoner) van Genève.

genévrier *m* jeneverbes (sestruik).

génial [*mv aux*] *bn* vernuftig, geniaal.
▼**génialité** *v* genialiteit. ▼**génie** *m* 1 geest,
genius; 2 genie (eigenschap en persoon);
3 aanleg; 4 het eigenaardige karakter (*le* —
d'une langue); 5 genie *(mil.)*; 6 geniekorps.

genièvre *m* 1 jeneverbessestruik;
2 jeneverbes; 3 jenever. ▼**genièvrerie** *v*
jeneverstokerij.

génisse *v* vaars.

génital [*mv aux*] *bn* van de voortplanting.

génitif *m* tweede naamval.

génocide *m* volkenmoord.

genois(e) I *bn* uit Genua. **II**—**e** *zn v*
amandelkoek. **III** *zn* G— *m*, -e *v* Genuees,
-se.

genou [*mv* **x**] *m* 1 knie; *à genou(x)*, geknield;
2 *(fam.)* kaal hoofd. ▼—**illère** *v* 1 kniestuk van

harnas; 2 kniebeschermer.

genre *m* 1 geslacht; 2 soort, manier, wijze
(— *de vie*); 3 manier(en); *avoir mauvais* —,
slechte manieren hebben; *faire du* —,
aanstellerige manieren hebben;
4 genreschilderkunst; 5 stijl, schrijftrant;
6 taalkundig geslacht.

gens *m* of *v mv* 1 lieden, mensen; *jeunes* —,
jongelui; — *de bien*, rechtschapen mensen; —
d'église, geestelijken; — *d'épée*, edelen,
krijgslieden; — *de lettres*, letterkundigen; —
de mer, zeelui; — *de robe*, advocaten,
magistraten; — *de sac et de corde*, schooiers;
2 bedienden; 3 volkeren; *droit des* —,
volkenrecht.

gent *v* geslacht, ras; *la* — *marécageuse*, het
kikkervolkje; *la* — *moutonnière*, de meelopers;
la — *de plume*, de schrijvers.

gentiane *v* gentiaan *(plk.)*.

gentil, -ille I *bn* lief, aardig. **II** *zn m* heiden
(tegenover de joden).

gentil/homme [*mv* **gentilshommes**] *m*
edelman. ▼—**hommière** *v* landhuis v.e. kleine
edelman.

gentilité *v* heidendom.

gentillesse *v* aardigheid, liefheid. ▼**gentillet,
-ette** *bn* snoezig. ▼**gentiment** *bw* aardig, lief.

génuflecteur, -trice I *bn* kruipend. **II** *zn m*,
-**trice** *v* kruiperig iemand. ▼**génuflexion** *v*
kniebuiging.

géo- voorvoegsel met betekenis: aarde.
▼—**centrique** *bn* geocentrisch. ▼—**désie** *v*
landmeetkunde. ▼—**désien** *m* landmeter.
▼—**désique** *bn* landmeetkundig. ▼—**graphe**
m aardrijkskundige. ▼—**graphie** *v*
aardrijkskunde. ▼—**graphique** *bn*
aardrijkskundig.

geôle *v* gevangenis. ▼**geôlier** *m*, -**ère** *v* cipier,
cipiersvrouw.

géo/logie *v* aardkunde. ▼—**logique** *bn*
aardkundig. ▼—**logue** *m* aardkundige.
▼—**mètre** *m* meetkundige. ▼—**métrie** *v*
meetkunde; — *analytique*, anal. meetkunde;
— *descriptive (projective)*, beschrijvende
meetkunde; — *dans l'espace*, stereometrie; —
plane, vlakke meetkunde. ▼—**métrique** *bn*
1 meetkundig; 2 nauwkeurig. ▼—**physique** *v*
natuurk. aardrijkskunde.

géorgique *bn* wat de akkerbouw betreft.

géo/thermie *v* geothermie, aardwarmte.
▼—**thermique** *bn* geothermisch.

gérance *v* beheer; *conseil de* —, holding trust.

géranium *m* geranium *(plk.)*.

gérant *m* beheerder.

gerbe *m* (het) in schoven plaatsen. ▼**gerbe**
v schoof, garve; — *de fleurs*, bos bloemen.
▼**gerber** *ov.w* 1 in schoven binden;
2 opstapelen van vaten; 3 *(arg.)* veroordelen.
▼**gerbier** *m* hoop schoven.

gerc/e *v* 1 kloof, barst, spleet; 2 mot. ▼—**er**
I ov.w splijten. **II** *on.w* springen van handen.
▼**gerçure** *v* barst, kloof in huid.

gérer *ov.w* beheren.

gerfaut *m* giervalk.

gériatrie *v* geriatrie, geneeskunde van ouden
van dagen. ▼**gériatrique** *bn* geriatrisch.

germain I *bn* 1 Germaans; 2 vol; *cousin* — *s*,
volle neven. **II** *zn* G— *m*, -e *v* Herman(na).
III *zn* G— *m*, Germaan. ▼**german/ique** *bn*
Germaans. ▼—**iser** *ov.w* verduitsen. ▼—**isme**
m Duitse uitdrukking. ▼—**iste** *m* beoefenaar
der Germaanse talen. ▼**germano/phile I** *bn*
pro-Duits. **II** *zn m* vriend der Duitsers.
▼—**phobe I** *bn* anti-Duits. **II** *zn m* vijand der
Duitsers.

germe *v* 1 kiem; 2 beginsel. ▼**germer** *on.w*
kiemen (ook *fig.*), ontstaan. ▼**germin/al** [*mv
aux*] *I bn* wat de kiem betreft. **II** *zn m* 7e
maand v.d. republ. kalender (van 21 of 22
maart tot 19 of 20 april). ▼—**ateur, -atrice** *bn*
ontkiemend; *pouvoir* —, kiemkracht.
▼—**ation** *v* ontkieming.

gérondif *m* 1 gerundium; 2 vorm in het Frans,
die gelijk is aan het tegenw. deelw.,
voorafgegaan door *en* (*en parlant*).

géronto- voorvoegsel met betekenis: oudere.

gésier *m* **1** spiermaag; **2** (*pop.*)maag, buik.
gésir *on.w onr.* liggen; *ci-gît*, hier ligt
begraven.
gestation *v* **1** zwangerschap; **2** (*fig.*)
wording.
geste *l m* **1** gebaar, beweging; **2** daad; *beau*
—, edele daad. **II** *v* heldendaad; *chanson de*
—, oud-Fr. heldendicht; *les faits et* —*s*, het
doen en laten. **▼gesticulation** *v* (het) maken
van gebaren. **▼gesticuler** *on.w* (veel)
gebaren maken.
gestion *v* beheer. **▼gestionnaire** *m* beheerder.
geyser *m* heetwaterbron.
ghanéen, -ne *zn/bn* Ghanees.
ghetto *m* getto.
gibbosité *v* bult.
gibecière *v* **1** weitas; **2** schooltas.
gibelotte *v* konijnragoût met witte wijn.
giberne *v* patroontas.
gibet *m* **1** galg; **2** kruishout.
gibier *m* wild; — *de potence*, galgeaas.
giboulée *v* slagregen, bui.
giboyeux, -euse *bn* wildrijk.
gibus *m* klakhoed.
giclée *v* guts, stroom. **▼gicler** *on.w* spatten,
gutsen. **▼gicleur** *m* sproeier (van motor).
gifle *v* oorvijg. **▼gifler** *ov.w* een oorvijg geven.
gigantesque *bn* reusachtig.
gigogne *bn* in elkaar passend; *table* —,
mimi-tafeltje.
gigolo *m* id., (door vrouw betaalde) jonge
minnaar.
gigot *m* **1** schape-, lams-, reebout;
2 pofmouw; **3** achterpoot van paard; **4** (*fam.*)
been. **▼—er** *on.w* met de benen spartelen.
▼—euse *v* trappelzak.
gigue *v* **1** reebout; **2** soort Engelse dans;
3 muziek hierbij; **4** (*pop.*) been; **5** (*pop.*)
lange, magere meid.
gilde *v* gild, *zie* **guilde**.
gilet *m* vest; — *de corps*, borstrok, flanel.
▼giletier *m*, **-ière** *v* vestenmaker (-maakster).
gindre, geindre *m* bakkersknecht die het
brood kneedt.
gingembre *m* gember.
gingivite *v* tandvleesontsteking.
ginglard *m* (*pop.*) zuur wijntje. **▼ginguet,
-ette** *bn* (*fam.*) een beetje zuur (*vin* —).
giorno (à) *bw*: *éclairé à* —, schitterend
verlicht.
girafe *v* giraffe.
girande *v* **1** springfontein; **2** bundel
vuurpijlen. **▼girandole** *v* **1** = **girande**;
2 kroonluchter; **3** diamanten oorhanger.
giration *v* draaiing. **▼giratoire** *bn* draaiend.
girofle *v* kruidnagel (ook: *clou de* —).
giroflée *v* muurbloem.
girolle *v* eierdooierzwam.
giron *m* schoot.
girond *bn* (*pop.*) leuk en dik.
girondin *l bn* **1** uit de Gironde; **2** Girondijns.
II *zn* G—*m* Girondijn.
girouette *v* **1** windwijzer, weerhaan (ook *fig.*).
gisant l *bn* liggend. **II** *zn m* liggend standbeeld.
▼gisement *m* laag; — *de houille*,
steenkolenlaag. **▼gît** (van **gésir**): *ci-gît*, hier
ligt (begraven).
gitan, -e *v* zigeuner(in).
gîte l *m* **1** woonplaats, legerstede,
vakantieverblijf; **2** leger v.e. haas; *v: donner de
la* —, overhellen (v. schip). **▼gîter l** *on.w*
1 overnachten, verblijf houden; **2** legeren (van
dieren). **II** *ov.w* onderdak geven.
givrage *m* laag rijp. **▼givre** *m* rijp, rijm. **▼givrer**
ov.w met rijp bedekken.
glabre *bn* onbehaard, glad (*menton* —).
glaçage *m* **1** (het) gladstrijken; **2** (het)
satineren (v. papier).
glaçant *bn* ijskoud, verstijvend (ook *fig.*:
accueil —). **▼glace** *v* **1** ijs; *être de* —, koel zijn;
rompre la —, het ijs breken (*fig.*); **2** spiegelruit,
spiegelglas; **3** spiegel; **4** ruit, raampje. **▼glacé**
bn **1** ijskoud; **2** koel (*accueil* —); **3** geglansd
(*gants* —*s*). **▼glac/er** *ov.w* **1** doen bevriezen,
verstijven; **2** koelen (— *du champagne*);
3 stollen (— *le sang*); **4** angstig maken, doen

ijzen; **5** met suiker bedekken; **6** glaceren,
glanzen. **▼—erie** *v* spiegelglasfabriek.
▼—iaire *bn* wat ijs of gletsjers betreft; *période*
—, ijstijd. **▼—ial** [*mv* **aux**] *bn* **1** ijskoud; **2** koel
(*fig.*). **▼—iation** *v* **1** verijzing;
2 gletsjervorming. **▼—ier** *m* **1** gletsjer;
2 ijsverkoper. **▼—ière** *v* **1** ijskelder, ijskast
(ook *fig.*); **2** ijsmachine.
glacis *m* **1** helling, glooiing; **2** doorschijnende
verflaag.
glaçon *m* **1** ijsschots; **2** ijspegel; **3** zeer koel
persoon.
glaçure *v* glazuur.
gladiateur *m* zwaardvechter.
glaïeul *m* gladiolus, zwaardlelie.
glaire *v* **1** rauw eiwit; **2** slijm. **▼glaireux,
-euse** *bn* slijmachtig.
glais/e *v* leem, klei. **▼—eux, -euse** *bn*
leemachtig. **▼—ière** *v* leemgroeve.
glaive *m* zwaard.
glanage *m* (het) aren lezen.
gland *m* eikel. **▼—age** *m* **1** recht van eikels
rapen; **2** recht om varkens in een woud de
eikels te laten vreten.
gland/e *v* klier, kliergezwel. **▼—ulaire** *bn*
kliervormig. **▼—ule** *v* kliertje.
glan/e *v* handvol aren. **▼—ement** *m* (het) aren
lezen. **▼—er** *ov.w* aren lezen. **▼—eur** *m*, **-euse**
v arenlezer (-leester). **▼—ure** *v* nagelezen
aren.
glapir *on.w* **1** janken; **2** krijsen.
▼glapissement *m* **1** gejank; **2** gekrijs.
glas *m* gelui v.d. doodsklok.
glaucome *m* groene staar.
glauque *bn* zeegroen.
glèbe *v* **1** aardkluit; **2** bouwland.
gliss/ade *v* **1** (het) (uit)glijden; **2** glijbaan;
3 glijpas bij dans. **▼—age** *m* (het) van de
bergen laten glijden van gehakt hout. **▼—ant**
bn glad; *sentier* —, gevaarlijk, glibberig pad
(*fig.*). **▼—ement** *m* (het) glijden. **▼—er l** *on.w*
1 glijden; — *des mains*, uit de handen glijden;
2 uitglijden; **3** licht over iets heengaan; niet
aandringen; **4** afglijden, afstuiten;
5 glijbaantje spelen. **II** *ov.w* **1** laten glijden —
une lettre à la poste); — *à l'oreille*, influisteren;
2 (in)steken, schuiven, stoppen. **III se—**
sluipen. **▼—eur l** *m*, **-euse** *v* hij, zij die glijdt.
II *m* zweefvliegtuig. **▼—ière** *v* glijstang,
geleider; *porte à* —*s*, schuifdeur. **▼—oire** *v*
glijbaan.
global [*mv* **aux**] *bn* globaal. **▼—iser** *ov.w*
samenvatten. **▼glob/e** *m* **1** bal; — *de l'œil*,
oogbal; **2** bol; — *terrestre*, aardbol, globe;
3 stolp; **4** ballon v.e. lamp. **▼—ulaire** *bn*
bolvormig. **▼—ule** *m* **1** bolletje; **2** korreltje,
pilletje (*med.*); **3** bloedlichaampje. **▼—uleux,
-euse** *bn* **1** bolvormig; **2** uit bolletjes,
bloedlichaampjes bestaande.
gloire *v* **1** roem, eer; *mettre sa* — *à*, zijn eer
stellen in; **2** stralenkrans om hoofd v.e.
afbeelding v.e. heilige.
gloria *m* **1** gloria (deel v.d. mis); **2** koffie of
thee met cognac.
gloriette *v* tuinhuisje, prieeltje.
glorieusement *bw* roemvol. **▼glorieux,
-euse l** *bn* **1** roemrijk, roemvol; **2** roemruchtig;
3 verwaand. **II** *zn m* verwaand persoon.
▼glorifi/cation *v* verheerlijking. **▼—er l** *ov.w*
1 verheerlijken, roemen; **2** tot de hemelse
zaligheid roepen. **II se—** zich beroemen.
gloriole *v* verwaandheid, ijdelheid.
glos/e *v* **1** tekst- of woordverklaring;
2 spottende opmerking. **▼—er l** *on.w* woord-
of tekstverklaring geven. **II** *ov.w*
aanmerkingen maken op, bekritiseren.
glossaire *m* verklarende woordenlijst.
glotte *v* stemspleet.
glouglou *m* **1** geklok v. vloeistof in e. fles;
2 gekakel van kalkoen. **▼glouglouter** *on.w*
1 klokken v. vloeistof in e. fles; **2** kakelen v.
kalkoen. **▼gloussement** *m* **1** gekakel v.e. kip;
2 tevreden gegniffel. **▼glousser** *on.w*
1 kakelen; **2** giechelen.
glouton, -onne l *bn* gulzig. **II** *zn m*
1 gulzigaard, slokop; **2** veelvraat (dier).

▼—**nerie** v gulzigheid.
glu v vogellijm. ▼**gluant** bn 1 kleverig; 2 opdringerig.
glucose v glucose.
gluer I ov.w 1 met vogellijm bestrijken; 2 kleverig maken. II on.w kleverig zijn. ▼**gluten** m kleefstof. ▼**glutineux, -euse** bn 1 lijmachtig; 2 kleverig.
glycérine v glycerine.
glycine v blauwe regen.
glyptique v steengraveerkunst.
gnangnan, gnian-gnian I bn lamlendig, vadsig. II zn m vadsig, lamlendig persoon.
gneiss m gneis.
gnognote v (pop.) prullewaar, bocht.
gnole, gniole (fam.) cognac, alcohol.
gnome m aardmannetje, kabouter, gnoom.
gnomique bn in kernspreuken.
gnon m (pop.) opstopper.
gnose v hogere filosofie v. gewijde kennis. ▼**gnost/icisme** m gnosticisme. ▼—**ique** m 1 gnostiek; 2 aanhanger der gnostiek.
gnou m gnoe (dier).
go (tout de) bw zo maar, onmiddellijk.
goal m 1 doelpunt; 2 keeper.
gobelet m 1 beker; 2 goochelbeker; joueur de —s, bedrieger.
gobelin m wandtapijt.
gobe-mouches m 1 vliegenvanger (vogel); 2 onnozele sul die men alles kan wijsmaken. ▼**gober** ov.w 1 inslikken, opzuigen; — l'appat, zich laten beetnemen; 2 lichtvaardig geloven; 3 (pop.) gek zijn op.
goberger (se) 1 aan de zwier gaan, de bloemetjes buiten zetten; 2 gewichtig doen.
gobeur I zn m, **-euse** v slokop. II zn m lichtgelovig. ▼**gobichonner** on.w (fam., oud) feestvieren, uit eten.
godage m valse plooi.
godailler on.w (fam.) zwelgen.
godasse v (pop.) schoen.
godelureau [mv x] m saletjonker.
godet m 1 tumbler; 2 verfbakje; 3 pijpekop.
godiche I bn onhandig, onnozel. II zn m of v onhandige, onnozele man of vrouw.
godille v 1 wrikriem; 2 zijwaartse rembeweging bij skiën; 3 marcher à la —, slecht lopen. ▼**godiller** on.w 1 wrikken; 2 zijwaarts remmen (skiën).
godillot m lompe schoen, soldatenschoen.
goéland m grote zeemeeuw.
goélette v 1 zeezwaluw; 2 schoener.
goémon m zeegras, wier.
gogo m onnozele hals.
gogo (à) bw volop.
goguenard I bn spottend. II zn m spotvogel. ▼**goguenardise** v spotternij.
goguenot, goguenaeu [mv x] m 1 (pop.) nachtspiegel; 2 w.c.
goguette v (fam.) grappig verhaal; être en —(s), iets aangeschoten zijn.
goinfre m slokop. ▼**goinfrer (se)** on.w (fam.) schrokken. ▼**goinfrerie** v gulzigheid.
goitre m kropgezwel.
golden v soort appel (golden delicious).
golf m 1 golfspel; — miniature, midget-golf; 2 culottes de —, knickerbocker.
golfe m golf, baai.
golfeur m golfspeler.
goménol m soort neusdruppels.
gomina v soort brillantine.
gommage m (het) (uit)gommen. ▼**gomm/e** v gom; — arabique, arabische gom; — élastique, gomelastiek; à la —, (pop.) waardeloos. ▼—**er** ov.w 1 gommen; 2 uitgommen. ▼—**eux, -euse** I bn gomachtig. II zn m (oud) modegek, fat. ▼—**ier** m gomboom.
gonade v geslachtsklier.
gond m deurhengsel; sortir de ses —s, (fam.) driftig worden.
gondolant bn (pop.) om je dood te lachen.
gondole v gondel.
gondoler I on.w uitzetten, kromtrekken. II se — 1 uitzetten, kromtrekken; 2 zich doodlachen.

gondolier m gondelier.
gonfalon, gonfanon m lansvaantje.
gonflage m (het) (op)pompen. ▼**gonfl/é** bn 1 opgeblazen, opgezwollen; — de chagrin, overstelpt door smart; 2 (pop.) moedig, vastberaden. ▼—**ement** m 1 (het) opzwellen, opzwelling; 2 vulling v.e. ballon, oppompen v.e. fietsband. ▼—**er** I ov.w vullen (— un ballon); oppompen (— un pneu), opblazen, doen zwellen. II se — 1 zwellen; 2 een hoge borst opzetten. ▼—**eur** m pomp.
gonio/mètre m hoekmeter. ▼—**métrie** v hoekmeting, hoekmeetkunde.
gonorrhée v gonorrhoe.
gonze m, **-esse** v (arg.) man, vrouw.
gordien: nœud —, gordiaanse knoop.
goret m 1 big; 2 smeerpoes.
gorge v 1 keel; crier à pleine —, luidkeels schreeuwen; couper la —, de hals afsnijden; faire des —s chaudes de, zich vrolijk maken over; faire rentrer à qn. les mots dans la —, iem. dwingen te zwijgen of zijn woorden terug te trekken; rendre —, braken; 2 bovenborst, boezem; 3 bergengte; 4 groef. ▼**gorgée** v slok. ▼**gorger** ov.w volproppen, overladen, verzadigen.
gorille m 1 gorilla; 2 (fam.) lijfwacht.
gosier m keel, strot; avoir le — pavé, goed tegen warm of zeer gekruid eten kunnen; à plein —, luidkeels.
gosse m of v (fam.) jongetje, meisje, kind; un beau —, (pop.) een mooie jongen.
gothique I bn gotisch. II zn m 1 gotische architectuur; 2 gotische taal. III zn v gotisch schrift.
gouache v gouache. ▼**gouacher** ov.w gouaches maken.
gouaill/e v spot. ▼—**er** ov. & on.w (fam.) spotten, bespotten. ▼—**erie** v (fam.) spotternij. ▼—**eur, -euse** bn (fam.) spottend, spotziek.
gouape v (pop.) 1 lanterfanter; 2 smeerlap.
gouda m Goudse kaas.
goudron m teer. ▼—**nage** m (het) teren. ▼—**ner** ov.w teren; ▼—**neur** m teerder. ▼—**neux, -euse** I bn teerachtig. II zn **-euse** v teermachine.
gouet m aronskelk (plk.).
gouffre m 1 afgrond; 2 draaikolk.
gouge v holle beitel, guts.
gouine v vr. homoseksueel, 'pot'.
goujat m schoft, ploert. ▼**goujaterie** v 1 schofterigheid; 2 ploertenstreek.
goujon m grondel (vis).
goulasch, goulache m/v goelasj.
goulée v (fam.) slok, hap.
goulet m nauwe haveningang. ▼**goulot** m nauwe hals van fles of karaf; — d'étranglement, bottleneck.
goulu I bn gulzig; pois —, peul. II zn m schrokop, veelvraat. ▼**goulûment** bw gulzig.
goum m 1 Arabische stam of familie; 2 afdeling Arabische ruiters. ▼**goumier** m Arabische ruiter.
goupil m oude naam voor de vos.
goupille v spie. ▼**goupiller** ov.w 1 met spieën bevestigen; 2 samenvoegen, maken.
goupillon m wijwaterkwast.
gourbi m 1 hutje (in Algerije); 2 ondergrondse schuilplaats; 3 armzalige, vieze woning.
gourd bn verkleumd.
gourde I zn v 1 veldfles; 2 (pop.) domoor. II bn dom, onhandig.
gourdin m knuppel.
gourer (se) (pop.) zich vergissen.
gourgandine v vrouw van lichte zeden.
gourmand I bn gulzig, van lekkere spijzen houdend. II zn m, **-e** v 1 lekkerbek.
gourmander ov.w een standje geven, hardvochtig behandelen.
gourmandise v 1 gulzigheid, lekkerbekkerij; 2 lekkernij.
gourme v dauwworm; jeter sa —, zijn eerste gekke streken uithalen.
gourmé bn stijf, vormelijk.
gourmet m lekkerbek, fijnproever.

gourmette v schakelketting.
gourou m goeroe.
gousse v peulvrucht, bolletje (knoflook).
gousset m vestzakje; avoir le — vide, geen cent op zak hebben.
goût m 1 smaak (in verschillende betekenissen); c'est à mon —, dat bevalt me; 2 stijl; 3 neiging; 4 (pop.) lucht. ▼**goûter** I ov.w 1 proeven; 2 smaken, houden van (— la musique); 3 goedkeuren. II on.w 1 proeven; 2 het goûter gebruiken; 3 — de, kennis maken met, beproeven (— d'un métier). III zn m (het) goûter, middagthee (omstreeks 5 uur).
goutt/e I zn v 1 druppel; 2 een beetje (boire une — de vin); 3 (fam.) klein glaasje; boire la —, een borreltje drinken; 4 jicht. II bw ne... goutte, niets, geen steek (ne voir, n'entendre —). ▼—**elette** v druppeltje. ▼—er on.w druipen, druppelen. ▼**goutteux, -euse** I bn aan jicht lijdend. II zn m, -euse v jichtlijder(es). ▼**gouttière** v 1 dakgoot; 2 groeve, gleuf; 3 spalkverband.
gouvern/able bn bestuurbaar. ▼—**ail** m roer, stuur; — de profondeur, hoogteroer. ▼—**ant** I bn besturend. II zn m bestuurder. ▼—**ante** v 1 gouverneursvrouw; 2 kinderjuffrouw; 3 huishoudster. ▼**gouvern/e** v 1 richtsnoer; 2 roer. ▼—**ement** m 1 bestuur; 2 gouvernementsfunctie; 3 G— paleis v.d. gouverneur. ▼—**emental** [mv aux] bn wat bestuur betreft. ▼—**er** I ov.w 1 regeren, besturen; 2 opvoeden. II on.w naar het roer luisteren. ▼—**eur** m 1 gouverneur, landvoogd; 2 directeur; 3 huisonderwijzer.
grabat m 1 slecht bed; 2 ziekbed; être sur le —, geruineerd zijn.
grabuge m (fam.) ruzie.
grâce v 1 gunst; bonnes —s, welwillendheid; être en — auprès de qn., bij iem. in de gunst staan; 2 genade, gratie; coup de —, genadeslag; de — !, alsjeblieft!; faire — de, schenken; 3 gratie, bevalligheid; de bonne —, gewillig; de mauvaise —, met tegenzin; 4 dank; actions de —, dankgebed; — à, dankzij; — à Dieu, goddank; rendre —(s), dank weten, -zeggen. ▼**gracier** ov.w genade schenken aan.
gracieusement bw 1 bevallig; 2 gratis. ▼**gracieuseté** v beleefdheid, minzaamheid. ▼**gracieux, -euse** bn 1 bevallig; 2 vriendelijk (accueil —); 3 gratis (à titre —).
gracile bn tenger. ▼**gracilité** v tengerheid.
gradation v gradatie, trapsgewijze opklimming. ▼**grade** m 1 rang, graad; 2 Y₃₆₀ v.e. cirkelomtrek. ▼**grad/é** I bn van iem. die in het leger een rang heeft onder die van officier. II zn m iem. met een rang onder die van officier. ▼—**in** 1 trapje; 2 bank v.e. amfitheater. ▼—**uation** v schaal, graadverdeling, graduatie. ▼—**ué** I bn 1 in graden verdeeld; 2 opklimmend in moeilijkheid. II zn m iem. met een universitaire titel. ▼—**uel, -uelle** I bn in moeilijkheid opklimmend of afdalend. II zn m 1 graduaal (trapgezang); 2 graduale. ▼—**uellement** bw trapsgewijs. ▼—**uer** ov.w 1 in graden verdelen; 2 in moeilijkheid laten opklimmen.
graffiti m mv 1 inscripties; 2 tekeningen of woorden op muren, enz.
graill/ement m schor geluid. ▼—**er** on.w met hese stem spreken; (pop.) eten. ▼—**on** m 1 kliekje; 2 fluim. ▼—**onner** on.w rochelen.
grain m 1 graankorrel; graan; — de café, koffieboon; 2 korreltje (— de sable); 3 kraal v. rozenkrans; 4 beetje; 5 grein (oud gewicht); 6 windvlaag, stortbui; veiller au —, het gevaar voorzien en zijn maatregelen nemen; 7 ongelijkheid van oppervlakte (draad, korrel, enz.); 8 les —s, het graan. ▼—**e** v zaad; mauvaise —, schoft, ploert; monter en —, zaad schieten; ouwe vrijster worden (fam.); prendre de la —, een voorbeeld nemen. ▼—**terie** v zaadhandel. ▼—**tier, grainier** m zaadhandelaar.
graissage m (het) smeren; huile de —, smeerolie. ▼**graiss/e** v 1 vet, vetheid; la — ne

l'étouffe pas, ne l'empêche pas de courir, hij is mager; prendre de la —, dik worden; 2 smeer. ▼—**er** ov.w 1 invetten, smeren, oliën; — la patte à qn., iem. omkopen; 2 met vet bevuilen. ▼—**eur** m smeerder. ▼—**eux, -euse** bn vettig, vetachtig.
gramen m gras. ▼**graminacées** v grasgewassen. ▼**graminée** v grasgewas.
gramm/aire v spraakkunst; classes de —, laagste klassen v.e. middelb. school. ▼—**airien** m taalkundige. ▼—**atical** [mv aux] bn spraakkunstig. ▼—**atiste** m 'schoolmeester.
gramme m gram.
grand I bn 1 groot; un — âge, een hoge ouderdom; —es eaux, hoog water; — parleur, druk prater; 2 hevig, sterk; —s amis, dikke vrienden; — blessé, zwaar gewonde; — chaud, hevige warmte; — silence, diepe stilte; 3 volwassen; les —es personnes, de grote mensen; 4 voornaam; le — monde, de hogere standen; 5 oppergroot-; grand-duc, groothertog; — rabbin, opperrabbijn; 6 geheel; il fait — jour, het is klaarlichte dag; au — jour, in het openbaar; 7 flink; un — mangeur, een flink eter; un — parleur, een druk prater; un — travailleur, een flink werker. II zn m 1 aanzienlijk persoon; 2 volwassen persoon; 3 het edele. III bw: voir —, alles groot zien; en —, in het groot.
grand-angulaire (grand angle) bn: objectif —, groothoeklens.
grand-chose (ne) niet veel (zaaks).
grand-croix v grootkruis.
grand/†-duct m 1 groothertog; 2 uil. ▼—**ducal** † [mv aux] bn groothertogelijk. ▼—†**-duché** † m groothertogdom.
Grande-Bretagne v Groot-Brittannië.
grandet†-duchesse † v groothertogin.
grandement bw erg, grotelijks.
grand ensemble m groep bij elkaar behorende gebouwen.
grandeur v 1 grootte; — nature, ware grootte; 2 grootheid; 3 verhevenheid, macht; du haut de sa —, minachtend; 4 G— Hoogheid, Hoogwaardige Excellentie (titel v. bisschop).
grandiloqu/ence v gezwollenheid, hoogdravendheid. ▼—**ent** bn gezwollen, hoogdravend.
grandiose I bn groots. II zn m het grootse.
grand/ir I on.w groot worden, groeien, aanzwellen. II ov.w groter maken, verheffen (fig.), edeler maken. ▼—**issement** m vergroting. ▼—**issime** bn (fam.) zeer groot.
grand-†-livre† m grootboek.
▼—(†)**-maman**† v grootmoeder (kindertaal).
▼—(†)**-mère**† v grootmoeder.
▼—(†)**-messe**† v hoogmis. ▼—†**-oncle**† m oudoom. ▼—†**-papa**† m grootvader (kindertaal). ▼—**-peine (à)** met moeite.
▼—†**-père**† m grootvader. ▼—**-route**† openbare weg. ▼—**s-parents** m mv grootouders. ▼—(†)**-tante**† v oudtante.
grange v schuur.
granit (granite) m graniet. ▼**granité** bn fijnkorrelig. ▼**graniteux, -euse** bn graniet bevattend. ▼**granitique** bn granietachtig.
granivore I bn zaad-, graanetend. II zn m zaadetende vogel.
granul/aire bn korrelig. ▼—**e** v 1 korreltje; 2 pilletje. ▼—**er** ov.w tot korrels maken. ▼—**eux, -euse** bn korrelig. ▼—**ie** v snel verlopende t.b.c.
graphie v schrijfwijze. ▼**graphique** I bn wat tekenen of letters betreft; dessin —, 't lijntekenen. II zn m 1 lijntekening; 2 grafische voorstelling. ▼**graphite** m grafiet.
▼**grapho/logie** v grafologie. ▼—**logue** m/v grafoloog (-loge).
grappe v tros. ▼**grappill/er** I on.w (druiven) nalezen. II ov. & on.w sjacheren, kleine winstjes behalen. ▼—**eur** m 1 nalezer (van wijn); 2 sjacheraar. ▼—**on** m trosje.
grappin m dreg; mettre le — sur, beslag leggen op, in zijn (haar) macht krijgen.
gras, grasse bn vet; jours —, dagen waarop

men vlees mag eten (*rk*); *terre —se*, vruchtbare grond; *mardi —*, vastenavond; *plante —se*, vetplant; *dormir la —se matinée*, een gat in de dag slapen. II *zn m* vet. III *bw: faire —*, vlees eten; *parler —*, brouwen, schuine moppen vertellen. ▼**grasset** *bn* aan de dikke kant.
grasseyement *m* gebrouw (het uitspreken v.d. letter r met een keelgeluid). ▼**grasseyer** *on.w* brouwen.
grassouillet, -ette *bn* mollig.
gratification *v* toelage. ▼**gratifier** *ov.w* begunstigen, begiftigen.
gratin *m* 1 aanzetsel; 2 bereiding met paneermeel of geraspte kaas die tot een korstje wordt; 3 korstje; 4 schotel met korstje; 5 (*pop.*) de deftige lui. ▼**gratiné** *bn* 1 gegratineerd; 2 *une — e*, uiensoep met gebakken kaas, 3 (*fam.*) geweldig. ▼**gratiner** I *on.w* aanbakken. II *ov.w* met paneermeel of geraspte kaas koken of bakken.
gratis *bw* of *bn* gratis.
gratitude *v* dankbaarheid.
grattage *m* (het) afkrabben, afkrabsel. ▼**gratte** *v* 1 krabijzer; 2 (*fam.*) oneerlijke kleine winsten (*faire de la —*). ▼**—ciel** *m* wolkenkrabber. ▼**—dos** *m* rugkrabber. ▼**—ment** *m* gekrab. ▼**—papier**(†) *m* pennelikker, slecht schrijver. ▼**—pieds** *m* ijzeren deurmat. ▼**gratt/er** I *ov.w* 1 krabben, afkrabben; 2 uitkrabben, raderen; 3 (*pop.*) een wagen inhalen; 4 (*pop.*) werken. II *on.w* 1 zachtjes kloppen (— *à la porte*); 2 (*fam.*) stiekem kleine winsten maken. ▼**—eur** *m* krabber; — *de papier*, slecht schrijver. ▼**—oir** *m* radeermes, (*pop.*) scheermes. ▼**—ure** *v* afkrabsel.
gratuit *bn* 1 gratis, kosteloos (ook: *à titre —*); 2 ongegrond, zonder reden. ▼**gratuité** *v* kosteloosheid.
gravats *m* mv gruis.
grave I *bn* 1 ernstig; 2 laag (*muz.*); accent —, het teken `; 3 zwaar. II *zn m* 1 diepe toon; 2 het ernstige.
gravel/age *m* begrinting. ▼**—er** *ov.w* met zand en grint bedekken. ▼**—eux, -euse** *bn* 1 vermengd met grint; 2 graveelachtig; 3 schuin. ▼**gravelle** *v* (*oud*) niersteen, blaassteen.
graver *ov.w* 1 graveren; 2 prenten (— *dans sa mémoire*). ▼**graveur** *m* graveur.
gravide *bn* drachtig.
gravier *m* 1 grint, grof zand met kiezel; 2 niergruis.
gravillon *m* fijn grint.
gravir *ov.w* (met moeite) beklimmen.
gravitation *v* zwaartekracht.
gravité *v* 1 ernst; 2 deftigheid; 3 zwaarte, laagheid van geluid; 4 zwaarte; *centre de —*, zwaartepunt. ▼**graviter** *on.w* draaien (rond).
gravure *v* 1 prent, plaat; — *sur bois*, houtgravure; — *au burin*, kopergravure; — *de modes*, modeplaat; 2 het graveren.
gré *m* 1 zin, wil; *à son —*, naar zijn zin; *bon — mal —*, tegen wil en dank, of je wilt of niet; *de — ou de force*, goedschiks of kwaadschiks; *de bon —*, vrijwillig; *de mauvais —*, tegen zijn zin; *de — à —*, in der minne; 2 dank; *savoir — à*, dank weten aan.
grec, grecque I *bn* Grieks. II *zn* G— *m*, *-que v* Griek, Griekse. III *zn v* meander. ▼**Grèce** *v* Griekenland. ▼**gréciser** *ov.w* vergrieksen. ▼**gréco-romain** *bn* Grieks-Romeins.
gredin *m*, *-e v* schurk, gemene meid. ▼**—erie** *v* 1 ploertenstreek; 2 ploertigheid.
gréement *m* tuig (*scheepv.*). ▼**gréer** *ov.w* optuigen.
greffage *m* 1 (het) enten; 2 (het) transplanteren. ▼**greff/e** I *v* 1 ent; 2 (het) enten. II *m* griffie. ▼**—er** I *ov.w* 1 enten; 2 transplanteren. II se **—sur** zich voegen bij, erbij komen. ▼**—eur** *m* enter.
greffier *m* 1 griffier; 2 (*pop.*) kat.
greffoir *m* entmes. ▼**greffon** *m* 1 ent; 2 gedeelte dat getransplanteerd wordt (is).
grégaire, grégarien, -enne *bn* in kudden

levend; *esprit —*, kuddegeest.
grège *bn* ruw (van zijde).
grégeois *bn: feu —*, grieks vuur.
grégorien, -enne *bn* gregoriaans.
grêle I *bn* 1 schraal, spichtig, mager; 2 zwak en schril (van geluid). II *zn v* hagel. ▼**grêlé/é** *bn* 1 door de hagel vernield; 2 pokdalig. ▼**—er** I *onp.w* hagelen. II *ov.w* vernielen door de hagel, verhagelen. ▼**grêlon** *m* hagelsteen.
grelot *m* 1 rinkelbel, fietsbel; *attacher le —*, de kat de bel aanbinden; 2 (*pop.*) *avoir les —s*, bibberen v. angst. ▼**grelotter** *on.w* huiveren, rillen.
grenade *v* 1 granaatappel; 2 granaat; — *incendiaire*, brandbom. ▼**grenader** *ov.w* met granaten bestoken. ▼**grenadier** *m* 1 granaatboom; 2 granaatwerper; 3 grenadier.
grenaille *v* fijne geweerhagel.
grenat I *bn* granaatrood. II *zn m* granaatsteen.
grené *bn* korrelig.
grenier *m* 1 (graan)zolder; 2 korenschuur (*fig.*).
grenouillage *m* (*fam.*) gekonkel. ▼**grenouill/e** *v* 1 kikvors; *homme —*, kikvorsman; 2 kas; *manger la —*, er met de kas vandoorgaan. ▼**—ère** *v* 1 kikkerpoel; 2 ondiep rivierbad.
grenu *bn* 1 vol korrels (*épi —*); 2 korrelig.
grès *m* 1 zandsteen; 2 pottenbakkersklei; 3 keuls aardewerk. ▼**gréseux, -euse** *bn* zandsteenachtig. ▼**grésière** *v* zandsteengroeve.
grésil *m* fijne hagel. ▼**—lement** *m* 1 (het) (fijn) hagelen; 2 (het) knetteren. ▼**—ler** I *onp.w* (fijn) hagelen. II *ov.w* knetteren. III *ov.w* verschroeien.
gressin *m* klein stokbroodje.
grève *v* 1 strand; 2 werkstaking; — *perlée*, prikactie; *faire —, se mettre en —*, staken; 3 zandbank.
grever *ov.w* belasten, bezwaren.
gréviste *m* werkstaker.
gribouill/age *m* 1 kladschilderij; 2 slecht schrift. ▼**—e** *m* onnozele hals; *une politique de —*, een kortzichtige politiek. ▼**—er** I *ov.w* 1 kladschilderen; 2 slecht schrijven. ▼**—is** *m* onleesbaar schrift.
grief *m* grief.
grièvement *bw* ernstig (— *blessé*).
griffade *v* krab. ▼**griffe** *v* 1 klauw; *coup de —*, slag met de klauw, scherpe zet; *à la — on reconnaît le lion*, (*spr.w*) aan het werk herkent men de meester; 2 naamstempel; 3 (*pop.*) hand. ▼**griffer** *ov.w* krabben.
griffon *m* 1 griffioen; 2 lammergier; 3 soort jachthond; 4 snoekhaak; 5 minerale bron.
griffonn/age *m* 1 gekrabbel; 2 slecht leesbaar schrift. ▼**—er** *ov.w* neerkrabbelen. ▼**—eur** *m* krabbelaar.
griffu *bn* met klauwen. ▼**griffure** *v* slag met de klauw.
grignotement *m* geknabbel. ▼**grignoter** I *on.w* 1 knabbelen; 2 met lange tanden eten. II *ov.w* 1 oppeuzelen; 2 langzaam opmaken; 3 winnen.
grigou (*pop.*) I *bn* vrekkig. II *zn m* vrek.
gril *m* 1 rooster; 2 grill; *être sur le —*, op hete kolen zitten. ▼**grillade** *v* geroosterd stuk vlees. ▼**grillage** *m* 1 (het) roosteren; 2 traliewerk.
grille *v* 1 hek; 2 traliewerk; 3 kolenrooster; 4 geruit patroon voor kruiswoordpuzzels; 5 papier met gaatjes waarmee men het aflezen van codes, invuloefeningen, enz.
grille-pain *m* broodrooster.
griller I *ov.w* 1 van tralies voorzien; 2 achter slot en grendel zetten; 3 roosteren; 4 verbranden; 5 branden van koffie; 6 uitdrogen, verdorren. II *on.w* 1 *je grille*, ik stik (van de warmte); 2 branden van verlangen, popelen (— *d'impatience*).
grillon *m* krekel.
grimac/e *v* 1 grimas; 2 aanstellerij. ▼**—er** *on.w* 1 gezichten trekken; 2 zich aanstellen. ▼**—ier, -ière** I *bn* aanstellerig. II *zn m*, -ière *v* aanstellerig persoon.
grimage *m* (het) grimeren. ▼**grimer** I *ov.w*

grimeren. **II se**— zich grimeren.
grimoire m 1 toverboek; 2 duistere taal; 3 duister boek; 4 onleesbaar schrift.
grimp/ant I bn: plante —e, klimplant. **II** zn m (pop.) broek. ▼—éé v moeizame beklimming. ▼—**er I** on.w klimmen, klauteren. **II** on.w beklimmen. ▼—**ette** v (fam.) steil weggetje. ▼—**eur** m 1 klimmer; 2 klimvogel.
grinçant bn 1 knarsend, piepend; 2 scherp. ▼**grincement** m geknars, gepiep. ▼**grincer** on.w knarsen, piepen.
grincheux I zn m brompot. **II -euse** bn knorrig.
gringalet m, -ette v kleine magere man of vrouw.
griotte v morel. ▼**griottier** m morelleboom.
grippal bn griep-. ▼**grippe** v griep; prendre en —, een hekel krijgen. ▼**grippé** bn grieperig.
gripper I ov.w vasthaken. **II** on.w (of se—) 1 vastlopen; 2 rimpelen. ▼**grippe-sou**(†) m duitendief, vrek.
gris I bn 1 grijs; papier —, filtreerpapier; 2 aangeschoten. **II** zn m grijze kleur; petit —, soort boon; — (de) perle, parelgrijs. ▼**grisaille** v 1 schilderij in grijze kleuren; 2 grijze tinten; 3 sombere sfeer. ▼**grisâtre** bn grijsachtig.
grisbi m (arg.) geld.
gris/er I ov.w 1 dronken maken; 2 bedwelmen. **II se**— (fam.) zich half dronken drinken. ▼—**erie** v 1 lichte roes; 2 (fig.) roes, bedwelming.
grisette v 1 grijze stof; 2 koket naaistertje. ▼**grison** m grauwtje. ▼—**ner** on.w grijs worden.
grisou m mijngas.
grive v lijster.
grivelé bn grijs en wit gevlekt.
grivèlerie v flessentrekkerij.
griveton m (pop.) jan soldaat.
grivois bn schuin. ▼**grivoiserie** v schuine mop. - taal.
grog m grog.
grogn/ard I bn brommerig. **II** zn m oude gardesoldaat van Napoleon. ▼—**ement** m geknor, gebrom. ▼—**er** on.w knorren v.e. varken, grommen v.e. beer. ▼—**eur, -euse I** bn brommerig. **II** zn m, -euse v knorrepot, brommer (-ster). ▼—**on I** bn brommerig. **II** zn m brompot.
groin m 1 varkenssnoet; 2 (fam.) gemene snuit.
grole, grolle v 1 kauw, roek; 2 (pop.) schoen.
grommeler I on.w mopperen. **II** ov.w mopperen op. ▼**grommellement** m gemopper.
grond/ement m gebulder, gerommel. ▼—**er I** on.w 1 mopperen, brommen; 2 grommen v.e. beer; 3 bulderen, razen, rommelen. **II** ov.w mopperend zeggen. ▼—**erie** v uitbrander. ▼—**eur, -euse I** bn knorrig. **II** zn m, -euse v brompot.
grondin m poon.
groom m piccolo (hotel).
gros, -osse I bn 1 dik; 2 ruw, grof; jouer — jeu, grof spelen, veel wagen; mer —se, ruwe zee; — temps, hondeweer; 3 groot, belangrijk, hevig, erg; —se dent, kies; — bonnet, —se légume, aanzienlijk man, iem. van hoge stand; —se fièvre, zware koorts; avoir le cœur —, verdriet hebben; —se, zwanger. **II** zn m 1 gros, belangrijkste (deel) (le — d'une armée); 2 commerce de —, groothandel. **III** bw grof, veel (gagner —, jouer —).
groseille v aalbes; — à maquereau, kruisbes. ▼**groseillier** m aalbessestruik.
gros-porteur† m groot transportvliegtuig.
grosse v 1 gros (12 dozijn); 2 afschrift.
grossesse v zwangerschap.
grosseur v 1 grootte, dikte; 2 gezwel.
grossier, -ière bn ruw, grof. ▼**grossièrement** bw ruw, grof. ▼**grossiéreté** v ruwheid, grofheid, lompheid.
gross/ir I ov.w 1 vergroten, dikker maken; 2 overdrijven. **II** on.w groter -, dikker worden. ▼—**issement** m 1 (het) dikker worden; 2 vergroting; 3 overdrijving.

grossiste m grossier.
grotesque I bn belachelijk. **II** zn m 1 belachelijk persoon; 2 (het) belachelijke.
grotte v grot.
grouill/ant bn wemelend (foule —e). ▼—**ement** m gewemel, gekrioel. ▼—**er I** on.w 1 wemelen, krioelen; 2 (pop.) zich bewegen. **II se**— (pop.) zijn handen uitsteken, zich haasten.
group/e m groep. ▼—**ement** m groepering. ▼—**er** ov.w 1 samenvoegen; 2 groeperen.
grouse v auerhaan.
gruau [mv x] m gort, grutten; — d'avoine, havermout.
grue v 1 kraanvogel; faire le pied de —, lang moeten wachten; 2 (hijs)kraan; 3 (pop.) snol; 4 telescoop.
gruger ov.w 1 opknabbelen; 2 uitzuigen (fig.), arm maken.
grumeau m klonter, vlok. ▼**grumeleux, -euse** bn korrelig, oneffen.
grutier m hijskraanbestuurder.
gruyère m gruyèrekaas.
gué m doorwaadbare plaats. ▼**guéable** bn doorwaadbaar.
Guelfes m Welfen.
guelte v verkooppremie.
guenill/e v lomp, vod. ▼—**on** m vodje.
guenon v 1 langstaartaap; 2 apin; 3 aartslelijke vrouw.
guépard m jachtluipaard.
guêpe v wesp. ▼**guêpier** m wespennest.
guère [ne] bw nauwelijks, bijna niet, niet lang.
guéret m omgeploegde, niet bezaaide akker.
guéridon m rond tafeltje met één poot.
guérilla v guerrilla.
guér/ir I ov.w genezen. **II** on.w herstellen, genezen. ▼—**ison** v genezing. ▼—**issable** bn geneeslijk. ▼—**isseur** m genezer.
guérite v 1 schildwachthuisje; 2 strandstoel.
guerre v 1 bureaux de la — (la Guerre), ministerie van Oorlog; conseil de —, krijgsraad; faire la — à, oorlog voeren met; foudre de —, ijzervreter; gens de —, krijgslieden; de — lasse, strijdensmoe; nom de —, aangenomen naam; petite —, manoeuvres; — sainte, heilige oorlog; — juridique; — éclair, Blitzkrieg; qui terre a, — a, (spr.w) veel koeien, veel moeien; 2 krijgskunst. ▼**guerrier, -ière I** bn 1 wat de oorlog betreft; 2 oorlogszuchtig, krijgshaftig. **II** zn m, -ière v krijgsman, krijgshaftige vrouw. ▼**guerroy/ant** bn oorlogszuchtig. ▼—**er** on.w oorlog voeren. ▼—**eur I** bn oorlogszuchtig. **II** zn m vechtersbaas.
guet m (het) loeren; faire le —, op de loer staan; avoir l'œil au —, een oogje in het zeil houden. ▼**guet**†-**apens** m hinderlaag, valstrik.
guêtre v slobkous.
guett/er ov.w bespieden, beloeren; — l'occasion, op een gelegenheid loeren. ▼—**eur** m wacht.
gueul/ante v (arg.): pousser une —, een schreeuw geven. ▼—**ard** m (pop.) 1 schreeuwer; 2 smulpaap; 3 uitlaat. ▼**gueule** v 1 bek, muil; 2 (pop.) smoel, bek, gezicht; ta —!, hou je smoel; —s cassées, oorlogsgewonden met zwaar verminkte gezichten; fine —, lekkerbek; casser la — à qn., iem. op zijn bek slaan; 3 mond, opening v.e. voorwerp.
gueule†-de-loup v leeuwebek (plk.).
gueuler (pop.) on.w schreeuwen, protesteren.
gueuleton m (pop.) smulpartij. ▼—**ner** on.w (pop.) smullen.
gueuse v 1 gietvorm; 2 gietijzer; 3 zie gueux.
▼**gueuserie** v 1 schooiersmanieren; 2 bedelarij. ▼**gueux, -euse I** bn arm, schooierig. **II** zn m, -euse v 1 schooier (-ster), bedelaar(ster); 2 schurk, smeerlap; 3 geus; courir la gueuse, tippelen.
gui m 1 vogellijm; 2 giek.
guibol(l)e v (pop.) been.
guichet m 1 loket; 2 kleine deur die aangebracht is in een grote. ▼—**ier** m, -ière v loketbediende.

guidage m (het) loodsen; *voler sans* —,
blindvliegen. ▼**guide** I m 1 gids; —
montagnard, berggids; 2 gids = boek. II v
1 leidsel; 2 gids (padvindster). ▼**guide-âne**†
m ezelsbruggetje. ▼**guider** I ov.w 1 leiden;
2 besturen (— *une auto*). II se — **sur** zich
richten naar. ▼**guidon** m 1 stuur v.e. fiets;
2 richtvaan; 3 vizierkorrel.
guignard I bn pech hebbend. II zn m
pechvogel. ▼**guigne** v 1 kriek; 2 pech.
guigner I on.w loeren, gluren. II ov.w 1 gluren
naar; 2 loeren op (— *un emploi*).
guignol m 1 poppenkast; 2 Jan Klaassen; *le
Grand G*—, schouwburg waar griezelstukken
worden gespeeld.
guilde v gilde.
guilledou m (fam.) *courir le* —, gaan 'stappen'.
guillemet m aanhalingsteken. ▼—**er** ov.w
tussen aanhalingstekens zetten.
guilleret, -ette bn 1 vrolijk, dartel;
2 gewaagd, pikant.
guillotine v 1 guillotine, valbijl; *fenêtre à* —,
schuifraam; 2 doodstraf. ▼**guillotiner** ov.w
onthoofden door middel v.d. guillotine.
guimauve v 1 hibiscus; 2 zoete kost; 3 *à la* —,
onbetekenend.
guimbarde v rammelkast.
guimpe v kap met bef van nonnen.
guinche v (pop.) bal. ▼**guincher** on.w (pop.)
dansen.
guindage m (het) ophijsen. ▼**guindas** m
windas.
guindé bn aanstellerig, gemaakt.
guindeau m windas. ▼**guinder** I ov.w
1 ophijsen; 2 opschroeven. II se —
aanstellerig spreken. ▼**guinderesse** v
hijstouw.
guinée v 1 guinje; 2 katoentje.
Guinée v: *la Nouvelle* —, Nieuw-Guinea.
guingois bw: *de* —, (fam.) scheef, dwars.
guinguette v buitenherberg.
guipure v doorvlochten kantwerk.
guirlande v slinger van bloemen of bladeren.
guise v manier, wijze; *en* — *de*, bij wijze van.
guitare v gitaar; *c'est toujours la même* —, het
is altijd hetzelfde liedje. ▼**guitariste** m of v
gitaarspeler (-speelster).
guitoune v (fam.) tent.
guivre v (her.) slang.
gustatif, -ive bn wat de smaak betreft.
▼**gustation** v (het) proeven.
guttural [mv aux] bn wat de keel betreft; *son*
—, keelklank.
gymnas/e m 1 gymnastieklokaal;
2 gymnasium. ▼—**iarque, -e** m
gymnastiekleraar. ▼—**tique** I bn gymnastisch.
II zn v gymnastiek. ▼**gymnique** v
worstelkunst.
gynécée v vrouwenvertrek.
gynéco/logie v leer der vrouwenziekten.
▼—**logue, -logiste** m vrouwenarts.
gypse m gips. ▼**gypseux, -euse** bn
gipsachtig.
gyrostat m lichaam dat snel om zijn as wentelt.

H

(*H = H *aspiré*)
h m of v: — *muet*, stomme h; — *aspiré*
(woorden die met deze h beginnen, kunnen
niet met voorgaande worden verbonden en het
lidwoord van bepaaldheid ervoor is steeds *le* of
la; in het algemeen wordt ze niet
uitgesproken); *bombe H*, waterstofbom.
***ha!** tw 1 ha! (verwondering); 2 haha!
(vrolijkheid); 3 hè! (verlichting).
habile I bn handig, knap, bekwaam. II zn m
handig man. ▼—**té** v handigheid, knapheid,
bekwaamheid.
habilitation v bevoegdverklaring. ▼**habilité** v
bevoegdheid. ▼**habiliter** ov.w bevoegd
verklaren.
habillage m 1 (het) aankleden; 2 (het)
bereiden, schoonmaken. ▼**habill/é** bn
gekleed; *ce manteau est très* —, die mantel
staat erg gekleed. ▼—**ement** m kleding,
uitrusting. ▼—**er** ov.w 1 kleden, aankleden;
2 kleren maken voor, - leveren aan; 3 goed
zitten, - staan; 4 bereiden, schoonmaken (van
gevogelte, vis, enz.); 5 in elkaar zetten (— *une
montre*). ▼—**eur** m, -**euse** v aankleder
(-kleedster) (v. toneelspelers).
habit m 1 kleding, kleed; *les* —*s*, de kleren;
2 (ook: — *noir*) rok; — *vert*, rok van
academielid; 3 habijt, geestelijk kleed; *prendre
l'*—, in het klooster gaan; *l'* — *ne fait pas le
moine*, (spr.w) de kleren maken de man niet.
habit/abilité v 1 bewoonbaarheid;
2 draagvermogen, ruimte. ▼—**able** bn
bewoonbaar. ▼—**acle** m 1 woning;
2 kompashuisje; 3 cockpit. ▼—**ant** m, -e v
bewoner (bewoonster); *les* —*s de l'air*, de
vogels; *les* —*s des bois*, de wilde dieren; *les*
—*s*, (pop.) ongedierte. ▼—**at** m woonplaats,
vindplaats, groeiplaats. ▼—**ation** v 1 woning,
woonplaats; 2 (het) bewonen. ▼—**er** I ov.w
bewonen. II on.w wonen.
habit/ude v 1 gewoonte; 2 bekendheid; *avoir
l'*— *de*, gewoon zijn om te, bekend zijn;
kunnen omgaan met; d'—, gewoonlijk; *par* —,
uit gewoonte; 3 gestel. ▼—**ué** I bn: — *à*,
gewoon aan. II zn m stamgast, vaste bezoeker.
▼—**uel, -uelle** bn gewoon. ▼—**uellement**
bw gewoonlijk. ▼—**uer** I ov.w: — *à*, wennen
aan. II s'—' (zich) wennen.
*▼**hâbl/erie** v opsnijderij. ▼*—**eur** m, -euse v
*opsnijder (-ster), grootspreker (-spreekster).
*▼**hachage, -hachement** m 1 (het) hakken;
2 haksel. ▼*hache v 1 bijl; — *d'armes*,
strijdbijl; 2 letter h. ▼*haché bn fijngehakt (*de
la viande —e*). ▼*hache-légumes m
groentehakmes. ▼*hacher ov.w 1 hakken,
fijnhakken (— *menu*); 2 vernielen (door de
hagel); 3 inkerven; 4 telkens onderbreken
(— *un discours*). ▼*hachereau [mv x] m,
*hachette v bijltje. ▼*hachis m gehakt.
*▼*hachoir m 1 hakbord; 2 hakmes; —
mécanique, vleesmolen. ▼*hachur/e v
arcering. ▼*—**er** ov.w arceren.
*haddock m (gerookte) schelvis.
*hagard bn verwilderd, wild.
hagio/graphe m beschrijver v. levens v.
heiligen. ▼—**graphie** v beschrijving v. levens
v. heiligen.
*haie v haag, heg, horde; *course de* —*s*,

hordenloop.
*haillon *m* lomp, vod. ▼*—neux, -euse *bn* sjofel, in lompen gehuld.
*haine *v* 1 haat; *avoir en —,* haten; *en — de,* uit haat tegen; 2 afkeer; *prendre en —,* een hekel krijgen aan. ▼*haineux, -euse *bn* haatdragend, nijdig. ▼*haïr *ov.w* 1 haten; 2 een hekel hebben aan.
*haire *v* haren boetekleed.
*haïssable *bn* verfoeilijk.
*halage *m* (het) jagen (*scheepv.*); *chemin de —,* jaagpad.
*hâle *m* 1 zonnegloed; 2 droge, warme wind; 3 bruine kleur. ▼*hâlé *bn* gebruind, taankleurig, gebronsd.
haleine *v* 1 adem; *hors d'—,* buiten adem; *courte —,* kortademigheid; *ouvrage de longue —,* langdurig werk; *perdre —,* buiten adem raken; *reprendre —,* weer op adem komen; *tenir en —,* aan het werk houden; 2 windzuchtje. ▼halener *ov.w* 1 de adem van iem. ruiken; 2 de lucht krijgen v. wild (v. honden); 3 de lucht krijgen (*fig.*), in de gaten krijgen.
*haler *ov.w* 1 hijsen (*scheepv.*); 2 voorttrekken v.e. schip.
*hâler *ov.w* 1 bruin maken, tanen; 2 verschroeien.
*halètement *m* gehijg. ▼*haleter *on.w* hijgen.
*haleur *m* man die schip voorttrekt.
*hall *m* hal. ▼*hallage *m* marktgeld.
hallali *m* jachtkreet dat hoorngeschal dat aangeeft dat het hert afgejaagd is.
*halle *v* (overdekte) markt; *— au poisson,* vismarkt; *les dames de la —,* de koopvrouwen in de Hallen v. Parijs.
*hallebarde *v* hellebaard; *il pleut des —s,* het regent pijpestelen. ▼*hallebardier *m* hellebaardier.
hallucin/ant *bn* buitengewoon sterk. ▼—ation *v* zinsbegoocheling, visioen. ▼—atoire *bn* wat zinsbegoocheling betreft. ▼—é l *bn* aan zinsbegoocheling lijdend. II *zn* *m*, -e *v* iem. die geregeld droomgezichten heeft.
*halo *m* kring om zon, maan, om lichtend voorwerp op foto's.
*halte l *zn* *v* 1 stilstand, rustplaats; *faire —,* halt houden; 2 halte, stopplaats. II *tw:* *—!,* halt!; *— là!,* wacht even!, schei uit!
haltère *m* halter.
*hamac *m* 1 hangmat; 2 kooi (*scheepv.*).
*hameau [mv x] *m* gehucht.
hameçon *m* vishaak; *mordre à l'—,* erin vliegen.
*hammam *m* Turks badhuis.
*hampe *v* 1 vlaggestok; 2 steel v. penseel; 3 bloemstengel.
*hamster *m* hamster.
*hanap *m* grote drinkbeker.
*hanche *v* heup; *le poing sur la —,* de handen in de zijde (uitdagende houding).
*handicap *m* 1 voorgift bij wedstrijd; 2 achterstand. ▼*handicap/é *bn/zn* gehandicapt(e). ▼*—er *ov.w* 1 de voorgiften regelen; 2 benadelen.
*hangar *m* loods, wagenschuur.
*hanneton *m* 1 meikever; 2 lichtzinnig, onbezonnen mens.
Hanse *v* (de) Hanze.
*hanter l *ov.w* 1 omgaan met, druk bezoeken; *dis-moi qui tu hantes, je te dirai qui tu es,* (*spr.w*) waar men mee verkeert, wordt men mee geëerd; 2 achtervolgen; *maison hantée,* spookhuis. II *on.w:* *— chez qn.,* bij iem. in- en uitlopen. ▼*hantise *v* 1 omgang; 2 obsessie, spookbeeld.
*happe *v* kram.
*happement *m* 1 (het) happen; 2 (het) grijpen. ▼*happer *ov.w* 1 happen; 2 grijpen.
*haquenée *v* hakkenei.
*haquet *m* smalle, lange kar.
*harangu/e *v* 1 toespraak; 2 geleuter; 3 vervelende terechtwijzing. ▼*—er *ov.w* toespreken. ▼*—eur *m* 1 redenaar; 2 slecht spreker.
*haras *m* paardenfokkerij.
*harassement *m* afmatting. ▼*harasser *ov.w* afmatten.
*harc/èlement *m* kwelling. ▼*—eler *ov.w* 1 teisteren, kwellen; 2 lastig vallen. ▼*—eleur, -euse l *bn* kwellend. II *zn* *m*, -euse *v* kweller (-ster).
*harde *v* 1 kudde wild; 2 koppelriem v. honden; 3 koppel honden. ▼*harder *ov.w* (honden) koppelen.
*hardes *v mv* kledingstukken, spullen.
*hardi *bn* 1 stoutmoedig, stout, onverschrokken; 2 brutaal. ▼*hardiesse *v* 1 stoutmoedigheid, onverschrokkenheid; 2 brutaliteit.
*harem *m* harem.
*hareng *m* haring; *— saur,* bokking; *sec comme un —,* lang en mager, schraal; *serrés commes des —s,* op elkaar gepakt. ▼*—aison *v* 1 haringvisserij; 2 tijd der haringvisserij. ▼*—ère *v* 1 vis-, haringverkoopster; 2 ordinair wijf, viswijf. ▼*—erie *v* haringmarkt.
*hargne *v* woede. ▼*hargneux, -euse *v* twistzieke, nijdig.
*haricot *m* 1 schapevlees; 2 (*pop.*): *des —s!,* je krijgt niks!; *c'est la fin des —s,* dat is het toppunt; 3 boon; *— vert,* snijboon, prinsesseboon; *— beurre,* prinsesseboon.
*haridelle *v* magere knol.
harmonica *m* 1 glasharmonika; 2 mondharmonika.
harmon/ie *v* 1 harmonie, samenklank; 2 muziekinstrument; 3 welluidendheid; 4 eendracht; 5 goede verhouding; 6 harmoniegezelschap. ▼—ieusement *bw* 1 in goede verhoudingen; 2 welluidend. ▼—ieux, -ieuse *bn* 1 in goede verhoudingen; 2 welluidend. ▼—ique *bn* harmonisch; *son —,* bijtoon. ▼—iser *ov.w* 1 een begeleiding schrijven bij een melodie; 2 met elkaar in overeenstemming brengen. ▼—ium *m* huisorgel.
*harnachement *m* 1 (het) optuigen; 2 tuig. ▼*harnacher *ov.w* 1 optuigen; 2 opdirken. ▼*harnais *m* paardetuig; *cheval de —,* koetspaard.
*haro *m* afkeurend geschreeuw; *crier — sur,* luid afkeuren.
harpagon *m* vrek.
*harpe *v* harp.
*harpie *v* harpij, helleveeg.
*harpiste *m of v* harpspeler (-speelster).
*harpon *m* 1 harpoen; 2 enterhaak; 3 gevelanker. ▼*—nage, ▼—nement *m* (het) harpoeneren. ▼*—ner *ov.w* harpoeneren. ▼*—neur *m* harpoenier.
*hasard *m* 1 toeval, kans; *à tout —,* op goed geluk af; er moge gebeuren, wat er wil; *au —,* op goed geluk af; *jeu de —,* kansspel; 2 gevaar; *au — de,* op gevaar af van. ▼*hasard/é *bn* 1 gewaagd; 2 schuin. ▼*—er l *ov.w* wagen, op het spel zetten. II *on.w:* *— de,* wagen te. ▼*—eux, -euse *bn* 1 gewaagd; 2 vermetel. ▼*—ise *v* waaghalzerij.
haschisch, hachisch *m* hasj (iesj).
*hase *v* wijfjeshaas.
*hât/e *v* haast, spoed; *à la —, en —, en toute —,* inderhaast. ▼*—er l *ov.w* verhaasten, versnellen (*— le pas*). II *se —* zich haasten. ▼*—if, -ive *bn* 1 vroegtijdig, vroegrijp, vroeg ontluikend (*fleur —ive*); 2 haastig gemaakt (*travail —*). ▼*—ivement *bw* haastig, vroegtijdig.
*hauban *m* hoofdtouw (*scheepv.*), want (*scheepv.*). ▼*—er *ov.w* met touwen vastzetten (*scheepv.*).
*haubert *m* pantserhemd.
*hausse *v* 1 rijzing, stijging; 2 opzet v. geweer of kanon; 3 onderlegsel. ▼*hausse-col *m* ringkraag. ▼*haussement *m* verhoging; *— d'épaules,* schouderophalen. ▼*hausser l *ov.w* 1 verhogen, ophogen; *— le ton,* een hoge toon aanslaan; *— la voix,* de stem verheffen; 2 opheffen, optrekken; 3 opslaan (*— les prix*); 4 ophalen (*— les épaules*).

II *on.w* stijgen, rijzen, hoger worden in prijs.
III **se** — op zijn tenen gaan staan. ▼ ***haussier**
m iem. die à la hausse speculeert.

*haut I *bn* 1 hoog; —*e bourgeoisie*, deftige
burgerij; *en* — *lieu*, (van) hogerhand; —*e*
trahison, hoogverraad; 2 boven (*le*
haut-Rhin); 3 rechtop, opgeheven; *porter la*
tête —*e*, het hoofd in de nek dragen; *l'épée*
—*e*, met opgeheven degen; 4 luid (*à* —*e*
voix); 5 aanmatigend (*ton* —); 6 vol; *la* —*e*
mer, volle zee; 7 geweldig, sterk, fel; — *en*
couleur, fel gekleurd. II *zn m* hoogte, top;
tomber de son —, languit vallen,
stomverbaasd staan; *traiter de* — *en bas*,
minachtend behandelen; *le Très-Haut*, de
Almachtige. III —*e* v de hoge wereld (*les gens*
de la haute). IV *bw* 1 hoog; *en* —, boven, naar
boven; *d'en* —, van boven; *en* — *de*,
bovenaan; *là-haut*, daarboven, in de hemel; *le*
prendre —, een hoge toon aanslaan; 2 luid
(*parler* —). ▼ **—ain** *bn* hooghartig,
hoogmoedig, uit de hoogte.
*hautbois *m* 1 hobo (*muz.*); 2 hobospeler.
▼ ***hautboïste** *m* hoboïst.
*haut†-de-chaussé† *m* (oude) kniebroek.
▼ ***haut†-de-forme** *m* hoge hoed.
▼ ***haut†-contre** v hoge tenorstem.
haute-fidélité v hi-fi.
hautement *bw* 1 openlijk; 2 trots; 3 op
voortreffelijke wijze, glansrijk. ▼ ***hautesse** v
Hoogheid. ▼ ***hauteur** v 1 hoogte; — *du pôle*,
poolshoogte; *tomber de sa* —, languit vallen,
op zijn neus kijken; 2 trots (*parler avec* —);
3 heuvel, hoogte; 4 voortreffelijkheid, verhevenheid;
4 *être à la* — *d'une tâche*, tegen een taak
opgewassen zijn.
*haut†/-fond† *m* ondiepte. ▼ **—†-fourneau†**
[*mv* x] *m* hoogoven. ▼ **—†-le-cœur** *m*
1 misselijkheid; 2 walging. ▼ **—†-le-corps** *m*
sprong, ruk v. verbazing. ▼ **—†-parleur†** *m*
luidspreker. ▼ **—†-pendu†** *m* donkere wolk die
regen of wind voorspelt. ▼ **—†-relief†** *m*
haut-relief.
*hauturier, -ière *bn* buitengaats, in volle zee
(*navigation —ière*).
*havane I *zn m* tabak of sigaar uit Havanna.
II *bn* bruin (als havanna). III **la H—** Havanna.
*hâve *bn* bleek, mager.
*haver *ov.w* afslaan (v. steenkool).
*havre *m* natuurlijke haven die bij eb droog
loopt.
*havresac *m* 1 ransel; 2 gereedschapszak.
*Haye, La Den Haag.
*hayon *m* achterklep v. auto, vijfde deur
(— *arrière*, — *relevable*).
*hé! *tw* hei daar!, hé!
*heaume *m* helm. ▼ ***heaumier** *m* helmmaker.
hebdomadaire I *bn* wekelijks. II *zn m*
weekblad.
hébergement *m* huisvesting. ▼ **héberger**
ov.w herbergen.
hébétant *bn* versuffend, verstompend.
▼ **hébété** *bn* suf, verstompt. ▼ **hébétement** *m*
sufheid, stompzinnigheid. ▼ **hébéter** *ov.w*
afstompen, versuffen. ▼ **hébétude** v
afstomping der hersenen.
hébr/aïque *bn* Hebreeuws. ▼ **—aïser** *on.w*
Hebreeuws studeren. ▼ **—eu** I *bn* Hebreeuws.
II *zn* **H—** *m* Hebreeër.
hécatombe v bloedbad, slachting.
hect/are *m* hectare. ▼ **—ogramme** *m*
hectogram. ▼ **—olitre** *m* hectoliter.
▼ **—omètre** *m* hectometer.
hédon/isme *m* leer die genotzucht boven alles
plaatst. ▼ **—iste** *zn/bn* hedonist(isch).
hégémonie v overwicht.
Hégire v begin v.d. mohammedaanse
tijdrekening.
*hein! *tw* hé!
hélas *tw* helaas!
*héler *ov.w* 1 praaien (*scheepv.*);
2 aanroepen.
hélianthe *m* zonnebloem. ▼ **hélianthème** *m*
zonneroosje.
hélice v 1 schroef; 2 spiraal; *escalier en* —,
wenteltrap; 3 huisjesslak. ▼ **héliciculture** v

slakkenteelt. ▼ **hélicoïdal** [*mv* aux] *bn*
schroefvormig. ▼ **hélicoïde** *bn* spiraalvormig.
hélicon *m* bashoorn.
hélicoptère *m* hefschroefvliegtuig. ▼ **héligare**
v vliegveld voor helikopters.
hélio/centrique *bn* met de zon als
middelpunt. ▼ **—chromie** v kleurenfotografie.
▼ **—graphie** v 1 zonbeschrijving; 2 lichtdruk.
▼ **—gravure** v lichtdruk. ▼ **—scope** *m*
zonnekijker. ▼ **—thérapie** v genezing door
zonlicht. ▼ **—trope** *m* heliotroop (*plk.*).
héliport *m* luchthaven voor helikopters,
helihaven. ▼ **héliporté** *bn* vervoerd per
helikopter.
hellène I *bn* Helleens, Grieks. II *zn m/v*
Helleen(se), Griek(se). ▼ **helléni/que** *bn*
Helleens. ▼ **—isation** v het vergrieksen.
▼ **—iser** *ov.w* vergrieksen. ▼ **—isme** *m*
hellenisme. ▼ **—iste** *m* kenner v.h. Grieks.
helminthe *m* ingewandsworm.
Helvète I *bn* Helvetisch, Zwitsers. II *zn m/v*
Helveet(se), Zwitser(se). ▼ **Helvétie** v
Helvetia, Zwitserland. ▼ **Helvétique** *bn*
Zwitsers.
*hem! *tw* hum!, pst!
héma/tie v rood bloedlichaampje. ▼ **—tologie**
v leer v.h. bloed. ▼ **—tome** *m* bloedgezwel.
▼ **—turie** v bloedwateren.
hémi/cycle *m* 1 halve cirkel;
2 half-cirkelvormige zaal; 3 halfrond.
▼ **—plégie** v verlamming van één kant v.h.
lichaam. ▼ **—sphère** *m* 1 halve bol;
2 halfrond. ▼ **—sphérique** *bn* halfrond.
▼ **—stiche** *m* half vers.
hémo/globine v rode kleurstof v.h. bloed.
▼ **—pathie** v bloedziekte. ▼ **—phile** *m* iem. die
vlug en lang bloedt ('bloeder'). ▼ **—philie** v
ziekte der 'bloeders'. ▼ **—ptysie** v
bloedspuwing. ▼ **—rragie** v bloeduitstorting.
▼ **—rroïdes** v *mv* aambeien. ▼ **—statique** I *bn*
bloedstelpend. II *zn m* bloedstelpend middel.
henné *m* kleurstof (in mohammedaanse
landen), henna.
*hennir *on.w* hinniken. ▼ ***hennissement** *m*
gehinnik.
*hep! *tw* hé daar!
hépatique *bn* wat de lever betreft.
▼ **hépatisme** *m* leveraandoening. ▼ **hépatite**
v leverontsteking.
heptagone *m* zevenhoek. ▼ **heptamètre** *m*
heptameter.
héraldique *bn* wapenkundig. ▼ **héraldiste** *m*
wapenkundige.
*héraut *m* heraut.
herb/acé *bn* gras-, kruidachtig. ▼ **—age** *m*
1 gras; 2 weide; 3 —s kruiden. ▼ **—ager** I *zn m*
vetweider. II *ov.w* vetweiden. ▼ **herbe** v
1 gras; *couper l'* — *sous le pied de qn.*, iem. het
gras voor de voeten wegmaaien; 2 kruid;
mauvaise — *croît toujours*, onkruid vergaat
niet; — *marines*, algen, wier; 3 groen graan; *un*
avocat en —, een advocaat in de dop; *manger*
son blé en —, zijn inkomen van tevoren
opmaken. ▼ **herb/eux, -euse** *bn* grazig.
▼ **—icide** I *bn* onkruid verdelgend. II *zn m*
middel tegen onkruid. ▼ **—ier** *m* herbarium.
▼ **—ivore** I *bn* plantenetend. II *zn m*
planteneter. ▼ **herboris/ateur** *m*
plantenverzamelaar. ▼ **—ation** v het
verzamelen v. planten. ▼ **—er** *on.w* planten
verzamelen. ▼ **—te** *m* drogist. ▼ **—terie** v
drogisterij. ▼ **herbu** *bn* grazig.
Hercule v (een) Hercules. ▼ **Herculéen** *bn*
Herculisch.
*hère *m* 1 (*pauvre*) — (*arme*) drommel; 2 jong
hert.
héréditaire *bn* erfelijk; *prince* —, erfprins.
▼ **hérédité** v erfelijkheid.
hérésie v ketterij. ▼ **hérétique** I *bn* ketters.
II *zn m* of v ketter(se).
*hérisser I *ov.w* oprichten, opzetten (v. haren);
cheveux hérissés, rechtopstaande haren;
2 volmaken met; *hérissé de difficultés*, vol
moeilijkheden. II **se** — te berge rijzen v. haren;
2 woedend worden. ▼ ***hérisson** *m* 1 egel;
2 lastig persoon; 3 spaanse ruiter

(versperring).

héritage m 1 (het) erven; 2 erfenis; 3 erfgoed. ▼**hériter** ov. & on.w erven. ▼**héritier** m, **-ère** v erfgenaam (-gename).

hermaphrodite l bn tweeslachtig. II zn m of v tweeslachtig wezen.

hermét/ique bn 1 hermetisch, luchtdicht; 2 ontoegankelijk, gesloten, uitdrukkingsloos. ▼—**isme** m onbegrijpelijke aard.

hermine v 1 hermelijn; 2 hermelijnbont.

*herniaire bn wat een breuk betreft; bandage —, breukband. ▼**hernie** v 1 breuk (med.); 2 uitpuiling v.e. binnenband door de buitenband. ▼**hernieux, -euse** l bn aan een breuk lijdend. II zn m, **-euse** v breuklijder(es).

héroï-comique bn komisch van inhoud en verheven van toon. ▼**héroïne** v 1 heldin; 2 heroïne. ▼**héroïnomane** bn verslaafd aan heroïne. ▼**héroïque** bn heldhaftig; remède —, paardemiddel. ▼**héroïsme** m heldhaftigheid.

*héron m reiger. ▼—**nière** v reigersnest.

*héros m held; le — d'une fête, de jubilaris.

herpès m blaartje (aan lip), uitslag.

*hers/age, —**ement** m (het) eggen. ▼—**e** v 1 eg; 2 valpoort; 3 bovenlicht v. toneel. ▼*—**er** ov.w eggen. ▼—**eur** m, -**euse** v egger (-ster).

hertzien, -ienne bn van Hertz, Hertz-.

hésit/ant bn 1 aarzelend; 2 onzeker. ▼—**ation** v aarzeling. ▼—**er** on.w aarzelen, weifelen.

hétaïre v hetaere.

hétéro/clite bn 1 afwijkend; 2 zonderling. ▼—**gène** bn ongelijksoortig. ▼—**généité** v ongelijksoortigheid. ▼—**morphe** bn van ongelijke vorm bij dezelfde soort. ▼—**sexualité** v liefde voor het andere geslacht. ▼—**sexuel, -elle** l bn die de liefde voor het andere geslacht voelt. II zn m (een) hetero.

*hêtraie v beukenbos. ▼*hêtre m 1 beuk; 2 beukehout.

*heu! tw he!

heure l zn v 1 uur; l'— du berger, het schemeruurtje voor geliefden; demander l'—, vragen hoe laat het is; la dernière —, het uur v.d. dood; — indue, ongeschikt uur; quart d'—, kwartier; passer un mauvais quart d'—, een benauwd ogenblik doorbrengen; le quart d'— de Rabelais, het ogenblik van betalen; quelle — est-il?, hoe laat is het?; 2 ogenblik; 3 tijd; venir à l'—, op tijd komen; d'été, zomertijd. II bw: à la bonne —, goed zo, mij goed; de bonne —, vroeg; à cette —, thans, à toute —, ieder ogenblik; tout à l'—, straks. III les —s, de getijden; livre d'—s, getijdenboek.

heureusement bw 1 gelukkig; 2 gunstig (villa — située). ▼**heureux, -euse** l bn gelukkig; mémoire heureuse, goed geheugen. II zn m gelukkig mens.

*heurt m schok, stoot, duw. ▼*heurt/é bn schreeuwend (couleurs —es). ▼*—**ement** m (het) stoten. ▼—**er** l ov.w 1 stoten tegen, duwen tegen; 2 wonden, kwetsen (— l'amour-propre). II on.w kloppen op een deur. III se — 1 zich stoten; 2 met elkaar in botsing komen; 3 elkaar tegenwerken, -dwarsbomen. ▼—**oir** m 1 deurklopper; 2 stootblok (voor treinen).

hévéa v heveaboom.

hexagone m zeshoek. ▼**hexamètre** m hexameter.

hiatus m gaping, hiaat.

hibern/al [mv aux] bn winters; repos —, winterslaap. ▼—**ation** v winterslaap. ▼—**er** on.w winterslaap houden.

*hibou [mv x] m 1 uil; 2 mensenschuw iemand.

*hic m: voilà le —!, daar zit 'm de kneep!

*hideur v afschuwelijkheid, afzichtelijkheid. ▼*hideusement bw afzichtelijk. ▼*hideux bn afschuwelijk, afzichtelijk.

hiémal [mv aux] bn van de winter.

hier bw gisteren, niet lang geleden.

*hiérarch/ie v rangopvolging. ▼—**ique** bn volgens de hiërarchie; par la voie —, langs hiërarchische weg. ▼—**iser** ov.w hiërarchisch regelen.

hiératique bn 1 priesterlijk; 2 stijf, streng.

hiéroglyphe m 1 hiëroglyfe; 2 onleesbaar schrift; 3 onbegrijpelijke zaak.

*hi-han 'ia' v.e. ezel.

hilarant bn opwekkend tot lachen; gaz —, lachgas. ▼**hilare** bn 1 vrolijk; 2 lachwekkend. ▼**hilarité** v (plotselinge) vrolijkheid.

Hindou m Hindoe.

*hinterland m achterland.

hippique bn wat paarden betreft (concours —, sport —). ▼**hippisme** m paardesport. ▼**hippo/campe** m zeepaardje. ▼—**drome** m 1 renbaan voor wagenrennen in de oudheid; 2 paardenspel; 3 renbaan. ▼—**griffe** m legendarisch dier, half paard, half griffioen. ▼—**logie** v studie -, kennis v.h. paard. ▼—**mobile** bn door paard (en) voortbewogen. ▼—**potame** m 1 nijlpaard; 2 reus. ▼—**technie** v het fokken -, het africhten v. paarden.

hirondelle v 1 zwaluw; — de mer, sterntje, zeezwaluw; une — ne fait pas le printemps, (spr.w) één zwaluw maakt nog geen lente; 2 rivierstoombootje; 3 (fam.) schoorsteenveger, kastanjeverkoper in Parijs.

hirsute bn 1 ruig, borstelig (barbe —); 2 grof, lomp, bars.

hispanique bn Spaans. ▼**hispanisant** m hispanoloog. ▼**hispano-américain** bn Spaans-Amerikaans (la guerre —e).

hisser ov.w hijsen (zeilvlag).

histogramme m soort grafiek.

histoire v 1 geschiedenis, historie; — naturelle, natuurlijke historie; — sainte, bijbelse geschiedenis; — universelle, algemene geschiedenis; peintre d'—, historieschilder; 2 verhaal; c'est une autre —, dat is wat anders; conter des —s, leugens vertellen; 3 drukte (faire des —s); 4 onaangenaamheid, moeilijkheid (avoir des —s avec qn).

histologie v weefselleer.

historicité v juistheid.

historié bn: lettres —es, met vignetten of krullen versierde letters.

historien m 1 historieschrijver; 2 student in de geschiedenis. ▼**historiette** v verhaaltje. ▼**historio/graphe** m geschiedschrijver (door de koning benoemd). ▼—**graphie** v kunst v.d. geschiedschrijver. ▼**historique** l bn historisch. II zn m geschiedkundig overzicht.

histrion m 1 kluchtspeler; 2 potsenmaker.

hitlérien, -ienne bn van, wat betreft Hitler.

hiver m winter; l'— de la vie, de ouderdom; compter soixante —s, zestig jaren tellen. ▼**hivern/age** m 1 overwintering; 2 winterverblijfplaats; 3 het omploegen voor de winter; 4 regentijd in de tropen. ▼—**al** [mv aux] bn v.d. winter; station —e, winterverblijfplaats voor zieken. ▼—**ant, -e** zn m/v overwinteraar. ▼—**er** l on.w overwinteren. II ov.w ploegen voor de winter.

H.L.M. m/v goedkope flat (= Habitation à Loyer Modéré).

*hobereau [mv x] m 1 landedelman; 2 boomvalk.

*hochement m (het) schudden (— de tête).

▼*hochequeue m kwikstaartje. ▼*hocher ov.w afschudden, schudden. ▼*hochet m 1 rammelaar; 2 speelgoed.

hockey m hockey; — sur glace, ijshockey. ▼—eur m hockeyspeler.

*holà! tw hola!, afgelopen!; mettre le — à, een stokje steken voor.

*holding m trust.

*hold-up m gewapende overval.

*hollandais l bn Nederlands, Hollands. II zn H—m, -e v Hollander (-se), Nederlander (-se). III zn m het Nederlands. ▼*Hollande v Nederland, Holland. ▼*hollande l m 1 edammer kaas; 2 geschept papier. II v 1 Hollands linnen; 2 Hollands porselein; 3 Hollandse aardappel.

holocauste m offer.

*homard m grote zeekreeft. ▼*homardier m kreeftvisser.

hombre m kaartspel (omber).

*home *m* 1 thuis; 2— *d'enfants*, kindertehuis.
homélie *v* 1 leerrede; 2 (vervelende) zedenpreek.
homéo/pathe *m* homeopaat. **▼—pathie** *v* homeopathie. **▼—pathique** *bn* homeopathisch.
homérique *bn* homerisch (*rire* —).
homicide I *zn m* 1 moordenaar; 2 manslag, moord. **II** *bn* moordend, dodend.
hominien *m* mensachtige.
hommage I *m* eerbetoon, hulde; *faire* — *d'un livre*, een boek ten geschenke geven; *rendre* —, hulde brengen. **II —s** groeten, plichtplegingen.
hommasse *bn* (*ong.*) manachtig.
homme *m* 1 mens; *l'— des bois*, orang-oetan; *dépouiller le vieil* —, de oude mens afleggen; *l'— propose, Dieu dispose*, (*spr.w*) de mens wikt, maar God beschikt; *l'— d'affaires*, zaakwaarnemer; — *de bien*, rechtschapen man; — *de guerre*, militair; — *de lettres*, schrijver, literator; — *de loi*, advocaat, magistraat; — *du monde*, man v.d. wereld; — *de paille*, stroman; — *de peine*, sjouwer; — *de robe*, magistraat; 3 man = echtgenoot (*fam.*); 4 soldaat (*armée de mille hommes*).
▼—homme/†-grenouille† *m* kikvorsman.
▼—jet *m* straaljagerpiloot. **▼—†-sandwich†** *m* sandwichman.
homo/centrique *bn* concentrisch. **▼—gène** *bn* gelijksoortig, homogeen. **▼—généité** *v* gelijksoortigheid. **▼—logue I** *bn* gelijkwaardig. **II** *zn m/v* (gelijkwaardige) collega. **▼—loguer** *ov.w* bindend verklaren, officieel vaststellen. **▼—nyme I** *bn* gelijkluidend. **II** *zn m* 1 gelijkluidend woord; 2 naamgenoot. **▼—phone** *bn* gelijkklinkend. **▼—sexualité** *v* homoseksualiteit. **▼—sexuel, -le** *bn* (& *zn*) homoseksueel.
*hongre *bn* gecastreerd (v. paard).
*Hongrie *v* Hongarije. **▼*hongrois I** *bn* Hongaars. **II** *zn* H— *m*, -e *v* Hongaars(e). **III** *zn m* het Hongaars.
honnête *bn* 1 eerlijk; — *homme*, eerlijk man; 2 fatsoenlijk, rechtschapen; 3 beleefd; *un homme* —, beleefd man. **▼honnêteté** *v* 1 eerlijkheid; 2 fatsoenlijkheid, rechtschapenheid; 3 beschaafdheid.
honneur *m* 1 eer, eerbewijs; *affaire d'*—, duel; *faire* — *à un repas*, een maaltijd eer aandoen; *faire* — *à une signature*, zijn verplichtingen nakomen; *légion d'*—, Fr. ridderorde; *parole d'*—, erewoord; *place d'*—, ereplaats; *rendre* —, eer bewijzen; 2 ereambt; *demoiselle d'*—, bruidsmeisje; *garçon d'*—, bruidsjonker.
*honnir *ov.w* honen, smaden; *honni soit qui mal y pense*, schande over hem die er kwaad van denkt (devies v.d. Orde v.d. Kouseband).
honorabilité *v* 1 achtbaarheid; 2 betrouwbaarheid. **▼honorable** *bn* 1 achtbaar, achtenswaardig, fatsoenlijk; *faire amende* —, zijn ongelijk bekennen; 2 betrouwbaar; 3 edelachtbaar.
honor/aire I *bn* ere-; *membre* —, erelid. **II** *zn* **—aires** *mv* honorarium. **▼—é** *bn* 1 vereerd; 2 geacht. **▼—er** *v* brief. **▼—er** *ov.w* 1 (ver)eren; 2 tot eer strekken, een sieraad zijn van; 3 (een honorarium) betalen. **▼—ifique** *bn* eervol.
*hont/e *v* schande, schaamte; *avoir* — *de*, zich schamen over; *faire* — *à*, tot schande strekken; *vous en serez pour votre courte* —, u zult de kous op de kop krijgen. **▼*—eusement** *bw* schandelijk. **▼*—eux, -euse** *bn* 1 beschaamd (— *de*); *pauvre* —, stille arme; 2 schandelijk; 3 verlegen.
*hop! *tw* vooruit!, hoepla!
hôpital [*mv* aux] *m* 1 gasthuis, gratis ziekenhuis voor armen; *réduire à l'*—, ruïneren; 2 ziekenhuis.
*hoquet *m* hik. **▼*—er** *ov.w* hikken.
horaire I *bn* wat het uur betreft. **II** *zn m* dienstregeling v. treinen, enz., rooster, werktijd.
*horde *v* horde, bende.
*horion *m* slag, stomp.

horizon *m* horizon (ook *fig.*). **▼horizontal** [*mv* aux] *bn* horizontaal. **▼horizontalité** *v* horizontale ligging.
horlog/e/v klok; *être réglé comme une* —, een man v.d. klok zijn. **▼—er, -ère I** *bn* wat klokken, uurwerken betreft (*industrie* —*ère*). **II** *zn m* klokken-, horlogemaker, klokken-, horlogeverkoper. **▼—erie** *v* 1 horlogemakerswerk; 2 horloge-, klokkenhandel, -winkel; 3 uurwerken, horloges, klokken.
hormis *vz* behalve.
hormonal *bn* van, door hormonen, hormonaal. **▼hormone** *v* hormoon.
horoscope *m* horoscoop, toekomstvoorspelling; *tirer l'*—, een horoscoop trekken.
horreur *v* 1 afschuw, afgrijzen; *avoir en* —, een afschuw hebben van; *être en* —, verafschuwd worden; *quelle* —!, wat afschuwelijk!; 2 afschuwelijkheid, verfoeilijkheid, gruwel; 3 afschuwelijke daad, gemeen woord; 4 ijzing, huivering; 5 afzichtelijk, vuil, lelijk mens. **▼horr/ible** *bn* afschuwelijk, afgrijselijk, gruwelijk, verschrikkelijk. **▼—ifiant** *bn* angstaanjagend. **▼—ifier** *ov.w* met afschuw vervullen. **▼—ifique** *bn* afgrijselijk, verschrikkelijk. **▼—ipilant** *bn* ijselijk. **▼—ipilation** *v* 1 kippevel; 2 grote ergernis. **▼—ipiler** *ov.w* 1 kippevel bezorgen; 2 ergeren.
*hors *vz* 1 buiten; — *de*, buiten; — *de combat*, buiten gevecht; — *concours*, buiten mededinging; — *d'ici!*, eruit!, pak je weg!; — *ligne*, buitengewoon; *mettre* — *la loi*, buiten de wet plaatsen; — *de prix*, erg duur; — *de propos*, te onpas; — *de soi*, buiten zichzelf; — *d'usage*, afgedankt, onbruikbaar; 2 behalve. **▼*hors/-bord** *m* (boot met) buitenboordmotor. **▼*—concours** *zn/bn/bw* (iem. die) buiten mededinging (meedoet). **▼*—d'œuvre** *m* hors d'oeuvre.
*horse-power *v* (HP) paardekracht.
*hors/-jeu *zn/bn* (iem. die) buitenspel (staat). **▼*—la-loi** *m* buiten de wet geplaatst persoon. **▼*—texte** *m* buitentekst (plaat).
horti/cole *bn* wat de tuinbouw betreft. **▼—culteur** *m* tuinier. **▼—culture** *v* tuinbouw.
hosanna *v* 1 hosanna; 2 juichkreet.
hospice *m* 1 hospitium (waar kloosterlingen onderdak verschaffen aan reizigers); 2 gesticht, weeshuis, oudemannenhuis, enz.
hospital/ier, -ière I *bn* gastvrij; *sœur* —*ière*, liefdezuster. **II** *zn v* liefdezuster. **▼—iser** *ov.w* opnemen in een ziekenhuis. **▼—ité** *v* gastvrijheid; *donner l'*—, gastvrijheid verlenen.
hostie *v* 1 offerdier; 2 hostie.
hostile *bn* vijandig; — *à*, gekant tegen. **▼hostilité** *v* vijandigheid, tegenkanting.
hôte, **-esse** *v* 1 gastheer, gastvrouw; *hôtesse de l'air*, stewardess; 2 hotelhouder, waard; 3 gast; *table d'*—, open tafel tegen vastgestelde prijs en op een bepaald uur; 4 bewoner; *les* — *des airs*, de vogels.
hôtel *m* 1 groot herenhuis, openbaar gebouw; — *de ville*, stadhuis; 2 hotel; *maître d'*—, hofmeester, oberkelner, eerste bediende in een herenhuis. **▼—†-Dieu** *m* groot ziekenhuis. **▼—ier** *m*, **-ière** *v* hotelhouder (-ster). **▼—lerie** *v* logement.
*hotte *v* 1 draagkorf; 2— (*aspirante*), afzuigkap.
*hou! *tw* 1 boe; 2 foei.
*houblon *m* (*plk.*) hop. **▼*—ner** *ov.w* met hop brouwen. **▼*—nier** *m* hopverbouwer. **▼*—nière** *v* hopveld.
*houe *v* hak (soort houweel).
*houill/e *v* steenkool; — *blanche*, witte steenkool. **▼*—er, -ère** *bn* 1 wat steenkool betreft; 2 steenkool bevattend (*terrain* —). **▼*—ère** *v* kolenmijn.
*houle *v* deining.
*houlette *v* 1 herdersstaf; 2 (het) beroep *v* herder; 3 tuinschopje.
*houleux, -euse *bn* 1 deinend, hol (v.d. zee); 2 rumoerig, opgewonden.

*houp! *tw* hop!
houpp/e v 1 kwast; *2* kuif; *3* boomtop.
▼*—er *ov.w* kwasten maken; — *de la laine,* wol kammen. ▼*—ette *v* kwastje.
*hourdis, hourdage *m* ruw metselwerk.
houri v 1 hoeri; *2* zeer schone vrouw.
*hourra I *tw* hoera! II *zn m* gejuich.
*hourvari *m 1* kreet v.d. jagers die de honden terugroepen; *2* lawaai; *3* tegenvaller.
*housard *m* huzaar.
*houspiller *ov.w* 1* door elkaar rammelen; *2* plagen.
*houssaie *v* hulstbos.
housse v 1 hoes; *2* dekkleed. ▼*housser *ov.w* met een hoes afdekken.
*houx *m* hulst.
*hoyau [*mv* x] *m* hak (soort houweel).
*huard *m* zeearend.
*hublot *m* patrijspoort.
*huche *v 1* broodkist; *2* trog.
*hucher *ov. & on.w* roepen v. jagers.
*hue! *tw* hot! (om een paard sneller te laten lopen).
*huée *v* gejoel, gejouw. ▼*huer I *ov.w* uitjoelen, uitjouwen. II *on.w* krassen v.e. uil.
*huguenot *m, -e *v* hugenoot (-ote).
*huilage *m* (het) oliën. ▼huil/e I *v* olie; — *de graissage,* smeerolie; *jeter de l'—sur le feu,* olie op het vuur doen, ophitsen; *mer d'—,* rustige zee; *peint à l'—,* met olieverf geschilderd; — *de rose,* rozenolie; *les saintes —s,* het H. Oliesel; *verser de l'— sur les plaies,* troosten; *faire tache d'—,* zich (als een olievlek) verspreiden. II *mv les —s, (fam.)* de autoriteiten, de hoge lui. ▼—er *ov.w* oliën, smeren. ▼—erie *v 1* olieslagerij, -fabriek, -handel; *2* oliemagazijn. ▼—eux, -euse *bn 1* olieachtig; *2* vet. ▼—ier *m 1* olie-en-azijnstel; *2* olieslager; *3* oliehandelaar.
*huis *m (oud)* deur; *à — clos,* met gesloten deuren. ▼—serie *v* deurlijst. ▼—sier *m 1* portier; *2* deurwaarder.
*huit *telw.* 1* acht; *2* achtste (*le — mai*). ▼*—ain *m* achtregelig vers. ▼*—aine *v* acht dagen. ▼*—ième I *bn* achtste. II *zn m* of *v* achtste. III *zn v* achtste (laagste) klas v.e. lyceum. ▼*—ièmement *bw* ten achtste.
*huître *v 1* oester; — *perlière,* pareloester; *raisonner comme une —,* dom redeneren; *2* domoor, uil. ▼*huîtrier, -ière I *bn* wat oesters betreft. II *zn -ière *v* oesterbank.
*hulotte *v* bosuil.
*hululer *zie* ululer.
*hum! *hml hm! (twijfel, ongeduld).
*humage *m* (het) inademen.
humain I *bn 1* menselijk; *respect —,* menselijk opzicht; *2* menslievend. II *zn —s *m mv* de mensen. ▼human/isation *v* (het) handelbaar maken, beschaving. ▼—iser I *ov.w* handelbaar maken, beschaven. II *s'— handelbaar-, zachtmoedig worden. ▼—isme *m* humanisme. ▼—iste *bn* humanistisch. II *zn m* humanist. ▼—itaire *bn* menslievend, het belang der mensheid betreffend. ▼—itarisme *m* het bevorderen v.h. welzijn der mensen. ▼—ité I *v 1* mensdom; *2* menselijke natuur. II —s *v mv 1* studie der klassieken; *2* de drie hoogste klassen v.e. gymnasium; *faire ses —s,* het gymnasium aflopen.
humble I *bn 1* nederig; *2* bescheiden, schamel. II *zn mv: les —s,* de nederigen, de armen.
humectage *m* bevochtiging. ▼humecter I *ov.w* bevochtigen. II s'— vochtig worden; *s' — le gosier,* drinken.
*humer *ov.w* opsnuiven, opzuigen, inhaleren.
huméral [*mv* aux] *bn* van de schouder. ▼humérus *m* opperarmbeen.
humeur I *v 1* (lichaams)vocht (bloed, gal, enz.); *2* humeur, stemming; *d' — à,* in de stemming om; — *noire,* zwartgalligheid, pessimisme; *être de bonne —, de mauvaise —,* goed-, slecht gehumeurd zijn. II —s *froides,* klieren.
humid/e I *bn* vochtig, nat. II *zn m* vocht.

▼—ifier *ov.w* vochtig maken. ▼—ité v vochtigheid; *craint l'—,* droog bewaren.
humil/iant *bn* vernederend. ▼—iation *v 1* vernedering. ▼—ier *ov.w* 1* vernederen; *2* verootmoedigen. ▼—ité *v* nederigheid, ootmoed.
humor/iste *m* humoristisch schrijver. ▼—istique *bn* humoristisch. ▼humour *m* humor.
humus *m* teelaarde.
*hune *v* mars (*scheepv.*). ▼*hunier *m* marszeil.
*huppe *v 1* kuif; *2* hop (vogel). ▼*huppé *bn 1* gekuifd; *2 (fam.)* rijk, hooggeplaatst.
*hure *v 1* afgesneden kop v. wild zwijn, zalm; *2 (pop.)* gezicht.
*hurlement *m* gehuil, gejank, gebrul.
▼*hurler I *on.w 1* janken, huilen (v. wolven, v. honden); *2* brullen, schreeuwen; — *avec les loups,* huilen met de wolven in het bos. II *ov.w* uitbrullen (— *des injures*). ▼*hurleur, -euse I *bn* huilend, brullend, schreeuwend. II *zn m* brulaap.
hurluberlu *m* dolleman, wildebras.
*hussard *m* huzaar. ▼*hussarde *v* soort Hongaarse dans; *à la —,* zonder omslag.
*hutte *v 1* hutje; *2* draagbaar jachthutje.
hyacinthe *v 1 (oud)* hyacint; *2* roodgele edelsteen.
hybrid/ation *v* kruising. ▼—e I *bn* bastaard, gekruis. II *zn m* of *v* kruisen.
hydr-, hydro- *voorvoegsel:* water-.
hydrate *m* hydraat. ▼hydrater *ov.w* met water verbinden.
hydraulicien *m* waterbouwkundige.
▼hydraulique I *bn* wat water betreft, waterbouwkundig. II *zn v* hydraulica.
hydravion *m* watervliegtuig.
hydro/carbure *m* koolwaterstof. ▼—céphale I *bn* met een waterhoofd. II *zn m* of *v* iem. met een waterhoofd. ▼—céphalie *v* het hebben v.e. waterhoofd. ▼—fuge *bn* vochtwerend. ▼—gène *m* waterstof; *bombe à —,* waterstofbom. ▼—glisseur *m* glijboot. ▼—graphe *m* kenner v. kusten, zeeën, eilanden. ▼—graphie *v 1* topografie v. eilanden, kusten, zeeën; *2* de wateren v.e. streek; *3* waterbouwkunde. ▼—logie *v* kennis der wateren. ▼—mètre *m* regenmeter. ▼—phile *bn* wateraantrekkend. ▼—phobe I *bn* aan watervrees lijdend. II *zn m* of *v* lijder(es) aan watervrees. ▼—phobie *v* watervrees. ▼—pisie *v* waterzucht. ▼—pneumatique *bn* werkend met behulp v. water en samengeperst gas (*frein —*). ▼—scope *m* bronnenzoeker. ▼—scopie *v* het ontdekken v. bronnen. ▼—statique *v* hydrostatica. ▼—thérapie *v* behandeling v. zieken met behulp v. koud of warm water.
*hyène *v* hyena.
hygiène *v* gezondheidsleer, zorg voor de gezondheid. ▼hygiénique *bn* hygiënisch. ▼hygiéniste *m* hygiënist.
hygro/mètre *m* vochtigheidsmeter. ▼—métrie *v* het bepalen v.d. vochtigheidsgraad. ▼—scope *m* weermannetje. ▼—scopie *v* — ▼—métrie *v*.
hymen *m 1* huwelijk; *2* maagdenvlies. ▼hyménée *m* huwelijk.
hyménoptères *m mv* vliesvleugeligen.
hymne I *m 1* lofzang; *2* lied; — *national,* volkslied. II *v* hymne.
hyper- *voorvoegsel:* over-, super-, enz. ▼—bole *v 1* woordoverdrijving; *2* dwarse kegelsnede. ▼—bolique *bn* hyperbolisch. ▼—borée, —boréen, -enne *zn* uit het hoge noorden (*peuples —s*). ▼—marché *m* grote supermarkt. ▼—métrope *bn* verziend. ▼—sensibilité *v* overgevoeligheid. ▼—sensible *bn* overgevoelig. ▼—tension *v* verhoogde bloeddruk. ▼—trophie *v 1* abnormale groei; *2* overdrijving.
hypn/ose *v* hypnose. ▼—otique I *bn* hypnotisch. II *zn m* slaapmiddel. ▼—otiser *ov.w* hypnotiseren. ▼—otisme *m* hypnotisme.
hypo/condriaque *bn* zwaarmoedig. II *zn m* of *v* zwaarmoedig persoon. ▼—condrie *v*

zwaarmoedigheid.
hypocras *m* kruidenwijn.
hypo/crisie *v* schijnheiligheid,
huichelachtigheid. ▼—**crite I** *bn* schijnheilig,
huichelachtig. II *zn m* of *v* schijnheilige,
huichelaar(ster).
hypo/dermique *bn* onderhuids. ▼—**gastre** *m*
onderbuik. ▼—**gastrique** *bn* wat de
onderbuik betreft.
hypogée *m* onderaardse begraafplaats.
hypo/stase *v* **1** bezinksel; **2** wezen.
▼—**statique** *bn* een persoon vormend.
hypotension *v* te lage bloeddruk.
hypoténuse *v* hypotenusa.
hypo/thécable *bn* verhypotheekbaar.
▼—**thécaire** *bn* hypothecair; *caisse* —,
hypotheekbank. ▼—**thèque** *v* hypotheek.
▼—**théquer** *ov.w* een hypotheek nemen op;
être mal hypothéqué, er slecht aan toe zijn.
hypo/thèse *v* hypothese. ▼—**thétique** *bn*
hypothetisch.
hypotrophie *v* ondervoeding.
hysope *v* hysop.
hystérie *v* hysterie. ▼**hystérique I** *bn*
hysterisch. II *zn m* of *v* hysterisch persoon.

i *m*; *Ibid.*, op dezelfde plaats; *droit comme un i*,
recht als een kaars.
ïambe I *m* jambe. II—**s** *m mv* satirisch gedicht.
▼**iambique** *bn* jambisch.
ibère *bn* Iberisch.
Ibérie *v* Iberië.
ibidem *bw* op dezelfde plaats.
ibis *m* ibis (vogel).
iceberg *m* ijsberg.
ichtyo/colle *v* vislijm. ▼—**logie** *v* kennis der
vissen. ▼—**logique** *bn* wat de vissen betreft.
▼—**logiste** *m* kenner der vissen. ▼—**phage**
I *bn* visetend. II *zn m* of *v* visetend dier.
ici *bw* hier, nu; *ici-bas*, hier op aarde; *d'— à*
trois jours, voordat er drie dagen voorbij zijn;
d'— là, in die tussentijd; *d'— peu*, spoedig;
hors d'— !, eruit!; *jusqu'—*, tot nu toe; *par —*,
hierheen, hierlangs.
icône I *v* Russisch heiligenbeeld, ico(o)n. II *m*
of *v* symbool.
icono/claste *m* beeldenbestormer.
▼—**graphie** *v* **1** kennis-, beschrijving v.
beelden, schilderijen, platen, enz.; **2** plaatwerk
met afbeeldingen hiervan; **3** verzameling
portretten v. beroemde personen.
▼—**graphique** *bn* op de iconografie
betrekking hebbend. ▼—**lâtre** *m*
beeldenaanbidder. ▼—**lâtrie** *v* beeldendienst.
▼—**logie** *v* verklaring v. beelden,
standbeelden.
ictère *m* geelzucht. ▼**ictérique I** *bn*
geelzuchtig. II *zn m* of *v* lijder(es) aan
geelzucht.
ictus *m* (*med.*) aanval.
idéal [*mv* aux of als] **I** *bn* **1** ideaal; **2** ideëel.
II *zn m* ideaal. ▼—**isation** *v* idealisering.
▼—**iser** *ov.w* idealiseren. ▼—**isme** *m*
idealisme. ▼—**iste I** *bn* idealistisch. II *zn m*
idealist.
idée *v* **1** voorstelling, begrip; *il n'en a pas —*, hij
heeft er geen begrip van; **2** idee, denkbeeld,
gedachte; *l'— me venait de*, de gedachte
kwam bij mij op om te; *— fixe*,
dwangvoorstelling; **3** hoofd, geest; *avoir dans*
l'— que, zich verbeelden, zo'n idee hebben
dat; **4** *une —*, (*pop.*) een beetje.
idem *bw* eveneens.
identifi/able *bn* te identificeren. ▼—**cation** *v*
vereenzelviging, identificatie. ▼—**er I** *ov.w*
1 vereenzelvigen; **2** de identiteit vaststellen.
II **s'**—één worden met, overeenstemmen met.
identique *bn* gelijk.
identité *v* gelijkheid, identiteit; *carte, pièce*
d'—, identiteitsbewijs.
idéo/graphie *v* beeldschrift. ▼—**logie** *v*
1 ideeënleer; **2** hersenschimmen. ▼—**logique**
bn ideologisch. ▼—**logue** *m* ideoloog,
dromer.
ides *v mv* idus (in Romeinse jaartelling).
idiomatique *bn* tot het taaleigen behorend.
▼**idiome** *m* **1** taal; **2** taaleigen; **3** dialect.
idiosyncrasie *v* **1** overgevoeligheid; **2** eigen
aard.
idiot I *bn* idioot, onnozel, dwaas. II *zn m*, **-e** *v*
idioot (idiote), onnozele hals, dwaas. ▼—**ie** *v*
zwakzinnigheid, dwaasheid, onnozelheid.
▼—**isme** *m* eigenaardige (niet te vertalen)
uitdrukking.

idolâtr/e l *bn* **1** afgodisch; **2** verzot op, overdreven beminnend. **II** *zn m* of *v* afgodendienaar (-dienares). **▼—er** *ov.w* vergoden, op overdreven wijze beminnen. **▼—ie** *v* **1** afgoderij; **2** overdreven liefde.
idole *v* **1** afgod; **2** oogappel; **3** idool.
idylle *v* idylle. **▼idyllique** *bn* idyllisch.
if *m* taxus (naaldboom), ijf.
igloo (iglou) *m* sneeuwhut.
ignare l *bn* onwetend. **II** *zn m* of *v* ongeletterd persoon.
igné *bn* van vuur, door vuur gevormd. **▼igni/fuger** *ov.w* onbrandbaar maken. **▼—tion** *v* verbranding.
ignoble *bn* laag, gemeen, schandelijk.
ignomin/ie *v* oneer, schande. **▼—ieusement** *bw* smadelijk, schandelijk. **▼—ieux, -ieuse** *bn* smadelijk, schandelijk.
ignorance *v* onwetendheid; — *crasse*, grove onkunde. **▼ignorant** *bn* onwetend. **▼ignoré** *bn* onbekend. **▼ignorer** *ov. w* niet kennen, niet weten.
iguane *m* leguaan.
il *vnw* hij, het, er.
île *v* eiland; *les Îles*, de Antillen.
Île-de-France *v* oude provincie met Parijs als hoofdstad.
iléon *m* kronkeldarm.
Iliade *v* Ilias.
ilion *m* heupbeen (*ook* **ilium**).
Ilion *m* Troje.
illégal [*mv* **aux**] *bn* onwettig. **▼illégalité** *v* onwettigheid.
illégitime *bn* **1** onwettig (*enfant —*); **2** ongeoorloofd, onjuist (*conclusion —*). **▼illégitimité** *v* onwettigheid.
illettré l *bn* ongeletterd. **II** *zn m* of *v* **1** ongeletterde; **2** analfabeet (-bete).
illicite *bn* onwettig, ongeoorloofd.
illico *bw* onmiddellijk.
illimité *bn* onbegrensd, onbeperkt.
illisibilité *v* onleesbaarheid. **▼illisible** *bn* onleesbaar.
illogique *bn* onlogisch. **▼illogisme** *m* ongerijmdheid.
illumin/ateur *m* verlichter. **▼—ation** *v* **1** verlichting; **2** feestelijke verlichting; **3** ingeving. **▼—é** *m* ziener, dweper. **▼—er l** *ov.w* **1** verlichten; **2** feestelijk verlichten; **3** de geest verlichten. **II** *on.w* illumineren.
illusion *v* illusie, zinsbedrog, hersenschim; *faire — à*, bedriegen; *se faire —*, zichzelf iets wijsmaken. **▼—ner l** *ov.w* verblinden, voorspiegelen. **II s'—** zichzelf iets wijsmaken. **▼—niste** *m* goochelaar. **▼illusoire** *bn* denkbeeldig.
illustr/ateur *m* illustrator. **▼—ation** *v* **1** illustratie, verluchting, plaat; **2** beroemd persoon; **3** luister. **▼illustre** *bn* vermaard, beroemd. **▼illustr/é l** *bn* geïllustreerd. **II** *zn m* geïllustreerd blad. **▼—er l** *ov.w* **1** illustreren, verluchten; *carte postale illustrée*, prentbriefkaart; **2** beroemd maken. **II s'—** zich onderscheiden. **▼—issime** *bn* allerdoorluchtigst.
îlot *m* **1** eilandje; — *de sauvetage*, reddingsvlot; **2** blok huizen. **▼—age** *m* verdeling van stad of wijk in kleine eenheden.
ilote *m* verschoppeling.
ils *vnw* zij.
imag/e *v* **1** afbeelding, afbeeldsel, schilderij, beeld, plaat, plaatje, prentje; — *mortuaire*, bidprentje; **2** symbool, beeld; **3** beeld (spraak); **4** — (*de marque*), image. **▼—é** *bn* beeldrijk. **▼—erie** *v* **1** prentenfabriek; **2** prentenhandel. **▼—ier l** *bn* wat prenten betreft (*industrie —ière*). **II** *zn m* prentenmaker, -verkoper.
imagin/able *bn* denkbaar. **▼—aire** *bn* denkbeeldig, ingebeeld. **▼—atif, -ive** *bn* vernuftig, met verbeeldingskracht. **▼—ation** *v* **1** verbeelding, verbeeldingskracht; **2** hersenschim, inbeelding. **▼—ative** *v* (*fam.*) verbeeldingskracht. **▼—er l** *ov.w* **1** zich voorstellen; uitdenken, uitvinden. **II s'—** zich verbeelden, denken.

imago *v* volkomen ontwikkeld insekt.
iman, imam *m* mohammedaans priester of vorst.
imbattable *bn* onverslaanbaar; *prix —*, weggeefprijs.
imbécil/e l *bn* stompzinnig, dom, onnozel. **II** *zn m* of *v* stompzinnig, dom mens; onnozele hals. **▼—lité** *v* stompzinnigheid, domheid, onnozelheid.
imberbe *bn* **1** baardeloos; **2** piepjong.
imbiber *ov.w* nat maken, doorweken. **▼imbibition** *v* doorweking, (het) nat maken.
imbriqué *bn* dakpansgewijze geplaatst. **▼imbriquer** *ov.w* dakpansgewijze plaatsen.
imbroglio *m* **1** verwarring; **2** toneelstuk met een ingewikkelde intrige.
imbu (de) *bn* doortrokken van, vol met.
imbuvable *bn* ondrinkbaar.
imit/able *bn* navolgbaar. **▼—ateur, -atrice l** *bn* nabootsend. **II** *zn m*, -**atrice** *v* nabootser (-ster). **▼—atif** *bn* nabootsend. **▼—ation** *v* **1** nabootsing, navolging van; *l'I— de Jésus Christ*, de Navolging van Christus; **2** namaak. **▼—er** *ov.w* **1** nabootsen, navolgen; **2** namaken; **3** sterk lijken op.
immaculé *bn* vlekkeloos, onbevlekt; *l'I—e Conception*, de Onbevlekte Ontvangenis.
imman/ence *v* voortdurende werkzaamheid. **▼—ent** *bn* **1** innerlijk, in zichzelf bestaand, -handelend; **2** voortdurend werkzaam.
immangeable *bn* oneetbaar.
immanquable *bn* onvermijdelijk, onfeilbaar.
immatérialité *v* onstoffelijkheid. **▼immatériel, -elle** *bn* onstoffelijk.
immatricul/ation *v* inschrijving; *plaque d'—*, nummerplaat. **▼—er** *ov.w* inschrijven in het stamboek, - in een register.
immature *bn* onrijp. **▼immaturité** *v* onrijpheid.
immédiat *bn* onmiddellijk; *dans l'—*, voorshands.
immémorable, immémorial [*mv* **aux**] *bn* onheuglijk.
immense *bn* onmetelijk, ontzaglijk, geweldig. **▼immensément** *bw* ontzaglijk, geweldig. **▼immensité** *v* **1** onmetelijkheid, ontzaglijkheid; **2** oneindige ruimte.
immensurable *bn* onmetelijk.
immerger *ov.w* onderdompelen, (kabel) leggen.
immérité *bn* onverdiend.
immersion *v* in-, onderdompeling.
immettable *bn* niet te dragen.
immeuble l *bn* onroerend. **II** *zn m* onroerend goed; — (*à appartements*) of — *collectif*, flatgebouw.
immigr/ant *m* landverhuizer die een land binnenkomt. **▼—ation** *v* nederzetting van vreemdelingen, immigratie. **▼—é** *m* immigrant. **▼—er** *on.w* zich in een land nederzetten, immigreren.
imminence *v* nabije dreiging (*l'— du danger*). **▼imminent** *bn* **1** onmiddellijk dreigend; **2** aanstaand (*départ —*).
immiscer l *ov.w* mengen. **II s'— dans** zich bemoeien met, zich mengen in. **▼immixtion** *v* inmenging.
immobile *bn* **1** onbeweeglijk; **2** onverzettelijk.
immobilier, -ière *bn* onroerend.
immobil/isation *v* **1** (het) onbeweeglijk maken; **2** (het) blokkeren v. effecten. **▼—iser** *ov.w* **1** onbeweeglijk maken; **2** tot staan brengen; **3** blokkeren. **▼—isme** *m* verstarring, conservatisme. **▼—ité** *v* onbeweeglijkheid.
immodéré *bn* onmatig, bovenmatig.
immodest/e *bn* oneerbaar, onbetamelijk. **▼—ie** *v* oneerbaarheid, onbetamelijkheid.
immol/ateur *m* offeraar. **▼—ation** *v* **1** (het) offeren; **2** slachting, bloedbad. **▼—er** *ov.w* **1** offeren, opofferen; **2** doden, slachten.
immond/e *bn* **1** vuil, onrein; *l'esprit —*, de duivel; **2** laag, weerzinwekkend. **▼—ice** *v* **1** onreinheid; **2** *les —s*, het straatvuil.
immoral [*mv* **aux**] *bn* onzedelijk, immoreel. **▼immoralité** *v* onzedelijkheid.
immort/aliser l *ov.w* onsterfelijk maken.

II s'— zich onsterfelijk maken. **▼—alité** v onsterfelijkheid. **▼—el, -elle I** bn onsterfelijk. **II** zn m onsterfelijke; les 40 I—s, de leden der Fr. Academie. **III -elle** v strobloem.
▼—ellement bw op onsterfelijke wijze.

immotive bn ongemotiveerd.

immuabilité v onveranderlijkheid. **▼immuable** bn onveranderlijk.

immun bn immuun. **▼—isation** v (het) onvatbaar maken voor besmettelijke ziekten. **▼—iser** ov.w onvatbaar maken. **▼—ité** v 1 vrijdom, vrijstelling; 2 onvatbaarheid; 3 onschendbaarheid.

immutabilité v onveranderlijkheid.

impact m 1 schok, stoot; point d'—, trefpunt v.e. projectiel; 2 effect.

impair I bn 1 oneven; 2 ongepaard. **II** zn m onhandigheid, flater.

impalpabilité v ontastbaarheid. **▼impalpable** bn ontastbaar.

impardonnable bn onvergeeflijk.

imparfait I bn 1 onvoltooid; 2 onvolledig; 3 onvolmaakt. **II** zn m 1 (het) onvolledige; 2 (het) onvoltooide; 3 (het) onvolmaakte; 4 verleden tijd.

imparité v 1 onevenheid; 2 ongelijkheid.

impartageable bn onverdeelbaar.

impartial [mv aux] bn onpartijdig. **▼—ité** v onpartijdigheid.

impartir ov.w toestaan, verlenen.

impasse v 1 slop; être dans une —, geen uitweg uit een moeilijkheid weten; 2 (het) snijden bij kaarten (faire une —); 3 — budgétaire, begrotingstekort.

impassibilité v 1 onbewogenheid, onaandoenlijkheid; 2 onvatbaarheid voor lijden. **▼impassible** bn 1 onbewogen, onaandoenlijk; 2 onvatbaar voor lijden.

impati/emment bw ongeduldig. **▼—ence** v ongeduld; avoir de—s, niet stil kunnen zitten, - staan. **▼—ent** bn 1 ongeduldig; — de, verlangend te; 2 niet verdragend (— du joug). **▼—enter I** ov.w ongeduldig maken. **II s'**— ongeduldig worden.

impavide bn onbeschroomd.

impayable bn onbetaalbaar. **▼impayé** bn onbetaald.

impeccable bn 1 zondeloos; 2 onfeilbaar; 3 smetteloos.

impédance v impedantie.

impedimenta m mv hinderpalen.

impénétrabilité v ondoordringbaarheid. **▼impénétrable** bn 1 ondoordringbaar; 2 ondoorgrondelijk.

impénit/ence v onboetvaardigheid. **▼—ent I** bn onboetvaardig. **II** zn m, -e v onboetvaardige.

impensable bn ondenkbaar.

impenses v mv onderhouds- of verbeteringskosten.

impérat/if, -ive I bn gebiedend. **II** zn m gebiedende wijs. **▼—ivement** bw op gebiedende toon.

impératrice v keizerin.

imperceptibilité v onmerkbaarheid. **▼imperceptible** bn onmerkbaar.

imperdable bn niet te verliezen.

imperfection v 1 onvolmaaktheid; 2 onvoltooidheid; 3 onvolledigheid.

impérial [mv aux] bn keizerlijk. **impériale** v 1 zitplaats op diligence, bus, tram, wagon; 2 sik (baard).

impérial/isme m imperialisme. **▼—iste** m imperialist.

impérieux, -euse bn gebiedend.

impérissable bn onvergankelijk.

impéritie v onbekwaamheid.

imperméab/iliser ov.w ondoordringbaar maken voor vocht. **▼—ilité** v ondoordringbaarheid. **▼—le I** bn ondoordringbaar. **II** zn m regenjas.

impersonnalité v onpersoonlijkheid. **▼impersonnel, -elle** bn onpersoonlijk.

impertin/emment bw onbeschaamd, brutaal. **▼—ence** v onbeschaamdheid, brutaliteit. **▼—ent** bn onbeschaamd, brutaal.

---

imperturbabilité v onverstoorbaarheid. **▼imperturbable** bn onverstoorbaar.

impétigo m huiduitslag; — larvé, dauwworm.

impétr/ant m iem. d:e iets verkregen heeft. **▼—ation** v verkrijging. **▼—er** ov.w verkrijgen.

impétu/eusement bw woest, onstuimig. **▼—eux, -euse** bn woest, onstuimig. **▼—osité** v woestheid, onstuimigheid, drift.

impie I bn goddeloos. **II** zn m of v goddeloze. **▼impiété** v 1 goddeloosheid; 2 snoodheid; 3 oneerbiedigheid.

impitoyable bn onbarmhartig, hardvochtig.

implacabilité v onverzoenlijkheid, onverbiddelijkheid. **▼implacable** bn onverzoenlijk, onverbiddelijk.

implant m (med.) inplant. **▼—ation** v inplanting, vestiging, vasthechten (van ledematen). **▼—er** I ov.w inplanten, ingang doen vinden. **II s'**— ingang vinden.

implexe bn ingewikkeld. **▼implication** v verwikkeling. **▼implicite** bn stilzwijgend inbegrepen; foi —, blind geloof. **▼impliquer** ov.w 1 betrekken in, wikkelen in (— dans); 2 bevatten, insluiten.

imploration v smeking, aanroeping. **▼implorer** ov.w smeken, aanroepen.

impoli bn onbeleefd. **▼impolitesse** v onbeleefdheid.

impondérable I bn 1 niet te wegen, zeer licht; 2 nietig, maar belangrijk. **II** zn m mv imponderabilia.

impopulaire bn impopulair. **▼impopularité** v impopulariteit.

importable bn 1 invoerbaar; 2 niet te dragen.

importance v 1 belangrijkheid, gewicht; 2 aanzien, gezag; 3 zelfgenoegzaamheid. **▼important I** bn 1 belangrijk, gewichtig; 2 aanzienlijk, invloedrijk; 3 zelfgenoegzaam. **II** zn m 1 hoofdzaak; 2 verwaand persoon; faire I'—, gewichtig doen.

import/ateur m, -atrice v importeur. **▼—ation** v import, invoer. **▼—er I** ov.w invoeren. **II** on.w; n'importe, dat doet er niet toe; n'importe qui, onverschillig wie; peu importe, het doet er weinig toe; qu'importe?, wat doet het ertoe? **III** onp.w van belang zijn; il importe que (met subj.), het is van belang dat.

importun I bn lastig, ongelegen, hinderlijk. **II** zn m lastig mens, ongenode gast. **▼—er** ov.w lastig vallen, hinderen. **▼—ité** v lastigheid, hinderlijkheid, opdringerigheid.

impos/able bn belastbaar. **▼—ant** bn indrukwekkend. **▼—é** m aangeslagene in de belasting. **▼—er I** ov.w 1 belasten; 2 opleggen; — le respect, eerbied afdwingen; tot zwijgen brengen. **II** on.w (eerbied, vrees) afdwingen; en —, bedriegen, wijsmaken. **III s'**— 1 zich opleggen; 2 voor de hand liggen. **▼—ition** v 1 oplegging (— des mains); 2 belasting.

impossibilité v onmogelijkheid. **▼impossible I** bn onmogelijk. **II** m (het) onmogelijke.

impost/eur m bedrieger. **▼—ure** v bedrog.

impôt m belasting; — du sang, dienstplicht.

impot/ence v 1 gebrekkigheid; 2 impotentie. **▼—ent** bn 1 gebrekkig door het missen v. een der ledematen; 2 zich moeilijk bewegend (vieillard —); 3 impotent.

impratic/abilité v 1 onuitvoerbaarheid; 2 onbegaanbaarheid. **▼—able** bn 1 onuitvoerbaar; 2 onbegaanbaar.

imprécation v verwensing, vervloeking.

imprécis bn onnauwkeurig, onduidelijk. **▼—ion** v onnauwkeurigheid, onduidelijkheid.

imprégn/able bn doorweekbaar. **▼—ation** v doortrekking. **▼—é (de)** bn doortrokken van, doordrongen van, vol van. **▼—er I** ov.w doortrekken, verzadigen. **II s'**— de doordrongen worden.

imprenable bn onneembaar.

imprescriptible bn onaantastbaar.

impression v 1 indruk; 2 afdruk; 3 (het) drukken v.e. boek; 4 grondverf. **▼—nabilité** v vatbaarheid voor indrukken. **▼—nable** bn vatbaar voor indrukken. **▼—nant** bn indrukwekkend. **v—ner** ov.w **1** indruk maken op; **2** inwerken op. **v—nisme** m impressionisme (kunstrichting). **v—niste** m impressionist.

imprévis/ible, imprévoyable bn niet te voorzien. **v—ion** v gemis v. vooruitziende blik. **v imprévoy/ance** v zorgeloosheid, onvoorzichtigheid, onbedachtzaamheid. **v—ant** bn zorgeloos, onvoorzichtig, onbedachtzaam. **v imprévu I** bn onvoorzien, onverwacht. **II** zn m (het) onvoorziene; *en cas d'—*, in onvoorziene omstandigheden.

imprim/é m drukwerk. **v—er** ov.w **1** drukken (van boeken, platen); **2** drukken, indrukken, afdrukken (— *ses pas dans le sable*); **3** in de grondverf zetten; **4** (een beweging) meedelen (— *un mouvement*); **5** inprenten, inboezemen. **v—erie** v **1** boekdrukkunst; **2** drukkerij. **v—eur** m **1** drukker; **2** drukkersknecht. **v—euse** v drukmachine.

improbabilité v onwaarschijnlijkheid. **v improbable** bn onwaarschijnlijk.

improb/ateur, -atrice bn afkeurend. **v—atif, -ive** bn afkeurend. **v—ation** v afkeuring.

improbité v oneerlijkheid.

improduct/if, -ive bn onvruchtbaar, renteloos. **v—ivité** v onvruchtbaarheid, renteloosheid.

impromptu I bw onvoorbereid, voor de vuist. **II** bn onverwacht, geïmproviseerd. **III** zn m voor de vuist gemaakt, gezongen of opgezegd gedichtje, liedje; *à l'—*, onvoorbereid.

imprononçable bn onuitspreekbaar.

impropre bn **1** oneigenlijk; **2** — *à*, ongeschikt voor. **v impropriété** v **1** onjuistheid; **2** ongeschiktheid.

improvis/ateur m, **-atrice** v improvisator (-trice). **v—ation** v geïmproviseerd vers, toespraak, enz. **v—er** ov. & on.w improviseren, voor de vuist voordragen. **v improviste (à l')** bw onverwachts.

imprud/ence v onvoorzichtigheid. **v—emment** bw onvoorzichtig. **v—ent** bn onvoorzichtig.

impubère bn nog niet geslachtsrijp.

impubliable bn niet uit te geven.

impud/emment bw brutaal, onbeschaamd. **v—ence** v brutaliteit, onbeschaamdheid. **v—ent** bn brutaal, onbeschaamd. **v—eur** v schaamteloosheid, grote onbeschaamdheid. **v—icité** v onkuisheid, ontucht. **v—ique** bn onkuis, ontuchtig.

impuissance v **1** machteloosheid, onmacht; **2** impotentie. **v impuissant** bn **1** machteloos, onmachtig; **2** impotent.

impuls/ion v **1** een impuls geven aan. **v—if, -ive** bn **1** voort-, aandrijvend; *force —ive*, stuwkracht; **2** impulsief, gehoorgevend aan een eerste opwelling. **v—ion** v **1** aandrijving, stoot; **2** drang, opwelling. **v—ivité** v het toegeven aan een eerste opwelling.

impun/ément bw ongestraft, straffeloos. **v—i** bn ongestraft. **v—ité** v straffeloosheid.

impur bn **1** onzuiver; **2** onkuis, onzedelijk. **v—eté** v **1** onzuiverheid; **2** onkuisheid, onzedelijkheid.

imput/abilité v toerekenbaarheid. **v—able** bn **1** toerekenbaar, toe te schrijven; **2** — *sur*, af te trekken van, over te brengen op. **v—ation** v **1** toerekening, toeschrijving; **2** beschuldiging; **3** verrekening, afschrijving. **v—er** ov.w **1** wijten, toeschrijven; **2** afschrijven, in mindering brengen, overschrijven.

imputrescible bn onbederfelijk.

inabordable bn ontoegankelijk, ongenaakbaar; *prix —*, buitensporige prijs.

inaccentué bn zonder accent, - klemtoon.

inacceptable bn onaanvaardbaar.

inaccess/ibilité v ontoegankelijkheid, ongenaakbaarheid. **v—ible** bn **1** ongenaakbaar, ontoegankelijk; **2** ongevoelig.

inaccompli bn onvervuld.

inaccoutumé bn **1** ongewoon; **2** — *à*, niet gewend aan.

inachevé bn onvoltooid.

inactif, -ive bn werkeloos, ledig. **v inaction** v werkeloosheid, ledigheid. **v inactivité** v werkeloosheid, ledigheid.

inactuel, -elle bn niet actueel.

inadaptation v (het) niet aangepast zijn. **v inadapté** bn onaangepast.

inadéquat bn onvolledig.

inadmiss/ibilité v ontoelaatbaarheid, onaannemelijkheid. **v—ible** bn ontoelaatbaar, onaannemelijk.

inadvertance v onoplettendheid, vergissing.

inaliénabilité v onvervreemdbaarheid. **v inaliénable** bn onvervreemdbaar.

inalliable bn onvermengbaar (v. metaal).

inaltérabilité v onveranderlijkheid. **v inaltérable** bn onveranderlijk.

inamical bn onvriendelijk.

inamovibilité v onafzetbaarheid. **v inamovible** bn onafzetbaar.

inanimé bn levenloos, onbezield; *regards —s*, doffe blik.

inanité v nutteloosheid, ijdelheid.

inanition v ondervoeding.

inapaisable bn niet te bevredigen; *soif —*, onlesbare dorst. **v inapaisé** bn onbevredigd.

inapplicable bn ontoepasselijk. **v inapplication** v **1** luiheid, gebrek aan ijver; **2** ontoepasbaarheid. **v inappliqué** bn lui.

inappréc/iable bn **1** zeer klein; **2** onwaardeerbaar. **v—ié** bn niet gewaardeerd.

inapprivoisable bn ontembaar. **v inapprivoisé** bn ongetemd.

inapte bn ongeschikt, onbekwaam. **v inaptitude** v ongeschiktheid, onbekwaamheid.

inarticulé bn onverstaanbaar, onduidelijk.

inassimilable bn onverteerbaar.

inassouvi bn ongestild, onbevredigd (*désir —*).

inattaquable bn onaanvechtbaar, onaantastbaar (*droit —*).

inattendu bn onverwacht.

inattentif, -ive bn onoplettend. **v inattention** v onoplettendheid.

inaudible bn **1** niet of nauwelijks te horen; **2** niet om aan te horen.

inaugur/al [*mv* aux] bn wat inwijding, opening betreft; *discours —*, inaugurele rede. **v—ateur** m, **-atrice** v inwijder (-ster). **v—ation** v inwijding, opening, onthulling v.e. standbeeld. **v—er** ov.w inwijden, openen, onthullen.

inauthenticité v onechtheid. **v inauthentique** bn onecht.

inavouable bn niet te bekennen, schandelijk. **v inavoué** bn onbekend, verborgen.

incalculable bn onberekenbaar.

incandesc/ence v **1** witgloeihitte; *lampe à —*, gloeilamp; **2** zeer grote opgewondenheid; *l'— des passions*, het vuur der hartstochten. **v—ent** bn **1** witgloeiend; **2** zeer opgewonden.

incantation v bezwering.

incapable bn **1** onbekwaam, niet in staat te (—*de*), — een nietsnut; **2** onbevoegd. **v incapacité** v **1** onbekwaamheid; **2** onbevoegdheid; **3** onmogelijkheid; **4** invaliditeit.

incarcération v gevangenzetting. **v incarcérer** ov.w gevangen zetten, opsluiten.

incarnat I zn m rozerode kleur. **II** bn rozerood. **v incarnation** v vleeswording, belichaming. **v incarner I** ov.w **1** vlees doen worden; *le diable incarné*, de lijfelijke duivel; *ongle incarné*, in het vlees gegroeide nagel; *c'est la prudence incarnée*, het is de voorzichtigheid zelve; **2** voorstellen, vertegenwoordigen. **II s'—** vlees -, mens worden.

incartade v **1** dolle streek; **2** uitval.

incassable bn onbreekbaar.

incendiaire I zn m of v brandstichter (-ster). **II** bn **1** brandstichtend; *bombe —*, brandbom; **2** opruiend (*écrit —*). **v incendie** m brand. **v incend/ié I** bn afgebrand. **II** zn m, **-e** v

slachtoffer v.e. brand. **▼—ier** ov.w **1** in brand steken; **2** in vuur en vlam zetten.
incertain I bn 1 onzeker; **2** veranderlijk (*temps* —); **3** vaag. **II** zn m (het) onzekere. **▼incertitude** v **1** onzekerheid; **2** veranderlijkheid.
incessamment bw **1** onophoudelijk; **2** onmiddellijk, binnenkort. **▼incessant** bn onophoudelijk, aanhoudend.
incessibilité v onvervreemdbaarheid. **▼incessible** bn onvervreemdbaar.
inceste m bloedschande, incest. **▼incestueux, -euse I** bn bloedschendig. **II** zn bloedschender.
inchangé bn onveranderd.
inchauffable bn niet warm te krijgen.
inchoatif, -ive bn het begin der handeling uitdrukkend.
incid/emment bw toevallig. **▼—ence** v **1** inval; angle d'—, invalshoek; **2** bijkomstigheid. **▼—ent** m **1** voorval; **2** bijkomstige omstandigheid.
incinération v lijkverbranding, crematie. **▼incinérer** ov.w verassen, cremeren.
incis/er ov.w insnijden. **▼—if, -ive I** bn **1** insnijdend; **2** raak, scherp (critique —ive). **II -ives** v mv (dents) incisives, snijtanden. **▼—ion** v insnijding.
incit/ateur m, **-atrice** v opruier (-ster), aanhitser (-ster). **▼—ation** v **1** aansporing; **2** opruiing. **▼—er** ov.w **1** aansporen; **2** opruien, aanhitsen.
incivil bn onbeleefd. **▼—ité** v **1** onbeleefdheid; **2** onbeleefde daad.
inclém/ence v **1** onbarmhartigheid; **2** guurheid. **▼—ent** bn **1** streng, onbarmhartig; **2** guur.
inclin/aison v **1** helling; **2** inclinatie. **▼—ation** v **1** buiging; — de tête, hoofdknik; **2** neiging; mariage d'—, huwelijk uit liefde; **3** (fam.) geliefde. **▼—é** bn schuin. **▼—er I** ov.w **1** doen hellen; **2** buigen (— la tête). **II** on.w **1** (over) hellen; **2** — à, geneigd zijn tot. **III s'—** hellen; **2** zich buigen; **3** — devant, zijn hoofd buigen voor, bewonderen.
inclure ov.w onr. insluiten. **▼inclus** ingesloten; ci—, hierbij, hiernevens. **▼—if, -ive** bn insluitend. **▼—ion** v insluiting. **▼—ivement** bn ingesloten, incluis; jusqu'au 15e siècle —, tot en met de 15e eeuw.
incoercible bn onbedwingbaar.
incognito I bw incognito, onbekend. **II** zn m: garder l'—, zijn naam niet bekend maken.
incohérence v gebrek aan samenhang. **▼incohérent** bn onsamenhangend, incoherent.
incollable bn niet vast te zetten; die op elke vraag kan antwoorden.
incolore bn kleurloos.
incomber ov.w passen bij; cette tâche m'incombe, die taak rust op mij.
incombustibilité v onbrandbaarheid. **▼incombustible** bn onbrandbaar.
incommensurabilité v onmeetbaarheid. **▼incommensurable** bn onmeetbaar; nombres —s, reële, irrationele getallen.
incommodant bn hinderlijk, lastig. **▼incommod/e** bn hinderlijk, lastig. **▼—ément** bw ongemakkelijk, hinderlijk. **▼—er** ov.w **1** lastig vallen, hinderen; **2** ongesteld maken. **▼—ité** v **1** hinder, last; **2** lichte ongesteldheid.
incommunicable bn **1** onzegbaar; **2** mondes —s, werelden die niet met elkaar in contact gebracht kunnen worden.
incomparabilité v onvergelijkelijkheid. **▼incomparable** bn onvergelijkelijk.
incompatibilité v onverenigbaarheid. **▼incompatible** bn onverenigbaar.
incompétence v onbevoegdheid. **▼incompétent** bn onbevoegd.
incomplet, -ète bn onvolledig.
incompréhens/ible bn onbegrijpelijk. **▼—if, -ive** bn niet begrijpend. **▼—ion** v (het) niet begrijpen.
incompressible bn niet samendrukbaar.

incompris bn onbegrepen.
inconcevable bn onbegrijpelijk.
inconciliabilité v onverenigbaarheid. **▼inconciliable** bn onverenigbaar.
inconditionn/é/e bn onvoorwaardelijk. **▼—el, -elle** bn onvoorwaardelijk.
inconduite v wangedrag.
inconfort m ongerief. **▼inconfortable** bn ongeriefelijk.
incongru bn onbetamelijk, ongepast, lomp. **▼—ité** v onbetamelijkheid, ongepastheid. **▼incongrûment** bw ongepast, onbetamelijk.
inconnaissable bn onkenbaar. **▼inconnu I bn 1** onbekend; **2** ongekend. **II** zn m, -e v (de) onbekende. **III** zn m (het) onbekende.
inconsci/emment bw onbewust. **▼—ence** v onbewustheid. **▼—ent I** bn onbewust. **II** zn m (het) onbewuste.
inconséqu/emment bw op tegenstrijdige wijze. **▼—ence** v **1** (het) handelen in strijd met eigen beginselen; **2** onbezonnenheid. **▼—ent** bn **1** tegenstrijdig; **2** onbezonnen.
inconsidéré bn onbezonnen, onbedachtzaam. **▼—ment** bw op onbezonnen wijze.
inconsistance v **1** onvastheid; **2** onbestendigheid, wispelturigheid. **▼inconsistant** bn **1** onvast; **2** onbestendig, wispelturig.
inconsolable bn ontroostbaar. **▼inconsolé** bn ongetroost.
inconst/ance v onstandvastigheid, onbestendigheid, wispelturigheid. **▼—ant** bn onstandvastig, onbestendig, wispelturig.
inconstitutionnel, -elle bn ongrondwettelijk.
incontest/abilité v onbetwistbaarheid. **▼—able** bn onbetwistbaar. **▼—é** bn onbetwist.
incontinence v **1** onbezadigdheid; **2** onmatigheid; **3** onkuisheid. **▼incontinent I bn 1** onbezadigd; **2** onmatig; **3** onkuis. **II** bw dadelijk, onmiddellijk.
incontrôlable bn oncontroleerbaar. **▼incontrôlé** bn ongecontroleerd.
inconvenance v ongepastheid. **▼inconvenant** bn ongepast.
inconvénient m bezwaar, nadeel.
inconvertible bn onverwisselbaar.
incoordination v gebrek aan samenwerking.
incorpor/ation v inlijving, indeling. **▼—el, -elle** bn onlichamelijk. **▼—er** ov.w inlijven, indelen.
incorrect bn **1** onnauwkeurig; **2** onbehoorlijk. **▼—ion** v **1** onnauwkeurigheid; **2** ongepastheid.
incorrigibilité v onverbeterlijkheid. **▼incorrigible** bn onverbeterlijk.
incorrupt/ibilité v **1** onbederfelijkheid; **2** onomkoopbaarheid. **▼—ible** bn **1** onbederfelijk; **2** onomkoopbaar.
incréd/ibilité v ongeloofbaarheid. **▼—ule I** bn ongelovig. **II** zn m of v ongelovige. **▼—ulité** v ongeloof, ongelovigheid.
increvable bn **1** die niet kan knappen; **2** (pop.) niet kapot te krijgen.
incrimin/able bn **1** vervolgbaar; **2** laakbaar. **▼—ation** v beschuldiging. **▼—er** ov.w **1** beschuldigen; **2** laken.
incroyable I bn ongelofelijk. **II** zn m mv: les l—s, aanstellerige fatten der royalistische partij onder het Directoire (1795–1799).
▼incroyant I bn ongelovig. **II** zn m, -e v ongelovige.
incrustation v (het) inleggen, ingelegd werk. **▼incruster I** ov.w inleggen. **II s'—1** vastroesten; **2** blijven plakken.
incub/ateur m broedmachine. **▼—ation** v **1** uitbroeding; **2** broedtijd; **3** (med.) incubatie. **▼—er** ov.w uitbroeden.
inculp/ation v beschuldiging. **▼—é m, -e** v beschuldigde. **▼—er** ov.w beschuldigen.
inculquer ov.w inprenten.
incult/e/n bn **1** onbebouwd; onverzorgd (barbe —); **2** onontwikkeld, onbeschaafd. **▼—ivable** bn onbebouwbaar. **▼—ure** v gebrek aan ontwikkeling.

incunable *m* wiegedruk.
incurabilité *v* ongeneeslijkheid. ▼**incurable** *bn* ongeneeslijk.
incurie *v* zorgeloosheid.
incuri/eux, -euse *bn* niet weetgierig, onverschillig. ▼**—osité** *v* gebrek aan weetgierigheid, onverschilligheid.
incursion *v* 1 inval; 2 ontdekkingstocht.
incurver *ov.w* buigen.
Inde I *v* Indië; *les —s orientales*, Oost-Indië; *les —s occidentales*, West-Indië. **II** *m* indigo.
indéc/emment *bw* onbetamelijk. ▼**—ence** *v* onbetamelijkheid. ▼**—ent** *bn* onbetamelijk.
indéchiffrable *bn* onontcijferbaar, onleesbaar, onbegrijpelijk.
indécis *bn* 1 onbeslist; 2 besluiteloos; 3 onduidelijk, vaag. ▼**—ion** *v* besluiteloosheid.
indéclinabilité *v* onverbuigbaarheid.
▼**indéclinable** *bn* onverbuigbaar.
indécomposable *bn* onontleedbaar.
indécrottable *bn (fam.)* 1 niet te reinigen (*souliers —s*); 2 onverbeterlijk.
indéfectibilité *v* onvergankelijkheid.
▼**indéfectible** *bn* onvergankelijk.
indéfendable *bn* onverdedigbaar.
indéfini *bn* onbepaald; *article —*, onbepaald lidwoord; *passé —*, volt. tegenw. tijd.
▼**indéfinissable** *bn* 1 niet te bepalen; 2 onverklaarbaar.
indéformable *bn* vormvast.
indéfrisable I *bn* niet-ontkrullend. **II** *zn v* permanent-wave.
indélébile *bn* onuitwisbaar.
indéliberé *bn* onberaden.
indélicat *bn* onkies. ▼**—esse** *v* 1 onkiesheid; 2 onkiese daad.
indémaillable *bn* niet ladderend.
indemn/e *bn* 1 zonder schade; 2 zonder letsel. ▼**—isation** *v* schadeloosstelling. ▼**—iser** *ov.w* schadeloos stellen. ▼**—itaire** *m of v* schadeloos gesteld persoon. ▼**—ité** *v* 1 schadeloosstelling; *— parlementaire,* salaris *v.* parlementsleden; 2 toelage, uitkering; *— de chômage,* W.W.-uitkering.
indémontrable *bn* onbewijsbaar.
indéniable *bn* onloochenbaar, onmiskenbaar.
indépend/amment *bw* 1 onafhankelijk; 2 behalve, benevens. ▼**—ance** *v* onafhankelijkheid. ▼**—ant** *bn* onafhankelijk, zelfstandig.
indéracinable *bn* onuitroeibaar.
indescriptible *bn* onbeschrijfelijk.
indésirable I *bn* ongewenst. **II** *zn m* ongewenste vreemdeling.
indestructibilité *v* onverwoestbaarheid.
▼**indestructible** *bn* onverwoestbaar.
indétermin/able *bn* onbepaalbaar. ▼**—ation** *v* 1 onbepaaldheid; 2 besluiteloosheid. ▼**—é** *bn* 1 onbepaald; 2 besluiteloos.
index *m* 1 wijsvinger; 2 inhoudsopgave v.e. boek; 3 index. ▼**—ation** *v* (het) geven van een indexcijfer. ▼**—er** *ov.w* een indexcijfer geven van, (*econ.*) indexeren.
indicat/eur, -rice I *bn* aanwijzend; *poteau —,* wegwijzer. **II** *zn m* 1 spoorboekje, gids; 2 meter (*— de vitesse*); 3 verklikker; 4 waarschuwingslampje. ▼**—if, -ive I** *bn* aanwijzend; *plaque —ive,* naambordje; *à titre —,* als richtprijs. **II** *zn m* 1 aantonende wijs; 2 herkenningsmelodie, -teken. ▼**—ion** *v* 1 aanwijzing, aanduiding; 2 inlichting; 3 vingerwijzing. ▼**indice** *m* 1 kenteken, aanwijzing; 2 index (*— des prix*); 3 — *d'octane,* octaangehalte.
indicible *bn* onuitsprekelijk (*joie —*).
indiction *v* 1 bijeenroeping v.e. concilie; 2 vaststelling, voorschrift.
indien, -enne *bn* 1 Indisch; 2 Indiaans. **II** *zn — m, -enne* v 1 Indiër (*-sche*); 2 Indiaan(se). **III** *-enne* v bedrukt katoen.
indiffér/ence *v* onverschilligheid. ▼**—encié** *bn* zonder verschillen. ▼**—ent I** *bn* onverschillig. **II** *zn m* onverschillig persoon; *faire l'—,* onverschillig doen. ▼**—er** *ov.w* (*fam.*) koud, onverschillig laten.
indigence *v* armoede, gebrek.

indigène I *bn* inlands, inheems. **II** *zn m* of *v* inlander (*-se*); inboorling(e).
indigent *I bn* arm, behoeftig. **II** *zn m* arme, behoeftige.
indigeste *bn* 1 moeilijk verteerbaar; 2 verward, ondoordacht, taai. ▼**indigestion** *v* slechte spijsvertering; *avoir une — d'une chose,* iets moe zijn.
indign/ation *v* verontwaardiging. ▼**—e** *bn* onwaardig, verwerpelijk. ▼**—é** *bn* verontwaardigd. ▼**—er I** *ov.w* iem.'s verontwaardiging opwekken. **II s'— de** verontwaardigd zijn, worden over. ▼**—ité** *v* 1 onwaardigheid; 2 belediging.
indigo I *zn m* indigo. **II** *bn* indigoblauw.
indiqué *bn* 1 aangewezen; 2 gunstig, op zijn plaats. ▼**indiquer** *ov.w* aanduiden, aanwijzen.
indirect *bn* 1 zijdelings; *voie —e,* omweg; 2 onrechtstreeks; *complément —,* meewerkend of oorzakelijk voorwerp; *contribution —e,* indirecte belasting; *discours —,* indirecte rede.
indiscernable *bn* niet te onderscheiden.
indiscipline *v* gebrek aan (krijgs)tucht. ▼**indiscipliné** *bn* tuchteloos.
indiscret, -ète I *bn* 1 onbescheiden; 2 loslippig. **II** *zn m,* **-ète** *v* 1 onbescheiden persoon; 2 babbelkous. ▼**indiscrètement** *bw* onbescheiden. ▼**indiscrétion** *v* 1 onbescheidenheid; 2 loslippigheid, (het) verraden v.e. geheim.
indiscutable *bn* onbetwistbaar.
indispensable *bn* onontbeerlijk, onvermijdelijk.
indisponibilité *v* (het) niet beschikbaar zijn. ▼**indisponible** *bn* niet beschikbaar.
indispos/é/bn 1 ziek; 2 ongesteld. ▼**—er** *ov.w* 1 ongesteld maken; 2 — *contre,* innemen tegen. ▼**—ition** *v* ongesteldheid.
indissociable *bn* niet te scheiden.
indissol/ubilité *v* 1 onverbreekbaarheid; 2 onoplosbaarheid. ▼**—uble** *bn* 1 onoplosbaar; 2 onverbreekbaar.
indistinct *bn* onduidelijk.
individu *m* wezen, persoon. ▼**—aliser** *ov.w* tot individu maken, individualiseren. ▼**—alisme** *m* individualisme (leer die het individu stelt boven de gemeenschap). ▼**—aliste I** *bn* individualistisch. **II** *zn m* individualist. ▼**—alité** *v* persoonlijkheid. ▼**—el, -elle** *bn* persoonlijk.
indivis *bn* onverdeeld. ▼**—ibilité** *v* ondeelbaarheid. ▼**—ible** *bn* ondeelbaar. ▼**—ion** *v* onverdeeldheid, gemeenschappelijk bezit.
Indochin/e *v* Indochina. ▼**—ois(e) I** *zn m of v* Indochinees. **II** *bn* Indochinees.
indocil/e *bn* 1 ongezeglijk; 2 onleerzaam. ▼**—ité** *v* ongezeglijkheid; 2 onleerzaamheid.
indo-européen(ne) I *zn m of v* Indo. **II** *bn* Indo-europees.
indol/emment *bw* vadsig, traag. ▼**—ence** *v* vadsigheid, traagheid. ▼**—ent** *bn* vadsig, traag.
indolore *bn* pijnloos.
indomptable *bn* ontembaar.
Indonésie *v* Indonesië. ▼**indonésien, -ienne I** *bn* Indonesisch. **II** *zn — m* Indonesiër, *-ienne* v Indonesische.
indu *bn* 1 onbehoorlijk, ongepast; 2 ontijdig; 3 niet verschuldigd.
indubitable *bn* ontwijfelbaar.
induct/eur, -rice *bn* wat inductie betreft; *courant —,* inductiestroom. ▼**—if, -ive** *bn* van het bijzondere tot het algemene opklimmend (*méthode —ive*). ▼**—ion** *v* 1 (het) opklimmen v.h. bijzondere tot het algemene; 2 (*elektr.*) inductie; *bobine d'—,* inductieklos. ▼**induire** *ov.w onr.* 1 brengen, leiden; *— en erreur,* op een dwaalspoor brengen; 2 afleiden; 3 elektr. stroom opwekken. ▼**induit I** *v.dw* van **induire**. **II** *bn courant —,* inductiestroom. **III** *zn m* (*elektr.*) anker.
indulgence *v* 1 toegeeflijkheid, inschikkelijkheid; 2 aflaat; *— plénière,* volle

aflaat. ▼**indulgent** *bn* toegeeflijk, inschikkelijk.

indûment *bw* onrechtmatig, op ongeoorloofde wijze.

induration *v* verharding (v. weefsel).

industrial/isation *v* industrialisatie. ▼—**iser** *ov.w* industrialiseren. ▼—**isme** *m* stelsel dat de industrie beschouwt als het voornaamste maatschappelijke doel. ▼**industrie** *v* 1 bedrijf; 2 industrie; 3 fabriek; 4 (*oud*) handigheid; 5 beroep, vak. ▼**industriel, -elle** I *bn* industrieel, wat nijverheid betreft; *art —,* kunstnijverheid; *école —elle,* ambachtsschool; *région —elle,* industriegebied. II *zn m* industrieel.

industri/eusement *bw* 1 handig, bekwaam; 2 vlijtig. ▼—**eux, -euse** *bn* 1 handig, bekwaam; 2 vlijtig.

inébranlable *bn* onwankelbaar, onverzettelijk.

inéchangeable *bn* niet te ruilen.

inédit I *bn* 1 niet gedrukt, niet uitgegeven; 2 nieuw, ongewoon, nooit gezien. II *zn m* onuitgegeven werk.

inéducable *bn* niet op te voeden.

ineffable *bn* onuitsprekelijk.

ineffaçable *bn* onuitwisbaar.

inefficac/e *bn* ondoeltreffend, zonder uitwerking (*remède —*). ▼—**ité** *v* ondoeltreffendheid, (het) zonder uitwerking zijn.

inégal [*mv* aux] *bn* ongelijk, ongelijkmatig.

inégalable *bn* onvergelijkelijk, niet te evenaren. ▼**inégalé** *bn* ongeëvenaard.

inégalité *v* ongelijkheid, ongelijkmatigheid.

inélégant *bn* onelegant.

inéligibilité *v* onverkiesbaarheid. ▼**inéligible** *bn* onverkiesbaar.

inéluctable *bn* onvermijdelijk.

inemployé *bn* ongebruikt.

inénarrable *bn* te gek.

inepte *bn* 1 onbekwaam; 2 dwaas. ▼**ineptie** *v* 1 onbekwaamheid; 2 dwaasheid.

inépuisable *bn* onuitputtelijk.

inéquitable *bn* onbillijk.

inert/e *bn* traag, willoos. ▼—**ie** *v* 1 traagheid, willoosheid; 2 lijdelijk verzet.

inespéré *bn* onverwacht.

inesthétique *bn* onesthetisch.

inestimable *bn* onschatbaar.

inévitable *bn* onvermijdelijk.

inexact *bn* 1 onnauwkeurig; 2 niet op tijd. ▼—**itude** *v* onnauwkeurigheid, slordigheid.

inexaucé *bn* onverhoord.

inexcusable *bn* niet te verontschuldigen.

inexécutable *bn* onuitvoerbaar.

inexhaustible *bn* onuitputtelijk.

inexistant *bn* niet bestaand. ▼**inexistence** *v* (het) niet bestaan.

inexorabilité *v* onverbiddelijkheid. ▼**inexorable** *bn* onverbiddelijk.

inexpéri/ence *v* onervarenheid. ▼—**menté** *bn* 1 onervaren; 2 nog niet toegepast.

inexpiable *bn* niet uit te boeten.

inexplicable *bn* onverklaarbaar, vreemd. ▼**inexpliqué** *bn* onverklaard, geheimzinnig.

inexploitable *bn* 1 onontginbaar; 2 niet te exploiteren. ▼**inexploité** *bn* 1 onontgonnen; 2 niet geëxploiteerd.

inexplorable *bn* niet te onderzoeken. ▼**inexploré** *bn* nog niet doorzocht (*région —e*).

inexplosible *bn* onontplofbaar.

inexpressif, -ive *bn* uitdrukkingloos. ▼**inexprimable** *bn* onuitsprekelijk (*joie —*).

inexpugnable *bn* onneembaar (*forteresse —*).

inextensible *bn* onrekbaar.

inextinguible *bn* onblusbaar; *rire —,* onbedaarlijk gelach.

inextricable *bn* onontwarbaar.

infaillibilité *v* onfeilbaarheid. ▼**infaillible** *bn* onfeilbaar.

infaisable *bn* ondoenlijk.

infamant *bn* onterend. ▼**infâme** I *bn* 1 eerloos, schandelijk; 2 vuil, vies. II *zn m* of *v* eerloze, schandelijk mens. ▼**infamie** *v* 1 schande, eerloosheid; 2 schanddaad.

infant *m,* -e *v* koninklijke prins(es) in Spanje en Portugal.

infanterie *v* voetvolk, infanterie.

infanticide I *zn m* kindermoord. II *zn m* of *v* kindermoordenaar (-ares). III *bn* schuldig aan kindermoord (*mère —*). ▼**infantil/e** *bn* wat kinderen betreft; *maladie —,* kinderziekte. ▼—**isme** *m* kinderlijkheid.

infarctus *m* infarct.

infatigable *bn* onvermoeibaar.

infatu/ation *v* dwaze eigenliefde, ingenomenheid. ▼—**er** I *ov.w* verzot -, verwaand maken. II s'— de verzot worden op, een overdreven voorliefde opvatten voor.

infécond *bn* onvruchtbaar. ▼**infécondité** *v* onvruchtbaarheid.

infect *bn* 1 stinkend; 2 walgelijk, gemeen. ▼—**er** I *ov.w* 1 verpesten, met stank vervullen; 2 bederven, verpesten; 3 besmetten. II *on.w* stinken. ▼—**ieux, -ieuse** *bn* besmettelijk (*maladie infectieuse*). ▼—**ion** *v* 1 besmetting; 2 afschuwelijke stank; 3 (zeden)bederf.

inféoder *ov.w* 1 in leen geven; 2 onderwerpen.

inférence *v* gevolgtrekking. ▼**inférer** *ov.w* afleiden.

inférieur I *bn* 1 onderste (*lèvre —e*); benedenste; *la Seine —e,* de beneden-Seine; 2 lager, kleiner, geringer; — *à,* lager dan, minder dan. II *zn m,* -e *v* ondergeschikte. ▼**infériorité** *v* 1 minderheid; 2 minderwaardigheid; 3 ondergeschiktheid.

infernal [*mv* aux] *bn* hels; *un bruit —,* een hels lawaai; *machine —e,* helse machine.

infertile *bn* onvruchtbaar. ▼**infertilité** *v* onvruchtbaarheid.

infester *ov.w* onveilig maken, een plaag zijn voor.

infidèle I *bn* 1 ontrouw; 2 ongelovig; 3 onjuist (*récit —*). II *zn m* ongelovige. ▼**infidélité** *v* 1 ontrouw; 2 onjuistheid; 3 oneerlijke daad; 4 ongelovigheid.

infiltr/ation *v* 1 doorsijpeling; 2 (het) langzaam doordringen van ideeën. ▼—**er (s')** 1 doorsijpelen; 2 langzaam doordringen.

infime *bn* 1 onderst, laagst; 2 zeer klein. ▼**infimité** *v* nietigheid, kleinheid.

infini I *bn* oneindig; *un temps —,* een lange tijd. II *zn m* 1 (het) oneindige; *à l'infini,* tot in het oneindige; 2 (*fot.*) oneindig. ▼—**ment** *bw* 1 oneindig; 2 ten zeerste, uiterst. ▼—**té** *v* 1 oneindigheid; 2 zeer groot aantal. ▼—**tésimal** [*m* aux] *bn* uiterst klein; *calcul —,* differentiaalrekening. ▼—**tif** *m* onbepaalde wijs. ▼—**tude** *v* oneindigheid.

infirmatif, -ive *bn* vernietigend. ▼**infirmation** *v* vernietiging.

infirme I *bn* gebrekkig, zwak, ziekelijk. II *zn m* of *v* gebrekkige, zwakke, ziekelijke. **infirmer** *ov.w* 1 vernietigen (— *une sentence*); 2 aanvechten, ontzenuwen.

infirm/erie *v* ziekenzaal, hospitaal. ▼—**ier** *m,* -ière *v* ziekenverpleger (-verpleegster); *infirmière-major,* hoofdzuster. ▼—**ité** *v* 1 zwakheid; 2 gebrek; 3 onvolkomenheid, onvolmaaktheid.

infixe *m* tussenvoegsel.

inflamm/abilité *v* ontvlambaarheid. ▼—**able** *bn* ontvlambaar. ▼—**ation** *v* 1 ontvlamming; 2 ontsteking. ▼—**atoire** *bn* gepaard met ontsteking (*fièvre —*).

inflation *v* 1 inflatie; 2 grote verhoging (— *des prix*). ▼—**niste** I *bn* wat inflatie betreft. II *zn m* voorstander v. inflatie.

infléchir I *ov.w* zachtjes buigen, ombuigen. II s'— zachtjes buigen. ▼**infléchissement** *m* lichte verandering, ombuiging.

inflex/ibilité *v* 1 onbuigbaarheid; 2 onbuigzaamheid, onverzettelijkheid. ▼—**ible** *bn* 1 onbuigbaar; 2 onbuigzaam, onverzettelijk. ▼—**ion** *v* 1 buiging; 2 stembuiging; 3 buigingsvorm.

infliger *ov.w* (straf) opleggen.

inflorescence *v* bloeiwijze.

influençable *bn* te beïnvloeden. ▼**influence** *v* invloed. ▼**influencer** *ov.w* beïnvloeden.

▼**influent** *bn* invloedrijk. ▼**influer (sur)** *ov.w* invloed hebben op.

influx *m*: — *nerveus*, zenuwwerking.

in-folio *m* **1** folioformaat; **2** foliant.

inform/ateur *m*, **-atrice** *v* iem. die inlichtingen geeft. ▼—**ation** *v* **1** gerechtelijk onderzoek, getuigenverhoor; **2** inlichting; *prendre des —s, aller aux —s*, inlichtingen inwinnen; **3** informatie; *les —s*, het nieuws. ▼—**atique** *v* informatica.

informe *bn* **1** vormeloos; **2** wanstaltig.

informé l *zn m* **1** onderzoek; **2** iem. die op de hoogte is. **II** *bn* op de hoogte. ▼**informer l** *ov.w* inlichten. **II** *on.w* een gerechtelijk onderzoek instellen (— *contre qn.*). **III** *s'— de* informeren naar, onderzoek doen naar.

infortun/e *v* ongeluk, tegenspoed. ▼—**é l** *bn* ongelukkig. **II** *zn m*, **-e** *v* ongelukkige.

infra *bw* onderaan.

infraction *v* overtreding, inbreuk.

infranchissable *bn* onoverkomelijk.

infrangible *bn* onbreekbaar.

infrarouge *bn* infrarood. ▼**infrason** *m* onhoorbare trilling.

infrastructure *v* **1** infrastructuur; **2** grondwerk, fundament.

infroissable *bn* wat niet of weinig kreukt.

infructu/eusement *bw* vergeefs, vruchteloos. ▼—**eux, -euse** *bn* **1** onvruchtbaar; **2** vruchteloos. ▼—**osité** *v* vruchteloosheid.

infumable *bn* niet te roken.

infus *bn* aangeboren.

infuser *ov.w* ingieten, laten trekken.

infusibilité *v* onsmeltbaarheid. ▼**infusible** *bn* onsmeltbaar.

infusion *v* **1** (het) ingieten; **2** aftreksel; **3** kruidenthee.

infusoire *m* infusiediertje.

ingambe *bn* goed ter been.

ingénier (s') op middelen zinnen.

ingénieur *m* ingenieur.

ingéni/eusement *bw* vernuftig, vindingrijk. ▼—**eux, -euse** *v* vernuftig, vindingrijk. ▼—**osité** *v* vernuftigheid, vindingrijkheid.

ingénu l *bn* naïef, ongekunsteld. **II** *zn m* naïef persoon. **III** —**e** *v* onschuldig, naïef meisje op toneel. ▼**ingénuité** *v* naïviteit, ongekunsteldheid.

ingérence *v* inmenging. ▼**ingérer l** *ov.w* via de mond inbrengen. **II** *s'—* zich in de zaken v.e. ander (land) mengen.

ingouvernable *bn* niet te regeren.

ingrat *bn* **1** ondankbaar; **2** onvruchtbaar, dor; **3** lelijk (*figure* —*e*); *l'âge* —, vlegeljaren, bakvistijd. ▼—**itude** *v* **1** ondankbaarheid; **2** ondankbare daad.

ingrédient *m* bestanddeel.

inguérissable *bn* ongeneeslijk.

inguinal *bn* van de liesstreek; *hernie* —*e*, liesbreuk.

ingurgiter *ov.w* **1** verzwelgen; **2** (*fig.*) erin stampen.

inhabil/e *bn* **1** onbekwaam, onhandig; **2** onbevoegd. ▼—**eté** *v* onbekwaamheid, onhandigheid. ▼—**ité** *v* onbevoegdheid.

inhabitable *bn* onbewoonbaar. ▼**inhabité** *bn* onbewoond.

inhabituel, -elle *bn* ongewoon.

inhalateur *m* inhaleertoestel. ▼**inhalation** *v* inademing, inhalatie. ▼**inhaler** *ov.w* inademen, inhaleren.

inharmonieux, -euse *bn* onharmonisch.

inhér/ence *v* (het) onafscheidelijk verbonden zijn. ▼—**ent (à)** *bn* onafscheidelijk verbonden met.

inhiber *ov.w* remmen. ▼**inhibition** *v* **1** verbod; **2** remming; **3** ontwenning.

inhospitalier, -ière *bn* ongastvrij. ▼**inhospitalièrement** *bw* ongastvrij.

inhumain *bn* onmenselijk. ▼**inhumanité** *v* onmenselijkheid.

inhumation *v* begrafenis. ▼**inhumer** *ov.w* begraven.

inimaginable *bn* ondenkbaar.

inimitable *bn* onnavolgbaar.

inimitié *v* vijandschap.

ininflammable *bn* onontvlambaar.

inintelligemment *bw* op domme wijze. ▼**inintelligent** *bn* dom, onverstandig. ▼**inintellig/ibilité** *v* onbegrijpelijkheid, onverstaanbaarheid. ▼—**ible** *bn* onbegrijpelijk, onverstaanbaar.

inintéressant *bn* onbelangrijk.

ininterrompu *bn* onafgebroken.

inique *bn* onrechtvaardig, onbillijk. ▼**iniquité** *v* onrechtvaardigheid, onbillijkheid.

initi/al [*mv* **aux**] *bn* wat het begin betreft; *lettre* —*e*, beginletter; *vitesse* —*e*, beginsnelheid. **II** *zn* —*e* *v* beginletter. ▼—**ateur, -atrice l** *bn* baanbrekend, de weg bereidend. **II** *zn m*, **-atrice** *v* baanbreker (-breekster), wegbereider (-ster). ▼—**ation** *v* inwijding, inleiding. ▼—**atique** *bn* inwijdings-. ▼—**ative** *v* initiatief, eerste stoot; *prendre l'—*, de eerste stoot geven; *syndicat d'—*, vereniging tot bevordering v.h. vreemdelingenverkeer. ▼—**er** *ov.w* inwijden, inleiden.

inject/é *bn* met bloed belopen. ▼—**er l** *ov.w* inspuiten. **II** *s'—* (met bloed) belopen. ▼—**eur, -rice l** *bn* voor inspuiting dienend. **II** *zn m* injectiespuit. ▼—**ion** *v* **1** inspuiting, injectie; **2** (het) in de baan brengen v.e. kunstmaan.

injonction *v* bevel.

injouable *bn* onspeelbaar.

injur/e *v* **1** onrecht; **2** schade; **3** belediging; **4** scheldwoord. ▼—**ier** *ov.w* **1** beledigen; **2** uitschelden. ▼—**ieusement** *bw* honend, op beledigende wijze. ▼—**ieux, -ieuse** *bn* honend, beledigend.

injuste l *bn* onbillijk, onrechtvaardig. **II** *zn m* **1** onrecht; **2** onrechtvaardige. ▼**injustice** *v*, onrechtvaardigheid, onbillijkheid. ▼**injustifiable** *bn* niet te rechtvaardigen. ▼**injustifié** *bn* ongerechtvaardigd.

inlassable *bn* onvermoeibaar.

inné *bn* aangeboren. ▼**innéité** *v* (het) aangeboren zijn.

innervation *v* verbreiding v.d. zenuwen. ▼**innervé** *bn* met weinig zenuwen.

innoc/emment *bw* **1** onschuldig; **2** onnozel. ▼—**ence** *v* **1** onschuld; **2** ongevaarlijkheid; **3** onnozelheid. ▼—**ent l** *bn* **1** onschuldig; **2** ongevaarlijk; **3** onnozel. **II** —*e* *v* **1** onschuldige; **2** onnozele; *les l—s*, de Onnozele Kinderen. ▼—**enter** *ov.w* onschuldig verklaren.

innocuité *v* onschadelijkheid.

innombrable *bn* ontelbaar, talloos.

innommable *bn* niet te noemen, laag.

innov/ateur, -atrice l *bn* iets nieuws invoerend, baanbrekend. **II** *zn m*, **-atrice** *v* baanbreker (-breekster), iem. die iets nieuws invoert. ▼—**ation** *v* nieuwigheid. ▼—**er l** *ov.w* (iets nieuws) invoeren, innoveren. **II** *on.w* invoeren (van nieuwigheden).

inobserv/able *bn* onwaarneembaar. ▼—**ance** *v* (het) niet naleven. ▼—**ation** *v* (het) niet nakomen (van verplichtingen). ▼**inobservé** *bn* niet waargenomen.

inoccupation *v* ledigheid, (het) niet bezet zijn. ▼**inoccupé** *bn* **1** werkeloos; **2** onbezet.

in-octavo l *bn* octavo. **II** *zn m* boek in octavoformaat.

inocul/ateur *m*, **-atrice** *v* inenter (-ster). ▼—**ation** *v* inenting. ▼—**er** *ov.w* inenten.

inodore *bn* reukeloos.

inoffensif, -ive *bn* onschadelijk, ongevaarlijk.

inond/able *bn* inundeerbaar. ▼—**ation** *v* **1** overstroming; **2** stroom, stortvloed (van mensen). ▼—**er** *ov.w* **1** onder water zetten, overstromen; **2** (*fig.*) overstromen.

inopérable *bn* niet te opereren. ▼**inopérant** *bn* zonder effect.

inopiné *bn* onverwacht. ▼**inopinément** *bw* onverwachts.

inopportun *bn* ongelegen, ontijdig. ▼—**ément** *bw* ongelegen, ontijdig. ▼—**ité** *v* ongelegenheid, ontijdigheid.

inorganique *bn* anorganisch.

inorganisation v gebrek aan organisatie.
▼inorganisé bn 1 anorganisch; 2 ongeorganiseerd.
inoubliable bn onvergetelijk.
inouï bn ongehoord.
inox bn/zn roestvrij (staal). ▼—ydable bn roestvrij.
in petto bw bij zichzelf, in het geheim.
inqualifiable bn schandelijk.
in-quarto I bn kwartoformaat. II zn m boek in kwarto.
inquiet, -ète bn onrustig, ongerust.
▼inquiét/ant bn verontrustend. ▼—er I ov.w verontrusten. II s'— de zich ongerust maken over. ▼—ude v onrust, ongerustheid.
inquisiteur I bn onderzoekend (regard —). II zn m inquisiteur. ▼inquisition v 1 inquisitie; 2 onderzoek.
inracontable bn niet te vertellen.
insaisissable bn 1 onaantastbaar; 2 onbegrijpelijk; 3 onmerkbaar.
insalubre bn ongezond. ▼insalubrité v ongezondheid.
insane bn gek. ▼insanité v 1 waanzin; 2 onzin.
insatiabilité v onverzadelijkheid. ▼insatiable bn onverzadelijk.
insatisfaction v onvoldaanheid, niet bevredigd zijn. ▼insatisfait bn onvoldaan.
insaturable bn onverzadigbaar. ▼insaturé bn onverzadigd.
inscription v 1 inschrijving; prendre ses —s, zich in laten schrijven als student; 2 inschrift, opschrift. ▼inscr/ire I ov.w onr. inschrijven. II s'— zich laten inschrijven, zijn naam op een intekenlijst zetten. ▼—it I bn ingeschreven. II zn m: — maritime, matroos, aangewezen voor de zeemilitie.
insécable bn ondeelbaar.
insect/arium m insektarium. ▼—e m insekt. ▼—icide I bn insekten dodend. II zn m insektenmiddel. ▼—ivore I bn insekten etend. II zn m insekteneter.
insécurité v onveiligheid.
insémination v kunstmatige bevruchting.
insensé I bn onzinnig, dwaas. II zn m gek.
insens/ibilateur m pijnverdovend middel. ▼—ibilisation v (het) verdoven, onder narcose brengen. ▼—ibilité v ongevoeligheid, gevoelloosheid. ▼—ible bn 1 ongevoelig, gevoelloos; 2 onmerkbaar; 3 glijdend, glooiend.
inséparable bn onafscheidelijk.
insérer ov.w zetten (in), plaatsen (in), stoppen (in). ▼insertion v 1 opname, plaatsing (in een krant); 2 invoeging, aanhechting; 3 integratie.
insidieusement bw verraderlijk, arglistig.
▼insidieux, -euse bn verraderlijk, arglistig; sluipend (van ziekte).
insigne I bn hoog, buitengewoon (faveur —), aarts-. II zn rang-, kentekens, insigne.
insignifiance v onbeduidendheid.
▼insignifiant bn onbeduidend, nietig.
insincère bn onoprecht. ▼insincérité v onoprechtheid.
insinu/ant bn innemend. ▼—ation v 1 (het) voorzichtig inbrengen (bijv. van een instrument in een wond); 2 insinuatie, verdachtmaking. ▼—er I ov.w 1 voorzichtig inbrengen; 2 inblazen (— une calomnie), bedekt te kennen geven. II s'— zich indringen.
insipide bn smakeloos, flauw (ook fig.).
▼insipidité v smakeloosheid, flauwheid.
insistance v (het) aanhouden, de aandrang.
▼insister on.w aanhouden, aandringen; drukken op (— sur un point).
insociabilité v eenzelvigheid, ongezelligheid.
▼insociable bn eenzelvig, ongezellig.
insolation v 1 zonnesteek; 2 zonnebad.
insol/emment bw brutaal, onbeschaamd.
▼—ence v brutaliteit, onbeschaamdheid.
▼—ent bn 1 brutaal, onbeschaamd; 2 buitengewoon, ongelooflijk (bonheur —).
insolite bn ongewoon.
insolubilité v onoplosbaarheid. ▼insoluble

bn onoplosbaar.
insolvabilité v onvermogen om te betalen.
▼insolvable bn niet tot betalen in staat, insolvent.
insomnie v slapeloosheid.
insondable bn 1 onpeilbaar; 2 ondoorgrondelijk.
insonor/e bn 1 klankloos; 2 geluiddempend. ▼—iser ov.w geluidvrij maken.
insouci/ance v zorgeloosheid. ▼—ant bn zorgeloos. ▼—eux, -euse (de) bn onbekommerd (om).
insoumis bn weerspannig, ononderworpen.
▼insoumission v weerspannigheid, ononderworpenheid.
insoupçonnable bn 1 niet te vermoeden; 2 boven iedere verdenking verheven.
▼insoupçonné bn buiten verwachting, nooit gedacht.
insoutenable bn 1 onhoudbaar; 2 onverdraaglijk.
inspect/er ov.w inspecteren, aandachtig bekijken. ▼—eur m, -rice v inspecteur (-trice). ▼—ion v 1 inspectie; 2 bezichtiging; 3 ambt van inspecteur (-trice). ▼—orat m 1 ambt v. inspecteur (-trice); 2 duur van dit ambt.
inspir/ateur, -atrice I bn bezielend. II zn m, -atrice v aanzetter (-ster), bezieler (-ster).
▼—ation v 1 inademing; 2 ingeving, bezieling. ▼—er I ov.w 1 inademen; 2 ingeven; 3 bezielen. II s'— de putten uit, zich laten leiden door.
instabilité v onstandvastigheid ▼instable bn onvast, onstandvastig.
installation v 1 bevestiging in een ambt; 2 vestiging, plaatsing; 3 inrichting, installatie.
▼installer I ov.w 1 in een ambt bevestigen; 2 zetten, plaatsen, vestigen, onderbrengen; 3 inrichten, installeren. II s'— 1 op zijn gemak gaan zitten; 2 zich vestigen, zich inrichten.
instamment bw dringend. ▼instance v 1 dringend verzoek; avec —, met aandrang; 2 rechtsvordering; aanleg; de (en) première —, in eerste aanleg; 3 instantie. ▼instant I zn m ogenblik; à l'—, ogenblikkelijk; à chaque —, ieder ogenblik. II bn dringend. ▼instantan/é I bn 1 kort; 2 plotseling (mort —e). II zn m (fot.) momentopname. ▼—éité v 1 kortstondigheid; 2 (het) plotseling optreden. ▼—ément bw ogenblikkelijk.
instar (à l') op de wijze van, in navolging van.
instaur/ation v stichting, instelling. ▼—er ov.w stichten, instellen.
instig/ateur m, -atrice v aanstoker (-stookster). ▼—ation v ophitsing, (het) aanstoken.
instill/ation v (het) indruppelen. ▼—er ov.w indruppelen.
instinct m instinct; par —, instinctmatig.
▼instinctif, -ive bn instinctmatig.
instituer ov.w 1 oprichten, instellen, stichten; 2 benoemen. ▼institut m 1 kloosterregel; 2 kloosterorde; 3 geleerd of letterkundig genootschap; l'I— (de France), de 5 Fr. Academies; 4 inrichting. ▼—eur m, -rice v 1 stichter(es); 2 onderwijzer(es). ▼—ion v 1 oprichting, instelling, stichting; 2 inrichting, instelling; 3 kostschool, instituut; 4 benoeming — d'un héritier).
instr/ucteur m (mil.) instructeur; juge —, rechter v. instructie. ▼—uctif, -ive bn leerzaam, instructief. ▼—uction v 1 onderricht; onderwijs; 2 (mil.) africhting; 3 (recht.) voorlopig onderzoek; juge d'—, rechter v. instructie. ▼—uire ov.w onr. 1 onderrichten, onderwijzen; 2 africhten; 3 verwittigen, op de hoogte houden. ▼instruit bn knap, geleerd.
instrument m 1 werktuig; 2 muziekinstrument; — à cordes, strijkinstrument; — à vent, blaasinstrument; 3 bewijsstuk, akte. ▼—al [mv aux] bn instrumentaal. ▼—ation v zetting (muz.). ▼—er I on.w akten enz. opmaken. II ov.w voor orkest bewerken. ▼—iste m bespeler v.e.

instrument.
insu: *à l'insu de,* buiten weten van; *à mon* —, buiten mijn weten.
insubmersible *bn:* (*canot*) —, (roeiboot) die niet kan omslaan.
insubordination *v* weerspannigheid. ▼**insubordonné** *bn* weerspannig.
insuccès *m* mislukking.
insuffis/amment *bw* onvoldoende. ▼**—ance** *v* 1 onvoldoendheid; 2 onbekwaamheid. ▼**—ant** *bn* 1 onvoldoend; 2 onbekwaam.
insuffl/ation *v* (het) inblazen (v. stikstof). ▼**—er** *ov.w* inblazen.
insulaire I *bn* op een eiland wonend, een eiland vormend. II *zn m* of *v* eilandbewoner (-bewoonster). ▼**insularité** *v* positie als eiland.
insuline *v* (*med.*) insuline.
insult/ *bn* beledigend. ▼**—e** *v* 1 belediging; 2 aanval, overrompeling. ▼**—er** I *ov.w* 1 overrompelen, aanvallen; 2 beledigen, honen. II *on.w* spotten met, een belediging zijn voor. ▼**—eur** *m* belediger.
insupportable *bn* 1 onverdraaglijk (*douleur* —); 2 onuitstaanbaar.
insurgé I *bn* oproerig, opstandig. II *zn m* oproerling, opstandeling. ▼**insurger** (**s'**) in opstand komen.
insurmontable *bn* onoverkomelijk.
insurpassable *bn* onovertrefbaar.
insurrection *v* opstand. ▼**—nel, -nelle** *bn* oproerig, opstandig.
intact *bn* ongeschonden, gaaf, ongerept.
intangible *bn* 1 onvoelbaar, ontastbaar; 2 onschendbaar.
intarissable *bn* onuitputtelijk (*source* —).
intégr/al [*mv aux*] *bn* volkomen, volledig; *calcul* —, integraalrekening. ▼**—alité** *v* totaalheid. ▼**—ant** *bn* wezenlijk (*partie* —e). ▼**—ation** *v* integratie.
intègre *bn* onomkoopbaar, rechtschapen.
intégrer I *ov.w* integreren. II *on.w* (*arg.*) slagen.
intégrité *v* 1 ongeschondenheid; 2 volledigheid; 3 onomkoopbaarheid, rechtschapenheid.
intellect *m* verstand. ▼**—ion** *v* (het) begrijpen. ▼**—ualisme** *m* leer die aan het verstand een grotere waarde toekent dan aan het gevoel en de wil. ▼**—uel, -elle** I *bn* verstandelijk, geestelijk. II *zn m* intellectueel.
intellig/emment *bw* verstandig, oordeelkundig. ▼**—ence** *v* 1 verstand; 2 kennis (*l'— des affaires*); 3 verstandhouding. ▼**—ent** *m* verstandig, schrander. ▼**—entsia, -entzia** *v* (*Rus.*) intelligentsia. ▼**—ibilité** *v* verstaanbaarheid, begrijpelijkheid. ▼**—ible** *bn* verstaanbaar, begrijpelijk.
intempérance *v* onmatigheid. ▼**intempérant** *bn* onmatig.
intempéries *v mv* wisselvalligheid v.h. weer.
intempestif, -ive *bn* te onpas, ontijdig.
intenable *bn* onhoudbaar.
intendance *v* 1 beheer, toezicht; 2 intendance. ▼**intendant** *m* 1 beheerder; 2 (*mil.*) intendant.
intense *bn* hevig, sterk, fel. ▼**intens/ément** *bw* hevig, sterk, fel. ▼**—if, -ive** *bn* hevig, krachtig. ▼**—ifier** *ov.w* krachtiger maken, versterken, verhevigen. ▼**—ité** *v* kracht, hevigheid; — *d'un courant électrique,* stroomsterkte. ▼**—ivement** *bw* hevig, krachtig.
intenter *ov.w* aandoen (— *un procès*).
intention *v* bedoeling, voornemen; *à l'— de,* ten gunste van, ter ere van; *l'— est réputée pour le fait,* de wil geldt voor de daad. ▼**—né** *bn: bien* —, met goede bedoelingen; *mal* —, met kwade bedoelingen. ▼**—nel, -nelle** *bn* opzettelijk.
inter *m* 1 intercommunale telefoon; 2 binnenspeler.
inter/action *v* wisselwerking. ▼**—agir** *on.w* wisselwerking hebben.
interallié I *bn* tussen bondgenoten. II *zn m*

bondgenoot.
intercal/aire *bn* ingelast, in te voegen; *jour* —, schrikkeldag. ▼**—ation** *v* inlassing, inschakeling. ▼**—er** *ov.w* inlassen, toevoegen, inschakelen.
intercéder *on.w* tussenbeide komen.
intercept/er *ov.w* onderscheppen. ▼**—eur** *m* jachtvliegtuig. ▼**—ion** *v* onderschepping.
intercesseur *m* bemiddelaar, middelaar. ▼**intercession** *v* bemiddeling, voorspraak.
interchangeable *bn* verwisselbaar.
interclasse *m* korte pauze tussen twee lessen.
intercontinental [*mv aux*] *bn* tussen twee continenten.
intercostal [*mv aux*] *bn* tussen de ribben.
interdépartemental [*mv aux*] *bn* tussen departementen.
interdépend/ance *v* onderlinge afhankelijkheid. ▼**—ant** *bn* onderling afhankelijk.
inter/diction *v* 1 verbod; — *de sortie,* uitvoerverbod; 2 schorsing; 3 (het) onder curatele stellen. ▼**—dire** *ov.w onr.* 1 verbieden; 2 schorsen, suspenderen; 3 onder curatele stellen; 4 van zijn stuk brengen, sprakeloos maken. ▼**—dit** I *zn m* 1 schorsing (v.e. priester); 2 verbod. II *bn* 1 geschorst; 2 verbod; 3 sprakeloos, onthutst.
intéressant *bn* interessant, belangwekkend, aantrekkelijk (*personne* —e); *position* —e, zwangerschap; *prix* —, voordelige prijs. ▼**intéress/é** I *bn* 1 gemoeid bij, betrokken in (— *dans une affaire*); 2 baatzuchtig, egoïstisch. II *zn m* belanghebbende, belangstellende. ▼**—ement** *m* (het) interesseren voor bedrijfswinst door een bonus. ▼**—er** I *ov.w* 1 belang inboezemen; 2 deelgenoot maken (in een zaak); 3 aangaan, raken; 4 boeien (*ce livre m'intéresse*); 5 aandoen, kwetsen (*med.*). II **s'**— 1 belangstellen in (*s'— à*); 2 tussenbeide komen, partij kiezen. ▼**intérêt** *m* 1 eigenbelang; *par* —, uit berekening; *il y a* —, (*pop.*) terecht; 2 interest, rente; — *composé,* samengestelde interest; *dommages et* —*s,* schadevergoeding; 3 belangstelling; 4 aantrekkelijkheid, belang; 5 aandeel.
inter/férence *v* 1 interferentie; 2 (het) samenvallen. ▼**—férer** *on.w* 1 interferentie voortbrengen; 2 samenvallen.
interfolier *ov.w* met papier doorschieten.
intergouvernemental [*mv aux*] *bn* van of voor meerdere regeringen.
intérieur I *bn* inwendig, innerlijk, binnen-; *cour* —e, binnenplaats; *navigation* —e, binnenscheepvaart. II *zn m* 1 (het) inwendige, (het) innerlijke, (het) binnenste; 2 gezinsleven, huiselijke haard; 3 binnenland; *ministre de l'I*—, minister v. Binnenlandse Zaken; *à l'*—, binnen; *à l'*— *de,* in; 4 binnenspeler.
intérim *m* tussentijd; *par* —, waarnemend. ▼**—aire** *bn* tijdelijk, waarnemend.
interjection *v* tussenwerpsel.
interjeter *ov.w:* — *appel,* in hoger beroep gaan.
inter/ligne *v* 1 ruimte tussen twee regels, interlinie; 2 wat tussen twee regels geschreven is. ▼**—ligner** *ov.w* 1 tussen twee regels schrijven; 2 ruimte laten tussen twee regels. ▼**—linéaire** *bn* tussen twee regels.
interlocuteur *m, -trice* *v* 1 persoon die met iem. spreekt; 2 aangesprokene.
interlope *bn* 1 wat smokkelen betreft; *commerce* —, sluikhandel; 2 verdacht (*maison* —).
interloquer *ov.w* van zijn stuk brengen, verlegen maken.
interlude *m* (*muz.*) tussenspel.
inter/mède *m* tussenspel. ▼**—médiaire** I *bn* tussenliggend; *gare* —, tussenstation; *temps* —, tussentijd. II *zn m* 1 tussenkomst, bemiddeling; 2 overgang; 3 tussenpersoon, bemiddelaar.
interminable *bn* eindeloos.

interministériel, -ielle *bn* van meer dan een ministerie.

intermitt/ence *v* tijdelijk uitblijven en zich weer openbaren v.e. verschijnsel. ▼**—ent** *bn* tijdelijk uitblijvend en weer beginnend; *fièvre —e,* wisselkoorts; *pouls —,* onregelmatige polsslag.

intermoléculaire *bn* tussen de moleculen.

internat *m* 1 internaat; 2 (het) intern zijn van leerlingen; 3 ambt der inwonende assistenten in een ziekenhuis; 4 duur van dit ambt; 5 (de) gezamenlijke assistenten.

internation/al [*mv* aux] I *bn* internationaal; *droit —,* volkenrecht. II *zn m* internationaal (sportman). ▼**—ale** *v* 1 intern. socialistische arbeidersvereniging; 2 lied dezer vereniging. ▼**—aliser** *ov.w* internationaal maken. ▼**—alisme** *m* internationalisme. ▼**—alité** *v* intern. karakter.

interne I *bn* 1 inwendig; *angle —,* binnenhoek; 2 innerlijk; 3 inwonend. II *zn m* 1 intern leerling; 2 inwonend assistent in een ziekenhuis. ▼**—ment** *m* opsluiting, opname in een gesticht. ▼**interner** *ov.w* 1 interneren, opsluiten; 2 opnemen in een gesticht.

internonce *m* internuntius.

internucléaire *bn* tussen de celkernen.

interoculaire *bn* tussen de ogen.

interparlementaire *bn* interparlementair.

interpell/ateur *m*, **-atrice** *v* interpellant(e). ▼**—ation** *v* 1 aanroeping v. notaris, enz.; 2 interpellatie. ▼**—er** *ov.w* 1 toespreken, aanroepen; 2 interpelleren.

interphone *m* huistelefoon, intercom.

interplanétaire *bn* tussen de planeten.

interpol/ateur *m*, **-atrice** *v* iem. die tussenvoegt, - inlast. ▼**—er** *ov.w* iets (verhards) invoegen.

interposer I *ov.w* 1 leggen -, plaatsen tussen; *personne interposée,* tussenpersoon; 2 tussenbeide doen komen. II s'— 1 zich plaatsen tussen; 2 tussenbeide komen. ▼**interposition** *v* 1 plaatsing tussen; 2 tussenkomst, bemiddeling.

interprét/able *bn* werkbaar, te verklaarbaar. ▼**—ateur, -atrice** I *bn* verklarend, uitleggend. II *zn m*, **-atrice** *v* uitlegger (-ster), verklaarder (-ster). ▼**—atif, -ive** *bn* verklarend, uitleggend. ▼**—ation** *v* 1 verklaring, uitlegging; 2 vertolking v.e. toneelrol, enz. ▼**inter/prète** *m of v* 1 tolk; 2 vertaler; 3 uitlegger, verklaarder; 4 vertolker van toneelstuk of muziekstuk. ▼**—préter** *ov.w* 1 vertalen; 2 uitleggen, verklaren; 3 vertolken (van toneelstuk of muziekstuk).

interrègne *m* tussenregering.

interrogat/eur, -rice I *bn* vragen. II *zn m*, **-rice** *v* ondervrager (-vraagster). ▼**—if, -ive** *bn* vragend; *pronom —,* vragend voornaamwoord. ▼**—ion** *v* vraag, ondervraging; *point d'—,* vraagteken. ▼**—oire** *m* ondervraging, verhoor. ▼**interroger** *ov.w* 1 ondervragen, verhoren; 2 mondeling examineren; 3 raadplegen.

inter/rompre *ov.w* 1 afbreken, onderbreken; *— la communication,* afbellen; 2 in de rede vallen. ▼**—rupteur, -trice** I *bn* onderbrekend, storend. II *zn m*, **-trice** *v* iem. die in de rede valt. II *zn m* schakelaar, onderbreker. ▼**—ruptif, -ive** *bn* onderbrekend. ▼**—ruption** *v* 1 onderbreking, staking, storing; *sans —,* onafgebroken; 2 (het) in de rede vallen.

interscolaire *bn* tussen (leerlingen van) verschillende scholen.

intersection *v* snijding, kruising; *ligne d'—,* snijlijn; *point d'—,* snijpunt.

interstellaire *bn* tussen de sterren.

interstice *m* 1 tussenruimte, voeg; 2 tussentijd.

intertropical [*mv* aux] *bn* tussen de keerkringen liggend of groeiend.

interurbain I *bn* intercommunaal (*téléphone —*). II *zn m of* **inter** (*fam.*) interc. telefoon.

intervalle *m* 1 afstand, tussenruimte; 2 tussentijd; *par —s,* van tijd tot tijd; *sans —,*

onophoudelijk; 3 (*muz.*) interval.

inter/venir *ov.w onr.* 1 tussenbeide komen, bemiddelend optreden; 2 zich voordoen, tot stand komen; 3 een rol spelen. ▼**—vention** *v* 1 tussenkomst, bemiddeling; *— chirurgicale,* chirurgisch ingrijpen; 2 interventie; 3 rol.

interversion *v* omkering, verwisseling. ▼**intervertir** *ov.w* omkeren, verwisselen.

interview *v* interview. ▼**—er** I *ov.w* interviewen. II *zn m* interviewer.

intestat *bn* zonder testament.

intestin I *bn* 1 inwendig; 2 binnenlands; *guerre —e,* burgeroorlog. II *zn m* darm; *— grêle,* dunne darm; *gros —,* dikke darm. ▼**intestinal** [*mv* aux] *bn* wat ingewanden betreft; *vers intestinaux,* spoelwormen.

intimation *v* 1 dagvaarding; 2 bevel.

intime I *bn* 1 innerlijk; 2 innig; 3 vertrouwelijk; *ami —,* boezemvriend; 4 gezellig. II *zn m of v* boezemvriend(in).

intimé *m* gedaagde (vooral in hoger beroep). ▼**intimer** *ov.w* 1 gelasten; 2 dagvaarden.

intimid/ateur, -atrice *v* vreesaanjagend. ▼**—ation** *v* vreesaanjaging. ▼**—er** I *ov.w* bang maken, vrees aanjagen, verlegen maken. II s'— bang worden.

intimité *v* 1 (het) binnenste; 2 innigheid; 3 vertrouwelijkheid, vertrouwelijke omgang; 4 gezelligheid.

intitul/é *m* opschrift, titel. ▼**—er** I *ov.w* (be)titelen. II s'— zich noemen.

intolérable *bn* onverdraaglijk, onuitstaanbaar. ▼**intolérance** *v* onverdraagzaamheid. ▼**intolérant** *bn* onverdraagzaam.

intonation *v* 1 aanhef, inzet; 2 stembuiging.

intouchable I *bn* onschendbaar. II *zn m* paria.

intox/icant *bn* vergiftigend (*gaz —*), verslavend. ▼**—ication** *v* vergiftiging, verslaving. ▼**—iquer** *ov.w* vergiftigen, verslaven.

intra *voorvoegsel*: 'tussen', 'binnen'.

intraduisible *bn* onvertaalbaar.

intraitable *bn* onhandelbaar.

intramusculaire *bn* in, tussen de spierweefsels.

intransigeance *v* onverzettelijkheid, onverzoenlijkheid, (het) niet willen schipperen. ▼**intransigeant** *bn* onverzoenlijk, niet bereid te schipperen.

intransitif, -ive *bn* onovergankelijk.

intransportable *bn* onvervoerbaar.

intra-utérin *bn* intra-uterien, binnen de baarmoeder gelegen.

intraveineux, -euse *bn* in de aderen (*injection —euse*), intraveneus.

intrépide *bn* stoutmoedig, onverschrokken. ▼**intrépidité** *v* stoutmoedigheid, onverschrokkenheid.

intrig/ant I *bn* kuipend. II *zn m*, **-e** *v* konkelaar(ster), intrigant(e). ▼**—ue** *v* 1 kuiperij, intrigue, gekonkel; 2 handeling van toneelstuk of roman; 3 geheime liefde. ▼**—uer** I *on.w* konkelen, kuipen. II *ov.w* nieuwsgierig maken, bevreemden.

intrinsèque *bn* innerlijk.

introduct/eur *m*, **-rice** *v* inleider (-ster), invoerder (-ster). ▼**—if, -ive** *bn* inleidend. ▼**—ion** *v* 1 inleiding; 2 introductie; 3 (het) inbrengen. ▼**introduire** I *ov.w onr.* 1 binnenleiden; 2 inleiden; 3 introduceren; 4 inbrengen; 5 invoeren (*— une mode*). II s'— 1 binnendringen, -sluipen; 2 insluipen (bijv. van een misbruik); 3 aanvaard worden.

introït *m* Introitus (deel van de mis).

intronisation *v* 1 verheffing tot de troon; 2 wijding, inhuldiging. ▼**introniser** *ov.w* 1 wijden, inhuldigen; 2 invoeren, ingang doen vinden (*— une mode*).

introspectif *bn* introvert. ▼**introspection** *v* zelfbeschouwing.

introuvable *bn* onvindbaar.

introverti *bn* introvert.

intrus I *bn* indringing. II *zn m*, **-e** *v* indringer (-ster). ▼**—ion** *v* indringing.

intuitif, -ive *bn* intuïtief. ▼**intuition** *v* intuïtie, ingeving.

intumescence v opzwelling. ▼**intumescent**
bn opzwellend.
inusable bn onverslijtbaar.
inusité bn ongebruikelijk.
inutil/e bn 1 nutteloos; 2 vergeefs, onnodig.
▼**—isable** bn onbruikbaar. ▼**—isé** bn
ongebruikt. ▼**—iser** ov.w onbruikbaar maken.
▼**—ité** v 1 nutteloosheid; 2 onnodigheid;
3 onbruikbaarheid.
invaincu bn onoverwonnen.
invalidation v ongeldigverklaring. ▼**invalide**
I bn 1 verminkt, invalide; 2 ongeldig. II zn m
invalide. III les I—s, het Hôtel des Invalides in
Parijs. ▼**invalider** ov.w ongeldig verklaren.
▼**invalidité** v 1 invaliditeit; 2 ongeldigheid.
invariabilité v onveranderlijkheid.
▼**invariable** bn onveranderlijk.
invasion v 1 inval; 2 (het) uitbreken, optreden
v.e. ziekte; 3 uitbreiding.
invectiv/e v scheldwoord. ▼**—er** I on.w
schelden. II ov.w (fam.) uitschelden.
invendable bn onverkoopbaar. ▼**invendu** I bn
onverkocht. II zn m onverkocht artikel.
inventaire m inventaris, boedelbeschrijving.
invent/er ov.w 1 uitvinden; 2 verzinnen.
▼**—eur** m, **-rice** v 1 uitvinder (-ster);
2 ontdekker (-ster). ▼**—if**, **-ive** bn vindingrijk.
▼**—ion** v 1 uitvinding; 2 ontdekking;
3 verzinsel. ▼**—ivité** v 1 vindingrijkheid.
inventori/age m (het) inventariseren. ▼**—er**
ov.w inventariseren.
invérifiable bn niet na te gaan.
invers/e I bn omgekeerd, tegenovergesteld; à
l'— de, in tegenstelling tot. II zn m (het)
tegendeel, tegenovergestelde. ▼**—ement** bw
omgekeerd; — proportionnel, omgekeerd
evenredig. ▼**—er** ov.w omzetten. ▼**—ion** v
woordomzetting, omkering; — sexuelle,
homoseksualiteit.
invertébré bn ongewerveld.
inverti/e bn homoseksueel.
investig/ateur, -atrice I bn onderzoekend,
navorsend. II zn m, **-atrice** v onderzoeker
(-ster). ▼**—ation** v onderzoek, nasporing.
investir ov.w 1 bekleden: — qn. de sa
confiance, iem. zijn vertrouwen schenken;
2 omsingelen (— une place forte);
3 investeren. ▼**investissement** m
1 omsingeling; 2 investering. ▼**investisseur**
m investeerder. ▼**investiture** v 1 belening;
2 bekleding met een kerkelijke waardigheid.
invétéré bn ingeworteld. ▼**invétérer (s')**
inwortelen.
invincibilité v onoverwinnelijkheid.
▼**invincible** bn onoverwinnelijk.
inviolabilité bn onschendbaarheid.
▼**inviolable** bn onschendbaar. ▼**inviolé** bn
ongeschonden.
invis/ibilité v onzichtbaarheid. ▼**—ible** bn
1 onzichtbaar; 2 niet thuis, niet te spreken
invit/ant bn verleidelijk, aanlokkelijk.
▼**—ation** v uitnodiging. ▼**—e** v 1 invite (bij
kaartspel); 2 zachte wenk. ▼**—é** m gast,
genodigde. ▼**—er** I ov.w 1 uitnodigen;
2 aansporen, opwekken tot (— à). II s'—
zichzelf uitnodigen, ongevraagd komen.
invivable bn onleefbaar.
invocation v aanroeping.
involontaire bn onvrijwillig, onwillekeurig,
onopzettelijk.
invoquer ov.w 1 aan-, inroepen (— un saint);
2 aanvoeren (— un témoignage).
invraisemblable bn onwaarschijnlijk.
▼**invraisemblance** v onwaarschijnlijkheid.
invulnérabilité v onkwetsbaarheid.
▼**invulnérable** bn onkwetsbaar.
iode m jodium. ▼**iodé** bn jodium bevattend.
▼**iodure** v jodide; — d'argent, joodzilver.
ion m ion.
ionien, -enne, ionique bn Ionisch.
ionisé bn met ionen geladen.
iranien, -ienne I bn Iraans. II zn I—m, **-ienne**
v Iraniër (Iraanse).
irasc/ibilité v prikkelbaarheid,
lichtgeraaktheid. ▼**—ible** bn prikkelbaar,
lichtgeraakt.

iridacées v mv lisbloemigen. ▼**iris** m
1 regenboog (dicht.); 2 regenboogvlies; 3 lis
(plk.). ▼**—ation** v kleurspeling,
regenboogkleuren. ▼**—é** bn
regenboogkleurig.
irlandais I bn Iers. II zn m Ierse taal. ▼**l**— m, **-e**
v Ier(se). ▼**Irlande** v Ierland.
ironie v ironie, bedekte spot. ▼**ironique** bn
ironisch. ▼**ironiser** on.w op ironische wijze
spreken. ▼**ironiste** m ironisch schrijver of
spreker.
irradiation v uitstraling. ▼**irradier** on.w
uitstralen.
irraisonnable bn redeloos. ▼**irraisonné** bn
onverstandig, onberedeneerd. ▼**irrationnel,
-elle** bn 1 onlogisch; 2 onmeetbaar,
irrationeel.
irréal/isable bn niet te verwezenlijken. ▼**—isé**
bn onuitgevoerd. ▼**—isme** m gebrek aan
realisme. ▼**—ité** v onwezenlijkheid.
irrecevabilité v niet-ontvankelijkheid.
▼**irrecevable** bn niet-ontvankelijk.
irréconciliable bn onverzoenlijk.
irrécouvrable bn oninbaar.
irrécupérable bn 1 niet terug te krijgen; 2 die
niet meer kan worden opgenomen in de groep.
irrécusable bn onwraakbaar.
irréduct/ibilité v 1 onherleidbaarheid;
2 onmogelijkheid om te verlagen. ▼**—ible** bn
1 onherleidbaar, onvereenvoudigbaar
(fraction —); 2 niet te verminderen.
irréel, -elle bn onwezenlijk.
irré/fléchi bn 1 onnadenkend,
onbedachtzaam; 2 onoordacht. ▼**—flexion**
v onnadenkendheid, onbedachtzaamheid.
irréformable bn onveranderlijk,
onherroepelijk (arrêt —).
irréfragable bn onweerlegbaar.
irréfutable bn onweerlegbaar.
irrégul/arité v onregelmatigheid. ▼**—ier,
-ière** bn 1 onregelmatig; pouls —,
onregelmatige polsslag; verbe —,
onregelmatig werkwoord; 2 ongeregeld.
▼**—ièrement** bw onregelmatig.
irrélig/ieusement bw ongodsdienstig.
▼**—ieux, -ieuse** bn ongodsdienstig. ▼**—ion** v
1 ongodsdienstigheid; 2 ongeloof. ▼**—iosité**
v ongodsdienstigheid.
irrémédiable bn onherstelbaar. ▼**—ment** bw
voor altijd.
irrémissible bn onvergeeflijk.
irremplaçable bn onvervangbaar.
irréparable bn onherstelbaar.
irrépréhensible bn onberispelijk.
irrépressible bn onweerstaanbaar.
irréprochable bn onberispelijk.
irrésistible bn onweerstaanbaar.
irrésol/u bn 1 besluiteloos, weifelend;
2 onopgelost. ▼**—ution** v besluiteloosheid.
irrespect bn oneerbiedigheid.
▼**irrespectueux, -euse** bn oneerbiedig.
irrespirable bn niet in te ademen.
irresponsabilité v onverantwoordelijkheid.
▼**irresponsable** bn onverantwoordelijk.
irrétrécissable bn krimpvrij.
irrévér/ence v 1 oneerbiedigheid;
2 oneerbiedig woord, -e daad.
▼**—encieusement** bw oneerbiedig.
▼**—encieux, -euse** bn oneerbiedig. ▼**—ent**
bn oneerbiedig.
irréversible bn niet omkeerbaar.
irrévocabilité v onherroepelijkheid.
▼**irrévocable** bn onherroepelijk.
irrig/able bn bevloeibaar. ▼**—ateur** m
1 besproeier, spuit; 2 spuitje (med.). ▼**—ation**
v 1 bevloeiing, besproeiing; 2 inspuiting
(med.). ▼**—uer** ov.w besproeien, bevloeien.
irrit/abilité v prikkelbaarheid. ▼**—able** bn
prikkelbaar. ▼**—ant** I bn 1 verbitterend, nijdig
makend, lastig; 2 opwekkend, prikkelend.
II zn m opwekkend, prikkelend middel.
▼**—ation** v 1 verbittering, geprikkeldheid;
2 prikkeling (v. zenuwen), opwekking. ▼**—er**
I ov.w 1 verbitteren, nijdig maken; flots irrités,
onstuimige golven; 2 opwekken, prikkelen.
II s'— boos worden, zich ergeren.

irruption v 1 inval; 2 overstroming.
isard m gems.
isba v houten hut (Rusland).
ischion m zitbeen.
islam/ique bn mohammedaans. ▼—**isme** m
mohammedanisme. ▼—**ite** I bn
mohammedaans. II zn m of v
mohammedaan(se).
islandais I bn IJslands. II zn m IJslandse taal.
III I—m, -e v IJslander (-se). ▼**Islande** v
IJsland.
isobare I bn van gelijke luchtdruk (*ligne* —).
II zn v isobaar.
isocèle bn gelijkbenig (*triangle* —). ▼**isocélie**
v, **isocélisme** m gelijkbenigheid.
isochrone, isochronique bn van gelijke duur.
▼**isochronisme** m gelijkheid van duur.
isogone bn gelijkhoekig.
isol/able bn isoleerbaar. ▼—**ant** I bn isolerend.
II zn m isolerend middel, isolerende stof.
▼—**ateur, -atrice** I bn isolerend. II zn m
isolator. ▼—**ation** v isolatie. ▼—é bn
1 alleenstaand; 2 afgezonderd, eenzaam;
3 geïsoleerd; 4 apart, op zichzelf staand (*cas*
—). ▼—**ement** m 1 afzondering,
eenzaamheid; 2 isolatie. ▼—**er** ov.w
1 afzonderen; 2 isoleren. ▼—**oir** m
1 isoleerbankje; 2 stemhokje.
isotherme I bn van dezelfde gemiddelde
maandelijkse warmtegraad (*région* —s). II zn
v lijn die plaatsen van dezelfde gemiddelde
maandelijkse warmtegraad verbindt.
isotope m isotoop.
israélien, -ienne I bn Israëlisch. II zn I—m,
-ienne v Israëli(sche). ▼**israélite** I bn
Israëlitisch. II zn I—m of v Israëliet,
Israëlitisch.
issu bn afstammend, geboortig, afkomstig.
▼**issue** I v 1 (het) uitgaan; 2 uitgang, uitweg;
3 (*fig.*) uitweg; 4 afloop. II—s mv slachtafval.
isthme m landengte.
ital/ianiser ov.w veritaliaansen. ▼—**ianisme**
m Italiaanse uitdrukking, - zegswijze. ▼**I'I—ie**
v Italië. ▼—**ien, -ienne** I bn Italiaans. II zn m
(het) Italiaans. III zn I—m, -ienne v
Italiaan(se).
italique m cursiefletter.
item I bw eveneens. II zn m post v.e. rekening.
itératif, -ive bn herhaald, herhalend.
▼**itération** v herhaling.
itinéraire I bn wat wegen betreft. II zn m
1 reisroute; 2 reisbeschrijving. ▼**itinérant** bn
rondtrekkend.
itou bw (*pop.*) eveneens.
ivoir/e m 1 ivoor; noir d'—, ivoorzwart;
2 ivoren beeld; 3 schitterend witte kleur.
▼—**ien, -ienne** bn van de Ivoorkust.
ivraie v onkruid; *séparer le bon grain de l'*—, het
kaf van het koren scheiden.
ivre bn dronken; *ivre-mort*, stomdronken.
▼**ivresse** v 1 dronkenschap; 2 vervoering,
bedwelming, roes. ▼**ivrogn/e** I bn aan de
drank verslaafd. II zn m dronkaard. ▼—**erie** v
dronkenschap, verslaafdheid aan de drank.
▼—**esse** v zuipster, vrouw die zich geregeld
bedrinkt.

j m letter j.
jabot m 1 krop v.e. vogel; *se remplir le* —,
(*fam.*) zijn buik vol eten; 2 kanten versiersel
aan een hemd, - aan een damesblouse.
jacass/e v ekster. ▼—**ement** bn gebabbel,
geklets. ▼—**er** on.w 1 babbelen, kletsen;
2 klappen v.e. ekster. ▼—**erie** v gebabbel,
geklets.
jach/ère v 1 (het) braak laten liggen;
2 braakland. ▼—**érer** ov.w braakland
omploegen.
jacinthe v hyacint.
jaciste I bn van de *J.A.C.* II zn lid v.d. *J.A.C.*
(*Jeunesse agricole chrétienne*).
jacket m kroon.
jacobin I bn jakobijns. II zn m 1 dominicaan;
2 jakobijn. ▼**jacobinisme** m leer der
jakobijnen.
jacquard m weefgetouw.
jacquerie v boerenopstand (in de 14e eeuw).
Jacques m Jakobus, Jakob; *faire le* —, zich
van de domme houden.
jacquet m soort triktrakspel.
jacquot m, **jacot** m lorre.
jactance v 1 grootspraak, opschepperij;
2 (*pop.*) geklets. ▼**jacter** on.w (*pop.*)
spreken.
jaculatoire bn: *oraison* —, schietgebed.
jade m mooie groenachtige steen, jade.
jadis I bw vroeger, eertijds. II bn: *au temps* —,
in de oude tijd.
jaillir on.w opspringen, opspuiten, uitslaan
van vlammen. ▼**jaillissement** m (het)
opspringen, opspuiten, uitslaan v. vlammen.
jais m git; *noir comme le* —, gitzwart.
jalon m 1 bakenstok; 2 richtsnoer, baken.
▼—**nement** m afbakening. ▼—**ner** I on.w
bakenstokken plaatsen. II ov.w afbakenen
(ook *fig.*). ▼—**neur** m 1 man die de
bakenstokken plaatst; 2 (*mil.*) guide.
jalous/ement bw jaloers. ▼—**er** ov.w jaloers
zijn op. ▼—**ie** v 1 afgunst, naijver; — *de métier*,
broodnijd; 2 zonneblind. ▼**jaloux, -se** bn
1 afgunstig, jaloers; 2 zeer gehecht aan (— *de
la liberté*); 3 begerig te, verlangend te (— *de*).
Jamaïque v Jamaica.
jamais bn ooit, immer; à —, *pour* —, voor altijd;
ne . . . jamais, nooit; *ne plus* —, nooit meer.
jambage m 1 deurpost, kozijn; 2 been-,
neerhaal v.e. letter. ▼**jambe** v 1 been, poot
(van paard en sommige andere dieren); *n'avoir
plus de* —s, doodop zijn; — *de bois*, houten
been; *courir à toutes* —s, zo hard lopen als men
kan; *faire belle* —, zijn mooie benen laten zien,
pronken met zijn lichaamsvormen; *cela me fait
une belle* —, daar schiet ik niet veel mee op;
jouer des —s, *prendre ses* —s à son cou, er
hard vandoor gaan; *passer la* — à qn., iem. een
beentje lichten; *les* —s *me rentrent dans le
corps*, ik kan niet meer op mijn benen staan, ik
ben doodmoe; *tomber les* —s *en l'air*, naar bed
gaan; 2 been v.e. passer; 3 schoor;
4 broekspijp. ▼**jambé** bn: *bien* —, *mal* —, met
goed gevormde, met slecht gevormde benen.
▼**jambette** v 1 beentje; 2 zakmes. ▼**jambier,
-ière** I bn tot het been behorend. II zn m
beenspier. III-**ière** v beenstuk.
jambon m ham. ▼—**neau** [mv x] m hammetje.

janissaire *m* soldaat der lijfwacht v.d. sultan.

jansên/isme *m* jansenisme. ▼—**iste** I *bn* 1 jansenistisch; 2 zonder versieringen (van leren band). II *zn m* of *v* jansenist(e).

jante *v* velg.

janvier *m* januari.

japon I *le J—, m* Japan. II *m* 1 Japans porselein; 2 Japans papier. ▼—**ais** I *bn* Japans. II *zn J— m, -e v* Japanner (Japanse). III *zn m* (het) Japans. ▼—**erie, -aiserie** *v* Japans kunstvoorwerp.

japp/ement *m* gekef. ▼—**er** *on.w* keffen. ▼—**eur** *m* keffer.

jaqueline *v* wijdbuikige aarden kruik.

jaquette *v* 1 jacquet (lange jas); 2 kinderjurk; 3 (reclame-) omslag v.e. boek, stofomslag; 4 kroon op tand of kies.

jard, jar *m* riviergrint.

jardin *m* 1 tuin; — *fruitier*, oofttuin; *J— des Plantes*, Planten- en Dierentuin in Parijs; — *potager*, moestuin; *c'est une pierre dans mon —*, die zit!; 2 linkerkant v.h. toneel (vanuit de zaál gezien); 3 kinderbewaarplaats, bewaarschool. ▼—**age** *m* 1 (het) tuinieren; 2 tuinbouw; 3 groente; 4 vlek in een diamant. ▼—**er** *on.w* (voor liefhebberij) tuinieren. ▼—**erie** *v* grote winkel voor tuinbenodigdheden. ▼—**et** *m* tuintje. ▼—**ier, -ière** I *bn* wat tuinen betreft; *culture —ière*, tuinbouw. II *zn m* tuinman, tuinier. ▼—**ière** *v* 1 groentekar; 2 bloembakje, -korfje; 3 uit groenten bereid gerecht; *potage à la —*, groentesoep. ▼—**iste** *m* tuinarchitect.

jargon *m* 1 bargoens, koeterwaals; 2 vaktaal. ▼—**ner** *on.w* bargoens, koeterwaals spreken.

jarre *v* aarden waterkruik; — *électrique*, Leidse fles.

jarret *m* knieboog; *avoir dix lieues dans les —s*, tien uur gelopen hebben; *avoir du —*, stevige benen hebben. ▼—**elle** *v* kous-, sokophouder. ▼—**ière** *v* kouseband.

jars *m* 1 gent (mannetjesgans); 2 (*arg.*) argot.

jasement *m* geklets, gebabbel. ▼**jaser** *on.w* 1 babbelen; 2 kletsen, kwaadspreken; 3 praten v. papegaai of ekster. ▼**jaserie** *v* (*fam.*) gebabbel, geklets. ▼**jaseur, -euse** I *bn* babbelziek. II *zn m, -euse v* babbelaar(ster), kletskous.

jasmin *m* 1 jasmijn; 2 parfum uit jasmijn.

jaspe *m* jaspis.

jasper *ov.w* van spikkels voorzien.

jaspiner, jaspiller *on.w* (*pop.*) praten, kletsen; — *bigorne*, (*arg.*) argot spreken.

jaspure *v* spikkeling.

jatte *v* kommetje, nap.

jauge *v* 1 voorgeschreven inhoudsmaat; 2 peilstok; — *d'essence*, benzinemeter. ▼**jaugeage** *m* 1 (het) bepalen v.d. inhoud; 2 tonnemaat v.e. schip; 3 ijkloon; 4 (het) peilen. ▼**jauger** I *ov.w* 1 het bepalen v.d. inhoud; 2 peilen; 3 peilen (*fig.*) iem. naar waarde schatten. II *on.w* 1 een diepgang hebben van (*ce navire jauge cinq mètres*); 2 een tonnage hebben van (*ce navire jauge 5000 tonnes*).

jaunâtre *bn* geelachtig. ▼**jaune** I *bn* geel; *toile —*, ongebleekt linnen. II *zn m* 1 gele kleur; *les —s*, de Chinezen, de Japanners; — *d'œuf*, eierdooier; 2 werkwillige, onderkruiper. III *bw: pleurer —*, krokodilletranen storten; *rire —*, lachen als een boer die kiespijn heeft. ▼**jaun/et, -ette** I *bn* geelachtig. II *zn m* 1 (*pop.*) goudstuk; 2 gele plomp. ▼—**ir** I *ov.w* geel maken. II *on.w* geel worden. ▼—**isse** *v* geelzucht. ▼—**issement** *m* 1 (het) geel maken; 2 (het) geel worden.

java *v* soort dans.

javanais I *bn* Javaans. II *zn J— m, -e v* Javaan(se).

javel: *èau de —*, chloorwater.

javel/é *bn* verregend (van graan). ▼—**er** I *ov.w* graan in zwaden leggen om het geel te laten worden. II *on.w* geel worden van in zwaden gelegd koren. ▼—**eur** *m, -euse v* 1 hij, zij, die het koren in zwaden legt; 2 -euse *v* maaimachine die het koren in zwaden legt.

javeline *v* lange dunne werpspies.

javelliser *ov.w* steriliseren met chloorwater.

javelot *m* 1 werpspies; 2 speer (*sp.*).

jazz *m* jazz.

je *vnw* ik.

jean (jeans) *m* 1 spijkerbroek; 2 spijkerbroekstof.

jean-foutre *m* lamstraal.

jeannette *v* 1 J— Jansje; 2 gouden kruisje om de hals; 3 strijkplank voor mouwen.

jéciste I *zn m* of *v* lid van de *J.E.C.* II *bn* van de *J.E.C.* (*Jeunesse étudiante chrétienne*).

je-m'en-fichisme, (je-m'en-foutisme) *m* (*pop.*) zorgeloosheid, onverschilligheid.

je ne sais quoi *m* iets.

jenny *v* machine voor het spinnen v. katoen.

jérémiade *v* klaaglied, jammerklacht.

jéroboam *m* zesliterfles.

jerrycan *v* benzineblik van 20 liter.

jersey *m* damestrui.

jésuit/e I *bn* jezuïtisch. II *zn m* 1 jezuïet; 2 schijnheilig persoon. ▼—**ique** *bn* 1 jezuïtisch; 2 schijnheilig. ▼—**isme** *m* 1 beginselen der jezuïeten; 2 schijnheiligheid, huichelachtigheid.

Jèsus I *m* Jezus. II *bn* papierformaat v. 72 bij 56 cm (*papier —*).

jet *m* 1 worp; — *à la mer*, het overboord werpen v.d. lading; — *de pierre*, steenworp; *d'un seul —*, ineens; 2 straal; — *d'eau*, waterstraal, springfontein; *laver au —*, schoonspuiten (auto); 3 het gieten; 4 loot, scheut (*plk.*); 5 straalvliegtuig. ▼**jetage** *m* snot (v. dieren).

jeté *m* 1 danspas; 2 tafel-, divankleed.

jetée *v* 1 havenhoofd, pier; 2 hoop zand of stenen ter verbetering v.e. weg; 3 slurf (vliegveld).

jeter I *ov.w* 1 werpen, gooien; — *un coup d'œil*, een blik werpen; — *le faucon*, een valk oplaten; — *feu et flamme*, vuur en vlam spuwen; — *des feux*, schitteren; — *à la figure*, — *à la face*, — *au nez*, verwijten; — *un froid*, een pijnlijke stilte veroorzaken; — *en moule*, in een vorm gieten; — *un pont*, een brug slaan; — *de la poudre aux yeux*, zand in de ogen strooien; — *du pus*, etteren; — *du sang*, bloed opgeven; — *des yeux sur qn.*, zijn oog op iem. laten vallen; — *un cri*; 2 krijgen; voortbrengen; — *des bourgeons*, knoppen krijgen; — *des racines*, wortels schieten; 4 leggen; — *les fondements*, de fundamenten leggen; — *dans l'embarras*, in verlegenheid brengen; — *dans la crainte*, bevreesd maken; 6 verspreiden; — *la discorde*, tweedracht zaaien. II *se —* zich werpen, zich storten; *se — au cou de qn.*, iem. om de hals vallen; *se — aux bras de qn.*, zich in iem.'s armen werpen; *le Rhin se jette dans la mer*, de Rijn mondt uit in zee. ▼**jeteur** *m, -euse v* werper (-ster); — *de sorts*, tovenaar. ▼**jeton** *m* 1 fiche, speelpenning; *faux comme un —*, erg vals; 2 noodgeld; *vieux —*, (*fam.*) oude vent.

jeu [*m v x*] *m* 1 spel; — *de cartes*, kaartspel; *ce n'est qu'un — pour lui*, dat is maar kinderspel voor hem; *cela n'est pas de —*, dat is niet volgens de regels, dat is niet eerlijk; — *de société*, gezelschapsspel; — *de dames*, damspel; — *d'echecs*, schaakspel; *être en —*, op het spel staan; *faire son —*, inzetten; *faites votre —!*, inzetten!; *se faire un — de*, ergens een spelletje van maken; *jouer gros —*, grof spelen, gevaarlijk spel spelen; — *de mots*, woordspeling; *le — n'en vaut pas la chandelle*, 't sop is de kool niet waard; *vieux —*, ouderwets; 2 speelgelegenheid; — *de paume*, kaatsbaan; — *de quilles*, kegelbaan; 3 stel; *un — d'avirons*, een stel riemen; 4 werking; *mettre en —*, in beweging brengen, in het werk stellen; 5 speling. II —*x m mv* spelen, wedstrijden; *les J—x Olympiques*, de Olympische Spelen.

jeudi *m* donderdag; *Jeudi absolu*, — *saint*, Witte Donderdag; *la semaine des quatre —s*, sint-juttemis.

jeun (à): *être à —*, nuchter zijn.

jeune I bn **1** jong; les —s gens, de jongelui; les —s personnes, de jongedames; **2** junior. **II** zn jongere.

jeûn/e/m (het) vasten. **▼—er** on.w vasten.

jeun/esse v jeugd, jongelingschap; — dorée, rijke jongelui. **▼—et, -ette** bn (fam.) piepjong.

jeûneur m, **-euse** v vaster (- ster).

jeunot m (fam.) jonkie.

jiu-jitsu m jioe-jitsoe.

joaill/erie v **1** juweliersvak; **2** juwelierszaak; **3** juwelen. **▼—ier** m, **-ière** v juwelier (-ster).

job m betaald baantje, job (fam.).

jobard I zn m, **-e** v sufferd. **II** bn oerdom. **▼—er** ov.w (fam.) bedotten. **▼—erie, -ise** v ov.w stumperigheid, sufheid.

jociste m, v of bn (lid) van de Jeunesse ouvrière chrétienne.

jodler on.w jodelen.

joie v vreugde, genot, plezier (fille de —); ne pas se tenir de —, buiten zichzelf zijn van vreugde; s'en donner à cœur —, zijn hart ophalen.

joindre I ov.w onr. **1** samenvoegen, bijeenvoegen, verbinden, verenigen; — les deux bouts, de eindjes aan elkaar knopen, rondkomen; — les mains, de handen vouwen; — l'utile à l'agréable, het nuttige met het aangename verenigen; **2** zich voegen bij, inhalen. **II** on.w passen, sluiten. **▼joint I** bn samengevoegd, gevouwen (les mains —es); ci-joint, hierbij, ingesloten. **II** zn m **1** gewricht; **2** voeg; trouver le —, de zaak op de goede manier aanpakken, het antwoord vinden. **▼joint/if, -ive** bn aaneensluitend. **▼—oiement** (het) voegen. **▼—oyer** ov.w (stenen) voegen. **▼—oyeur** m voeger. **▼—ure** v **1** gewricht; **2** voeg.

jojo m (arg.) lief.

joli I bn **1** mooi, aardig, lief; **2** leuk (un — tour). **II** zn m (het) mooie, aardige. **▼—esse** v (het) mooie. **▼—et, -ette** bn lief, vrij mooi. **▼—ment** bw **1** aardig, knap; **2** erg (il est — riche).

jonc m **1** bies; **2** riet; **3** (arg.) geld. **▼joncer** ov.w matten v. stoelen. **▼jonch/ée** v **1** gestrooide bloemen of planten; **2** op de grond liggende voorwerpen, laag; **3** hangop. **▼—ement** m (het) bedekken, bestrooien. **▼—er** ov.w bedekken, bestrooien, bezaaien. **▼—ère, -eraie** v biesbos.

jonction v vereniging, verbinding, samenkomst.

jongl/er on.w jongleren; — avec des difficultés, moeilijkheden spelend overwinnen. **▼—erie** v **1** (het) jongleren; **2** handigheidje, gegoochel. **▼—eur** m **1** middeleeuws minstreel; **2** jongleur, goochelaar, kwakzalver.

jonque v oosters schip, jonk.

jonquille I v tijloos (plk.). **II** m geelwit.

joseph I m bn dun papier. **II** bn: du papier—, dun papier.

jota v **1** dans uit Aragon; **2** Spaanse j.

jouable bn speelbaar.

joubarbe v huislook (plk.).

joue v wang; mettre en —, coucher en —, aanleggen v.e. vuurwapen; —! of en —!, legt aan!

jouée v muurdikte bij raam of deur.

jouer I on.w **1** spelen; la brise joue, de wind verandert voortdurend; — sur les mots, woordspelingen maken; **2** — à, (een spel) spelen; — aux barres, overlopertje spelen; — aux billes, knikkeren; — à cache-cache, verstoppertje spelen; — aux dames, dammen; — aux échecs, schaken; — au football, voetballen; — au tennis, tennissen; **3** — de, (op een muziekinstrument) spelen; — du piano, pianospelen; — à première vue, v.h. blad spelen; — du bâton, de stok hanteren; **4** in beweging brengen; faire — une mine, een mijn laten ontploffen; **5** speling hebben, niet goed sluiten, werken v. hout e.d. (boiserie qui joue). **II** ov.w **1** spelen; — une carte, een kaart uitspelen; — une valse, een wals spelen;

2 inzetten bij het spel; — un florin, om een gulden spelen; **3** bedriegen, om de tuin houden; **4** wagen, in de waagschaal stellen (— sa vie); **5** voorwenden, nabootsen (— la douleur); cette étoffe joue la soie, die stof lijkt bedrieglijk veel op zijde; **6** — un tour à qn., iem. een poets bakken. **III se — 1** zich vermaken, spelen, dartelen; **2** se — à qn., het tegen iem. opnemen; **3** se — de, spotten, voor de gek houden; se — des lois, maling hebben aan de wetten; **4** gespeeld, bespeeld worden. **▼jou/et** m **1** speelgoed; **2** speelbal; **3** voorwerp van spot. **▼—eur** m, **-euse** v I zn speler (speelster); — de bourse, speculant; — de gobelets, goochelaar. **II** bn speels.

joufflu bn met dikke wangen.

joug m **1** juk; **2** overheersing; **3** hefboom v.e. balans.

jouir on.w genieten, beschikken. **▼jouissance** v **1** genot; **2** vruchtgebruik. **▼jouisseur** m, **-euse** v genotzoeker (- ster).

joujou [mv x] m kinderspeelgoed; faire —, spelen v.e. kind.

joule m eenheid v. arbeid.

jour m **1** dag; le — de l'An, nieuwjaarsdag; l'autre —, onlangs; d'un — à l'autre, ieder ogenblik; beauté d'un —, kortstondige schoonheid; les beaux —s, de mooie tijd, de jeugd, de voorspoed; du — au lendemain, op staande voet; de nos —s, tegenwoordig; au premier —, zeer binnenkort; vivre au — le —, van de hand in de tand leven; tenir les livres à —, de boeken bijhouden; **2** daglicht, licht, schijnsel; avant le —, voor dag en dauw; grand —, klaarlichte dag, vol licht; mettre un ouvrage au —, een boek publiceren; petit —, schemering; **3** tegenwoordige tijd; les hommes du —, de mannen van het ogenblik; **4** dag waarop een dame ontvangt (jour); donner le —, het leven schenken; ravir le —, het leven ontnemen; **6** à —, opengewerkt; percé à —, onthuld, ontmaskerd.

Jourdain m Jordaan.

journal [mv aux] m **1** dagblad, tijdschrift; **2** dagboek; — du bord, scheepsjournaal; **3** journaal. **▼—ier, -ière** I bn **1** dagelijks; **2** onzeker, wisselvallig. **II** zn m dagloner. **▼—isme** m **1** journalistiek; **2** pers. **▼—iste** m journalist. **▼—istique** bn journalistiek.

journée v **1** dag; **2** dagloon; **3** dagwerk; **4** dagreis; **5** veldslag; **6** belangrijke dag, veldslag; **7** dag, wat het weer betreft. **▼journellement** bw dagelijks, geregeld.

joute v **1** steekspel; **2** debat. **▼jouteur** m **1** steekspeler; **2** tegenstander.

jouvenc/e v jeugd (oud'); fontaine de —, verjongingsbron. **▼—eau** [mv x] m jongeling. **▼—elle** v jong meisje.

jovial [mv aux] bn joviaal, opgeruimd. **▼jovialité** v jovialiteit, opgeruimdheid.

jovien, -enne bn wat Jupiter betreft.

joyau [mv x] m juweel (ook fig.).

joyeusement bw vrolijk, opgeruimd. **▼joyeuseté** v aardigheidje, grap. **▼joyeux, -euse I** bn vrolijk, opgeruimd; joyeuse entrée, blijde intocht. **II** zn m (arg.) Fr. soldaat in Afrika.

jubé m oksaal (arch.).

jubilaire I bn wat een jubileum betreft (année —). **II** zn m jubilaris. **▼jubilation** v (fam.) gejubel, luide vreugde. **▼jubilé** m **1** jubeljaar; **2** jubileum. **▼jubiler** on.w (fam.) jubelen, veel schik hebben.

juch/er I on.w **1** zitten v. kippen, fazanten, enz.; **2** hoog wonen. **II** ov.w hoog plaatsen, -zetten. **III se —** gaan zitten (van kippen, fazanten enz.). **▼—oir** m kippenstok.

judaïque bn joods. **▼judaïser** on.w leven volgens de joodse gebruiken, de joodse plechtigheden volgen. **▼judaïsme** m joodse godsdienst.

judas I m luikje, kijkgaatje in vloer of deur. **II J—** Judas; baiser de —, verraderskus.

judelle v meerkoet.

judici/aire I bn gerechtelijk, rechterlijk;

combat —, *duel* —, gerechtelijk duel in de middeleeuwen; *astrologie* —, sterrenwichelarij. **II** *zn v* oordeelskracht.
▼—eusement *bw* verstandig, oordeelkundig.
▼—eux, -euse *bn* verstandig, oordeelkundig.
jugal [*mv* **aux**] *bn* wat de wang betreft.
juge *m* rechter, scheidsrechter; — *de paix*, kantonrechter; — *de touche*, grensrechter.
▼jugeable *bn* voor het gerecht te betrekken.
▼jugement *m* **1** verstand; **2** oordeel; — *dernier*, laatste Oordeel; — *de Dieu*, godsoordeel; **3** vonnis. **▼jugeote** *v* (*fam.*) gezond verstand. **▼juger** *ov.w*
1 (be)oordelen; zich voorstellen;
2 rechtspreken, vonnissen. **▼jugeur** *m*, **-euse** *v* (lichtvaardig) beoordelaar(ster).
jugulaire I *bn* wat de keel betreft. **II** *zn v* stormband v. helm, enz. **▼juguler** *ov.w* worgen.
juif, -ive I *bn* joods. **II** *zn* **J—** *m*, **-ive** *v* **1** jood, jodin; *le J— errant*, de wandelende jood;
2 woekeraar
juillet *m* juli.
juin *m* juni.
jujube *v* jujube.
julep *m* kalmerende drank.
Jules *m* (*pop.*) **1** po; **2** kerel, man, geliefde;
3 pooier.
julien, -enne I *bn*: *calendrier* —, juliaanse tijdrekening. **II** *zn* **-enne** *v* groentesoep.
jumeau [*mv* **x**], **-elle I** *bn* tweeling-; *frères —x*, tweelingbroers; *villes —elles*, steden die elkaar adopteren. **II** *zn* **—x** *m mv* tweelingen; *trois —*, drielingen, enz. **▼jumel/age** *m* **1** (het) in paren zetten; **2** (het) koppelen van twee steden door culturele banden. **▼—é** *bn*
1 paarsgewijze geplaatst (*fenêtres —es*);
2 door culturele banden gekoppeld. **▼—er** *ov.w* **1** paarsgewijs plaatsen; **2** twee steden door culturele banden koppelen. **▼—les** *v mv* toneelkijker (ook *ev*: — *de théâtre*), verrekijker.
jument *v* merrie.
jumping *m* springconcours.
jungle *v* rimboe, jungle.
junior *bn* & *zn m* junior.
junte *v* junta.
jupe *v* **1** vrouwenrok; **2** pand v.e. herenjas.
▼jupe-culotte *v* broekrok. **▼jupette** *v* kort rokje. **▼jupière** *v* rokkennaaister.
jupitérien, -enne *bn* wat Jupiter betreft.
jupon *m* **1** onderrok; **2** (*fam.*) de vrouwen.
jurançon *m* wijn uit de Pyreneeën.
jurassien, -enne *bn* van de Jura.
juratoire *bn*: *caution* —, borgtocht onder ede.
juré I *bn* beëdigd; *ennemi* —, gezworen vijand. **II** *zn m* jurylid, gezworene. **▼jurement** *m* **1** onnodige eed; **2** vloek. **▼jurer** *I ov.w* (be)zweren; — *ses grands dieux*, bij hoog en laag zweren; — *la perte, la ruine de qn.*, iem.'s ondergang zweren. **II** *on.w* **1** zweren; *il ne faut — de rien*, je kunt nooit weten wat er nog gebeuren kan; **2** vloeken; **3** vloeken van kleuren.
juridiction *v* **1** rechtsbevoegdheid;
2 jurisdictie. **▼juridique** *bn* juridisch, gerechtelijk. **▼juris/consulte** *m* rechtsgeleerde. **▼—prudence** *v*
1 rechtsgeleerdheid; **2** rechtspraak. **▼juriste** *m* schrijver op het gebied der rechtsgeleerdheid.
juron *m* vloek.
jury *m* jury, examencommissie.
jus *m* **1** sap; — *de réglisse*, dropwater; — *de la treille*, — *de la vigne*, wijn; **2** (*mil. arg.*) zwarte koffie; **3** (*pop.*) water; **4** (*pop.*) stroom (*elekt.*); **5** (*pop.*) *ça vaut le* —, dat is de moeite waard.
jusant *m* eb.
jusqu'au-bout/isme *m* extremistische politiek. **▼—iste** *m/v* extremist(e).
jusque I *vz* **1** tot; *jusqu'ici*, tot hier toe, tot nu toe; — *là*, tot op dat ogenblik; **2** zelfs; *il hait jusqu'à ses frères*, hij haat zelfs zijn broers. **II** *jusqu'à ce que vgw* totdat.
justaucorps *m* nauwsluitende mansrok.
juste I *bn* **1** rechtvaardig, billijk; — *orgueil*,

gewettigde trots; **2** juist; *le* — *milieu*, het juiste midden; *voix* —, zuivere stem; **3** nauwsluitend (*habit* —). **II** *zn m* **1** rechtvaardige; **2** iem. die in staat v. genade verkeert; **3** (het) recht (*le* — *et l'injuste*). **III** *bw* **1** juist, precies; *chanter* —, zuiver zingen; *viser* —, zuiver mikken; *au* —, nauwkeurig, precies; *comme de* —, zoals het hoort. **▼justement** *bw* **1** rechtvaardig, terecht; **2** precies, net.
juste-milieu *m* (*gesch.*) (politiek van de) middenweg.
justesse *v* juistheid, nauwkeurigheid, zuiverheid (— *de la voix*); *de* —, op het kantje af.
justic/e *v* **1** rechtvaardigheid; **2** recht; *avoir la* — *de son côté*, het recht aan zijn kant hebben; *faire* — *à*, recht laten wedervaren; *faire de*, afrekenen met; *se faire* —, zich recht verschaffen; zichzelf straffen; *rendre la* —, rechtspreken; *gerecht*, rechtspraak; *bois de* —, guillotine. **▼—iable** *bn* te berechten.
▼—ier I *ov.w* en luistraf doen ondergaan. **II** *zn m* handhaver v.h. recht. **III** *bn* die het recht handhaaft (*un roi* —).
justifiable *bn* verdedigbaar. **▼justific/ateur**, **-atrice** *bn* rechtvaardigend. **▼—atif, -ive** *bn* rechtvaardigend; *pièces —ives*, bewijsstukken. **▼—ation** *v* **1** rechtvaardiging;
2 staving, bewijs; **3** regellengte. **▼justifier I** *ov.w* **1** rechtvaardigen; **2** wettigen; **3** de onschuld bewijzen; **4** bewijzen, aantonen. **II** *on.w*: — *de*, bewijzen, aantonen (— *de son identité*). **III** *se* — **1** zijn onschuld bewijzen;
2 zich rechtvaardigen van, zich zuiveren van (*se* — *d'une calomnie*).
jute *m* jute.
jut/er *on.w* (*fam.*) druipen. **▼—eux, -euse I** *bn* sappig. **II** *zn m* (*mil. arg.*) adjudant.
juvénile *bn* jeugdig. **▼juvénilité** *v* jeugdigheid.
juxtalinéaire *bn*: *traduction* —, vertaling naast de tekst.
juxtaposer *ov.w* naast elkaar plaatsen.
▼juxtaposition *v* (het) naast elkaar plaatsen.

k *m* **1** de letter k; **2** *afk. van* kilo.
kaléidoscope *m* caleidoscoop.
kangourou *m* kangoeroe.
karaté *m* karate.
kedale *bw* (*pop.*) veel.
képi *m* kepi.
kératite *v* hoornvliesontsteking.
kermès *m* kartuizer poeder.
kermesse *v* kermis in Nederland en
Vlaanderen; — *d'été*, weldadigheidsfeest.
kérosène *m* kerosine.
kibboutz *m* kibboets, kibbutz.
kidnapp/er *ov.w* ontvoeren. ▼—**eur** *m*, -**euse**
v ontvoerder (-ster). ▼—**ing** *m* ontvoering.
kif *m* mengsel van tabak en hennep.
kif-kif *bn* (*fam.*) het zelfde.
kiki *m* (*fam.*) keel, strot.
kil *m* (*pop.*) liter.
kilo/(gramme) *m* kilogram. ▼—**métrage** *m*
aantal kilometers. ▼—**mètre** *m* kilometer.
▼—**métrer** *ov.w* (een weg) van
kilometerpalen voorzien. ▼—**métrique** *bn*
wat een km betreft; *borne* —, kilometerpaal.
▼—**watt** *m* kilowatt. ▼—**watt†-heure** *m*
kilowattuur.
kimono *m* kimono.
kinési/thérapeute *m/v* heilgymnast(e).
▼—**thérapie** *v* heilgymnastiek.
kinesthésique (kinésique) *bn* betreffende de
bewegingservaring.
kiosque *m* kiosk; — *à musique*, muziektent.
kirsch *m* kersenbrandewijn.
kit *m* bouwpakket.
kitchenette *v* keukentje.
klaxon *m* autotoeter. ▼—**ner** *on.w* toeteren.
klepto/mane *m* of *v* iem. met een ziekelijke
aanleg tot stelen. ▼—**manie** *v* ziekelijke aanleg
tot stelen.
knickerbockers *mv* **1** (*oud*) golfbroek; **2**
knickerbocker, skibroek.
knock-out (**K.O.**) *m* knock-out.
knout *m* knoet.
kolkhoze *m* kolchoz.
konzern *m* concern.
kopeck *m* kopeke (Rus. munt).
korrigan *m*, -**ane** *v* kwade geest, dwerg of fee
in Bretagne.
koulak *m* rijke Russische boer.
krach *m* beurscrisis.
kraft *m* sterk (pak) papier.
kroumir *m* leren klompschoen.
kugelhof, kouglof, gouglof *m* soort Elzasser
koek.
kummel *m* kummel.
kyrielle *v* reeks.
kyste *m* kapselgezwel.

l *m* of *v* de letter l.
la **I** /*w* *v* de, het. **II** *vnw* haar, hem, het. **III** *zn m*
de noot la (a).
là **I** *bw* **1** daar, er; —-*bas*, daarginds; *çà et* —,
hier en daar; *ce livre*—-, dat boek; *celui*—-, die,
gene; —-*contre*, daartegenover; *de* —, van die
plaats; vandaar, daaruit (*de* — *sa richesse*);
—-*dedans*, daarin; —-*dessous*, daaronder;
—-*dessus*, daarop; —-*haut*, daarboven; *par*
—, daarheen, daarlangs; **2** op dat moment;
d'ici —, intussen; **3** daarin. **II** *tw* **1** nou, zie je
wel; **2** ziezo; **3** kom, kom (troost); **4** maar zo
zo; **5** oh — —!, o jé!
label *m* etiket.
labeur **I** *m* (zware) arbeid; *cheval de* —,
werkpaard, ploegpaard. **II** —**s** *m mv*
barensweeën.
labial [*mv aux*] **I** *bn* wat de lippen betreft;
lecture —*e*, liplezen. **II** **labie** *zn v* (*lettre* —*e*)
lipletter. ▼**labié** *bn* lipbloemig.
labile *bn* gemakkelijk afvallend (*feuilles* —*s*).
laborantin *m*, -**ine** *v* laborant(e).
▼**laboratoire** *m* laboratorium.
labori/eusement *bw* werkzaam, met veel
moeite. ▼—**eux**, -**euse** *bn* **1** werkzaam,
ijverig; **2** bewerkelijk, moeilijk; *les classes*
—*euses*, de werkende stand.
labour **1** (het) bewerken v.d. grond,
omploegen; **2** omgeploegde akker. ▼—**able**
bn beploegbaar. ▼—**age** *m* (het) bewerken
v.d. grond, ploegen, de akkerbouw. ▼—**er**
I *ov.w* **1** (de grond) bewerken, ploegen,
omspitten; **2** omwoelen v.d. grond (bijv. door
mollen); **3** openrijten, openkrabben (— *le*
visage). **II** *on.w* zich afwerken, zich uitsloven.
▼—**eur** *m* boer, landbouwer.
labyrinthe *m* **1** doolhof; **2** inwendige v.h. oor.
lac *m* meer; — *des quatre Cantons*,
Vierwoudstedenmeer; — *Léman*, Meer v.
Genève; — *Majeur*, Lago Maggiore; *tomber*
dans le —, (*fig.*) in het water vallen; *un* — *de*
sang, een plas bloed.
lacédémonien, -**enne** **I** *bn* Spartaans. **II** *zn*
L— *m*, -**enne** *v* Spartaan(se).
lacer *ov.w* dichtrijgen, vastsnoeren.
lacération *v* (het) verscheuren. ▼**lacérer**
ov.w verscheuren.
lacet *m* **1** veter, rijgsnoer; **2** winding, (hairpin)
v.e. bergweg; **3** strik voor hazen, enz. ▼**laceur**
m, -**euse** *v* nettenbreier (-ster).
lâchage *m* **1** (het) loslaten, oplaten (— *d'un*
ballon); **2** (het) in de steek laten. ▼**lâche** **I** *bn*
1 laf; **2** laag, laf (*action* —); **3** slap, los;
4 vadsig, traag. **II** *zn m* lafaard. ▼**lâché** *bn*
slordig, slap. ▼**lâchement** **I** *zn m* (het)
losmaken. **II** *bw* **1** laf; **2** vadsig, traag.
▼**lâcher** **I** *ov.w* **1** losser maken, losrijgen (—
un corset); — *la bride*, de teugels vieren; **2**
loslaten; — *une écluse*, een sluis openzetten;
— *pied*, vluchten, wijken; — *des pigeons*,
duiven oplaten; — *prise*, loslaten; — *un vent*,
— *un pet*, een wind laten; **3** lossen (— *un*
coup de fusil) (ook in de sport); **4** in de steek
laten; **5** zeggen (— *une sottise*). **II** *on.w*
breken (v. touw). **III** *zn m* (het) oplaten (van
duiven). ▼**lâcheté** *v* **1** lafheid; **2** laagheid; *une*
—, een laffe streek. ▼**lâcheur** *m*, -**euse** *v* iem.
die zijn kameraden in de steek laat; spelbreker

(-breekster).
lacis *m* maas-, netwerk.
laconisme *bn* laconiek, kort en krachtig.
▼**laconisme** *m* kortheid, laconisme.
lacrym/al [*mv* aux] *bn* wat tranen betreft;
glande —, traanklier. ▼**—ogène** *bn*
traanverwekkend; *gaz* —, traangas.
lacs *m* 1 strik; 2 valstrik.
lact/aire I *zn m* melkzwam. II *bn* wat melk
betreft. ▼**—ation** v 1 melkgeving; 2 (het)
zogen. **—é** *bn* melkachtig; *régime* —,
melkdieet; *fièvre* —e, zogkoorts; *chocolat* —,
melkchocolade; *voie* —e, melkweg.
▼**—escence** v melkachtigheid. ▼**—escent** *bn*
melkachtig. ▼**—ique** *bn*: *acide* —, melkzuur.
lacunaire *bn* met leemtes. ▼**lacune** v 1 leemte,
lacune; *combler une* —, een leemte aanvullen;
2 opening, holte. ▼**lacuneus, -euse** *bn*
leemten, holten vertonende.
lacustre *bn* op de oevers van of in een meer
levend (*plante* —); *habitation* —, paalwoning.
lad *m* staljongen.
ladre I *bn* 1 melaats; 2 gevoelloos; 3 vrekkig.
II *zn m* of v 1 melaatse; 2 gierigaard.
▼**ladrerie** v 1 leprozeninrichting; 2 grote
gierigheid.
lagon *m* strandmeertje.
lagune v lagune, haf.
lai I *bn* van een leek; *frère* —, lekebroeder; *sœur*
—e, lekezuster. II *zn m* 1 leek; 2 klein
middeleeuws verhalend of lyrisch gedicht.
▼**laïc** zie **laïque**. ▼**laïcat** *m* leken.
▼**laïcisation** v laïcisering. ▼**laïciser** *ov.w*
laiciseren. ▼**laïcisme** *m* laïcisme. ▼**laïcité** v
laïciteit, neutraal karakter.
laid I *bn* 1 lelijk; — *à faire peur*, lelijk als de
nacht; 2 lelijk = slecht. II *zn m, -e* v lelijke man,
- vrouw. III *zn m* (het) lelijke. ▼**—eron** v
lelijk(e) vrouw of meisje. ▼**—eur** v 1 lelijkheid;
2 afschuwelijkheid, slechtheid.
laie v 1 wijfje v.e. everzwijn; 2 smal bospad.
lainage *m* 1 wollen stof; 2 schaapsvacht;
3 kaarding. ▼**lain/e** v 1 wol, wollen stof; *bas
de* —, wollen kous, sok met spaargeld; — *de
verre*, glaswol; *se laisser manger la* — *sur le
dos*, zich het vel over de oren laten halen;
2 kroeshaar v. negers. ▼**—er** I *ov.w* kaarden.
II *zn m* het wollig aanzien. ▼**—erie** v 1 wollen
goed; 2 fabricage v. wollen stoffen. ▼**—eur** *m,
-euse* v I kaarder (-ster). II **-euse** v machine
voor het kaarden. ▼**—eux, -euse** *bn* wollig.
▼**—ier, -ière** I *bn* wat wol betreft; *industrie
—ière*, wolindustrie. II *zn m, -ière* v
1 wolhandelaar(ster); 2 wolwerker (-ster).
laïque (**laïc**) I *bn* wereldlijk, van leken;
enseignement —, openbaar onderwijs. II *zn m*
en v leek.
laisse v 1 honderiem; *mener qn. en* —, iem. aan
de leiband laten lopen; 2 strofe v.e. chanson
de geste; 3 gedeelte v.h. strand dat bij eb of
vloed droog is; 4 aanslibbing.
laissé-pour-compte *bn*: *marchandise
laissée-pour-compte*, geweigerde koopwaar,
overschot.
laisser *ov.w* 1 laten; — *aller les choses*, de
zaken haar beloop laten; *laissez dire*, laat de
mensen maar kletsen; — *faire*, veroorloven,
toestaan; *laissez faire, laissez passer*, laat de
boel maar waaien; 2 vergeten, laten staan,
laten liggen (— *son parapluie*); 3 nalaten,
overslaan, laten rusten; *ne pas* — *de*, niet
nalaten, niet ophouden; 4 overlaten,
toevertrouwen (*je vous laisse ce soin*);
5 nalaten, vermaken (— *une grande fortune*);
6 laten = verkopen; *c'est à prendre ou à* —, 't is
kiezen of delen; — *qc. à 100 florins*, iets voor
honderd gulden laten; 7 verlaten; *adieu, je
vous laisse*, vaarwel, ik verlaat u; 8 overlaten;
— *à désirer*, te wensen overlaten.
▼**laisser-aller** *m* zorgeloosheid.
▼**laissez-passer** *m* toegangsbewijs,
geleidebiljet, vrijgeleide.
lait *m* 1 melk; *battre du* —, karnen; — *battu*, —
de beurre, karnemelk; *boire du* —, (*fam.*)
voldaan -, zeer tevreden -, gelukkig zijn; —
maigre, taptemelk; *petit* —, wei; *sucer avec le*

—, met de moedermelk inzuigen; *vache à* —,
melkkoe, melkkoetje (*fig.*); 2 op melk
gelijkend vocht; — *de coco*, kokosmelk; 3 zog;
cochon de —, speenvarken; *frère de* —,
zoogbroeder. ▼**laitage** *m* 1 melkspijs;
2 zuivel.
laitance v, **laite** v hom. ▼**laité** *bn* met hom
(*hareng* —).
lait/erie v melkinrichting, zuivelfabriek,
melkwinkel. ▼**—eux, -euse** *bn* melkachtig.
▼**—ier, -ière** I *bn* wat melk betreft; *vache
—ière*, melkkoe. II *zn m* 1 melkboer; 2 melker;
3 ijzerslakken. III **-ière** v 1 melkmeid;
2 melkkoe.
laiton *m* geel koper, messing. ▼**—ner** *ov.w*
opmaken met koperdraad.
laitue v latuw (*plk.*); — *pommée*, kropsla.
laïus *m* (*fam.*) toespraak, speech.
lama *m* 1 Tibetaans priester; 2 lama (dier).
laman/age *m* 1 beroep v. loods;
2 loodswezen. ▼**—eur** *m* havenloods.
lambeau [*mv* x] *m* 1 lap, flard, stuk vel;
2 brokstuk.
lambic, lambick *m* zwaar Belgisch bier.
lambin I *bn* langzaam, treuzelig. II *zn m, -e* v
treuzelaar(ster). ▼**—er** *on.w* treuzelen.
lambris *m* 1 lambrizering; 2 plafond; — *dorés*,
prachtige kamers, rijke huizen. ▼**—sage** *m*
1 lambrizering; 2 pleisterwerk. ▼**—ser** *ov.w*
1 lambrizeren; 2 bepleisteren.
lame v 1 lemmet; *une bonne* —, *une fine* —,
iem. die goed met de degen kan omgaan;
friand de la —, graag duellerend; *visage en
de couteau*, mager, scherp gezicht; 2 golf; —
de fond, grondzee; 3 dun metalen of houten
plaatje; 4 scheermesje. ▼**lamé** *bn* 1 belegd
met metalen platen; 2 doorwekt met goud- of
zilverdraad. ▼**lamelle** v metaalplaatje, lamel.
▼**lamellé, lamelleux, -euse** *bn* schilferig.
▼**lamelliforme** *bn* bladvormig.
lament/able *bn* droevig, jammerlijk;
deerniswekkend. ▼**—ation** v jammerklacht,
gejammer, weeklacht, klaaglied. ▼**—er (se)**
jammeren, weeklagen.
lamier *m* dovenetel.
lamin/age *m* (het) pletten. ▼**—er** *ov.w* pletten.
▼**—erie** v pletterij. ▼**—eur** *m* pletter. ▼**—eux,
-euse** *bn* bladerig, schilferig; *tissu* —,
celweefsel. ▼**—oir** *m* pletmachine; *passer au*
—, een harde leerschool doorlopen.
lampadaire *m* 1 luchter, kandelaber;
2 lampevoet; 3 (*mod.*) lantaarn(paal).
lampant *bn* helder brandend, voor verlichting.
lampe v lamp; — *à acétylène*, carbidlamp; — *à
arc*, booglamp; — *à incandescence*,
gloeilamp; — *de mineur*, mijnwerkerslamp; —
au néon, neonlamp; — *du sanctuaire*,
godslamp; — *à souder*, soldeerlamp; — *de
sûreté*, veiligheidslamp; — *de T.S.F.*,
radiobuis; *s'en mettre plein la* —, (*pop.*) zich
volstoppen met eten en drinken.
lampée v (*pop.*) grote slok -, teug. ▼**lamper**
ov.w gulzig (leeg)drinken.
lampion *m* 1 vetpotje; 2 (*pop.*) lampion;
3 (*arg.*) oog; 4 (*arg.*) fles.
lampiste *m* 1 lampenist; 2 (*fam.*) lagere
beambte. ▼**lampisterie** v lampenkamer.
lamproie v lamprei (soort vis).
lance v 1 lans; 2 lansier; 3 straalpijp, sproeier;
4 peilstok voor bodemonderzoek; 5 ijzeren
punt; 6 harpoen.
lance-bombes *m* bommenwerpinstallatie.
lancée v vaart.
lance-flammes *m* vlammenwerper.
lance-fusées *m* raketwerper.
lance-grenades *m* granaatwerper.
lancement *m* 1 (het) te water laten v.e. schip;
2 (het) voor het eerst uitgeven v.e. boek;
3 (het) slaan v.e. brug; 4 (het) op touw zetten;
5 (het) in de mode brengen; 6 (het) werpen;
— *du disque*, discuswerpen; — *du poids*,
kogelstoten.
lance-mines *m* mijnenwerper.
lance-missiles *m* raketlanceerinrichting.
lance-pierres *m* katapult.
lancer I *ov.w* 1 werpen, schieten; 2 toedienen

(— *un coup de pied*); **3** te water laten (— *un vaisseau*); **4** uitgeven (— *un livre*); **5** in de mode brengen; **6** op touw zetten; — *un article*, een artikel in de handel brengen; **7** voortjagen, zwijgen; *départ lancé*, vliegende start; **8** loslaten, laten vertrekken; — *un cerf-volant*, een vlieger oplaten; **9** uitzenden per radio. **II se — 1** zich werpen, zich storten; toeschieten; **2** zich laten kennen, op de voorgrond treden. **III** *zn m* **1** (het) werpen *of* vissen (met werphengel); **2** (het) werpen (v. discus, kogel, enz.).

lance-roquettes *m* raketlanceerinrichting.
lance-torpilles *m* torpedolanceerbuis.
lancette *v* lancet.
lanceur *m*, **-euse** *v* **1** hij, zij, die iets op touw zet, invoert; —*euse de modes*, vrouw die een nieuwe mode inwijdt; **2** werper, **-ster** (bijv. v. discus).
lancier *m* lansier.
lanciforme *bn* lansvormig.
lancinant *bn* **1** stekend, zich uitend door scheuten (*douleur —e*); **2** kwellend, obsederend. ▼**lanciner** *on.w* **1** steken (v. pijn); **2** kwellen, obsederen.
landais *I bn* uit de Landes. **II** *zn* L— *m*, -e *v* bewoner (bewoonster) der Landes.
landau [*mvs*] *m* **1** landauer; **2** kinderwagen. ▼**landaulet** *m* kleine landauer, auto met afneembare kap.
lande *v* dorre vlakte, heideveld.
landgrave *m* landgraaf.
langage *m* taal, spraak; — *chiffré*, cijferschrift.
lang/e *v* luier; *dans les —s*, in de kinderschoenen. ▼—**er** *ov.w* inbakeren.
langour/eusement *bw* smachtend, kwijnend, verlangend. ▼—**eux**, **-euse** *bn* smachtend, kwijnend, verlangend.
langoust/e *v* kreeft zonder scharen. ▼—**ier** *m*, **-ière** *v* kreeftenet, -boot. ▼—**ine** *v* kleine zeekreeft.
langue *v* **1** taal; — *maternelle*, moedertaal; — *verte*, argot; **2** tong; *avaler sa —*, zich de tong afbijten; *coup de —*, hatelijkheid; *donner, jeter sa — aux chats (aux chiens)*, het opgeven (v.e. raadsel); *avoir la — trop longue*, geen geheim kunnen bewaren; *mauvaise —*, — *de vipère*, kwaadspreker (-spreekster); *se mordre la —*, zich op de lippen bijten; *avoir la — bien pendue, bien affilée*, niet op zijn mondje gevallen zijn; *prendre —*, ruggespraak houden; *qui — a, à Rome va*, (spr.w) wie vraagt, komt overal terecht; *tirer la — à qn.*, de tong tegen iem. uitsteken; **3** tongvormig voorwerp; — *de terre*, landtong.
langue¹-de-chat *v* kattetongetje (koekje).
languedocien, -enne *I bn* uit Languedoc. **II** *zn* L—, -enne *v* bewoner (bewoonster) van Languedoc.
languette *v* **1** tongetje; **2** tong v.e. balans; **3** klep v.e. blaasinstrument.
langu/eur *v* **1** kwijning, slapheid; **2** traagheid, loomheid; **3** versmachting. ▼—**ide** *bn* smachtend, kwijnend (*oud*). ▼—**ir** *on.w* **1** kwijnen, wegkwijnen, versmachten; **2** verflauwen; *cette affaire languit*, er zit geen schot in die zaak; *la conversation languit*, het gesprek verslapte; **3** smachten; **4** zich dodelijk vervelen. ▼**languiss/amment** *bw* **1** kwijnend, langzaam; **2** smachtend. ▼—**ant** *bn* **1** kwijnend, krachteloos; **2** smachtend.
lanière *v* dunne lange riem.
lanifère, lanigère *bn* woldragend, donzig.
lanlaire *tw*: *laisser —*, ophoepelen.
lansquenet *m* **1** landsknecht; **2** soort kaartspel.
lanterne *v* **1** lantaarn; — *à projections*, diaprojector; — *magique*, toverlantaarn; *mettre à la —*, ophangen; *oublier d'éclairer sa —*, de hoofdzaak vergeten; *prendre des vessies pour des —s*, zich knollen voor citroenen laten verkopen; — *sourde*, dievenlantaarn; — *vénitienne*, lampion; **2** open torentje op gebouw.
lanterner *on.w* treuzelen, lanterfanten; *faire —*, aan het lijntje houden.
lanugineux, **-euse** *bn* **1** wollig; **2** donzig.

lapalissade *v* waarheid als een koe.
lapement *m* (het) gelik. ▼**laper I** *ov.w* oplikken. **II** *on.w* likken.
lapereau [*mv* x] *m* jong konijn.
lapid/aire *m* **1** diamantwerker; **2** *bn*: *style —*, bondige, kernachtige stijl. ▼—**ation** *v* steniging. ▼—**er** *ov.w* stenigen. ▼—**ification** *v* verstening. ▼—**ifier** *ov.w* doen verstenen.
lapin *m* konijn; — *de choux*, — *de clapier*, — *domestique*, tam konijn; *c'est un fameux —*, het is een kranige kerel; — *de garenne*, — *sauvage*, wild konijn; *poser un — à qn.*, niet komen op een afgesproken plaats. ▼**lapinière** *v* konijnenberg, konijnenhok.
lapis, lapis-lazuli *m* lazuursteen.
lapon, -e *I bn* Laplands. **II** *zn* L— *m*, -e *v* Lap. ▼**Laponie** *v* Lapland.
laps I *zn m*: — *de temps*, tijdsverloop. **II** *zn m* ketter. **III** *bn* ketters, afvallig.
lapsus *m* vergissing.
laquage *m* (het) lakken.
laquais *m* lakei.
laqu/e *I zn* v lak. **II** *zn m* verlakt Chinees kunstvoorwerp. ▼—**er** *ov.w* lakken.
larbin *m* (*pop.*) knecht, kruiperig iemand.
larcin *m* **1** kleine diefstal; **2** het gestolene; **3** plagiaat.
lard *m* spek; *se faire du —*, dik worden van het nietsdoen; *un gros —*, een dikke vetzak; *tête de —!*, varkenskop! ▼—**er** *ov.w* **1** larderen, doorspekken; **2** (*fig.*) doorspekken; **3** doorsteken. ▼**lardon** *m* **1** reepje spek; **2** steek onder water; **3** (*pop.*) kind. ▼—**ner** *ov.w* **1** spek aan reepjes snijden; **2** voortdurend steken onder water geven.
lare I *m* huisgod. **II** —**s** *m* mv huiselijke haard.
largable *bn* die kan worden weggeschoten (*cabine —*). ▼**largage** *m* (het) wegschieten.
large I *bn* **1** breed; **2** groot, wijd; **3** ruim (*avoir la conscience*); **4** vrijgevig. **II** *zn m* **1** breedte; *un mètre de —*, een meter breed; *de long en —*, heen en weer; *au —!*, *au —!*, maak ruim baan! **2** volle zee; *prendre le —*, in zee steken; ervandoor gaan. ▼**larg/ement** *bw* ruimschoots, met ruime hand, met ruime blik. ▼—**esse** *v* mildheid, vrijgevigheid; *faire des —s*, met milde hand geld uitdelen. ▼—**eur** *v* **1** breedte; **2** brede blik, onbekrompenheid.
largue *bn* slap, los; *vent —*, ruime wind.
larguer *ov.w* **1** (*scheepv.*) vieren, losgooien; **2** laten vallen (parachute), wegschieten (cabine).
larigot *m* **1** soort oude fluit; *boire à tire-—*, zuipen; **2** orgelregister.
larix *m* lariks (boom).
larm/e *v* **1** *être ému jusqu'aux —s*, tot schreiens toe bewogen zijn; *fondre en —s*, *pleurer à chaudes —s*, hete tranen schreien; *rire aux —s*, - *jusqu'aux —s*, tranen lachen; *avoir des —s dans la voix*, met door tranen verstikte stem spreken; **2** teugje, druppeltje (— *de vin*). ▼—**ier** *m* **1** druiplijst v.e. gebouw; **2** binnenste ooghoek. ▼—**oiement** *m* (het) tranen der ogen. ▼—**oyant** *bn* **1** badend in tranen; **2** huilerig. ▼—**oyer** *on.w* huilen.
larron *m* **1** dief; *le bon et le mauvais —*, de goede en de slechte moordenaar (bij de kruisiging); — *d'honneur*, eerrover, verleider. ▼—**neau** [*mv* x] *m* diefje.
larvaire *bn* van de larve (*forme —*). ▼**larve** *v* larve.
laryngé, laryng/ien, -ienne *bn* v.h. strottehoofd. ▼—**ite** *v* keelontsteking, strottehoofdontsteking. ▼—**ologue** *m* keelarts. ▼—**oscope** *m* keelspiegel. ▼—**oscopie** *v* onderzoek met de keelspiegel. ▼—**otomie** *v* strottehoofdsnede. ▼**larynx** *m* strottehoofd.
las I *bn* moe, beu; *je suis — de vivre*, ik ben het leven moe; *de guerre —se*, strijdensmoe. **II** *tw* helaas!
lascar *m* **1** Indisch matroos; **2** (*pop.*) flinke uitgeslapen kerel.
lascif, -ive *bn* wellustig, wulps. ▼**lasciveté** *v* wellustigheid, wulpsheid.
laser *m* laser; *rayon —*, laserstraal.

lassant *bn* 1 vermoeiend; 2 vervelend.
▼**lasser** I *ov.w* 1 vermoeien; 2 vervelen. II **se**
— **de** moe worden, genoeg krijgen van.
▼**lassitude** *v* moeheid.
lasso *m* lasso.
latanier *m* waaierpalm.
latent *bn* verborgen.
latéral [*mv* aux] *bn* zij-; *porte* —*e*, zijdeur.
latex *m* melksap.
latin I *bn* Latijns; *quartier* —, Parijse
studentenwijk. II *zn* L— *m* Latijn. III *zn m*
(het) latijn; *bas* —, middeleeuws latijn; —
classique, klassiek latijn; — *de cuisine*,
potjeslatijn; *être au bout de son* —, geen raad
meer weten, uitgepraat zijn; *Eglise* —,
Westerse Kath. Kerk; *j'y perds mon* —, ik snap
er niets van; — *populaire*, volkslatijn. ▼—**iser**
ov.w verlatiniseren. ▼—**isme** *m* eigenaardige
latijnse uitdrukking. ▼—**iste** *m* kenner van het
latijn.
latitude *v* 1 breedte; — *nord*, — *boréale*,
noorderbreedte; — *sud*, — *australe*,
zuiderbreedte; 2 streek, klimaat; 3 vrijheid v.
handelen. ▼**latitudinaire** *bn* te breed v.
opvatting.
latrines *v mv* wc.
lattage *m* 1 (het) voorzien v. latwerk;
2 latwerk. ▼**latte** *v* 1 lat; 2 cavaleriesabel.
▼**latter** *ov.w* van latten voorzien. ▼**lattis** *m*
latwerk.
laudanum *m* (*med.*) laudanum.
laud/ateur, -atrice *m/v* lovend criticus.
▼—**atif, -ive** *bn* prijzend. ▼—**es** *v mv* deel der
kerkelijke getijden.
lauracées *v mv* laurierachtigen. ▼**lauré** *bn*
gelauwerd. ▼**lauréat, -ate** I *bn* bekroond
(*poète* —). II *zn m, -ate v* bekroonde,
prijswinnaar (-winnares). ▼**lauréole** *v*
peperboompje. ▼**laurier** *m* 1 laurier; —*-rose*,
oleander; 2 lauwer; *se couvrir de* —*s*, zich met
roem bedekken; *cueillir des* —*s*, lauweren
plukken; *flétrir ses* —*s*, zijn roem bevlekken.
lavable *bn* afwasbaar. ▼**lavabo** *m* wastafel,
wasruimte. ▼**lavage** *m* 1 (het) wassen; — *de*
cerveau, hersenspoeling; 2 gootwater (bijv.
van thee, soep); 3 (*arg.*) uitverkoop.
lavallière *v* soort dasstrik.
lavande *v* lavendel (*plk.*).
lavanderie *v* wasplaats. ▼**lavandière** *v*
1 wasvrouw; 2 kwikstaart. ▼**lavasse** *v* (*fam.*)
waterig vocht. ▼**lavatory** *m* (**lavatories** *mv*)
openbare wc.
lave *v* lava.
lave-glace† *m* ruitensproeier.
lave-mains *m* fonteintje.
lavement *m* 1 wassing, afwassing;
2 lavement. ▼**laver** I *ov.w* 1 wassen,
afwassen, spoelen, uitspoelen; — *son linge*
sale en famille, familieoneenigheden onder
elkaar behandelen; — *la tête à qn.*, iem. een
flinke uitbrander geven; *pierre à* —, gootsteen;
2 (*pop.*) iets verkopen, door geldnood
gedwongen; 3 uitwissen, zuiveren. II **se** —
zich wassen; *je m'en lave les mains*, ik was mijn
handen in onschuld. ▼**laverie** *v* wasplaats,
wasserette. ▼**lavette** *v* 1 vaatkwast; 2 (*fam.*)
slappe vent. ▼**laveur** *m*, -**euse** *v* I wasser
(-ster). II -**euse** *v* wasmachine.
lave-vaisselle† *m* afwasmachine.
lavis *m* (het) wassen v.e. tekening. ▼**lavoir** *m*
1 openbaar washuis; 2 pompstok v.e. geweer;
3 (*arg.*) biechtstoel. ▼**lavure** *v* 1 afwaswater;
2 dunne soep.
laxatif, -ive I *bn* ontlastend. II *zn m*
ontlastingsmiddel.
laxisme *m* (te) gematigde houding in moraal of
theologie.
layer *ov.w* 1 een smal bospad aanleggen;
2 bomen merken, die niet gekapt mogen
worden.
layette *v* babykleren.
layon *m* jagerspad.
lazaret *m* quarantainegebouw.
lazariste *m* lazarist (pater).
lazzi *m* 1 komische pantomime; 2 grap,
geestigheid (dikwijls vermengd met spot).

le, la, les I *lw* de, het. II *vnw* hem, haar, het,
hen.
lé *m* 1 jaagpad; 2 strook v.e. rok.
leader *m* 1 (partij)leider; 2 hoofdartikel.
léchage *m* (het) vleien. ▼**lèche** *v*: (*pop.*) *faire*
de la —, slijmen. ▼**lèche-bottes** *m* of
lèche-cul *m* (*vulg.*) slijmer, hielenlikker.
▼**léchefrite** *v* lekbak. ▼**lécher** I *ov.w* likken,
aflikken; *portrait léché*, gelikt portret; *ours mal*
léché, ongelikte beer. II **se** — zich -, elkaar
likken; *se* — *les doigts*, zijn vingers aflikken.
▼**léch/erie** *v* 1 vleierij; 2 snoeplust. ▼—**eur**
m, -**euse** *v* 1 lekkerbek; 2 lage vleier (-ster).
▼**lèche-vitrines** *m*: *faire du* —, winkels
kijken.
leçon *v* les; *faire la* — *à qn.*, iem. de les lezen;
faire réciter la —, de les overhoren; *prendre des*
—*s*, les nemen; — *particulière*, privaatles;
réciter la —, de les opzeggen.
lecteur *m*, -**trice** *v* 1 lezer(es);
2 voorlezer(es); 3 lector (aan een niet-Franse
universiteit). ▼**lecture** *v* 1 het lezen; 2 het
voorlezen; *donner* — *de qc.*, iets op-,
voorlezen; 3 belezenheid; *avoir de la* —,
belezen zijn.
légal [*mv* aux] *bn* wettelijk, wettig.
▼—**isation** *v* (het) bekrachtigen v.e. stuk, -
v.e. handtekening. ▼—**iser** *ov.w* (een stuk,
een handtekening) bekrachtigen. ▼—**ité** *v*
wettigheid.
légat *m* pauselijk gezant.
légataire *m* of *v* erfgenaam (-gename); —
universel, universeel erfgenaam.
lège *bn* niet geheel bevracht (*scheepv.*).
légendaire I *zn m* 1 legendenschrijver;
2 legendenverzameling. II *bn* legendarisch.
▼**légende** *v* 1 heiligenleven; 2 legende;
3 opschrift op munt; 4 verklaring v. tekens v.e.
kaart, enz.
léger, -ère I *bn* 1 licht; *avoir la main* —*ère*,
gauw slaan; handig opereren v.e. chirurg; *terre*
—*ère*, lichte grond; *thé* —, slappe thee; *vin* —,
lichte wijn; 2 ongeveer; 3 levendig, vlug;
4 lichtzinnig; 5 gewaagd, pikant (*anecdote*
—*ère*). II *bw*: *à la* —*ère*, lichtzinnig;
oppervlakkig. ▼**légèrement** *bw* 1 licht;
2 vlug; 3 lichtzinnig. ▼**légèreté** *v* 1 lichtheid;
2 lichtzinnigheid, oppervlakkigheid;
3 vlugheid.
leghorn *m* leghorn (soort kip).
légiférer *on.w* wetten maken.
légion *v* 1 legioen; — *étrangère*,
vreemdelingenlegioen; — *d'honneur*, legioen
v. eer; 2 grote menigte, zwerm, horde;
3 gendarmeriekorps. ▼—**naire** *m* 1 soldaat
v.h. vreemdelingenlegioen; 2 lid v.h. legioen v.
eer.
législ/ateur *m*, -**atrice** *v* 1 wetgever
(-geefster); 2 opsteller v. regels op het gebied
v. wetenschap of kunst. ▼—**atif, -ive** *bn*
wetgevend; *pouvoir* —, wetgevende macht.
▼—**ation** *v* 1 wetgeving;
2 rechtswetenschap. ▼—**ature** *v*
1 wetgevende macht; 2 uitoefening van deze
macht; 3 zittingsduur v.e. wetgevend lichaam.
légiste I *bn* wat wetten of de politie betreft;
médecin —, politiedokter. II *zn m*
rechtsgeleerde.
légitim/aire *bn* wettig. ▼—**ation** *v*
echtverklaring, legitimatie. ▼—**e** I *bn* 1 wettig,
rechtmatig; — *défense*, wettige
zelfverdediging; 2 billijk, geoorloofd. II *zn v*
wettig erfdeel. ▼—**er** *ov.w* 1 wettigen, echt
verklaren; 2 rechtvaardigen. ▼—**iste** *m*
1 aanhanger der erfopvolging; 2 aanhanger
der Bourbons. ▼—**ité** *v* 1 wettigheid;
2 echtheid.
legs *m* legaat. ▼**léguer** *ov.w* nalaten,
vermaken.
légum/e I *m* groente. II *v*: (*fam.*) *grosse* —,
hoge ome. ▼—**ier, -ière** I *bn* wat groenten
betreft; *jardin* —, groentetuin. II *zn m*
groenteschaal. ▼—**ineux, -euse** *bn*
peulvruchtdragend.

lémuriens *m mv* halfapen.
lendemain *m* volgende dag; *le — matin*, de volgende morgen; *du jour au —*, ineens.
lendore *m of v* suffer, dromer (droomster).
lénifiant *bn* verzachtend. ▼**lénifier** *ov.w* verzachten. ▼**lénitif, -ive l** *bn* verzachtend. **II** *zn m* **1** verzachtend middel; **2** verlichting, troost.
lent *bn* langzaam, traag.
lente *v* neet.
lenteur *v* langzaamheid; traagheid.
lenticulaire, lenticulé *bn* lensvormig.
lentigo *m* sproet, rode vlek.
lentille *v* **1** lins; **2** lens; **3** sproet.
lentisque *m* mastikboom.
léonin *bn* tot de leeuw behorend; *contrat —*, contract waarbij een der partijen het grootste deel krijgt; *partage —*, leeuweaandeel.
léopard *m* luipaard. ▼**léopardé** *bn* gevlekt.
lèpre *v* **1** melaatsheid; **2** schandvlek.
▼**lépr/eux, -euse l** *bn* melaats. **II** *zn m*, *-euse v* melaatse. ▼**—oserie** *v* leprozenhuis.
lequel *m*, **laquelle** *v*, **lesquels** *m mv*, **lesquelles** *v mv* **I** *betr.vnw* die, welke. **II** *vrag.vnw* welke.
les l *lw* de. **II** *vnw* ze, hen, haar.
lès *zie* **lez**.
lesbianisme *m* het lesbisch zijn. ▼**lesbien, -enne l** *bn* Lesbisch. **II** *zn v* Lesbische vrouw.
lèse geschonden; *crime de lèse-majesté*, majesteitsschennis. ▼**léser** *ov.w* **1** kwetsen, wonden; **2** schenden, krenken.
lésin/e *v* gierigheid. ▼**—er** *on.w* vrekkig zijn, bezuinigen (*— sur qc.*). ▼**—erie** *v* gierigheid.
lésion *v* kwetsing, beschadiging.
lessivable *bn* wasbaar. ▼**lessivage** *m* (het) (uit)wassen (met loog), afnemen. ▼**lessive** *v* **1** waswater; **2** was (*faire la —*); **3** wasgoed; **4** groot geldverlies; **5** opruiming, zuivering. ▼**lessivé** *bn* (*pop.*) moe. ▼**lessiver** *ov.w* **1** in de was doen; **2** uitwassen; **3** afnemen (v. muren en houtwerk); **4** uitschakelen. ▼**lessiveuse** *v* wasmachine.
lest *m* ballast; *navire sur —*, schip zonder lading; *jeter du —*, ballast uitwerpen; een groot offer brengen om een zaak te redden. ▼**lestage** *m* (het) ballasten.
leste *bn* **1** vlug, rap; — *en affaires*, vlot in zaken; **2** gewaagd, schuin.
lester l *ov.w* ballasten. **II se —** versterkend eten of drinken gebruiken.
létal *bn* dodelijk. ▼**létalité** *v* sterfte, dodelijkheid.
léthargie *v* **1** slaapziekte, verdoving; **2** ongevoeligheid, sufheid. ▼**léthargique** *bn* **1** tot de slaapziekte behorend; *sommeil —*, zeer langdurige slaap, die op de dood lijkt; **2** ongevoelig, onverschillig, dof.
lette, letton, -onne l *bn* Letlands. **II** *zn* **L— m**, **-onne** *v* Letlander, Letlandse. ▼**Lettonie** *v* Letland.
lettre l *v* **1** letter; *à la —*, stipt; letterlijk; *avant la —*, afgedrukt vóór het aanbrengen v.h. onderschrift; **2** brief; — *de cachet*, bevel tot inhechtenisneming (tijdens het Ancien Régime); — *de change*, wissel; — *chargée*, aangetekende brief (met aangegeven geldswaarde); *les cinq —s!*, (in plaats van *merde*), stik, verrek, enz.; — *de crédit*, kredietbrief; — *de faire part*, aankondiging v. huwelijk, overlijden enz.; — *de mer*, scheepspapieren; — *de voiture*, vrachtbrief; — *recommandée*, aangetekende brief (zonder aangegeven waarde); *en toutes —s*, voluit. **II —s** *v mv* letteren, letterkunde; *homme de —s*, letterkundige. ▼**lettré l** *bn* geletterd. **II** *zn m* letterkundige. ▼**lettrine** *v* **1** verwijzingsletter; **2** (versierde) (hoofd)letter boven hoofdstuk.
leu *m*: *à la queue leu leu*, achter elkaar, op een rijtje.
leucém/ie *v* leukemie. ▼**—ique l** *bn* van leukemie. **II** *zn m/v* leukemiepatiënt(e). ▼**leucocyte** *m* wit bloedlichaampje.
leur l *pers.vnw* hun, haar. **II —**, *—s bez.vnw* hun, haar; *le, la —, les —s*, de (het) hunne(n),

hare(n).
leurre *m* **1** lokvogel; **2** lokaas, bedrog. ▼**leurrer l** *ov.w* aanlokken, bedriegen. **II se —** de zich vleien met.
levage *m* **1** (het) oprichten; **2** (het) opheffen; **3** (het) rijzen (v. deeg).
levain *m* **1** gist, zuurdesem; **2** aanleiding; — *de discorde*, twistappel.
levant l *bn* opkomend, rijzend (*soleil —*). **II** *zn m* **1** (het) oosten; **2** (de) Levant. ▼**levantin l** *bn* Levantijns. **II** *zn m* Levantijn.
levé l *bn* opgeheven. **II** *zn m* **1** opslag bij het maatslaan; **2** *voter par assis et —*, stemmen bij zitten en opstaan; **3** meting.
levée *v* **1** (het) opnemen, wegnemen (— *d'un pansement*); **2** sluiting v.e. vergadering; **3** heffing, inning; **4** lichting v.e. brievenbus; **5** (*mil.*) lichting; **6** slag in het kaartspel; **7** opheffing; — *de scellés*, opheffing v.e. beslag; **8** dijk, wal; **9** inzameling, (het) binnenhalen (*la — des grains*).
lever l *ov.w* **1** opheffen, oplichten, ophalen; — *l'ancre*, het anker lichten; — *les épaules*, de schouders ophalen; — *le coude*, pimpelen; — *la main sur qn.*, iem. slaan; *en* — *la main*, er een eed op doen; — *le masque*, (*fig.*) het masker afleggen; — *un pont-levis*, een ophaalbrug ophalen; **2** wegnemen, weghalen, afnemen; — *les scellés*, een beslag opheffen, de zegels verbreken; **3** lichten (— *une séance*); **4** heffen, innen (*lever des impôts*); **5** lichten v.e. brievenbus; **6** lichten v. troepen; **7** opslaan (*les yeux*); **8** opheffen (— *un siège*); **9** tekenen (— *un plan*); **10** opjagen (v. wild); **11** inzamelen, oogsten. **II** *on.w* **1** opkomen v. gewassen; **2** rijzen (v. deeg). **III Se —** **1** opstaan; **2** opkomen v. zon, maan, enz.; **3** opsteken v.d. wind. **IV** *zn m* **1** (het) opstaan; *le petit —*, het opstaan v.d. Franse koning, waarbij alleen de hoogsten in rang tegenwoordig waren; *le grand —*, de audiëntie kort na het opstaan; **2** (het) opkomen v.d. zon, enz.; **3** (het) ophalen v.h. scherm v.h. toneel; — *de rideau*, éénakter waarmee een schouwburgvoorstelling begint; **4** (het) opmaken, schetsen (— *d'un plan*).
levier *m* **1** hefboom; **2** handel aan machine; — *de changement de vitesse*, versnellingshandel; **3** zwengel v.e. pomp.
levis *zie* **pont-levis**.
lévitation *v* (het) boven de grond zweven zonder hulp, levitatie.
lévite *m* **1** leviet; **2** priester.
levraut *m* jonge haas.
lèvre *v* **1** lip; *avoir le cœur sur les —s*, het hart op de tong hebben; misselijk zijn; *sourire du bout des —s*, flauwtjes lachen; **2** rand v.e. wond, — van sommige bloemen.
levrette *v* **1** wijfjeshazewind; **2** kleine lt. hazewind. ▼**lévrier** *m* windhond. ▼**levron** *m*, **-onne** *v* **1** jonge hazewind; **2** soort kleine windhond.
levur/e *v* gist, biergist (— *de bière*). ▼**—ier** *m* **1** gistfabrikant; **2** handelaar in gist.
lexical *bn* van, betreffende de woordenschat. ▼**lexico/graphe** *m* **1** maker v.e. woordenboek; **2** iem. die de oorsprong en de betekenis der woorden bestudeert. ▼**—graphie** *v* het samenstellen v.e. woordenboek. ▼**—graphique** *bn* wat de lexicografie betreft. ▼**—logie** *v* studie, kennis der afleiding v. woorden en van hun betekenis. ▼**—logique** *bn* wat de lexicologie betreft. ▼**—logue** *m* lexicoloog. ▼**lexique** *m* **1** woordenlijst bij een bepaald schrijver; **2** klein woordenboek; **3** woordenschat v.e. taal.
lez, lès *vz* bij (*oud*; komt nog voor in aardr.kundige namen (*Plessis-lez-Tours*).
lézard *m* hagedis; *faire le —*, *prendre un bain de —*, zich in de zon koesteren.
▼**lézarde** *v* **1** spleet, scheur in een muur; **2** galon v. Fr. onderofficieren. ▼**lézarder l** *ov.w* doen scheuren. **II** *on.w* slenteren, luieren in de zon. **III se —** splijten, scheuren.
liaison *v* **1** verbinding, verband; — *postale*,

postverbinding; 2 verbinding (*mil.*);
3 metselkalk; 4 bindmiddel voor spijzen;
5 verbindingsstreepje, ophaal (*muz.*); *faire —,*
verbinden; 6 het verbinden van twee
woorden; 7 samenhang, verband (*— dans les
idées*); 8 omgang, liefdesbetrekking.
▼**liaisonner** *ov.w* voegen v. stenen.
liane *v* slingerplant, liaan.
liant *l bn* 1 buigzaam, lenig; 2 vriendelijk,
innemend. II *zn m* 1 veerkracht; 2 soepelheid
bij dansen; 3 innemendheid.
liard *m* duit; *couper un — en quatre,* zeer gierig
zijn.
liasse *v* bundel, lias.
Liban (**le**) Libanon. ▼**l—ais** *l bn* uit Libanon.
II *zn* L— *m,* -e *v* Libanees, Libanese.
libation *v* 1 plengoffer; 2 (het) (veel) drinken;
faire d'amples —s, 'm duchtig raken.
libelle *m* schotschrift.
libeller *ov.w* (een akte) opstellen.
libelliste *m* pamfletschrijver.
libellule *v* libel, waterjuffer, glazenmaker.
libérable *bn* 1 die met groot verlof kan gaan;
2 *congé —,* verlof vóór het groot verlof.
libéral [*mv aux*] *l bn* 1 vrijgevig, gul;
2 liberaal; 3 *arts —aux,* vrije kunsten. II *zn m*
liberaal. ▼**—isation** *v* (het) vrijer maken.
▼**—iser** *ov.w* liberaler maken. ▼**—isme** *m*
liberalisme. ▼**—ité** *l v* vrijgevigheid, gulheid.
II **—s** *v mv* milde gaven.
libér/ateur *m,* **-atrice** *v* bevrijder (-ster).
▼**—ation** *v* 1 delging v.e. schuld; 2 bevrijding,
invrijheidstelling, ontslag uit de dienst (—
d'un soldat); 3 bevrijding v.d. vijand. ▼**—er**
l ov.w 1 delgen v.e. schuld; 2 bevrijden, in
vrijheid stellen, ontslaan uit de mil. dienst. II *se
—* zijn schuld betalen.
libérien, -ienne *bn* Liberiaans.
libertaire *l bn* anarchistisch. II *zn m* anarchist.
liberté *v* 1 vrijheid; *mettre en —,* in vrijheid
stellen; *— de la presse,* vrijheid v. drukpers;
2 vrijpostigheid (*prendre des —s*).
libertin *l bn* losbandig, zedeloos. II *zn m*
1 losbandig persoon; 2 (*oud*) vrijdenker.
▼**—age** *m* 1 losbandigheid, zedeloosheid;
2 (*oud*) vrijdenkerij.
libidineux, -euse *bn* wellustig, wulps.
▼**libido** *v* id.
libraire *m* boekhandelaar. ▼**librairie** *v*
1 boekhandel; 2 (*oud*) bibliotheek.
libre *bn* 1 vrij; *— arbitre,* vrije wil; *école —,*
bijzondere school; *être — comme l'air,* zo vrij
zijn als een vogel in de lucht; *— pensée,*
vrijdenkerij; *— penseur,* vrijdenker; *— à vous
de,* het staat u vrij te; 2 vrijpostig, vrijmoedig;
3 gewaagd, schuin.
libre-échange *m* vrijhandel.
▼**libre-échangiste**† *m* voorstander v.
vrijhandel.
libre-service *m* 1 zelfbediening;
2 zelfbedieningszaak.
librettiste *m* maker v.e. libretto. ▼**libretto** *m*
operatekst, libretto.
Libye (**la**) Libië. ▼**libyen, -enne** *bn* Libisch.
lice *v* strijdperk; *entrer en —,* in het krijt treden.
licence *v* 1 vergunning; verlof; 2 vis-, tabak-,
sterke drank-, enz. vergunning; 3 misbruik v.
vrijheid; *prendre des —s avec qn.,* zich te grote
vrijheden tegenover iem. veroorloven;
4 vrijheid op kunstgebied; 5 losbandigheid,
uitspatting; 6 graad die ongeveer
overeenkomt met het Ned. kandidaatsexamen
(*— en droit; — ès lettres*). ▼**licenc/ié** *m,* -e *v*
1 kandidaat (kandidate); 2 ontslagene.
▼**—iement** *m* ontslag. ▼**—ier** *ov.w* afdanken,
ontslaan, naar huis zenden. ▼**—ieusement**
bw losbandig, schuin. ▼**—ieux, -ieuse** *bn*
losbandig, schuin.
lichen [*spr.:* liken] *m* korstmos.
licher *ov.w* (*pop.*) likken, snoepen, drinken.
licite *bn* geoorloofd.
licorne *v* eenhoorn.
licou, licol *m* halster.
lie *l zn v* droesem, grondsop; *boire le calice
jusqu'à la —,* de lijdensbeker tot de bodem
ledigen; *la — du peuple,* de heffe des volks.

II **lie-de-vin** *bn* purperrood.
liège *m* 1 kurkeik; 2 kurk.
Liège Luik. ▼**liégeois** *l bn* Luiks. II *zn* L— *m,*
-e *v* Luikenaar, Luikse.
liégé *bn* met kurk.
lien *m* 1 band; *— conjugal,* huwelijksband;
2 boei, kluister. ▼**lier** *l ov.w* 1 binden,
verbinden, vastbinden; *— une sauce,* een saus
binden; 2 sluiten (*— amitié avec qn.*). II *se —*
zich verbinden; *se — avec qn.,* vriendschap
met iem. sluiten.
lierre *m* klimop.
liesse *v* (*oud*) vrolijkheid; *être en —,* vrolijk
zijn.
lieu [*mv x*] *l zn m* 1 plaats, plek; *—x d'aisance,*
wc; *au — de,* in plaats van; *avoir —,* plaats
vinden; *— commun,* gemeenplaats; *sans feu ni
—,* dakloos; *en premier —,* op de eerste plaats;
saint —, heiligdom; *les saints —x,* de Heilige
Plaatsen; *en temps et —,* te zijner tijd en
plaatse; *tenir — de,* vervangen; 2 stand,
familie; *sortir de haut —,* van deftige huize
zijn; 3 passage uit een boek; 4 oorzaak, reden;
avoir — de, reden hebben om te; *donner — à,*
aanleiding geven tot. II *vgw: au — que,*
terwijl. ▼**lieudit** *of* **lieu-dit** *m* (*mv* **lieuxdits**
of **lieux-dits**): *l'autocar s'arrête au — des
'Trois Chênes',* de bus stopt op de plek die
genoemd wordt 'Trois Chênes'.
lieue *v* mijl, klein uur gaans (4,444 km); *—
kilométrique =* 4 km; *— de terre, — commune
=* 4,444 km; *— marine,* zeemijl (5,555 km); *il
est à cent (à mille) —s d'ici,* hij is er met zijn
gedachten niet bij; *bottes de sept —s,*
zevenmijlslaarsen.
lieur *m,* -euse *v* 1 schovenbinder (-ster).
II **-euse** *v* graanbinder (machine).
lieutenant *m* 1 eerste luitenant; *— de
vaisseau,* luitenant-ter-zee 1ste klasse;
2 plaatsvervanger. ▼**lieutenant†-colonel**† *m*
overste, luitenant-kolonel. ▼**lieutenante** *v*
1 (*fam.*) luitenantsvrouw; 2 vrouwelijke
luitenant.
lièvre *m* haas; *il ne faut pas courir deux —s à la
fois,* men moet niet twee verschillende
doeleinden najagen; *courir le même —,*
hetzelfde doel nastreven; *avoir une mémoire
de —,* kort van memorie zijn; *être poltron
comme un —,* een hazehart hebben.
liftier *m* liftboy.
ligament *m* gewrichtsband. ▼**ligatur/e** *v*
1 (het) afbinden; 2 band om boom; (het)
opbinden v. planten; 3 sjorring; 4 dubbele
letter. ▼**—er** *ov.w* afbinden.
lige *bn* 1 leenplichtig; 2 zeer toegewijd.
lignage *m* geslacht, afstamming (*oud*).
ligne *v* 1 lijn, linie; *— aérienne,* luchtlijn; *— de
bataille,* gevechtslinie; *— de conduite,*
gedragslijn; *— de démarcation,* scheidingslijn;
— équinoxale, evennachtslijn; *navire de —,*
linieschip; *passer la —,* de evenaar passeren;
troupes de —, linietroepen; 2 regel; *hors —,*
buitengewoon; 3 vissnoer; *pêcher à la —,*
hengelen; 4 streep (¹/₁₂ duim).
lignée *v* geslacht, nakomelingschap.
ligner *ov.w* liniëren.
ligneul *m* pikdraad.
ligneux, -euse *bn* houtachtig. ▼**lignification**
v houtvorming. ▼**lignifier (se)** *bn* houtig
worden. ▼**lignite** *m* bruinkool.
ligotage *m* (het) knevelen, binden. ▼**ligoter**
ov.w knevelen, binden.
ligue *v* 1 bond, ligue; 2 komplot. ▼**liguer** *l ov.w*
in een verbond verenigen. II *se —* een verbond
aangaan. ▼**ligueur** *m,* -euse *v* lid v.e. ligue.
lilas *l zn m* sering. II *bn* lila.
liliacées *v mv* lelieachtigen. ▼**lilial** *bn*
lelieblank.
lilliputien *m,* -ienne *v l zn* lilliputter. II *bn*
dwergachtig.
limace *v* 1 veldslak; 2 (*pop.*) hemd. ▼**limaçon**
m 1 huisjesslak; *escalier en —,* wenteltrap;
2 slakkenhuis v.h. oor.
lim/age *m* (het) vijlen. ▼**—aille** *v* vijlsel.
liman *m* lagune.
limande *v* schar (vis).

limbe I *m* zoom, rand. II —s *m mv* voorgeborchte der hel.
Limbourg I *m* Limburgse kaas. II L— *m* Limburg.
lime *v* vijl. **▼limer** *ov.w* 1 vijlen; 2 afwerken, bijschaven (*fig.*). **▼limeur** *m* vijlder.
limier *m* 1 speurhond (ook *fig.*); 2 spion.
liminaire *bn* als inleiding; *épître* —, voorrede in briefvorm aan het begin v.e. boek.
limitatif, -ive *bn* beperkend. **▼limitation** *v* beperking. **▼limite** I *zn v* grens; — *de charge*, laadvermogen. II *bn: prix* —, vastgestelde prijs; *vitesse* —, maximum snelheid. **▼limiter** *ov.w* begrenzen, beperken. **▼limitrophe** *bn* 1 aangrenzend; 2 die aan de grens is.
limoger *ov.w* (*fam.*) aan de dijk zetten.
limon *m* 1 slijk, slib; 2 lamoen.
limonade *v* 1 limonade; 2 cafébedrijf. **▼limonadier** *m*, **-ière** *v* 1 limonadeverkoper (-verkoopster); 2 caféhouder (-ster).
limonage *m* beslibbing. **▼limoneux, -euse** *bn* slijkerig.
limonier *m* 1 lamoenpaard; 2 limoenboom. **▼limonière** *v* lamoen.
limonite *v* ijzeroer.
limousin I *bn* 1 uit Limoges of de oude provincie het Limousin. II *zn* L— *m*, *-e v* bewoner (bewoonster) v. Limoges of le Limousin. III *zn* 2 metselaarsknecht.
limousine *v* 1 gesloten auto met zijruiten; 2 grofwollen mantel of cape.
limpide *bn* 1 helder, doorzichtig; *style* —, heldere stijl; 2 eenvoudig (*visage* —). **▼limpidité** *v* helderheid, doorzichtigheid.
lin *m* 1 vlas; *graine de* —, lijnzaad; *huile de* —, lijnolie; 2 lijnwaad.
linceul *m* lijkkleed, lijkwade.
linçoir, linsoir *m* draagbalk.
linéaire *bn* 1 van -, in lijnen; *dessin* —, lijntekening; 2 (*plk.*) lijnvormig. **▼linéal** [*mv aux*] *bn* wat de lijnen betreft v.e. tekening. **▼linéament** *m* 1 trek v.h. gezicht; 2 schets, ontwerp.
linette *v* lijnzaad.
linge *m* linnen, linnengoed; *blanc comme un* —, zo wit als een doek; *changer de* —, zich verschonen; *il faut laver son* — *sale en famille*, (*spr.w*) men moet familieonenigheden onder elkaar behandelen. **▼linger** *m*, **-ère** *v* 1 linnenverkoper (-verkoopster); linnenwerker (-ster). II **-ère** *v* 1 linnenjuffrouw; 2 linnenkast. **▼—ie** *v* 1 linnenhandel; 2 linnenkamer; 3 ondergoed.
lingot *m* baar, staaf.
lingual [*mv aux*] *bn* wat de tong betreft; *consonne* —*e* (*linguale*), tongmedeklinker. **▼linguiforme** *bn* tongvormig. **▼lingu/iste** *m* taalkundige. **▼—istique** I *bn* taalkundig. II *zn v* taalkunde.
linier, -ère I *bn* wat vlas betreft; *industrie* —*ère*, vlasindustrie. II **-ère** *v* vlasakker.
liniment *m* wrijfmiddel, smeersel.
links *m mv* golfvelden.
linoléum, lino *m* linoleum.
linon *m* fijn linnen.
linot *m*, **linotte** *v* vlasvink, kneu; *tête de* —*te*, (*fam.*) wildzang.
lino/type *v* zetmachine. **▼—typie** *v* (het) zetten met de linotype. **▼—typiste** *m* machinezetter.
linteau [*mv x*] *m* bovendorpel, latei
lion *m*, **-onne** *v* 1 leeuw, leeuwin; 2 moedig man; 3 modegek, elegante vrouw; — *de mer*, zeeleeuw. **▼lionceau** [*mv x*] *m* leeuwenwelp.
lipide *m* vetstof.
lippe *v* dikke onderlip; *faire la* —, lelijk kijken. **▼lippu** *bn* met een dikke onderlip.
liqué/facteur *m* vloeibaar makend. **▼—faction** *v* vloeibaarmaking, -wording. **▼—fiable** *bn* vloeibaar te maken (*le gaz est* —). **▼—fier** I *ov.w* vloeibaar maken. II *se* — vloeibaar worden.
liquette *v* (*pop.*) hemd.
liqueur *v* 1 (*oud*) vloeistof; 2 likeur.
liquid/ateur *m* vereffenaar; — *judiciaire*, curator. **▼—atif, -ive** *bn* liquidatie ten gevolge hebbend. **▼—ation** *v* 1 vereffening, liquidatie, afwikkeling; 2 uitverkoop; — *de fin d'année*, balansopruiming; 3 — *judiciaire*, faillissement. **▼liquid/e I** *bn* 1 vloeibaar; *l'élément* —, het vloeibaar element, het water; 2 vrij v. schuld; *argent* —, gereed -, contant geld; 3 vloeiend (v. medeklinker: m, l, n, r). II *zn m* vloeistof. **▼—er** I *ov.w* 1 vereffenen, liquideren; 2 uitverkopen; 3 afdoen (— *une visite, une affaire*). II **se** — zijn zaken afwikkelen, zijn schulden betalen. **▼—ités** *v mv* liquide middelen.
liquor/eux, -euse *bn* zoet en krachtig tegelijk. **▼—iste** *m* 1 likeurstoker; 2 likeurhandelaar.
lire *v* lire.
lire *ov.w onr.* 1 lezen; *avoir beaucoup lu*, belezen zijn; — *dans l'avenir*, de toekomst voorspellen; 2 doorlezen; 3 voorlezen.
lis *m* lelie; *fleurs de* —, wapen der Bourbons; *le royaume des* —, Frankrijk; *teint de* —, lelieblank; — *des vallées*, lelietje-van-dalen.
Lisbonne *v* Lissabon.
lise *v* drijfzand.
lisérage *m* borduurrand. **▼liséré** *m* 1 smal omboordsel; 2 zoom, rand. **▼lisérer** *ov.w* omboorden, omzomen.
liseron *m* winde.
liseur, -euse I *bn* van lezen houdend. II *zn m*, **-euse** *v* (veel)lezer, lezeres. III **-euse** *v* 1 leeslamp; 2 leren boekomslag; 3 bedjasje; 4 boekentafeltje. **▼lisibilité** *v* leesbaarheid. **▼lisible** *bn* leesbaar.
lisière *v* 1 zoom, rand (*la* — *d'une forêt*). II —s *v mv* leiband.
lissage *m* 1 gladmaken, polijsten, glanzend maken. **▼liss/e** I *bn* glad. II *zn v* 1 schering; 2 reling. **▼—er** *ov.w* 1 glad maken, polijsten, glanzend maken; 2 met een dunne laag suiker bedekken. **▼—eur** *m*, **-euse** *v* 1 glanzer (-ster), polijster (-ster). II **-euse** *v* glansmachine.
liste *v* 1 lijst; — *électorale*, kiezerslijst; — *noire*, zwarte lijst; 2 bles.
lit *m* 1 bed, ledikant; — *-bibliothèque*, opklapbed; — *de camp*, veldbed; — *clos*, bedstede; *faire le* —, het bed opmaken; *comme on fait son* —, *on se couche*, (*spr.w*) de mens is gewoonlijk de oorzaak van zijn eigen ongeluk; — *de gazon*, grasveld; — *de parade*, praalbed; *prendre le* —, te bed gaan liggen (v. zieken); — *de travail*, kraambed; 2 huwelijk (*un enfant du premier* —); 3 bedding; 4 laag; 5 windstreek (— *du vent*); 6 leger v.e. haas.
litanie I *v* lange, vervelende opsomming. II —s *v mv* litanie.
litée *v* nestvol. **▼literie** *v* beddegoed.
litho/chromie *v* kleurensteendruk. **▼—graphe** *m* steendrukker. **▼—graphie** *v* 1 steendruk; 2 steendrukkerij. **▼—graphier** *ov.w* steendrukken. **▼—graphique** *bn* wat steendruk betreft.
Lithuanie *v* Litouwen. **▼lithuanien, -enne** I *bn* Litouws. II *zn* L—*m*, **-enne** *v* Litouwer (Litouwse). III *m* Lit. taal.
litière *v* 1 stalstro; *faire* — *de*, geringschatten, met voeten treden; *être sur la* —, bedlegerig zijn; 2 draagbaar, draagstoel.
litige *m* geschil, geschilpunt. **▼litigieux, -euse** *bn* betwistbaar.
litote *v* redekunstige figuur (litotes), waarbij men minder zegt dan men bedoelt (bijv. *il n'est pas lâche*).
litr/e *m* liter, kan. **▼—on** 1 ¹⁄₁₆ schepel (oude maat); 2 (*pop.*) liter wijn.
littér/aire *bn* letterkundig. **▼—al** [*mv aux*] *bn* letterlijk. **▼—ateur** *m* letterkundige. **▼—ature** *v* letterkunde.
littoral [*mv aux*] *bn* tot de kust behorend (*montagnes* —*es*). II *zn m* kuststreek.
littorine *v* alikruik.
Lituanie, lituanien *zie* **Lithuanie**, enz.
liturg/ie *v* liturgie. **▼—ique** *bn* liturgisch. **▼—iste** *m* liturgist.
liure *v* 1 wijze om een wagenlading vast te binden; 2 (*scheepv.*) sjorring.
livarot *m* sterk geurende kaas uit Livarot.

livide bn loodkleurig, doodsbleek. ▼**lividité** v lijkkleur, doodsbleekheid.

living (living-room†) m huiskamer.

Livonie v Lijfland. ▼**livonien, -ienne** I bn Lijflands. II zn m Lijflandse taal. III L— m, **-ienne** v Lijflander (-se).

Livourne v Livorno.

livr/able bn leverbaar. ▼—**aison** v 1 levering; faire — de, afleveren; prendre — de, in ontvangst nemen; 2 aflevering v.e. boek.

livre I m boek; — de bord, scheepsjournaal; — de caisse, kasboek; — de cuisine, kookboek; grand —, grootboek; — d'heures, getijdenboek; à — ouvert, à vue, voor de vuist; teneur des —s, boekhouder; tenir les —s, de boeken bijhouden. II v 1 franc; 2 pond sterling; § pond (gewicht).

livrée v 1 dienstkleding, livrei; porter la —, bediende zijn; 2 lakeien, bedienden; 3 kenteken; 4 nestveren; 5 gevlekte huid v. sommige jonge dieren.

livrer I ov.w 1 leveren, afleveren; — bataille, slag leveren; 2 overleveren, uitleveren, overgeven. II se — à 1 zich overleveren, zich overgeven aan; 2 zich wijden aan.

livresque bn schools.

livret m 1 boekje; — de caisse d'épargne, spaarbankboekje; — de famille, trouwboekje; — individuel, (mil.) zakboekje; 2 libretto, operatekst.

livreur, -euse I bn leverend, bezorgend; garçon —, bezorger. II zn -**euse** v bestelwagen.

llanos m mv grote grasvlakte in Z.-Amerika.

lob m lob (tennis).

lobby m [mv **lobbies**] pressiegroep.

lobe m lob, kwab; — de l'oreille, oorlel. ▼**lobé** bn gelobd. ▼**lobectomie** v operatie waarbij men een long- of hersenkwab wegneemt.

lobélie v lobelia (plk.).

lober ov.w (tennis) 1 lobben; 2 passeren met een boogbal.

lobotomie v (het) doorsnijden van zenuwvezels in de hersenen. ▼**lobulaire**, **lobulé** bn lobvormig.

local [mv aux] I bn plaatselijk. II zn m lokaal. ▼—**isation** v lokalisatie, (het) beperken tot een bepaalde plaats. ▼—**iser** I ov.w tot een bepaalde plaats beperken (— une maladie, un incendie). II se — zich tot een bepaalde plaats beperken. ▼—**ité** v plaats, plek.

locat/aire m of v huurder (-ster). ▼—**eur** m, -**rice** v verhuurder (-ster). ▼—**if, -ive** bn 1 wat de huur betreft; valeur —ive, huurwaarde; 2 van plaats. ▼—**ion** v 1 het huren, het verhuren; 2 huurprijs; — -vente, huurkoop, leasing.

loch m log (scheepv.); filer le —, loggen.

loche v modderkruiper.

lock-out m uitsluiting v. werklieden.

loco/mobile I bn verplaatsbaar. II zn v verplaatsbare stoommachine. ▼—**moteur**, -**trice** bn (voort)bewegend. ▼—**motif, -ive** bn wat de voortbeweging betreft. ▼—**motion** v vervoer, voortbeweging. ▼—**motive** v locomotief.

loculaire, loculé, loculeux, -euse bn in hokjes verdeeld (plk.).

locution v uitdrukking.

loden m loden stof of mantel.

loess m löss.

lof m loef (scheepv.); aller au —, oploeven. ▼**lofer** on.w oploeven.

logarithme m logaritme. ▼**logarithmique** bn logaritmisch.

loge v 1 hutje, hok; 2 houthakkershut; 3 portierswoning; 4 kermistent; 5 schouwburgloge; 6 vrijmetselaarsloge; 7 loggia; 8 kleedkamer. ▼—**able** bn bewoonbaar, geriefelijk. ▼—**ment** m 1 (eenvoudige) woning; 2 huisvesting; 3 inkwartiering; 4 kwartiermaken; crise du —, woningnood. ▼**loger** I on.w 1 wonen; 2 logeren, verblijven. II ov.w 1 huisvesten; nous voilà bien logés!, daar zitten we nu!; 2 logies verschaffen; ici on loge à pied et à

cheval, (boven een herberg) logement en uitspanning; 3 onderbrengen, plaatsen; — une balle dans la tête, een kogel door het hoofd jagen. III se — 1 gaan wonen; 2 (zich) plaatsen; se — une balle dans la tête, zich een kogel door het hoofd jagen. ▼**logette** v hutje, hokje, cel. ▼**logeur** m, -**euse** v verhuurder (-ster) van gemeubileerde kamers.

logicien m, -**enne** v iem. die streng logisch redeneert; kenner (-ster) der logica. ▼**logique** I bn logisch. II zn v logica.

logis m huis, woning; corps de —, hoofdgebouw; maréchal des —, foerier; la folle du —, de verbeelding.

logogriphe m 1 letterraadsel; 2 iets onbegrijpelijks.

loi v 1 wet; se faire une — de, zich tot plicht rekenen om te; hors la —, vogelvrij; — martiale, krijgswet; homme de —, rechtsgeleerde, advocaat; — morale, zedenwet; — naturelle, natuurwet; 2 macht, heerschappij, kracht; être sous la — de qn., onder de heerschappij, onder de plak van iem. zitten; la — du plus fort, het recht v.d. sterkste; 3 gehalte v.e. munt. ▼**loi†-cadre†** v raamwet.

loin bw 1 (plaats) ver, veraf; aller —, het ver brengen; cette arme porte —, dat wapen draagt ver; au —, in de verte; d'aussi — qu'il me vit, zodra hij mij zag; — des yeux, — du cœur, (spr.w) uit het oog, uit het hart; je suis — de…, ik ben ver van mij te…; revenir de…, van een gevaarlijke ziekte genezen, aan de dood ontsnappen; 2 (tijd) ver. ▼**lointain** I bn ver, verwijderd (plaats of tijd). II zn m verschiet, verte.

loir m relmuis; dormir comme un —, slapen als een roos (marmot); être paresseux comme un —, erg lui zijn.

loisible bn geoorloofd; il vous est — de…, het staat u vrij te…

loisir m 1 vrije tijd; à —, op zijn gemak; 2 hobby.

lolo m (pop.) melk.

lombaire bn van de lendenen (douleur —). ▼**lombes** m mv lendenen.

lombric m regenworm.

londonien, -enne I bn Londens. II zn L— m, -**enne** v Londenaar, inwoonster v. Londen. ▼**Londres** m Londen. ▼**londrès** m havannasigaar.

long, longue I bn 1 (plaats) lang; — de trois mètres, drie meter lang; avoir la vue —ue, ver zien; 2 (langdurig) lang; être — à faire qc., dralen met iets te doen; il ne fut pas — à comprendre que…, hij begreep spoedig, dat…; 3 aangelegd (sauce —ue). II bw lang; écrire —, uitvoerig schrijven; en savoir —, er heel wat van weten. III zn: au —, uitvoerig; à la —ue, op den duur; aller par le plus —, de langste weg nemen; deux mètres de —, twee meter lang; de — en large, heen en weer; le — de, langs; tomber de son —, languit vallen.

longanimité v lankmoedigheid.

long-courrier† I bn v.d. grote vaart (navire —). II zn m 1 iem. die leert voor kapitein v.d. grote vaart; 2 lange-afstandsvliegtuig.

longe v 1 halster; 2 lendestuk.

longer ov.w varen, lopen, rijden langs.

longeron m bruglligger.

longévité v lang leven, hoge ouderdom.

longimétrie v (oud) lengtemeting.

longitude v geografische lengte; — est, oosterlengte; — ouest, westerlengte. ▼**longitudinal** [mv aux] bn in de lengte.

longtemps bw lang, lange tijd. ▼**longue** zie **long**. ▼**longuement** bw 1 lang; 2 breedvoerig. ▼**longuet** I zn m lang broodje. II bn (wel) wat lang. ▼**longueur** v 1 lengte; — d'onde, golflengte; 2 lange duur, langdurigheid; tirer en —, rekken, op de lange baan schuiven; 3 langdradigheid, langdradig gedeelte v.e. boek, enz.; 4 langzaamheid. ▼**longuet†-vue†** v verrekijker.

looping m figuur uit de luchtacrobatiek.

lopin m stukje, lapje (— de terre).

loquace bn praatziek, spraakzaam.

▼**loquacité** *v* praatzucht, spraakzaamheid.
loque *v* lomp, flard; — *humaine*, menselijk wrak.
loquet *m* klink v.e. deur. ▼**loqueteau** [*mv* x] *m* klinkje.
loqueteux, -euse *bn* in lompen gehuld.
lorgn/er *ov.w* 1 van ter zijde aanzien; 2 met een toneelkijker bekijken; 3 azen op, loeren op (*fig.*) (— *une place*). ▼—**ette** *v* toneelkijker. ▼—**eur** *m*, -**euse** *v* (*fam.*) begluurder (-ster). ▼—**on** *m* lornget.
lori *m* lori (papegaai).
loriot *m* wielewaal.
lorrain I *bn* Lotharings. **II** *zn* **L**— *m*, -e *v* Lotharinger (-se). ▼**Lorraine** (la) *v* Lotharingen.
lorry *m* lorrie.
lors I *bw* toen; *dès* —, vanaf die tijd; dientengevolge; *dès* — *que*, vanaf het ogenblik dat; *pour* —, in dat geval. **II** *vz*: — *de*, op het ogenblik van, ten tijde van; — *même que*, zelfs wanneer. ▼**lorsque** *vgw* toen, wanneer.
losange *m* ruit. ▼**losanger** *ov.w* in ruiten verdelen.
lot *m* 1 deel, aandeel, lot; 2 lot in loterij; *gagner le gros* —, de hoofdprijs winnen; 3 perceel, partij. ▼**loterie** *v* loterij; *mettre en* —, verloten.
loti *bn*: *être bien* —, *mal* —, goed -, slecht af zijn.
lotier *m* rolklaver.
lotion *v* 1 wassing, afwassing; 2 wasmiddel, lotion; — *capillaire*, haarmiddel. ▼—**ner** *ov.w* 1 afwassen, afspoelen; 2 een lotion geven.
lotir *ov.w* 1 verkavelen; 2 sorteren. ▼**lotissement** *m* verkaveling. ▼**lotisseur** *m*, -**euse** *v* degene die verkavelt.
loto *m* lotto.
lotte *v* kwabaal.
lotus *m* lotus (*plk.*).
louable *bn* 1 prijzenswaard, loffelijk; 2 te verhuren.
louage *m* 1 huur; 2 huurprijs.
louang/e *v* lof, loftuiting; *chanter, célébrer les* —*s de qn.*, iemands lof zingen. ▼—**er** *ov.w* prijzen. ▼—**eur** *m*, -**euse** *v* lofredenaar(ster).
loubar(d) *m* jong bendelid uit een wijk in de 'banlieue'.
louch/e I *bn* 1 scheel; 2 verdacht; 3 dubbelzinnig. **II** *zn* *v* soeplepel. **III** *zn* *m* 1 scheel persoon; 2 iets verdachts. ▼—**er** *on.w* scheel kijken. ▼—**erie** *v* (het) scheel kijken. ▼—**eur** *m*, -**euse** *v* schele. ▼—**on** *m* scheel kind.
louée *v* bijeenkomst waarop boerenknechten gehuurd worden.
louer I *ov.w* 1 prijzen; 2 huren; *à* —, te huur; 3 verhuren; 4 (plaats) bespreken. **II** *se* — *de* tevreden zijn met. ▼**loueur** *m*, -**euse** *v* 1 verhuurder (-ster); 2 prijzer.
loufogue *m* (*pop.*) gek, niet goed snik. ▼**loufoquerie** *v* (*pop.*) gekke streek, gek woord.
lougre *m* logger (*scheepv.*).
Louis *m* Lodewijk.
louis *m* goudstuk van 20 francs (vóór 1928).
louise†-bonne† *v* bonne-louise (peer).
louis-quatorzien, -enne *bn* betrekking hebbende op de tijd v. Lodewijk XIV (*style* —).
loulou *m* 1 keeshond; 2 zware jongen; -**te** *v* (*fam.*) schatje, snoes.
loup *m* 1 wolf; *jeune* —, jong, ambitieus politicus; *entre chien et* —, in de schemering; *être connu comme le* —, bekend zijn als de bonte hond; *froid de* —, vinnige koude; *hurler avec les* —*s*, huilen met de wolven in het bos; *marcher à pas de* —*s*, geruisloos lopen om iem. te verrassen; *tenir le* — *par les oreilles*, zich in een moeilijke toestand bevinden; 2 satijnen mom of halfmasker; 3 bok, fout; 4— *de mer*, zeerob (dier en zeeman); 5 snoes; 6 *gueule de* —, leeuwebek (*plk.*); 7 baars.
▼**loup†-cervier†** *m* 1 lynx, los; 2 geldwolf.
loupe *v* 1 knoest; 2 loep; 3 vetgezwel; 4 (*arg.*) luilakkerij, lijntrekkerij. ▼**loupé** *bn/zn* mislukt, mislukkeling. ▼**louper** (*arg.*) 1 on.w luilakken, de lijn trekken. **II** *ov.w* 1 verknoeien; 2 missen (— *le train*). ▼**loupeur** *m*, -**euse** *v* (*arg.*) luilak, lijntrekker (-ster).

loup†-garou† *m* 1 weerwolf; 2 bullebak.
loupiot *m* (*arg.*) kind, kwajongen.
loupiote *v* (*fam.*) lampje.
lourd *bn* 1 zwaar; *aliment* —, zware kost; 2 drukkend, loom (*temps* —); 3 lomp, plomp, langzaam (van geest); 4 grof (—*e faute*). ▼**lourdaud** *m*, -e *v* lompe vent, - vrouw. ▼**lourde** *v* (*pop.*) deur. ▼**lourdeur** *v* 1 zwaarte; 2 loomheid; 3 lompheid, logheid, langzaamheid; 4 grofheid.
loustic *m* grappenmaker, snaak.
loutre *v* 1 otter; 2 otterbont.
louve *v* 1 wolvin; 2 soort fuik; 3 (*pop.*) slet. ▼**louvet, -ette** *bn* wolfskleurig (van paard). ▼**louveteau** [*mv* x] *m* 1 jonge wolf; 2 welp bij de padvinders. ▼**louveter** *on.w* jongen werpen door een wolvin. ▼—**ie** *v* wolvenjacht.
louvoyer *on.w* laveren.
lover *ov.w* oprollen van touw.
loyal [*mv* **aux**] *bn* 1 rechtschapen, eerlijk; 2 trouw, toegewijd; 3 deugdelijk, onvervalst. ▼—**isme** *m* trouw. ▼—**iste** *m* aanhanger, loyalist. ▼**loyauté** *v* 1 rechtschapenheid; eerlijkheid; 2 trouw, toewijding; 3 deugdelijkheid.
loyer *m* huurprijs.
lu *v.dw* van *lire*.
lubie *v* (*fam.*) kuur, gril.
lubricité *v* wulpsheid, geilheid, wellust.
lubrifiant I *zn* *m* smeersel. **II** *bn* vetmakend. ▼**lubrification** *v* smering, (het) oliën. ▼**lubrifier** *ov.w* smeren, oliën.
lubrique *bn* wulps, geil, wellustig.
lucane *m* vliegend hert.
lucarne *v* dakvenster, zolderraampje.
Lucerne *v* Luzern.
lucide *bn* helder, klaar, scherpzinnig; *somnambule* —, helderziende. ▼**lucidité** *v* 1 helderheid, scherpzinnigheid; 2 helderziendheid.
lucimètre *m* lichtmeter.
luciole *v* glimworm.
lucratif, -ive *bn* winstgevend, voordelig, lucratief. ▼**lucre** *m* winst, voordeel.
ludique *bn* wat het spel betreft.
luette *v* huig.
lueur *v* 1 schijnsel; 2 straal, vleugje; *une* — *d'espérance*, een straaltje hoop.
luge *v* kleine slede. ▼**luger** *on.w* sleeën. ▼**lugeur** *m*, -**euse** *v* sleeër (sleester).
lugubre *bn* akelig, somber, doods, naar.
lui I *pers.vnw* *m* of *v* 1 hij, zich; 2 hem, haar. **II** *v.dw* van *luire*.
luire *on.w* *onr.* 1 schijnen; 2 schitteren, blinken. ▼**luisance** *v* schittering, glans. ▼**luisant I** *bn* glanzend, schitterend; *ver* —, glimworm. **II** *zn* *m* glans (— *d'une étoffe*).
lumbago *m* spit (*med.*).
lumière I *v* 1 licht; *apportez de la* —!, maak eens wat licht!; *mettre en* —, in het licht stellen; *mettre la* — *sous le boisseau*, zijn licht onder de korenmaat zetten; *perdre la* —, sterven, blind worden; *voir la* —, geboren worden; 2 zundgat; 3 kijkgat. **II** —*s* *mv* kennis, inzicht; *le siècle des* —*s*, de verlichte eeuw.
lumignon *m* 1 brandende pit v.e. kaars; 2 eindje kaars.
lumin/aire *m* kerkkaars, toortsen voor verlichting. ▼—**escent** *bn* in het donker lichtend. ▼—**eux, -euse** *bn* 1 lichtgevend, *enseigne* —*euse*, lichtreclame; *cortège* —, lichtstoet; 2 (*fig.*) klaar, helder (*esprit* —). ▼—**iste** *m* schilder v.h. licht. ▼—**osité** *v* helderheid (*la* — *du ciel*).
lunaire I *bn* 1 wat de maan betreft; *paysage* —, maanlandschap; 2 maanvormig. **II** *zn* *v* judaspenning (*plk.*). ▼**lunaison** *v* tijd tussen twee nieuwe manen.
lunatique *bn* grillig.
lunch *m* koude, staande lunch.
lundi *m* maandag; *faire le* —, maandag houden.
lune *v* 1 maan; *clair de* —, maneschijn; *être dans la* —, dromen; *demander la* —, het onmogelijke eisen; *faire un trou à la* —, met de noorderzon vertrekken; *tomber de la* —, zeer

verwonderd staan kijken; *vouloir prendre la* —, iets onmogelijks willen doen; **2** maand; — *de miel*, wittebroodsweken; **3** kuur, gril; **4** (*pop.*) vollemaansgezicht; **5** (*pop.*) achterste; **6** — *d'eau*, witte waterlelie; **7** — *de mer*, maanvis.
▼luné *bn* **1** halvemaanvormig; **2** (*fam.*) gehumeurd (*bien* —, *mal* —).
lunetier *m* **1** brillenmaker; **2** brillenverkoper.
▼lunett/e I *v* **1** verrekijker; — *arrière*, achterruit; **2** horlogerand; **3** wc-bril; **4** vork bij het schaken; **5** gat in de guillotine, waardoor de veroordeelde zijn hoofd steekt; **6** lunet (*mil.*). II —**s** *v mv: une paire de* —*s*, een bril; —*s solaires*, zonnebril. **▼—erie** *v* **1** vak v.d. brillenmaker; **2** brillenzaak.
lunule *v* **1** maan v. planeet; **2** figuur in de vorm v.e. halve maan; **3** nagelvlek.
lupanar *m* bordeel.
lupus *m* lupus (*med.*).
lurette *v* (*fam.*): *il y a belle* —, het is een hele tijd geleden.
luron *m*, **-onne** *v* kordate kerel, - meid; *gai* —, vrolijke frans.
lustr/age *m* (het) glanzen v. stoffen. **▼—al** [*mv* **aux**] *bn* reinigend, de reiniging betreffend. **▼—ation** *v* reiniging. **▼lustre** *m* **1** glans; **2** lichtkroon; **3** lustrum. **▼lustrer** *ov.w* **1** glanzen v. stoffen; **2** glad maken (v. stoffen door het gebruik). **▼lustrine** *v* lustre (stof).
lut *m* kitlijm.
Lutèce *v* oude naam v. Parijs.
luth *m* **1** luit; **2** dichterlijke inspiratie.
luthéranisme *m* lutherse leer.
lutherie *v* **1** strijkinstrumentenhandel, -winkel; **2** fabricage v. strijkinstrumenten.
luthérien, **-enne** I *bn* luthers. II *zn m*, **-enne** *v* lutheraan (-se).
luthier *m* **1** fabrikant v. strijkinstrumenten; **2** handelaar in strijkinstrumenten. **▼luthiste** *m/v* luitspeler.
lutin I *bn* guitig. II *zn m* **1** kabouter; **2** kwelgeest; **3** guit. **▼—er** *ov.w* (een vrouw) vrijpostig plagen.
lutrin *m* **1** koorlessenaar; **2** koorzangers.
lutt/e *v* worsteling, strijd; *de haute* —, met geweld. **▼—er** *on.w* **1** worstelen; **2** strijden; **3** wedijveren, concurreren. **▼—eur** *m* worstelaar.
luxation *v* ontwrichting, verrekking.
luxe *m* **1** weelde, luxe; **2** overvloed; *c'est du* —, dat is overbodige weelde.
Luxembourg *m* Luxemburg. **▼I—eois** *bn* Luxemburgs.
luxer *ov.w* ontwrichten, verstuiken.
luxueusement *bw* weelderig. **▼luxueux**, **-euse** *bn* weelderig.
luxure *v* ontucht.
luxuri/ance *v* weelderigheid. **▼—ant** *bn* te weelderig; *style* —, te beeldrijke stijl.
luxurieux, **-euse** *bn* ontuchtig.
luzerne *v* rupsklaver. **▼luzernière** *v* klaverveld.
lycée *m* **1** middelbare school; — *classique*, gymnasium; — *moderne*, atheneum; **2** (*arg.*) gevangenis. **▼lycéen** *m*, **-enne** *v* leerling v.e. lycée.
lychnide *v* koekoeksbloem.
lycopode *m* wolfsklauw (*plk.*).
lymphat/ique I *bn* **1** van de lymfe; *vaisseaux* —*s*, lymfvaten; **2** traag. II *zn* traag iemand. **▼—isme** *m* traagheid. **▼lymphe** *v* lymfe.
lynchage *m* (het) lynchen. **▼lyncher** *v* lynchen.
lynx *m* los, lynx; *yeux de* —, scherpe ogen.
lyonnais I *bn* uit Lyon. II *zn* **L—** *m*, **-e** *v* inwoner (inwoonster) van Lyon.
lyre *v* lier; *suspendre*, *quitter sa* —, de lier aan de wilgen hangen. **▼lyrique** I *bn* lyrisch; *comédie* —, komische opera; *tragédie* —, grote opera. II *zn m* **1** lyriek; **2** lyrisch dichter. **▼lyrisme** *m* **1** lyrische stijl; **2** poëtische stijl; **3** geestvervoering, bezieling.
lys (*zie* **lis**) *m* lelie.
lysimaque *v* wederik; — *nummulaire*, penningkruid.

m *m* of *v* de letter m.
ma *bez. vnw v* mijn.
maboul (*pop.*) I *bn* gek, mal. II *zn m*, **-e** *v* gek, halve gare.
mac *m* (*arg.*) *afk.* van **maquereau**: souteneur, pooier.
macabre *bn* **1** wat de dood of een lijk betreft; *danse* —, dodendans; **2** griezelig, afschuwelijk, macaber.
macache *bn* (*pop.*) helemaal niet, niks geen...
macadam *m* macadam (soort steenslag). **▼—isage** *m*, **—isation** *v* (het) macadamiseren v.e. weg. **▼—iser** *ov.w* (een weg) macadamiseren.
macaque *m* **1** meerkat (soort aap); **2** lelijk mens.
macaron *m* **1** bitterkoekje; **2** knoetje (boven oor); **3** (*fam.*) ronde decoratie; **4** (*pop.*) stomp, klap.
macaroni *m* macaroni; *un* (*mangeur de*) —, een spaghettivreter (Italiaan). **▼macaronique** *bn* geschreven in potjeslatijn.
macchabée, **macchab**, **maccab** *m* (*pop.*) lijk.
macédoine *v* **1** huzarensla; vruchtensla; **2** mengelmoes.
macédonien, **-enne** I *bn* Macedonisch. II *zn* **M—** *m*, **-enne** *v* Macedoniër (-ische).
macér/ation *v* **1** (het) in de week zetten; **2** zelfkastijding. **▼—er** I *ov.w* **1** weken; **2** kastijden. II **se** — zich kastijden.
macfarlane *m* regenmantel zonder mouwen.
Mach *m* mach; *voler à* — **2**, **2** mach vliegen.
machaon *m* koninginnepage (vlinder).
mâche *v* veldsla.
mâchefer *m* slakken (v. steenkool).
mâcher *ov.w* **1** kauwen, voorkauwen; — *la besogne à qn.*, iem. het werk gemakkelijk maken; voorkauwen; *ne pas* — *ses mots*, er geen doekjes om winden. **▼mâcheur** *m*, **-euse** *v* kauwer (-ster).
machiavél/ique *bn* **1** machiavellistisch; **2** gewetenloos, sluw. **▼—isme** *m* **1** stelsel v. Machiavelli; **2** gewetenloosheid, sluwheid.
mâchicoulis *m* mesekouwen, borstwering met (schiet)gaten.
machin *m* (*pop.*) ding(es).
machinal [*mv* **aux**] *bn* werktuiglijk.
machination *v* samenzwering, kuiperij.
machine *v* **1** werktuig, (schrijf)machine; toestel; — *à calculer*, rekenmachine; — *à coudre*, naaimachine; — *infernale*, helse machine; — *à laver*, wasmachine; — *à vapeur*, stoommachine; *faire* — *arrière*, achteruit rijden, - varen; **2** toneelmachine voor de decors; *pièce à* —*s*, spektakelstuk; **3** samenstelling, geheel (*la* — *du corps*); **4** locomotief; **5** automaat, robot; **6** — *administrative*, ambtelijk apparaat.
machiner *ov.w* **1** aanleggen, smeden (— *une conspiration*); **2** de decors plaatsen.
machinerie *v* **1** machinerieën; **2** machinekamer.
machinisme *m* **1** machinerie; **2** (het) gebruik van machines, machinale arbeid.
machiniste *m* **1** autobus-, trambestuurder; **2** toneelknecht; **3** machinist. **▼machino** *m* (*arg.*) = machiniste.

machmètre m mach-meter.

mâchoire v 1 kaak; — *inférieure,* onderkaak; *jouer, travailler des —s,* eten; — *supérieure,* bovenkaak; 2 bek van bijv. een nijptang; — *de frein,* remblok; 3 (*pop.*) ezel, stommerik.

mâchon/nement m 1 (het) langzaam kauwen; 2 (het) prevelen. **▼—ner** *ov.w* 1 langzaam kauwen; 2 prevelen.

mâchur/e v 1 geplette plek v. fluweel; 2 kneuzing v. vrucht. **▼—er** *ov.w* met zwart besmeren, bekladden.

macis m foelie.

mackintosh m (*oud*) waterdichte regenmantel.

macle v 1 waterkastanje; 2 soort kristal.

mâcon m Mâconwijn.

maçon m metselaar; *aide*——, opperman; *abeille —ne,* metselbij; *franc*——, (*maçon*), vrijmetselaar. **▼—nage** m metselwerk. **▼—ner** *ov.w* metselen, dichtmetselen. **▼—nerie** v 1 metselwerk; 2 vrijmetselarij. **▼—nique** *bn* van de vrijmetselaars.

macro/biotique *bn* macrobiotisch. **▼—céphale** *bn* groothoofdig. **▼—cosme** m macrocosmos, heelal. **▼—dactyle** *bn* langvingerig, langteenig. **▼—photographie** v macrofotografie. **▼—pode** l *bn* langpotig, met lange vinnen. II m paradijsvis.

macul/age, —ation v (het) bevlekken, bekladden. **▼—e** v vlek. **▼—er** *ov.w* bevlekken, bekladden.

madame v 1 mevrouw; *jouer à la —,* de dame uithangen; 2 M— schoonzuster v.d. Fr. koning.

madeleine v 1 soort peer, - druif, - pruim, - perzik; 2 licht gebak.

mademoiselle v 1 juffrouw; 2 dochter des huizes;

madère m maderawijn.

madone v madonnabeeld, Maria-afbeelding.

madras m 1 soort katoen; 2 hoofddoek van deze stof.

madré *bn* 1 gevlekt, geaderd (*bois* —); 2 slim, uitgeslapen.

madrier m zware plank of balk.

madrigal [*mv aux*] m madriga(a)l (*muz.*).

madrilène l *bn* Madrileens. II *zn* M—m of v Madrileen(se).

maelstrom, malstrom m maalstroom.

maestria v meesterschap (*muz., schilderkunst*).

Maestricht m Maastricht.

maf(f)ia v maffia.

mafflu *bn* (*fam.*) met dikke wangen.

magasin m 1 winkel; *commis de* —, winkelbediende; *grand* —, warenhuis; 2 magazijn, pakhuis; *mettre en* —, opslaan; 3 magazijn v.e. geweer. **▼—age** m 1 (het) opslaan in een pakhuis; 2 bewaarloon. **▼—ier** m magazijnmeester.

magazine m 1 geïllustreerd tijdschrift; 2 periodieke tv- of radiorubriek.

mage m: *les Rois M—s,* de Drie Koningen.

magenta m steenrood, magenta.

magicien m, **-enne** v tovenaar, tovenares. **▼magie** v toverij, toverkracht; — *noire,* zwarte kunst. **▼magique** *bn* 1 magisch, toverachtig; *lanterne* —, toverlantaarn; 2 betoverend.

magister (*spr.*: ma-jis-tèr) m schoolfrik. **▼magistral** [*mv aux*] *bn* 1 meesterlijk; 2 schoolmeesterachtig, verwaand; 3 volgens recept bereid (*remède* —).

magistrat m magistraat. **▼magistrature** v 1 overheidsambt; 2 ambtstijd; 3 rechterlijke macht; — *assise,* de rechters; de zittende magistratuur; — *debout,* het openbaar ministerie, de staande magistratuur.

magma m vloeibare vulkaanmassa, magma.

magnanerie v zijderupskwekerij. **▼magnanier** m zijderupskweker.

magnanime *bn* edelmoedig, verheven. **▼magnanimité** v edelmoedigheid, verhevenheid.

magnat m magnaat; *les —s de la finance,* de groot-financiers.

se magner (= **se manier**) (*fam.*) voortmaken,

zich haasten.

magnés/ie v magnesia. **▼—ien, -enne** *bn* magnesiahoudend. **▼—ite** v meerschuim. **▼—ium** m magnesium.

magnét/ique *bn* magnetisch; *bande* —, geluidsband. **▼—isation** v magnetisering. **▼—iser** *ov.w* magnetiseren. **▼—iseur** m magnetiseur. **▼—isme** m magnetisme.

▼magnéto v 1 magneet; 2 elektromagnetische machine. **▼—électrique** *bn* elektromagnetisch. **▼—mètre** m magnetometer. **▼—phone** m bandrecorder.

magni/ficence v 1 pracht, luister; 2 praalzucht, prachtlievendheid; 3 vrijgevigheid. **▼—fier** *ov.w* verheerlijken, idealiseren. **▼—fique** *bn* 1 prachtig; 2 praalziek, prachtlievend; 3 vrijgevig, mild. **▼—tude** v grootte v.e. ster.

magnolia, magnolier m magnolia (*plk.*).

magnum m dubbele wijnfles.

magot m 1 spaarpot; verborgen geld (*fam.*); 2 staartloze aap; 3 lelijke man.

mahométan l *bn* mohammedaans. II *zn* M—m, -e v Mohammedaan(se). **▼mahométisme** m mohammedanisme.

mahonie v, **mahonia** m mahonia.

mai m 1 mei; 2 meiboom (*planter le* —).

maigr/e l *bn* 1 mager; *faire* —, geen vlees eten; *jours —s,* onthoudingsdagen; *repas* — maaltijd zonder vlees; 2 dun, karig, ondiep; — *soupe,* dunne soep; — *repas,* karig maal; 3 schraal (*terre* —); 4 (*arg.*) *du* — !, stilte! II *zn* m mager vlees. **▼—elet, -ette** *bn* een beetje mager. **▼—eur** v 1 magerheid; 2 dunheid, karigheid; 3 schraalheid. **▼—ichon, -onne** *bn* (*pop.*) te mager. **▼—ir** l *on.w* vermageren. II *ov.w* mager doen lijken.

mail m 1 kolf (bij kolfspel); 2 kolfspel; 3 maliebaan.

mail-coach m postwagen met vier paarden.

maille v 1 steek (bijv. bij breiwerk); 2 malie; *cotte de —s,* maliënkolder; 3 (*oud*) kleine munt van ½ penning; *avoir — à partir,* een appeltje te schillen hebben. **▼mailler** *ov.w* 1 knopen, netten breien; 2 v.e. maliënkolder voorzien.

maillet m 1 houten hamer. **▼mailloche** v 1 grote houten hamer; 2 trommelstok.

maillon m 1 maasje; 2 schakel v.e. ketting.

maillot m 1 luier; 2 tricotkostuum, trui; — *jaune,* gele trui; 3 — *de bain,* badpak.

maillotin m olijfpers.

main v 1 hand; *à* — *armée,* gewapenderhand; *battre des —s,* in de handen klappen; applaudisseren; *avoir des —s de beurre,* alles laten vallen; *être en bonnes —s,* in goede handen zijn; *il a une canne à la* —, hij heeft een stok in de hand; *changer de* —, van eigenaar veranderen; *avoir le cœur sur la* —, mild zijn; *coup de* —, aanslag; *dans la* —, in de (gesloten) hand; *de* — *en* —, van hand tot hand; *donner à pleines* —*s,* met gulle hand geven; *avoir en —s,* in handen hebben; *donner en —s,* in handen geven; *entre les* —*s de,* in handen van, in de macht van; *faire* — *basse,* zich meester maken, de hand leggen op; *fait à la* —, met de hand gemaakt; *forcer la* —, dwingen; *avoir la* — *haute,* de lakens uitdelen; *joindre les* —*s,* de handen vouwen; *lâcher la* — *à qn.,* iem. de vrije teugel laten; *se laver les* —*s d'une chose,* ergens geen schuld aan hebben; *lever la* — *sur qn.,* de hand tegen iem. opheffen; *il a les* —*s liées,* zijn handen zijn gebonden; *de longue* —, lang van tevoren, al lang; *avoir les* —*s longues,* grote invloed hebben; *mettre la dernière* —, de laatste hand leggen; *fait de* — *de maître,* met meesterhand gemaakt; *mettre la* — *à l'œuvre,* de hand aan het werk slaan; *mettre la* — *à la pâte,* de handen uit de mouwen steken; *n'y aller pas de* — *morte,* flink aanpakken; *porter la* — *sur,* de hand slaan aan; *prendre qn. la* — *dans le sac,* iem. op heterdaad op diefstal betrappen; *prêter la* —, helpen; *agir sous* —, heimelijk handelen; *tendre la* —, de hand uitsteken (voor een aalmoes); de hand uitsteken; *avoir sous la* —, bij de hand hebben; *tenir par la* —, bij de hand houden; *tenir qc. de première* —, iets uit de eerste hand hebben; *les* —*s me tombent*, daar sta ik paf van; *tomber sous la* —, in handen vallen; *en un tour de* —, in een handomdraai; *en venir aux* —*s*, handgemeen worden; 2 slag in het kaartspel; *faire une* —, een slag maken; 3 boek papier (25 vel); 4 *petite* —, leerling-naaister; 5 — *courante*, trapleuning; 6 emmerhaak.

main/†-**d'œuvre** *v* 1 arbeid, handenarbeid; 2 werkkrachten; — *non qualifiée*, ongeschoolde werkkrachten. ▼—**forte** *v* bijstand, hulp; *prêter* —, hulp verlenen. ▼—**levée** *v* opheffing v. beslag. ▼—**mise** *v* 1 beslag; 2 vrijmaking v.e. slaaf. ▼—**morte** *v* dode hand.

maint *bn* menig; —*es fois*, menigmaal; *à* —*es reprises*, herhaaldelijk.

maintenance *v* 1 (*oud*) (het) handhaven; 2 (*mod.*) (het) op peil houden; 3 onderhoudsdienst.

maintenant *bw* nu, thans.

maintenir I *ov.w onr.* 1 handhaven; 2 volhouden, staande houden. II **se** — gehandhaafd worden, zich handhaven, in goede staat blijven. ▼**maintien** *m* 1 handhaving; 2 houding; *perdre son* —, met zijn figuur verlegen zijn.

mair/e *m* burgemeester; *être passé devant le* —, (*fam.*) keurig getrouwd zijn. ▼—**esse** *v* burgemeestersvrouw; —**ie** *v* gemeentehuis.

mais I *vgw* maar; — *non*, — *oui*, wel nee, wel ja. II *bw* (*oud*): *il n'en peut* —, hij kan het niet helpen; hij is bekaf.

maïs *m* maïs.

maison I *zn v* 1 huis; *à la* —, thuis; — *d'arrêt*, huis v. bewaring, gevangenis; — *de campagne*, landhuis; *faire* — *nette*, zijn bedienden wegsturen; *faire* — *neuve*, schoon schip maken, zijn knechten, bedienden door anderen vervangen; *garder la* —, thuis blijven; — *de maître*, herenhuis; — *mère*, moederhuis v.e. klooster; — *militaire*, militair tehuis; — *mortuaire*, sterfhuis; — *de rapport*, huurhuis; — *du roi*, hofhouding; — *de ville*, stadhuis; 2 personeel, bedienden; 3 huis = geslacht; 4 firma. II *bn* zelfgemaakt (*tarte maison*). ▼—**née** *v* de huisgenoten. ▼—**nette** *v* huisje.

maître I *zn m* 1 meester, baas, patroon; *les bons* —*s font les bons valets*, (*spr.w*) men krijgt goede knechten door ze goed te behandelen; — *de forges*, eigenaar v. ijzersmelterijen; — *d'hôtel*, ober, hofmeester; *l'œil du* — *engraisse le cheval*, (*spr.w*) het oog v.d. meester maakt het paard vet; — *des hautes œuvres*, beul; *il est* — *de ses passions*, *de sa voix*, hij beheerst zijn hartstochten, zijn stem; *tel* —, *tel valet*, (*spr.w*) zo heer, zo knecht; 2 eigenaar; *voiture de* —, eigen rijtuig; 3 onderwijzer; — *d'armes*, schermleraar; — *d'école*, schoolmeester; — *d'étude*, surveillant; — *de conférences*, lector; 4 advocaat; 5 meester in een gilde; *passer en* —, zeer handig worden. II *bn* 1 eerste, voornaamste; — *clerc*, eerste klerk; 2 bekwaam, flink (— *homme*); 3 hoogste kaart v.e. kleur (*valet*).

maître†-**autel** *m* hoofdaltaar.

maîtresse I *zn v* 1 meesteres; *la* — *de la maison*, de vrouw des huizes; 2 eigenares; 3 onderwijzeres; 4 minnares. II *bn* 1 verstandig, flink, degelijk (— *femme*); 2 eerste, voornaamste; — *ancre*, plecht-, hoofddanker.

maîtrisable *bn* beheersbaar, te bedwingen. ▼**maîtrise** *v* 1 beheersing; — *de soi-même*, zelfbeheersing; 2 meesterschap; 3 de ploegbazen; 4 koornapenschool; 5 de koornapen dezer school. ▼**maîtriser** I *ov.w* bedwingen, beheersen (— *ses passions*). II **se** — zich beheersen.

majesté *v* 1 majesteit; *Sa M*— *Très Chrétienne*, de koning van Frankrijk; *Sa M*— *Catholique*, de koning van Spanje;

2 deftigheid. ▼**majestueusement** *bw* verheven, statig. ▼**majestueux**, -**euse** *bn* verheven, statig.

majeur I *bn* 1 grootst (*la* —*e partie*); *force* —*e*, overmacht; 2 meerderjarig; 3 majeur (*muz.*); 4 *intérêt* —, zeer groot belang. II *zn m* middelvinger. III —*e v* major (in redening).

Majeur: *le lac* —, het Lago Maggiore.

majolique, maiolique *v* majolica.

major *m* 1 kapitein-kwartiermeester; 2 officier v. gezondheid (tot 1928).

majoration *v* prijsverhoging.

majordome *m* hofmeester.

major/er *ov.w* (de prijs) verhogen. ▼—**itaire** *bn* waarbij de meerderheid beslist (*système* —). ▼—**ité** *v* 1 meerderheid; meerderheid v. stemmen; — *silencieuse*, zwijgende meerderheid; 2 meerderjarigheid.

Majorque *v* Majorca.

majuscule *v* hoofdletter.

mal [*mv* **aux**] I *zn m* 1 pijn, ziekte, kwaal; — *caduc*, vallende ziekte; — *de cœur*, misselijkheid; — *d'enfants*, barensweeën; *faire* —, pijn doen; — *du pays*, heimwee; 2 kwaad; *dire du* — *de qn.*, kwaadspreken van iem.; *faire du* — *à*, benadelen; — *lui en prit*, het bekwam hem slecht; 3 het kwade; het slechte, het erge; *le* — *est que*, het erge is, dat; 4 verdriet, leed, smart; 5 ramp (*les maux de la guerre*); 6 moeite; *se donner du* —, moeite doen. II *bw* slecht, verkeerd; *de* — *en pis*, van kwaad tot erger; *prendre* —, kwalijk nemen; — *à propos*, te onpas; *se trouver* —, flauwvallen. III *bn*: *bon an*, — *an*, door elkaar; *bon gré*, — *gré*, goedschiks of kwaadschiks; *cette eau-forte n'est pas* —, die ets is niet kwaad; *elle n'est pas* —, ze ziet er aardig uit; *être* — *avec qn.*, kwade vrienden met iem. zijn.

malade I *bn* 1 ziek; *tomber* —, ziek worden; 2 niet goed meer, bedorven (*vin* —); 3 wrak (*chaise* —). II *zn m of v* zieke, patiënt. ▼**maladie** *v* 1 ziekte, kwaal; *faire une* —, een ziekte doormaken; 2 woede, hartstocht, manie (*il a la* — *des tableaux*). ▼**maladif**, -**ive** *bn* ziekelijk, zwak.

maladrerie *v* (*oud*) leprozenhuis.

maladresse *v* onhandigheid. ▼**maladroit** *bn* onhandig, lomp.

malaga *m* malagawijn.

malais I *bn* Maleis. II *zn* **M**— *m*, -**se** *v* Maleier, Maleise. III *m* Maleise taal.

malaise *m* 1 gevoel v. onbehaaglijkheid, narigheid; 2 slapte in zaken. ▼**malaisé** *bn* moeilijk, ongemakkelijk.

Malaisie *v* Maleisië.

malandrin *m* (*oud*) schooier, dief.

malappris I *bn* lomp, ongemanierd. II *zn m* lomperd.

malaria *v* malaria.

malavisé *bn* onberaden, onbezonnen.

malaxer *ov.w* (boter) kneden.

malchanc/e *v* pech, tegenspoed. ▼—**eux**, -**euse** I *bn* ongelukkig. II *zn m* pechvogel.

malcommode *bn* onpraktisch.

maldisant *bn* kwaadsprekend.

maldonne *v* (het) verkeerd geven bij kaarten.

mâle I *zn* 1 mannelijk; 2 krachtig, kloek, flink. II *zn m* mannetje.

malédiction *v* 1 vervloeking, verwensing; 2 ongeluk, noodlot.

maléfice *m* betovering, hekserij. ▼**maléfique** *bn* noodlottig.

malencontr/e *v* ongeluk, tegenspoed. ▼—**eusement** *bw* ongelukkig, te kwader ure. ▼—**eux**, -**euse** *bn* ongelukkig, onheilspellend.

mal-en-point *bw* er slecht aan toe; in slechte staat.

malentendu *m* misverstand.

malfaçon *v* 1 fout, gebrek; 2 knoeierij. ▼**malfaire** *ov.w onr.* (*oud*) kwaad doen. ▼**malfaisant** *bn* 1 kwaadwillig, boosaardig; 2 schadelijk. ▼**malfaiteur** *m*, -**trice** *v* booswicht.

malfamé *bn* berucht.

Malgache *zn/bn* (inwoner) van Madagascar; *le* —, het Malagasi (taal).

malgracieux, -euse bn onheus, onbeleefd.
malgré vz ondanks, in weerwil van;
niettegenstaande; *le médecin — lui*, dokter
tegen wil en dank.
malhabile bn onhandig.
malheur m ongeluk, onheil, ramp; à qc. — *est
bon*, er is altijd een geluk bij een ongeluk;
malheur à...!, wee...!; *faire un —*, een ongeluk
begaan; *jouer de —*, ongelukkig spelen; het
ongelukkig treffen; *le grand —!*, zo erg is het
niet!; *par —*, bij ongeluk; *porter —*, ongeluk
aanbrengen. ▼**—eusement** bw ongelukkig.
▼**-eux, -euse** l bn 1 ongelukkig; *avoir la
main -euse*, ongelukkig zijn in het spel; alles
breken, wat men aanraakt; 2 ellendig,
bedroevend; 3 (*pop.*) schokkend; 4 zonder
succes; 5 onbetekenend, onnozel. ll zn m,
-euse v 1 ongelukkige; 2 lammeling,
ellendeling.
malhonnêt/e bn 1 oneerlijk; 2 onbeleefd,
onheus. ▼**—eté** v 1 oneerlijkheid;
2 onbeleefdheid, onheusheid.
malic/e v 1 boosaardigheid, kwaadwilligheid;
2 boos opzet; 3 plaagzucht; *ne pas y entendre
—*, niets kwaads in de zin hebben, het niet
kwaad bedoelen; *sans —*, kinderlijk,
onschuldig. ▼**—ieusement** bw 1 boosaardig,
kwaadwillig; 2 guitig. ▼**-ieux, -ieuse** bn
1 boosaardig, kwaadwillig; 2 guitig.
malign/ement bw van **malin**; kwaadaardig,
kwaadwillig. ▼**—ité** v 1 boosaardigheid;
2 schadelijkheid, kwaadaardigheid;
3 spotzucht; 4 sluwheid. ▼**malin, -igne** bn
1 boosaardig; *esprit —*, duivel; 2 schadelijk,
kwaadaardig (*fièvre —igne*); 3 spotziek;
4 slim, sluw; 5 (*pop.*) moeilijk.
Malines l v Mechelen. ll v m—, Mechelse kant.
malingre bn zwak, sukkelend.
malinois m Belgische herdershond.
malintentionné bn kwaadwillig, met slechte
bedoelingen.
malle v 1 reiskoffer; *faire sa —, ses —s*, zijn
koffers pakken; 2 mail; 3 mailboot,
postwagen.
malléabiliser ov.w smeedbaar maken.
▼**malléabilité** v smeedbaarheid. ▼**malléable**
bn 1 smeedbaar; 2 soepel, buigzaam, gedwee
(*caractère —*).
malléole v enkel.
mallette v koffertje.
malmener ov.w 1 ruw behandelen;
2 toetakelen, mishandelen.
malnutrition v ondervoeding.
malodorant bn onwelriekend.
malotru l bn 1 lomp; 2 mismaakt. ll zn m
lomperd, vlegel.
malpropr/e bn 1 onzindelijk, vuil;
2 onzedelijk. ▼**—eté** v 1 onzindelijkheid,
vuilheid; 2 onwelvoeglijkheid.
malsain m 1 ongezond; 2 gevaarlijk
(*scheepv.*); *côte —e*, gevaarlijke kust.
malséance v ongepastheid, onbetamelijkheid.
▼**malséant** bn ongepast, onbetamelijk.
malsonnant bn aanstotelijk, onbetamelijk.
malt m mout. ▼**—age** m (het) mouten.
maltais l bn Maltezer, Maltees. ll zn M— m, -e
v Maltezer, bewoonster v. Malta. ▼**Malte**
Malta.
malt/er ov.w mouten. ▼**—erie** v mouterij.
▼**—eur** m werkman in bierbrouwerij. ▼**—ose** v
moutsuiker, maltose.
maltôte v 1 (*oud*) oorlogsbelasting;
2 onrechtvaardig geheven belasting,
afpersing; 3 belastingheffing.
maltraiter ov.w 1 mishandelen; hardvochtig
behandelen; 2 schaden, benadelen.
malveill/ance v kwaadwilligheid. ▼**—ant** l bn
kwaadwillig. ll zn m kwaadwillige.
malvenu bn 1 ongerechtvaardigd, ongegrond;
être — à, niet het recht hebben om;
2 achtergebleven (in groei), schriel.
malversation v verduistering van gelden in de
uitoefening v.e. ambt, malversatie.
maman v mama, moeder; *bonne —*, oma;
grand—, oma.
mamelle v (moeder) borst; *enfant à la —*,

zuigeling. ▼**mamelon** m 1 tepel; 2 ronde
heuvel. ▼**mamelonné** bn: — *de*, bedekt met
(heuvels). ▼**mamelu** bn met zware borsten.
mameluk, mamelouk m mammeluk.
mammalogie v kennis der zoogdieren.
▼**mammifère** l bn zogend. ll zn —s m mv
zoogdieren.
mammouth m mammoet.
mamour m liefje; *faire des —s*, lief doen,
vleien.
mam'selle of **mam'zelle** zie **mademoiselle**.
manant m boerenkinkel.
manche l m steel, heft, handvat, hals (v. viool);
— *à balai*, bezemsteel; stuurknuppel v.e.
vliegtuig; *jeter le — après la cognée*, het bijltje
erbij neerleggen; *être du côté du —*, de sterkste
partij steunen. ll v 1 mouw; *avoir qn. dans sa
—*, iem. achter de hand hebben; *c'est une autre
paire de —s*, dat is heel wat anders; *fausses
—s*, morsmouwen; *tirer qn. par la —*, iem. aan
de mouw trekken, iem. iets verzoeken;
2 manche bij kaartspel; 3 game bij tennis;
4 buis, pijp; — *à air*, luchtzak (voor bepalen
van windrichting), luchtkoker (schip);
5 *donner —*, fooi, drinkgeld. lll *la M—*, het
Kanaal.
mancheron m ploegstaart.
manchette l v 1 manchet; 2 noot in de marge;
3 titel in grote letters aan het hoofd v.d.
voorpagina v.e. dagblad. ll —s v mv boeien.
manchon m 1 mof; 2 gloeikousje; 3 huls,
flens, koppelbus.
manchot l bn 1 éénhandig, éénarmig; *n'être pas
—*, handig zijn. ll zn m 1 éénhandig -,
éénarmig persoon; 2 pinguin.
mandant m lastgever, opdrachtgever.
mandarin m mandarijn; (*fig.*) lid v.d.
intellectuele elite.
mandarine v mandarijntje.
mandat m 1 mandaat, volmacht, opdracht;
2 bevelschrift; — *d'arrêt*, bevel tot
inhechtenisneming; 3 postwissel; — *de poste,
—-postal*, postwissel; — *télégraphique*,
telegrafische postwissel; — *de virement*,
girobiljet. ▼**—aire** m gevolmachtigde,
afgevaardigde. ▼**mandat†-carte†** m
postwissel. ▼**mandater** ov.w per postwissel
betalen.
mandchou bn uit Mandsjoerije.
▼**Mandchourie** v Mandsjoerije.
mandement m herderlijke brief v.e. bisschop.
mander ov.w 1 melden, berichten;
2 ontbieden; 3 bevelen.
mandibule v 1 onderkaak; 2 bovendeel v.
snavel, benedendeel v. snavel.
mandolin/e v mandoline. ▼**—iste** m of v
mandolinespeler, -speelster.
mandore v oude luit.
mandrill m mandril (aap).
mandrin m 1 spil als as; 2 (*fam.*) schooier,
dief.
manducation v 1 (het) eten; 2 (het) nuttigen
der hostie.
manécanterie v koorschool.
manège m 1 (het) africhten v. paarden;
2 rijbaan, rijschool; 3 tredmolen; 4 manier v.
doen, handelwijze, slimmigheid.
mânes m mv schimmen der doden.
manette v handvat, handel.
manganèse v mangaan.
mang/eable bn eetbaar. ▼**—eaille** v 1 voeder
voor dieren; 2 eten (fam.). ▼**—eant** bn etend;
être bien buvant, bien —, goed kunnen eten en
drinken. ▼**—eoire** v trog, ruif, etensbakje.
▼**—eotter** ov.w 1 met lange tanden eten;
2 vaak bij kleine beetjes eten.
manger l ov.w 1 eten, opeten, vreten; *il y a à
boire et à —*, die zaak heeft twee kanten, heeft
zijn voor- en nadelen; — *qn. de caresses*, iem.
met liefkozingen overladen; — *dans la main*,
uit de hand eten, mak zijn; — *ses mots*, zijn
woorden inslikken; — *sur le pouce*, uit het
vuistje eten; — *de la vache enragée*, veel
ontberingen lijden; — *des yeux*, met de ogen
verslinden; 2 verslinden, verbruiken (*ce poêle
mange beaucoup de charbon*); 3 verteren,

verbrassen, verkwisten (— *son bien*);
4 uitvreten (*la rouille mange les métaux*);
5 doen verdwijnen; *ses cheveux lui mangent la figure*, zijn haren maken een gedeelte van zijn gelaat onzichtbaar. **II** *on.w* zijn maaltijden gebruiken (— *au restaurant*). **III** *zn m* (het) eten. ▼**se** — **1** elkaar opeten, elkaar verslinden; **2** gegeten worden. ▼**mangerie** v (*fam.*) **1** (het) veel -, gulzig eten; **2** lange maaltijd. ▼**mange-tout** I *m* verkwister. **II** *pois* —, peulen. ▼**mangeur** *m*, **-euse** v **1** eter, eetster; veeleter, veeleetster; *gros* —, stevig eter; — *de grenouilles*, Fransman; — *de prêtres*, papenhater; — *de livres*, boekenverslinder; **2** verkwister (-ster). ▼**mangeure** v (*oud*) aangevreten plek.
maniabilité v hanteerbaarheid. ▼**maniable** *bn* **1** gemakkelijk hanteerbaar; **2** gedwee, handelbaar.
maniaco-dépressif, **-ive** *bn* (*psych.*) manisch-depressief. ▼**maniaque** I *zn m* maniak. **II** *bn* maniakaal.
manicure, **manucure** *m* of v verzorger (-ster) der handen.
manie v **1** verstandsverbijstering; **2** zonderlinge hebbelijkheid, verzotheid; overdreven neiging; *avoir la* — *des tableaux*, verzot zijn op schilderijen.
mani/ement *m* **1** hantering, behandeling, bediening; **2** beheer. ▼—**er** I *ov.w* **1** hanteren, behandelen, bedienen; **2** bevoelen, betasten; **3** beheren. **II** *zn m* (het) aanvoelen.
manière I v **1** wijze, manier; *à sa* —, op zijn manier; *de cette* —, op die manier; *la* — *dont*, de wijze waarop; **2** schilder-, compositie-, schrijfwijze enz. (*la* — *de Rembrandt*); **3** gekunsteldheid; **4** soort. **II**—**s** v *mv* **1** manieren (beleefdheid); **2** complimenten. **III** *vgw: de* — *que*, zodat. **IV** *vz: de* — *à* (met onb.wijs), zodat. ▼**maniéré** *bn* gekunsteld, aanstellerig, gemaakt. ▼**maniérisme** *m* gekunsteldheid.
manieur *m* iem. die iets hanteert, met iets omgaat; — *d'argent*, geldman, bankier (geringschattend).
manifest/ant *m* manifestant, betoger. ▼—**ation** v **1** uiting, verkondiging; **2** manifestatie, betoging. ▼—**e** I *bn* duidelijk, klaarblijkelijk. **II** *zn m* manifest, openbare verklaring. ▼—**er** I *ov.w* uiten, tonen, openbaren. **II** *on.w* manifesteren, een betoging houden. **III se** — zich openbaren.
manigance v kuiperij, streek. ▼**manigancer** *ov.w* bedisselen, bekonkelen.
manille I *bn* manillasigaar. **II** v **1** pandoerspel; **2** schakel.
manioc *m* maniok, cassave.
manipulat/eur *m* **1** bereider, bewerker; **2** seinsleutel. ▼—**ion** v **1** behandeling, bewerking; **2** geknoei; manipulatie.
manipule *m* manipel (v.d. priester).
manipuler *ov.w* **1** behandelen, bewerken; **2** knoeien, manipuleren.
manitou *m* de Grote Geest der Indianen, Manitoe; (*fig.*) *grand* —, machtig persoon, hoge ome (*pop.*).
manivelle v kruk, handvat, slinger v. auto.
manne v **1** grote mand met twee handvatten; **2** manna; **3** overvloedig, goedkoop voedsel.
mannequin *m* **1** hoge nauwe mand; **2** ledepop, etalagepop; **3** onzelfstandig mens, stropop; **4** mannequin.
manœuvrabilité v wendbaarheid. ▼**manœuvr/e** I *m* **1** opperman, handwerksman; **2** slecht kunstenaar; **3** dagloner. **II** v **1** bediening, besturing; *fausse* —, verkeerde wending; misgreep; **2** want (*scheepv.*); **3** handelwijze, kunstgreep, kuiperij; **4** manoeuvre v. troepen; *champ de* —*s*, exercitieveld. ▼—**er** I *ov.w* hanteren, besturen. **II** *on.w* **1** manoeuvreren, mil. oefeningen houden; **2** mil. oefeningen leiden; **3** handelen, sluwe middelen gebruiken. ▼—**ier** *m* **1** bekwaam zeeman, - officier; **2** polemist.
manoir *m* **1** (*oud*) burg; **2** landgoed; **3** (spottend) huis.

manomètre *m* manometer.
manquant 1 *zn m* afwezige. **II** *bn* ontbrekend. ▼**manque 1** *zn m* gebrek, (het) ontbreken; — *de parole*, woordbreuk; — *de respect*, oneerbiedigheid; — *de*, bij gebrek aan. **II** v (*pop.*) **1** à *la* —, slecht, beschadigd; **2** niet; *avoir de la galette à la* —, geen cent hebben. ▼**manqué** *bn* gebrekkig, mislukt. ▼**manquement** *m* **1** misslag; **2** gebrek. ▼**manquer** I *on.w* **1** een fout -, een misslag begaan; **2** mislukken; **3** weigeren, ketsen v. geweer; **4** missen, gebrek hebben aan; *il manque de courage*, het ontbreekt hem aan moed; **5** verzuimen, nalaten (— *de*); *sans* —, zonder mankeren; *il ne manquera pas de venir*, hij komt zeker; **6** weinig schelen of (— *de*); *il a manqué de tomber*, hij is bijna gevallen, het scheelde weinig of hij was gevallen; **7** ontbreken, in de steek laten; *le temps me manque*, de tijd ontbreekt mij; *les forces lui ont manqué*, zijn krachten hebben hem begeven; *le pied lui a manqué*, hij is uitgegleden; **8** te kort schieten (— *à*); — *à sa parole*, zijn woord niet houden; *je n'y manquerai pas*, ik zal het niet verzuimen, - vergeten. **II** *ov.w* **1** laten voorbijgaan, verzuimen, missen; — *la classe*, spijbelen; — *une occasion*, een gelegenheid laten voorbijgaan; **2** slecht uitvoeren (— *un travail*). **III** *onp.w* ontbreken, missen; *il lui manque dix florins*, hij komt tien gulden te kort; *il ne manquerait plus que ça!*, dat moet er nog bij komen! **IV s'en** — ontbreken, schelen (*il s'en manque de beaucoup*).
mansarde v **1** dakvenster; **2** dak-, zolderkamertje.
mansuétude v zachtmoedigheid.
mante v wijde mantel. ▼**manteau** [*mv* **x**] *m* **1** mantel; *sous le* —, in het geheim; **2** dekmantel (*fig.*); **3** schoorsteenmantel. ▼**mantel/é** *bn* gemanteld. ▼—**et** *m* **1** manteltje; **2** patrijspoortdeksel. ▼—**ure** v haren v.d. rug v.e. hond, die anders gekleurd zijn dan de rest v.h. lichaam.
mantille v mantilla.
manucure = manicure.
manuel, **-elle** I *bn* wat de hand betreft (*travail* —). **II** *zn m* handleiding, handboek. ▼—**lement** *bw* met de hand.
manufactur/able *bn* verwerkbaar. ▼—**e** v **1** fabriek; **2** de fabrieksarbeiders. ▼—**er** *ov.w* vervaardigen. ▼—**ier**, **-ière** I *bn* de industrie beoefenend - betreffend (*peuple* —). **II** *zn m* fabrikant.
manumission v vrijlating v. slaaf of lijfeigene.
manuscrit I *zn m* handschrift. **II** *bn* met de hand geschreven (of getypt).
manutention v **1** beheer, administratie (*oud*); **2** mil. bakkerij; **3** bewerking, behandeling; **4** laden en lossen. ▼—**ner** *ov.w* verwerken, bereiden.
maoïste I *bn* maoïstisch. **II M**— *zn* maoïst.
ma(h)ous, **-se** *bn* (*pop.*) zwaar, log.
mappemonde v wereldkaart, de twee halfronden voorstellende; — *céleste*, sterrenkaart.
maquereau [*mv* **x**] *m* **1** makreel; **2** souteneur, pooier.
maquette v verkleinde afbeelding v.e. beeldhouwwerk, - v.e. toneeldecor; schets; plakproef, lay-out.
maquignon *m* **1** paardenkoopman; **2** handige tussenpersoon. ▼—**nage** *m* paardenhandel. ▼—**ner** *ov.w* **1** de gebreken v.e. paard op handige wijze verbergen; **2** knoeien.
maquill/age *m* **1** (het) grimeren, schminken, opmaken v. gezicht; **2** vervalsing. ▼—**er** *ov.w* **1** grimeren, schminken, het gezicht opmaken; **2** vervalsen. ▼—**eur**, **-euse** v grimeur, -euse.
maquis *m* **1** dicht kreupelhout op Corsica; **2** warwinkel, warnet; **3** illegaliteit; *un* —, een illegale groep. ▼—**ard** *m* onderduiker, verzetsman.
marabout *m* **1** heilig muzelman; **2** kleine moskee, bediend door een marabout; **3** dikbuikige metalen koffiekan; **4** maraboe

(vogel); **5** lint van fijn gaas; **6** kleine kegelvormige tent (*mil.*); **7** (*pop.*) lelijke, mismaakte man.

maraîcher, -ère I *bn* wat groente betreft (*culture -ère*); *jardin —*, moestuin. **II** *zn m* groentekweker.

marais *m* **1** moeras; — *salant*, zoutpan; **2** tuingrond, groentekwekerij; *le M—*, oude wijk in Parijs.

marasme *m* **1** buitengewone magerheid; uittering; **2** inzinking, kwijning; **3** verval; *l'industrie est dans le —*, de industrie is in verval.

marasquin *m* maraskijn (soort fijne likeur).

marathon *m* id. ▼**—ien** *m* marathonloper.

marâtre *v* **1** stiefmoeder; **2** slechte moeder.

maraud/age *m*, — **e** *v* **1** (hot) stropen (*mil.*); **2** (het) stelen v. vruchten, groenten enz.; *en marauder*, (v. taxi's) (langzaam rijdend) op zoek naar 'n vrachtje. ▼**—er** *on.w* **1** plunderen, roven; **2** vruchten, groenten, enz. stelen. ▼**—eur** *m*, **-euse** *v* **1** plunderaar(ster), stroper; **2** snorder.

maravédis *m* kleine Spaanse munt; *n'avoir pas un —*, geen rooie cent hebben.

marbre *m* **1** marmer; *carrière de —*, marmergroeve; *de —*, *froid comme le —*, steenkoud, ongevoelig; **2** marmeren voorwerp, beeld; **3** wrijfsteen voor verf; **4** corrigeersteen. ▼**marbr/é/e** *bn* gemarmerd. ▼**—er** *ov.w* marmeren. ▼**—erie** *v* **1** marmerbewerking; **2** (het) marmeren v. hout. ▼**—eur** *m*, **-euse** *v* marmeraar(ster) v. papier. ▼**—ier, -ière I** *bn* wat betrekking heeft op marmer. **II** *zn m* marmerbewerker, maker v. grafstenen en -monumenten. **III -ière** *v* marmergroeve. ▼**—ure** *v* marmering.

marc *m* **1** mark (munt); **2** droesem, bezinksel; *— de raisin*, druivenmoer; *— de café*, koffiedik.

marcescence *v* verwelking. ▼**marcescent** *bn* verwelkend.

marchand I *bn* **1** v.d. handel; *prix —*, fabrieksprijs; handelsprijs; *valeur -e*, handelswaarde; **2** handeldrijvend; *marine -e*, koopvaardijvloot; *navire —*, *vaisseau —*, koopvaardijschip; *ville -e*, handelsstad; **3** (gemakkelijk) verkoopbaar. **II** *zn m*, **-e** *v* **1** koopman, -vrouw; handelaar (ster); winkelier(ster); — *forain*, marktkoopman; — *d'habits*, uitdrager; *être le mauvais —*, het kind v.d. rekening zijn; — *de vin*, kroegbaas; **2** koper. ▼**—age** *m* **1** (het) afdingen; **2** (het) aannemen v. akkoordwerk. ▼**—er I** *ov.w* **1** afdingen; **2** aannemen v. akkoordwerk; **3** karig zijn met (— *les éloges*). **II** *on.w* aarzelen; *il n'y a pas à —*, u moet een besluit nemen. ▼**—eur** *m*, **-euse** *v* afdinger (-ster), pingelaar(ster). ▼**—ise** *v* koopwaar; *faire valoir sa —*, iets in een gunstig daglicht plaatsen; *train de —*, goederentrein.

marche *v* **1** (het) lopen; loop; *se mettre en —*, op weg gaan; *la gang* (*une — gracieuse*); **3** mil. mars; *en avant! marche!*, voorwaarts mars!; **4** mars (*muz.*); **5** loop v. sterren, (het) lopen v.e. machine, enz.; *la — d'un navire*, de vaart v.e. schip; *faire — arrière*, in zijn achteruit zetten; **6** optocht; **7** vooruitgang, ontwikkeling; verloop (*la — de la science*); **8** dagmars; **9** trede v.e. trap; **10** spoor v.e. hert; **11** mark, grensgebied; **12** trapper, pedaal.

marché *m* **1** markt; — *aux bestiaux*, veemarkt; *M— commun*, Euromarkt; — *couvert*, overdekte markt; — *noir*, zwarte markt; — *aux puces*, vodden markt, luizenmarkt; **2** stad die de hoofdmarkt is v.e. bepaald produkt; **3** koop, verkoop; (à) *bon —*, goedkoop; *par-dessus le —*, (*fig.*) op de koop toe, (*lett.*) extra; *être quitte à bon —*, er goedkoop afkomen; *faire bon — de qc.*, ergens niet veel om geven; *faire son —*, inkopen doen; *aller sur le — d'un autre*, meer bieden dan een ander; **4** contract, overeenkomst; *conclure un —*, een overeenkomst aangaan; — *d'ouvrage*, arbeidscontract; — *ouvrier*, arbeidsmarkt; **5** afzetgebied.

marchepied *m* **1** trede; **2** loopplank,

treeplank; **3** trapje, voetbankje; *servir de —*, als middel dienen om vooruit te komen; **4** voetpad langs een kanaal.

marcher I *on.w* **1** lopen, gaan; — *droit*, zich goed gedragen; — *au pas*, in de pas lopen; — *à quatre pattes*, op handen en voeten lopen; — *sur le pied à qn.*, iem. op de tenen trappen, kwetsen; *il marchera*, hij doet 't wel (wat hem gezegd is); **2** marcheren, optrekken; — *à l'ennemi*, tegen de vijand oprukken; **3** zeilen, rijden; **4** lopen = functioneren (*cette montre ne marche pas*); **5** voortschrijden (v.d. tijd; **6** afgaan (op) (— *à*); — *à sa perte*, zijn ondergang tegemoet gaan; **7** voortgaan, opschieten (*cette affaire ne marche pas*); **8** (*fam.*) erin vliegen, erin trappen. **II** *ov.w* plattrappen, kneden. **III** *zn m* **1** (het) gaan, lopen; **2** gang. ▼**marcheur, -euse I** *bn* wat lopen betreft. **II** *zn m*, **-euse** *v* loper, loopster, wandelaar(ster). **III -euse** *v* figurante.

marcotter *ov.w* (*plk.*) marcotteren, afleggen.

mardi *m* dinsdag; — *gras*, vastenavond.

mare *v* poel, plas; — *de sang*, bloedplas.

marécage *m* moeras. ▼**marécageux, -euse** *bn* moerassig, drassig.

maréchal [*mv aux*] *m* **1** maarschalk; — *de camp*, veldmaarschalk; — *des logis*, wachtmeester; **2** hoefsmid (— *ferrant*). ▼**—at** *m* maarschalksrang. ▼**—erie** *v* **1** hoefsmederij; **2** (het) werk v.d. hoefsmid.

maréchaussée *v* marechaussee.

marée *v* **1** getij; — *basse*, eb; *grande —*, springvloed; — *haute*, vloed; — *noire*, olievervuiling (v.h. strand); *aller contre vents et —s*, doorzetten ondanks alles; **2** verse zeevis; *arriver comme — en carême*, juist van pas komen; **3** grote massa (mensen).

marelle *v* hinkelspel.

maremmatique *bn* eigen aan moerassen; *fièvre —*, moeraskoorts. ▼**maremme** *v* moeras aan zee (Italië).

marémoteur, -trice *bn* die de bewegingskracht van het getij gebruikt; *usine, centrale -trice*, getijdencentrale.

mareyage *m* zeevishandel. ▼**mareyeur** *m*, **-euse** *v* handelaar(ster) in zeevis.

margarine *v* margarine.

marge *v* **1** rand, kant; *demeurer en —*, afzijdig blijven; **2** witte rand om een blad papier, kantlijn; **3** speling, speelruimte.

margelle *v* stenen rand v.e. put.

marger *ov.w* v.e. kantlijn voorzien. ▼**margin/al** [*mv aux*] *bn* **1** aan de kant (*note -e*); *entreprise -e*, randbedrijf; *famille -e*, aan de zelfkant levend gezin; **2** aan de oever. ▼**—er** *ov.w* van kanttekeningen voorzien.

margis *m* (*arg.* = *maréchal des logis*) wachtmeester.

margot *v* **1** ekster; **2** praatzieke vrouw.

margouillis *m* (*fam.*) rommel, troep.

margoulette *v* (*pop.*) smoel, bek.

margoulin *m* (*pop.*) klein koopmannetje.

margrave *m* markgraaf. ▼**margraviat** *m* markgraafschap.

marguerite *v* **1** madeliefje; **2** (*oud*) parel; *jeter des —s aux pourceaux*, parels voor de zwijnen werpen.

marguillier *m* kerkmeester, koster.

mari *m* man, echtgenoot. ▼**mariable** *bn* huwbaar. ▼**mariage** *m* **1** huwelijk; bruiloft; — *d'inclination*, huwelijk uit liefde; — *mixte*, gemengd huwelijk; — *de raison*, huwelijk uit berekening; **2** vereniging; **3** soort kaartspel.

marial *bn* van de H. Maagd.

Marianne *v* **1** Marianne; **2** de Fr. republiek.

marié, -e *v* bruidegom, bruid; *les nouveaux —s*, *les jeunes —s*, de jonggehuwden. ▼**marier I** *ov.w* **1** in het huwelijk verbinden; **2** verbinden, vermengen; samenvoegen v. kleuren; **3** uithuwelijken. **II se —** trouwen; **2** zich paren aan, zich vermengen.

marie†-salope† *v* **1** modderschuit; **2** baggermolen; **3** slons.

marieur *m*, **-euse** *v* koppelaar(ster).

marihuana, marijuana *v* marihuana.

marin I *m* zeeman, matroos. **II -(e)** *bn* wat de

zee betreft; wat de zeeman betreft; *avoir le pied*
—, zeemansbenen hebben.
marin/ade v **1** pekel; **2** kruidenazijn;
3 gemarineerd vlees. ▼**—age** m (het)
marineren.
marine I v **1** zeewezen; **2** zeemacht, marine; —
marchande, koopvaardijvloot; *infanterie de —,*
de mariniers; **3** zeestuk v.e. schilder. **II** m (*Am.*
of Eng.) marinier.
mariner ov.w marineren.
maringouin m muskiet.
marinier, -ère I bn van de scheepvaart. **II** zn m
binnenschipper. **III -ère** v **1** het op een zijde
zwemmen; **2** lichte uiensaus.
mariol(le) bn (*pop.*) slim; gewichtig (doend).
marionnette v **1** pop uit marionnettenspel;
2 willoos, karakterloos mens.
mariste, marianite m pater der
maristencongregatie.
marital *[mv aux]* bn v.d. man of echtgenoot.
▼**—ement** bw als man en vrouw (*vivre —*).
maritime m v wat zee of zeevaart betreft; *ville*
—, zeehaven.
maritorne v (*fam.*) lelijk wijf, slons.
marivaudage m gezochte manier van spreken
of complimenten maken. ▼**marivauder** on.w
zie **marivaudage**.
marjolaine v marjolein (*plk.*).
mark m mark (munt).
marketing m marktonderzoek.
marlou m (*pop.*) pooier, souteneur.
marmaille v (*fam.*) troep kleine kinderen.
marmelade v **1** vruchtenmoes; *viande en —,*
te gaar vlees; *en —,* verbrijzeld, in elkaar
geslagen (*figure en —*); **2** troep.
marmitage m (*oud*) bombardement.
▼**marmite** v **1** kookketel, ijzeren pot; —
norvégienne, hooikist; **2** eten; *cela fait bouillir*
la —, daar moet de schoorsteen van roken;
3 (*fam.*) zware bom, - granaat. ▼**marmitée** v
ketelvol. ▼**marmiter** ov.w (*oud*)
bombarderen.
marmiton m koksjongen.
marmonner ov.w mompelen.
marmoréen, -enne bn **1** marmerachtig;
2 ongevoelig, ijskoud (*cœur —*).
marmot m **1** kleuter, jongetje, jochie, dreumes;
2 deurklopper met versiering; *croquer le —,*
lang en ongeduldig staan of lopen te wachten.
marmotte v **1** marmot; *dormir comme une —,*
vast slapen; **2** soort hoofddoekje;
3 stalendoos, -koffer v. handelsreiziger.
marmottement m gemompel, geprevel.
▼**marmotter** ov.w mompelen, prevelen.
marmouset m **1** klein mannetje; **2** jongetje;
3 soort haardijzer; **4** bespottelijk beeldje.
marn/e v mergel. ▼**—er I** ov.w mergelen v.
grond. **II** on.w boven het gewone niveau v.h.
hoogste getij stijgen. ▼**—eux, -euse** bn
mergelachtig. ▼**—ière** v mergelgroeve.
Maroc m Marokko. ▼**marocain I** bn
Marokkaans. **II** zn **M**—m, -e v
Marokkaan(se).
marolles m soort kaas.
maronner on.w (*fam.*) mopperen, morren.
maroquin m **1** marokijnleer;
2 ministerportefeuille. ▼**—er** ov.w bewerken
als echt marokijnleer. ▼**—erie** v
1 marokijnbereiding; **2** fabriek v. marokijnleer;
3 handel in marokijnleer; **4** voorwerp v.
marokijnleer. ▼**—ier** m **1** lederbewerker;
2 handelaar in marokijnleer.
marotique bn volgens de manier v. Marot
(*style —*).
marotte v **1** zotskap; **2** stokpaardje.
marouflage m (het) opplakken v.e. schilderij
op linnen op ander linnen of paneel.
maroufle m (*oud*) fielt, vlegel, kaffer; v
schildersslijm.
maroufler ov.w een schilderij op linnen op
ander linnen of paneel plakken.
marquage m **1** (het) merken; **2** (het)
opschrijven; **3** (het) brandmerken; **4** (het)
stempelen; **5** (het) ringen. ▼**marquant** bn
opvallend, van betekenis. ▼**marque** v **1** merk,
teken; **2** indruk, afdruk; — *de pas,* voetafdruk;

3 brandmerk; **4** kenteken; **5** gewicht,
betekenis (*personnage de —*); **6** fiche (bij
spel); **7** kerfstok; **8** blijk, bewijs; *bonne —,*
goedkeuring. ▼**marqué** bn **1** scherp getekend
(*traits —s*); une *tendance très —e,* een
uitgesproken neiging; **2** vastgesteld, bepaald
(*moment —*); *prix —,* vastgestelde prijs;
3 gemerkt. ▼**marquer I** ov.w **1** merken;
2 kenmerken; **3** aanwijzen, aangeven; — *le*
pas, de pas aangeven; **4** verraden, tonen; *elle*
ne marque pas ses soixante ans, men kan haar
haar zestig jaren niet aanzien; **5** brandmerken;
6 prijzen (de prijs aangeven); **7** stempelen.
II on.w **1** zich onderscheiden; uitmunten;
2 doelpunten; **3** *il marque mal,* hij ziet er slecht
uit.
marquet/é bn gespikkeld. ▼**—erie** v
mozaïekwerk. ▼**—eur** m mozaïekwerker.
marqueur m **1** merker; **2** opschrijver, markeur,
biljartjongen; **3** maker v.e. doelpunt.
marquis m markies. ▼**—at** m markizaat. ▼**—e** v
1 markiezin; **2** zonnescherm; **3** afdak; **4** soort
peer.
marraine v **1** meter, petemoei; **2** dame die een
andere dame in een gezelschap voorstelt;
3 soldatenmoeder.
marrant (*pop.*) bn leuk.
marre (*fam.*): *j'en ai —,* ik heb er genoeg van; *le*
baal ervan; c'est —, (*pop.*) dat is genoeg, zo is
het zat.
marrer (se) (*pop.*) zich een bult lachen.
marron I zn m **1** kastanje; —*s glacés,*
gekonfijte kastanjes; **2** lichtkogel;
3 controlepenning v. werklieden of beambten;
4 met een lint samengebonden haarknoet;
5 klonter in deeg; **6** (*pop.*) opstopper;
7 kastanjebruin. **II**—, -**onne** bn **1** weggelopen
(v. slaaf), wild geworden (v. dier); **2** *cocher*
—, snorder. ▼**—ner** ov.w (*oud*) voortvluchtig
zijn. ▼**—nier** m **1** kastanjeboom; **2** kast voor
de controlepenningen.
mars m maart. **II**— mv voorjaarskoren.
III M—m Mars (krijgsgod, planeet).
marsau!t, marseau *[mv x]* m wilg.
marseillais I bn uit Marseille. **II** zn **M**—m, -e v
bewoner (bewoonster) v. Marseille.
▼**Marseillaise** v de Marseillaise (Fr.
volkslied).
marsouin m **1** bruinvis; **2** zeerob.
marsupial *[mv aux]* I bn buideldragend. **II** zn
m mv **les**—**aux** de buideldieren.
marte = **martre**.
marteau *[mv x]* m **1** hamer; — *d'armes,*
strijdhamer; *avoir un coup de —, être —,* een
beetje getikt zijn; — *d'enclume,* voorhamer;
être entre l'enclume et le —, tussen twee vuren
zitten; — *pneumatique,* drilboor;
2 deurklopper; **3** pianohamertje; **4** hamerhaai.
▼**marteau †-pilon †** m stoomhamer.
martel m oude vorm van marteau; *avoir — en*
tête, zorgen hebben. ▼**—age** m **1** (het)
hameren; **2** (het) met de hamer merken v.
bomen (die geveld moeten worden of
gespaard moeten blijven). ▼**martèlement** m
1 (het) hameren; **2** (het) duidelijk uitspreken
v. lettergrepen. ▼**martel** ov.w **1** hameren;
2 lettergrepen duidelijk uitspreken, toetsen
duidelijk aanslaan; **3** met veel moeite
vervaardigen. ▼**—et** m hamertje. ▼**—eur** m
werkman die hamert.
martial *[mv aux]* bn **1** krijgshaftig; *cour —e,*
krijgsraad; *loi —e,* krijgswet; **2** ijzerhoudend.
martien, -enne I bn van Mars. **II** zn **M**—m
Marsbewoner.
martinet m **1** gierzwaluw; **2** karwats;
kleerklopper; **3** grote fabriekshamer (door
stoom of water bewogen).
martingale v **1** hulpteugel; **2** rugceintuur;
3 verdubbeling v. inzet (om verlies goed te
maken); **4** berekende inzet.
martin †-pêcheur † m ijsvogel.
martre, marte v **1** marter; *prendre — pour*
renard, zich vergissen; — *blanche,* hermelijn;
— *domestique,* steenmarter; — *mineure,*
wezel; **2** marterbont.
martyr m, -e v martelaar, martelares.

▼**martyr/e** m marteldood, marteling. ▼**—iser**
ov.w martelen. ▼**—ologe** m 1 lijst v.
martelaren of heiligen; 2 lijst v. slachtoffers.

marx/ien, -ienne bn volgens, van Marx.
▼**—isme** m marxisme. ▼**—iste** l zn m marxist.
II bn marxistisch.

maryland m Marylandtabak.

mas m landhuis (in het Z. van Frankrijk).

mascarade v 1 maskerade, vermomming;
2 groep gemaskerde mensen.

mascaret m springvloed, vloedgolf.

mascaron m groteske kop (aan gevels).

mascotte v mascotte, gelukspop, persoon die
geluk aanbrengt.

masculin l bn mannelijk. II zn m (het)
mannelijke geslacht. ▼**—iser** ov.w mannelijk
maken. ▼**—ité** v mannelijkheid.

maso/chisme m masochisme ▼**—chiste**
zn/bn masochist(isch).

masqu/er m 1 masker, mom; arracher le — à
qn., iem. ontmaskeren; lever le —, het masker
afleggen; 2 (gas)masker; 3 (doden)masker
(— mortuaire); — de beauté, — facial,
schoonheidsmasker; 4 gemaskerd persoon;
5 schermmasker; 6 uiterlijk,
gelaatsuitdrukking, voorkomen. ▼**—é** bn
gemaskerd; virage —, verborgen bocht. ▼**—er**
ov.w 1 maskeren, vermommen; 2 verbergen.

massacrant bn laztig, onuitstaanbaar.
▼**massacre** m 1 bloedbad, moord, slachting;
2 slechte uitvoering. ▼**massacrer** ov.w
1 vermoorden, doodslaan, slachten;
2 verknoeien, bederven. ▼**massacreur** m
1 moordenaar; 2 knoeier.

massage m massage.

masse l v 1 massa, menigte, hoop; en —, in
groten getale, gezamenlijk; 2 vormloze massa;
3 totale hoeveelheid, totaal bedrag; 4 pot (in
spel); kas; 5 kapitaal, fonds; — active, actief;
— passive, passief; 6 steenlaag v.e. groeve;
7 moker. II **—s** m v 1 het volk, de
volksmenigte; 2 des —s, veel.

massé m (biljart) masseerstoot.

massepain m 1 amandelkoekje; 2 marsepein.

masser l ov.w 1 masseren (v. spieren);
2 masseren (biljart); 3 samentrekken (— des
troupes). II **se**— zich tot een grote menigte
verenigen.

massette v 1 houten hamer; 2 lisdodde (plk.).

masseur m, **-euse** v masseur, masseuse.

massicot m snijmachine (voor papier enz.).

massier m pedel.

massif, -ive l bn 1 massief, vol, dicht; 2 log,
lomp; 3 geweldig groot; 4 massaal. II zn m
1 bouwwerk; — de maisons, blok huizen;
2 dichte groep bomen; 3 berggroep.

massique bn van de massa.

mass(-)media m mv massamedia.

massue v knots; coup de —, zware slag, ramp;
argument —, dodelijk argument.

mastic m 1 stopverf, kit; 2 verwarring,
warboel. ▼**—age** m (het) vullen met stopverf.
▼**—ateur** bn wat kauwen betreft; muscle —,
kauwspier. ▼**—ation** v (het) kauwen.
▼**—atoire** m kauwmiddel.

mastiff m bloedhond.

mastiquer ov.w 1 met stopverf stoppen;
2 kauwen; 3 (pop.) eten.

mastoc bn (fam.) lomp, grof, potig.

mastodonte m 1 mastodont; 2 zeer zwaar
persoon.

mastroquet m (pop.) 1 kroegbaas; 2 kroeg.

masturbation v masturbatie. ▼**—er (se)**
masturberen.

m'as-tu-vu m bijnaam voor verwaand
toneelspeler.

masure v 1 ruïne; 2 krot.

mat l bn 1 dof, mat; 2 te vast, ongerezen (pain
—); 3 mat in schaakspel; échec et —,
schaakmat. II zn m 1 mat in schaakspel; 2 dof
gedeelte.

mât m mast; — d'artimon, bezaansmast; — de
beaupré, evenwichtsbalk, boegspriet; — de
cocagne, klimmast; — de fortune, noodmast;
— de misaine, fokkemast; — de pavillon,
vlaggemast.

matador m 1 stierendoder; 2 kopstuk.

matage m (het) mat -, dof maken.

matamore m pocher, snoever, grootspreker.

match m [mv (e)s] wedstrijd; faire — nul,
gelijk spelen. ▼**—er** on.w een wedstrijd spelen.

matelas m 1 matras; — à air, luchtbed; —
d'air, luchtlaag (tussen 2 wanden); 2 (fam.)
portefeuille. ▼**—ser** ov.w van matrassen -, van
kussens voorzien; porte matelassée, tochtdeur.
▼**—sier** m, **-ière** v matrassenmaker,
-maakster. ▼**—sure** v vulstof.

matelot m 1 matroos, 2 matrozenpak. ▼**—age**
m 1 scheepswerk; 2 gage. ▼**matelote** v
1 vrouw v.e. matroos; 2 visschotel (vooral van
paling) met wijn en uien bereid;
3 matrozendans; à la —, op matrozenmanier.

mater ov.w 1 mat zetten; 2 temmen,
bedwingen, klein krijgen; 3 moffelen.

mâter ov.w van masten voorzien.

matérial/isation v verstoffelijking. ▼**—iser**
ov.w stoffelijk maken, - voorstellen. ▼**—isme**
m materialisme. ▼**—iste** l zn m materialist.
II bn materialistisch. ▼**—ité** v stoffelijkheid.

matériau m bouwmateriaal; —x,
1 bouwmaterialen; 2 materiaal (voor litt.
werk).

matériel, -elle l bn 1 stoffelijk, lichamelijk;
2 zwaar, log, lomp. II zn m 1 (het) stoffelijke;
2 materieel, in gebruik zijnde voorwerpen.
III **-elle** v (het) nodige om rond te komen.

matern/el, -elle l bn 1 moederlijk; école
—elle, bewaarschool; 2 van moederskant
(parents —s). II zn **-elle** v bewaarschool.
▼**—ellement** bw moederlijk. ▼**—ité** v
1 moederschap; 2 inrichting voor
kraamvrouwen.

math(s) v mv (fam.) (= mathématiques)
wiskunde. ▼**math'élém** v m (arg.)
elementaire wiskunde. ▼**mathéma/ticien** m,
-enne v wiskundige. ▼**—tique** l zn
wiskundig. II zn **—s** v mv wiskundige.
▼**matheux** m (fam.) wiskundestudent.

matière v 1 stof, grondstof, materie; —s
fécales, uitwerpselen; — première, grondstof;
2 onderwerp, stof; entrer en —, aan het
eigenlijke onderwerp komen; en — de, op het
stuk van; table des —s, inhoudsopgave;
3 leervak; 4 aanleiding, reden; donner, être —
à, aanleiding geven tot.

matin l zn m ochtend, morgen; un beau —, un
de ces (quatre) —s, op een goeie dag; de bon
—, de grand —, vroeg in de morgen; ce —,
vanmorgen; le —, 's morgens; le — de la vie,
de jeugd; les portes du —, (dicht.) het oosten;
rouge au soir, blanc au —, c'est la journée du
pèlerin, een rode avondhemel en een heldere
ochtendlucht voorspellen een mooie dag.
II bw vroeg (se lever —).

mâtin l zn m waakhond, bulhond. II m, -e v
rakker. III tw drommels!

matinal [mv aux of als] bn wat de morgen
betreft; être —, vroeg opgestaan zijn.

mâtiné bn bastaard-, gekruist.

matinée v 1 morgen; dormir la grasse —, een
gat in de dag slapen; 2 ochtendjapon;
3 middagvoorstelling, -concert.

mâtiner ov.w kruisen v. honden.

matines v mv metten (rk).

matineux, -euse bn gewend vroeg op te
staan.

matir ov.w dof -, mat maken. ▼**matité** v
dofheid, matheid.

matois l bn slim, uitgeslapen, doortrapt. II zn
m sluwe vos. ▼**—erie** v slimheid,
doortraptheid.

matou m 1 kater; 2 onaangenaam mens; vilain
—, gemene kerel.

matraque v 1 knuppel; 2 gummistok.
▼**matraquer** ov.w 1 (neer)knuppelen; 2 een
belachelijk hoge rekening indienen.

matras m distilleerfles, -kolf.

matriarcal [mv aux] bn matriarchaal.
▼**matriarcat** m matriarchaat.

matrice v 1 (oud) baarmoeder; 2 matrijs;
3 matrix; 4 ijkmaat, ijkgewicht; 5 legger; — du
rôle des contributions, belastingkohier.

matricide l m moedermoord. ll m of v moedermoordenaar (-ares).

matriciel, -elle bn volgens het kohier.

matricule l v naamlijst, register. ll m nummer v.e. register, stamboeknummer. ▼**matriculer** ov.w inschrijven in stamboek.

matrimonial [mv aux] bn wat huwelijk betreft, echtelijk.

matrone v deftige dame van zekere leeftijd.

matthiole v violier (plk.).

maturation v (het) rijpen, rijpwording.

mâture v mastwerk.

maturité l v rijpheid; 2 geestelijke rijpheid, volkomen ontwikkeling; — précoce, vroegrijpheid, voorlijkheid; avec —, bedachtzaam, na rijp overleg.

matutinal [mv aux] bn wat de morgen betreft.

maudire ov.w onr. vervloeken, verwensen. ▼**maudissable** bn verfoeilijk. ▼**maudit** l bn vervloekt, ellendig (temps —). ll zn m 1 verdoemde; 2 duivel.

maugréer on.w schelden, vloeken, uitvaren.

maure, more [v mauresque] l bn Moors. ll zn M— m, -esque v Moor(sé); tête de —, donkerbruin; traiter qn. de Turc à —, iem. zeer hardvochtig behandelen.

mausolée m praalgraf, mausoleum.

maussad/e bn 1 nors, humeurig; 2 somber, triest. ▼—erie v knorrigheid, gehumeurdheid.

mauvais l bn slecht, kwaad, verkeerd, ondeugend; les — anges, de duivels; — bruits, ongunstige praatjes; il fait —, het is slecht weer; — garnement, deugniet; —e herbe croît toujours, (spr.w) onkruid vergaat niet; —e langue, boze tong; mer —e, woelige, onstuimige zee; avoir —e mine, er slecht uitzien; —e plaisanterie, lelijke poets; prendre en —e part, kwalijk nemen; — sujet, losbol; —e tête, driftkop; trouver —, kwalijk nemen; faire — visage à qn., iem. onaangenaam ontvangen. ll zn m 1 (het) slechte, kwade; 2 slecht mens. lll bw slecht, verkeerd; sentir —, stinken. ▼**mauvaiseté** v slechtheid.

mauve l bn mauve (lichtpaars). ll zn v 1 malva (plk.); 2 zeemeeuw. ▼**mauvéine** v paarse kleurstof.

mauviette v teer, mager persoon.

maxillaire l bn wat de kaak betreft. ll zn m kaakbeen.

maxima l m mv wax maximum. ll bn v hoogste (température —). ▼**maximal** [mv aux] bn maximum-, hoogste (températures —ales).

maxime v grondstelling, stelregel, spreuk.

maximum l bn hoogste, maximum. ll zn m (het) hoogste, meeste, grootste; thermomètre à maxima, maximumthermometer.

Mayence v Mainz.

mayonnaise v mayonaise.

mazette l zn v (oud) stumper, knul. ll tw kolossaal!

mazout m 1 stookolie; 2 huisbrandolie. ▼—er on.w olie tanken.

mazurka v mazurka.

me vnw m of v me, mij.

méandre m 1 bocht v.e. rivier; 2 list.

méat m kanaal (med.).

mec m (arg.) (flinke) kerel, vent.

mécan/icien m 1 werktuigkundige; 2 machinist, bestuurder; 3 —dentiste, tandtechnicus; 4 monteur. ▼—ique l bn 1 werktuigkundig; 2 werktuiglijk, mechanisch. ll zn v 1 werktuigkunde, mechanica; 2 boek over werktuigkunde; 3 mechanisme, raderwerk, toestel; 4 machine; fabriqué à la —, machinaal gemaakt. ▼—isation v mechanisatie. ▼—iser ov.w 1 tot een werktuig maken; mechaniseren; 2 vernederen. ▼—isme m 1 mechaniek; inrichting, samenstelling; 2 techniek v.e. kunst; le — des vers, het ritme. ▼**mécano** (fam.) = mécanicien. ▼**meccano** v meccano(doos).

mécénat m mecenaat. ▼**mécène** m mecenas.

méch/amment bw 1 boosaardig; 2 ondeugend; 3 moedwillig. ▼—anceté v

1 boosaardigheid, slechtheid; 2 ondeugendheid; 3 gemene streek; 4 boosaardig woord. ▼—ant l bn 1 boos, boosaardig, slecht; 2 onaangenaam, lelijk (une —e affaire); 3 ondeugend, stout. ll zn m 1 slecht mens; faire le —, opspelen; 2 ondeugd.

mèche v 1 pit v.e. kaars; 2 kous v.e. lamp; 3 touw v.e. zweep; 4 lont; être de — avec qn., met iem. onder één hoedje spelen; éventer la —, een complot ontdekken; il n'y a pas —, er is geen middel; 5 haarlok; 6 boorijzer v. kurketrekker, - v.e. boor.

mécher ov.w een vat zwavelen.

mécompte m 1 misrekening; 2 teleurstelling.

méconnaiss/able bn onkenbaar. ▼—ance v 1 miskenning; 2 ondankbaarheid. ▼**méconnaître** l ov.w onr. 1 miskennen; 2 niet willen kennen. ll se— zijn afkomst, zijn verleden, hetgeen men aan anderen verschuldigd is, vergeten.

mécontent bn ontevreden. ▼—ement m ontevredenheid. ▼—er ov.w ontevreden maken.

mécréant l bn ongelovig. ll zn m, -e v ongelovige.

médaille v 1 medaille, gedenkpenning; 2 herkenningsplaatje voor sommige beroepen. ▼**médaillé** bn aan wie een medaille is toegekend (soldat —). ▼**médaill/er** ov.w een medaille toekennen aan. ▼—eur m stempelsnijder voor medailles. ▼—ier m 1 medailleverzameling; 2 medaillekast. ▼—on m 1 grote medaille; 2 medaillon; 3 bas-reliëf; 4 inzet (kleine tekening of foto in een grotere).

médecin zn m arts, geneesheer, dokter; — consultant, consulterend arts; — des âmes, priester, biechtvader; — légiste, patholoog-anatoom; médecin-major, militaire arts; — de famille, généraliste, huisarts. ▼**médecine** v 1 geneeskunde; docteur en —, doctor in de medicijnen; 2 medicijn, purgeermiddel; — de cheval, paardemiddel.

média(s) m mv (massa)media.

médian l bn middelste, wat het midden betreft; ligne —e, zwaartelijn. ll zn -e v zwaartelijn. ▼**médiante** v middeltoon. ▼**médiat** bn middellijk. ▼**médiateur, -trice** l bn bemiddelend. ll zn m, -trice v bemiddelaar(ster). ▼**médiation** v bemiddeling.

médical [mv aux] bn geneeskundig, medisch. ▼**médicament** m geneesmiddel. ▼—eux, -euse bn geneeskrachtig. ▼**médicastre** m pruldokter, kwakzalver. ▼**médication** v geneeswijze, medicatie. ▼**médicinal** [mv aux] bn geneeskrachtig. ▼**medicine-ball** m medicijnbal. ▼**médico-légal** [mv aux] bn v.d. gerechtelijke geneeskunde.

médiéval [mv aux] bn middeleeuws. ▼**médiéviste** m kenner der middeleeuwen.

médiocr/e l bn middelmatig. ll zn m (het) middelmatige. ▼—ité v 1 middelmatigheid; 2 matige welvaart.

médoc m beroemd soort bordeauxwijn.

médull/aire bn mergachtig; os —, mergbeen. ▼—eux, -euse bn merghoudend.

méduse v (zee)kwal; M—, Medusa. ▼**méduser** ov.w doen verstijven v. schrik.

meeting m meeting.

méfait m misdrijf, wandaad.

méfiance v wantrouwen. ▼**méfiant** bn wantrouwend. ▼**méfier (se — de)**

wantrouwen; *il ne se méfie de rien,* hij heeft niets door.

méga/hertz *m* megahertz. ▼**—lithe** *m* megaliet. ▼**mégalo/mane** *m* of *v* lijder(es) aan grootheidswaanzin. ▼**—manie** *v* grootheidswaanzin. ▼**mégaphone** *m* geluidsversterker, scheepsroeper, megafoon.

mégarde *v* vergissing; *par —,* bij ongeluk.

mégatonne *v* megaton.

mégère *v* furie, helleveeg; *la M— apprivoisée,* de Getemde Feeks (v. Shakespeare).

mégot *m* peukje. ▼**—er** *ov.w* (*fam.*) bezuinigen, afpingelen.

méhari *m* mehari, dromedaris.

meilleur I *bn* **1** beter; *de —e heure,* vroeger; *— marché,* goedkoper; **2** beste; *la —e partie,* het grootste deel. **II** *zn m* (het) beste.

méjuger *ov.w* verkeerd beoordelen.

mélancolie *v* droefgeestigheid, zwaarmoedigheid, melancholie; *ne pas engendrer la —,* (*fam.*) erg vrolijk, lollig zijn. ▼**mélancolique** *bn* droefgeestig, zwaarmoedig, melancholisch.

mélanésien, -enne *bn* uit, van Melanesië.

mélang/e I *m* **1** (het) mengen, mengsel; **2** kruising v. rassen. **II —s** *m mv* litterair mengelwerk. ▼**—er** *ov.w* (ver)mengen, roeren. ▼**—eur** *m* mengmachine; — *de béton,* betonmolen; — *de son,* mengpaneel (v. geluid); *robinet —,* mengkraan.

mélasse *v* suikerstroop; *être dans la —,* (*fig.*) in de puree zitten.

mêlé *bn* gemengd (*société —e*). ▼**mêlé-cass(e)** *m* bessenbrandewijn; *mêlé-cass (voix de —),* grogstem. ▼**mêlée** *v* **1** strijdgewoel, handgemeen; **2** vechtende menigte; **3** heftige woordenstrijd; **4** strijd; **5** (*rugby*) scrum. ▼**mêler I** *ov.w* **1** mengen, vermengen; **2** (kaarten) schudden; **3** verwarren, in wanorde brengen (— *ses cheveux*); **4** wikkelen in (— *dans*). **II se —** **1** zich vermengen; **2** zich voegen bij, zich begeven onder; **3** *se — de,* zich bemoeien met.

mélèze *v* lork, lariks.

mélilot *m* honingklaver.

méli-mélo *m* mengelmoes, allegaartje.

mélinite *v* meliniet (ontploffingsmiddel).

melli/fère *bn* honinggevend. ▼**—fication** *v* honingvorming. ▼**mellite** *m* honingstroop.

mélo *m* (*fam.*) = **mélodrame**; *un film qui tourne au —,* een film die de kant van het melodrama opgaat.

mélod/ie *v* **1** wijs; **2** welluidendheid. ▼**—ieusement** *bw* welluidend. ▼**—ieux, -euse** *bn* welluidend, melodieus. ▼**—ique** *bn* melodisch. ▼**—iste** *m* componist, die aan de melodie de voornaamste plaats toekent.

mélodramatique *bn* melodramatisch. ▼**mélodrame** *m* **1** drama met instrumentale begeleiding; **2** melodrama.

mélomane *m* of *v* hartstochtelijk muziekliefhebber (-ster). ▼**mélomanie** *v* overdreven liefde voor muziek.

melon *m* **1** meloen; **2** dophoed (ook *chapeau —*); **3** (*pop.*) Arabier.

melongène *v* aubergine (eierplant).

melonnière *v* meloenkwekerij.

mélopée *v* **1** ritmisch gezang ter begeleiding v. declamatie; **2** recitatief.

membran/e *v* **1** vlies; **2** plaatje. ▼**—eux, -euse** *bn* vliezig. ▼**—ule** *v* vliesje.

membre *m* lid; *les —s,* de ledematen. ▼**membré** *bn: bien —,* flink van lijf en leden. ▼**membru** *bn* grof gebouwd. ▼**membrure** *v* **1** de ledematen; **2** paneel.

même I *vnw* **1** zelfde; *la — chose,* hetzelfde; *en — temps,* tegelijkertijd; **2** zelf; *moi-même* enz., ik zelf enz.; *pour cela —,* daarom juist. **II** *bw* zelfs; *à — de,* in staat te; *boire à — la bouteille,* zo maar uit de fles drinken; *de —,* eveneens; *de — que,* evenals; *quand —,* toch; *tout de —,* toch. **III** *zn m: cela revient au —,* dat komt op hetzelfde neer.

mémé *v* (*pop.*) grootmoeder.

mémento *m* **1** memento van de mis;

2 aantekening; **3** agenda; **4** kort overzicht, beknopt handboek.

mémère *v* (*pop.*) **1** bejaarde vrouw; **2** oma.

mémoire I *v* **1** geheugen; *de —,* uit het hoofd; *pour —,* pro memorie; **2** herinnering; nagedachtenis; *de — d'homme,* sinds mensenheugenis; *en — de,* ter herinnering aan; *pour —,* pro memorie. **II** *m* **1** rekening; **2** verslag, verhandeling. **III —s** *m mv* gedenkschriften, memoires. ▼**mémor/able** *bn* gedenkwaardig. ▼**—andum** *m* **1** aantekening; **2** aantekenboekje; **3** bestelbriefje. ▼**—atif, -ive** *bn* wat het geheugen betreft. ▼**—ial** [*mv -iaux*] *m* **1** aantekenboek; **2** gedenkboek. ▼**—ialiste** *m* schrijver v. gedenkschriften. ▼**—isation** *v* (het) van buiten leren. ▼**—iser** *ov.w* van buiten leren, memoriseren.

menaçant *bn* dreigend. ▼**menac/e** *v* (be)dreiging; dreigement; *lourd de —s,* dreigend, onheilspellend; — *en l'air,* loze bedreigingen. ▼**—er** *ov.w* (be)dreigen; — *le ciel,* (*dicht.*) zich zeer hoog verheffen; — *ruine,* op invallen staan.

ménage *m* **1** huishouden; *faire le —,* het huishouden doen; *femme de —,* werkster; *pain de —,* eigengebakken -, gewoon brood; *vivre de —,* zuinig leven; **2** huisgezin; *faire bon, mauvais — avec qn.,* goed, slecht met iem. overweg kunnen; *querelle de —,* huiselijke twist; — *à trois,* driehoeksverhouding; **3** inboedel, huisraad.

ménagement *m* omzichtigheid; *sans —,* zonder complimenten. ▼**ménager I** *ov.w* **1** regelen, inrichten, tot stand brengen (— *un entretien*); **2** aanbrengen; **3** sparen, ontzien, voorzichtig omgaan met (— *sa santé, sa voix*); *— ses paroles,* niet te veel spraakzaam zijn; — *le temps,* de tijd goed gebruiken; **4** bezorgen, verschaffen. **II se —** zich verschaffen. ▼**ménager, -ère I** *bn* **1** spaarzaam met, zuinig met (— *de*); **2** huishoudelijk; *école —ère,* huishoudschool. **II -ère** *v* **1** huisvrouw; **2** huishoudster; **3** etui voor tafelzilver. ▼**ménagerie** *v* **1** beestenspel, dierentuin.

mendi/ant I *bn* bedelend; *les ordres —s,* de bedelorden. **II** *zn m, -e* *v* bedelaar, bedelares. ▼**—cité** *v* **1** bedelarij; *en être réduit à la —,* tot de bedelstaf gebracht zijn; **2** de bedelaars. ▼**—er** *ov.w* bedelen. ▼**—got** *m* (*pop.*) bedelaar. ▼**—goter** *ov.w* (*pop.*) bedelen.

menées *v mv* kuiperijen.

mener I *ov.w* leiden, brengen, voeren; — *à bien,* tot een goed einde brengen; — *grand bruit,* een hels kabaal maken; *cela ne mène à rien,* dat loopt op niets uit; — *en terre,* begraven; **2** behandelen; **3** aanvoeren, leiden; **4** leiden, besturen. **II** *on.w* de leiding hebben (*sp.*) (*notre équipe mène par 3 à 1*).

ménestrel *m* minstreel.

ménétrier *m* speelman.

meneur *m, -euse* *v* leider (-ster), aanvoerder (-ster); — *de jeu,* aanstichter.

menhir *m* staand rotsblok uit de prehistorische tijd, menhir.

méninge *v* hersenvlies. ▼**méningite** *v* hersenvliesontsteking.

ménisque *m* hol-bolle lens, meniscus.

mennonite *m* doopsgezinde.

ménopause *v* menopauze.

menotte *v* **1** handje. **II —s** *v mv* boeien; *passer les — à qn.,* iem. de handboeien aandoen.

mensonge *m* **1** leugen; *sônges,* —s, dromen zijn bedrog; — *officieux,* leugentje om bestwil; **2** verbeelding, verdichtsel. ▼**mensonger, -ère** *bn* leugenachtig, bedrieglijk.

menstruation *v, menstrues* *v mv* menstruatie. ▼**menstruel** *bn* menstrueel.

mensualité *v* maandelijks salaris, maandelijkse bijdrage; *payer par —s,* in maandelijkse termijnen betalen. ▼**mensuel, -elle** *bn* maandelijks. ▼**mensuellement** *bw* maandelijks.

mensuration *v* (het) meten v.h. lichaam (door politie).

mental [*mv aux*] *bn* geestelijk, innerlijk;

aliénation —*e,* krankzinnigheid; *calcul* —,
hoofdrekenen; *restriction* —*e,* innerlijk
voorbehoud. ▼—**ement** *bw* in gedachten, uit
het hoofd *(calculer —).* ▼—**ité** *v*
geestesgesteldheid.
menterie *v (oud)* leugen. ▼**menteur** I *zn m,*
-**euse** *v* leugenaar(ster). II *bn* leugenachtig.
menthe *v* munt *(plk.);* — *poivrée,* pepermunt.
▼**menthol** *m* menthol.
mention *v* vermelding; *faire* — *de,* vermelden.
▼—**ner** *ov.w* vermelden.
mentir *on.w onr.* liegen; *bon sang ne peut* —,
(spr.w) de appel valt niet ver van de boom.
menton *m* kin; *double* —, onderkin; *prendre
par le* —, onder de kin strijken. ▼—**nière** *v*
1 kinband, stormband; 2 kinhouder voor viool.
mentor *m* leidsman, mentor.
menu I *bn* klein, dun; — *bétail,* klein vee; —*s
frais,* kleine kosten; —*s grains,* kleine
graansoorten (haver, gerst enz.); —*e monnaie,*
kleingeld, zakgeld; — *peuple,* de gewone man;
zakgeld; — *plomb,* fijne jachthagel. II *zn m*
1 menu; 2 bijzonderheden; *par le* —, in
bijzonderheden. III *bw* fijn, klein, in kleine
stukjes; *hacher* —, fijnhakken.
menuet *m* soort dans, menuet.
menuisage *m* (het) schrijnwerken.
menuise, menuisaille *v* 1 fijne jachthagel;
2 klein hout.
menuis/er *on.w* schrijnwerken, timmeren.
▼—**erie** *v* 1 schrijnwerk, timmerwerk;
2 schrijnwerkersvak. ▼—**ier** *m* timmerman,
schrijnwerker.
méphistophélique *bn* duivelachtig,
mefistofelisch.
méphit/ique *bn* verstikkend *(gaz* —).
▼—**isme** *m* verpestende lucht, stank.
méprendre (se) *onr.* zich vergissen; *se
ressembler à s'y méprendre,* sprekend op
elkaar lijken.
mépris *m* verachting, minachting; *au* — *de,* in
weerwil van. ▼—**able** *bn* verachtelijk. ▼—**ant**
bn minachtend.
méprise *v* vergissing; *par* —, bij vergissing.
mépriser *ov.w* minachten, verachten.
mer *v* zee; grote plas, grote oppervlakte; *basse*
—, laag water; *c'est la* — *à boire,* dat is
onbegonnen werk; *coup de* —, stortzee; *une
goutte d'eau dans la* —, een druppel op een
gloeiende plaat; *grosse* —, hoge zee; *un
homme à la* —, man over boord; *homme de* —,
gens de —, zeeman, zeelui; *du Nord,*
Noordzee; *par* —, op zee; *pleine* —, *haute* —,
volle zee; *en haute* —, in volle zee; *prendre la*
—, in zee steken; — *de sable,* zandzee; — *de
sang,* grote bloedplas.
mercanti *m* 1 koopman, die het leger volgt;
2 sjacheraar. ▼**mercantile** *bn* wat de handel
betreft; *esprit* —, koopmansgeest.
▼**mercantilisme** *m* handelsgeest.
mercenaire I *bn* 1 bezoldigd, voor geld
(travail —); *troupes* —*s,* huurtroepen;
2 omkoopbaar. II *zn m* 1 huurling *(mil.);*
2 bezoldigd persoon. ▼**mercenariat** *m* (het)
huurling zijn.
mercerie *v* 1 garen- en bandhandel; 2 (de)
handelaars in garen en band.
merceris/age *m* (het) glanzen van katoenen
stoffen. ▼—**er** *ov.w* katoenen stoffen glanzen.
▼—**euse** *v* glansmachine.
merci I *v* 1 genade; *sans* —, meedogenloos;
2 willekeur; *être à la* — *de qn.,* aan iem.
overgeleverd zijn. II *bw* dank je wel; *Dieu* —,
goddank; *grand* —, ik zou je danken! III *m*
bedankje.
mercier *m,* -**ère** *v* koopman, koopvrouw in
garen en band.
mercredi *m* woensdag; *le* — *des cendres,*
Aswoensdag.
mercure I *m* kwikzilver. II **M**— Mercurius.
mercuriale *v* standje, uitbrander.
mercuriel, -elle *bn* kwik bevattend.
merde *v* 1 poep; 2 narigheid; 3 nietsnut;
4 snertweer; — *d'oie,* geelgroen; —*!,* loop!,
stik! *(zeer ruw).* ▼**merdeux, -euse** I *bn*
bevuild. II *zn* snotaap. ▼**merdier** *m* rotzooi.

▼**merdoyer** *on.w (arg.)* zich vastlullen.
mère I *zn v* 1 moeder; — *branche,* hoofdtak,
hoofdstroom; *la* — *des Fidèles,* de Kerk; *la* —
patrie, het moederland; *la reine* —, de
koningin-moeder; 2 vrouw, vrouwtje. II *bn: la*
— *laine,* de fijnste wol v.h. schaap.
méridien I *zn m* meridiaan. II *bn,* -**enne** wat de
meridiaan, wat 12 uur 's middags betreft.
III -**enne** *zn v* 1 middaglijn; 2 middagdutje;
3 luie stoel.
méridional [*mv* aux] I *bn* zuidelijk. II *zn* **M**—
m zuiderling.
meringue *v* schuimpudding.
mérinos I *zn m* 1 merinosschaap;
2 merinoswol. II *bn: une brebis* —, een
m.schaap.
merise *v* wilde kers. ▼**merisier** *m* wilde
kerseboom.
méritant *bn* verdienstelijk. ▼**mérite** *m*
verdienste; *se faire un* — *de qc.,* zich op iets
beroemen. ▼**mériter** I *ov.w* verdienen; *toute
peine mérite salaire (spr.w.),* de werkman is
zijn loon waard. II *on.w: bien* — *de sa patrie,*
zich verdienstelijk maken jegens zijn
vaderland. ▼**méritoire** *bn* verdienstelijk.
merlan I *m* wijting (vis); 2 *(pop.)* kapper.
merle *m* merel; — *blanc,* witte raaf *(fig.); fin* —,
slimme vos; *vilain (beau)* —, lelijk of
onaangenaam mens. ▼**merlette** *v*
wijfjesmerel.
merlin *m* 1 bijl om hout te kloven;
2 slagershamer; 3 driedraadstouw *(scheepv.).*
merluche *v* stokvis.
mérovingien, -enne I *bn* Merovingisch. II *zn*
M— *m* Merovinger.
merveill/e *v* wonder; *à* —, uitstekend,
voortreffelijk; *faire* —, wonderen doen;
uitstekend staan; *promettre monts et* —*s,*
gouden bergen beloven; *les sept* —*s du
monde,* de zeven wereldwonderen.
▼—**eusement** *bw* wonderbaar, verbazend,
uitstekend. ▼—**eux, -euse** I *bn* wonderbaar,
verbazend, uitstekend. II *zn m* (het)
wonderbare, bovennatuurlijke.
mes *bez.vnw m* of *v mv* mijn.
mésalliance *v* huwelijk beneden zijn stand.
▼**mésallier** I *ov.w* een huwelijk beneden zijn
stand doen sluiten (— *un enfant).* II *se* —
beneden zijn stand trouwen.
mésange *v* mees; — *bleue,* pimpelmees; —
charbonnière, koolmees. ▼**mésangette** *v*
vogelknip.
mésaventure *v* 1 tegenspoed; 2 ongeval.
mescaline *v* id. (hallucinogeen middel).
mesdames *v mv, mesdemoiselles* *v mv* van
madame, mademoiselle.
mésentente *v* slechte verstandhouding.
mésestime *v* minachting, geringschatting.
▼**mésestimer** *ov.w* 1 minachten,
geringschatten; 2 onderschatten.
mésintelligence *v* 1 misverstand; 2 slechte
verstandhouding.
mésolitique *m* Mesolithicum.
méson *m* meson.
Mésopotamie *v* Mesopotamië.
▼**mésopotamien, -ienne** *bn* uit, van
Mesopotamië.
mésosphère *v* mesosfeer.
mésozoïque *m* Mesozoïcum.
mesquin *bn* 1 gierig, karig, schamel; 2 eng,
bekrompen, kleingeestig. ▼—**erie** *v*
1 gierigheid, karigheid, schamelheid;
2 bekrompenheid, kleingeestigheid.
mess *m* eetzaal voor officieren of
onderofficieren, mess.
messag/e *m* zending, boodschap; — *de
détresse,* noodsein, s.o.s.; — *(publicitaire),*
(reclame)spot, -filmpje. ▼—**er** *m* 1 bode,
boodschapper; — *du malheur,* ongeluksbode;
2 bestuurder v. postwagen, v. vrachtwagen.
▼—**ère** *v* boodschapster. II *bn* — *du jour,*
Aurora; *les* —*s du printemps,* de lenteboden
(zwaluwen). ▼—**erie** *v* vervoersonderneming.
messe *v* 1 mis, misoffer; — *basse,* stille mis; —
haute (grand-messe), hoogmis; 2 de muziek
voor een mis.

messeoir *on.w onr.* misstaan, niet passen.
messianique *bn* Messiaans.
messidor *m* oogstmaand (tiende maand v.d. republikeinse kalender van 20 juni tot 19 juli).
Messie *m* Messias, Verlosser.
messieurs *m mv* van **monsieur**.
messin *bn* van Metz. **M—** *zn m*, **-e** *v* bewoner (bewoonster) van Metz.
messire *m (oud)* heer.
mestre, meistre *m* oude vorm van *maître*; — *de camp*, (*oud*) regimentscommandant.
mesur/able *bn* meetbaar. **—age** *m* (het) meten. ▼**mesure I** *zn v* **1** maat (in versch. betekenissen); *à —, au fur et à —,* achtereenvolgens; *combler la —,* de maat doen overlopen; *donner sa —,* tonen wat men kan; *faire bonne —,* een goede maat geven; *outre —,* bovenmate; *passer la —,* te ver gaan; *avoir deux poids et deux —s,* met twee maten meten; *prendre —,* de maat nemen; *sur —,* op, naar maat; **2** maatregel; **3** matiging, omzichtigheid (*manquer de —*). **II** *vgw: à — que,* naarmate. ▼**mesur/é** *bn* **1** afgemeten (*pas —*); **2** behoedzaam, omzichtig, gematigd. ▼**—er I** *ov.w* **1** meten, afmeten; — *ses forces,* zijn krachten meten; — *ses paroles,* zijn woorden wikken; **2** afmeten naar, in overeenstemming brengen met. **II se— 1** zich meten met (*se — avec*); **2** gemeten worden. ▼**—eur** *m* **1** meter; ▼**meetwerktuig.**
mésuser *on.w* misbruik maken van (*— de*).
métabolisme *m* id., stofwisseling.
métacarpe *m* middelhand.
métairie *v* boerderij, pachthoeve.
métal [*mv aux*] *m* metaal; — *jaune,* goud; *métaux précieux,* edele metalen. ▼**—lifère** *bn* metaal bevattend. ▼**—lique** *bn* metaalachtig; *fil —,* metaaldraad. ▼**—lisation** *v* **1** (het) afscheiden v. metalen; **2** (het) bedekken met een metaallaagje. ▼**—liser** *ov.w* **1** metalen afscheiden; **2** een metaalglans geven; *peinture —lisée,* metaalkleurige lak; lak met metaalglans; **3** bedekken met een dun laagje metaal. ▼**métallo** = ▼**métallurgiste** *m* metaalwerker. **—graphie** *v* metaalbeschrijving. ▼**—ïde** *m* metalloïde. ▼**métallurg/ie** *v* **1** (het) afscheiden v. metalen; **2** metaalbewerking. ▼**—ique** *bn* wat betrekking heeft op de metaalafscheiding of de metaalindustrie (*industrie —*). ▼**—iste** *m* metaalbewerker.
métamorphose *v* gedaanteverwisseling. ▼**métamorphoser I** *ov.w* veranderen, omzetten. **II se —** van gedaante verwisselen.
métaphore *v* zinnebeeldige uitdrukking, metafoor. ▼**métaphorique** *bn* figuurlijk; *style —,* bloemrijke stijl.
métaphys/icien *m* metafysicus. ▼**—ique I** *zn v* metafysica. **II** *bn* metafysisch.
métastase *v* metastase, uitzaaiing.
métatarse *m* middelvoet.
métathèse *v* letteromzetting.
métayage *m* huurcontract waarbij de eigenaar v.d. grond en de pachter de opbrengst v.d. grond samen delen. ▼**métayer** *m*, **-ère** *v* **1** pachter (-ster) die de helft v.d. opbrengst v.d. grond aan de eigenaar moet afstaan; **2** pachter (-ster); **3** boerendagloner.
métempsycose *v* zielsverhuizing.
météo *v (fam.)* **1** weerkunde; **2** weerkundig instituut.
météor/e *m* **1** luchtverschijnsel (donder, regen, sneeuw, enz.); **2** (*fig.*) kortstondige, maar schitterende verschijning. ▼**—ique** *bn* wat luchtverschijnselen betreft; *pierres —s,* meteoorstenen. ▼**—ite** *v* meteoorsteen.
météoro/logie *v* weerkunde. ▼**—logique** *bn* weerkundig. ▼**—logiste, -logue** *m* weerkundige.
méthan/e *m* moerasgas, methaan. ▼**—ier** *m* tanker met vloeibaar gas.
méthod/e *v* **1** methode; **2** gewoonte. ▼**—ique** *bn* methodisch, stelselmatig. ▼**—isme** *m* leer der methodisten. ▼**—iste** *m* methodist (aanhanger ener anglicaanse sekte). ▼**—ologie** *v* methodenleer.

méthyle *m* methyl. ▼**méthylène** *m* methylalcohol.
méticul/eusement *bw* angstvallig, pietluttig, zorgvuldig. ▼**—eux, -euse** *bn* angstvallig, pietluttig, zorgvuldig. ▼**—osité** *v* angstvalligheid, pietluttigheid.
métier *m* **1** ambacht, handwerk, vak, beroep; *chacun son —, les vaches seront bien gardées,* (*spr.w*) schoenmaker, blijf bij je leest; *faire — de qc.,* gewoon zijn iets te doen; *jalousie de —,* broodnijd; *trente-six —s, quarante malheurs,* (*spr.w*) twaalf ambachten, dertien ongelukken; **2** weefgetouw; *mettre sur le —,* ondernemen, op touw zetten.
métis, -isse *bn* van gemengd ras, gekruist. ▼**métissage** *m* kruising van rassen. ▼**métisser** *ov.w* (rassen) kruisen.
métonymie *v* retorische figuur, die een voorwerp noemt met een term, die een ander voorwerp aanduidt, dat met het eerste verbonden is door een betrekking van oorzaak en gevolg, van het gedeelte en het geheel (bijv. *cent voiles* in plaats van *cent navires*), metonymia.
métrage *m* **1** (het) meten met een meter; **2** lengte v.e. stof; **3** lengte v.e. film; *court—,* smalfilm. ▼**mètre** *m* **1** meter; — *courant,* strekkende meter; — *cube,* kubieke meter; — *pliant,* duimstok; **2** metrum. ▼**métré** *m* (het) aantal meters. ▼**métrer** *ov.w* met de meter meten. ▼**métreur** *m* opmeter, landmeter.
métricien *m* kenner v.h. metrum. ▼**métrique I** *bn* **1** metriek; *quintal —,* gewicht v. 100 kg; *système —,* metriek stelsel; *tonne —,* gewicht v. 1000 kg; **2** metrisch, wat het metrum betreft. **II** *zn v* verzenleer.
métro *m* ondergrondse trein.
métrologie *v* leer v. maten en gewichten.
métromanie *v (oud)* dichtwoede.
métronome *m* metronoom (*muz.*).
métropole *v* **1** moederland; **2** aartsbisschoppelijke residentie; **3** hoofdstad, wereldstad. ▼**métropolitain I** *bn* **1** hoofdstedelijk; **2** het moederland betreffend; **3** aartsbisschoppelijk. **II** *zn m* ondergrondse spoorlijn te Parijs.
métropolite *m* metropoliet.
mets *m* gerecht.
mett/able *bn* aan te trekken (*habit —*). ▼**—eur** *m* steller, plaatser; *— en scène,* regisseur; *— en odes,* radioregisseur; *— en pages,* (*typ.*) opmaker.
mettre I *ov.w onr.* **1** plaatsen, leggen, zetten, doen, steken; *— bas,* neerleggen, afnemen (*un chapeau*), jongen; *— en bouteille*(*s*), bottelen; *— les bouts, les bâtons,* (*pop.*) vertrekken; *— de côté,* opzij leggen, sparen; *— des coups,* klappen uitdelen; *— qn. dedans,* iem. erin laten vliegen; *— dehors,* à la porte, de deur uitzetten; *— en doute,* in twijfel trekken; *— à l'école,* op school doen; *— à l'épreuve,* op de proef stellen; *— à la terre,* aarden; *— le feu à,* in brand steken; *— fin à,* een eind maken aan; *— en joue,* aanleggen (v. geweer enz.); *— la dernière main à un travail,* de laatste hand aan een werk leggen; *— la main à la plume,* de pen opnemen; *— au net,* in het net schrijven; *— en peine,* ongerust maken; *— en pièces,* verbrijzelen; *— sur pied,* op de been brengen, tot stand brengen; *— en prison,* in de gevangenis zetten; *— à sec,* droogleggen; *— la table, — le couvert,* de tafel dekken; *— une terre en blé,* een akker inzaaien; *— en terre,* begraven; *— un vaisseau à la mer,* een schip te water laten; *— à la voile,* onder zeil gaan; **2** aantrekken, aandoen; *bien mis,* goed gekleed; **3** besteden, uitgeven; *— de l'argent à,* geld besteden voor; **4** doen over (*— à*), besteden; *— trois heures à faire ses devoirs,* drie uur over zijn huiswerk doen; **5** vooronderstellen, aannemen; *mettons qu'il ait raison,* laten we aannemen dat hij gelijk heeft; **6** vertalen, overzetten; **7** *— sur,* zijn geld zetten op. **II se —** zich zetten, zich plaatsen, gaan zitten; *se — en colère,* woedend worden; *se — au lit,* naar bed gaan; *se — en route,* zich op

weg begeven; *se — à table*, aan tafel gaan; *se — en tête*, zich in het hoofd zetten, zich verbeelden.

meublant *bn* voor meubilering dienend, goed staand. ▼**meuble** I *bn* roerend (*biens —s*). II *zn m* 1 meubel; 2 ameublement. ▼**meublé** I *bn* gemeubeld. II *zn m* gemeubileerd(e) kamer, appartement (*habiter en —*). ▼**meubler** I *ov.w* meubelen, stofferen; *— ses loisirs*, zijn vrije tijd vullen. II *se —* zich meubels aanschaffen.

meugl/ement *m* geloei. ▼**—er** *on.w* loeien.

meulage *m* (het) slijpen. ▼**meul/e** *v* 1 molensteen; 2 slijpsteen; 3 grote platte kaas; 4 hooischelf, hoop koren; 5 champignonbed; 6 hoop hout, bedekt met gras, om te verkolen. ▼**—er** *ov.w* slijpen. ▼**—euse** *v* slijpmachine. ▼**—ière** *v* 1 soort vuursteen, waarvan men molenstenen maakt en die ook gebruikt wordt bij het bouwen; 2 molensteengroeve.

meulon *m* 1 schelf; 2 hoop zout uit de zoutpannen.

meunerie *v* 1 molenaarsvak, meelfabricage; 2 de molenaars. ▼**meunier, -ère** *v* 1 molenaar, molenaarsvrouw; 2 (*fam.*) staartmees.

meurt-de-faim *m* of *v* hongerlijder (-ster).

meurt/re *m* moord; *c'est un —*, het is zonde, het is een schandaal. ▼**—ier, -ière** I *bn* moorddadig. II *zn m, -ière v* moordenaar, moordenares. III *-ière v* schietgat.

meurtrir *ov.w* kwetsen, kneuzen. ▼**meurtrissure** *v* 1 kwetsing, kneuzing; 2 gekneusde plek bij vruchten.

Meuse *v* Maas.

meute *v* 1 koppel jachthonden; 2 menigte, troep.

mévente *v* achteruitgang v.d. verkoop.

mexicain I *bn* Mexicaans. II *zn* M— *m*, -e *v* Mexicaan(se). ▼**Mexique** *m* Mexico.

mézière, mézigo, mézigue, mézis *vnw* (*arg.*) ik.

mezzanine *v* insteekverdieping, -venster.

mezzo-soprano *m* mezzosopraan.

mi I *bn* of *bw* half. II *zn m e* (*muz.*).

miau! *tw* miauw!

miasme *m* ziekte verspreidende uitwaseming, miasma.

miaulement *m* gemiauw. ▼**miauler** *on.w* miauwen.

mi-bas *m* kniekous.

mica *m* mica, glimmer. ▼**micacé** *bn* mica-achtig.

mi-carême† *v* halfvasten.

miche *v* rond brood, mik.

micheline *v* trein op luchtbanden.

mi-chemin (à) halverwege.

mi-clos half dicht.

micmac *m* (*fam.*) geharrewar, gekonkel, slinkse streek.

mi-corps (à) tot aan het middel.

mi-côte (à) halverwege de helling.

micro *m* (*fam.*) microfoon.

microbe *m* bacterie. ▼**microbicide** *bn* bacteriëndodend. ▼**microbicide, -enne** *bn* microbisch.

micro/biologie *v* microbenleer, microbiologie. ▼**—céphale** *bn* kleinhoofdig. ▼**—cosme** *m* microcosmos, de wereld in het klein. ▼**—film** *m* microfilm. ▼**—mètre** *m* micrometer.

micron *m* micron.

micro/-organisme *m* micro-organisme. ▼**—phone** *m* geluidversterker. ▼**—photographie** *v* microfotografie. ▼**—processeur** *m* microprocessor. ▼**—scope** *m* microscoop. ▼**—scopie** *v* (het) bekijken door de microscoop. ▼**—scopique** *bn* 1 wat geschiedt door de microscoop; wat slechts door de microscoop kan worden waargenomen; 2 zeer klein. ▼**—sillon** *bn* en *zn m* langspeel (plaat).

miction *v* (het) wateren.

midi I *m* 1 12 uur 's middags, middag; *en plein —*, op klaarlichte dag; *chercher — à quatorze heures*, spijkers op laag water zoeken;

2 zuiden. II **le M—** *m* het zuiden van Frankrijk.

midinette *v* 1 Parijs ateliermeisje; 2 stadsgrietje.

mie *v* 1 kruim v. brood; *à la — de pain*, (*pop.*) waardeloos; 2 (*fam.*) vriendin.

miel *m* honing; *doux comme le —*, honingzoet; *lune de —*, wittebroodsweken. ▼**miel/é bn** 1 zoet gemaakt met honing (*eau —e*); 2 eigen aan honing (*odeur —e*). ▼**—eusement** *bw* zoetsappig. ▼**—eux, -euse** *bn* 1 honingachtig; 2 zoetsappig.

mien, -enne *vnw* I *bn*: *un mien parent*, een bloedverwant van mij. II *zn* (de, het) mijne; *les —s, —ennes*, de mijne(n).

miette *v* 1 kruimel; 2 brokje, deeltje; stukje; 3 overblijfsel (*les —s d'une fortune*); *mettre en —s*, in gruizelementen gooien.

mieux I *bw* 1 beter; *aller, être, se porter —*, het beter maken; *pour — dire*, juister gezegd; *valoir —*, beter zijn; 2 liever; *j'aime — me promener*, ik wandel liever. II *zn m* (het) betere, (het) beste; *aller de — en —*, vooruitgaan; *à qui —*, om strijd; *au —*, opperbest; *je ne demande pas —*, ik wil, ik heb niets liever; *faire de son —*, zijn best doen; *faute de —*, bij gebrek aan beter; *qui — est*, wat beter is.

mièvr/e *bn* 1 gekunsteld, popperig, zoetelijk; 2 tenger, teer. ▼**—erie, -eté** *v* gekunsteldheid, popperigheid, zoetelijkheid.

mignard *bn* gemaakt vriendelijk, lief. ▼**—ise** *v* popperigheid, aanstellerige liefheid.

mignon, -ne I *bn* lief, aardig; *argent —*, zakgeld. II *zn m*, **-onne** *v* lieveling, schat. ▼**—nerie** *v* liefheid. ▼**—nette** *v* 1 schatje; 2 fijne peper; 3 kleine anjelier; 4 fijn grint. ▼**mignoter** *ov.w* (*fam.*) vertroetelen.

migrain/e *v* schele hoofdpijn. ▼**—eux, -euse** *bn* aan schele hoofdpijn lijdend.

migrant *m* migrant. ▼**migrateur, -trice** *bn* trekkend; *oiseaux —s*, trekvogels. ▼**migration** *v* 1 landverhuizing; 2 vogeltrek. ▼**migratoire** *bn* trek-; *solde —*, migratie-overschot.

mi-jambe (à) tot halverwege de benen.

mijaurée *v* nufje; *faire la —*, (v. vrouw) aanstellerig doen.

mijoter I *ov.w* 1 zacht stoven; 2 langzaam voorbereiden. II *on.w* zacht koken.

mil I *telw.* duizend. II *zn m* 1 gierst; 2 soort knots voor gymnastiek.

milan *m* wouw.

Milan *m* Milaan. ▼**Milanais** I *zn* Milanees. II *bn m—* Milanees.

mile *m* Engelse mijl.

milice *v* 1 militie, lichting; 2 leger, troepen. ▼**milicien** *m* milicien.

milieu [*mv* x] *m* 1 midden; *au beau —*, juist in het midden; *pièce de —*, middenstuk op tafel; 2 omgeving, kring; 3 middenweg; *le juste —*, de juiste middenweg; *il n'y a pas de —*, er is geen middenweg; 4 (*arg.*) onderwereld, misdadigers.

milit/aire I *bn* militair, krijgskundig, wat oorlog betreft; *venir à l'heure —*, precies op tijd komen. II *zn m* militair. ▼**—ant** *bn* strijdend. ▼**militar/isation** *v* (het) op mil. wijze inrichten. ▼**—iser** *ov.w* op mil. wijze inrichten, militariseren. ▼**—isme** *m* militarisme. ▼**—iste** I *zn m* militarist. II *bn* militaristisch. ▼**militer** *on.w* strijden.

mille I *telw.* duizend; *des — et des cent*, zeer veel. II *zn m* 1 mijl; 2 duizendtal.

mille-feuille† *v* duizendblad (*plk.*).

mille-fleurs *v* parfumgeur, ontstaan uit de geuren v. allerlei bloemen.

millénaire I *bn* duizendjarig, uit duizend bestaande; *nombre —*, duizendtal. II *zn m* duizend jaar, millennium. ▼**millénium** *m* duizendjarig rijk.

mille-pattes, mille-pieds *m* duizendpoot.

millésime *m* jaartal op munten, medailles, enz. ▼**millésimé** *bn* v.e. jaartal voorzien.

millet *m* gierst.

milliaire I *bn* wat een mijl betreft; *borne —*, mijlpaal. II *zn m* mijlpaal.

milliard *m* miljard. **▼—aire** I *bn* een miljard bezittend. II *zn m* miljardair.

milliasse *v* 1 enorme som, enorme hoeveelheid; 2 koek van maismeel.

milli/ème I *telw.* duizendste. II *zn m* duizendste deel. **▼—er** *m* 1 duizendtal; 2500 kg.

milli/gramme *m* milligram. **▼—litre** *m* milliliter. **▼—mètre** *m* millimeter.

million *m* miljoen. **▼—ième** *telw.* miljoenste. **▼—naire** I *bn* één of meer miljoenen bezittend. II *zn m* miljonair.

milouin *m* tafeleend.

mime *m* 1 klucht met gebarenspel bij de Grieken en Romeinen; 2 kluchtspeler; 3 pantomimespeler; 4 imitator. **▼mimer** *ov.w* nabootsen, imiteren. **▼mimétisme** *m* mimicry.

mimi I *bn* (*fam.*) lief, schattig, II *zn m* 1 poes; 2 schatje.

mimique I *bn* wat gebarenspel betreft, mimisch. II *zn v* mimiek, gebarenspel. **▼mimologie** *v* nabootsing v. stem en gebaren.

mimosa *m* mimosa (*plk.*).

minable *bn* (*fam.*) sjofel, ellendig.

minaret *m* minaret.

minaud/er *on.w* overdreven lief doen, aanhalen. **▼—erie** *v* liefdoenerij, aanhaligheid. **▼—ier, -ière** *bn* overdreven lief, aanhalig.

mince I *bn* 1 dun, smal, mager; 2 pover, gering. II *tw* nee maar!; — *de* (*pop.*), wat een! **▼minceur** *v* 1 dunheid, smalheid, magerheid; 2 poverheid, geringheid.

mine *v* 1 uiterlijk, gezicht, voorkomen; *avoir bonne, mauvaise* —, er goed, slecht uitzien; *faire bonne, mauvaise* — *à qn.*, iem. vriendelijk, onvriendelijk ontvangen; *faire* — *de*, net doen alsof; *faire des* —*s*, overdreven -, aanstellerig lief doen; *faire* — —, een lelijk gezicht trekken; — *de rien* (*pop.*), zonder dat het opvalt; 2 mijn; groeve; *puits de* —, mijnschacht; 3 mijn, springlading; — *antichar*, antitankmijn; *chambre de* —, fourneau de —, mijnkamer; *champ de* —*s*, mijnenveld; *éventer la* —, lont ruiken; — *flottante*, drijvende mijn; — *magnétique*, magnetische mijn; 4 — *de plomb*, potlood (erts); *la* — *d'un crayon*, de stift v.e. potlood. **▼miner** *ov.w* mijnen leggen, ondermijnen.

minerai *m* erts.

minéral [*mv* **aux**] I *bn* mineraal, wat delfstoffen betreft; *eau* — *e*, mineraalwater. II *zn m* mineraal, delfstof. **▼—ier** *m* ertsschip. **▼—isation** *v* omzetting in erts. **▼—iser** *ov.w* in erts omzetten. **▼—ogie** *v* delfstofkunde. **▼—ogiste** *m* delfstofkundige.

minet *m*, **-ette** *v* I poesje. II **-ette** *v* ijzererts uit Lotharingen.

mineur I *bn* 1 van de mijn (*ouvrier* —); 2 kleiner, minder; *l'Asie* —*e*, Klein-Azië; *les Frères* —*s*, de minderbroeders, franciscanen; *les ordres* —*s*, de kleine wijdingen; 3 minderjarig; 4 mineur (*muz.*). II *zn m* 1 mijnwerker; 2 mineur (*mil.*); 3 minderjarige; 4 kleine tertstoonaard.

mini *bn* mini, kort.

miniatur/e *v* 1 versierde hoofdletter aan het begin v. e. hoofdstuk in oude manuscripten; 2 gekleurde tekening in oude manuscripten; 3 kleine aquarel; 4 *en* —, in het klein; *golf* —, midgetgolf. **▼—iste** *m* miniatuurschilder.

minier, -ière I *bn* wat mijnen betreft (*industrie* —*ière*). II *zn* -ière *v* open mijn, ertsgroeve.

minijupe *v* minirok.

minima (**à**) — *thermomètre à* —, minimumthermometer; *appel à* —, beroep van het O.M. tegen te lichte straf. **▼minimal** *bn* minimum-. **▼minim/e** *bn* zeer klein. **▼—iser** *ov.w* tot het minimum terugbrengen. **▼—ité** *v* uiterste kleinheid. **▼—um** I *bn* minimum, (het) kleinste. II *zn m* (het) kleinste, minimum; *au* —, op zijn minst.

ministère *m* 1 ambt, bediening; 2 tussenkomst; 3 ministerie. **▼ministériel**

-elle *bn* ministerieel. **▼ministrable** *bn* die in aanmerking komt voor minister. **▼ministre** *m* 1 minister; — *plénipotentiaire*, gevolmachtigd minister; 2 bedienaar v.e. godsdienst; — *des autels*, — *de Dieu*, priester; 3 uitvoerder, werktuig.

minium *m* menie.

minois *m* (*fam.*) aardig gezichtje.

minoritaire *bn* v.d. minderheid. **▼minorité** *v* 1 minderjarigheid; 2 minderheid.

minoterie *v* meelfabriek. **▼minotier** *m* meelfabrikant, molenaar.

minou *m* (*fam.*) katje, poesje.

minuit *m* middernacht, twaalf uur 's nachts; *messe de* —, nachtmis.

minuscule I *bn* zeer klein. II *zn v* kleine letter.

minutage *m* precieze timing. **▼minut/e** *v* 1 minuut; *je suis à la* —, ik ben precies op tijd; *je reviens dans une* —, ik kom onmiddellijk terug; — *!*, kalm wat!, wacht even!; 2 origineel, minuut v.e. akte. **▼—er** *ov.w* de minuut v.e. akte opmaken; (tot op de minuut) timen. **▼—erie** *v* 1 wijzerwerk v.e. klok, v.e. horloge; 2 tijdschakelaar. **▼—ie** *v* 1 kleinigheid, beuzelarij; 2 uiterste nauwkeurigheid. **▼—ieusement** *bn* uiterst nauwkeurig. **▼—ieux, -ieuse** *bn* uiterst nauwkeurig.

miocène *m* Mioceen.

mioche *m* of *v* (*fam.*) kleuter.

mi-parti *bn* in tweeën verdeeld.

mirabelle *v* kleine gele pruim (mirabel). **▼mirabellier** *m* mirabellenboom.

miracle *m* 1 wonder; *à* —, uitstekend; *crier (au)* —, in extase raken; *par* —, (als) door een wonder; 2 middeleeuws mirakelspel. **▼miracul/eusement** *bw* op wonderbaarlijke wijze. **▼—eux, -euse** *bn* 1 wonderbaarlijk; 2 bewonderenswaardig.

mirage *m* 1 luchtspiegeling; 2 zinsbedrog.

mire *v* 1 mikpunt; (het) mikken; *cran de* —, vizierkeep; *ligne de* —, richtlijn; *point de* —, mikpunt (ook *fig.*); 2 slagtand v.e. everzwijn; 3 (*oud*) dokter; 4 baak.

mirepoix *v* soort uiensaus.

mirer I *ov.w* 1 mikken; 2 jagen naar, loeren op (— *une place*); 3 spiegelen; 4 eieren schouwen (tegen het licht). II **se** — 1 zich spiegelen, zich bekijken; 2 zich bewonderen. **▼mirette** *v* (*pop.*) oog.

mirifique *bn* (*fam.*) buitengewoon, verbazend, wonderbaarlijk.

mirliflore *m* (*fam.*) saletjonker.

mirliton *m* mirliton (*muz.*), rietfluitje.

mirobolant *bn* (*fam.*) buitengewoon, verbazend, wonderbaarlijk.

miroir *m* 1 spiegel; — *ardent*, brandglas; *écriture en* —, spiegelschrift; *œufs au* —, spiegeleieren; 2 spiegel op vogelveren; 3 spiegel v.e. schip.

miroit/ement *m* (weer)spiegeling, flikkering. **▼—er** *on.w* (weer)spiegelen, flikkeren; *faire* — *aux yeux de qn.*, voorspiegelen. **▼—erie** *v* 1 spiegelhandel; 2 spiegelfabriek. **▼—ier** *m*, **-ière** *v* 1 spiegelhandelaar(ster); 2 spiegelfabrikant(e).

mironton, mirontaine veel voorkomend refrein van volksliedjes.

miroton *m* soort vleesragoût met uien.

mis *v.dw* van **mettre**; *bien*: *bien* —, goed gekleed.

misaine *v*: *mât de* —, fokkemast; (*voile de*) *misaine*, fokkezeil.

misanthrop/e I *bn* misantropisch, mensenhatend. II *zn m* of *v* mensenhater, -haatster. **▼—ie** *v* mensenhaat. **▼—ique** *bn* mensenhatend, misantropisch.

miscellanées *v* mv mengelwerk.

miscible *bn* mengbaar.

mise *v* 1 (het) leggen, zetten, stellen, plaatsen; — *à l'eau*, tewaterlating; — *au point*, voltooiing; — *bas*, (het) werpen v. jongen; — *en bouteilles*, (het) bottelen; — *en scène*, regie; — *au tombeau*, graflegging; — *en vente*, (het) in de handel brengen; (het) verschijnen v.e. boek; 2 inzet, pot; 3 kleding; *cela n'est pas de* —, dat past niet. **▼miser** *ov.w* en *on.w*

1 inzetten; **2** wedden; — *sur les deux chevaux*, zich aan beide kanten indekken; **3** — *sur* (*fam.*), rekenen (op).

misérable I bn **1** ellendig, ongelukkig, arm. II zn m of v **1** ongelukkige, arme; **2** ellendeling, schurk. ▼**misère** v **1** ellende, nood; *c'est une* —, het is erg vervelend; **2** kleinigheid, wissewasje; *misère* bij het kaartspel; **4** plagerij (*faire des* —*s*). ▼**misér/éré**, **miserere** m 50e psalm. ▼**—eux**, **-euse** I bn arm, armoedig. II zn m, -euse v arme stakker.

miséricord/e v barmhartigheid, goedertierenheid, ontferming; *des œuvres de* —, werken v. barmhartigheid; *à tout péché* —, (*spr.w*) er is vergiffenis voor iedere zonde. ▼**—ieusement** bw barmhartig, goedertieren. ▼**—ieux**, **-ieuse** bn barmhartig, goedertieren.

miso/gyne I bn vrouwen hatend. II zn m vrouwenhater. ▼**—gynie** v vrouwenhaat.

missel m missaal, misboek.

missile m raket, geleid projectiel; *air-air*, raket vanuit de lucht op een luchtdoel; *air-sol*, raket vanuit de lucht op een gronddoel. (zo ook: — *mer-sol*, — *mer-air*, enz.).

mission v **1** opdracht; **2** zending; **3** missie (*rk*). ▼**—naire** m **1** missionaris, zendeling; **2** verbreider, propagandist v. bepaalde denkbeelden.

missive v brief, bericht.

mistelle v druivenmost met alcohol.

mistigri m (*fam.*) **1** poes; **2** soort kaartspel; **3** klaverenboer in sommige kaartspelen.

mistoufle v **1** (*pop.*) ellende; **2** (*fam.*) rotstreek.

mistral m koude, droge noordenwind in het Z.O.v. Frankrijk.

mitaine v want (handschoen); *prendre des* —*s*, met fluwelen handschoenen aanpakken.

mite v **1** mijt; **2** mot. ▼**mité** bn waar de mot in zit.

mi-temps v half-time, rust.

miteux, **-euse** bn (*fam.*) armzalig, sjofel.

mitigation v verzachting, matiging. ▼**mitiger** ov.w verzachten, matigen.

miton m polsmof.

mitonner I ov.w **1** langzaam laten koken, laten sudderen; **2** lang en voorzichtig voorbereiden (— *une affaire*). II on.w zachtjes koken, sudderen.

mitoyen, **-enne** bn in het midden liggend; *mur* —, mandelige (gemeenschappelijke) muur. ▼**—neté** v mandeligheid.

mitraill/ade v schrootvuur. ▼**—e** v schroot. ▼**—er** I on.w met schroot -, met een mitrailleur schieten. II ov.w met schroot -, met een mitrailleur beschieten. ▼**—ette** v draagbare mitrailleur, stengun. ▼**—eur** m mitrailleurschutter. ▼**—euse** v mitrailleur.

mitr/al [*mv aux*] bn mijtervormig. ▼**—e** v **1** mijter; *recevoir la* —, bisschop worden; **2** schoorsteenkap. ▼**—é** bn gemijterd.

mitron m (*pop.*) bakkersjongen.

mi-voix (à) halfluid.

mixage m gelijktijdige opname op een film van de verschillende geluiden. ▼**mixer** ov.w mixen. ▼**mixer**, **mixeur** m mixer. ▼**mixte** bn gemengd; *bain* —, gemengd bad; *jouer en* —, een *mixed* spelen (*tennis*). ▼**mixtion** v (het) mengen v. geneesmiddelen. ▼**—ner** ov.w mengen. ▼**mixture** v mengsel, mixtuur.

Mlle, **MM.**, **Mme** afk. van mademoiselle, messieurs, madame.

mnémo/nique I bn **1** wat het geheugen betreft; **2** wat het geheugen helpt. II v mnemotechniek, geheugenkunst. ▼**—technie** v geheugenkunst. ▼**—technique** I bn wat het geheugen helpt. II v = mnémonique.

mobile I bn **1** beweeglijk, beweegbaar; *fête* —, veranderlijke feestdag (zoals Pasen); *garde* —, burgerwacht; **2** veranderlijk, onvast (*caractère* —). II zn m **1** lichaam in beweging; **2** beweegkracht; **3** drijfveer; **4** soldaat der *garde mobile*.

mobilier, **-ière** I bn roerend; *saisie* —*ère*, inbeslagname v. roerend goed; *vente* —*ère*,

gerechtelijke verkoop v. roerend goed. II zn m huisraad.

mobilis/able bn te mobiliseren. ▼**—ation** v mobilisatie. ▼**—er** ov.w **1** mobiliseren; **2** een beroep doen op iemands diensten.

mobilité v **1** beweeglijkheid, beweegbaarheid; **2** veranderlijkheid, wispelturigheid.

mocassin m Indianenschoen.

moche I (*oud*) zn v streng. II bn (*pop.*) lelijk, sof. ▼**mocheté** v (*fam.*) lelijk iemand.

modal [*mv aux*] bn **1** modaal, van wijze (*gram.*); **2** van de toonsoort. ▼**—ité** v **1** modaliteit, wijze (*gram.*). ▼**—** toonsoort.

mode I v **1** mode; *à la* —, in de mode; *personnage à la* —, gevierd persoon; *passé de* —, uit de mode. **2** manier. II —*s* v mv mode-artikelen; *magasin de* —*s*, dameshoedenwinkel. III m **1** wijze; — *d'emploi*, gebruiksaanwijzing; **2** modaliteit; **3** wijs v.e. werkwoord; **4** toonaard.

modelage m modellering. ▼**modèle** m model, voorbeeld. ▼**model/é** m weergave der vormen, reliëf. ▼**—er** ov.w **1** modelleren, boetseren; **2** regelen naar, navolgen. ▼**—eur** m **1** boetseerder; **2** modelfabrikant, -koopman. ▼**modéliste (modelliste)** m modellenmaker.

modér/antisme m stelsel v. politieke gematigdheid. ▼**—ateur** m, **-atrice** v **1** bestuurder (-ster), regelaar; *le* — *de l'univers*, God; **2** regulateur (toestel). ▼**—ation** v **1** gematigdheid; **2** verzachting v.e. straf. ▼**modéré** bn **1** gematigd; **2** matig (*prix* —). ▼**modérer** I ov.w matigen, verzachten, beteugelen, verlagen (— *ses prix*). II se — zich matigen, zich bedwingen.

modern/e I bn modern, nieuwerwets; *enseignement* —, MO zonder klassieke talen. II zn m **1** het moderne; **2** modern mens, modern schrijver. ▼**—isation** v modernisering. ▼**—iser** ov.w moderniseren, verjongen, vernieuwen. ▼**—isme** m **1** smaak voor moderne dingen of opvattingen; **2** modernisme (*rk*). ▼**—iste** m **1** voorstander v.h. moderne; modernist (*rk*). ▼**—ité** v moderniteit.

modest/e bn **1** bescheiden, nederig; **2** zedig; **3** eenvoudig. ▼**—ie** v **1** bescheidenheid; **2** zedigheid; **3** eenvoud.

modicité v geringheid, billijkheid v. prijs.

modifi/able bn veranderbaar. ▼**—ant** bn wijzigend, veranderend. ▼**—cateur**, **-trice** bn wijzigend. ▼**—catif**, **-ive** bn wijzigend. ▼**—cation** v wijziging. ▼**—er** I ov.w **1** wijzigen, veranderen; **2** (*gram.*) bepalen. II se — veranderen, gewijzigd worden.

modique bn matig, gering, billijk v. prijs.

modiste v modiste.

modulation v **1** stembuiging; **2** overgang v.d. ene toonaard in de andere.

module m **1** maat waarmee men de proportie's v.e. gebouw bepaalt; **2** eenheid v. maat voor stromende wateren; **3** middellijn v. medailles of munten; **4** modulus (*wisk.*); **5** maatstaf.

moduler I ov.w **1** met veel stembuiging voordragen; **2** zingen, dichten (*dicht*); **3** golflengte veranderen. II on.w v.d. ene toonaard in de andere overgaan.

moell/e v **1** merg; — *allongée*, verlengde merg; — *épinière*, ruggemerg; *os à* —, mergpijp; *jusqu'à la* — *des os*, door en door, geheel en al; **2** (het) beste; **3** plantenmerg, pit; — *de sureau*, vlierpit. ▼**—eusement** bw zacht, mollig. ▼**—eux**, **-euse** bn **1** mergachtig (*os* —); **2** zacht, mollig; *contours* —, zacht afgeronde lijnen; *étoffe* —*euse*, zachte stevige stof; *pinceau* —, breed penseel; *vin* —, zachte wijn; *voix* —*euse*, liefelijke en toch volle stem. ▼**—on** m blokstenen.

mœurs v mv zeden, gewoonten, gebruiken; *certificat de bonnes vie et* —, bewijs van goed zedelijk gedrag; *la brigade des* — (*les* —), de zedenpolitie; *de* — *faciles*, van lichte zeden; *avoir des* —, een zedelijk leven lijden, goed oppassen; *n'avoir point de* —, een onzedelijk

leven lijden, slecht oppassen.
mofette, moufette v 1 mijngas; 2 stinkdier.
mohair m stof v. haar v.d. angoragelt.
moi I vnw m of v mij, ik; à —/, help!; de vous à — , onder ons gezegd en gezwegen. II zn m het ik.
moignon m stomp (bijv. v. arm).
moindre bn 1 kleiner, minder, geringer; 2 kleinste, minste, geringste. ▼—**ment** bw minder; pas le —, volstrekt niet.
moine m 1 monnik; 2 monniksrob; 3 beddewarmer, beddepan; 4 wit gebleven gedeelte v.e. gedrukt blad.
moineau [mv **x**] m 1 mus; brûler, tirer sa poudre aux —x, veel kosten maken voor onbelangrijke dingen; 2 (pop.) un vilain —, een gemene kerel.
moinerie v (fam.) de monniken.
moins I bw 1 minder; — de, minder dan; de — en —, hoe langer hoe minder; en —, in mindering; de — de rien, in een oogwenk; ne pas —, toch, niettemin; rien — que, allesbehalve; 2 minst; au —, tout au —, ten minste, minstens; au —, toch; il n'est pas malade au —?, hij is toch niet ziek?; du —, ten minste; pas le — du monde, volstrekt niet, in het minst niet. II vz min; douze — huit égale quatre, 12 – 8 = 4; huit heures — dix, tien voor acht; — une, — cinq, (pop.), op het nippertje. III vgw: à — que (met subj.), à — de (met onb. wijs), tenzij. IV zn m 1 (het) minteken; 2 (het) minus.
moins-perçu† m (het) te weinig ontvangene.
moins-value† v 1 verminderde opbrengst; 2 waardevermindering.
moirage m (het) gevlamd maken, (het) wateren v. stoffen. ▼**moire** v 1 gevlamde stof; 2 de weerschijn van die stof. ▼**moiré** I bn gewaterd, gevlamd (v. stoffen). II zn m (het) vlammen' v. gewaterde stof. ▼**moirer** ov.w wateren v. stoffen.
mois m 1 maand; six —, een half jaar; 2 maandloon.
moise v klamp.
Moïse m Mozes; un m—, een wiegemandje.
moiser ov.w met klampen vastmaken.
moisi I bn beschimmeld. II zn m schimmel; sentir le —, muf ruiken.
moisiaque bn Mozaïsch.
moisir I ov.w doen beschimmelen. II on.w schimmelen; — quelque part, ergens lang blijven. III se — schimmelen. ▼**moisissure** v schimmel.
moissine v wijngaardrank met druiventros.
moisson v 1 oogst; faire la —, oogsten; 2 oogsttijd; 3 oogst (fig.), grote hoeveelheid. ▼—**nage** m (het) oogsten. ▼—**ner** ov.w 1 oogsten; — des lauriers, lauweren oogsten; 2 wegmaaien, wegrukken. ▼—**neur, -euse** v I oogster. II -euse v maaimachine. ▼—**neuse-batteuse** v maai- en dorsmachine. ▼—**neuse-lieuse** v maai- en bindmachine.
moit/e bn klam. ▼—**eur** v klamheid.
moitié v 1 helft; à —, half; à — chemin, halverwege; à — prix, voor de halve prijs; de —, voor de helft; 2 wederhelft.
moitir ov.w klam maken.
moka m mokkakoffie.
mol, molle zie **mou**.
molaire I bn: dent —, kies. II zn v kies.
molasse v zachte kalksteen.
môle m havenhoofd.
moléculaire bn moleculair. ▼**molécule** v molecule.
moleskine v 1 soort voeringstof; 2 soort imitatieleer.
molestation v overlast, hinder. ▼**molester** ov.w overlast aandoen, hinderen.
molette v 1 kartelrad; 2 radertje.
moliér/esque bn betrekking hebbend op Molière. ▼—**iste** m Molièrekenner.
Molinisme m leer v. Molina (over de genade en de vrije wil). ▼**Moliniste** m aanhanger der leer v. Molina.
mollah v molla (h).
mollass/e I bn week, slap. II zn v zachte

kalksteen. ▼—**erie** v slapheid, weekheid. ▼—**on, -onne** bn erg slap, erg week.
▼**mollement** bw 1 zacht; 2 slap, week, verwijfd; 3 slapjes, niet hard, niet veel (travailler —). ▼**mollesse** v 1 zachtheid, weekheid; 2 slapheid, verwijfdheid.
mollet I zn m kuit. II bn m, -ette v zacht, week; œuf —, zacht gekookt ei; pain —, licht wittebrood.
molletière v beenwindsel.
molleton m molton. ▼—**ner** ov.w moltonneren. ▼—**neux, -euse** bn moltonachtig.
mollir on.w 1 week worden; 2 gaan liggen v.d. wind; 3 wijken (bijv. v. troepen).
mollusque m 1 weekdier; 2 (pop.) suffer, onnozele hals.
molosse m grote waakhond, dog.
môme I m 1 (pop.) klein kind. II v (pop.) meisje.
moment I zn m ogenblik; à tout —, ieder ogenblik; au — de, op het ogenblik van, op het punt van; d'un — à l'autre, ieder ogenblik; à ce — —, op dat ogenblik, toen; en ce —, op dit ogenblik, nu; un —!, wacht eens even!, luister eens!; par —s, nu en dan. II vgw: au — que, au — où, op het ogenblik dat; du — que, sedert, zodra; daar. ▼**momentané** bn kortstondig. ▼—**ment** bw gedurende een ogenblik, tijdelijk.
momerie v 1 aanstellerij; 2 belachelijke vertoning.
momie v 1 mummie; 2 schraal, mager persoon; 3 houten klaas. ▼**momification** v (het) tot mummie maken, mummificeren. ▼**momifier** I ov.w tot mummie maken. II se — 1 tot mummie worden; 2 vermageren.
mon m, **ma** v, **mes** m en v mv mijn.
monacal [mv **aux**] bn wat monniken betreft (la vie —e), monachaal. ▼**monachisme** m monnikswezen.
monarch/ie v 1 éénhoofdig bestuur; 2 rijk, door een alleenheerser bestuurd. ▼—**ique** bn éénhoofdig, monarchistisch. ▼—**isme** m stelsel dat de alleenheerschappij verdedigt. ▼—**iste** I bn monarchistisch. II zn m aanhanger v.h. monarchisme. ▼**monarque** m alleenheerser, vorst, monarch.
monastère m klooster. ▼**monastique** bn wat het klooster of de kloosterlingen betreft; vie —, kloosterleven.
monceau [mv **x**] m stapel, hoop, opeenhoping.
mondain I bn van werelds. II zn m werelds mens. ▼**mondanité** v wereldsgezindheid.
monde m 1 wereld; aller, passer dans l'autre —, sterven; loger au bout du —, erg afgelegen wonen; mettre au —, ter wereld brengen; le mieux du —, best; partie du —, werelddeel; pas le moins du —, in het minst niet; c'est le — renversé, het is de omgekeerde wereld; 2 mensen; avoir du —, de omgangsvormen kennen, weten hoe het hoort; nous avons du —, we hebben gasten; le grand, le beau —, de chic, de grote lui; homme du —, man v.d. wereld; le petit —, de gewone lui; tout le —, iedereen; 3 bedienden; congédier son —, zijn bedienden wegzenden.
monder ov.w 1 schoonmaken; 2 pellen, schillen; orge mondé, gepelde gerst.
mondial [mv **aux**] bn van de wereld, mondiaal. ▼—**isation** v (het) zich over de hele wereld verspreiden.
monégasque I bn van Monaco, Monagaskisch. II zn M— m of v bewoner, bewoonster v. Monaco, Monagask.
monétaire bn wat munten betreft, monetair. ▼**monétiser** ov.w als geld in omloop brengen.
mongol I bn Mongools. II zn M— m, -e v Mongool(se). ▼—**ien, -ienne** bn mongoloïde, mongolenachtig. ▼—**ique** bn Mongools. ▼—**isme** m id.
moniteur m, **-trice** v 1 raadgever, -geefster; 2 voorturner (-ster); 3 goede leerling(e), die als repetitor optreedt bij zijn (haar) medeleerlingen; 4 (jeugd)leider, -ster; 5 — de

ski, skileraar; — *d'auto-école*, rij-instructeur.
monit/ion v kerkelijke waarschuwing, die aan
de ban vooraf dient te gaan. ▼—**oire** *bn*
waarschuwend, vermanend.
monitor *m* monitor (*scheepv.*).
monnaie v 1 munt, geld, wisselgeld; *battre* —,
munt slaan (ook *fig.*); — *de compte*,
rekenmunt; *payer qn. en* — *de singe*, zich met
mooie praatjes van iem. afmaken; *rendre à qn.*
la — *de sa pièce*, iem. met gelijke munt
betalen; 2 —*-du-pape*, judaspenning (*plk.*);
3 la M—, de Munt. ▼**monnay/age** *m* (het)
munten. ▼—**er** *ov.w* munten. ▼—**eur** *m*
munter; *faux* —, valse munter.
mono/- *voorvoegsel*: alleen, één.
▼—**atomique** *bn* dat één atoom bevat.
▼—**bloc** *bn* uit één stuk. ▼—**chrome** *bn*
éénkleurig.
monocle *m* oogglas.
monocoque *bn* zonder chassis.
monocorde I *bn* 1 éénsnarig; 2 ééntonig. **II** *z*
m monochord(ium).
monocotylédone I *bn* éénzaadlobbig. **II** *v mv*
éénzaadlobbigen.
mono/culture v monocultuur, verbouw v. één
gewas.
mono/game *bn* slechts één vrouw of één man
hebbend. ▼—**gamie** v stelsel, waarbij de man
slechts één vrouw of de vrouw één man heeft.
monogramme *m* naamcijfer.
monograph/ie v verhandeling over één
onderwerp of één persoon. ▼—**ique** *bn* over
één onderwerp of één persoon (*étude* —).
mono/ique *bn* éénhuizig (*plk.*). ▼—**lingue** *bn*
eentalig. ▼—**lithe** *I* *bn* uit één steenblok
gevormd. **II** *zn* *m* monument uit één steenblok
gemaakt, monoliet.
mono/logue *m* 1 alleenspraak; 2 voordracht
voor één persoon; — *intérieur*, id., innerlijke
monoloog, zelfgesprek, gedachtenstroom
(= romantechniek). ▼—**loguer** *on.w* 1 in
zichzelf praten; 2 een monoloog houden.
mono/mane, —**maniaque I** *bn* een
geestelijke afwijking hebbend op één punt.
II *zn* *m* of *v* iem. die een geestelijke afwijking
heeft op één punt. ▼—**manie** v geestelijke
afwijking op één punt; — *de la persécution*,
achtervolgingswaanzin.
mono/mètre *bn* in één versmaat geschreven.
▼—**moteur** *bn* eenmotorig. ▼—**phonique** *bn*
mono (via één geluidskanaal). ▼—**place** *bn*
met één plaats. ▼—**plan** *bn* eendekker.
mono/pole *m* 1 monopolie, alleenverkoop,
alleenhandel; 2 uitsluitend recht, alleenbezit.
▼—**polisation** v (het) tot monopolie maken.
▼—**poliser** *ov.w* de alleenverkoop hebben; tot
een monopolie maken, monopoliseren.
mono/rail *m* hangspoor (met één rail),
monorail. ▼—**rime** *bn* met één rijm.
▼—**sperme** *bn* eenzadig.
mono/syllabe I *bn* eenlettergrepig. **II** *zn* *m*
eenlettergrepig woord. ▼—**syllabique** *bn*
eenlettergrepig.
mono/théique *bn* monotheïstisch.
▼—**théisme** *m* eengodendom. ▼—**théiste** *m*
aanbidder v. één God.
mono/tone *bn* eentonig. ▼—**tonie** v
eentonigheid.
monotype v zetmachine met afzonderlijke
letter, monotype.
monovalent *bn* eenwaardig.
Mons Bergen (in Henegouwen).
monseigneur *m* 1 titel van bisschoppen of
zeer hooggeplaatse personen; 2 breekijzer
voor sloten.
monsieur [*mv* **messieurs**] *m* 1 mijnheer;
2 heer; *ces messieurs*, de heren; *faire le* —, *faire*
le gros —, gewichtig doen, dik doen; 3 titel
v.d. oudste broer v.d. Franse koning; *prune de*
—, dikke paarse pruim.
monstr/e [*z* —] *m* monster, gedrocht. **II** *bn*
geweldig (*un dîner* —). ▼—**ueusement** *bw*
1 monsterachtig; 2 verbazend, geweldig.
▼—**ueux**, **-ueuse** *bn* 1 monsterachtig,
gedrochtelijk; 2 geweldig, verbazend groot.
▼—**uosité** v 1 monsterachtigheid,

gedrochtelijkheid; 2 iets monsterachtigs.

mont *m* berg; — *Cervin*, Matterhorn; *promettre*
—*s et merveilles*, gouden bergen beloven; *par*
—*s et par vaux*, over bergen en dalen.
montage *m* 1 (het) naar boven brengen;
2 (het) omhoog komen (v. melk); 3 (het) in
elkaar zetten, monteren, montage v.e. film;
chaîne de —, lopende band.
montagnard *bn* in de bergen wonend. **II** *zn*
m, -e *v* bergbewoner, -bewoonster.
▼**montagne** v 1 berg, gebergte; *chaîne de*
—*s*, bergketen; 2 stapel, berg; 3 la M—, de
Bergpartij (in de Fr. Revolutie); 4 —*s russes*,
roetsjbaan. ▼**montagneux**, **-euse** *bn*
bergachtig.
montant *I* *zn* *m* 1 stijl v.e. ladder, v.e. deur;
2 totaal bedrag; 3 sterke, doordringende geur;
4 stijging v.d. vloed. **II** *bn* 1 stijgend,
opkomend (*marée* —*e*); 2 stijgend, klimmend
(*chemin* —).
mont†-de-piété *m* bank v. lening.
mont-dore *m* kaassoort uit Auvergne.
monte v dekking v. dieren.
monté *bn* 1 goed voorzien; *être* — *en habits*,
goed in zijn kleren zitten; 2 bereden, te paard
zittend; *être bien* —, een goed paard hebben;
3 ineengezet; *un coup* —, afgesproken werk;
4 nijdig, woedend; *collet* —, waanwijs
iemand; 5 — *en couleur*, hooggekleurd.
monte-charge† *m* goederenlift.
montée v 1 (het) (be-, in-, op)stijgen;
2 helling, steile weg.
monte-en-l'air *m* (*pop.*) inbreker.
monte-pentes *m* skilift.
monte-plats *m* bordenlift.
monter *I* *on.w* 1 klimmen, stijgen, naar boven
gaan; — *à cheval*, te paard stijgen; — *sur les*
planches, toneelspeler worden; — *en voiture*,
in het rijtuig stappen; 2 opklimmen (*fig.*); —
en grade, tot een hogere rang bevorderd
worden; 3 duurder worden, stijgen (v. waren);
4 rijden; — *à bicyclette*, fietsen; 5 bedragen (*le*
prix monte à dix francs). **II** *ov.w* 1 bestijgen,
beklimmen, opgaan (— *un escalier*);
2 berijden (— *un cheval*); 3 naar boven
brengen, ophijsen; 4 in elkaar zetten,
monteren, zetten v. edelstenen; — *une montre*,
een horloge opdraaien; 5 inrichten v.e. huis;
6 op touw zetten; — *une affaire*, een zaak op
touw zetten; 7 dekken (v. dieren); 8 betrekken
(— *la garde*); 9 opwinden; — *la tête à qn.*,
iem. het hoofd op hol brengen. **III** *se* — 1 zich
aanschaffen, zich voorzien van; *se* — *en linge*,
linnengoed aanschaffen; 2 zich opwinden (*se*
— *la tête*); 3 *se* — *à*, bedragen.
monte-sac(s) *m* zakkenlift.
monteur *m*, **-euse** v 1 monteur; 2 zetter v.
edelstenen.
montgolfière v montgolfière, luchtballon.
monticole *bn* op de bergen levend of
groeiend. ▼**monticule** *m* bergje, heuvel.
montjoie *m* (*oud*) hoop stenen om de weg te
wijzen, of als herinnering aan een belangrijk
feit; M— *Saint-Denis* (*montjoie*),
middeleeuwse krijgskreet der Fransen.
montmartrois *bn* uit Montmartre.
montrable *bn* toonbaar. ▼**montre** v
1 horloge; *montre-bracelet*, polshorloge;
2 uitstalling; 3 uitstalkast; *mettre en* —,
uitstallen; 4 vertoon, pronk; *faire* — *de*,
tentoonspreiden, pronken met. ▼**montrer**
I *ov.w* tonen, vertonen, laten zien, wijzen; — *la*
corde, tot de draad versleten zijn; — *au doigt*,
met de vinger nawijzen; — *les talons*, het
hazepad kiezen. **II** *on.w* onderwijzen, leren.
III *se* — 1 zich vertonen, verschijnen;
2 vertoond worden. ▼**montreur** *m*, **-euse** v
vertoner, vertoonster; *d'ours*, bereleider.
monture v 1 rijdier; 2 (het) monteren;
3 montuur; 4 zetting.
monument *m* 1 gedenkteken; 2 groot of zeer
mooi gebouw; 3 belangrijk kunstwerk uit een
bepaald tijdvak. ▼—**al** [*mv* **aux**] *bn*
monumentaal, groots, geweldig.
moque v 1 maatje; 2 mok.
moquer (**se** — **de**) 1 spotten met, bespotten,

uitlachen; **2** maling hebben aan; *je m'en moque pas mal*, 't kan me geen steek schelen; *vous vous moquez!*, u maakt geintjes; u meent het?! ▼**moquerie** v spotternij.

moquette v 1 lokvogel; **2** trijp, moquette.

moqueur, -euse l bn spottend; spotziek. ll zn m, -euse v spotter (-ster). lll -euse v spotvogel.

moraine v morene.

moral [mv **aux**] **l** bn **1** zedelijk, moreel; **2** geestelijk; *facultés —es*, geesteseigenschappen; **3** fatsoenlijk. ll zn m geestkracht, moreel. ▼**morale** v **1** moraal, zedenleer; **2** werk over de moraal; **3** zedenpreek; *faire la — à qn.*, iem. de les lezen; **4** les, moraal. ▼**moralis/ateur, -atrice** bn een goede invloed hebbend op de zedelijkheid. ▼—**ation** v (het) moraliseren; zedelijke verbetering. ▼—**er** l ov.w **1** zedelijk verheffen; **2** de les lezen. ll on.w zedenpreken houden. ▼—**eur** m, **-euse** v zedenpreker, -preekster. ▼**moraliste** m iem. die over zeden schrijft. ▼**moralité** v **1** zedelijkheid; **2** les, moraal; **3** moraliteit (middeleeuws spel).

moratoire bn wat uitstel betreft. ▼**moratorium** m uitstel v. betaling.

morbid/e bn **1** wat ziekte betreft; **2** mollig (v. vlees in de schilderkunst). ▼—**esse** v **1** molligheid v. vlees in schilderkunst; **2** lenigheid. ▼—**ité** v **1** ziektetoestand; **2** ziektecijfer.

morbleu tw (oud) drommels!

morceau [mv **x**] m **1** stuk, brok, hap, mondvol; *aimer les bons —x*, van lekker eten en drinken houden; *mâcher les —x à qn.*, iem. iets voorkauwen, iem. het werk vergemakkelijken; *manger un —*, een stukje eten; *manger, casser le —* (pop.), doorslaan, gaan praten; *rogner les —x à qn.*, iem. kort houden; **2** stuk (wat gebroken is); *tomber en —x*, stukvallen; **3** stuk (kunstwerk; ook: vrouw). ▼**morceler** ov.w verbrokkelen. ▼**morcellement** m verbrokkeling.

mordacité v **1** inbijtende kracht; **2** bitsheid, scherpte.

mordançage m (het) beitsen. ▼**mordancer** ov.w beitsen.

mordant l bn **1** bijtend; **2** invretend; **3** bits, scherp; *voix —e*, schelle stem. ll zn m **1** beits; **2** scherpte; **3** (muz.) mordent. ▼**mordicant** (oud) bn **1** bijtend; **2** scherp, vinnig. ▼**mordicus** bw hardnekkig.

mordillage m geknabbel. ▼**mordiller** ov.w knabbelen op.

mordoré bn goudbruin.

mordre l ov.w **1** bijten; — *la poussière*, in het stof bijten; **2** aantasten. ll on.w **1** — *à*, — *dans*, bijten in; **2** — *à*, plezier hebben in, begrijpen (— *à la musique*); **3** uitbijten; **4** houden v.h. anker; **5** hekelen, aanmerken; **6** — *sur*, vat krijgen op; overschrijden. lll se — *se — les doigts*, hevig berouw hebben. ▼**mordu** a.dw van **mordre**; *c'est un — du football*, het is een voetbal 'gek'.

More = Maure.

moreau, -elle bn glimmend zwart.

morelle v nachtschade (plk.).

moresque = mauresque.

morfil m braam (in metaal).

morfondre: se — **1** verkleumen; **2** tot vervelens toe staan te wachten.

morganatique bn morganatisch.

morgue v **1** laatdunkendheid, verwaandheid; **2** plaats waar men ongeïdentificeerde lijken tentoonstelt; lijkenhuisje.

morgué, morguenne, morguienne tw (oud) soort boerenvloek: verdorie enz.

moribond l bn stervend. ll zn m stervende.

moricaud l bn donkerbruin. ll zn m **1** mulat, neger; **2** (pop.) steenkool.

morigéner ov.w de les lezen.

morille v id., eetbare paddestoel.

morillon m soort blauwe druif.

morion m stormhelm.

mormon, -one l bn mormoons. ll zn **M**— m, **-one** v mormoon, mormoonse. ▼—**isme** m

leer der mormonen.

morne bn somber, doods.

mornifle v (pop.) muilpeer.

morose bn somber, knorrig. ▼**morosité** v somberheid, knorrigheid.

morphème m (taalk.) morfeem.

morphin/e v morfine. ▼—**isme** m morfinevergiftiging. ▼—**omane l** bn verslaafd aan morfine. ll zn m of v morfinist(e). ▼—**omanie** v verslaafdheid aan morfine.

morpholog/ie v vormenleer. ▼—**ique** bn betrekking hebbend op de vormenleer.

morpion m **1** (pop.) jochie; **2** (vulg.) platluis.

mors m bit v.e. paard; *prendre le — aux dents*, op hol slaan; driftig worden.

morse m **1** walrus; **2** morsealfabet.

morsure v **1** beet; **2** wond (fig.), schade.

mort l v **1** dood, overlijden; — *à!*, weg met!; *avoir la — dans l'âme*, diep bedroefd zijn; *la — de l'âme, la — éternelle*, de eeuwige verdoemenis; — *civile*, verlies v. burgerrecht; *condamner à —*, ter dood veroordelen; *être à la —, à deux doigts de la —, à l'article de —*, op sterven liggen; *hair à la —*, dodelijk haten; *mourir de sa belle —*, een natuurlijke dood sterven; *à la vie, à la —*, voor eeuwig; **2** vergif; — *aux rats*, rattenkruit. ll m, -e v **1** dode; *faire le —*, zich dood houden; *le Jour des M—s*, Allerzielen; **2** blinde in het kaartspel. lll bn dood; *la chandelle est —e*, de kaars is uit; *eau —e*, stilstaand water; *langue —e*, dode taal; *lèvres —es*, bleke lippen; *nature —e*, stilleven; *point —*, **1** dode punt; **2** vrijloop (auto); *saison —e*, slappe tijd.

mortaise v keep, tapgat. ▼**mortaiser** ov.w een keep maken in.

mortalité v **1** sterfelijkheid; **2** sterftecijfer.

mort-bois m hout van weinig waarde.

morte†-eau† v dood tij.

mortel, -elle l bn **1** dodelijk; *coup —*, genadeslag, doodsteek; *ennemi —*, doodsvijand; *dépouilles —elles, restes —s*, stoffelijk overschot; *péché —*, doodzonde; **2** sterfelijk; **3** hevig, wreed (douleur —elle); **4** eindeloos, vervelend (cinq —elles lieues). ll zn m, **-elle** v sterveling (e). lll m mv: les —s, de mensen, de stervelingen. ▼m—**lement** bw **1** dodelijk; **2** erg, buitengewoon, vreselijk (— ennuyeux).

morte†-saison† v slappe tijd.

mortier m **1** mortel; **2** vijzel; **3** mortier (mil.).

mortifi/ant bn **1** verstervend; **2** vernederend, grievend. ▼—**cation** v **1** kastijding, versterving; **2** vernedering; **3** (het) besterven, adellijk worden v. wild. ▼—**er** ov.w **1** kastijden, versterven; **2** besterven, malser maken v. vlees; **3** vernederen, grieven, veel verdriet aandoen.

mortinatalité v **1** (het) doodgeboren worden; **2** cijfer der doodgeborenen. ▼**mort-né†** l bn doodgeboren. ll zn m doodgeborene.

mortuaire bn de doden of het lijk betreffend; *drap —*, lijkkleed; *domicile, maison —*, sterfhuis; *extrait —*, uittreksel uit de dodenregisters; *registre —*, dodenregister.

morue v kabeljauw. ▼**morutier** m **1** kabeljauwvisser; **2** schip voor de kabeljauwvangst.

morve v **1** droes; **2** snot. ▼**morveux, -euse l** bn **1** droezig; **2** snotterig; *qui se sent — (qu'il) se mouche*, (spr.w) wie de schoen past, trekke hem aan. ll zn m (fam.) snotneus (fig.).

mosaïque [1] v **1** mozaïek; **2** kunst v.d. mozaïekwerker; **3** allerlei. ll bn Mozaïsch. ▼**mosaïsme** m wet v. Mozes. ▼**mosaïste** m mozaïekwerker.

Moscou m Moskou. ▼**moscovite l** bn Moskovisch. ll zn m of v Moskoviet (-vische).

mosellan bn van de Moezel. ▼**Moselle** v Moezel.

mosquée v moskee.

mosquito m lichte Amerik. bommenwerper gedurende de Tweede Wereldoorlog.

mot m **1** woord; gezegde; — *à —*, woord voor woord, woordelijk; *un — à —*, een

woordelijke vertaling; *à —s couverts*, in bedekte termen; *au bas —*, minstens; *bon —*, geestige zet, kwinkslag; *—s croisés*, kruiswoordraadsel; *dernier —*, laagste prijs; *dire son —*, een woordje meespreken; *ne dire, ne souffler —*, geen woord zeggen; *se donner le —*, met elkaar afspreken; *en un —*, kortom; le fin — *de l'histoire*, het fijne v.d. zaak; *grands —s*, dikke woorden; *gros —s*, scheldwoorden; *jeu de —s*, geestigheid, woordspeling; *manger ses —s*, onduidelijk spreken; *— d'ordre*, wachtwoord; *— propre*, het juiste woord; *qui ne dit — consent*, (spr.w) wie zwijgt, stemt toe; *il n'en sait pas le premier —*, hij weet er geen steek van; *trancher le —*, het kind bij zijn naam noemen; **2** oplossing v.e. raadsel.
motard *m* (*fam.*) motorrijder, motoragent.
motel *m* motel.
motet *m* motet (*muz.*).
moteur, -trice I *bn* bewegend; *force —trice*, beweegkracht. II *zn m* **1** leider; **2** beweegkracht, drijfkracht; **3** motor; *— à deux temps*, tweetaktmotor; *— d'explosion*, explosiemotor; *— flottant*, zwevende motor; *— à réaction*, straalmotor; *— rotatif*, wankelmotor. III *-trice v* motorwagen.
motif *m* **1** beweegrede, drijfveer, motief; **2** thema v.e. kunstwerk.
motilité *v* beweeglijkheid.
motion *v* **1** voorstel, motie; **2** (*oud*) beweging.
motivation *v* motivatie. **▼motiver** *ov.w* rechtvaardigen, wet:igen.
moto *v* motorrijwiel. **▼—caméra** *v* filmopnamecamera met veer. **▼—cross** *m* motorcross. **▼—culture** *v* landbouw met behulp v. machines. **▼—cycle** *m* motorfiets. **▼—cyclette** *v* motorfiets. **▼—cycliste** *m* of *v* motorrijder (-ster). **▼—godille** *v* kleine buitenboordmotor. **▼—nautisme** *m* motorbootsport. **▼—pompe** *v* motorpomp. **▼—risation** *v* motorisering. **▼—riser** *ov.w* motoriseren. **▼—riste** *m* **1** constructeur v. vliegtuig- en automotoren; **2** Monteur v. auto's en motoren. **▼—tracteur** *m* motortractor. **▼motrice** *v* motorwagen.
mots-croisiste(†) *m* liefhebber v. kruiswoordraadsels.
motte *v* **1** aardklomp, kluit; **2** hoogte; **3** kluit; *— de beurre*, kluit boter.
mottereau [*mv* x] *m* oeverzwaluw.
motus! *tw* mondje dicht!
mou, molle (*mol* voor een *m* woord, dat met een klinker of stomme h begint) I *bn* **1** week, zacht; **2** slap, willoos; **3** zwak (*cheval —*); **4** vochtig-warm (*temps —*). II *zn m* **1** long v. sommige geslachten dieren; **2** (het) weke, slappe; *donner du —*, vieren; **3** (*fam.*) slappeling; **4** (*pop.*) hersenpan. III *bw* (*pop.*): *vas-y mou!*, kalmpjes aan!
mouchage *m* het snuiten.
mouchard *m* **1** stille agent; **2** verklikker; **3** (*mil.*) verkenningsvliegtuig. **▼—age** *m* **1** spionage; **2** (het) klikken. **▼—er** *on.* en *ov.w* **1** spioneren; **2** klikken.
mouche *v* **1** vlieg; *— à bœufs*, horzel; *fine —*, slimmerd; *— à miel*, bij; *pattes de —*, hanepoten; *prendre la —*, om een kleinigheid opstuiven; *quelle — le pique?*, waarom wordt hij boos?; *on aurait entendu voler une —*, je kon een speld horen vallen; **2** (*oud*) stille agent, politiespion; **3** klaploper; **4** schoonheidspleister; **5** moesje op stoffen; **6** sikje; **7** roos v.e. schietschijf; *faire —*, de roos treffen.
moucher I *ov.w* **1** snuiten (v. neus); **2** (een kaars) snuiten; **3** kleineren. II *se —* zijn neus snuiten.
moucheron *m* **1** mug, vliegje; **2** (*oud*) pit v.e. brandende kaars; **3** (*pop.*) ventje. **▼—ner** *on.w* vliegje happen aan de uiteinde v.h. water (v. vissen).
mouchet/é *bn* gevlekt, gespikkeld. **▼—er** *ov.w* spikkelen, moesjes maken op stoffen.
mouchette I *v* **1** druiplijst; **2** soort schaaf. II *—s v mv* kaarsensnuiter.
moucheture *v* **1** vlek, stippel; **2** moesje.

mouchoir *m* zakdoek; *— de cou*, halsdoek; *— de tête*, hoofddoek.
moudre *ov.w onr.* malen; *être moulu*, geradbraakt zijn.
moue *v* lelijk gezicht, pruillip; *faire la —*, pruilen; *faire la — à qn.*, een lelijk gezicht tegen iem. trekken.
mouette *v* meeuw.
moufle I *v* want (soort handschoen). II *m* porseleinoven.
mouflet *m*, **-te** *v* (*fam.*) klein kind.
mouflon *m* moeflon (soort wild schaap).
mouillage *m* **1** (het) bevochtigen, weken; **2** anker; **3** ankerplaats; **4** (het) toevoegen v. water aan drank. **▼mouillé** *bn* **1** nat, vochtig; **2** *l —*, l uitgesproken als j; *n —*, n in de uitspraak gevolgd door een j (agneau). **▼mouill/ement** *m* (het) bevochtigen, weken. **▼—er** I *ov.w* **1** nat maken, bevochtigen; *— l'ancre*, het anker uitwerpen; **2** water toevoegen aan drank (*— du vin*), aan spijzen, om saus te maken; **3** een l of n gemouilleerd uitspreken. II *on.w* ankeren. III *se —* **1** nat worden; **2** (*fam.*) iets riskeren, z. compromitteren. **▼—eur** *m* bevochtiger (bijv. voor postzegels); *— de mines*, mijnenlegger. **▼—ure** *v* **1** bevochtiging; **2** vochtigheid; **3** vochtplek.
mouise *v* (*pop.*) misère, penarie.
moujik *m* Russische boer.
moukère *v* (*arg.*) vrouw.
moulage *m* **1** (het) gieten v. metalen; **2** afgietsel. **▼moule** I *m* **1** gietvorm; *fait au —*, goed gebouwd; **2** model. II *v* **1** mossel; **2** (*pop.*) domoor, uilskuiken. **▼moulé** I *bn* **1** goed gevormd; **2** gedrukt; *lettre —e*, drukletter. II *zn m* drukletters. **▼moul/er** I *ov.w* **1** gieten, vormen; **2** de vormen doen uitkomen. II *se —* **1** goed passen, als gegoten zitten; **2** *se — sur qn.*, iem. tot voorbeeld nemen. **▼—eur** *m* gieter.
moulière *v* mosselkwekerij.
moulin *m* molen; (*fam.*) (auto) motor; (*arg.*) mitrailleur; *— à eau*, watermolen; *on ne peut être à la fois au four et au —*, (spr.w) men kan geen twee dingen tegelijk doen; *— à paroles*, babbelkous; *— à vent*, windmolen. **▼—er** *ov.w* **1** tweernen v. zijde; **2** (*oud*) knagen v. houtwormen. **▼—et** *m* **1** molentje; **2** tourniquet; **3** haspel; **4** draaiende beweging; *faire le —*, een ronddraaiende beweging maken (bijv. met wandelstok); **5** molen v.e. werphengel. **▼—ette** *v* groentesnijder. **▼—eur** *m* **1** tweernder; **2** molenaar.
moult *bw* (*oud*) veel.
moulu *bn* gemalen; *or —*, stofgoud.
moulure *v* lijstwerk. **▼moulurer** *ov.w* van lijstwerk voorzien.
mouquère = **moukère**.
mourant I *bn* **1** stervend; **2** wegstervend, kwijnend. II *zn m*, **-e** *v* stervende. **▼mourir** I *on.w onr.* **1** sterven; *à —*, buitengewoon, zeer; *— de sa belle mort*, een natuurlijke dood sterven; *vous me faites —*, ik kan je niet meer zien, je bent onuitstaanbaar; *— de peur*, het besterven v. angst; *— de rire*, barsten v.h. lachen; **2** wegsterven v. geluid; **3** uitgaan v. vuur of licht; **4** ophouden, verdwijnen. II *se —* op sterven liggen.
mousquet *m* musket. **▼—ade** *v* musketvuur. **▼—aire** *m* musketier. **▼—erie** *v* geweervuur. **▼—on** *m* karabijn met korte loop.
mousse I *m* scheepsjongen. II *v* **1** mos; **2** schuim; *— de caoutchouc* of *— de latex*, schuimrubber; **3** slagroom. III *bn* bot, stomp.
mousseline *v* neteldoek.
mousser *on.w* schuimen v.dranken; *faire — qn.*, iem. roemen, ophemelen. **▼mousseux, -euse** I *bn* schuimend. II *zn m* mousserende wijn.
mousson *v* moesson.
moussu *bn* bemost; *rose —e*, mosroos.
moustache *v* snor, knevel; *vieille —*, oude snorbaard (*mil.*). **▼moustachu** *bn* met een grote snor.
moustiquaire *v* muskietennet. **▼moustique**

m muskiet, mug.
moût *m* most.
moutard *m* (*pop.*) dreumes, kleuter.
moutarde *v* mosterd; *de la — après dîner*,
mosterd na de maaltijd; *la — lui monte au nez*,
hij begint boos te worden. **▼moutardier** *m*
1 mosterdpotje; 2 mosterdfabrikant;
3 mosterdverkoper; *se croire le premier — du
pape*, een hoge dunk van zichzelf hebben.
moutier *m* (*oud*) klooster.
mouton l *m* 1 schaap; *revenons à nos —s*,
laten we op ons onderwerp terugkomen;
2 schapevlees; 3 schapeleer; 4 iem. die men
z.g. als gevangene bij een andere gevangene in
de cel zet om hem uit te horen; 5 heiblok;
6 klokkenbalk. ll —s *mv* 1 schuimkoppen v.
golven; 2 schapewolkjes. **▼—né** *bn* gekruld;
wollig; *nuages —s*, schapewolkjes. **▼—ner**
l *ov.w* krullen. ll *on.w* schuimen v. golven.
▼—nier, -ère *bn* 1 v.e. schaap (*race —ère*);
2 volgzaam als een schaap.
mouture *v* 1 (het) malen; 2 maalgeld;
3 mengkoren: voor ⅓ tarwe, rogge en gerst
(*pain de —*); *tirer d'un sac deux —s*, het mes
aan twee kanten laten snijden; 4 (het) te
malen koren.
mouvant *bn* bewegend; *force —*,
beweegkracht; *sables —s*, drijfzand.
▼mouvement l *m* 1 beweging; *mettre en —*,
in beweging brengen; — *perpétuel*,
perpetuum mobile; 2 verkeer; 3 schommeling
v. prijzen; 4 loop, beweging der
hemellichamen; 5 gisting, opschudding;
6 aandoening, opwelling (*un — de pitié*); *de
son propre —*, uit eigen beweging;
7 verplaatsing; — *de troupes*,
troepenverplaatsing; 8 tempo (*muz.*); 9 satz
(*muz.*); 10 actie in een kunstwerk;
11 mechanisme v.e. uurwerk enz. ll —s *mv*
1 krijgsbewegingen; 2 hartstochten. **▼—é** *bn*
levendig (*style —*); veelbewogen (*vie —e*).
▼—er *ov.w* levendig maken, afwisseling
brengen in (— *un récit*). **▼mouvoir** *onr.*
l *ov.w* 1 in beweging brengen; 2 aanzetten.
ll *on.w* zich bewegen. lll se — zich bewegen.
moyen, -enne l *bn* gemiddeld, middelmatig,
middelbaar; — *âge*, middeleeuwen; *cours —*,
middenkoers; middelbare cursus; *terme —*,
middelterm; *le M—-Orient*, het
Midden-Oosten. ll *zn m* 1 middel; *au — de*,
par le — de, door middel van; *il n'y a pas —
de …*, het is onmogelijk te …; 2 reden, grond.
lll —s *m mv* 1 (geld) middelen; 2 aanleg;
perdre ses —s, de kluts kwijtraken. **▼—ågeux,
-euse** *bn* middeleeuws. **▼—nant** *vz* door
middel van, in ruil voor, tegen (voor). **▼—ne** *v*
gemiddelde; *en —*, gemiddeld. **▼—nement**
bw gemiddeld. **▼Moyen-Orient** *m*
Midden-Oosten.
moyeu [*mv* x] 1 naaf; 2 eierdooier;
3 ingemaakte pruim.
mû, mue *v.dv* van **mouvoir**.
muance *v* (*oud*) stemwisseling, stembreking.
mucosité *v* slijm. **▼mucus** *m* slijm.
mue *v* 1 (het) ruien, verharen, vervellen;
2 ruitijd, tijd. v. verharen, v. vervellen; 3 (het)
breken der stem, stemwisseling; 4 open kooi
voor een kip en haar kuikens; 5 mesthok.
▼muer *on.w* 1 ruien, verharen, vervellen;
2 breken v. stem, v. stem wisselen.
muet, -ette l *bn* 1 stom; *sourd-muet*,
doofstom; 2 stil, zwijgend; sprakeloos; *film —*,
stomme film; *jeu —*, stil spel. ll *zn m*, -ette *v*
1 stomme. lll -ette *v* 1 stomme letter;
2 jachthuis; *à la muette*, zwijgend.
muezzin *m* mohammedaanse
gebedsomroeper.
mufle *m* 1 snuit; 2 lomperd. **▼muflerie** *v*
lompheid.
muflier *m* leeuwebek (*plk.*).
mufti, muphti *m* moh. geestelijke, moefti.
mugir *on.w* 1 loeien; 2 gieren v.d. wind,
bulderen v.d. zee. **▼mugissement** 1 geloei;
2 (het) gieren v.d. wind; 3 gebulder der
golven.
muguet *m* lelietje-van-dalen. **▼—er** *ov.w*

(*oud*) het hof maken.
muid *m* mud; vat v. 18 hl.
mulâtre *m*, **mulâtresse** *v* mulat, -tin.
mul/e *v* 1 muiltje; 2 muilezelin; *être têtu
comme une —*, erg koppig zijn. **▼—et** *m*
muilezel. **▼—etier** *m* muilezeldrijver.
mulot *m* veldmuis.
multi/colore *bn* veelkleurig. **▼—forme** *bn*
veelvormig. **▼—millionnaire** *m*
multimiljonair. **▼—national** *bn*: (*entreprise*)
—*e*, multinational, multinationale
onderneming. **▼—pare** *bn* veel jongen tegelijk
werpend.
multipl/e l *bn* veelvoudig, menigvuldig. ll *zn
m* veelvoud. **▼—er** *m* schakelbord. **▼—iable**
bn vermenigvuldigbaar. **▼—icande** *m*
vermenigvuldigtal. **▼—icateur** *m*
vermenigvuldiger. **▼—icatif, -ive** *bn*
vermenigvuldigend. **▼—ication** *v*
1 vermenigvuldiging; *table de —*, tafel v.
vermenigvuldiging; 2 versnelling v.e. fiets.
▼—icité *v* menigvuldigheid. **▼—ier** l *ov.w*
vermenigvuldigen. ll *zn m* zich
vermenigvuldigen. lll se — zich
vermenigvuldigen.
multitude *v* menigte.
Munich *m* München. **▼munichois** l *bn* uit
München. ll *zn* M— *m*, **-oise** *v* Münchenaar,
bewoonster v. München.
municipal [*mv aux*] *bn* gemeentelijk; *conseil
—*, gemeenteraad; *conseiller —*,
gemeenteraadslid; *garde —e*, gemeentelijke
gendarmerie te Parijs; *garde —*, lid der garde
municipale. **▼—ité** *v* 1 gemeenteraad;
2 gemeentebestuur; 3 raadhuis.
munificence *v* vrijgevigheid, mildheid.
▼munificent *bn* vrijgevig, mild.
munir (de) *ov.w* voorzien (van).
munition *v* (am) munitie; *pain de —*,
commiesbrood; —*s de bouche*,
mondvoorraad.
muqueux, -euse *bn* slijmig; *membrane
—euse*, slijmvlies.
mur *m* muur; *—creux*, spouwmuur; — *d'airain*,
scheidsmuur (*fig.*); *entre quatre —s*, tussen
vier kale muren, in de gevangenis; *mettre qn.
au pied du —*, iem. in het nauw drijven; —
mitoyen, mandelige (gemeenschappelijke)
scheidingsmuur; — *de planches*, schutting; —
de soutènement, steunmuur.
mûr *bn* 1 rijp; 2 ervaren, ontwikkeld, rijp; *âge
—*, rijpere leeftijd; *après — réflexion*, na rijp
overleg; 3 (*pop.*) dronken.
murage *m* (het) ommuren.
muraille *v* 1 zware, hoge muur; 2 huid v.e.
schip.
mural [*mv aux*] *bn* van de muur; *carte —e*,
wandkaart; *peinture —e*, muurschildering.
mûre *v* moerbei; — *sauvage*, braam.
murer *ov.w* 1 ommuren; 2 dichtmetselen;
3 (iem.) inmetselen.
muret, muretin *m*, **murette** *v* muurtje.
mûrier *m* moerbeiboom; — *sauvage*,
braamstruik.
mûrir l *ov.w* 1 doen rijpen; 2 rijpelijk
overdenken (— *un projet*). ll *on.w* rijp
worden. **▼mûrissage** *m*, **mûrissement** *m*
(het) rijpen.
murmurant *bn* ruisend, murmelend,
mompelend. **▼murmur** *m* 1 gemurmel,
geruis, gemompel; 2 gemopper, gemor. **▼—er**
l *on.w* 1 murmelen, ruisen; 2 mopperen,
mompelen; — *entre ses dents*, in zijn baard
brommen, binnensmonds mompelen. ll *ov.w*
zachtjes mompelen.
mûron *m* braambes.
musaraigne *v* spitsmuis.
musard l *bn* zijn tijd verbeuzelend. ll *zn m*, -e *v*
lanterfanter (-ster). **▼—er** *on.w* lanterfanten,
zijn tijd verbeuzelen. **▼—erie, —ise** *v*
tijdverbeuzeling, lanterfanterij.
musc *m* 1 muskus; 2 muskusdier.
muscade *v* 1 muskaatnoot; 2 goochelballetje.
muscadet *m* muskadelwijn.
muscadier *m* muskaatboom.
muscari *m* druifjeshyacint.

muscat *m* 1 muskaatdruif; 2 muskaatwijn.
muscidés *m mv* vliegen.
muscle *m* spier. ▼**musclé** *bn* gespierd.
▼**muscler** *ov. w* gespierd maken.
▼**muscul/aire** *bn* wat spieren betreft; *force*
—, spierkracht. ▼—**ature** *v* spierstelsel.
▼—**eux, -euse** *bn* gespierd.
muse *v* muze; *cultiver les* —*s,* dichten;
nourrisson des —*s,* dichter.
museau [*mv* **x**] *m* 1 snuit v.e. dier; 2 (*pop.*)
gezicht, tronie.
musée *m* museum.
musel/er *ov. w* muilkorven (ook *fig.*). ▼—**ière**
v muilband, muilkorf. ▼—**lement** *m* (het)
muilkorven.
muser *on. w* (*oud*) beuzelen, lanterfanten; *qui*
refuse muse, (*spr. w*) wie een goede
gelegenheid laat voorbijgaan, heeft daar later
spijt van.
musette *v* 1 doedelzak; *bal* —,
dansgelegenheid waar men danste op de
tonen v.e. doedelzak en tegenwoordig op
harmonikamuziek; 2 eetzak voor paarden;
3 broodzak v. soldaten; 4 werktuigtas;
5 schooltas; 6 spitsmuis.
muséum *m* museum voor nat. hist.
musical [*mv* **aux**] *bn* muzikaal. ▼—**ité** *v*
muzikaliteit, muzikaal gevoel. ▼**musicien,**
-enne *l bn* muzikaal. **II** *zn m,* **-enne** *v*
muzikant(e), musicus. ▼**musico/graphe** *m*
schrijver over muziek of muziekgeschiedenis.
▼—**logie** *v* muziekwetenschap. ▼—**mane** *m*
of *v* iem. die op overdreven wijze v. muziek
houdt, melomaan. ▼—**manie** *v* overdreven
liefde voor muziek. ▼**musique** *v* 1 muziek;
toonkunst; — *de chambre,* kamermuziek; —
enregistrée, grammofoonmuziek; *faire de la* —,
muziek maken; *mettre en* —, op muziek zetten;
— *vocale,* vocale muziek; 2 muziekkorps; *chef*
de —, dirigent v. fanfare- of harmoniekorps.
▼**musiquer** *on. w* muziek maken.
▼**musiquette** *v* lichte muziek.
musquer *ov. w* met muskus parfumeren; *rat*
musqué, muskusrat.
musulman **l** *bn* muzelmans. **II** *zn* **M—** *m*
muzelman.
mut/abilité *v* veranderlijkheid. ▼—**able** *bn*
veranderlijk. ▼—**ant** *m* mutant. ▼—**ation** *v*
1 verandering; 2 overplaatsing, verwisseling;
droits de —, overschrijvingskosten. ▼—**er**
ov. w 1 zwavelen; 2 overplaatsen.
mutil/ateur *m* verminker (— *d'œuvres d'art*).
▼—**ation** *v* verminking. ▼—**é** *m* verminkte; —
de guerre, oorlogsinvalide. ▼—**er** *ov. w*
verminken (ook *fig.* bijv. van kunstwerken).
mutin **l** *bn* 1 opstandig; 2 wakker, guitig. **II** *zn*
m oproermaker, muiter. ▼—**er** **l** *ov. w* aanzetten
tot muiterij. **II se** — muiten. ▼—**erie** *v*
1 oproer, muiterij; 2 guitigheid.
mutisme *m* 1 stomheid; 2 hardnekkig
zwijgen. ▼**mutité** *v* stomheid.
mutual/iste *m* lid v.e. vereniging voor
onderlinge verzekering of steun. ▼—**ité** *v*
1 wederkerigheid; 2 systeem v. onderlinge
hulp, - v. onderlinge verzekering. ▼**mutuel,**
-elle *bn* onderling, wederkerig; *assurance*
—*elle,* onderlinge verzekering; *société*
d'assurance —*elle,* onderlinge
verzekeringsmaatschappij.
mycologie, mycétologie *v* leer der
zwammen. ▼**mycologue, mycétologue** *m*
kenner v. zwammen. ▼**mycose** *v*
schimmelziekte.
myélite *v* ruggemergontsteking.
myocarde *m* hartspier. ▼**myocardite** *v*
ontsteking v.d. hartspier. ▼**myographie** *v*
spierbeschrijving. ▼**myologie** *v* spierleer.
myope **l** *bn* bijziende. **II** *zn m* of *v* bijziende.
▼**myopie** *v* bijziendheid.
myosotis *m* vergeet-mij-nietje.
myriade *v* 1 tienduizendtal; 2 ontelbare
menigte.
myriapode *m* duizendpoot.
myrmidon *m* dwerg, dreumes.
myrrhe *v* mirre.
myrtille *v* blauwe bosbes.

mystère *m* 1 geheim; *avec* —, geheimzinnig;
faire — *de,* geheim houden; 2 middeleeuws
mysteriespel. ▼**mystérieux, -euse** *bn*
geheimzinnig.
mysticisme *m* mysticisme.
mystific/ateur, -atrice **l** *bn* foppend,
misleidend. **II** *zn m,* **-atrice** *v* fopper (-ster);
bedotter (-ster); grappenmaker (-maakster).
▼—**ation** *v* fopperij, bedotterij, misleiding.
▼**mystifier** *ov. w* foppen, bedotten,
bedriegen.
mystique **l** *bn* geheimzinnig; verborgen. **II** *zn v*
mystiek. **III** *m* of *v* mysticus (-ca).
myth/e *m* mythe, fabel, verdichtsel,
volksoverlevering. ▼—**ique** *bn* mythisch.
▼**mytho/logie** *v* mythologie, godenleer,
fabelleer. ▼—**logique** *bn* mythologisch.
▼—**logiste,** —**logue** *m* kenner der
mythologie. ▼—**mane** *m* of *v* iem. met een
ziekelijke neiging tot liegen of verzinnen.
mytiliculture *v* mosselteelt.

n v de letter n.

n' zie ne.

na! tw (kind.) nou! enz.

nabab m rijkaard; les —s de la finance, de grote financiers.

nabot m dwerg.

nacelle v 1 bootje; 2 gondel v.e. ballon.

nacr/e v parelmoer. ▼—é bn parelmoerachtig. ▼—er ov.w een parelmoerglans geven aan onechte parels.

nadir m voetpunt.

naevus (mv naevi) m moedervlek.

nage v 1 (het) zwemmen; à la —, zwemmend; — libre, vrije slag; se jeter à la —, in het water springen om te zwemmen; 2 (het) roeien; 3 être (tout) en —, door en door bezweet zijn. ▼nagée v slag bij zwemmen. ▼nageoire v 1 vin; 2 zwemkurk, zwemblaas. ▼nager on.w 1 drijven; 2 zwemmen; — entre deux eaux, de kool en de geit sparen; — dans l'opulence, zwemmen in het geld, baden in rijkdom; — dans le sang, baden in bloed; 3 roeien; 4 (pop.) niet begrijpen, niet weten wat te doen. ▼nageur m, -euse v 1 zwemmer (-ster); 2 roeier (-ster).

naguère, naguères bw onlangs.

naïade v waternimf.

naïf, -ive l bn 1 ongekunsteld; 2 kinderlijk, argeloos; 3 onnozel. Il zn m 1 onnozele hals; 2 (het) ongekunstelde.

nain l bn dwergachtig. Il zn m, -e v dwerg.

naissance v 1 geboorte; aveugle de —, blindgeboren; 2 afkomst; de basse —, van lage afkomst; 3 begin; la — du jour, het krieken v.d. dag; 4 ontstaan, wording, oorsprong; prendre —, dans, ontstaan uit. ▼naître on.w onr. 1 geboren worden; il naquit à Londres, hij werd geboren in Londen; 2 ontstaan; le jour commence à —, de dag breekt aan; faire — l'idée, op de gedachte brengen.

naïveté v 1 ongekunsteldheid; 2 kinderlijkheid, argeloosheid; 3 onnozelheid.

naja m brislang.

Namibie v Namibië.

Namur m Namen.

nana v (pop.) meisje, vrouw.

nanan m (kind.) lekkers, iets fijns.

nanisme m dwergachtigheid.

nanti bn/zn rijk(e), iets fijns. ▼nantir l ov.w 1 onderpand geven bij schulden; 2 voorzien van (— de). Il se — zich dekken, zich voorzien (van). ▼nantissement m pand; droit de —, pandrecht.

napalm m zeer ontbrandbare stof, napalm.

napel m monnikskap (plk.).

naphtaline, naphtalène m naftaline.

naphte m nafta.

Naples v Napels.

napoléon m oud goudstuk v. 20 francs. ▼—ien, -ienne l bn napoleontisch. Il zn m, -ienne v aanhanger (-ster) v. Napoleon.

napolitain l bn Napolitaans. Il zn N— m, -e v Napolitaan(se).

nappage m tafellinnen. ▼nappe v 1 tafellaken; — d'autel, altaardwaal; mettre la —, de tafel dekken; 2 brede vlakte; — d'eau, grote waterdvlakte; — de feu, vuurzee. ▼napper

ov.w met een tafellaken bedekken. ▼napperon m dekservet; — individuel, place-mat.

naquit zie naître.

narcisse m 1 narcis; 2 man die erg ingenomen is met zijn uiterlijk. ▼narcissisme m narcisme.

narcose v narcose, toestand v. verdoving. ▼narcot/ique l bn verdovend. Il zn m verdovend middel, slaapmiddel. ▼—iser ov.w een verdovend middel doen in.

nard m nardus.

nargue (oud) l zn v: faire — à qc., maling aan iets hebben. Il tw: — de!, ik heb maling aan! ▼narguer ov.w (fam.) honen, tarten.

narguilé, narghileh m Turkse waterpijp, nargileh.

narine v neusgat.

narquois bn spottend.

narr/ateur m, -atrice v verteller (-ster). ▼—atif, -ive bn verhalend. ▼—ation v 1 vertelling, verhaal; 2 opstel over een opgegeven onderwerp. ▼—é m verhaal. ▼—er ov.w verhalen, vertellen.

narthex m voorportaal v.e. basiliek in de oude chr. kunst.

narval [mv als] m narwal.

nasal [mv aux] bn wat de neus betreft; consonne —e, neusmedeklinker; fosse —e, neusholte; son —, neusklank; voyelle —e, neusklinker. ▼—isation v (het) veranderen in een neusklank. ▼—iser ov.w in een neusklank veranderen. ▼—ité v (het) karakter v. neusklank.

nasarde v 1 knip voor de neus; 2 uitdaging, slag in het gezicht (fig.) (recevoir une —).

naseau [mv x] m neusgat v. sommige dieren.

nasill/ard bn: voix —e, neusstem. ▼—ement m (het) door de neus spreken. ▼—er on.w door de neus spreken. ▼—eur m, -euse v iem. die door de neus praat.

nasitort m tuinkers.

nasse v fuik; tomber dans la —, in de val lopen.

natal [mv als] bn v.d. geboorte; jour —, geboortedag; lieu —, geboorteplaats; pays —, sol —, geboorteland, geboortegrond. ▼—iste bn die het geboorteaantal wil vergroten; politique —, politiek die de geboortenaanwas beoogt. ▼—ité v geboortencijfer.

natat/ion v (het) zwemmen. ▼—oire bn wat zwemmen betreft; vessie —, zwemblaas.

natif, -ive l bn 1 geboortig (— de Bordeaux); à l'état —, in statu nascendi; 2 aangeboren (vertu —ive); 3 gedegen (or —). Il zn m inboorling.

nation l v volk, natie; la Société des Nations, de Volkerenbond; Nations Unies = V.N. Il — s v mv de heidenen. ▼national [mv aux] l bn nationaal, van het volk; fête —e, nationale feestdag in Frankrijk 14 juli). Il -aux zn m mv bewoners v.e. land, landgenoten. ▼—isation v nationalisatie. ▼—iser ov.w nationaliseren. ▼—isme m nationalisme, overdreven gevoel v. vaderlandsliefde. ▼—iste l bn nationalistisch. Il zn m nationalist. ▼—ité v 1 volksgroep van dezelfde afkomst of met dezelfde eigenschappen; 2 landaard, nationaliteit. ▼national-social/isme m nationaal-socialisme. ▼—iste zn/bn nationaal-socialist(isch).

nativement bw van nature.

Nativité v 1 geboorte (dag) v. Christus, de H. Maagd en sommige heiligen; 2 Kerstmis.

natron, natrum m soda, natron.

nattage m 1 (het) vlechten; 2 vlechtwerk. ▼natte v 1 mat; 2 vlechtwerk; 3 haarvlecht. ▼natter ov.w 1 vlechten; 2 met matten beleggen. ▼nattier m, -ère v mattenvlechter (-ster).

natural/isation v 1 naturalisatie; 2 (het) wennen aan een vreemd klimaat; 3 (het) opzetten v. dieren, (het) prepareren v. planten. ▼—iser ov.w 1 naturaliseren; 2 wennen aan een vreemd klimaat; 3 opzetten v. dieren, prepareren v. planten.

natural/isme m 1 natuurlijkheid; 2 naturalisme (kunstrichting, die zich tot doel

stelt de natuur getrouw weer te geven);
3 natuurleer. ▼**—iste** I *bn* naturalistisch. II *zn
m* **1** bioloog; **2** opzetter v. dieren; **3** naturalist.
nature I *zn v* **1** natuur; *contre —*, onnatuurlijk,
tegennatuurlijk; *le cri de la —*, de stem v.h.
bloed; *état de —*, natuurstaat; *forcer la —*,
meer willen doen dan men kan; *— morte*,
stilleven; *payer le tribut à la —*, sterven; *peint
d'après —*, naar de natuur geschilderd; **2** aard,
inborst; *de sa —*, van nature; *être de — à*,
geschikt, in staat zijn om; **3** *en —*, in natura;
4 persoonlijkheid. II *bn* natuurlijk; *un citron
—*, een citroenkwast; *une personne —*, een
natuurlijk mens; *grandeur —*, levensgroot.
▼**naturel, -elle** I *bn* natuurlijk; *enfant —*,
onecht kind; *gaz —*, aardgas; *grandeur —elle*,
levensgroot; *histoire —elle*, natuurlijke
historie; *loi —elle*, natuurwet; *sciences
—elles*, natuurwetenschappen; *vin —*,
onvervalste wijn. II *zn m* **1** inboorling; **2** aard,
inborst; *chassez le —, il revient au galop*, de
natuur gaat boven de leer; **3** natuurlijkheid;
peindre au —, naar de natuur schilderen.
▼**—lement** *bw* **1** van nature; **2** natuurlijk;
3 eenvoudig, gemakkelijk.
natur/isme *m* **1** natuurgeneeswijze;
2 naturisme; **3** naturisme, nudisme. ▼**—iste**
I *bn* nudistisch, van nudisten. II *zn m* of *v*
naturist(e), nudist(e).
naufrag/e *m* schipbreuk (ook *fig.*); *faire —*,
schipbreuk lijden. ▼**—é** I *bn* vergaan, gestrand.
II *zn m* schipbreukeling. ▼**—er** *on.w* (*oud*)
schipbreuk lijden. ▼**—eur** *m*, **-euse** *v*
kustbewoner (-bewoonster) die door het
geven van valse signalen schipbreuken
veroorzaakte.
naumachie *v* **1** spiegelgevecht te water;
2 bassin in een circus, waar die
spiegelgevechten in de oudheid gehouden
werden.
nauséabond, nauséeux, -euse *bn* walglijk.
▼**nausée** *v* **1** misselijkheid; **2** walging (*fig.*);
cela me donne des —s, daar walg ik van.
nautique *bn* wat de scheepvaart betreft; *carte
—*, zeekaart; *centre —*, watersportcentrum;
sport —, watersport. ▼**nautonier** *m*: *le — des
enfers* (of *des sombres bords*), de veerman van
de Onderwereld (Charon).
naval [*mv* **als**] I *bn* wat het zeewezen betreft;
combat —, zeeslag; *école —e*, zeevaartschool.
II *zn -e v* zeevaartschool.
navarin *m* lamsragoût.
navarrais I *bn* uit Navarre. II *zn* **N—** *m*, **-aise** *v*
bewoner (bewoonster) van Navarre.
▼**navarrin** *bn* uit Navarre.
navet *m* **1** raap, knol; **2** (*fam.*) waardeloos
kunstwerk, prul.
navette *v* **1** weversspoel; *faire la —*, heen en
weer lopen, reizen enz.; *— spatiale*,
ruimteveer, -pendel; **2** wierookschaaltje;
3 spoel v. naaimachine; **4** raapzaad;
5 raapolie.
navig/abilité *v* bevaarbaarheid. ▼**—able** *bn*
bevaarbaar. ▼**—ant** *bn* varend, vliegend.
▼**—ateur** I *zn m* **1** zeevaarder; **2** bestuurder
v.e. vliegtuig. II *bn* zeevarend. ▼**—ation** *v*
scheepvaart; *— aérienne*, luchtvaart; *—
fluviale*, riviervaart; *— maritime*, zeevaart; *—
sous-marine*, onderzeevaart. ▼**naviguer** *on.w*
1 varen; *ici il nous faut — avec prudence*, (*fig.*)
hier moeten we voorzichtig te werk gaan;
2 sturen.
navire *m* schip; *— citerne*, tankschip; *—
transport*, transportschip.
navr/ant *bn* hartverscheurend. ▼**—ement** *m*
groot leed. ▼**—er** *ov.w* diep bedroeven, het
hart verscheuren; *je suis navré(e) de vous avoir
fait attendre*, (*fam.*) het spijt me erg dat ik u liet
wachten.
Nazaréen *m*, **-enne** *v* Nazarener, Nazareense.
nazi *zn*/*bn* nazi (stisch). ▼**nazisme** *m* nazisme.
ne *bw* **1** niet (meestal in verbinding met
woorden als *pas, point, rien, jamais, personne*
enz.); **2** vaak onvertaald (bijv. na een
vergrotende trap); *il est plus riche que vous ne
pensez*).

né *dw* geboren.
néanmoins *bw* nochtans, niettemin.
néant *m* niet, niets; nietigheid; *homme de —*,
vent van niets; *mettre à —*, nietig verklaren;
tirer du —, scheppen; *tirer qn. du —*, iem. van
niets tot iets laten komen.
nébul/euse *v* nevelvlek (v. sterren). ▼**—eux,
-euse** *bn* **1** bewolkt, nevelachtig; **2** somber,
bezorgd; **3** ondergrijpelijk, duister. ▼**—osité** *v*
1 nevelachtigheid; **2** duisterheid,
onbegrijpelijkheid.
nécessaire I *bn* nodig, noodzakelijk. II *zn m*
1 (het) nodige, noodzakelijke (*manquer du
—*); **2** doos, etui met benodigdheden (*— de
toilette*). ▼**nécessité** v. **1** noodzaak,
noodzakelijkheid; *faire de — vertu*, van de
nood een deugd maken; *être de toute —*,
dringend noodzakelijk zijn; *— fait loi*, nood
breekt wet; **2** dwang; *par —*,
noodgedwongen; **3** armoede, gebrek. II **—s**
mv. faire ses —s, zijn behoeften doen.
▼**nécessiter** *ov.w* noodzakelijk maken.
▼**nécessiteux, -euse** I *bn* behoeftig. II *les —*,
de armen.
nécro/phage *bn* v. dode dieren levend.
▼**—loge** *m* dodenlijst. ▼**—logie** *v*
levensgeschiedenis v. een of meer
overledene(n). ▼**—logique** *bn* wat deze
levensgeschiedenis betreft (*article —*).
▼**—logue** *m* schrijver v. necrologieën.
▼**—mancie** *v* geestenbezwering, oproeping v.
doden. ▼**—mancien** *m*, **-enne** *v*
geestenbezweerder (-ster). ▼**—pole** *v*
dodenstad; begraafplaats. ▼**nécrose** *v*
necrose, weefselversterf.
nectaire *m* honingnapje. ▼**nectar** *m*
1 honingsap; **2** godendrank.
néerlandais I *bn* Nederlands. II *zn m* (het)
Nederlands. III **N—** *m*, **-e** *v* Nederlander (-se).
▼**Néerlande (la)** *v* Nederland.
nef *v* **1** schip v.e. kerk; *— principale*,
hoofdbeuk; *— latérale*, zijbeuk; **2** (*dicht.*)
schip.
néfaste *bn* noodlottig.
nèfle *v* mispel; *des —s!*, (*fam.*) morgen
brengen!, kun je denken! ▼**néflier** *m*
.mispelboom.
négateur *m*, **-trice** *v* iem. die de gewoonte
heeft te ontkennen. II *bn* ontkennend.
▼**négatif, -ive** I *bn* ontkennend. II *zn m* fot.
negatief. ▼**négation** *v* **1** ontkenning,
weigering; **2** ontkennend woord (zoals *ne,
non* enz.). ▼**négative** *v* ontkenning,
weigering; *se tenir sur la —*, bij zijn weigering
blijven; *répondre par la —*, ontkennend
antwoorden; *dans la —*, zo niet, als het
antwoord nee is.
néglig/é I *bn* slordig, verwaarloosd. II *zn m*
ochtendgewaad. ▼**—eable** *bn* te
verwaarlozen; *quantité —*, iets (of iem.)
waarmee (met wie) men geen rekening hoeft
te houden. ▼**—emment** *bw* slordig, nalatig.
▼**—ence** *v* **1** slordigheid, nalatigheid;
2 zorgeloosheid. ▼**—ent** *bn* slordig, nalatig.
▼**—er** I *ov.w* verwaarlozen, veronachtzamen;
— l'occasion, de gelegenheid laten
voorbijgaan. II *se —* zijn kleding, zijn
gezondheid, zijn werk verwaarlozen.
négoc/e *m* (*oud*) handel, groothandel.
▼**—iabilité** *v* verhandelbaarheid. ▼**—iable** *bn*
verhandelbaar. ▼**—iant** *m* handelaar,
groothandelaar. ▼**—iateur** *m*, **-trice** *v*
onderhandelaar (-ster). ▼**—iation** *v*
1 onderhandeling; **2** het verhandelen v.
wissels. ▼**—ier** I *on.w* groothandel drijven.
II *ov.w* **1** onderhandelen over; **2** verhandelen
(v.e. wissel).
nègre I *bn* v.d. negers; *la race —*, het negerras.
II *zn m* neger. ▼**négresse** *v* **1** neger, negerin;
tête-de-nègre, bruinzwart; *travailler comme
un —*, werken als een paard; **2** iem. die een
kunstwerk voor een ander maakt, die het dan
voor het zijne laat doorgaan, ghost-writer;
3 *petit —*, koeterwaals. ▼**négr**'ier I *bn* wat
slaven betreft (*vaisseau —*). II *zn m*
1 slavenhandelaar; **2** slavenschip. ▼**—illon** *m*,

-onne v negertje, negerinnetje. ▼—**itude** v (het) neger zijn, negercultuur. ▼—**oïde** bn negerachtig, negroïde. ▼—**ophile** m negervriend.

nègus, négus m negus (keizer v. Abessinië).

neige v 1 sneeuw; *les —s éternelles, perpétuelles*, de eeuwige sneeuw; *œufs battus en —*, stijf geklopt eiwit; *faire boule de —*, een sneeuwbaleffect hebben, snel aangroeien; *où sont les —s d'antan?*, waar is die goede oude tijd gebleven?; **2** grijze haren; **3** ijs met suiker en vruchtesap; **4** (*pop.*) cocaïne. ▼**neiger** on.w sneeuwen; *il a neigé sur lui*, hij wordt grijs. ▼**neigeux, -euse** bn besneeuwd.

nénais, nénets, nénès m mv (*arg.*) borsten.

nenni bw (*fam.*) neen.

nénuphar, nénufar m waterlelie.

néo-/colonialisme m neokolonialisme. ▼—**grec, -que** bn Nieuwgrieks. ▼—**latin** m Romaans. ▼—**logisme** m nieuw woord.

néon m neon.

néo-/platonicien bn neoplatonisch. ▼—**platonisme** m neoplatonisme. ▼—**phobe** m iem. die tegen alles is wat nieuw is. ▼—**phobie** v afkeer v. nieuwigheden.

néophyte m of v 1 nieuwbekeerde; **2** iem. die pas nieuwe denkbeelden heeft aangenomen.

néo-zélandais I bn Nieuwzeelands. II zn N— m, -e v Nieuwzeelander (-se).

néphrétique I bn wat de nieren betreft. II zn m of v nierlijder. ▼**néphrite** v nierontsteking.

népotisme m begunstiging van familieleden.

neptunien, -enne v neptunisch, door het water ontstaan.

néréide v zeenimf.

nerf m 1 zenuw; *attaque de —s*, zenuwtoeval; *avoir ses —s*, weer last van zijn zenuwen hebben; *— de bœuf*, bullepees; *donner sur les —s*, zenuwachtig maken; *se fouler un —*, een pees verrekken; *guerre des —s*, zenuwoorlog; **2** kracht; *avoir du —*, flink zijn.

Néron m Nero. ▼**néronien, -enne** bn eigen aan Nero.

nervation v nervatuur v.e. blad.

nerveux, -euse bn 1 wat de zenuwen betreft; **2** zenuwachtig; **3** krachtig, gespierd; **4** pittig (auto). ▼**nervin** I bn zenuwsterkend. II zn m zenuwsterkend middel. ▼**nervosisme** m zenuwziekte. ▼**nervosité** v 1 zenuwachtigheid, nervositeit; **2** kracht (auto).

nervure v 1 ribbe v.e. gewelf; **2** bladnerf.

net, nette I bn 1 schoon, zindelijk; *faire maison —te*, zijn bedienden wegsturen; *faire place —te*, schoon schip maken; **2** helder, zuiver; duidelijk; *esprit —*, heldere geest; *photo —te*, scherpe kiek; *réponse —te*, kort en duidelijk antwoord; *il veut en avoir le cœur —*, hij wil er het zijne van weten; **3** netto (*prix —*). II zn m: *mettre au —*, in het net schrijven. III bw 1 ronduit, duidelijk; *dire tout —*, ronduit zeggen; *refuser —*, vierkant weigeren; **2** plotseling, ineens; *trancher —*, er ineens een eind aan maken. ▼**nettement** bw 1 netjes, zindelijk; **2** helder, duidelijk; **3** ronduit; **4** ineens, kortaf. ▼**netteté** v 1 zindelijkheid, reinheid; **2** helderheid, duidelijkheid, scherpte (v.e. foto).

nettoiement, nettoy/age m schoonmaak, (het) schoonmaken. ▼—**er** ov.w 1 schoonmaken; **2** (*pop.*) tot de bodem leegdrinken (*— une bouteille*); **3** (*pop.*) verpatsen; **4** (*pop.*) ruineren; liquideren, doden; **5** (*pop.*) stelen; leeghalen. ▼—**eur** m, -**euse** v schoonmaker, -maakster.

neuf telw. negen.

neuf, neuve I bn 1 nieuw; *tout battant —, tout flambant —*, spiksplinternieuw; *remettre à —*, vernieuwen; **2** onervaren. II zn m: *du —*, iets nieuws.

neural [mv aux] bn zenuw-.

neurasthé/nie v zenuwzwakte. ▼—**nique** I bn zenuwzwak. II zn m of v zenuwzwakte.

neuro/chirurgie v 1 —**logie** v zenuwleer, neurologie. ▼—**logiste, —logue** m zenuwarts, neuroloog.

neurone m neuron, zenuwcel.

neutral/isation v 1 (het) onzijdig maken; **2** (het) neutraliseren (*chem.*). ▼—**iser** ov.w 1 onzijdig verklaren; **2** verijdelen (*— un projet*); **3** tot zwijgen brengen v. artillerie enz.; **4** neutraliseren (*chem.*). ▼—**isme** m (*pol.*) afzijdigheid. ▼—**iste** m voorstander v. neutraliteit. ▼—**ité** v onzijdigheid, neutraliteit. ▼**neutre** I bn 1 onzijdig; *rester —*, neutraal blijven; **2** onovergankelijk (werkwoord). II zn m onzijdig geslacht.

neutron m id.; *bombe à —s*, neutronenbom.

neuvaine v novene.

neuvième I telw. negende. II zn m negende deel. ▼—**ment** bw ten negende.

névé m harde gletsjersneeuw.

neveu m neef (oom- of tantezegger); *— à la mode de Bretagne*, zoon v. volle neef of nicht.

névralg/ie v zenuwpijn, neuralgie. ▼—**ique** bn wat zenuwpijnen betreft, neuralgisch.

névrite v zenuwontsteking.

névro/logie v zenuwleer. ▼—**pathe** m of v zenuwlijder (es). ▼—**pathie** v zenuwaandoening. ▼—**se** v zenuwziekte, neurose. ▼—**sé** m neuroticus. ▼—**tique** bn neurotisch.

nez m neus; *— à —*, vlak tegenover elkaar; *— aquilin*, arendsneus; *avoir du —*, een fijne neus hebben; *— camard*, platte neus; *se casser le —*, de deur gesloten vinden; *donner sur le — à qn.*, iem. op zijn gezicht geven; *faire un pied de —*, een lange neus trekken; *mener qn. par le —*, par le bout du —*, iem. doen wat men wil; *mettre le — à la fenêtre*, naar buiten kijken; *mettre, fourrer son — quelque part*, ergens zijn neus in steken; *montrer le bout de son —*, zich even laten zien; *parler du —*, door de neus spreken; *se piquer le — (pop.)*, zich bedrinken; *rire au — de qn.*, iem. in zijn gezicht uitlachen; *ne pas voir plus loin que le bout de son —*, niet verder kijken dan zijn neus lang is; *piquer du —*, duiken (v. auto bij remmen; v. vliegtuig); voorverzakken.

ni vgw noch; *ni…ni…*, noch… noch…; *ni moi non plus*, ik ook niet.

niable bn te ontkennen, loochenbaar.

niais I bn onnozel, dom. ▼—**um** sul, onnozele hals. ▼—**erie** v 1 onnozelheid; **2** beuzelarij.

nicaise m sul, suffer.

nich/e v 1 hondehok; **2** nis; **3** alkoof; **4** poets, guitenstreek. ▼—**ée** v nestvol. ▼—**er** I on.w nestelen. II ov.w plaatsen. III se — 1 zich nestelen; **2** zich verbergen. ▼—**et** m nestei. ▼—**oir** m broedkooi, -mand.

nichons m mv (*vulg.*) borsten, tieten.

nickel m nikkel. ▼—**age** m (het) vernikkelen. ▼—**er** ov.w vernikkelen; *les pieds nickelés*, rijke lui die niet graag geven. ▼**nickélifère** bn nikkelhoudend.

nicodème m (*fam.*) suffer, sul.

niçois zn/bn (inwoner) van Nice.

nicotine v nicotine. ▼**nicotinisme** m nicotinevergiftiging.

nid m 1 nest; hol; *petit à petit l'oiseau fait son — (spr.w)*, de vallende druppel holt de steen uit; *— de-poule*, kuil in de weg; **2** woning; *ne pas sortir de son —*, de deur niet uitgaan. ▼—**ification** v nestbouw. ▼—**ifier** on.w een nest bouwen.

nièce v nicht (oom- of tantezegster); *— à la mode de Bretagne*, achternicht.

niell/e v 1 brand in het koren; **2** m niëllo (gegraveerde figuur die men opvult met zwart email). ▼—**er** ov.w 1 graveren v. figuren die men opvult met zwart email, niëlleren; **2** (koren) aantasten door brand. ▼—**ure** v 1 brand in koren; **2** niëllowerk.

nième, énième bn nde; *pour la — fois*, voor de zoveelste maal.

nier ov.w ontkennen, loochenen; *— une dette*, ontkennen dat men een schuld heeft.

nigaud I bn onnozel, dom. II zn m, -e v domoor, uilskuiken, sufferd. ▼—**erie** v onnozelheid, stomme streek.

nihil/isme m nihilisme. ▼—**iste** I bn nihilistisch. II zn m of v nihilist(e).

Nil *m* Nijl. ▼**nilotique** *bn* van de Nijl.
nimbe *m* stralenkrans, nimbus. ▼**nimber** *ov.w* met een stralenkrans omgeven.
nimbus *m* grote regenwolk.
Nimègue *v* Nijmegen.
n'importe *zie* importer.
ninas *m* klein sigaartje.
nippe *v* kledingstuk; *des* —*s*, (*pop.*) oude kleren, versleten linnengoed. ▼**nipper** I *ov.w* (*fam.*) van kleren voorzien. II **se** — zich in de kleren zetten.
nippon, -one *bn* Japans.
nique *v*: *faire la* — *à qn.*, iem. uitlachen.
nirvâna *m* nirwana.
nitouche I *zn v*: *Sainte* —, femelaarster, schijnheilige. II *bn*: *sainte* —, schijnheilig.
nitrate *m* nitraat. ▼**nitre** *m* salpeter. ▼**nitreux, -euse** *bn* salpeterachtig. ▼**nitrière** *v* salpetergroeve. ▼**nitrique** *bn*: *acide* —, salpeterzuur. ▼**nitrite** *m* nitriet.
▼**nitro/cellulose** *v* schietkatoen.
▼—**glycérine** *v* nitroglycerine.
nivéal [*mv* **aux**] *bn* in de winter bloeiend.
niveau [*mv* **x**] *m* **1** waterpas; *de* —, waterpas; **2** peil, hoogte, niveau; *au* — *de*, even hoog als; — *de vie*, levensstandaard; **3** vloeistofspiegel. ▼**nivel/er** *ov.w* **1** waterpassen; **2** waterpas maken; **3** gelijkmaken, nivelleren. ▼—**eur** I *zn m* **1** waterpasser; **2** iem. die alle mensen, alle verdiensten enz. gelijk wil maken. II -**euse** *bn* gelijkmakend. ▼—**lement** *m* **1** (het) waterpassen; ▼**2** (het) even hoog maken; **3** (het) gelijkmaken van standen, verdiensten enz., nivellering.
nivéole *v* lenteklokje.
nivernais I *bn* uit Nevers of de landstreek de Nivernais. II *zn* **N—** *m*, -**aise** *v* bewoner (bewoonster) van Nevers of le Nivernais.
nivôse *m* sneeuwmaand (vierde maand v.d. republikeinse kalender, 21 dec.-19 jan.).
nobiliaire I *bn* adellijk. II *zn m* adelboek.
▼**noblaillon** *m* iem. uit de lage of vervallen adel. ▼**noble** I *bn* **1** adellijk; **2** edel, verheven; *les parties* —*s*, de edele delen. II *zn m* of *v* edelman, -vrouw. ▼**noblesse** *v* **1** adel, adeldom; — *de finance*, gekochte adel; — *oblige* (*spr.w*), hoge afkomst legt iem. verplichtingen op; — *vient de vertu* (*spr.w*), deugd adelt; **2** (het) edele, edelheid, verhevenheid; — *de cœur*, zieleadel; — *de style*, verhevenheid van stijl. ▼**nobliau** [*mv* **x**] *m zie* **noblaillon**.
noc/e I *v* bruiloft, bruiloftspartij; *faire la* —, fuiven, boemelen; *ne pas être à la* —, niet voor zijn plezier uit zijn. II —*s v mv* huwelijk; —*s d'argent*, —*s d'or*, zilveren, gouden bruiloft. ▼—**eur** *m*, -**euse** *v* fuiver (fuifster), boemelaar(ster).
nocif, -ive *bn* schadelijk. ▼**nocivité** *v* schadelijkheid.
noctambul/e I *bn* slaapwandelend. II *zn m* of *v* **1** slaapwandelaar(ster); **2** nachtbraker (-braakster). ▼—**isme** *m* **1** (*oud*) (het) slaapwandelen; **2** nachtbrakerij. ▼**noct/uelle** *v* nachtvlinder. ▼—**urne** I *bn* nachtelijk; *oiseau* —, nachtvogel. II *zn m* **1** nocturne (*muz.*); **2** nachtgetijde.
nodal [*mv* **aux**] *bn*: *ligne* —*e*, knooplijn. ▼**nodosité** *v* knobbel, knoest. ▼**nodulaire** *bn* knobbelig, met knopen. ▼**nodule** *m* knoopje, knobbeltje. ▼**noduleux, -euse** *bn* knobbelig, knoesterig. ▼**nodus** *m* knobbel.
Noël I *m* **1** Kerstmis; *arbre de* —, kerstboom; *père* —, kerstman; **2** middeleeuwse vreugdekreet. II **n** — *m* kerstlied.
nœud *m* **1** knoop; — *de communications*, knooppunt v. wegen; — *gordien*, gordiaanse knoop; — *de cravate*, dasstrik; — *de vipères*, adderkluwen; **2** knoop = 1660 meter; *filer 12* —*s à l'heure*, 12 knopen per uur varen; *filer son* —, vertrekken; sterven; **3** knobbel v. vinger en teen; **4** kronkeling v. slang; **5** hoofd v.e. golf; **6** knoest, kwast v.e. boom; **7** band (*fig.*); *les* —*s de l'amitié*, de banden der vriendschap; **8** verwikkeling bijv. van een toneelstuk; **9** — *de la gorge*, adamsappel; **10** kern.

noir I *bn* **1** zwart; — *de coups*, bont en blauw geslagen; *rendre qn.* —, iem. zwart maken; *marché* —, zwarte handel; **2** donker; *ciel* —, betrokken lucht; *il fait nuit* —*e*, het is stikdonker; *froid* —, hevige koude; *pain* —, roggebrood; *raisin* —, blauwe druif; **3** vuil (*mains* —*es*); **4** bedroefd, somber, droefgeestig (*humeur* —*e*); **5** afschuwelijk, snood, ongelukkig; *une* —*e destinée*, een afschuwelijk lot; *une* —*e trahison*, een snood verraad; **6** (*pop.*) dronken. II *zn m* **1** neger; **2** zwarte kleur, donkere kleur, zwartsel; — *d'ivoire*, ivoorzwart; *d'un* — *de jais*, gitzwart; *passer du blanc au* —, v.h. ene uiterste in het andere vallen; *voir en* —, somber inzien; *être en* —, in het zwart gekleed, rouwkleding dragen; **3** blauwe plek; **4** roos v.e. schietschijf; *mettre dans le* —, in de roos schieten; slagen; **5** schaduwpartij v.e. schilderij of tekening. **6** *un petit* — (*pop.*), een kopje koffie zonder melk. ▼**noir/âtre** *bn* zwartachtig. ▼—**aud** I *bn* met zwarte haren en donkere huid. II *zn m*, -*e v* donker iemand. ▼—**ceur** *v* **1** zwartheid, donkerheid; **2** donkere vlek; **3** snoodheid, schandelijkheid; **4** schandelijke daad, schandelijk woord; **5** somberheid, zwartgalligheid. ▼—**cir** I *ov.w* zwart maken (ook *fig.*). II *on.w* zwart worden. III *se* — zwart, donker worden (*le temps se noircit*). ▼—**cissement** *m* (het) zwart maken (ook *fig.*). ▼—**cissure** *v* zwarte vlek.
noire *v* **1** kwart noot; **2** negerin.
noise *v* (*oud*) ruzie, twist; *chercher* —, ruzie zoeken.
nois/eraie *v* hazelaarsbosje. ▼—**etier** *m* hazelaar. ▼—**ette** *v* **1** hazelnoot; **2** rossig grijs.
noix *v* **1** noot; — *de coco*, kokosnoot; — *de galle*, galnoot; **2** *de veau*, schouderstuk v.e. kalf; **3** *à la* — (*pop.*), *à la* — *de coco* (*pop.*), waardeloos, nutteloos.
noli me tangere *m* springkruid, balsemien.
nolis *m* scheepsbevrachting. ▼**nolisement** *m* scheepsbevrachting. ▼**noliser** *ov.w* bevrachten v.e. schip.
nom *m* naam; — *de baptême*, doopnaam; — *d'un chien*, verdikkie; — *commun*, gemeen zn; — *de dieu*, g.v.d.; — *de* —, verdikke; *de* —, in naam; *du* — *de*, geheten; — *de famille*, achternaam; — *de guerre*, schuilnaam, pseudoniem; *homme à* —, edelman; — *de nombre*, telwoord; *petit* —, voornaam; — *propre*, eigennaam.
nomade I *bn* zwervend. II *zn m* nomade.
▼**nomadisme** *m* zwervend bestaan.
nombr/able *bn* telbaar. ▼—**ant** *bn*: *nombre* —, abstract getal. ▼**nombre/m** **1** getal, aantal; — *de*, *de bon* — *de*, tal van; *au* — *de*, onder; *au* — *de 20*, ten getale van 20; *en* —, in groten getale; — *entier*, geheel getal; *faire* —, meetellen; *tout fait* —, alle beetjes helpen; — *fractionnaire*, gebroken getal; — *premier*, ondeelbaar getal; — *rond*, rond getal; *sans* —, talrijk, ontelbaar; **2** meerderheid, overmacht; **3** getal v.e. woord (enkelvoud of meervoud); **4** telwoord v.e. woord; — *cardinal*, hoofdtelwoord; — *ordinal*, rangtelwoord; **5** harmonie, evenredigheid. ▼—**er** *ov.w* (*oud*) tellen, berekenen. ▼—**eux, -euse** *bn* talrijk.
nombril *m* navel.
nomen/clateur *m* naamgever in wetenschap. ▼—**clature** *v* naamlijst, woordenlijst.
nomin/al [*mv* **aux**] *bn* **1** van de naam; *appel* —, het afroepen der namen; **2** in naam; *être le chef* —, in naam het hoofd zijn; *valeur* —*e*, nominale waarde. ▼—**atif, -ive** I *bn* de naam bevattend; *état* —, naamlijst. II *zn m* eerste naamval. ▼—**ation** *v* benoeming, aanstelling.
nommément *bw* met name. ▼**nommer** I *ov.w* **1** noemen; *un nommé Jean*, een zekere Jan; *à jour nommé*, op de afgesproken dag; *à point nommé*, op het juiste ogenblik, op de kop af; **2** een naam geven, noemen; **3** benoemen; — *qn. maire*, iem. tot burgemeester benoemen. II *se* — **1** zich noemen; **2** heten.
nomographie *v* **1** wetskennis; **2** verhandeling over wetten; **3** (het) maken v. grafische

berekeningen.
non I *bw* neen, niet; — *pas*, niet; — *plus*, ook niet, evenmin; — *seulement*, niet alleen. **II** *vgw*: — *que*, — *pas que* (met *subj.*), niet dat. **III** *zn m: répondre par un —*, ontkennen, weigeren.
non-activité *v* nonactiviteit.
non-adhérent *m* niet-lid.
nonagénaire I *bn* negentigjarig. **II** *zn m* of *v* negentigjarige.
non-agression *v* (het) niet aanvallen; *pacte de —*, niet-aanvalsverdrag.
non-align/é *bn* (*pol.*) niet-gebonden. **▼—ement** *m* (het) zich verzetten tegen blokvorming.
nonante *telw.* negentig (België, Zwitserland).
non-belligérance *v* (het) niet deelnemen aan een oorlog.
nonce *m* nuntius.
nonchal/amment *bw* slordig, onverschillig. **▼—ance** *v* slordigheid, onverschilligheid. **▼—ant** *bn* slordig, onverschillig.
nonciature *v* nuntiatuur.
non/-combattant† *m* niet-strijder. **▼—comparant†** I *bn* niet voor de rechtbank verschijnend. **II** *zn m* iem. die niet voor de rechtbank verschijnt. **▼—conformisme** *m* id. **▼—conformiste** *zn/bn* non-conformist(isch). **▼—conformité** *v* gebrek aan overeenstemming.
none *v* none.
non/-exécution *v* niet-uitvoering. **▼—existence** *v* (het) niet-bestaan. **▼—ingérence** *v* niet-inmenging. **▼—intervention** *v* het niet-tussenbeide komen. **▼—interventionniste†** *m* voorstander v.d. non-interventiepolitiek. **▼—lieu** *m* ontslag v. rechtsvervolging.
nonne *v* (*oud*) non. **▼nonnette** *v* 1 nonnetje (vogel); 2 soort rond koekje.
nonobstant I *vz* niettegenstaande, ondanks. **II** *bw* desondanks.
non-paiement *m* niet-betaling.
nonpareil, -eille I *bn* weergaloos, onvergelijkelijk. **II** *v* kleine drukletter.
non/-recevoir *m: opposer une fin de —*, niet ontvankelijk verklaren. **▼—résidence** *v* verblijf buiten de woonplaats. **▼—retour** *m: point de —*, point of no return. **▼—réussite†** *v* mislukking. **▼—sens** *m* onzin. **▼—usage** *m* (het) niet-gebruiken. **▼—valeur†** *v* 1 waardeloos papier, huis, bezit; 2 waardeloos persoon, prul. **▼—violence** *v* geweldloosheid. **▼—vue** *v* slecht zicht (*scheepv.*).
nord *m* 1 noorden; *cap —*, Noordkaap; *étoile du —*, poolster; *perdre le —*, de kluts kwijtraken; *pôle —*, noordpool; 2 noordenwind. **▼—africain** *zn/bn* Noordafrikaan(s). **▼—américain** *zn/bn* Noordamerikaan(s). **▼—est** *m* noordoosten. **▼—ique** *bn* noords. **▼ir** *on.w* naar het noorden draaien (v.d. wind). **▼—ouest** *m* noordwesten.
noria *v* jacobsladder.
normal [*mv* aux] *bn* 1 gewoon, regelmatig; *école —e*, kweekschool; *école —e supérieure*, school ter opleiding voor leraar bij het M.O.; 2 loodrecht. **II -e** *v* 1 loodlijn op raaklijn of raakvlak; 2 kweekschool. **▼—ement** *bw* in gewone omstandigheden, normaliter. **▼—ien** *m*, **-ienne** v kwekeling (e), meestal leerling (e) v.d. *école normale supérieure*. **▼—iser** *ov.w* normaliseren. **▼—isation** *v* normalisatie, normalisering.
normand I *bn* Normandisch. **II** *zn* N— *m*, **-e** *v* Normandiër, -dische; *les N—s*, de Noormannen. **▼N—ie** *v* Normandië.
norme *v* maatstaf, regel, norm.
nor(r)ois *m* oud-Noors. **▼noroît** *m* noordwestenwind (*scheepv.*).
Norvège (la) *v* Noorwegen. **▼norvégien, -enne I** *bn* Noors. **II** *zn* N— *m*, **-enne** *v* Noor(se). **III** — *m* Noorse taal.
nos *vnw* meervoud van *notre*.
nostalg/ie *v* heimwee. **▼—ique** *bn* vol

heimwee, door heimwee veroorzaakt.
nota I *zn m* opmerking, noot. **II** let wel.
notabilité *v* 1 aanzienlijkheid; 2 aanzienlijk persoon. **▼notable** I *bn* opmerkelijk, aanzienlijk. **II** *zn m* of *v* aanzienlijk persoon. **▼—ment** *bw* opmerkelijk, veel.
notair/e *m* notaris. **▼—esse** *v* (*oud*) notarisvrouw.
notamment *bw* vooral, in 't bijzonder, bijvoorbeeld.
notari/al [*mv aux*] *bn* notarieel. **▼—at** *m* notariaat. **▼—é** *bn* notarieel.
notation *v* 1 schrijfwijze; 2 (het) geven v. cijfers; 3 notatie (— *musicale*). **▼note** *v* 1 noot, toon; *changer de —*, uit een ander vaatje gaan tappen; 2 aantekening, notitie; *prendre des —s*, aantekeningen maken; *prendre — de*, nota van iets nemen; 3 cijfer; punt; *bonne —*, *mauvaise —*, goed, slecht cijfer; 4 nota (— *diplomatique*); 5 rekening, nota. **▼note** *ov.w* 1 optekenen, noteren; *notez bien ceci!*, let hier wel op!; *notez bien que*, merk op, vergeet niet, dat . . .; *être mal noté*, slecht aangeschreven staan; 2 in noten opschrijven; 3 waarderen met een cijfer of opmerking. **▼notice** *v* kort bericht.
notificatif, -ive *bn* aankondigend. **▼notification** *v* aankondiging. **▼notifier** *ov.w* aankondigen.
notion *v* begrip, kennis.
notoir/e *bn* algemeen bekend. **▼—ement** *bw* klaarblijkelijk. **▼notoriété** *v* algemene bekendheid; *il est de — publique*, het is algemeen bekend.
notre *vnw* ons, onze. **▼nôtre** *m* of *v* [*mv* les —s] de, het onze; *les —s*, onze bloedverwanten, onze partijgenoten; *il est des —s*, hij staat aan onze kant; *il faut y mettre du —*, we moesten er ons best voor doen.
Notre-Dame *v* 1 Onze Lieve Vrouw; 2 beeld van O.L.V.; 3 kerk aan O.L.V. gewijd.
notule *v* korte noot.
nouage *m* (het) knopen. **▼nouaison** *v* (het) zich zetten v. vruchten, vruchtzetting.
nouba *v* (*fam.*) fuif; pret.
noue *v* 1 verbinding tussen twee schuine daken; 2 vochtige weide.
noué *bn* lijdend aan Engelse ziekte.
nouer I *ov.w* 1 knopen, binden, met een strik vastmaken; 2 aanknopen; — *amitié*, vriendschap aanknopen; 3 op touw zetten, smeden (v.e. komplot). **II** *on.w* zich zetten (v. vruchten). **III se** — 1 een knoop vormen, in de knoop gaan; 2 aangeknoopt worden; 3 gesmeed worden (v.e. komplot); 4 zich zetten v. vruchten. **▼noueux, -euse** *bn* knoestig.
nougat *m* noga; —*s*, (*pop.*) voeten. **▼—ine** *v* nogatine.
nouilles *v mv* noedels; *une nouille* (*fam.*), suffer, sukkel.
noulet *m* kielgoot.
nounou *v* (*kind.*) = nourrice.
nounours *m* (*kind.*) (teddy)beer.
nourrain *m* pootvis.
nourri *bn* 1 vol (*grain —*); 2 krachtig (*style —*); 3 *logé et —*, met kost en inwoning. **▼nourric/e** *v* 1 voedster, min; *mettre un enfant en —*, een kind bij een min doen; 2 verzorgster; 3 reserveblik, -tank. **▼—erie** *v* vetweiderij. **▼—ier** I *zn m* man v.e. min. **II** *bn m*, **-ière** *v* voedend; *père —*, voedstervader; *sol —*, voedingsbodem. **▼nourrir** *ov.w* 1 voeden, zogen; 2 opvoeden; 3 onderhouden, koesteren (— *l'espoir*). **▼nourriss/age** *m* het fokken v. vee. **▼—ant** *bn* voedzaam. **▼—eur** *m* 1 melkveehouder; 2 vetweider. **▼—on** *m* zuigeling. **▼nourriture** *v* voedsel.
nous *vnw* wij, ons; *chez —*, thuis.
nouure *v* 1 Engelse ziekte; 2 vruchtzetting.
nouveau [*mv* x] -elle (het) (nouvel voor een mannel. woord dat met een klinker of stomme h begint) I *bn* 1 nieuw, ander; *le Nouvel An*, nieuwjaar; *habit —*, nieuwmodisch kleed; *nouvel habit*, ander kleed; — *riche*, parvenu;

saison *nouvelle*, lente; —*-venu*
(*nouvelle-venue*), nieuw gekomene; *à* —, van
voren af aan; *de* —, opnieuw; **2** onervaren; *être*
— *à. dans qc.*, onervaren, een nieuweling in
iets zijn. II *zn m* **1** (het) nieuwe, nieuws;
2 nieuweling. ▼—**né** I *bn* pasgeboren. II *zn
m* of *v* pasgeborene. ▼**nouveauté** *v*
1 nieuwheid; **2** nieuwigheid; **3** pas
uitgekomen boek; **4** pas uitgekomen artikel;
modeartikel; *des* —*s*, modeartikelen,
manufacturen; *magasin de* —*s*,
modemagazijn, manufacturenwinkel.
▼**nouvelle** *v* **1** nieuws, bericht, tijding; *nous
avons eu de ses* —*s*, wij hebben bericht van
hem gekregen; *vous aurez de mes* —*s!*, wij
spreken elkaar nog wel nader!; *point de* —*s*,
bonnes —*s (spr.w.)*, geen tijding, goede
tijding; **2** inlichting over iemands gezondheid,
over iemands toestand; *demander, prendre des*
—*s de qn.*, vragen hoe iemand het maakt;
3 novelle; —*s à la main*, korte anekdoten in een
krant. ▼**nouvellement** *bw* onlangs, pas.
Nouvelle-Orléans *v* New Orleans.
Nouvelle-Zélande *v* Nieuw-Zeeland.
nouvelliste *v* **1** nieuwtjesjager;
2 novellenschrijver; **3** journalist.
novat/eur, -trice I *bn* baanbrekend,
hervormend. II *zn m, -***trice** *v* hervormer
(-ster), baanbreker (-breekster). ▼—**ion** *v*
vernieuwing v.e. schuldvordering. ▼—**oire** *bn*
wat de schuldvordering vernieuwt.
novembre *m* november.
nover *ov.w* (een schuldvordering, een
contract) vernieuwen.
novic/e I *bn* **1** onervaren, ongeschoold;
2 onschuldig. II *zn m* of *v* **1** novice;
2 beginneling(e); **3** lichtmatroos. ▼—**iat** *m*
1 noviciaat; **2** noviciaatshuis; **3** leertijd.
noyade *v* verdrinking.
noyau *[mv x] m* **1** pit, steen; **2** kern. ▼—**tage**
m cellenbouw (als propagandamiddel).
▼—**ter** *ov.w* cellen vormen (als
propagandamiddel).
noyé *m*, -*e v* drenkeling(e). ▼**noyer** I *ov.w*
1 verdrinken; — *son chagrin*, zijn verdriet
verdrinken; — *le poisson*, een vis met de kop
boven water uit het water halen; een zaak in de
doofpot stoppen; *qui veut* — *son chien,
l'accuse de la rage (spr.w)*, wie een hond wil
slaan, kan gemakkelijk een stok vinden;
2 overstromen; *yeux noyés de larmes,
noyé de dettes*, tot over de
oren in de schuld. II *se* — verdrinken; *aller se*
—, zich verdrinken; *se* — *dans un
raisonnement*, niet uit een redenering kunnen
komen; *se* — *dans le sang*, in bloed baden.
noyer *m* **1** noteboom; **2** notehout.
nu I *bn* naakt, bloot, kaal; *épée* —, blote
degen; *muraille* —*e*, kale muur; *pays* —, kale,
dorre streek; *nu-pieds, pieds nus*, blootsvoets;
nu-tête, tête nue, blootshoofds; *vérité toute*
—*e*, naakte waarheid. II *zn m* (het) naakt,
naakt model; *à* —, naakt, bloot; *mettre à* —,
blootleggen; *monter un cheval à* —, een
ongezadeld paard berijden.
nuag/e *m* wolk; *bonheur sans* —*s*, onverstoord
geluk; *être dans les* —*s*, verstrooid zijn; — *de
lait*, scheutje melk; — *de poussière*, stofwolk.
▼—**eux, -euse** *bn* **1** bewolkt; **2** onduidelijk,
vaag.
nuance *v* (kleur)schakering, klein verschil.
▼**nuancer** *ov.w* nuanceren, schakeren.
nubile *bn* huwbaar. ▼**nubilité** *v* huwbaarheid,
huwbare leeftijd.
nucléaire *bn* kern-; *fissure* —, kernsplitsing;
explosif —, kernspringstof; *armes* —*s*,
kernwapens. ▼**nucléé** *bn* één of meer kernen
bezittend.
nud/isme *m* naaktloperij. ▼—**iste** *m* of *v*
naaktloper (-loopster). ▼—**ité** *v* **1** naaktheid,
blootheid; **2** dorheid.
nue *v* wolk; *porter aux* —*s*, hemelhoog prijzen;
tomber des —*s*, kijken of men het in Keulen
hoort donderen. ▼**nuée** *v* **1** dikke wolk;
2 zwerm.
nue-propriété *v* bloot eigendom.

nuire *on.w onr.* (— *à*) benadelen, schaden.
▼**nuisible** *bn* schadelijk.
nuit *v* **1** nacht; — *blanche*, slapeloze nacht; *de*
—, 's nachts; *la* — *éternelle*, de dood; *les feux
de la* —, de sterren; *le flambeau de la* —, de
maan; *ni jour ni* —, nooit; — *et jour*, dag en
nacht; **2** duisternis; *il fait* —, het is donker; *il
fait* — *noire*, het is stikdonker; *la* — *tombe*, de
avond valt. ▼**nuitamment** *bw* 's nachts.
▼**nuitée** *v* **1** nacht; **2** prijs v.e. nacht logies.
nul, nulle I *vnw* (met *ne*) geen, geen enkel(e);
ne… nulle part, nergens. II *bn* waardeloos,
onbeduidend, nietig; *homme* —, onbeduidend
persoon; *match* —, gelijk spel; — *et non avenu*,
van generlei waarde. III *zn m* (met *ne* vóór het
werkwoord) niemand. ▼**nullard** *bn* (*fam.*)
waardeloos. ▼**nullement** *bw* geenszins, in het
geheel niet. ▼**nullification** *v* nietigverklaring.
▼**nullité** *v* **1** nietigheid; **2** onbeduidendheid,
onbenulligheid; **3** onbeduidend, onbenullig
persoon.
nûment *bw* onbewimpeld, ronduit.
numér/aire I *bn* wat de wettelijke waarde v.
geld betreft; *valeur* —, numerieke waarde. II *zn
m* **1** klinkende munt; **2** (het) in omloop zijnde
gemunte geld. ▼—**al** *[mv aux]* I *bn* wat een
getal aanduidt; *adjectif* —, telwoord. II *zn m*
telwoord. ▼—**ateur** *m* teller v.e. breuk.
▼—**ation** *v* telling; — *décimale*, tientallig
stelsel. ▼—**ique** *bn* het aantal betreffend;
supériorité —, overmacht, numerieke
meerderheid. ▼—**iquement** *bw* in aantal, in
getalsterkte. ▼**numér/o** *m* **1** nummer (in
versch. betekenissen); **2** prijskaartje; **3** rare
kerel, nummer. ▼—**otage** *m* nummering.
▼—**oter** *ov.w* nummeren. ▼—**oteur** *m*
nummeraar (instrument).
numismate *v* munten- en penningkenner.
▼**numismatique** *v* penningkunde.
nummulaire *v* penningkruid.
nuptial *[mv aux] bn* wat de bruiloft of het
huwelijk betreft; *bénédiction* —*e*,
huwelijksinzegening. ▼—**ité** *v* aantal
huwelijken in een land.
nuque *v* nek.
nurse *v* kindermeisje. ▼—**ry** *v* kinderkamer.
nutri/ment *bn* dadelijk opneembare
voedingsstof. ▼—**tif** *bn* voedzaam,
voedend. ▼—**tion** *v* voeding.
nyctalopie *v* (het) bij nacht goed kunnen zien.
nylon *m* nylon.
nymphe *v* **1** nimf; **2** knap, welgevormd meisje;
3 lichte vrouw; **4** pop v.e. insekt.
nymphéa *m* witte waterlelie. ▼**nymphéacées**
v mv waterlelieachtigen.
nymph/ée *m* nimfengrot, -tempel. ▼—**omane**
bn nimfomaan. ▼—**omanie** *v* nimfomanie.
▼—**ose** *v* verpopping v.e. insekt.

o m de letter o.
ô tw o!
oasien, -enne I bn van de oasen. **II** zn m,
-enne v oasebewoner (-bewoonster). ▼**oasis**
v (soms m) oase.
obédience v 1 (klooster)gehoorzaamheid;
2 klooster, afhangend v.e. moederhuis.
▼**obédientiel, -elle** bn wat de
kloostergehoorzaamheid betreft.
obé/ir (à) on.w 1 gehoorzamen; 2 zwichten
(— à la force). ▼**—issance** v
1 gehoorzaamheid; 2 onderdanigheid,
onderhorigheid. ▼**—issant** bn gehoorzaam.
obélisque m obelisk.
obérer ov.w bezwaren (met schuld).
obèse I bn zwaarlijvig. **II** zn m of v zwaarlijvige.
▼**obésité** v zwaarlijvigheid.
obier m sneeuwbal (plk.).
obit m jaargetijde v.e. dode.
object/er ov.w tegenwerpen. ▼**—eur** m: — de
conscience, principieel dienstweigeraar.
objectif, -ive I bn objectief. **II** zn m 1 objectief
v. kijker enz., lens; 2 doel.
objection v tegenwerping, bedenking.
object/ivement bw op objectieve wijze.
▼**—iver** ov.w objectief voorstellen. ▼**—ivité** v
objectiviteit.
objet m 1 voorwerp, object; 2 doel.
objurgation v hevige uitbrander, scherp
verwijt.
oblat m oblaat.
oblation v 1 offer, offerande; 2 oblatie.
obligat/aire m obligatiehouder. ▼**—ion** v
1 verplichting; 2 obligatie. ▼**—oire** bn
1 verplicht; arrêt —, vaste halte; service —,
dienstplicht; 2 bindend. ▼**obligé I** bn
verplicht, obligaat; je vous suis —, ik ben u
dankbaar. **II** zn m: je suis votre —, ik ben u zeer
verplicht. ▼**oblige/amment** bw welwillend,
gediensstig, voorkomend. ▼**—ance** v
welwillendheid, gedienstigheid,
voorkomendheid; ayez l'— de, wees zo
vriendelijk te. ▼**—ant** bn welwillend,
vriendelijk, gedienstig, voorkomend. ▼**obliger**
I ov.w 1 verplichten; 2 dwingen, noodzaken.
II s' — zich verplichten, een verplichting op
zich nemen.
oblique I bn schuin, scheef; 2 slinks,
dubbelzinnig. **II** zn v schuine lijn. ▼**obliquer**
on.w in schuine richting lopen; — à droite,
rechts uitwijken. ▼**obliquité** v 1 schuinte,
scheefheid; 2 slinksheid, dubbelzinnigheid.
oblitér/ateur, -atrice I bn onbruikbaar
makend; timbre —, vernietigingsstempel. **II** zn
m stempel. ▼**—ation** v afstempeling. ▼**—er**
ov.w 1 uitwissen; 2 onbruikbaar maken (—
un timbre); 3 verstoppen bijv. van vaten.
oblong, e bn langwerpig.
obnubil/ation v gezichts-,
geestesverduistering. ▼**—er** ov.w
verduisteren, benevelen.
obole v 1 (oud) penning, duit; cela ne vaut pas
une —, dat is geen cent waard; l'— de la
veuve, het penningske der weduwe; 2 kleine
gave, bijdrage.
obscène bn onzedelijk, gemeen, obsceen.
▼**obscénité** v onzedelijkheid, gemeenheid,
obsceniteit.

obscur bn 1 duister, donker; 2 onbekend,
verborgen, obscuur (vie —e); 3 onduidelijk.
obscurant/isme m systeem dat de massa dom
wil houden. ▼**—iste** m iem. die voorstander is
v.h. dom houden der massa.
obscur/cir I ov.w 1 verduisteren, donker
maken; 2 onduidelijk maken. **II s'**— donker,
duister worden; son front s'obscurcit, zijn
gelaat betrok; sa gloire s'obscurcit, zijn roem
verduisterde. ▼**—cissement** m verduistering,
(het) donker worden. ▼**—ément** bw
1 duister; 2 onduidelijk; 3 onbekend,
verborgen. ▼**—ité** v 1 duisternis;
2 onduidelijkheid; 3 verborgenheid,
vergetelheid.
obsécration v aanroeping, bezwering.
obsédant bn kwellend, hinderlijk. ▼**obséder**
ov.w lastig vallen, kwellen, hinderen.
obsèques v mv uitvaart, plechtige begrafenis.
obséqui/eusement bw kruiperig,
overbeleefd. ▼**—eux. -euse** bn kruiperig,
overbeleefd. ▼**—osité** v kruiperigheid,
overbeleefdheid.
observ/able bn waarneembaar. ▼**—ance** v
1 naleving v. godsdienstige plichten, v.
kloosterregels, v. wetten; 2 kloosterregel.
▼**—ateur I** zn m. -atrice v 1 nalever
(naleefster) v. regels; 2 waarnemer
(waarneemster); onderzoeker (-ster);
3 toeschouwer (toeschouwster); 4 mil.
waarnemer. **II** bn onderzoekend. ▼**—ation** v
1 naleving v. regels; 2 waarneming;
observatie; poste d'—, waarnemingspost;
3 opmerking, aanmerking; faire des —s,
aanmerkingen maken. ▼**—atoire** m
sterrenwacht, meteorologisch instituut. ▼**—er**
I ov.w 1 naleven, nakomen; 2 waarnemen,
gadeslaan; 3 in het oog, in de gaten houden;
4 opmerken; je vous fais — que, ik maak er u
opmerkzaam op dat. **II s'**— 1 zich in acht
nemen; 2 elkaar gadeslaan; 3 zichzelf
besturen.
obsession v 1 (het) kwellen, hinderen;
2 kwellende gedachte, obsessie. ▼**—nel,**
-nelle bn met, van een obsessie.
obsidienne v lavaglas.
obsidional [mv aux] bn: délire —,
vervolgingswaanzin.
obsolète bn obsoleet, verouderd.
obstacle m hinderpaal, hindernis, obstakel;
mettre — à, verhinderen.
obstétrical [mv aux] bn verloskundig,
obstetrisch. ▼**obstétrique** v verloskunde,
obstetrie.
obstination v koppigheid, hardnekkigheid.
▼**obstiné I** bn hardnekkig, koppig, obstinaat.
II zn m. -e v stijfkop. ▼**obstinément** bw
hardnekkig, koppig. ▼**obstiner I** ov.w koppig
maken. **II s'**— à hardnekkig volhouden.
obstructif, -ive bn stoppend (med.).
▼**obstruction** v 1 verstopping (med.);
2 obstructie; faire de l'—, obstructie voeren.
▼**obstruer** ov.w 1 verstoppen; 2 versperren.
obtempérer (à) on.w gehoorzamen,
nakomen.
obtenir ov.w onr. verkrijgen. ▼**obtention** v
verkrijging, verwerving.
obtur/ateur, -atrice I bn sluitend. **II** zn m
afsluiter, sluiter v. fototoestel. ▼**—ation** v
1 afsluiting; 2 vulling v.e. kies. ▼**—er** ov.w
1 afsluiten; 2 vullen.
obtus bn stomp, bot; angle —, stompe hoek.
▼**obtusangle** bn stomphoekig.
obus m granaat; — de rupture, brisantgranaat.
▼**obusier** m houwitser, mortier.
obvier à tegengaan.
oc m (oud) ja in het Z. van Frankrijk; langue
d'oc, Z.-Franse taal in de middeleeuwen.
ocarina m ocarina (muz.).
occasion v 1 gelegenheid; à l'—, bij
gelegenheid; avoir l'— de, gelegenheid
hebben om te; d'—, tweedehands (livres d'—);
2 omstandigheid; 3 oorzaak; 4 buitenkansje,
koopje. ▼**—nel, -nelle** bn 1 aanleidend
(cause —elle); 2 toevallig. ▼**—nellement** bw
bij gelegenheid. ▼**—ner** ov.w veroorzaken.

occident *m* westen. **▼**—al [*mv* aux] I *bn* westers, westelijk. II *zn mv* les O—aux de westerlingen. **▼**—aliser *ov.w* verwestersen.

occip/ital [*mv* aux] *bn* wat het achterhoofd betreft. **▼**—ut *m* achterhoofd.

occlusif, -ive *bn* afsluitend. **▼occlusion** *v* sluiting (*med.*).

occultation *v* verduistering v.e. hemellichaam. **▼occult/e** *bn* verborgen, geheim; *sciences* —s, geheime wetenschappen (spiritisme, sterrenwichelarij enz.). **▼**—isme *m* leer der geheime wetenschappen. **▼**—iste *m* of *v* beoefenaar (-ster) der geheime wetenschappen.

occup/ant 1 bezitter; 2 bewoner; 3 inzittende; 4 bezetter. **▼**—ation *v* 1 bezigheid, werk; 2 inbezitneming, bezetting. **▼occup/é** *bn* (— à) 1 bezig (met), druk; 2 bezet. **▼**—er I *ov.w* 1 beslaan, plaats innemen; 2 bewonen; 3 bezetten; 4 bekleden (— *un emploi*); 5 bezighouden, werk geven; 6 in beslag nemen (v. tijd). II s'—1 s'— *de*, zich bezighouden met, zorgen voor; 2 s'— *à*, bezig zijn met.

occurrence *v* gelegenheid, omstandigheid; *en cette* —, in dit geval; *dans l'*—, als het geval zich voordoet.

océan *m* oceaan; — *Antarctique*, — *glacial du Sud*, Z. IJszee; — *Arctique*, — *glacial du nord*, N. IJszee; — *Atlantique*, Atl. Oceaan; — *Indien*, Indische Oceaan; — *Pacifique*, Stille Zuidzee. **▼**—ide *v* zeenimf. **▼O—ie** (l') *v* Australië (met de eilanden), Oceanië. **▼**—ien, -ienne I *bn* 1 Australisch; 2 v.d. oceaan. II *zn* O—m, -ienne *v* Australiër, -ische. **▼**—ique *bn* v.d. oceaan. **▼océanograph/ie** *v* oceaanstudie. **▼**—ique *bn* wat de oceaanstudie betreft.

ocelle *m* oogvormige vlek.

ocelot *m* Mexicaanse tijgerkat.

ocre *v* oker. **▼ocreux, -euse** *bn* okerachtig, -kleurig.

octane *m* octaan.

octant *m* octant.

octante *t/w* tachtig (*oud* en *dial.*).

octav/e *v* 1 octaaf (*rk*); 2 octaaf (*muz.*); 3 achtregelig vers. **▼**—in *m* octaaffluit.

octobre *m* oktober.

octo/génaire I *bn* tachtigjarig. II *zn* m of v tachtigjarige. **▼**—gone I *bn* achthoekig. II *zn* m achthoek. **▼**—syllabe, —syllabique *bn* achtlettergrepig.

octroi *m* 1 toekenning, verlening; 2 stedelijke belasting op levensmiddelen; 3 administratie dezer rechten; 4 bureau waar deze rechten betaald worden. **▼octroyer** *ov.w* toekennen, verlenen.

octuple *bn* achtvoudig.

oculaire I *bn* v.d. ogen; *témoin* —, ooggetuige. II *zn* m oculair v. verrekijker enz. **▼oculist/e** *m* of *v* oogarts. **▼**—ique I *bn* oogheelkundig. II *zn* v oogheelkunde.

odalisque *v* odalisk(e).

ode *v* ode.

odéon *m* muziektempel.

odeur *v* 1 geur, reuk; 2 *les* —s, parfum.

odieusement *bw* afschuwelijk, schandelijk. **▼odieux, -euse** I *bn* afschuwelijk, schandelijk, verfoeilijk. II *zn* m afschuwelijkheid, schandelijkheid.

odomètre *m* afstandswijzer.

odont/algie *v* kies-, tandpijn. **▼**—ologie *v* tandkunde. **▼**—ologique *bn* tandheelkundig.

odor/ant *bn* geurig, welriekend. **▼**—at *m* reuk, reukzin. **▼**—iférant *bn* welriekend, geurig.

odyssée *v* 1 Odyssee; 2 avontuurlijk reisverhaal; 3 opvolging v. verschillende buitengewone gebeurtenissen.

œcumén/ique *bn*: oecumenisch; *concile* —, kerkvergadering waarvoor alle kath. bisschoppen worden uitgenodigd. **▼**—isme *m* oecumenische beweging.

œdème *m* oedeem, soort gezwel.

Œdipe *m* Oedipus.

œil [*mv* yeux] *m* 1 oog; — *pour* —, *dent pour dent*, oog om oog, tand om tand; *à l'*—, gratis,

op de pof; *avoir l'*— *à tout*, overal op letten; *avoir l'*— *sur qn.*, een oogje op iemand houden; *avoir l'*— *américain*, een praktische kijk hebben; *avoir de l'*—, er goed uitzien; *avoir un bandeau sur les yeux*, met blindheid geslagen zijn; *se battre l'*— *de*, geen zier geven om; *pour les beaux yeux de qn.*, alleen om iem. plezier te doen; *en un clin d'*—, in een oogwenk; *avoir le compas dans l'*—, goed kunnen schatten; *jeter un coup d'*—, een blik werpen; *coûter les yeux de la tête*, erg duur zijn; *couver, dévorer des yeux*, met de ogen verslinden; *ne pas en croire ses yeux*, niet kunnen geloven; *ne dormir que d'un* —, licht slapen; *entre quatre yeux*, onder vier ogen; *être tout yeux*, een en al oog zijn; *faire de l'*—, een knipoogje geven; *fermer les yeux de qn.*, iem. in zijn laatste ogenblikken bijstaan; *fermer les yeux sur*, een oogje dichtdoen; *n'avoir pas froid aux yeux*, voor geen klein geruchtje vervaard zijn; *loin des yeux, loin du cœur* (*spr.w*), uit het oog, uit het hart; *ôte-toi de devant mes yeux*, ga uit mijn ogen, verdwijn; *ouvrir de grands yeux*, grote ogen opzetten; *ouvrir l'*—, opletten, zijn ogen de kost geven; — *poché*, blauw oog; *cela saute aux yeux, crève les yeux*, dat springt in het oog, dat is duidelijk; 2 oog = opening; l'— *d'une aiguille*, het oog v.e. naald; 3 oog = knop; 4 oog op veren; 5 oog op soep; 6 gat in kaas, brood enz.

œil/-de-bœuf [*mv* œils-de-bœuf] *m* rond venster. **▼**—de-chat [*mv* œils-de-chat] *m* soort kwarts. **▼**—de-perdrix [*mv* œils-de-perdrix] *m* eksteroog, likdoorn. **▼**—de-serpent [*mv* œils-de-serpent] *m* soort edelsteen.

œill/ade *v* knipoogje. **▼**—ère I *v* 1 oogklep; *avoir des* —s, de dingen slechts van één kant zien, bevooroordeeld zijn; 2 oogbadje. II *bn*: *dent* —, oogtand. **▼**—et *m* 1 anjelier; 2 vetergat; 3 metalen ringetje in vetergat. **▼**—eton *m* 1 rond kijkgaatje, zoeker; 2 (*plk.*) oog. **▼**—ette *v* 1 tuinpapaver; 2 papaverolie.

œno/logie *v* leer v. wijnbouw en bereiding. **▼**—phile *v* liefhebber v. wijn. **▼**—technie, —technique *v* techniek der wijnbereiding.

œsophage *m* slokdarm.

œstre *m* horzel.

œstrogène *v* oestrogeen. **▼œstrus** *m* ovulatiefase.

œuf *m* 1 ei; — *à la coque*, zacht ei; *donner un* — *pour avoir un bœuf*, een spierinkje uitwerpen om een kabeljauw te vangen; — *dur*, hard ei; — *au plat*, — *sur le plat*, spiegelei; *plein comme un* —, eivol, mudvol; — *de Pâques*, paasei; *mettre tous ses* —s *dans le même panier*, alles op één kaart zetten; *se ressembler comme deux* —s, op elkaar lijken als twee druppels water; 2 kiem; *écraser, étouffer dans l'*—, in de kiem smoren; 3 maasbal. **▼œufrier** *m* 1 eierstander; 2 eierkoker.

œuvé *bn* met kuit.

œuvre I *v* 1 werk; voortbrengsel; —*s d'art*, kunstwerken; *bois d'*—, timmerhout; *l'exécuteur des hautes* —*s*, de beul; *faire* — *de*, zich gedragen als; *mettre en* —, aanwenden, in het werk stellen; *se mettre à l'*—, aan het werk gaan; 2 kerkedas; 3 liefdadigheidsvereniging; 4 zetting, montuur; 5 romp v.e. schip. II *m* 1 gezamenlijke werken v.e. kunstenaar; 2 opus (*muz.*); 3 metselwerk; *hors d'*—, buitenwerks; 4 *le grand* —, de steen der wijzen.

offensant *bn* beledigend. **▼offens/e** *v* 1 belediging; 2 zonde, schuld. **▼**—er I *ov.w* 1 beledigen; 2 beschadigen, kwetsen. II s'— 1 elkaar beledigen; 2 s'— *de*, zich beledigd achten door, boos worden over. **▼**—eur *m* belediger. **▼**—if, -ive I *bn* aanvallend. II -ive *v* offensief; *prendre l'*—, het offensief nemen. **▼**—ivement *bw* aanvallend.

offert *v.dw van* offrir.

offertoire *m* offertorium (*rk*).

office I *m* 1 ambt, betrekking; d'—,

ambtshalve, ex officio; **2** kantoor, bureau; — *de publicité*, advertentiebureau; — *du Tourisme*, vereniging voor vreemdelingenverkeer (V.V.V.); **3** dienst; **4** officie, kerkdienst (*rk*); — *des morts*, dodenmis. **II** v keuken, eetkamer voor bedienden.

official [*mv* **aux**] *m* kerkelijk rechter.

officiant *m* priester die de mis opdraagt.

officiel, -elle I *bn* officieel; (*journal*) *officiel*, Staatscourant; —! (*fam.*), zeker weten! **II** *zn m* (*sp.*) official. ▼**—lement I** *bw* officieel.

officier *on.w* de mis opdragen.

offic/ier *m* **1** officier; — *subalterne*, officier t/m kapitein; — *supérieur*, hoofdofficier (v. majoor t/m kolonel); —*s généraux*, opperofficieren (generaals); **2** ambtenaar; — *de paix*, vrederechter; — *de santé*, plattelandsdokter die geneesk. praktijk mocht uitoefenen zonder dokterstitel; **3** officier in een ridderorde; — *d'académie*, universitaire onderscheiding; — *de l'instruction publique*, titel die een graad hoger is dan die van officier d'Académie; — *de la Légion d'honneur*, officier in het legioen van eer. ▼**—ière** v vrouwel. officier v.h. Leger des Heils.

officieux, -euse *bn* **1** gedienstig; **2** officieus.

officinal [*mv* **aux**] *bn* wat behoort tot de artsenijbereidkunde; *plantes —es*, geneeskrachtige kruiden. ▼**officine** v **1** apotheek; **2** (*fig.*) broeinest.

offrande v **1** offerande; **2** gave. ▼**offrant** *m* bieder; *le plus —*, de hoogste bieder. ▼**offre** v aanbod, bod; *l'— et la demande*, vraag en aanbod; — *ferme*, vaste offerte. ▼**offrir I** *ov.w onr.* aanbieden, bieden, offreren; — *de*, bieden voor. **II s'—** **1** aangeboden worden; **2** zich voordoen (*l'occasion s'offre*); **3 s'— qc.** zich op iets trakteren.

offset I *m* offsetdruk. **II** v offsetmachine. **III** *bn* id.

offusquer *ov.w* **1** verduisteren; **2** verblinden; **3** hinderen, ergeren, mishagen.

oflag *m* Duits gevangenkamp voor officieren gedurende de laatste wereldoorlog.

ogiv/al [*mv* **aux**] *bn* van de spitsbogen, ogiefvormig; *style —*, gotische stijl. ▼**—e** v spitsboog, ogief. ▼**—ette** v kleine spitsboog.

ogre *m*, **ogresse** v menseneter (-eetster).

oh! *tw* o!, wel!, och!

ohé! *tw* heidaar!

ohm *m* ohm.

oie v **1** gans; — *blanche*, onschuldig meisje; *contes de ma mère l'—*, sprookjes v. Moeder de Gans; *jeu de l'—*, ganzenspel, -bord; *pas de l'—*, Duitse paradepas; **2** domoor.

oignon *m* **1** ui; *en rang d'—s*, in een rij; **2** bloembol; **3** eeltknobbel aan de voeten; **4** knol (horloge). ▼**—ade** v uiengerecht. ▼**—ière** v uienbed.

oil ja (*vero.*); *langue d'—*, taal van N.-Frankrijk in de middeleeuwen.

oindre *ov.w onr.* zalven, oliën.

oing *m*: *vieux —*, wagensmeer.

oint I *zn m* gezalfde. **II** *bn* gezalfd.

oiseau [*mv* **x**] *m* **1** vogel; — *de bon, de mauvais augure*, geluks-, ongeluksbode; — *de passage*, trekvogel; *petit à petit l'— fait son nid* (*spr.w*), de vallende druppel holt de steen; — *de proie*, roofvogel; — *rare*, witte raaf (*fig.*); *tir à l'—*, vogelschieten; *vilain —*, akelige kerel; *vilain — que celui qui salit son nid* (*spr.w*), men moet geen kwaad zeggen over zijn land of over zijn familieleden; *à vol d'—*, in rechte lijn; *à vue d'—*, in vogelvlucht. ▼**oiseau†-mouche†** *m* kolibri. ▼**oisel/er I** *ov.w* vogels africhten. **II** *on.w* vogelnetten, -strikken zetten. ▼**—et** *m* vogeltje. ▼**—eur** *m* vogelaar. ▼**—ier** *m* vogelkoopman. ▼**—lerie** v **1** het kweken v. vogels; **2** vogelkwekerij; **3** vogelhandel.

oiseux, -euse *bn* onnut, ledig, beuzelachtig, ijdel (*paroles —euses*). ▼**oisif, -ive** *bn* **1** ledig; **2** renteloos.

oisillon *m* vogeltje.

oisivement *bw* ledig, nietsdoend. ▼**oisiveté** v ledigheid, nietsdoen; *l'— est la mère de tous*

les vices, ledigheid is des duivels oorkussen.

oison *m*, **-onne** v **1** gansje; **2** stommeling, sukkel.

o.k! *tw* o.k!

oléacées v *mv* olijfachtigen.

oléagineux, -euse *bn* olieachtig, oliehoudend.

oléandre *m* oleander.

oléiculteur *m* olijventeler. ▼**oléiculture** v olijventeelt.

oléifère *bn* oliehoudend. ▼**oléine** v oleïne, olievetstof. ▼**oléoduc** *m* pijpleiding v. olie, olieleiding.

olfactif, -ive *bn* wat de reuk betreft. ▼**olfaction** v reuk.

olibrius *m* snijder, branieschopper.

olifant *m* ivoren horen v. Roland.

oligar/chie v familieregering. ▼**—chique** *bn* bestuurd door een familieregering. ▼**—que** *m* lid v.e. familieregering.

oliv/acé *bn* olijfgroen. ▼**—aie** v olijventuin. ▼**—aison** v **1** olijvenoogst; **2** tijd v.d. olijvenoogst. ▼**—âtre** *bn* olijfkleurig. ▼**—e** v **1** olijf; **2** olijfvormig archit. ornement; **3** olijfgroen. ▼**—erie** v olijfoliemolen. ▼**—ette** I v olijventuin. **II —s** v *mv* dans na de olijvenoogst. ▼**—ier** *m* olijfboom; *mont des O—s*, Olijfberg.

olographe *bn* eigenhandig geschreven.

olymp/e *m* **1** Olympus; **2** hemel. ▼**—iade** v periode van vier jaar tussen twee Olympische spelen. ▼**—ien, -ienne** *bn* olympisch, majestueus. ▼**—ique I** *bn* olympisch; *jeux —s*, Olympische spelen. **II** *zn m* olympisch kampioen.

ombelle v scherm (*plk.*). ▼**ombell/é** *bn*: *fleur —e*, schermbloem. ▼**—iféracées** v *mv* schermbloemigen. ▼**—ifère I** *bn* schermbloemig. **II** *zn* v schermbloemige plant. ▼**—ule** v schermpje.

ombilic *m* navel. ▼**—al** [*mv* **aux**] *bn* v.d. navel; *cordon —*, navelstreng.

ombrage *m* **1** lommer, gebladerte; **2** achterdocht, argwaan; *donner de l'—*, argwaan opwekken. ▼**ombrag/é** *bn* beschaduwd, lommerrijk. ▼**—er** *ov.w* **1** beschaduwen; **2** uitsteken boven, zitten op. ▼**—eux, -euse** *bn* **1** schietig; **2** achterdochtig. ▼**ombr/e I** v **1** schaduw; *à l'— de*, in de schaduw van, beschut door; **2** schaduwbeeld, schim; *l'empire des —s*, het schimmenrijk; **3** duisternis; *rester dans l'—*, verborgen blijven; **4** schijn, spoor; — *de doute*, spoor v. twijfel; **5** lommer; **6** omber (kleurstof; ook *terre d'—*). **II** *m* vlagzalm. ▼**—elle** v kleine parasol. ▼**—er** *ov.w* schaduw aanbrengen in schilderij enz. ▼**—eux, -euse** *bn* schaduwrijk.

oméga *m* laatste letter v.h. Griekse alfabet; *l'alpha et l'—*, het begin en het einde.

omelette v omelet.

omettre *ov.w onr.* weg-, nalaten, verzuimen. ▼**omission** v **1** weglating; *sauf erreur ou —*, vergissing of weglating voorbehouden; **2** verzuim.

omnibus *m* omnibus; *train —*, boemeltrein.

omni/potence v almacht. ▼**—potent** *bn* almachtig. ▼**—présence** v alomtegenwoordigheid. ▼**—présent** *bn* alomtegenwoordig. ▼**—science** v alwetendheid. ▼**—scient** *bn* alwetend.

omnium *m* wielerwedstrijd, uit verschillende nummers bestaande.

omnivore I *bn* allesetend. **II** *zn m* allesetend dier.

omoplate v schouderblad.

on *vnw* men (ook wel ik, jij, hij, wij, gij, zij); *le qu'en dira-t-on*, de openbare mening.

onagre *m* wilde ezel.

once v **1** ounce, ons; **2** sneeuwpanter.

oncial *bn*: *lettre —e*, grote beginletter in handschrift.

oncle *m* oom; — *à la mode de Bretagne*, achterneef.

onction v zalving, wijding; *extrême —*, H. Oliesel. ▼**onctu/eusement** *bw* zalvend.

▼—eux, -euse bn 1 zalfachtig; 2 zalvend, stichtend. **▼—osité** v vettigheid.

onde v 1 golf; O.C. = korte golf; P.O. of O.M. = middengolf; G.O. = lange golf; longueur d'—, golflengte; —s lumineuses, lichtgolven; mise à —, microfoonbewerking; —s sonores, geluidsgolven; sur les —s, op radio en tv; 2 water; l'— amère (dicht.), de zee. **▼ondé** bn gegolfd. **▼ondée** v stortbui. **▼ondin** m, -e v watergeest, -nimf.

on-dit m: les on-dit, de praatjes v.d. mensen.

ondoiement m 1 golving; 2 nooddoop (rk). **▼ondoy/ant** bn 1 golvend; drapeaux —s, wapperende vlaggen; 2 veranderlijk, wispelturig. **▼—er** l on.w golven, wapperen. **II** ov.w de nooddoop toedienen.

ondul/ant bn golvend. **▼—ation** v 1 golving; 2 haargolf. **▼—atoire** bn golvend; mouvement —, golfbeweging. **▼—er** l on.w golven. **II** ov.w golven, onduleren; carton ondulé, golfkarton. **▼—eux, -euse** bn golvend.

onéreux, -euse bn lastig, drukkend, bezwarend; à titre —, onder bezwarende voorwaarden.

ongle m nagel, klauw; donner sur les —s, op de vingers tikken; se faire les —s, zijn nagels verzorgen; jusqu'au bout des —s, in hart en nieren, door en door; rogner les —s à qn., iem. kortwieken; savoir sur l'—, op zijn duimpje kennen, -weten. **▼onglée** v dode, tintelende vingers. **▼onglier** l m nagelgarnituur. **II** zn —s m mv nagelschaar. **▼onglon** m hoef v. veelhoevigen.

onguent m zalf.

ongui/cule m klauwtje. **▼—culé** bn met klauwen, met nagels. **▼—forme** bn nagelvormig. **▼ongulé** l bn met hoeven. **II** —s m mv gehoefde dieren.

onirique bn droom-. **▼oniromancie** v droomuitlegging.

onomastique bn naamkundig. **▼onomatologie** v namenkunde. **▼onomatopée** v klanknabootsing.

ontologie v leer v. h. zijn. **▼ontologiste** m kenner der leer v. h. zijn.

O.N.U. = Organisation des Nations Unies, UNO.

onyx m onyx (fijne agaat).

onze telw. 1 elf; 2 elfde. **▼onzième** l telw. elfde. **II** zn m of v de elfde. **III** m: le —, het elfde deel. **▼—ment** bw ten elfde.

opacifier l ov.w ondoorschijnend maken. **II** s'— ondoorschijnend worden. **▼opacité** v ondoorschijnendheid.

opal/e v opaal. **▼—escence** v opaalweerschijn. **▼—escent** bn opaalkleurig. **▼—in** bn opaalachtig. **▼—iser** ov.w opaalachtig maken.

opaque bn ondoorschijnend.

ope m muurgat.

O.P.E.P. = Organisation des pays producteurs de pétrole, OPEC.

opéra m 1 opera; — bouffe, komische opera — comique, halfernstige, halfkomische opera waarin de zang afgewisseld wordt met het gesproken woord; — sérieux, opera met tragisch onderwerp; 2 operagebouw.

opérable bn opereerbaar. **▼opérat/eur** m, -rice v 1 operateur (med.); 2 filmoperateur. **▼—ion** v 1 werking (— chimique); 2 onderneming; 3 operatie (med.); 4 krijgsverrichting; 5 bewerking; les —s fondamentales, de hoofdbewerkingen der rekenkunde. **▼—ionnel, -le** bn operationeel. **▼—oire** bn wat een operatie betreft; médecine —, operatieve geneeskunde.

opercule m deksel.

opér/er l m 1 teweegbrengen, doen, maken; — des miracles, wonderen doen; 2 opereren. **II** on.w werken, uitwerking hebben (le remède commence à —). **III** s'— geschieden.

opérette v operette.

ophidien, -enne l bn slangachtig. **II** —s m mv slangachtigen.

ophtalm/ie v oogontsteking. **▼—ique** bn wat de ogen betreft. **▼—ologie** v oogheelkunde.

▼—ologique bn oogheelkundig.

▼—ologiste, —ologue m oogarts. **▼—oscope** m oogspiegel. **▼—oscopie** v oogonderzoek.

opiacé bn opium bevattend, opiumhoudend. **▼opiacer** ov.w opium doen in. **▼opiat** m opiaat.

opimes v mv grote buit, grote winst.

opiner on.w zijn mening te kennen geven, van mening zijn; — du bonnet, een ja-broer zijn. **opiniâtr/e** bn koppig, stijfhoofdig, hardnekkig; rhume —, hardnekkige verkoudheid. **▼—er (s')** hardnekkig volhouden, volharden. **▼—eté** v koppigheid, stijfhoofdigheid, hardnekkigheid.

opinion v 1 mening, opinie; 2 openbare mening; braver l'—, de openbare mening trotseren; — publique, openbare mening.

opio/mane l zn m of v iem. die verslaafd is aan opium. **II** bn aan opium verslaafd. **▼—manie** v verslaafdheid aan opium. **▼opium** m opium.

opodeldoch m opodeldoc.

opossum m buidelrat.

opportun bn gelegen, geschikt, van pas. **▼—ément** bw op het juiste ogenblik, van pas. **▼—isme** m politiek die zich richt naar de omstandigheden. **▼—iste** l bn zich regelend naar de omstandigheden. **II** zn m iem. die zijn politiek regelt naar de omstandigheden. **▼—ité** v 1 geschiktheid; 2 gunstig moment.

opposable bn tegenover elkaar te stellen (bijv. v. duim en vingers). **▼opposant** l bn verwerend. **II** zn m opponent, bestrijder. **▼opposé** l bn 1 tegenoverliggend, tegenoverstaand; angles —s, overstaande hoeken; 2 tegengesteld. **II** zn m tegendeel, tegenovergestelde; à l'— de, in tegenstelling met; c'est tout l'—, dat is precies het tegenovergestelde. **▼opposer** l ov.w 1 tegenoverstellen; 2 tegenwerpen. **II** s'—à zich verzetten tegen, opponeren. **▼opposit/e** m tegendeel, (het) tegengestelde; à l'— de, tegenover. **▼—ion** v 1 tegenstelling; verschil; 2 oppositie (partij); faire de l'—, oppositie voeren; 3 tegenstand, verzet; faire (mettre) à, zich verzetten tegen, verzet aantekenen tegen. **▼—ionnel, -le** bn (pol.) oppositioneel, tot de oppositie behorend.

oppress/er ov.w 1 benauwen, beklemmen (— la poitrine); 2 kwellen. **▼—eur** l bn onderdrukkend. **II** zn m onderdrukker. **▼—if, -ive** bn onderdrukkend. **▼—ion** v 1 benauwdheid; 2 onder-, verdrukking. **▼opprim/é/l** bn onder-, verdrukt. **II** zn m verdrukte. **▼—er** ov.w onder-, verdrukken.

opprobre m schande, schandvlek.

optatif, -ive bn wensend, optatief. **▼opter** on.w kiezen.

opticien m opticien.

optim/al [mv aux] optimaal. **▼—isation** v optimalisering. **▼—iser** ov.w optimaliseren. **optim/isme** m optimisme, blijmoedigheid. **▼—iste** l bn optimistisch. **II** zn m of v optimist(e).

optimum [mv vaak -a, evenals het vrouwelijk] l bn hoogste, maximum (température —a). **II** zn m (het) beste.

option v 1 keus; 2 recht v. voorkeur.

optique l bn optisch, v.h. licht, v.h. gezicht; angle —, gezichtshoek; nerf —, oogzenuw. **II** v 1 leer v.h. licht, optica; 2 perspectief. **▼optométrie** v (het) meten v.d. afwijking der ooglenzen.

opulemment bw rijk, weelderig, overvloedig. **▼opulence** v rijkdom, weelde, overvloed. **▼opulent** bn rijk, weelderig, overvloedig.

opuscule m werkje.

or l m 1 goud; cœur d'—, hart v. goud; être cousu d'—, schatrijk zijn; — en feuilles, bladgoud; payer au poids de l'—, zeer duur betalen; parler d'—, wijze woorden spreken; valeur —, goudwaarde; valoir son pesant d'—, zijn gewicht in goud waard zijn; 2 goudgeld; 3 goudgeel; cheveux d'—, goudgele, blonde haren. **II** bw welnu, dus. **III** tw: — ça, zeg eens, welaan.

oracle *m* orakel; *ton d'—*, besliste toon.
orag/e *m* **1** onweer; **2** storm (*fig.*). ▼**—eux,**
-euse *bn* **1** onweersachtig, stormachtig; *mer*
—euse, woelige zee; **2** stormachtig (*fig.*),
onrustig.
oraison *v* **1** gebed; *— dominicale*, Onze Vader;
2 rede; *— funèbre*, lijkrede.
oral [*mv aux*] **I** *bn* **1** mondeling; *examen —*,
mondeling examen; *tradition —e*, mondelinge
overlevering; **2** tot de mond behorend; oraal;
cavité —e, mondholte. **II** *zn m* mondeling
examen.
orange **I** *v* sinaasappel. **II** *m* oranje kleur.
▼**orange/é I** *bn* oranje, oranjeachtig. **II** *zn m*
oranjekleur v.d. regenboog. ▼**—eade** *v* ranja.
▼**—er** **I** *zn m* sinaasappelboom; *fleur d'—*,
oranjebloesem. **II** *zn m, -ère* *v*
sinaasappelkoopman, -koopvrouw. **III** *ov.w*
een oranje kleur geven. ▼**—erie** *v* **1** winterkas;
2 sinaasappelplantage. ▼**—iste** *m*
1 aanhanger v. koning Willem III v. Engeland;
2 aanhanger v.h. Oranjehuis gedurende de
Belgische Opstand van 1830.
orang†-outan(g) *m* orang-oetan(g).
orant *m, -e* *v* beeld v. iem. in biddende
houding.
orat/eur *m, -rice* *v* redenaar(ster); *— sacré*,
gewijd redenaar, kanselredenaar. ▼**—oire I** *bn*
wat de redenaar betreft, oratorisch; *art —*,
redenaarskunst. **II** *zn m* huiskapel, kapelletje.
▼**—orien** *m* lid der congregatie v.h. Oratorium.
▼**—orio** *m* oratorium (*muz.*).
orbe I *zn m* **1** kring, baan v. planeet;
2 hemellichaam. **II** *bn: mur —*, blinde muur.
▼**orbiculaire I** *bn* rond, rondgaand. **II** *zn m*
kringspier. ▼**orbital** [*mv aux*] *bn* wat de
planeetbaan betreft. ▼**orbite** *v*
1 (planeet) baan; *— d'attente*, parkeerbaan;
placer sur —, in een baan brengen; *la mise sur*
—, het in een baan brengen; **2** oogholte.
orchest(r)ique I *bn* wat de dans betreft. **II** *zn v*
1 danskunst; **2** pantomime.
orchestral [*mv aux*] *bn* van het orkest,
orkestraal. ▼**orchestration** *v* orkestzetting,
orkestratie. ▼**orchestre** *m* orkest; *chef d'—*,
dirigent; *fauteuils d'—*, stalles. ▼**orchestrer**
ov.w voor orkest bewerken.
orchidacées *v mv* orchideeachtigen.
▼**orchidée** *v* orchidee (*plk.*).
ordalie *v* godsgericht in de middeleeuwen,
ordale.
ordinaire I *bn* gewoon, alledaags,
middelmatig. **II** *zn m* **1** gewoonte, (het)
gewone; *à l'—*, als gewoonlijk; *d'—, pour l'—*,
gewoonlijk; **2** gewone kost;
3 soldatenmenage; **4** bisschop; **5** *— de la*
messe, vaste gebeden der mis; **6** normale
benzine.
ordinal [*mv aux*] *bn* rangschikkend; *nombre*
—, rangtelwoord.
ordin/and *m* wijdeling. ▼**—ant** *m* wijbisschop.
ordin/ateur *m* rekenmachine, computer.
▼**—ation** *v* **1** priesterwijding; **2** (het)
(be) rekenen, calculeren.
ordonnanc/e *v* **1** inrichting, regeling,
schikking, samenstelling; **2** bevel,
verordening, bevelschrift; **3** recept;
4 ordonnans (*mil.*); *officier d'—*, adjudant.
▼**—ement** *m* machtiging tot betaling. ▼**—er**
ov.w tot betaling machtigen (*— un*
payement).
ordonnateur I *zn m, -trice* *v* regelaar(ster),
bestuurder (-ster). **II** *bn* ordenend, regelend.
▼**ordonné** *bn* geregeld, ordelievend, ordelijk.
▼**ordonnée** *v* ordinaat (*wisk.*). ▼**ordonner**
ov.w **1** regelen, ordenen, inrichten, schikken;
maison bien ordonnée, goed ingericht huis;
2 wijden; **3** bevelen, gelasten; **4** voorschrijven.
ordre *m* **1** orde; avoir de l'—, netjes zijn; *— du*
jour, agenda, dagorder; *— monastique*,
kloosterorde; *mot d'—*, wachtwoord; *porter un*
militaire à l'— du jour, een militair eervol
vermelden; *rentrer dans l'—*, weer tot rust
komen, op zijn pootjes terecht komen; *faire*
rentrer dans l'—, weer in het gareel brengen;
2 rang, rangschikking, volgorde; *de premier*

—, eersterangs; **3** bevel, order; *je suis à vos*
—s, ik ben tot uw dienst; **4** order, bestelling;
billet à —, orderbriefje; **5** gevechtsorde; **6** stijl
(*— gothique*); **7** stand; *les trois —s*, de drie
standen.
ordur/e I *v* vuil, vuilnis; **2** vuile woorden,
daden, geschriften. ▼**—ier, -ère** *bn* vuil;
écrivain —, vuilschrijver.
oréade *v* bergnimf, oreade.
orée *v* zoom, rand.
oreillard I *bn* langorig. **II** *zn m*
grootoorvleermuis. ▼**oreille** *v* **1** oor; *avoir l'—*
de qn., graag door iem. aanhoord worden; *l'—*
basse, met hangende pootjes; *dire à l'—*,
influisteren; *dresser l'—*, de oren spitsen;
échauffer les —s, ergeren, kwaad maken; *être*
tout —s, een en al oor zijn; *faire la sourde —*,
Oostindisch doof zijn; *frotter les —s à qn.*, iem.
afranselen; *montrer le bout de l'—* (*fig.*), zich
verraden; *ouvrir les —s*, aandachtig luisteren;
prêter l'—, luisteren; *se faire tirer l'—*, gemaand
moeten worden; **2** gehoor; *avoir de l'—*, een
zuiver gehoor hebben; *avoir l'— dure*,
hardhorend zijn; **3** oor van kan enz.; ezelsoor
v.e. boek; **4** (*pop.*) centen.
▼**oreille-de-souris** *v* vergeet-mij-nietje.
▼**oreiller** *m* hoofdkussen. ▼**oreillette** *v*
1 boezem v.h. hart; **2** oorklep. ▼**oreillons** *m*
mv bof.
ores *bw* nu; *d'— et déjà*, nu reeds, van nu af
aan.
orfèvre *m* goud- of zilversmid. ▼**orfèvré** *bn*
door een goudsmid bewerkt. ▼**orfèvrerie** *v*
1 goudsmidswerk; **2** goudsmidskunst;
3 goudsmidswinkel.
orfraie *v* visarend.
orfroi *m* goudgalon.
organdi *m* soort lichte, stijve mousseline.
organe *m* **1** orgaan; **2** stem; **3** werktuig; **4** tolk,
orgaan.
organeau [*mv x*] *m* ankerring, kabelring.
organigramme *m* organigram.
organique *bn* **1** wat de zintuigen betreft;
2 organisch; **3** organiek.
organisable *bn* te organiseren.
▼**organisateur, -trice I** *bn* organiserend.
II *zn m -trice* *v* organisator, -trice.
▼**—†-conseil†** *m* arbeidsanalist.
▼**organ/isation** *v* **1** samenstelling, bouw,
inrichting; **2** organisatie. ▼**—isé** *bn* **1** van
organen voorzien, bewerktuigd; *tête bien —e*,
helder hoofd; **2** geregeld, ingericht. ▼**—iser**
ov.w organiseren, regelen, inrichten. ▼**—isme**
m organisme, gestel.
organiste *m* organist.
orgasme *m* orgasme.
orge I *zn v* gerst. **II** *m: — mondé*, gepelde gerst;
— perlé, geparelde gerst. ▼**orgeat** *m* orgeade.
orgelet *m* strontje op het oog.
orgiaque *bn* als v.e. orgie, orgiastisch
(*débauches —s*). ▼**orgie I** *v* zwelgpartij,
brasserij; *une — de fleurs*, een overvloed aan
bloemen. **II —s** *v mv* plechtige
Bacchusfeesten, bacchanalen.
orgue *m* orgel; *— de Barbarie*, draaiorgel; *point*
d'—, id., orgelpunt.
orgueil *m* hoogmoed, trots; *faire l'— de*, de
trots zijn van. ▼**—eusement** *bw* hoogmoedig,
trots. ▼**—eux, -euse I** *bn* hoogmoedig, trots.
II *zn m, -euse* *v* hoogmoedige.
orient *m* **1** oosten, oriënt; *l'Extrême —*, Het
Verre Oosten; *Grand —*, Groot Oosten
(vrijmetselaarsloge); **2** glans v.e. parel.
▼**—able** *bn* verstelbaar. ▼**—al** [*mv aux*] **I** *bn*
oosters. **II** *zn O—*, *m, -ale* *v* oosterling(e); *les*
O—aux, de oosterlingen. ▼**—alisme** *m*
1 kennis der oosterse volken, zeden, talen enz.;
2 liefde voor het Oosten, de oosterse volken
enz. ▼**—aliste** *m* **1** kenner der oosterse talen;
2 schilder v. oosterse taferelen. ▼**—ateur** *m,*
-atrice *v* voorlichter (-ster) bij beroepskeuze.
▼**—ation** *v* **1** bepaling v.d. windstreken op
een bepaald punt; **2** ligging v.e. punt ten
opzichte der windstreken; **3** richting, koers; *—*
professionnelle, beroepsvoorlichting.
▼**—ement** *m* (het) richten. ▼**—er I** *ov.w*

1 richten (ten opzichte v.h. oosten); 2 naar de wind zetten v. zeilen; 3 (fig.) leiden; *marché bien orienté*, willige markt. Il s'— 1 het oosten en de andere windstreken zoeken; 2 de richting vaststellen; 3 zich op de hoogte stellen, z. oriënteren.
orifice m opening, mond, gat.
oriflamme v oude banier der Fr. koningen.
origan m oregano, marjolein.
originaire bn 1 oorspronkelijk, aangeboren; 2 — *de*, afkomstig uit. ▼**original** [mv aux] I bn 1 oorspronkelijk, origineel; 2 zonderling, origineel. Il zn m 1 oorspronkelijk manuscript, -e tekst, - schilderij enz.; 2 voorbeeld. III -e v origineel persoon. ▼**—ement** bw op originele wijze. ▼**—ité** v 1 oorspronkelijkheid; 2 zonderlingheid, originaliteit. ▼**origine** v oorsprong, afkomst, afstamming; *à l'—, dans l'—*, oorspronkelijk, aanvankelijk; *tirer son — de*, afstammen van, afkomstig zijn van. ▼**originel, -elle** bn oorspronkelijk, aangeboren; *péché —*, erfzonde. ▼**—lement** bw van het begin af.
oripeau [mv x] m 1 klatergoud; 2 —x, oude, opzichtige kleren.
orl/e m zoom, rand.
orléan/ais I bn uit Orléans. Il zn O— m, -e v inwoner, inwoonster v. Orléans. ▼**—iste** m voorstander v.h. herstel v.h. huis Orléans.
ormaie, ormoie v iepenbos. ▼**orme** m iep, olm; *attendez-moi sous l'—!*, daar kun je lang op wachten! ▼**ormeau** [mv x] m jonge iep, - olm.
orne m 1 soort es; 2 greppel tussen twee rijen wijnstokken.
ornemaniste m ornamentschilder, -beeldhouwer. ▼**ornement** m 1 versiersel; 2 sieraad; 3 ornament; 4 priestergewaad. ▼**—al** [mv aux] bn versierend; *plante —e*, sierplant. ▼**—ation** v versieringskunst, (het) aanbrengen v. versieringen, ornamentiek. ▼**—er** ov.w versieren. ▼**orner** ov.w versieren, verfraaien.
ornière v 1 wagenspoor; 2 sleur.
ornitho/logie v vogelkunde. ▼**—logiste, -logue** m vogelkenner. ▼**—mancie** v (het) voorspellen der toekomst uit de vlucht of het gezang der vogels. ▼**—rynque** m vogelbekdier.
oro/graphie v bergbeschrijving. ▼**—graphique** bn wat de bergbeschrijving betreft, orografisch.
orpaillage m (het) goud wassen. ▼**orpailleur** m goudwasser.
Orphée m Orpheus.
orphelin, -e, -e v wees. ▼**—at** m weeshuis.
orphéon m zangvereniging. ▼**—ique** bn v. zangverenigingen (*concours —*). ▼**—iste** m of v lid v. zangvereniging. ▼**orphique** bn Orphisch.
orpin m smeerwortel (*plk.*).
orteil m teen; *gros —*, grote teen.
orthochromatique bn kleurgevoelig.
orthodox/e I bn rechtzinnig. Il zn m of v rechtzinnige. ▼**—ie** v rechtzinnigheid.
orthogonal [mv aux] bn rechthoekig.
orthograph/e v spelling, schrijfwijze; *faute d'—*, spelfout. ▼**—ier** ov.w volgens de spelregels schrijven. ▼**—ique** bn volgens de spelling.
orthopéd/ie v heilgymnastiek. ▼**—ique** bn lichaamsgebreken herstellend. ▼**—iste** m heilgymnastiek betreffend (*médecin —*). Il zn m of v leraar, lerares in heilgymnastiek.
orthophonie v verbetering v. spraakgebreken.
ortie v brandnetel; *— blanche*, witte dovenetel; *— jaune*, gele dovenetel; *— de mer*, zeenetel.
ortolan m ortolaan.
orvet m hazelworm.
os m been, bot; *avoir la peau collée aux —, n'avoir que les — et la peau*, broodmager zijn; *en chair et en —*, in levenden lijve; *donner un — à ronger à qn*, iem. wat te kluiven geven; *mouillé jusqu'aux —*, doornat; *ne pas faire de vieux —*, jong sterven.
oscill/ant bn schommelend, slingerend.

▼**—ateur** m oscillator. ▼**—ation** v slingering, schommeling. ▼**—atoire** bn slingerend, schommelend. ▼**—er** on.w 1 slingeren, schommelen; 2 weifelen, aarzelen.
▼**—ogramme** m oscillogram. ▼**—ographe** m oscillograaf; *— cathodique*, oscilloscoop.
osé bn gewaagd, gedurfd, vermetel.
oseille v 1 zuring; 2 (*pop.*) geld.
oser on. en ov.w durven, wagen.
oseraie v griend; met tenen beplante grond. ▼**osier** m 1 teenwilg; 2 teen; *panier d'—*, tenen mand.
osmonde v: *— royale*, koningsvaren.
osmose v osmose. ▼**osmotique** bn osmotisch.
ossature v 1 beenderenstelsel; 2 ribwerk v.e. gewelf. ▼**osselet** m 1 beentje, botje; 2 bikkel; *jouer aux —s*, bikkelen. ▼**ossements** m mv gebeente v. dode mensen of dieren. ▼**osseux, -euse** bn benig, beenderig. ▼**ossification** v 1 beenvorming; 2 verbening. ▼**ossifier** ov.w verbenen. ▼**ossu** bn benig, met grove benen. ▼**ossuaire** m 1 knekelhuis; 2 hoop beenderen.
ostensible bn in het oog lopend, uiterlijk, openlijk.
ostensoir m monstrans.
ostent/ateur, -atrice bn (oud) pronkend, pralend. ▼**—ation** v uiterlijk vertoon, pralerij, pronkzucht. ▼**—atoire** bn pronkerig, pralerig.
ostéologie v beenderenleer.
ostiole m kleine opening.
ostrac/é I bn schelpvormig, oesterachtig. Il zn —s m mv oesterachtigen. ▼**—isme** m 1 schervengericht; 2 verbanning.
ostréi/cole bn wat de oesterteelt betreft. ▼**—culteur** m oesterkweker. ▼**—culture** v oesterteelt.
Ostrogoth, Ostrogot m Oostgoot; *o—*, lomperd, ongelikte beer.
otage m gijzelaar; *prise d'—*, gijzeling.
otalgie v oorpijn.
O.T.A.N. = *Organisation du traité de l'Atlantique Nord*, NATO.
otarie v zeeleeuw.
ôter I ov.w 1 wegnemen, afnemen, ontnemen; 2 uittrekken (*— un habit*); 3 verjagen (*— la fièvre*). Il s'— weggaan; *ôte-toi de là*, ga daar weg; smeer 'm.
otite v oorontsteking. ▼**otologie** v oorheelkunde. ▼**oto-rhino-laryngologiste, oto-rhino** m/v keel-, neus- en oorarts. ▼**otoscope** m oorspiegel.
ottoman I bn Turks. Il zn O— m, -e v Turk(se). III o—e v divan.
ou vgw of.
où bw waar, waarheen, waarin, waarop enz.; *— que*, waar... ook, waarheen... ook; *d'—*, vanwaar, waaruit; *d'— vient que*, hoe komt het, dat; *le moment —*, het ogenblik dat, - waarop.
ouaille v (oud) schaap; *les —s*, parochianen, kerkelijke gemeente.
ouais! tw nee maar!, nou nou!
ouat/e v watten. ▼**—er** ov.w watteren; (*fig.*) dempen. ▼**—ine** v katoenen voeringstof. ▼**—iner** ov.w met ouatine voeren.
oubli m 1 (het) vergeten, vergetelheid; *— de soi-même*, zelfverloochening; 2 vergetelheid. ▼**—able** bn vergeetbaar.
oublie v opgerolde wafel, oblie.
oublier I ov.w vergeten. Il s'— 1 vergeten worden; 2 zich vergeten, zich te buiten gaan; 3 zijn belangen verwaarlozen; 4 de tijd vergeten; zich verlaten. ▼**oubliette** v onderaardse kerker die vroeger diende voor levenslang veroordeelden. ▼**oublieux, -euse** bn vergeetachtig.
ouche v 1 boomgaard bij huis; 2 vruchtbare grond.
oued m (tijdelijk) stroompje in de Sahara.
ouest m westen. ▼**—allemand** bn Westduits.
ouf! tw he (druk verlichting uit).
oui bw ja; *mais —*, wel zeker; *il dit que —*, hij zegt van ja.
oui-dire m: *par —*, van horen zeggen. ▼**ouïe** v

1 gehoor; *à perte d'—*, zover het oor reikt; **2** kieuw; **3** klankgat op muz. instrument; **4** spleet opzij v.e. motorkap. ▼ **ouir** *ov.w (oud)* **1** horen; *j'ai oui dire que*, ik heb gehoord dat; **2** verhoren.

oukase *m* oekaze.

ouragan *m* orkaan; *arriver comme un —*, aan komen rennen.

Oural *m* Oeral. ▼ **ouralien, -enne** *bn* uit de Oeral.

ourd/ir *ov.w* **1** scheren; **2** smeden, beramen (*— une conspiration*). ▼ **—issage** *m* (het) scheren. ▼ **—isseur** *m*, **-euse** *v* scheerder (-ster).

ourl/er *ov.w* zomen. ▼ **—et** *m* zoom.

ours *m* **1** beer; *— blanc*, ijsbeer; *— gris*, grizzlybeer; *— mal léché*, ongelikte beer; **2** (*fam.*) toneelstuk of ander litt. werk, waarvoor de schrijver geen uitgever kan vinden. ▼ **—e** *v* berin; *Grande —*, Grote Beer; *Petite —*, Kleine Beer. ▼ **—in** *m* **1** berehuid; **2** zeeëgel. ▼ **—on** *m* beertje.

oust! ouste! *tw (pop.)* eruit! vort!

out *bw* out (*tennis*).

outarde *v* trapgans.

outil *m* werktuig, gereedschap. ▼ **outill/age** *m* werktuigen, machines, materieel; *— national*, wegen, kanalen, spoorwegen, havens enz. v.e. land. ▼ **—er** *ov.w* uitrusten, van gereedschap voorzien.

outrag/e *m* belediging, smaad; *les —s du temps*, de tand des tijds, de gebreken v.d. oude dag. ▼ **—eant** *bn* beledigend. ▼ **—er** *ov.w* beledigen, smaden, kwetsen. ▼ **—eusement** *bw* **1** beledigend; **2** buitengewoon, verschrikkelijk. ▼ **—eux, -euse** *bn* beledigend, smadelijk.

outrance *v* (het) uiterste; *à —*, tot het uiterste. ▼ **outrancier, -ère** *bn* overdreven.

outre I *zn v* zak voor vloeistoffen v. bokkeleer. II *vz* **1** aan de overzijde; **2** behalve. III *bw* verder; *passer —*, doorgaan; *passer — à*, voorbijgaan aan; *en —*, bovendien, daarenboven; *d'— en —*, door en door; IV *vgw: — que*, niet alleen (dat) … maar ook.

outré *bn* **1** overdreven; **2** verontwaardigd.

outrecuid/ance *v* verwaandheid, aanmatiging. ▼ **—ant** *bn* verwaand, aanmatigend.

outremer *m* **1** lazuursteen; **2** ultramarijnblauw.

outrepasser *ov.w* overschrijden, te buiten gaan.

outrer *ov.w* **1** overdrijven; **2** tot het uiterste drijven; **3** overbelasten.

outre-Rhin *bw* over de Rijn.

outre-tombe *bw* aan de overzijde v.h. graf.

ouvert I *bn* open; openlijk; *à bras —s*, met open armen; *à force —*, gewapenderhand; *guerre —e*, verklaarde oorlog; *à livre —*, van het blad, onvoorbereid. II *v.dw van* **ouvrir**. ▼ **—ement** *bw* openlijk. ▼ **—ure** *v* **1** opening, (het) openen; *— d'esprit*, ontvankelijkheid; **2** ouverture, voorspel; **3** opening = begin (*— d'une séance*); **4** voorslag, voorstel; *—s de paix*, vredesonderhandelingen; **5** uitweg, middel; *je n'y vois pas d'—*, ik zie er geen gat in.

ouvr/able *bn* **1** wat te bewerken is; **2** *jour —*, werkdag. ▼ **—age** *m* **1** werk; *se mettre à l'—*, aan het werk gaan; **2** dameshandwerkje (ook *— de femme*); **3** verdedigingswerk. ▼ **—ager** *ov.w* kunstig, fijn bewerken.

ouvrant *bn*: *à jour —*, voor dag en dauw; *à porte(s) ouvrante(s)*, bij het openen der deur, - de poorten; zonder tegenstand; *toit —*, schuifdak.

ouvré *bn* **1** bewerkt; **2** met figuren, met ruiten.

ouvre/-boîte(s) *m* blikopener. ▼ **—bouteille(s)** *m* flesopener.

ouvrer I *on.w* werken. II *ov.w* bewerken.

ouvreuse *v* vrouw die de plaatsen aanwijst in schouwburg of bioscoop.

ouvrier, -ère I *bn* arbeidend, wat arbeiders betreft; *classe —ère*, arbeidersklasse; *cheville —ère*, spil waar alles om draait. II *zn m*, arbeider, werkman; *v* **-ère**, arbeidster,

ateliermeisje.

ouvrir *onr.* I *ov.w* **1** openen, opendoen, openmaken enz.; *— l'appétit*, de eetlust opwekken; *— de grands yeux*, grote ogen opzetten; **2** een opening maken; **3** bovenaan staan, openen (*ouvrir une liste*); **4** beginnen, openen. II *on.w* **1** open zijn (*magasin qui ouvre le dimanche*); **2** opengaan bijv. v.e. deur. III *s'—* **1** opengaan; **2** (*— sur*) uitkomen op; **3** *s'— à qn.*, iem. een geheim toevertrouwen; een opening maken; *s'— un passage*, zich een doortocht banen.

ovaire *m* eierstok, ovarium.

ovale I *bn* ovaal. II *zn m* ovaal; *en —*, ovaal. ▼ **ovaliser** *ov.w* ovaal maken.

ovarien *bn* ovariaal, ovarieel, met betrekking tot de eierstok.

ovation *v* ovatie. ▼ **—ner** *ov.w* toejuichen.

ové *bn* eivormig.

Ovide *m* Ovidius.

ovidés *m mv* schaapachtigen.

oviducte *m* eileider.

ovin *bn* wat schapen betreft.

ovipare *bn* zich door eieren voortplantend. ▼ **ovoïde** *bn* eivormig. ▼ **ovovivipare** *bn* eierlevendbarend. ▼ **ovulation** *v* ovulatie. ▼ **ovule** *m* vrouwelijk ei.

oxalide *v* klaverzuring.

oxyd/abilité *v* oxydeerbaarheid. ▼ **—able** *bn* oxydeerbaar, roestbaar. ▼ **—ation** *v* oxydatie, (het) roesten. ▼ **—e** *m* zuurstofverbinding. ▼ **—er** I *ov.w* oxyderen. II *s'—* roesten. ▼ **oxy/génation** *v* verbinding met zuurstof. ▼ **—gène** *m* zuurstof. ▼ **—géner** *ov.w* met zuurstof verbinden; bleken v. haren.

oyat *m* helmgras.

ozon/e *m* ozon. ▼ **—isation** *v* (het) omzetten in ozon. ▼ **—iser** *ov.w* **1** in ozon omzetten; **2** behandelen met ozon.

p *m* de letter p.
pacage *m* weiland; *droit de* —, weiderecht.
▼**pacager** *ov.w* weiden.
pacha *m* pasja.
pachyderme *m* dikhuidig dier, pachyderm.
pacific/ateur, -atrice *l bn* vrede brengend, verzoenend, bemiddelend. **ll** *zn m*, **-atrice** *v* vredestichter (-ster). ▼—**ation** *v* vredestichting, bevrediging, pacificatie.
▼**pacif/ier** *ov.w* tot rust brengen, bevredigen, pacificeren. ▼—**ique** *l bn* vreedzaam; vredelievend. **ll P**— *zn m* Stille Zuidzee.
▼—**isme** *m* id., beweging die de wereldvrede voorstaat. ▼—**iste** *l bn* wat de vrede betreft, pacifistisch. **ll** *zn m* of *v* voorstander (-ster) v.d. (wereld)vrede, pacifist.
pack *m* 1 pakijs; 2 voorhoede (rugby).
pacotille *v* 1 vrijgoed v. matrozen of equipage; 2 rommeltje, bocht.
pacquage *m* (het) sorteren en pakken v. vis.
▼**pacquer** *ov.w* vis sorteren en pakken.
pacte *m* verdrag, overeenkomst, pact.
▼**pactiser** *on.w* een verdrag sluiten; — *avec sa conscience*, het met zijn geweten op een akkoordje gooien.
pactole *m* (*fig.*) goudmijn.
paddock *m* 1 paddock (*paardensport*); 2 bed (*pop.*).
Padoue *v* Padua.
paf! **l** *tw* klets!, pats!, poef! **ll** *bn* (*fam.*) dronken.
pagaie *v* pagaai.
pagaie, pagaille, pagaye *v* janboel, rommel; *en* —, in wanorde.
paganiser *ov.w* heidens maken. ▼**paganisme** *m* heidendom.
pagayer *on.w* pagaaien.
page l *v* bladzijde, pagina; *mettre en* —*s*, opmaken; *mise en* —, opmaak, lay-out; *être à la* —, bij zijn, op de hoogte zijn. **ll** *m* page, edelknaap; *hors de* —, onafhankelijk.
pageot *m* (*pop.*) bed.
pagination *v* paginering, paginatuur.
▼**paginer** *ov.w* pagineren.
pagne *m* schaamteschort.
pagnoter (se) (*pop.*) naar bed gaan.
pagode l *zn v* 1 pagode; 2 afgod. **ll** *bn*: *manche* —, mouw die de nauw is tot de elleboog en breed uitloopt naar de pols.
paie, paye *v* 1 (het) betalen; *faire la* —, betalen; 2 soldij, loon; *haute* —, toeslag op soldij; 3 schuldenaar. ▼**paiement**, **payement** *m* 1 betaling; 2 betaalde som.
paien, -enne l *bn* 1 heidens; 2 goddeloos. **ll** *zn m*, **-enne** *v* heiden, heidin.
paillage *m* (het) inpakken, afdekken met stro.
▼**paillard** *m* 1 (*oud*) bedelaar; 2 wellusteling.
▼—**ise** *v* 1 ontucht, wellust; 2 schunnig verhaal, - woord. ▼**paillasse l** *v* 1 stromatras; 2 (*pop.*) prostituée; 3 afdruipplaats (v.h. aanrecht). **ll** *m* paljas, hanswort.
▼**paillasson** *m* 1 vloermat; 2 dekmat. ▼—**ner** *ov.w* afdekken met matten. ▼**paille l** *zn v* 1 stro; *être sur la* —, doodarm zijn; *feu de* —, strovuur (*fig.*); *homme de* —, stroman; karakterloos mens; *rompre la* —, een overeenkomst verbreken; in onmin geraken; *tirer à la courte* —, strootje trekken;

2 metaalschilfer; —*s de fer*, ijzerkrullen. **ll** *bn* strogeel (onveranderlijk). ▼**pailler l** *ov.w* met stro bedekken of omwikkelen; — *une chaise*, een stoel matten. **ll** *zn m* 1 plaats waar men het stro legt, strozolder; 2 strohoop; *être sur son* —, zich thuis voelen, in zijn element zijn.
▼**paillet l** *zn m* 1 stootmat; 2 bleekrode wijn. **ll** *bn* bleekrood (*vin* —).
paill/age *m* (het) versieren met lovertjes.
▼—**er** *ov.w* met lovertjes versieren. ▼—**eur** *m* goudwasser. ▼**paillette** *v* 1 lovertje; 2 korreltje goud in rivierzand.
paill/eux, -euse *bn* 1 broos; 2 van -, met stro.
▼—**is** *m* strooisel. ▼—**on** *m* 1 grote lover; 2 strohuls; 3 schalm v. stalen ketting; 4 dun koperen plaatje als onderlaag; 5 stuk soldeersel. ▼—**ot** *m* kleine strozak voor kinderbed. ▼—**ote** *v* strohut in tropische landen.
pain *m* 1 brood; — *des anges*, — *céleste*, de H. Eucharistie; *avoir du* — *cuit*, voorraad -, spaarduiten hebben; *avoir son* — *cuit*, zijn schaapjes op het droge hebben; — *bis*, bruin brood; — *d'épice*, peperkoek; *gagner son* —, zijn kost verdienen; — *de munition*, commiesbrood; — *noir*, roggebrood; *ôter le* — *à qn.*, iem. het brood uit de mond stoten; *s'ôter le* — *de la bouche*, het brood uit de mond sparen; — *perdu*, wentelteefje; *petit* —, broodje; *se vendre comme des petits* —*s*, erg vlug (als koek) verkopen; *pour un morceau de* —, voor een appel en een ei; — *riche*, — *de fantaisie*, luxebrood; — *de vie*, het woord Gods; 2 stuk, klomp; — *de savon*, stuk zeep; — *de sucre*, suikerbrood; 3 naam voor sommige gerechten; — *de poulet*, pâté van kip; — *de perdrix*, pâté van patrijs; — *de veau*, kalfsgehakt; 4 (*pop.*) opstopper.
pair l *bn* even; — *ou impair*, even of oneven. **ll** *zn m* 1 lid v.d. Chambre des Pairs (1815–1848); 2 paladijn v. Karel de Grote; 3 gelijke; *au* —, gevoed en gehuisvest zonder betaling; *de* —, op gelijke voet; *sans* —, *hors de* —, zonder weerga; 4 pari (koers); *au* —, à pari; 5 pariteit v. koersen.
paire *v* paar; *une* — *de ciseaux*, een schaar; *une* — *de lunettes*, een bril; *une* — *de pincettes*, een tang.
pairesse *v* vrouw v.e. pair. ▼**pairie** *v* pairschap.
paisible *bn* vreedzaam, rustig.
paissance *v* (het) laten grazen. ▼**paître l** *ov.w onr.* 1 laten grazen, weiden; 2 afgrazen. **ll** *on.w onr.* grazen; *envoyer* — *qn.*, iem. wegsturen. **lll se** — zich voeden.
paix l *zn v* 1 vrede, rust, kalmte; *faire la* —, *signer la* —, vrede sluiten; *respirer la* —, pais en vree ademen; *fichez-moi la* — (*pop.*), laat me met rust; *laisser en* —, met rust laten; 2 pateen. **ll** *tw*: —*donc!*, koest, stil!
Pakistanais l *zn m*, **-e** *v* Pakistani. **ll P**—*bn* Pakistaans.
pal [*mv* **pals**] *m* aan één eind gepunte paal, staak.
palabre *v* of *m* (*fam.*) langdurig, vervelend gepraat. ▼**palabrer** *on.w* (*fam.*) kletsen, palaveren.
palace *m* groot, deftig hotel, bioscoop.
paladin *m* 1 paladijn (v. Karel de Grote); 2 dolende ridder; 3 ridderlijk held.
palais *m* 1 paleis; 2 paleis v. justitie; 3 zeer deftig huis; 4 gehemelte; *avoir le* — *fin*, een fijne smaak hebben.
palan *m* takel.
palanche *v* emmerjuk.
palanque *v* versperring, bestaande uit naast elkaar gezette palen. ▼**palanquer** *ov.w* 1 takelen; 2 met palen versperren.
palanquin *m* draagstoel.
palatal [*mv* **aux**] *bn* v.h. verhemelte (*voyelle* —*e*, *consonne* —*e*). ▼—*e v* palataal.
palatin *bn* 1 v.h. paleis; 2 v.d. Pfalz; *comte* —, paltsgraaf; 3 v.h. verhemelte. ▼—*at m* 1 gebied v.e. paltsgraaf; 2 waardigheid v.e. paltsgraaf.

pale v **1** blad v.e. roeiriem; **2** schroefblad;
  3 palla (rk).
pâle bn bleek; bleu —, lichtblauw; se faire
  porter —, (arg. mil.) zich ziek melden.
palée v paalwerk.
palefrenier m palfrenier, stalknecht.
palefroi m paradepaard in de middeleeuwen.
paléo/graphe I bn wat de paleografie betreft.
  II zn m kenner der paleografie. ▼**—graphie** v
  kunst v.h. ontcijferen v. oude manuscripten.
  ▼**—graphique** bn de paleografie betreffend.
  ▼**—lithique I** bn uit het stenen tijdperk. **II** zn
  m (het) stenen tijdperk. ▼**—logue** m kenner
  der oude talen.
paléontolog/ie v kennis v. fossielen. ▼**—iste**,
  —ue m kenner v. fossielen.
Palestine (la) Palestina. ▼**palestinien I** bn
  Palestijns. **II** zn m **P**— Palestijn.
palet m werpschijf.
paletot m overjas, mantel.
palette v **1** schildersalet; **2** raket;
  3 boterspaan; **4** schoolmeestersplak.
pâleur v bleekheid. ▼**pâlichon**, **-onne** bn
  (fam.) een beetje bleek.
palier m **1** trapportaal, overloop; **2** vlak
  gedeelte v. weg, v. spoorbaan; **3** rustige,
  stabiele periode; **4** lager; — à billes,
  kogellager. ▼**palière** bn: marche —, bovenste
  trede v.e. trap.
palimpseste I zn m manuscript waarvan men
  de oorspronkelijke tekst heeft verwijderd en in
  plaats daarvan een nieuwe heeft aangebracht.
  II bn wat een palimpsest betreft.
palindrome m palindroom.
palingénésie v palingenese, wedergeboorte.
pâlir I on.w bleek worden, verbleken; son étoile
  pâlit, zijn geluksster taant. **II** ov.w doen
  verbleken.
palis m **1** gepunte paal; **2** omheining v. palen.
  ▼**—sade** v omheining v. palen, paalwerk.
  ▼**—sader** ov.w met palen omheinen.
palissage m (het) opbinden v.e. leiboom.
palissandre m palissander (hout).
palisser ov.w (een leiboom) opbinden.
palladium m hoeksteen, waarborg.
palliatif, -ive I bn pijnstillend, tijdelijk
  werkend (remède —). **II** zn m tijdelijk werkend
  pijnstillend middel; lapmiddel, palliatief.
  ▼**pallier** ov.w **1** bemantelen; **2** verzachten
  (med.).
pallium m pallium (rk).
palmaire bn van de palm v.d. hand.
palmarès m lijst der prijswinnaars.
palme v **1** palmtak; —s académiques, het
  onderscheidingsteken der officiers
  d'Académie of der Officiers de l'Instruction
  publique; la — du martyre, de
  martelaarskroon; remporter la —, de
  overwinning behalen; **2** palmboom; huile de
  —, palmolie; **3** zwemvlies. ▼**palm/é** bn
  1 handvormig; **2** met zwemvliezen;
  3 gedecoreerd met de palmes académiques
  (fam.). ▼**—eraie** v palmbos. ▼**—ette** v
  1 palmvormig sieraad; **2** vorm der leibomen.
  ▼**—ier** m palmboom. ▼**—ilobé** bn handlobbig
  (plk.). ▼**—ipèdes** m mv zwemvogels. ▼**—ure**
  v zwemvlies.
palois bn uit Pau.
palombe v ringduif.
palonnier m stuurpedaal v. vliegtuigen.
pâlot, -otte bn bleekjes.
palp/abilité v tastbaarheid. ▼**—able** bn
  1 tastbaar; **2** tastbaar, duidelijk (vérité —).
  ▼**—ation** v betasting. ▼**palpe** v taster v.
  insekten. ▼**palper** ov.w **1** bevoelen, betasten;
  2 (fam.) opstrijken (v. geld).
palpit/ant bn **1** trillend, kloppend; **2** boeiend.
  ▼**—ation** v trilling, (hart)klopping. ▼**—er**
  on.w trillen, kloppen (v.h. hart), lillen; — de
  joie, popelen v. vreugde.
palsambleu, palsangué, palsanguienne tw
  (oud) sakkerloot, verdorie.
paltoquet m lummel, mispunt, nietsnutter.
paluche v (pop.) hand.
palud/éen, -éenne bn tot de moerassen
  behorend; fièvre —éenne, moeraskoorts.

▼**—ier** m werker in een zoutpan. ▼**—isme** m
  moeraskoorts. ▼**palustre** bn in moerassen
  levend of groeiend.
pâmer, se pâmer in zwijm -, flauw vallen;
  buiten zichzelf zijn (se — d'admiration).
  ▼**pâmoison** v bezwijming; tomber en —, in
  zwijm vallen.
pampa v pampa (Z.-Amerika).
pamphlet m schotschrift, pamflet.
  ▼**pamphlétaire** m schrijver v. schotschriften,
  pamfletschrijver.
pamplemousse v pompelmoes, grapefruit.
pan I zn m **1** pand v. kledingstuk; **2** muurvak.
  II tw pats!; pan! pan!, pief paf!
panacée v geneesmiddel voor alle kwalen,
  panacee.
panach/e I m **1** verderbos; **2** pluim; — de fumée,
  rookpluim; **3** zwierige dapperheid (vermengd
  met branie); **4** faire —, over de kop slaan (bijv.
  v. auto), over het stuur, over het paard slaan.
  ▼**—é** bn **1** met een pluim; **2** veelkleurig;
  3 gemengd (glace —, légumes —s). ▼**—er**
  I ov.w **1** met een pluim versieren; **2** veelkleurig
  maken; **3** mengen. **II** on.w veelkleurig
  worden. **III** se — veelkleurig worden.
panade v **1** broodsoep; -pap; **2** (pop.) ellende.
panama m panamahoed.
panaméricain bn panamerikaans.
  ▼**panaméricanisme** m panamerikanisme.
panamien, -ienne, panaméen, -éenne bn
  Panamees.
panarabisme m id.
panard m (pop.) voet, poot.
panatella m lange havannasigaar.
pancarte v bordje, opschrift.
panchromatique bn panchromatisch (fot.).
pancréas m alvleesklier, pancreas.
pandémonium m broeinest, plaats des
  verderfs.
Pandore v Pandora.
pandore m **1** soort luit; **2** (oud) gendarme.
pandour m (oud) plunderaar, vandaal, bruut.
panégyr/ique m lofrede. ▼**—iste** m
  lofredenaar, iem. die op overdreven wijze
  prijst.
paner ov.w paneren.
panerée v mandvol.
panet/erie v broodbewaarplaats. ▼**—ier** m
  1 broodmeester; **2** grand —,
  opperbroodmeester aan het Franse hof.
  ▼**—ière** v **1** broodzak v. herders; **2** broodkast;
  3 gesloten dressoir. ▼**—on** m mandje waarin
  de bakkers het deeg leggen, dat nodig is voor
  een brood.
panicule v pluim (plk.).
panier m **1** mand; balle au —, basketbal; le
  dessus du —, het beste; faire un —, een punt
  maken bij basketbal; faire danser l'anse du —,
  aan zijn (haar) meester meer berekenen dan de
  waren gekost hebben (v. inkopers); — à
  ouvrage, werkmandje; — percier, verkwister;
  — -repas, lunch-, dinerpakket; — à salade,
  dievenwagen; **2** soort hoepelrok.
panification v broodbereiding. ▼**panifier**
  ov.w brood maken van.
paniquard m panikeling. ▼**panique I** bn
  panisch. **II** zn v paniek. ▼**paniqué** bn in
  paniek.
panne v **1** (oud) lomp; être dans la —, in de
  ellende zitten; **2** trijp; **3** onbeduidende,
  ondankbare rol v. toneelspeler; **4** motorpech,
  storing; — de courant, elektr. (licht) storing;
  laisser en —, in de steek laten; rester en —,
  blijven steken; **5** — de nuages, wolkenbank.
panneau [mv x] m **1** paneel; vak; **2** bord;
  — -réclame, reclamebord; **3** luik (scheepv.);
  4 konijne-, hazestrik; donner —, tomber dans
  le —, in de val lopen. ▼**—ter** ov.w wild vangen
  met netten.
panneton m baard v.e. sleutel.
panonceau m **1** uithangbord; **2** reclamebord,
  -biljet.
panoplie v **1** wapenrek; **2** volledige
  (wapen)uitrusting.
panorama m panorama. ▼**panoramique** bn
  panoramisch.

pansage m (het) roskammen, verzorgen v. dieren.
panse v 1 pens; 2 (fam.) buik; 3 buik v.e. vaas.
pansement m 1 (het) verbinden; 2 verband. ▼**panser** ov.w 1 verbinden; 2 verzorgen, roskammen v. dieren.
pansu bn dikbuikig.
pantagruélique bn aan Pantagruel herinnerend (reus uit de werken van Rabelais); repas —, overdadig maal. ▼**—isme** m epicuristische levensopvatting.
pantalon m lange broek.
pante m (pop.) man, vent.
pantelant bn 1 hijgend; 2 lillend. ▼**panteler** on.w 1 hijgen; 2 lillen.
pantenne v: en — (scheepv.), ontreddent.
panthéisme m pantheisme. ▼**panthéiste** I zn m pantheist. II bn pantheistisch.
panthéon m 1 Gr. of Rom. tempel voor alle goden; 2 alle goden.
panthère m v panter.
pantin m 1 beweegbare pop; 2 ledepop, mens zonder vaste overtuigingen.
pantographe v 1 tekenaap; 2 stroomafnemer (elektr. trein).
pantois bn (fam.) stomverbaasd (rester —).
pantomètre m hoekmeter.
pantomime I zn v gebarenspel. II m gebarenspeler. III bn met gebarenspel (pièce —).
pantouflard m (fam.) huismus. ▼**pantoufle** v pantoffel; en —s, op zijn slofjes; et caetera —, enz. enz.; raisonner comme une —, redeneren als een kip zonder kop. ▼**pantoufler** on.w vanuit een staatsdienst naar een privé-onderneming overstappen.
panure v paneermeel.
panzer m Duitse tank.
paon [spr.: pã] m 1 pauw; 2 pauwoog (vlinder); 3 verwaande, trotse man. ▼**—ne** v pauwin.
papa m pa, papa, vader; à la —, rustig aan; de — (fam.), verouderd.
pap/able bn verkiesbaar tot paus. ▼**—al** [mv aux] bn pauselijk. ▼**—alin** m (oud) 1 aanhanger v.d. paus; 2 pauselijk soldaat. ▼**—auté** v 1 pausdom; 2 pauselijke regering; 3 de opeenvolgende pausen.
papaver m papaver. ▼**papavéracées** v mv papaverachtigen.
pape m 1 paus; 2 onbetwistbaar leider.
papegai m 1 (oud) papegaai; 2 kunstmatige vogel bij het vogelschieten.
papelard I bn schijnheilig, kwezelig. II zn m, -e v (oud) 1 schijnheilige, kwezel; 2 zn m (fam.) papier; —s, paperassen. ▼**—ise** v (oud) schijnheiligheid, kwezelarij.
paperass/e v onnut papier, waardeloos geschrift. ▼**—ier** m verzamelaar van -, snuffelaar in oude papieren.
papesse v pauzin.
papet/erie v 1 papierfabriek; 2 papierhandel, -winkel; 3 schrijfmap. ▼**—ier** I zn m 1 papierfabrikant; 2 papierhandelaar. II bn wat papier betreft (marchand —); industrie —ière, papierindustrie.
papier I m 1 papier; — bible, zeer dun boekpapier; — de bois, houtpapier; — buvard, vloei; — à calquer, calque, calqueerpapier; — couché, geschept papier; — cuir, leerpapier; — émeri, schuurpapier; jeter sur le —, neerschrijven; — joseph, mailpapier; journal, krantenpapier; — à lettre, postpapier; — parchemin, perkamentpapier; — peint, behangselpapier; — récupéré désencré, gerecycleed ontinkt papier; être réglé comme du — à musique, slaafse gewoonten hebben; rayez cela de vos —s!, reken er maar niet op!; — sensible, fotopapier; — vélin, velijnpapier; 2 geschrift, stuk; 3 waardestuk, wissel. II —s mv 1 paspoort, papieren; 2 —s publics, kranten. ▼**papier-monnaie** m papiergeld.
papilionacé bn vlinderbloemig. ▼**papilionacées** v mv vlinderbloemigen.
papill/aire bn met papillen. ▼**—e** v papil. ▼**—eux, -euse** bn vol papillen. ▼**—iforme** bn

papilvormig.
papillon m 1 vlinder; —s noirs, sombere ideeën; brasse —, vlinderslag; 2 lichtzinnig, wuft mens; 3 klein aanplakbiljet; bekeuring; 4 vlinderstrik, -dasje; 5 schuif v. kachelpijp; 6 vleermuisbrander. ▼**—ner** on.w (fam.) van de hak op de tak springen, wispelturig zijn.
papillotage m (oud) 1 (het) maken v. papillotten; 2 (het) knipperen met de ogen; 3 verblinding (door licht of kleuren). ▼**papillote** v 1 papillot; 2 bonbon in een papiertje; 3 beboterd of gezilverd papier om vlees in te roosteren (côtelettes en —s). ▼**papilloter** I ov.w (oud) papillotten zetten. II on.w 1 de ogen geregeld heen en weer bewegen; 2 de ogen vermoeien door te felle kleuren (schilderkunst); 3 dansen (v. licht).
Papin: marmite de —, (nat.) papiniaanse pot.
papion m baviaan.
pap/isme m papisme, paapsheid. ▼**—iste** I zn m paap. II bn paaps(gezind).
papotage m gebabbel, geklets. ▼**papoter** on.w babbelen.
papou, -e bn Papoeaas.
paprika m paprika.
papule v puistje. ▼**papuleux, -euse** bn vol puistjes.
papyrus m 1 papyrus; 2 manuscript op papyrus.
Pâque v (joods) Pasen.
paquebot m mailboot, pakketboot.
pâquerette v madeliefje.
Pâques v mv Pasen; faire ses P—s, Pasen houden; — closes, Beloken Pasen; — fleuries, Palmpasen.
paquet m 1 pak, pakket, bundel; faire son —, zijn boeltje bijeenpakken, vertrekken; recevoir son —, een uitbrander krijgen; 2 een grote hoeveelheid; — de mer, stortzee; un — de nerfs (fam.), één bonk zenuwen; 3 donner, lâcher son — à qn., iem. ongezouten kritiek geven; mettre le —, er volop tegenaan gaan. ▼**—age** m soldatenplunje.
par vz door, bij, op, per, met, uit, enz.; —-ci —-là, hier en daar, heen en weer; commencer —, beginnen met; il finit — tomber, tenslotte viel hij; — conséquent, bijgevolg; — crainte, uit vrees; — delà, aan gene zijde van; — -dessus, over; — -derrière, van achteren; — -devant, in tegenwoordigheid van; de —, in naam van; — hasard, bij toeval; — ici, hierlangs; — une belle journée, op een mooie dag; — là, daarlangs.
para m afk. van **parachutiste**.
parabole v 1 gelijkenis; 2 parabool (wisk.). ▼**parabolique** bn 1 figuurlijk, in de vorm v.e. gelijkenis; 2 parabolisch.
parachevable bn voltooibaar. ▼**parachèvement** m voltooiing. ▼**parachever** ov.w voltooien.
parachutage m dropping. ▼**parachut/e** m parachute, valscherm. ▼**—er** ov.w droppen. ▼**—isme** m lust, wijze v. parachutespringen. ▼**—iste** m parachutist.
parad/e v 1 plotseling tot stilstand brengen v.e. paard; 2 parade, wachtparade; 3 uiterlijk vertoon, pronk; faire — de, pronken met; lit de —, praalbed; 4 afweer v.e. stoot bij het schermen; 5 vertoning voor een kermistent om het publiek te trekken. ▼**—er** on.w 1 paraderen, uiterlijk vertoon v. troepen; 2 pronken, opschepperig doen; 3 kruisen (scheepv.). ▼**—eur** m pronker, praalhans.
paradigme m voorbeeld v.e. verbuiging, - v.e. vervoeging, paradigma.
paradis m 1 paradijs; 2 hemel; 3 paradijsachtig land; 4 engelenbak. ▼**—iaque** bn paradijsachtig. ▼**—ier** m paradijsvogel.
parados m (mil.) rugweer.
paradoxal [mv aux] bn paradoxaal, in strijd met de algemene opvatting; schijnbaar ongerijmd. ▼**paradoxe** m schijnbare ongerijmdheid.
parafe m zie **paraphe**.
paraffin/age m (het) paraffineren. ▼**—e** v

paraffine. ▼—er *ov.w* in paraffine drenken;
papier paraffiné, paraffinepapier.
parafoudre *m* bliksemafleider (ter
bescherming v. elektrische apparaten).
parage *m* 1 afkomst (*de haut* —); 2 streek;
3 (het) polijsten, gladmaken.
paragraphe *m* 1 paragraaf; 2 paragraafteken.
paraître I *on.w onr.* 1 verschijnen; *le livre a
paru hier,* het boek is gisteren verschenen;
2 schijnen, lijken; *elle ne paraît pas son âge,* ze
lijkt niet zo oud als ze is; 3 in het oog lopen,
uitblinken, opvallen; 4 blijken. II *onp.: il paraît
que,* het schijnt dat; *il y paraît,* het blijkt; dat
kun je nog zien. III *zn m* schijn.
parallaxe v (*astron.*) parallax.
parallèle I *bn:* — *à,* evenwijdig, parallel met.
II *zn* v 1 evenwijdige lijn; 2 parallelloopgraaf.
III *m* 1 breedtecirkel; 2 vergelijking.
▼**parallèl/épipède** *m* parallellepipedum.
▼—**isme** *m* parallellisme. ▼—**ogramme** *m*
parallellogram.
paraly/ser *ov.w* verlammen, lam leggen.
▼—**sie** v verlamming. ▼—**tique** I *bn* verlamd.
II *zn m* of v lamme.
paramètre *m* parameter.
paramilitaire *bn* paramilitair.
parangon *m* 1 voorbeeld, model; 2 zuivere
edelsteen, - parel.
para/noïa v paranoia. ▼—**noïaque** I *bn* van
paranoia. II *zn* lijder aan paranoia. ▼—**noïde**
bn door paranoia, paranoïde.
parapet *m* 1 borstwering; 2 leuning.
paraphe, parafe *m* 1 streep onder
handtekening; 2 paraaf. ▼**parapher, parafer**
ov.w paraferen.
paraphras/e v 1 parafrase; 2 langdradige
tekst. ▼—er *ov.w* parafraseren.
parapluie *m* paraplu.
Parascève v Goede Vrijdag.
parasitaire *bn* van parasieten. ▼**parasit/e** I *zn
m* 1 klaploper, tafelschuimer; 2 parasiet;
3 stoorzender. II *bn* 1 woekerend; *plante* —,
woekerplant; 2 overbodig, hinderlijk. ▼—er
on.w parasiteren. ▼—**icide** *bn* parasieten
dodend. ▼—**ique** *bn* woekerend. ▼—**isme** *m*
1 klaploperij, tafelschuimerij; 2 (het)
woekeren. ▼—**ologie** v parasietenleer.
para/sol *m* parasol. ▼—**tonnerre** *m*
bliksemafleider. ▼—**typhoïde** v paratyfus.
▼—**vent** *m* kamerscherm.
parbleu *tw* drommels!, verduiveld!, enz.
parc *m* 1 park; — *à huîtres,* oesterbank; 2 door
sloten omgeven weide; 3 opslagplaats;
4 parkeerplaats; — *de stationnement
souterrain,* ondergrondse parkeergarage; — *à
bébé,* box; 5 wagenpark (— *automobile,* —
du matériel roulant). ▼**parcage** *m* 1 (het)
afsluiten van vee in een weide; 2 (het)
parkeren, parkeerplaats.
parcellaire *bn* in gedeelten, in percelen.
▼**parcelle** v 1 deeltje; 2 stuk bouwland, kavel.
parce que I *vgw* omdat. II *bw* daarom.
parchemin I *m* perkament. II —**s** *m mv*
adelbrieven. —**ê** *bn* perkamentachtig. ▼—er
ov.w het uiterlijk geven v. perkament. ▼—**eux,
-euse** *bn* perkamentachtig. ▼—**ier** *m*
1 perkamentfabrikant; 2 perkamenthandelaar.
parcimon/ie v schrielheid. ▼—**ieusement**
bw karig, schriel. ▼—**ieux, -ieuse** *bn* karig,
schriel.
parc(o)mètre *m* parkeermeter.
parcourir *ov.w onr.* doorlopen, doorlezen.
parcours *m* traject, weg.
par-dessous *vz* onder. ▼**pardessus** *m* overjas.
▼**par-dessus** *vz* over; — *le marché,* op de
koop toe.
par-devant *vz* in tegenwoordigheid van.
pardi!, (*oud*) **pardieu!** *tw* verdorie!
pardon I *m* 1 vergiffenis;
2 beleefdheidsformule (pardon!); 3 bedevaart
in Bretagne. II *m mv* aflaten. ▼—**nable** *bn*
vergeeflijk. ▼—**ner** I *ov.w* 1 vergeven;
2 excuseren; 3 sparen; *cette maladie ne
pardonne pas,* die ziekte is dodelijk; *cette
erreur ne pardonne pas,* die fout is
onvergeeflijk. II **se** — 1 zichzelf (iets)

vergeven; 2 vergeeflijk zijn.
pare/-balles I *zn* kogelvanger. II *bn* kogelvrij.
▼—**boue** *m* spatbord. ▼—**brise** *m* voorruit v.
auto enz. ▼—**chocs** *m* bumper, schokbreker.
▼—**feu** *m* brandscherm, brandgang.
pareil, -eille I *bn* gelijk, dergelijk; *en* — *cas,* in
een dergelijk geval. II *zn m,* **-eille** v gelijke,
weerga; *rendre la* —*eille,* met gelijke munt
betalen; *sans* —, weergaloos. ▼**pareillement**
bw eveneens, ook.
parement *m* 1 altaarparement; 2 oplegsel,
opslag v. mouw; 3 kantsteen v.e. straat;
4 buitenzijde v.e. muur.
parenchyme *m* celweefsel (*plk.*).
parent I *m,* **-e** v bloedverwant(e). II —**s** *m mv*
1 ouders; 2 voorouders. ▼**parenté** v, (*oud*)
parentèle v 1 verwantschap; 2 verwanten.
parenthèse v 1 tussenzin; 2 uitweiding; *ouvrir
une* —, uitweiden; 3 haakje; *entre* —*s, par* —,
tussen twee haakjes.
parer I *ov.w* 1 versieren, opschikken;
2 opmaken (v. vlees); schoonmaken (v.
groenten en fruit); 3 afweren, afwenden,
pareren; 4 gereed houden, gereed leggen
(*scheepv.*: — *un ancre*). II *on.w*: — *à,*
verhelpen, maatregelen nemen tegen. III **se** —
zich opschikken; *se* — *de,* zich beschermen
tegen.
parésie v (*med.*) gedeeltelijke verlamming.
pare-soleil *m* zonneklep.
paress/e v 1 luiheid; 2 langzaamheid,
traagheid; *avec* —, langzaam. ▼—er *on.w*
luilakken. ▼—**eusement** *bw* lui. ▼—**eux,
-euse** I *bn* lui, langzaam. II *zn m,* **-euse** v
luilak. III *m* luiaard (dier).
pareur *m* afwerker.
parfaire *ov.w onr.* 1 voltooien; 2 aanvullen.
▼**parfait** I *bn* volmaakt, uitmuntend, perfect.
II *zn m* 1 (het) volmaakte; volmaaktheid;
2 volt. teg. tijd; 3 ijscrème met koffiesmaak.
▼—**ement** *bn* 1 volmaakt, volkomen, perfect;
2 ja; zeker.
parfilage *m* (het) uitrafelen.
parfois *bw* soms.
parfondre *ov.w* samensmelten v. kleuren met
glas of email.
parfum *m* 1 geur, reuk; 2 odeur, reukwerk;
3 waas, vleugje. ▼—er *ov.w* geurig maken,
parfumeren. ▼—**erie** v 1 id., winkel voor
reukwerk; 2 bereiding v. reukwerk;
3 reukwerk. ▼—**eur** *m,* **-euse** v
1 reukwerkmaker (-maakster);
2 reukwerkverkoper (-verkoopster).
pari *m* 1 weddenschap; *faire, engager un* —,
een weddenschap aangaan; — *mutuel,*
totalisator; 2 inzet bij een weddenschap.
paria *m* paria, verschoppeling.
pariade v 1 paring v. vogels; 2 paartijd v.
vogels; 3 vogelpaar.
parier *ov.w* wedden (om); *il y a gros à* —
que..., het zit er dik in dat...
pariétal [*mv* **aux**] *bn* v.d. wand, v.d. muur;
dessin —, holentekening, grottekening.
parieur *m,* **-euse** v wedder (-ster).
Parigot I *zn m,* **-e** v (*fam.*) Parijzenaar
(Parijse). II *bn p*—, Parijs.
Paris *m* Parijs; *articles de* —, luxeartikelen;
monsieur de —, de beul. ▼**parisianisme** *m*
1 Parijse gewoonte, - manier; 2 Parijse
uitdrukking. ▼**parisien, -enne** I *bn* Parijs'.
II *zn* p—, -enne v Parijzenaar, Parijse.
parisllabe, parisyllabique *bn* met hetzelfde
aantal lettergrepen in de verschillende
naamvallen als in de eerste naamval.
paritaire *bn* wordt gezegd v. e. commissie,
waarin werkgevers en werknemers door
hetzelfde aantal leden vertegenwoordigd zijn,
paritair (samengesteld). ▼**parité** v
1 gelijkheid; 2 pariteit.
parjur/e I *zn m* meineed. II *zn m* of v
meinedige. III *bn* meinedig. ▼—er (**se**) 1 een
meineed doen; 2 een eed schenden.
parking *m* 1 parkeerplaats; 2 (het) parkeren.
parlant *bn* 1 sprekend; *film* —, sprekende film;
2 sprekend (gelijkend) (*portrait* —). ▼**parlé**
I *bn* gesproken. II *zn m* gesproken woord,

parlando.
parlement m 1 parlement; 2 hooggerechtshof (vóór 1791). ▼—**aire l** bn parlementair; drapeau —, pavillon —, witte vlag. **ll** zn m lid v.h. parlement, volksvertegenwoordiger. ▼—**arisme** m parlementair stelsel. ▼—**er** on.w onderhandelen over overgave, wapenstilstand, enz.

parler l on.w spreken, praten; — à qn., met iem. spreken; — d'abondance, voor de vuist spreken; — bien, prijzen; de qui voulez-vous —?, wie bedoel je?; faire — de soi, van zich doen spreken; — des grosses dents, op dreigende toon spreken; — en maître, met gezag spreken; — mal, kwaad spreken; — du nez, door de neus spreken; — d'or, wijze woorden spreken; trouver à qui —, zijn man vinden. **ll** ov.w 1 — anglais, Engels spreken, enz.; 2 — affaires, — littérature, etc., over zaken, over literatuur, enz. spreken. **lll se —** 1 gesproken worden; 2 elkaar spreken. **lV** zn m 1 uitspraak, wijze v. spreken; 2 dialect. ▼**parl/eur** m, **-euse** v veelprater (-praatster); un beau —, een praatjesmaker. ▼—**oir** m spreekkamer. ▼—**ote** v 1 babbelclub; 2 club waar jonge advocaten zich oefenen in het spreken; 3 gewauwel.

parmesan m Parmezaanse kaas.
parmi vz onder, tussen, te midden van.
parnass/e l m 1 Parnassus; nourrisson du —, dichter; 2 dichtkunst; 3 groep realistische dichters uit het midden der 19e eeuw. ▼—**ien, -ienne l** bn 1 v.d. Parnassus; 2 wat een groep realistische dichters uit het midden der 19e eeuw betreft (école —ienne). **ll** zn m dichter uit deze school.

parod/ie v parodie. ▼—**ier** ov.w 1 een parodie maken op; 2 door nabootsing belachelijk maken, parodiëren. ▼—**iste** m schrijver v. parodieën.

paroi v wand.
paroiss/e v 1 parochie; n'être pas de la —, vreemdeling zijn; n'être pas de la même —, van mening verschillen; 2 de parochianen; 3 parochiekerk. ▼—**ial** [mv aux] bn parochieel. ▼—**ien l** m, **-ienne** v 1 parochiaan; 2 (fam.) snuiter (un drôle de —). **ll** m misboek, gebedenboek.

parole v 1 woord, gezegde; couper la —, in de rede vallen; la — de Dieu, de H. Schrift; le don de la —, de gave des woords; homme de —, iem. die zijn woord houdt; ma —!, op mijn woord!; ma — (d'honneur), op mijn erewoord!; porter la —, (voor verscheidene personen) het woord voeren; 2 spraak; perdre la —, stom worden; 3 voorstel (— de paix).

paroli m verdubbeling v. inzet bij spel.
parolier m librettist, tekstschrijver.
paronyme m 1 klankverwant woord; 2 stamverwant woord, paroniem.
paroxysme m toppunt, hoogste graad.
paroxyton l zn m woord dat de klemtoon heeft op de voorlaatste lettergreep. **ll** bn de klemtoon op de voorlaatste lettergreep hebbend.
parpaillot m 1 oude scheldnaam voor de calvinisten; 2 (fam.) ongelovige.
Parque v (de) dood.
parquer l ov.w 1 in een omheinde ruimte opsluiten (— des bœufs); 2 parkeren (v. artillerie, auto's). **ll** on.w. in een omheinde ruimte opgesloten zijn.
parquet m 1 (parket)vloer; 2 parket (deel v.e. rechtszaal); 3 Openbaar Ministerie; 4 ruimte op de beurs voor makelaars. ▼—**age** m 1 (het) inleggen v.e. vloer; 2 inlegwerk. ▼—**er** ov.w een parketvloer leggen in. ▼—**erie** v (het) maken v. parketvloeren. ▼—**eur** m legger v. parketvloeren.
parrain m 1 peter; 2 naamgever; 3 iem. die een ander als lid van een vereniging voorstelt. ▼—**age** m peterschap, meterschap, sponsoring. ▼—**er** ov.w sponsoren, steunen.
parricide l zn m of v 1 vader-, moedermoord; 2 vader-, moedermoordenaar (-moordenares). **ll** bn wat vader- of moedermoord betreft.

parsemer ov.w bezaaien, bestrooien, overal verspreid zijn.
part l m 1 (jur.) pasgeborene; 2 (oud het) jongen werpen. **ll** v 1 aandeel, part, deel; avoir — à, deel hebben aan, delen in; avoir — au gâteau, delen in de winst; faire — de, meedelen; lettre de faire —, huwelijks-, verlovings-, doodsbericht; la — du lion, het leeuwedeel; prendre — à, deelnemen aan; prendre en bonne —, prendre en mauvaise —, goed -, verkeerd opnemen; pour ma —, voor mijn part; 2 plaats, kant; à —, apart, terzijde; à — moi, bij mij zelf; autre —, ergens anders; de — en —, door en door; de — et d'autres, van (aan) weerskanten; de la — de, uit naam van; de toutes —s, aan (van) alle kanten; ne ... nulle —, nergens; quelque —, ergens (ook m fam. de wc). ▼**partag/e** m 1 verdeling; faire le —, verdelen; 2 deel; 3 gelijkheid, staking v. stemmen. ▼—**eable** bn verdeelbaar. ▼—**eant** m deelhebber. ▼—**er l** ov.w delen, verdelen, bedélen. **ll** on.w deel hebben. **lll se —** 1 verdeeld worden; 2 onder elkaar delen. ▼—**eur, -euse** bn die graag uitdeelt.
partance v ogenblik v. vertrek; en —, op het punt v. vertrekken. ▼**partant l** bw bijgevolg. **ll** zn m vertrekkende.
partenaire m of v partner, maat.
parterre m 1 bloembed; 2 parterre in schouwburg; 3 de toeschouwers die parterre zitten.
parthénogénèse v parthenogenese, voortplanting door onbevruchte eieren.
parti l zn m 1 partij; esprit de —, partijgeest; prendre le — de qn., iemands partij kiezen; 2 besluit; — pris, voorgezette mening; être de — pris, partijdig zijn; prendre son — de qc., zich bij iets neerleggen; 3 (huwelijks) partij; 4 voordeel, profijt; tirer — de, partij trekken van; 5 troep. **ll** v.dw van partir; bn 1 vertrokken, weg; 2 (fam.) dronken, aangeschoten.
partiaire bn: colon —, pachter die de oogst moet delen met de eigenaar.
partial [mv aux] bn partijdig. ▼**partialité** v partijdigheid.
particip/ant l bn deelhebbend. **ll** zn m, **-e** v deelhebber (-ster). ▼—**ation** v deelhebbing, deelneming, aandeel; inspraak.
participe m deelwoord; — passé, verleden deelwoord; — présent, tegenwoordig dw.
participer on.w 1 (— à) deel hebben in, meedoen aan; 2 (— de) iets hebben van, steunen op.
participial [mv aux] bn v.h. deelwoord.
particular/isation v 1 (het) afdalen in bijzonderheden; 2 (het) beperken tot één enkel geval. ▼—**iser** ov.w 1 omstandig verhalen, in bijzonderheden afdalen; 2 tot één geval beperken. ▼—**isme** m (het) streven v.e. landstreek om zijn eigen karakter, zijn zelfstandigheid te bewaren. ▼—**iste** m voorstander v.h. particularisme. ▼—**ité** v bijzonderheid.
particule v 1 deeltje; 2 voor-, achtervoegsel; 3 het woord de, du, des, de la, le of la vóór een naam.
particulier, -ère l bn 1 bijzonder; leçon —ère, privaatles; 2 eigen, apart (chambre —ère); 3 bijzonder, vreemd, zonderling; 4 — à, eigen aan. **ll** zn m 1 particulier persoon; 2 heerschap (fam.); 3 (het) bijzondere; en —, in het bijzonder; afzonderlijk; 4 particulier leven; en son —, in zijn particuliere leven.
partie v 1 deel; — du discours, rededeel; les —s nobles, de edele delen; tenue des livres en — simple, en — double, enkel -, dubbel boekhouden; 2 partij (in spel, feest, muziek; — de chasse, jachtpartij; quitter la —, iets opgeven; 3 partij (recht); — adverse, tegenpartij; être juge et —, rechter zijn in eigen zaak; se porter —, als aanklager optreden; prendre qn. à —, iem. aanklagen, de schuld geven; 4 (strijdende) partij; —s belligérantes, strijdende partijen; 5 partij (waren); 6 vak. ▼**partiel, -elle** bn gedeeltelijk; éclipse —elle,

gedeeltelijke verduistering (v. maan, enz.).
▼—**lement** *bw* gedeeltelijk.
partir I *on.w onr.* **1** vertrekken (naar) (— *pour*); *le coup part*, het schot gaat af; — *en guerre*, ten oorlog trekken; — *d'un éclat de rire*, uitbarsten in lachen; *faire — un lièvre*, een haas opjagen; *faire — un moteur*, een motor starten; **2** uitgaan van, komen uit; *à — de*, vanaf; *cela part d'un bon cœur*, dat komt uit een goed hart. II *ov.w onr.* (*oud*) verdelen; *avoir maille à — avec qn.*, een appeltje met iem. te schillen hebben.
partisan *m* **1** aanhanger; **2** partisaan, lid v.e. ongeregelde troep (ook v: -e).
partit/eur *m* stroomverdeler. ▼—**if, -ive** *bn* delend. ▼—**ion** *v* **1** verdeling v.e. wapenschild; **2** partituur.
partouse, partouze *v* (*pop.*) orgie.
partout *bw* overal; (*tennis*) *deux jeux* —, 'two games all'.
partur/iente *v* (*med.*) vrouw in barensweeën. ▼—**ition** *v* **1** bevalling; **2** (het) werpen v. jongen.
parure *v* **1** sieraad, opschik, tooi; **2** garnituur v. parels of diamanten; **3** stel damesondergoed. ▼**parurier, -ère** *zn* fabrikant, handelaar in sieraden.
parution *v* verschijning (v.e. boek).
parvenir *on.w onr.* **1** (na inspanning) bereiken, komen tot, slagen (in); **2** geworden v.e. brief; **3** fortuin maken, in de wereld slagen. ▼**parvenu, -e** *v* parvenu (e).
parvis *m* kerkplein; *les — célestes* (*dichtk.*), de hemel, het paradijs.
pas I *zn m* **1** pas, schrede, stap; — *à* —, voetje voor voetje; *à* — *comptés*, met afgemeten tred; *à deux* —, zeer dichtbij; *à — de loup*, geluidloos, sluipend; *affaire qui ne fait — un* —, zaak waar geen schot in zit; *avoir le* —, voorrang hebben; — *de clerc*, flater; — *de course*, looppas; *de ce* —, op staande voet; — *de géant*, zweefmolen; *emboîter le* —, **1** op de hielen lopen, **2** (*fig.*) meedoen, **3** in iem.'s voetspoor treden; *faire les cent* —, heen en weer lopen; *faux* —, misstap; *marcher à — de géant*, snelle vorderingen maken; *marcher sur les — de qn.*, iem. navolgen; *marquer le* —, de pas aangeven; *mettre qn. au* —, iem. tot rede brengen; *mores leren*; — *de l'oie*, Duitse paradepas; *porter ses* —, zich richten, zich begeven; *presser le* —, opschieten; **2** drempel; *franchir le* —, door de zure appel heenbijten; **3** zeeëngte; *le — de Calais*, het Nauw v. Calais; **4** bergpas; *mauvais* —, gevaarlijke plaats, hachelijke onderneming; **5** trede v.e. trap; **6** danspas. II *bw* (meestal voorafgegaan door *ne of non*) niet; *ce n'est pas que*, niet dat (met *subj.*); — *mal*, nogal wat.
pascal [*mv aux*] *bn* wat Pasen betreft; *l'agneau* —, het paaslam.
pas-d'âne *m* klein hoefblad.
passable *bn* redelijk, matig, wat er mee door kan. ▼—**ment** *bw* tamelijk.
passacaille *v* passacaglia.
passade *v* **1** doortocht, doorreis, kort uitstapje; **2** gril, kortstondige verliefdheid, affaire; **3** onderdompeling v.e zwemmer.
passage *m* **1** doortocht, voorbijgaan, overtocht; *oiseau de* —, trekvogel; **2** overtochtsprijs; **3** recht van doorgang; **4** gang, doorgang, overgang; — *clouté*, oversteekpunt voor voetgangers; — *à niveau*, overweg; — *interdit*, doorgang verboden, eenrichtingverkeer; **5** overdekte straat; **6** smalle loper; **7** passage uit boek of muziekstuk; **8** overgang (*fig.*); *examen de* —, overgangsexamen; **9** loopje (*muz.*). ▼**passag/er, -ère** I *bn* kortstondig, voorbijgaand. II *zn m*, -**ère** *v* passagier op boot of vliegtuig. ▼—**èrement** *bw* kortstondig, vluchtig.
passant I *bn* druk (*une rue* —e). II *zn m* voorbijganger.
passation *v* (het) passeren v.e. akte.
passavant *m* **1** gangboord (*scheepv.*); **2** geleidibjet.

passe I *v* **1** (het) doorgaan, doortrekken (v. vogels); *mot de* —, wachtwoord; *maison de* —, rendez-voushuis; **2** uitval bij schermen; **3** toeslag, opgeld; **4** vaargeul, nauwe doorgang; **5** lang voorstuk v. dameshoed (luifel); **6** pass, voorzet (*sp.*); **7** inzet in het spel bij een nieuwe zet; *être en — de*, op het punt staan; *être dans une bonne* —, in een gelukkige periode verkeren. II *m* vrijbiljet voor spoorwegen.
passé I *bn* **1** voorbij, verleden; *il est dix heures —es*, het is over tien; **2** volleerd. II *zn m* **1** verleden; **2** verleden tijd; — *indéfini*, voltooid teg. tijd; — *défini*, tweede verl. tijd; — *antérieur*, tweede volt. verl. tijd (*j'eus parlé*); *comme par le* —, zoals vroeger. III *vz* na.
passe-droit† *m* bevoorrechting.
passefiler *ov.w* stoppen v. kousen.
passe-lacet† *m* rijgpen, veternaald.
passement *m* passement, franjewerk. ▼—**er** *on.w* versieren met passementwerk. ▼—**erie** *v* **1** passementwerk; **2** passementhandel; **3** passementmakerij. ▼—**ier** *m*, -**ière** *v* **1** passement-, galonmaker (-maakster); **2** passement-, galonverkoper (-verkoopster).
passe/-montagne† *m* bivakmuts. ▼—**partout** *m* **1** loper (sleutel); **2** lijst waarachter men tekeningen enz. kan schuiven; **3** trekzaag. ▼—**passe** *m* **1** handige bedriegerij; **2** *tour de* —, goocheltruc. ▼—**plat**† *m* doorgeefluik.
passepoil *m* boordsel, galon. ▼**passepoiler** *ov.w* omboorden.
passeport *m* paspoort.
passer I *on.w* (vervoegd met *avoir* of *être*, naargelang men de handeling of de toestand wil uitdrukken) **1** gaan, overgaan, gaan door, gaan langs; doortrekken, voorbijgaan; *il passe un ange*, daar gaat een dominee voorbij; — *du blanc au noir*, van het ene uiterste in het andere vallen; — *chez qn.*, bij iem. aangaan; — *à l'ennemi*, naar de vijand overlopen; *il faut en — par là*, daar zit niets anders op; *on ne passe pas*, verboden toegang; — *en proverbe*, spreekwoordelijk worden; — *sur qc.*, niet aanrekenen; **2** verdwijnen, voorbijgaan, verlopen (v. tijd); **3** sterven; **4** bevorderd worden tot (— *capitaine*); **5** doorgaan voor (— *pour*); **6** verbleken, verschieten; **7** passen (bij het spel); **8** aangenomen worden (v. wetten); **9** uitsteken (*sa chemise passe*). II *ov.w* **1** oversteken, overtrekken, overlopen, enz.; **2** passeren, voorbijgaan, te boven gaan; *cela passe mes forces*, dat gaat mijn krachten te boven; **3** overbrengen, overzetten; **4** overhandigen, aanreiken; **5** aantrekken, omslaan (— *un habit*); **6** passeren, afsluiten (— *contrat*); **7** ziften; **8** inschrijven; — *en compte*, boeken; **9** doorbrengen (— *le temps*); **10** afleggen (— *un examen*); **11** bevredigen, stillen (— *une envie*); **12** overslaan, overspringen; **13** vergeven (— *une faute*); **14** strijken, steken. III *se* — **1** gebeuren, plaatsvinden, geschieden; **2** verlopen, voorbijgaan; **3** verwelken, verschieten, verschalen; **4** *se — de*, zich onthouden van, missen, ontberen, buiten iets kunnen.
passereau [*mv* x] I *m* mus. II—x *m mv* musachtigen.
passerelle *v* **1** vlonder, loopplank; **2** commandobrug v.e. schip.
passe/-rose *v* stokroos. ▼—**temps** *m* tijdverdrijf. ▼—**thé** *m* theezeefje.
passeur *m*, -**euse** *v* veerman (-vrouw).
passe-volant† *m* (*oud*) blinde passagier, binnengeslopen toeschouwer.
passible *bn* **1** gevoelig; **2** — *de*, strafbaar met.
passif, -ive I *bn* **1** lijdelijk, passief; *obéissance — ive*, blinde gehoorzaamheid; **2** lijdend; *voix — ive*, lijdende vorm. II *zn m* **1** de schulden; **2** lijdende vorm, (het) passief.
passiflore *v* passiebloem.
passion *v* **1** hartstocht; *la — du vrai*, de zucht naar het ware; *avoir la — des tableaux*, gek zijn op schilderijen; **2** lijden v. Christus;

3 passieverhaal; 4 passiepreek; 5 passiespel.
▼—naire *m* 1 passieboek; 2 martelarenboek.
▼—nant *bn* boeiend, opwindend,
meeslepend. ▼—né *bn* hartstochtelijk. ▼—nel,
-elle *bn* wat de (liefdes) hartstocht betreft.
▼—nément *bw* hartstochtelijk. ▼—ner I *ov.w*
in hartstocht brengen, opwinden. II se—
pour in geestdrift geraken voor, hartstocht
opvatten voor. ▼—nette v (*oud, fam.*)
kortstondige verliefdheid.
passivement *bw* lijdelijk. ▼passivité v
lijdelijkheid, passiviteit.
passoire v zeef, vergiet.
pastel I *zn m* 1 pastel; 2 pasteltekening. II *bn*
van pastel (*crayon* —). ▼—liste *m of v*
pasteltekenaar (-tekenares)
pastèque v watermeloen.
pasteur I *zn m* 1 herder; *le bon Pasteur*, de
Goede Herder; 2 dominee. II *bn*: *peuples* —*s*,
herdersvolken.
pasteurisation v pasteurisering.
▼pasteuriser *ov.w* pasteuriseren.
pastich/e *m* id., navolging *v.e.* kunstwerk.
▼—er *ov.w* navolgen, namaken, pasticheren.
▼—eur *m*, -euse *v* namaker (-maakster);
nabootser (-ster).
pastillage *m* 1 (het) maken v. figuren door
suikerbakkers; 2 (het) maken v. figuren in
gebakken klei. ▼pastille v pastille; — *de*
chocolat, flikje. ▼pastilleur *m* 1 instrument
om flikjes te maken; 2 flikjesmaker.
pastis *m* 1 id. (alcoholhoudende drank);
2 (*pop.*) geknoei.
pastoral [*mv aux*] I *bn* 1 van de herders,
landelijk; *poésie* —*e*, herdersdicht; 2 v.d.
bisschop; *croix* —*e*, bisschopskruis;
3 geestelijk. II *zn m* (het) genre v.h.
herdersdicht, -v.d. herdersroman. III—*e v*
1 herdersspel; 2 herdersdicht, pastorale.
▼pastorat *m* 1 predikambt; 2 duur v. dit
ambt.
pastourelle v 1 herderinnetje; 2 herdersliedje
uit de middeleeuwen.
pat *bn of zn m* pat (in schaakspel).
patache v (*fam.*) rammelkast, oude
postwagen.
patachon *m* (*fam.*): *mener une vie de* —, als
een fuifnummer leven.
patapouf *m* (*pop.*) 1 dikke, zware man; 2 plof,
zware val; 3 ploffend geluid.
pataquès *m* verkeerde woordverbinding (bijv.
ce n'est pas-t-à moi).
patard, patar *m* oud muntje; *n'avoir pas un* —,
geen rooie cent hebben.
patate v 1 (*fam.*): — (*douce*), pieper; 2 (*pop.*)
sukkel; 3 (*pop.*) *en avoir gros sur la* —, veel
verdriet hebben.
patati, patata enzovoort, enzovoort.
patatras! *tw* bons!, plof!
pataud *m* 1 jonge hond met dikke poten;
2 zware, dikke man; 3 (*fam.*) lomperd.
pataug/eage, —ement *m* geploeter in de
modder. ▼—er *on.w* 1 in de modder ploeteren;
2 zich vastpraten, niet uit een moeilijkheid
weten te komen. ▼—eur *m*, -euse *v*
ploeteraar (ster).
pâte v 1 deeg, beslag; *mettre la main à la* —, de
handen uit de mouwen steken; *vivre comme*
un coq en —, een leven leiden als een prins;
2 deegachtige massa, pasta; — *d'amandes*,
amandelpers; — *dentifrice*, tandpasta;
3 papierpap (— *de papier*); 4 gestel, karakter;
5 verflaag.
pâté *m* 1 pastei; — *de foie gras*,
ganzeleverpastei; 2 inktvlek; 3 — *de maisons*,
blok huizen.
pâtée v 1 vogelvoer; 2 voer voor dieren,
bestaande uit brood, vlees, enz.
patelin *m* 1 iem. die door het gebruik v. mooie
woorden een ander bedriegt; 2 (*pop.*) negorij,
gat. ▼—age, *m*, —erie *v* mooipraterij,
flikflooierij.
patène v pateen (*rk*)
patenôtre v 1 (*oud*) onzevader; 2 (*min.*) elk
ander gebed; 3 (*pop.*) kraal v.e. rozenkrans;
4 rozenkrans.

patent *bn* duidelijk, klaarblijkelijk; *lettre* —*e*,
open brief v.d. koning, die voorzien was v.h.
staatszegel. ▼patente v 1 gezondheidspas;
2 patentbelasting, bedrijfsbelasting; 3 bewijs
dat men deze belasting betaald heeft.
▼patenté *bn* voorzien v.e. patent. ▼patenter
ov.w 1 aanslaan in de bedrijfs-,
patentbelasting; 2 octrooi verlenen.
pater I *zn m* 1 grote kraal v.d. rozenkrans die het
onzevader aangeeft. II P— *m* Onze Vader.
patère v 1 Romeinse offerschaal;
2 gordijnhaak, kapstokhaak.
patern/alisme *m* id., bevoogding. ▼—aliste
bn paternalistisch, bevoogdend. ▼—e *bn*
vaderlijk (*ton* —). ▼—el, -elle *bn* 1 vaderlijk;
2 van vaders kant; 3 (*fam.*) vader, ouwe heer.
▼—ellement *bw* vaderlijk. ▼—ité v
vaderschap.
pâteux, -euse *bn* deegachtig, klef, melig (v.
peer), dik, troebel (v. inkt).
pathétique I *bn* roerend, aangrijpend. II *zn m*
(het) ontroerende, hartstochtelijke.
patho/gène *bn* pathogeen, ziekte
verwekkend. ▼—logie v ziektenleer.
▼—logique *bn* wat de ziektenleer betreft.
▼—logiste *m* ziektenkundige.
pathos *m* bombast, gezwollenheid.
patibulaire I *bn* van de galg; *fourches* —*s*,
galg; *mine* —, galgentronie. II *zn m* (*oud*)
galg.
patiemment *bw* geduldig. ▼patience v
1 geduld; *la* — *vient à bout de tout*, geduld
overwint alles; *prendre* —, geduld oefenen;
prendre en —, gelaten dragen;
2 knopenschaar (*mil.*); 3 patiencespel.
▼patient I *bn* geduldig, lijdzaam. II *zn m*
1 iem. die een lijfstraf moet ondergaan;
2 patiënt die geopereerd moet worden.
▼patienter *on.w* geduld oefenen.
patin *m* 1 schaats; — *à roulettes*, rolschaats;
2 grondbalk; 3 remblok. ▼—age *m* 1 (het)
schaatsenrijden; — *artistique*, kunstrijden;
2 (het) doorslaan (v.e. wiel).
patine v 1 groenachtige laag op oud brons;
2 aanslag op oude schilderijen.
patin/er I *on.w* 1 schaatsenrijden; 2 doorslaan
v.e. wiel. II *ov.w* 1 (*fam.*) bevoelen, betasten;
2 een groenachtige kleur geven aan brons; een
schilderij patine geven om het oud te doen
lijken. III se— groen worden. ▼—ette v
autoped. ▼—eur *m*, -euse *v* schaatsenrijder
(-ster). ▼—oire *v* ijsbaan.
patio *m* betegelde binnenplaats.
pâtir *on.w* 1 lijden; 2 kwijnen.
pâtis *m* weidegrond.
pâtiss/er I *ov.w* kneden; bewerken. II *on.w*
1 banket bakken. ▼—erie v 1 gebak;
2 banketbakkerswinkel; 3 banketbakkerij.
▼—ier *m*, -ière *v* banketbakker (-ster).
▼—oire v banketbakkerstafel.
patoche v (*fam.*) dikke hand.
patois *m* 1 dialect, tongval; 2 taal, eigen aan
een bepaalde groep personen. ▼—er *on.w*
'patois' spreken, plat praten.
patouill/ard *m* (*fam.*) log schip. ▼—er I *on.w*
(rond) plassen, ploeteren. II *ov.w* ruw
aanpakken.
patraque I *zn v* 1 oude kast, rammelkast (bijv.
v. horloge); 2 (*menselijk*) wrak. II *bn* gammel,
beroerd.
pâtre *m* herder.
patriarc/al [*mv aux*] *bn* aartsvaderlijk;
patriarchaal. ▼—at *m* 1 waardigheid v.e.
patriarch; 2 ambtsduur v.d. patriarch; 3 gebied
v.d. patriarch. ▼patriarche *m* 1 aartsvader;
2 eerbiedwaardige grijsaard; 3 patriarch.
patric/iat *m* 1 waardigheid v.d. patriciër; 2 de
gezamenlijke patriciërs. ▼—ien, -ienne I *bn*
patricisch. II *zn m*, -ienne *v* patriciër
(-cische); voorname man of vrouw, aristocraat
(aristocrate).
patrie v 1 vaderland; 2 geboorteplaats;
3 bakermat; *mère* —, moederland.
patrimoine *m* ouderlijk erfdeel, erfgoed.
▼patrimonial [*mv aux*] *bn* van het ouderlijk
erfdeel (*terre* —*e*).

patriotard *bn* met een overdreven vaderlandsliefde, chauvinistisch. ▼**patriot/e** I *bn* vaderlandslievend. II *zn m of v* vaderlander (-se). ▼**—ique** *bn* vaderlandslievend. ▼**—isme** *m* vaderlandsliefde.

patristique *v* studie v.d. leer der kerkvaders. ▼**patrologie** *v* 1 studie v.h. leven en de werken der kerkvaders; 2 de verzamelde werken der kerkvaders; 3 verhandeling over het leven en de werken der kerkvaders.

patron *m*, **-onne** *v* 1 patroon (patrones), beschermheilige; 2 beschermer (-ster); 3 patroon, werkgever (-geefster), baas (bazin); 4 schipper; 5 *m* patroon, model. ▼**—age** *m* 1 bescherming door een patroonheilige; 2 beschermheerschap; 3 weldadigheidsvereniging; 4 patronaat; 5 patronaatsgebouw. ▼**—al** [*mv* aux] *bn* 1 v.d. beschermheilige; *fête —e*, patroonsfeest; 2 v. werkgever(s); *syndicat —*, werkgeversvereniging; *cotisation —e*, werkgeversbijdrage. ▼**—at** *m* 1 (het) patroon zijn; 2 de werkgevers. ▼**—ner** *ov.w* 1 steunen, begunstigen; 2 maken volgens een patroon (*— une robe*). ▼**—nesse** *v* 1 beschermvrouwe v.e. liefdadigheidsfeest; 2 dame die weldadigheidsvereniging of patronaat leidt.

patronymique *bn*: *nom —*, familienaam.

patrouill/e *v* 1 patrouille; 2 ronde. ▼**—er** *on.w* 1 patrouilleren; 2 (in de modder) ploeteren. ▼**—eur** *m* patrouilleschip, -vliegtuig, patrouillerend soldaat.

patte *v* 1 poot; *— d'araignée*, juffertje-in-'t-groen (*plk.*); *—s de lapin*, tochtlatjes (soort bakkebaard); *—s de mouche*, hanepoten; 2 (*fam.*) poot = voet, hand; *à bas les —s*, handen thuis!; *à quatre —s*, op handen en voeten; *coup de —*, venijnige zet, steek; *faire — de velours*, zich lief voordoen; *graisser la — à qn.* (*fam.*), iem. met geld omkopen; *montrer — blanche*, zich legitimeren; laten zien dat men 'goed volk' is; *ne remuer ni pied ni —*, geen vin verroeren; *tomber sous la — de qn.*, in iemands handen vallen; 3 handigheid (*ce peintre a de la —*); 4 voet v.e. glas; 5 leertje, lus, klep; *— d'épaule*, schouderklep; 6 klauw (ijzer); 7 ankerhand. ▼**patte†-d'oie** *v* 1 kruispunt v. wegen; 2 kraaiepootje (bij oog).

pattu *bn* met dikke of gevederde poten.

pâtur/able *bn* geschikt voor weiland. ▼**—age** *m* weiland, weide. ▼**pâtur/e** *v* 1 voedsel voor dieren; *mettre en —*, de wei insturen; *vaine —*, vrije weide; 2 (*fam.*) voedsel voor mensen; 3 prooi; *livrer en —*, overleveren. ▼**—er** I *on.w* weiden, grazen. II *ov.w* afgrazen. ▼**—in** *m* beemdgras.

paume *v* 1 palm v.d. hand; 2 kaatsspel; *jeu de —*, kaatsbaan.

paumé *bn* (*pop.*) diep ongelukkig, ellendig, uit zijn doen.

paumelle *v* 1 tweerijige gerst; 2 deurhengsel.

paumer *ov.w* 1 met de platte hand slaan; 2 (*fam.*) grijpen, pakken; 3 (*pop.*) verliezen.

paumier *m* (*oud*) 1 houder v.e. kaatsbaan; 2 iem. die artikelen verkoopt of fabriceert voor het kaatsspel.

paumure *v* kroon v.e. hertegewei.

paupér/isation *v* verarming, verpaupering. ▼**—isme** *m* algemene armoede. ▼**paupière** *v* ooglid; *fermer la —*, inslapen; sterven; *fermer les —s à qn.*, iem. de ogen sluiten; *ouvrir la —*, ontwaken.

paupiette *v* blinde vink.

pause *v* 1 rust, tussenpauze; 2 hele maat rust (*muz.*); 3 teken voor een hele maat rust (*muz.*). ▼**pauser** *on.w* een maat rust hebben (*muz.*).

pauvr/e I *bn* 1 arm, armoedig, armzalig; *un — hère*, een arme drommel; 2 ongelukkig, slecht; *un — orateur*, een slecht redenaar. II *zn m* arme. ▼**—esse** *v* arme vrouw, bedelares. ▼**—et** *m*, **-ette** *v* arme ziel. ▼**—eté** I *v* armoede, ellendige toestand; *— n'est pas vice* (*spr.w*), armoede is geen schande. II**—s** *v mv*

onbeduidende dingen, - gezegden, gemeenplaatsen.

pavage *m* 1 plaveisel, bestrating; 2 bevloering; 3 (het) bestraten, plaveien.

pavane *v* 1 oude langzame Spaanse dans; 2 melodie op deze dans.

pavaner (se) een hoge borst opzetten.

pavé *m* 1 straatsteen; 2 bestrating, plaveisel; 3 vloer; 4 straat; *battre le —*, straatslijpen; *être sur le —*, op straat staan; *brûler le —*, erg hard rijden, rennen; *tenir le haut du —*, voorrang hebben. ▼**pavement** *m* 1 bestrating; 2 bevloering. ▼**paver** *ov.w* 1 bestraten; 2 bevloeren; *pavé de bonnes intentions*, geplaveid met goede bedoelingen. ▼**paveur** *m* straatmaker.

pavillon *m* 1 ronde of vierkante tent; 2 hemel v.e. bed; 3 velum (*rk*); 4 paviljoen, tuinhuis, koepel, zomerhuis; *— de chasse*, jachthuis; 5 oorschelp; 6 grammofoonhoorn; 7 vlag; *abaisser, amener le —*, de vlag strijken; 8 dak (auto).

pavois *m* 1 (*oud*) groot schild; *élever sur le —*, op het schild zetten (v. iem. die tot vorst gekozen was); verheerlijken; 2 vlaggenversiering v.e. schip. ▼**—ement** *m* (het) versieren met vlaggen. ▼**—er** I *ov.w* met vlaggen versieren. II *on.w* vlaggen.

pavot *m* papaver; *— rouge*, klaproos.

pay/able *bn* betaalbaar. ▼**—ant** I *bn* 1 betalend; 2 waarvoor men betaalt. II *zn m* betalend bezoeker. ▼**paye** *v zie* **paie**. ▼**pay/ement** *m zie* **paiement**. ▼**—er** I *ov.w* betalen; belonen; *— d'audace*, brutaal optreden; *— cher*, duur te staan komen; *il me le paiera*, ik zal het hem betaald zetten; *— qn. de belles paroles*, iem. met een kluitje in het riet sturen; *— de sa personne*, zijn leven wagen, zelf handelen; *qn. de retour*, iem. met gelijke munt betalen; een wederdienst bewijzen; *— pour les autres*, voor een ander opdraaien; *— le tribut à la nature*, sterven, II **se —** 1 betaald worden; beloond, gestraft worden; 2 geld afhouden; 3 zichzelf trakteren op (*se — un voyage*); 4 *se — de*, zich tevreden stellen met. ▼**—eur** *m*, **-euse** *v* 1 betaler (betaalster); 2 betaalmeester.

pays I *m* 1 land, vaderland, landstreek; *les gens du —*, de mensen uit de streek; *— perdu*, afgelegen streek; *voir du —*, reizen; 2 geboorteplaats; *mal du —*, heimwee. II *m*, **-e** *v* (*fam.*) plaatsgenoot, streekgenoot (-genote). ▼**—age** *m* landschap. ▼**—agiste** I *zn m* landschapschilder. II *bn* peintre —, landschapschilder (*ingénieur* —, tuin- en landschaparchitect.

paysan I *bn* boers. II *zn m*, **-anne** *v* boer(in); *à la —anne*, op zijn boers. ▼**—nat** *m* boerenstand. ▼**—nerie** *v* 1 boerenstand; 2 boerenromannetje; schilderij met boers tafereel; boers toneelstuk.

péage *m* tol (geld). ▼**péager** *m*, **-ère** *v* tolgaarder (-ster).

péan, paean *m* 1 hymne ter ere v. Apollo; 2 krijgszang, overwinningszang.

peau [*mv* x] *v* 1 huid, vel; *— d'âne*, perkament; diploma; trom; *avoir du —, dans la —*, (*pop.*) dolverliefd zijn op iem.; *— de balle!*, (*pop.*) niks!; *faire — neuve*, totaal v. gedrag veranderen, totaal omzwaaien; nieuwe spullen aantrekken; *il ne faut jamais vendre la — de l'ours qu'on ne l'ait mis par terre*, (*spr.w*) men moet de huid v.d. beer niet verkopen voor men hem geschoten heeft; *risquer sa —*, zijn leven wagen; *vendre cher sa —*, zijn huid duur verkopen; *avoir qn. dans la —*, smoorverliefd, gek op iem. zijn; 2 bereide huid, leer; *coudre la — du renard à celle du lion*, list met moed verenigen; 3 schil; 4 vel open. ▼**peau-rouge** *m* roodhuid. ▼**peauss/erie** *v* 1 huidenhandel; 2 lederbewerking. ▼**—ier** *m* 1 leerbereider; 2 handelaar in leer.

pec *bn*: *hareng —*, pekelharing.

pécaïre! *tw* o wee!

pécari *m* muskuszwijn.

peccabilité *v* zondigheid. ▼**peccable** *bn*

zondig. ▼**peccadille** v pekelzonde, klein vergrijp.

pechblende v pekblende, (uraanhoudend erts).

pêche v 1 perzik; 2 visvangst; — *à la ligne*, hengelen; *permis de* —, visakte; 3 vangst (het gevangene); 4 klap (*pop.*).

pêché m zonde; — *d'Adam*, — *originel*, erfzonde; *les sept —s capitaux*, de zeven hoofdzonden; — *mortel*, doodzonde.
▼**pécher** *on.w* zondigen, een misslag begaan.

pêcher I *zn m* perzikboom. II *ov.w* vissen, opvissen; — *à la ligne*, hengelen; — *en eau trouble*, in troebel water vissen. III *se* — gevangen worden (v. vis). ▼**pêcherie** v visplaats, visgrond.

pêcheur I *zn m*, -**eresse** v zondaar (zondares). II *bn* zondig; *femme pécheresse*, zondares.

pêcheur I *zn m*, -**euse** v visser (vissersvrouw); — *à la ligne*, hengelaar(ster). II *bn* vissend; *bateau* —, vissersboot.

pécore v (*oud*) dier; 2 onnozel schepsel, stommeling.

pectoral [*mv aux*] I *zn m* 1 v.d. borst; *muscle* —, borstspier; 2 voor de borst; *fleurs —es*, hoestkruiden. II *zn m* 1 borstspier; 2 hoestmiddel.

péculat m diefstal v. staatsgelden. ▼**pécule** m spaarduitje.

pécuniaire *bn* geldelijk; *peine* —, geldstraf.

pédago/gie v opvoedkunde. ▼—**gique** I *bn* opvoedkundig. II *zn* v opvoedkunde. ▼—**gue** I *zn m* 1 opvoedkundige (meestal in ongunstige zin); 2 schoolvos, frik. II *bn* schoolmeesterachtig.

pédal/e v 1 pedaal v. auto, orgel, enz.; 2 pedaal, trapper v.e. fiets, enz.; 3 (*pop.*) pederast. ▼—**er** *on.w* 1 op een pedaal trappen; 2 fietsen; 3 (*pop.*) hard lopen, rijden. ▼—**eur** m, -**euse** v (*fam.*) fietser (-ster). ▼—**ier** m 1 voetklavier; 2 trapas.

pédant I *zn m* 1 (*oud*) schoolmeester; 2 schoolvos, betweter, wijsneus. II *bn* schoolmeesterachtig. ▼—**erie** v schoolmeesterachtigheid, betweterij, waanwijsheid. ▼—**esque** *bn* schoolmeesterachtig. ▼—**isme** m schoolmeesterachtigheid.

pédalo m waterfiets.

pédérast/e, **pédé** m pederast. ▼**pédérastie** v pederastie.

pédestre te voet; *statue* —, standbeeld ten voeten uit; *voyage* —, voetreis.

pédiatre m kinderarts. ▼**pédiatrie** v kindergeneeskunde.

pédicelle v steeltje (*plk.*).

pédicule m steel (*plk.*). ▼**pédiculé** *bn* gesteeld.

pédicure m of v voetverzorger (-ster), pedicure.

pedigree m stamboek v. rasdieren.

pédoncule m steel (*plk.*). ▼**pédonculé** *bn* gesteeld.

pedzouille m (*pop.*) boer.

Pégase m Pegasus.

pègre v (*arg.*) de onderwereld, de boeven.

peignage m (het) kammen v. wol, hekelen v. vlas. ▼**peigne** m 1 kam; *passer au* — *fin*, iets nauwkeurig bestuderen; *sale comme un* —, erg vuil; 2 vlaskam, hekel. ▼**peign/é** m kamwol. ▼—**ée** v 1 de wol, het vlas dat men in één keer hekelt; 2 (*pop.*) pak slaag. ▼—**er** I *ov.w* 1 kammen; 2 kammen v. wol, hekelen v. vlas; 3 netjes afwerken, in de puntjes verzorgen. II *se* — 1 zich kammen; 2 elkaar in de haren vliegen. ▼—**eur** I *zn m*, -**euse** v wolkammer (-ster), hekelaar (ster). II -**euse** v kammachine. ▼—**ier** m 1 kammenmaker. ▼—**oir** m 1 kapmantel; 2 badmantel; 3 ochtendjapon. ▼—**ures** v *mv* haren die men verliest bij het kammen.

peinard *bn* (*pop.*) rustig.

peindre *ov.w onr.* v 1 schilderen, beschilderen; *papier peint*, behangselpapier; 2 beschrijven.
peine v 1 straf; — *capitale*, doodstraf; *sous* — *de*, op straffe van te; *sous* — *de la mort, de la*

vie, op straffe des doods; 2 moeite; *à grand-peine*, met veel moeite; *à* —, nauwelijks, ternauwernood; *donnez-vous la* — *de*, wees zo goed te; *en être pour sa* —, vergeefse moeite gedaan hebben; *homme de* —, sjouwer; *mourir à sa* —, zich dood werken; *perdre sa* —, vergeefse moeite doen; *c'est* — *perdue*, dat is vergeefse moeite; *toute* — *mérite salaire*, (*spr.w*) iedere moeite moet beloond worden; 3 smart, leed; *faire de la* — *à qn.*, iem. verdriet aandoen; 4 zorg, angst, onrust; *se mettre en* — *de*, zich bezorgd maken over. ▼**peiné** *bn* verdrietig. ▼**peiner** I *ov.w* 1 verdrieten, leed doen; 2 vermoeien. II *on.w* zwoegen, zich afbeulen. III *se* — zich afbeulen, zwoegen.

peint v.*dw* van **peindre**. ▼**peintre** m schilder; — *en bâtiments*, huisschilder; — *du dimanche*, zondagsschilder. ▼**peintur/e** v 1 schilderkunst; — *à l'huile*, het schilderen met olieverf; 2 schildering, schilderij; — *murale*, muurschildering; 3 verf; 4 schildering, beschrijving; *en* —, in schijn. ▼—**er** *on.w* kladschilderen. ▼—**lurer** *ov.w* (*fam.*) bont beschilderen.

péjorat/if, -ive *bn* wat aan een woord een ongunstige betekenis geeft (*terminaison* —*ive*). ▼—**ion** v verergering.

Pékin I m Peking. II **p**— m 1 gekleurde zijden stof; 2 (*arg. mil.*) burger. ▼**pékinois, -oise** I *bn* uit Peking. II *zn* **P**—, -**oise** v inwoner (inwoonster) van Peking, Pekinees. III **p**— m pekinees (hond).

pelage m 1 haar, vacht v. dieren; 2 (het) schillen.

pélagien, -enne, **pélagique** *bn* wat de zee, de oceaan betreft, pelagisch.

pélargonium m soort geranium.

pelé I *bn* 1 kaal; 2 geschild. II *zn m* kaalhoofdige.

pêle-mêle I *zn m* 1 verwarring, warboel; 2 grote lijst waarachter men allerlei familiefoto's zet. II *bw* door elkaar, verward.

peler I *ov.w* 1 ontharen; 2 schillen, pellen. II *on.w* vervellen. III *se* — 1 kaal worden; 2 vervellen.

pèlerin m 1 pelgrim; *la pluie du matin réjouit le* —, (*spr.w*) op een regenachtige morgen volgt vaak een mooie dag; *vent du soir et pluie du matin n'étonnent pas le* —, (*spr.w*) als het 's avonds waait, regent het de volgende morgen; 2 (*oud*) reiziger; 3 grote haai. ▼—**age** m 1 pelgrimstocht; 2 bedevaartplaats. ▼**pèlerine** v pelerine (soort mantel).

pélican m pelikaan.

pelisse v pels, pelsmantel, pelsjas.

pellagre v (*med.*) pellagra (avitaminose met uitslag).

pelle v 1 schop, spade; — *à beurre*, boterspaan; — *à tarte*, taartschep; *ramasser une* — (*pop.*), vallen; *remuer l'argent à la* —, schatrijk zijn; — *mécanique*, grijper, grijpkraan; 2 riemblad. ▼—†-**bêche**† v kort vierkant schopje. ▼—†-**pioche**† v schophouweel. ▼**pelletée** v schopvol.
▼**pelleter** *ov.w* met de schop omwerken.

pellet/erie v 1 pelterijen; 2 (het) bontwerken; 3 bontwerk; 4 pelterijhandel. ▼—**ier** I *zn m*, -**ière** v 1 bontwerker (-ster); 2 bontverkoper (-verkoopster). II *bn* wat bont betreft (*marchand* —).

pelliculaire *bn* zeer dun (als een vlies).
▼**pellicul/e** v 1 vlies, velletje, schilfer; 2 fotofilm. ▼—**eux, -euse** *bn* schilferig.

pellucide *bn* doorzichtig.

péloponnésien, -enne *bn* Peloponnesisch.

pelotage m 1 (het) tot een kluwen winden; 2 (*fam.*) (het) strelen, betasten. ▼**pelotari** m Baskisch pelotespeler. ▼**pelot/e** v 1 kluwen; *faire sa* —, geld vergaren; 2 bal (— *de neige*); 3 speldenkussen; 4 Baskisch kaatsspel. ▼—**er** I *ov.w* 1 tot een kluwen maken, opwinden; 2 mishandelen; 3 (*pop.*) vleien, flikflooien, betasten. II *on.w* met een bal spelen (kaatsen, biljart, enz.). ▼—**eur** m, -**euse** v 1 kluwenwinder (-ster); 2 vleier (-ster);

3 handtastelijk iem.
peloton m **1** klein kluwen; **2** groep personen; id.; groepje renners enz. in een wedstrijd; — *de tête*, koppelotror; **3** peloton (*mil.*). ▼**—ner**
I *ov.w* tot een kluwen maken, opwinden. II se
— **1** een kluwen vormen; **2** ineenduiken, ineenkruipen.
pelouse v **1** grasperk; **2** middenveld v.d. renbaan.
peluch/e v pluche, pluis. ▼—ê *bn* pluizig, harig. ▼**—er** *ov.w* pluizen. ▼**—eux, -euse** *bn* pluizig.
pelure v **1** schil; **2** (*pop.*) kleren.
pelvien, -enne *bn* van het bekken; *fracture —enne*, bekkenfractuur. ▼**pelvis** m (*anat.*) bekken.
pemmican m gedroogd vlees.
pénal [*mv* **aux**] *bn* wat straffen betreft; *code —*, wetboek v. strafrecht; *loi —e*, strafwet. ▼**—isation** v strafpunten. ▼**—iser** *ov.w* straf opleggen. ▼**—ité** v **1** straf; **2** strafschop. ▼**—ty** m strafschop.
pénates m *mv* **1** huisgoden; **2** huis.
penaud *bn* beteuterd, beschaamd.
penchant I *bn* **1** hellend; schuin; **2** wankelend, achteruitgaand; **3** — *à*, geneigd tot. II *zn m* **1** helling; *le* — *de la vie*, de naderende ouderdom; **2** neiging. ▼**pencher**
I *ov.w* buigen, doen overhellen (— *la tête*).
II *on.w* **1** overhellen, scheef staan; *faire* — *la balance*, de schaal doen overslaan; **2** geneigd zijn; — *pour*, gokken op; **3** — *vers sa ruine*, zijn ondergang tegemoet gaan. III *se* — zich buigen, - bukken; *se* — *sur*, bestuderen.
pend/able *bn* in aanmerking komend om gehangen te worden; *cas* —, misdaad waar de galg om staat; *tour* —, boevenstreek. ▼**—aison** v (het) (op) hangen. ▼**—ant** I *zn m* **1** (*oud*) draagriem; **2** tegenhanger, pendant. II *vz* gedurende. III *vgw:* — *que*, terwijl. IV *bn* hangend; *cause* —*e*, aanhangige zaak. ▼**—ard** m (*fam.*) galgeaas. ▼**—eloque** v **1** peervormig juweel, als oorhanger gebruikt; **2** hanger aan een lichtkroon. ▼**—entif** m **1** hangboog v. gewelf; **2** hanger aan een halskettinkje. ▼**—erie** v klerenrek, hangkast. ▼**—iller** *on.w* bungelen, wapperen. ▼**—illon** m onrust (die de slinger v.e. klok in beweging brengt). ▼**—oir** m **1** vleeshaak; **2** waslijn. ▼**pendre**
I *ov.w* (op) hangen; *dire pis que* — *de qn.*, veel kwaad van iem. vertellen, iem. zwart maken. II *on.w* hangen, afhangen; *cela lui pend au nez*, dat staat hem te wachten. III *se* — **1** zich vastklampen; **2** zich ophangen. ▼**pendu, -e** *v.dw* van *pendre; avoir la langue bien* —, niet op zijn mondje gevallen zijn.
▼**pendul/aire** *bn* slingerend. ▼—e I m slinger. II v pendule, klok. ▼**—ette** v klokje.
pêne m tong v.e. slot.
pénétr/abilité v doordringbaarheid. ▼**—able** *bn* doordringbaar. ▼**—ant** *bn* **1** doordringend; **2** schrander. ▼**—ation** v **1** (het) doordringen, penetratie; **2** schranderheid. ▼**—er** I *ov.w* door-, binnen-, indringen; penetreren; — *le cœur*, diep ontroeren. II *on.w* door-, binnen-, indringen. III *se* — **1** zichzelf onderzoeken; **2** *se* — *de*, zich doordringen van, zich in de geest prenten.
pénible *bn* **1** moeilijk, lastig; **2** smartelijk, pijnlijk, ongelukkig, penibel.
péniche v **1** (*oud*) lichte sloep; **2** *douane* —, politieboot; **3** grote aak; **4** — *de débarquement*, landingsvaartuig.
pénicilline v penicilline.
péninsulaire *bn* v.e. schiereiland. ▼**péninsule** v groot schiereiland.
pénis m penis.
pénitence v **1** boete, boetvaardigheid; berouw; *les psaumes de la* —, de boetpsalmen; *le tribunal de la* —, de biechtstoel; **2** penitentie; straf; *mettre en* —, straffen. ▼**pénitent** I *bn* berouwvol, boetvaardig; *vie —e*, leven v. boete. II *z* v boeteling(e), biechteling(e). ▼**—iaire** *bn: établissement* —, verbeteringsgesticht. ▼**—iaux** *bn mv: psaumes* —, boetpsalmen.

penn/age m veren v. roofvogels. ▼**—e** v vleugel-, staartpen. ▼**—é** *bn* gevind (v. blad). ▼**—iforme** *bn* veervormig. ▼**—on** m riddervaan.
pénombre v halfdonker, schemering.
pensant *bn: bien* —, weldenkend.
▼**pense-bête**† m knoop in de zakdoek.
▼**pens/ée** v **1** gedachte, denkbeeld; **2** mening (*dire sa* —); **3** plan; **4** ontwerp (*la* — *d'un roman*); **5** driekleurig viooltje. ▼**—er** I *on.w* **1** denken, menen; geloven; *pensez donc!*, stel u eens voor!; **2** van plan zijn, zich voornemen (*il pense partir*); **3** — *à*, van plan zijn; **4** *pensez à vous!*, neem u in acht!; **5** op het punt zijn (*il a pensé mourir*). II *on.w* denken, geloven. III *zn m* (*dicht.*) gedachte. ▼**—eur, -euse** I *bn* peinzend, dromend. II *zn m*, **-euse** v denker (-ster); *libre* —, vrijdenker. ▼**—if, -ive** *bn* peinzend, nadenkend, dromend.
pension v **1** kostgeld; **2** pension, kosthuis; **3** kostgeld op school; **4** kostgeld op school; **5** jaargeld, toelage; — *de retraite*, pensioen. ▼**—naire** m of v **1** kostganger (-ster); **2** kostleerling(e); **3** iem. die een jaargeld, een toelage ontvangt; **4** pensionaris; *grand-pensionnaire*, raadpensionaris. ▼**—nat** m pensionaat. ▼**—ner** of een jaargeld, een toelage toekennen.
pensivement *bw* peinzend, dromend.
pensum m **1** strafwerk; **2** vervelend schrijfwerk.
penta/èdre m vijfvlak, pentaëder. ▼**—gonal** [*mv* **aux**] *bn* vijfhoekig. ▼**—gone** I *zn m* vijfhoek. II *bn* vijfhoekig. ▼**—mètre** m vijfvoetig vers, pentameter. ▼**—teuque** m Pentateuch. ▼**—thlon** m vijfkamp. ▼**—tonique** *bn* pentatonisch.
pente v **1** helling, glooiing; *aller en* —, hellen; *s'engager sur une* — *dangereuse*, het hellend vlak opgaan; **2** neiging; *suivre sa* —, zijn eigen zin doen; **3** afhangende strook, val v.e. gordijn.
Pentecôte (la) v Pinksteren.
penture v hengsel.
pénultième I *bn* voorlaatste. II *zn* v voorlaatste lettergreep.
pénurie v gebrek, schaarste, grote armoede.
pépé m (*pop.*) grootvader. ▼**pépée** v (*fam.*) pop (kindertaal); vrouw, meisje. ▼**pépère** I *bn* (*fam.*) rustig. II *zn m* **1** opa (kindertaal); **2** rustige dikzak.
pépètes v *mv* (*pop.*) geld.
pépie v pip; *avoir la* — (*fam.*), een droge keel hebben.
pépiement m gepiep. ▼**pépier** *on.w* piepen van jonge vogels.
pépin m **1** pit; **2** (*fam.*) paraplu; **3** (*fam.*) pech. ▼**—ière** v **1** jong boompje dat nog verplant moet worden; **2** boomkwekerij; **3** oefen-, kweekschool. ▼**—iériste** I *zn m* boomkweker. II *bn: jardinier* —, boomkweker.
pépite v klomp, brok.
pepsine v pepsine. ▼**peptique** *bn* peptisch, betreffende de spijsvertering.
peptone v pepton.
péquenaud *m*, **péquenot** m (*pop.* en *péj.*) boer.
perçage m doorboring.
percal/e v zeer fijne katoenen stof. ▼**—ine** v dunne, gladde katoen voor voering.
perçant *bn* doordringend, scherp. ▼**perce** v **1** boor; **2** gat in blaasinstrument. ▼**perc/é** *bn* doorboord, met een gat of gaten; *pays mal* —, land met weinig wegen; (*fig.*) — *à jour*, onthuld, ontmaskerd. ▼**—ée** v **1** opening, gat; **2** doorbraak (v. straten, in de sport), doorkijk in een bos. ▼**—ement** m **1** doorboring, doorgraving; **2** doorbraak, tunnel. ▼**perce-/neige** v sneeuwklokje. ▼**—oreille** m oorworm.
percept/eur, -rice I *bn* (geluid) opvangende. II *zn m* ontvanger der belastingen. ▼**—ibilité** v **1** waarneembaarheid; **2** invorderbaarheid v. belastingen. ▼**—ible** *bn* **1** waarneembaar; **2** invorderbaar. ▼**—if, -ive** *bn* wat het waarnemen betreft. ▼**—ion** v **1** waarneming, gewaarwording; perceptie; **2** (het) innen v. belastingen; **3** ambt v. ontvanger.

perc/er I *ov.w* 1 doorboren; 2 doorbreken (bijv. v. straten); 3 doordringen; dringen door; — *la foule*, zich een weg banen door de menigte; openbreken; — *un coffre-fort*, een brandkast kraken; 4 doorgronden (— *un mystère*); 5 — *le cœur*, het hart breken, - verscheuren; 6 — *un tunnel*, een tunnel boren. II *on.w* 1 doorbreken, opengaan (v. zweer); 2 doorschemeren, zich verraden; 3 opvallen, bekend worden. **▼—eur** I *zn m*, **-euse** v boorder (-ster). II **-euse** v boormachine; — *à percussion*, klopboor.

percev/able *bn* 1 waarneembaar; 2 invorderbaar. **▼—oir** *ov.w* 1 waarnemen, percipiëren; 2 invorderen, innen.

perch/e v 1 baars; 2 staak, lange stok, roede, polsstok, hengelstok; *tendre la* — *à qn.*, iem. de reddende hand bieden; *saut à la* —, polsstoksprong; 3 bonestaak (lange man); 4 gewei. **▼—er** *on.w*, **se percher** 1 zitten v. vogels; 2 wonen. **▼—eur, -euse** *bn* zittend (v. vogels). **▼—iste** *m* 1 polsstok(hoog)springer; 2 degene die microfoon vasthoudt aan 'hengel'. **▼—oir** *m* vogelstok, kippenrek.

perclus *bn* verlamd, lam.

perçoir *m* handboor.

percolateur *m* perculator.

perçu, -e v *d.w* van **percevoir.**

percussion v 1 stoot, schok; *instrument de* —, slaginstrument; 2 onderzoek v.h. lichaam door kloppen (*med.*). **▼—niste** *m* drummer, slagwerker. **▼percut/ant** *bn* door een schok afgaand (*projectiles* —*s*). **▼—er** *ov.w* 1 slaan tegen, stoten tegen; 2 bekloppen (*med.*). **▼—eur** *m* slagpin.

perd/able *bn* wat verloren kan worden. **▼—ant** *m* 1 verliezer; 2 — *de la marée*, afgaand tij. **▼—ition** v 1 nood, gevaar (*navire en* —); 2 verderf, ondergang; *lieu de* —, plaats des verderfs. **▼perdre** I *ov.w* 1 verliezen; — *son chemin*, verdwalen; — *contenance*, van zijn stuk raken; — *haleine*, buiten adem raken; — *l'occasion*, de gelegenheid voorbij laten gaan; — *sa peine*, vergeefse moeite doen; — *pied*, geen grond meer voelen; — *le temps*, zijn tijd verknoeien; — *terre* (*scheepv.*), het vaste land niet meer zien; — *la tramontane* — *la carte*, de kluts kwijt raken; — *de vue*, uit het gezicht verliezen; 2 beschadigen, bederven; 3 in het verderf storten, te gronde richten; 4 doen verdwalen. II *on.w* 1 verliezen; 2 achteruitgaan. III **se** — 1 verdwalen; 2 verdwijnen, verloren gaan; *se* — *dans la foule*, in de menigte opgaan; 3 zich in het verderf storten; 4 schipbreuk lijden; vergaan; 5 wegsterven; 6 zich verdiepen (in), opgaan (in).

perdreau [*mv x*] *m* jonge patrijs. **▼perdrix** v patrijs.

perdu *bn* 1 verloren, verdwenen; *pour un* (*de*) — *dix* (*deux*) *de retrouvés*, voor hem tien anderen; *reprise* —*e*, onzichtbare stop; 2 afgelegen (*pays* —); 3 ongeneeslijk, opgegeven (*malade* —); 4 te gronde gericht; *à corps* —, blindelings.

père *m* 1 vader, stamvader; *de* — *en fils*, van vader op zoon; *Dieu le Père*, God de Vader; *Père de l'Eglise*, kerkvader; *le Père éternel*, God; — *nourricier*, voedstervader; *le saint* —, de paus; — *spirituel*, geestelijk leidsman; 2 pater; 3 schepper, stichter.

pérégrination v omzwerving.

pérempt/ion v verjaring. **▼—oire** *bn* 1 beslissend, afdoend (*argument* —); 2 betrekking hebbend op verjaring.

pérennité v lange duur, (het) voortduren.

péréquation v gelijke verdeling.

perfect/ibilité v vatbaarheid voor vervolmaking. **▼—ible** *bn* vatbaar voor vervolmaking. **▼—ion** v volmaaktheid, voortreffelijkheid; *dans la* —, *en* —, in de perfectie. **▼—ionnement** *m* vervolmaking. **▼—ionner** I *ov.w* vervolmaken. II **se** — volmaakter, verbeterd worden; *se* — *dans*, zich bekwamen in.

perfide I *bn* vals, trouweloos, verraderlijk. II *zn*

m of v trouweloze, valsaard. **▼perfidie** v valsheid, trouweloosheid.

perfo *m*/v ponstypist(e). **▼perfor/age** *m* doorboring. **▼—ant** *bn* doorborend. **▼—ateur, -atrice** I *bn* doorborend. II *zn m* ponstypist, **-atrice** v 1 boormachine; 2 perforeermachine; ponsmachine; 3 ponstypiste. **▼—ation** v doorboring. **▼—er** *ov.w* doorboren, perforeren; ponsen; *carte perforée*, ponskaart. **▼—euse** v perforeertoestel.

performance v prestatie v. renpaard, rennerkampioen enz.

perfusion v serum-, bloedinspuiting.

pergola v pergola.

péricarde *m* hartzakje.

péricliter *on.w* in gevaar zijn, wankelen (*fig.*), op vallen staan (*fig.*).

périgourdin I *bn* uit de oude provincie Le Périgord. II *zn P—m*, **-e** v bewoner (bewoonster) van de oude provincie Le Périgord.

péril *m* gevaar; *il y a* — *en la demeure*, uitstel is gevaarlijk; *au* — *de*, op gevaar van; *à ses risques et* —*s*, op eigen risico. **▼périlleux, -euse** *bn* gevaarlijk; *saut* —, salto mortale.

périmètre *m* omtrek.

périod/e v 1 omloop, omlooptijd; 2 tijdperk, tijdvak; 3 volzin; 4 herhalingsoefening. II *m* toppunt. **▼—icité** v geregelde terugkeer. **▼—ique** I *bn* geregeld terugkerend, periodiek; *fraction* — *simple*, zuiver repeterende breuk; *fraction* — *mixte*, gemengd rep. breuk. II *zn m* tijdschrift.

périoste *m* beenvlies. **▼périostite** v beenvliesontsteking.

péripatéticien I *bn* peripatetisch. II *zn m* peripateticus (volgeling van Aristoteles); **-enne** v (*fam.*) prostituée, vrouw die tippelt. **▼péripétie** v 1 wederwaardigheid, verwikkeling; 2 plotselinge verandering.

péri/phérie v omtrek. **▼—phérique** *bn* aan de buitenzijde gelegen; *route* —, ringweg.

péri/phrase v omschrijving. **▼—phraser** *on.w* (*oud*) omschrijvingen bezigen. **▼—phrastique** *bn* omschrijvend.

périple *m* omzeiling.

périr *on.w* (vervoegd met *avoir*) omkomen, sneuvelen, vergaan; — *corps et biens*, met man en muis vergaan; — *d'ennui*, zich dood vervelen.

périscope *m* periscoop.

périssable *bn* vergankelijk, bederfelijk.

périssoire v kano.

péristaltique *bn* peristaltisch.

péristyle *m* zuilengalerij.

péritoine *m* buikvlies. **▼péritonite** v buikvliesontsteking.

perle v 1 parel (ook *fig.*); — *fine*, echte parel; 2 kraal; 3 gasbelletje; 4 (*dicht.*) zeer witte tand. **▼perl/é** *bn* 1 parelachtig, parelvormig; *orge* —, gepareMde gerst; 2 versierd met parels; 3 zeer fijn bewerkt (*broderie* —*e*); 4 helder (*rire* —); 5 *grève* —*e*, prikactie. **▼—er** I *ov.w* 1 parelgerst maken; 2 zeer fijn bewerken; 3 een loopje (*muz.*) voortreffelijk uitvoeren. II *on.w* parelen (bijv. v. zweet). **▼—ier, -ière** I *bn* parels bevattend (*huître* —*ière*). II *zn m*, **-ière** v handelaar(ster) in parels. **▼—ot** *m* 1 soort kleine oester; 2 (*pop.*) tabak.

perman/ence v 1 duurzaamheid, onafgebroken duur; *en* —, voortdurend; 2 onafgebroken zitting, (het) open zijn; 3 vaste dienst; 4 gebouw dat steeds open is voor het publiek (— *de police*). **▼—ent** I *bn* blijvend, duurzaam, onafgebroken. II *zn* **-e** v blijvende golf (permanent).

perme v (*arg. mil.*) *afk. van* **permission** (kort) verlof.

perméabilité v doordringbaarheid. **▼perméable** *bn* doordringbaar.

permettre I *ov.w onr.* toestaan, veroorloven, vergunnen; *permettez!*, met uw verlof! II **se** — 1 veroorloofd worden; 2 de vrijheid nemen, zich veroorloven. ▼**permis** *m* vergunning, akte, vervoerbiljet, verlof; — *de chasse*, jachtakte; — *de circulation*, vrijbiljet v.d. spoorwegen; — *de conduire*, rijbewijs; — *de séjour*, verblijfsvergunning. ▼**permission** *v* 1 toestemming, verlof, vergunning; 2 kort verlof *(mil.)*. ▼—**naire** *m* 1 houder v.e. vergunning, v.e. akte; 2 verlofganger.

permut/abilité *v* verwisselbaarheid. ▼—**able** *bn* verwisselbaar. ▼—**ation** *v* verwisseling, verandering. ▼—**er** I *ov.w* verwisselen, ruilen, verplaatsen. II *on.w*: — *avec qn.*, van ambt ruilen met iem.

pernici/eusement *bw* op verderfelijke, schadelijke wijze. ▼—**eux, -euse** *bn* verderfelijk, schadelijk; *fièvre* —*euse*, kwaadaardige koorts. ▼—**osité** *v* schadelijkheid, kwaadaardigheid.

péroné *m* kuitbeen.

péroraison *v* slot v.e. rede, peroratio. ▼**pérorer** *on.w* lang en hoogdravend spreken.

Pérou (le) Peru.

perpendiculaire I *bn* loodrecht. II *zn v* loodlijn.

perpète, perpette: *à* —, *(pop.)* voor altijd, eeuwig.

perpétr/ation *v* (het) bedrijven, begaan (v.e. misdaad). ▼—**er** *ov.w* bedrijven, begaan (een misdaad).

perpét/uation *v* instandhouding. ▼—**uel, -uelle** *bn* 1 eeuwig; *mouvement* —, perpetuum mobile; 2 levenslang (*exil* —); 3 voortdurend, onophoudelijk, bestendig. ▼—**uer** I *ov.w* doen voortduren, vereeuwigen, in stand houden. II *se* — blijven bestaan, voortduren, zich voortplanten. ▼—**uité** *v* voortduring, eeuwigheid; *à* —, levenslang.

perplexe *bn* verlegen, onthutst. ▼**perplexité** *v* verlegenheid, verslagenheid.

perquisition *v* huiszoeking, gerechtelijk onderzoek. ▼—**ner** *on.w* huiszoeking doen.

perron *m* stoep, bordes.

perroquet *m* 1 papegaai (ook *fig.*); 2 *(fam.)* glas absint. ▼**perruche** *v* 1 wijfjespapegaai; 2 parkiet; 3 bovenkruiszeil *(scheepv.)*.

perruque *v* pruik; *vieille* —, oude pruik *(fig.)*. ▼**perruquier** *m* pruikenmaker, kapper.

pers *bn* blauwgroen.

persan I *bn* Perzisch. II *zn* P— *m*, -e *v* Pers, Perzische. ▼**Perse (la)** Perzië.

persécut/é *m*, -e *v* vervolgde. ▼—**er** *ov.w* 1 vervolgen; 2 lastig vallen, plagen. ▼—**eur** *m*, -**rice** *v* vervolger (-ster). ▼—**ion** *v* vervolging; *folie (manie) de la* —, vervolgingswaanzin.

persévér/ance *v* standvastigheid, volharding; *la* — *vient à bout de tout*, (spr. w) de aanhouder wint. ▼—**ant** *bn* standvastig, volhardend. ▼—**er** *on.w* 1 volharden, doorzetten, volhouden; 2 voortduren.

persicot *m* (*oud*) persico (likeur).

persienne *v* zonneblind.

persifl/age *m* bespotting, spotternij. ▼—**er** *ov.w* bespotten, belachelijk maken. ▼—**eur** *m*, -**euse** *v* spotter (-ster).

persil *m* peterselie. ▼—**ade** *v* sneden koud rundvlees met olie, azijn en peterselie. ▼—**é** *bn*: *fromage* —, kaas met groenachtige vlekken. **Persique** *bn*: *le golfe* —, de Perzische golf.

persist/ance *v* bestendigheid, duurzaamheid, volharding. ▼—**ant** *bn* bestendig, aanhoudend, volhardend. ▼—**er** *on.w* aanhouden, volharden, voortduren.

personn/age *m* 1 persoon; 2 hoog, belangrijk persoon, personage; 3 persoon in romans en toneelstukken; rol. ▼—**aliser** *ov.w* verpersoonlijken. ▼—**alisme** *m* egoïsme. ▼—**alité** *v* 1 persoonlijkheid; 2 persoon; 3 persoonlijke belediging; 4 egoïsme. ▼**personne** I *zn v* persoon, mens; persoonlijkheid; *accident de* —, persoonlijk ongeval; *aimer sa* —, van zijn gemak houden; *il est bien fait de sa* —, hij heeft een knap uiterlijk; — *civile*, burgerlijke persoon; en —, persoonlijk; *les grandes* —*s*, de volwassenen; *jeune* —, jong meisje; — *morale*, rechtspersoon; *payer de sa* —, meevechten,

zelf meedoen; *sans acception de* —, zonder aanzien des persoons. II *vnw* 1 niemand (—... *ne*); 2 iemand. ▼**personn/el, -elle** I *bn* 1 persoonlijk; *contribution* —*elle*, personele belasting; *pronom* —, persoonlijk voornaamwoord; 2 egoïstisch. II *zn m* personeel. ▼—**ellement** *bw* persoonlijk. ▼—**ification** *v* verpersoonlijking, personificatie. ▼—**ifier** *ov.w* verpersoonlijken, personifiëren.

perspect/if, -ive *bn* perspectivisch. ▼—**ive** *v* 1 perspectief; 2 vergezicht; 3 vooruitzicht; *en* —, in het vooruitzicht.

perspicace *bn* scherpzinnig. ▼**perspicacité** *v* scherpzinnigheid.

perspiration *v* uitwaseming, licht zweet.

persua/dant *bn* overtuigend. ▼—**der** I *ov.w* overtuigen, overhalen. II *se* — zich verbeelden, geloven. ▼—**sif, -ive** *bn* overtuigend. ▼—**sion** *v* overtuiging, overreding. ▼—**sivement** *bw* op overtuigende wijze.

perte *v* 1 verlies: *à* — *d'haleine*, buiten adem; — *d'heures*, verlet; *à* — *de vue*, zover het oog reikt; *en pure* —, geheel onnodig, vergeefs; *sèche*, zuiver verlies; *vendre à* —, met verlies verkopen; 2 ondergang, verderf; *la* — *de l'âme*, de verdoemenis; 3 plaats waar een rivier in de grond verdwijnt.

pertin/emment *bw* gepast, van pas, ter zake dienend. ▼—**ence** *v* gepastheid, juistheid. ▼—**ent** *bn* gepast, juist, afdoend.

pertuis *m* 1 (*oud*) gat, opening; 2 rivierengte, nauwe doorvaart; 3 zeegat; 4 sluisopening.

perturb/ateur, -atrice I *bn* verstorend. II *zn m*, -**atrice** *v* verstoorder (-ster). ▼—**ation** *v* storing, verstoring. ▼—**er** *ov.w* (ver)storen.

péruvien, -ienne *bn* Peruviaans. II *zn* P— *m*, -**enne** *v* Peruviaan (se), Peruaan (se).

pervenche *v* maagdenpalm (*plk.*).

pervers I *bn* pervers, verdorven. II *zn m*, -e *v* verdorven mens. ▼—**ement** *bw* verdorven, slecht, pervers. ▼—**ion** *v* ontaarding, perversie; — *des mœurs*, zedenbederf. ▼—**ité** *v* verdorvenheid, perversiteit. ▼**pervertir** *ov.w* 1 verderven, ontaarden; 2 verdraaien, vervalsen (— *un texte*). ▼**pervertiss/ement** *m* 1 verderf, ontaarding; 2 verdraaiing, vervalsing. ▼—**eur, -euse** I *bn* verderfelijk. II *zn m*, -**euse** *v* bederver (bederfster).

pesage *m* 1 (het) wegen; 2 plaats waar men de jockeys weegt. ▼**pesamment** *bw* zwaar, log. ▼**pesant** I *bn* 1 zwaar; 2 log; 3 moeilijk, drukkend. II *zn m* gewicht; *valoir son* — *d'or*, zijn gewicht in goud waard zijn. ▼**pesanteur** *v* 1 zwaartekracht; 2 zwaarte, gewicht; 3 logheid, gebrek aan sierlijkheid, gebrek aan doorzicht, - aan schranderheid; 4 drukkend gevoel (— *d'estomac*, zwaar op de maag). ▼**pèse-bébé** *m* babyweegschaal. ▼**pesée** *v* 1 (het) wegen; 2 wat men in één keer weegt; 3 (het) oplichten met een hefboom, druk. ▼**pèse-lettre** *m* brieveweger. ▼**peser** I *ov.w* 1 wegen; 2 afwegen, wikken en wegen (— *ses paroles*). II *on.w* 1 wegen; 2 — *sur*, drukken op; — *sur l'estomac*, zwaar op de maag liggen; 3 zwaar vallen, tot last zijn. ▼**peseur** *m*, -**euse** *v* weger (weegster). ▼**peson** *m* unster.

pessaire *m* pessarium.

pessimisme *m* pessimisme. ▼**pessimiste** I *zn m* of *v* pessimist(e). II *bn* pessimistisch.

pest/e I *zn v* 1 pest; — *bubonique*, builenpest; 2 plaag, verderf, verderfelijke leer; 3 *(fam.)* ondeugd; *peste de...!*, naar de duivel met...! II *tw* drommels! ▼—**er** *on.w* uitvaren. ▼—**eux, -euse** *bn* van de pest. ▼—**icide** *m* pesticide, bestrijdingsmiddel. ▼—**iféré** I *bn* lijdend aan pest. II *zn m*, -e *v* pestlijder(es). ▼**pestil/ence** *v* verderfelijke leer. ▼—**entiel, -elle** *bn* aangetast door pest, besmettelijk, pestverwekkend.

pet *m* wind; *pet-de-loup*, schoolvos.

pétale *m* bloemblad.

pétant *bn* (*pop.*): *à neuf heur* —*es*, om negen uur precies.

pétarad/e *v* (ge)knal. ▼—**er** *on.w* knallen.

pétard *m* 1 springbus, voetzoeker;
2 sensationeel nieuws; 3 (*fam.*) lawaai;
4 (*pop.*) revolver; 5 (*pop.*) achterwerk.
pétaudière, petaudière *v* rumoerige
vergadering, huishouden v. Jan Steen.
pet†-de-nonne *m* (appel)beignet.
pet-en-l'air *m* (*oud*) kort huisjasje.
péter *on.w* 1 een wind laten; 2 knappen,
knapperen, knetteren; 3 (*fam.*) springen,
breken, knappen.
péteux *m* (*fam.*) bangelijk iemand.
pétill/ant/ant *bn* kettterend (v. vuur); fonkelend
(v. geest); parelend (v. wijn); schitterend (v.
ogen). ▼**—ement** *m* (het) knetteren,
fonkelen, parelen, schitteren. ▼**—er** *on.w*
knetteren, fonkelen, parelen, schitteren.
pétiol/e *m* bladsteel. ▼**—é** *bn* gesteeld.
petiot *bn* (*fam.*) klein.
petit I *bn* 1 klein, nietig; *au — bonheur*, op
goed geluk af; *— à —*, langzamerhand, beetje
voor beetje; *en —*, in het klein; *le — monde*, de
lagere klassen; *— vin*, landwijn;
2 kleingeestig; 3 lief, aardig, best (*mon —
ami*). **II** *zn m of v* 1 kind; 2 jong v. dieren.
III *les petits*, de armen, de nederigen.
petit†-beurre *m* soort droog biscuitje.
petit-bourgeois *bn* kleinburgerlijk,
bekrompen.
petit-gris *m* petit-gris (bontsoort).
pétition *v* verzoekschrift, petitie. ▼**—naire** *m
of v* indiener (-ster) v.e. verzoekschrift. ▼**—ner**
on.w een verzoekschrift indienen.
petit/-lait *m* wei.
petit†-maître† *m*, **petite†-maîtresse†** *v*
(*oud*) fat, nuf.
petit-nègre *m* negerfrans, negerengels.
petit†-neveu† [*m v x*] *m*, **petite†-nièce†** *v*
achterneef, achternicht. ▼**petits-enfants** *m
mv* kleinkinderen.
petit†-suisse† *m* roomkaas.
peton *m* (*fam.*) voetje.
pétré *bn* steenachtig.
pétrel *m* stormvogel.
pétreux, -euse *bn* van de rots; *os —*, rotsbeen.
pétri *v.dw van* **pétrir:** 1 gevormd; doorkneed;
2 — *de*, vol van; — *d'orgueil*, zeer trots.
pétrifi/cation *v* verstening. ▼**—er** *ov.w*
1 verstenen; 2 doen verstijven (bijv. van
schrik).
pétr/in *m* bakkerstrog; *être dans le —*, in
verlegenheid zijn; *mettre dans le —*, in het
nauw brengen. ▼**—ir** *ov.w* 1 kneden;
2 kneden (*fig.*), vormen. ▼**—issable** *bn*
kneedbaar. ▼**pétriss/age/age**, ▼**—ement** *m*
(het) kneden. ▼**—eur I** *m*, **-euse** *v* kneder,
kneedster. **II -euse** *v* kneedmachine.
pétro/chimie *v* petrochemie. ▼**—chimique**
bn petrochemisch. ▼**—graphie** *v* leer der
gesteenten. ▼**pétrol/e** *m* petroleum, (ruwe)
olie; *crise du —*, oliecrisis; *essence de —*,
benzine. ▼**—ette** *v* (*pop.*) motorfiets.
▼**—euse** *v* brandstichtster die zich bediende v.
petroleum (tijdens de *Commune*). ▼**—ier,
-ière I** *bn* wat petroleum betreft (*navire —*);
production —ière, olieproduktie. **II** *zn m*
tanker. ▼**—ifère** *bn* petroleumhoudend,
-voortbrengend, olie-.
pétul/ament/ament *m* uitgelaten. ▼**—ance** *v*
uitgelatenheid, dartelheid, wildheid. ▼**—ant**
bn uitgelaten, dartel, dol, wild.
pétunia *m* petunia (*plk.*).
peu I *bw* weinig; — *à —*, langzamerhand; *à —
près*, ongeveer; *dans —, sous —*, binnenkort,
weldra; *depuis —*, sinds kort; *quelque —*, een
beetje; *tant soit —*, een weinig, enigszins.
II *vgw: pour — que* (met *subj.*), als ... slechts.
III *zn m* 1 *un —*, een beetje; *pour un —*, ..., het

scheelde maar weinig, of ...; 2 even, eens; zeg;
attendez un —, wacht even; *dites un —*, zeg
eens.
peuh! *tw* kom nou!, het mocht wat!
peuplade *v* volksstam. ▼**peupl/e I** *zn m* 1 volk;
petit —, de lagere volksklassen; 2 populier.
II *bn* ordinair. ▼**—ement** *m* 1 (het) bevolken;
2 bevolking. ▼**—er I** *ov.w* bevolken. **II se —**
zich bevolken. **III** *on.w* zich
vermenigvuldigen, zich voortplanten.
peupleraie *v* bos v. populieren. ▼**peuplier** *m*
populier; — *argenté*, zilverpopulier; —
tremble, ratelpopulier.
peur I *zn v* vrees, angst, schrik; *avoir — de*,
bang zijn voor; *avoir — pour*, bezorgd zijn
voor; *avoir grand —*, erg bang zijn; *de — de*,
uit vrees te; *en être quitte pour la —*, er met de
schrik afkomen; *faire — à*, schrik aanjagen;
laid à faire —, aarts-, foeilelijk; *mourir de —*,
omvallen van schrik. **II** *vgw: de — que* (met
subj.), uit vrees dat. ▼**—eusement** *bw*
bevreesd. ▼**—eux, -euse I** *bn* bang. **II** *zn m*,
-euse *v* bangerd.
peut-être *bw* 1 misschien; 2 toch zeker; zou ik
denken.
pèze *v* (*arg.*) geld.
phacochère *m* wrattenzwijn.
phaëton *m* 1 koetsier; 2 licht open rijtuig voor
vier personen (twee vóór, twee achter).
phalang/e *v* 1 falanx (slagorde bij Romeinen
en Grieken); 2 (*dicht.*) leger; 3 naam van
sommige politieke partijen (bijv. in Spanje);
4 kootje, lid v. vinger of teen. ▼**—ette** *v* voorste
lid v. vinger of teen. ▼**—iste** *m* lid der Spaanse
of Libanese falanx, falangist.
phalène *v* spanrupsvlinder, nachtvlinder.
phallique *bn* fallisch. ▼**phallus** *m* 1 fallus,
mannelijk lid; 2 soort paddestoel.
phantasme = fantasme *m* gezichtsbedrog.
pharamineux, -euse = faramineuse, -euse
bn (*pop.*) geweldig, daverend (*succès —*).
pharaon *m* 1 farao; 2 soort hazardspel (kaart).
phar/e *m* 1 vuurtoren; 2 autolamp; *baisser les
—s*, dimmen; —*code*, dimlicht; 3 leider, gids;
4 tuig (*scheepv.*); 5 — *de Messine*, straat van
Messina. ▼**pharillon** *m* kleine vuurtoren.
pharis/aïque *bn* 1 farizees; 2 schijnheilig,
huichelachtig. ▼**—aïsme** *m* 1 farizees
karakter; 2 schijnheiligheid, huichelarij.
▼**—ien** *m* farizeeër.
pharma/ceutique I *bn* van de artsenijkunde,
farmaceutisch. **II** *zn v* artsenijbereidkunde,
farmaceutica. ▼**—cie** *v* 1 artsenijbereidkunde,
farmacie; 2 apotheek; — *de famille*,
huisapotheek; — *de poche*, zakapotheek.
▼**—cien** *m*, **-cienne** *v* apotheker(es).
▼**—cologie** *v* geneesmiddelenleer.
▼**—cologique** *bn* wat de geneesmiddelenleer
betreft. ▼**—copée** *v* receptenhandboek voor
apothekers, farmacopee.
pharyngite *v* keelontsteking. ▼**pharynx** *m*
keelholte.
phase *v* 1 schijngestalte v.e. planeet;
2 stadium, fase.
Phébus I *m* Apollo. **II p—** *m* duistere
hoogdravende stijl; wartaal.
phénicien, -enne I *bn* Fenicisch. **II P—** *m*,
-enne *v* Feniciër, Fenicische.
phénicoptère *m* flamingo.
phénique *bn*: *acide —*, carbolzuur.
▼**phéniqué** *bn*: *ouates —es*, carbolwatten.
phénix *m* 1 wondervogel uit de fabelleer;
feniks; 2 uitblinker, hoogvlieger.
phénol *m* carbolzuur.
phénoménal [*mv aux*] *bn* 1 wat
verschijnselen betreft; 2 wonderbaarlijk,
buitengewoon. ▼**phénomène** *m*
1 verschijnsel; 2 natuurverschijnsel,
fenomeen; 3 abnormaliteit, wonderdier,
wondermens, fenomeen; 4 origineel -,
eigenaardig mens.
philanthrop/e *m* mensenvriend, weldoener,
filantroop. ▼**—ie** *v* mensenliefde, filantropie.
▼**—ique** *bn* menslievend, filantropisch.
philatél/ie *v* 1 postzegelkunde, filatelie;
2 (het) verzamelen v. postzegels. ▼**—ique** *bn*

filatelistisch. ▼—**iste** m of v
postzegelverzamelaar (ster).
philharmon/ie v grote liefde voor muziek.
▼—**ique** bn muziek minnend, filharmonisch.
philhellène m vriend der Grieken, filhelleen.
▼**philhellénisme** m liefde tot de Grieken.
Philippe m Filips, Flip; — le Bel, Filips de
Schone.
philippine v filippine, amandel met twee
pitten.
philippique v heftige rede, tegen een bepaald
persoon gericht.
Philistin I m Filistijn. II **p—** m prozaïsch burger,
die zich niet voor geestelijke dingen
interesseert.
philo v (fam.) 1 wijsbegeerte; 2 hoogste klas
v.e. lyceum. ▼—**logie** v taalwetenschap,
filologie. ▼—**logique** bn taalkundig.
▼—**logue** m taalgeleerde. ▼—**sophal** bn:
pierre —e, steen der wijzen. ▼—**sophe** I bn
wijsgerig. II zn m wijsgeer, filosoof, wijze.
▼—**sopher** on.w filosoferen. ▼—**sophie** v
1 wijsbegeerte, filosofie; 2 wijsheid;
3 hoogste klasse v.e. lyceum. ▼—**sophique** bn
wijsgerig, filosofisch. ▼—**technique** bn
(oud) kunstlievend (société —).
philtre m liefdesdrank, toverdrank.
phlébotomie v aderlating.
phlox m flox (plk.).
phobie v ziekelijke angst, fobie.
phon/ème m spraakklank, foneem.
▼—**éticien** m foneticus. ▼—**étique** I bn v wat
de spraakklank betreft, fonetisch. II zn v
klankleer, fonetiek. ▼—**ique** bn wat de
klanken, wat de stem betreft, geluids-.
phono m (fam.) grammofoon. ▼—**génique** bn
wiens (wier) stem uitstekend klinkt in
geluidsfilms of op grammofoonplaten.
▼—**gramme** m door een fonograaf
weergegeven geluid of tekst, fonogram.
▼—**graphe** m fonograaf. ▼—**graphique** bn
fonografisch. ▼—**logie** v fonologie.
▼—**logique** bn fonologisch. ▼—**logue** m
fonoloog. ▼—**mètre** m klankmeter.
▼—**métrie** v klankmeting. ▼—**thèque** v
fonotheek, geluidsarchief.
phoque m zeehond.
phosphatage m (het) bemesten met fosfaat.
▼**phosphate** m fosfaat.
phosphore m fosfor. ▼**phosphor/é** bn
fosforhoudend. ▼—**er** on.w (fam.)
verstandelijk werken. ▼—**escence** v
fosforescentie, (het) lichten in het duister.
▼—**escent** bn lichtend, fosforescerend.
phot m eenheid v. lichtsterkte.
photo v (fam.) kiek; faire de la —, kieken;
prendre en —, fotograferen. ▼—**calque** m
lichtdruk. ▼—**chimie** v fotochemie. ▼—**copie**
v fot. afdruk, fotocopie. ▼—**copier** ov.w
fotocopiëren. ▼—**électrique** bn
foto-elektrisch. ▼—**gène** bn lichtgevend.
▼—**génique** bn zeer geschikt om
gefotografeerd of gefilmd te worden,
fotogeniek. ▼—**gramme** m 1 fotogr. afdruk;
2 beeldje v.e. bewegende film, fotogram.
▼—**graphe** m fotograaf. ▼—**graphie** v
1 lichtbeeldkunst; 2 foto (grafie).
▼—**graphier** ov.w 1 fotograferen; 2 zeer
nauwkeurig beschrijven. ▼—**graphique** bn
fotografisch; papier —, fotopapier.
▼—**gravure** v lichtdruk. ▼—**lithographie** v
lichtsteendruk. ▼—**mécanique** bn
fotomechanisch. ▼—**mètre** m fotometer.
▼—**métrie** v meting der lichtsterkte.
▼—**métrique** bn fotometrisch. ▼—**montage**
m fotomontage. ▼—**phobe** bn lichtschuw.
▼—**phobie** v lichtschuwheid. ▼—**phore** m
lichtboei. ▼—**sphère** v fotosfeer, lichtkring.
▼—**stoppeur** m straatfotograaf. ▼—**thérapie**
v genezing door licht. ▼—**type** m fot. cliché.
▼—**typie** v lichtdruk.
phras/e v zin; faire des —s, fraaie, maar holle
woorden gebruiken; sans —s, kort en goed.
▼—**éologie** v 1 zinsbouw; 2 bombastisch, hol
gepraat. ▼—**éologique** bn wat de zinsbouw
betreft. ▼—**er** on.w mooie, maar zinledige

zinnen maken. ▼—**eur** m, -**euse** v
praatjesmaker (-maakster); iem. die mooie,
maar inhoudsloze zinnen vormt.
phrénique bn wat het middenrif betreft.
phrénolog/ie v schedelleer. ▼—**iste**, —**ue** m
kenner der schedelleer.
phrygien, -enne Frygisch; bonnet —,
Frygische muts.
phtis/ie v tering. ▼—**ique** bn teringachtig.
phylactère m amulet, talisman.
phyllie v wandelend blad (insekt).
phyllox/éra m druifluis. ▼—**éré** bn aangetast
door druifluis. ▼—**érien, -enne** bn van de
druifluis.
physicien, -ienne m/v natuurkundige.
physico/-chimie v fysische scheikunde.
▼—**mathématique** bn wis- en
natuurkundig.
physio/orato m oconoom dic dc landbouw
beschouwde als de enige bron van
volkswelvaart. ▼—**cratie** v leer der
fysiocraten, fysiocratie.
physiolog/ie v leer der levensverrichtingen.
▼—**ique** bn wat de leer der
levensverrichtingen betreft. ▼—**iste** m
fysioloog.
physionom/ie v 1 gelaat, gelaatsuitdrukking,
uiterlijk, voorkomen; 2 eigen aard. ▼—**iste** bn
die meteen een gezicht terugkent.
physiothérapie v fysiotherapie.
physique I bn 1 lichamelijk, stoffelijk, fysiek;
2 natuurlijk, natuurkundig. II zn v
1 natuurkunde; 2 werk over natuurkunde.
III zn m 1 lichaam, gestel; 2 uiterlijk.
phytopathologie v leer der planteziekten.
piaculaire bn verzoenend; sacrifice —,
zoenoffer.
piaf m (pop.) mus.
piaffement m getrappel v. paarden. ▼**piaffer**
I on.w 1 trappelen v. paarden; 2 trappelen
(fig.); — d'impatience, trappelen van
ongeduld; 3 grootdoen, drukte maken. II zn m
(het) trappelen v. paarden.
piaill/ard I bn (fam.) huilerig, krijsend. II zn m
krijser, schreeuwer. ▼—**ement** m gekrijs,
geschreeuw. ▼—**er** on.w krijsen, schreeuwen.
▼—**eur** m, -**euse** v schreeuwer (-ster),
huilebalk.
piane-piane bw (pop.) kalmpjes, zachtjes.
▼**pianissimo** bw zeer zacht (muz.).
▼**pian/iste** m of v pianist(e). ▼—**istique** bn
wat de piano, het pianospelen betreft. ▼**piano,
piano-forte** m piano; — à queue, vleugel.
▼**piano** bw zachtjes (muz.). ▼**pianoter** on.w
(fam.) op een piano rammelen.
piaule v (pop.) kamer, huis.
piaul/ement m 1 gepiep v. kuikens;
2 geschreeuw. ▼—**er** on.w 1 piepen v.
kuikens; 2 schreeuwen. ▼—**is** m gepiep.
pible (à —) bw uit één stuk (mât à —).
pibrock m 1 Schotse doedelzak;
2 doedelzakmuziek.
pic m 1 houweel; 2 pook; 3 bergtop, piek; à —,
loodrecht, (fam.) net op tijd, van pas; couler à
—, zinken als een baksteen; 4 specht.
picador m bereden stierenvechter, gewapend-
met een lans.
picaillons m mv (pop.) geld.
picard I bn Picardisch. II zn **P—** m, -e v
Picardiër, Picardische. ▼**Picardie** v Picardië.
picaresque bn: roman —, schelmenroman.
pichenette v 1 knip met de vingers;
2 kunstkaartje (spel met mes).
picholine v groene olijf (bij hors d'œuvre).
pickpocket m zakkenroller.
pick-up m pick-up.
picoler on.w (pop.) hijsen, zuipen.
picolo m 1 (oud) wijn uit sommige
provincies; 2 kaartspel waarbij slechts één slag
gehaald mag worden.
picorer ov.w 1 stropen; 2 pikken.
picot m 1 steenbrekershamer; 2 visnet voor
platvis.
picotement m huidprikkeling, jeuk. ▼**picoter**
ov.w 1 prikkelen; 2 pikken; 3 plagen.
picotin m 1 havermaat voor een paard; 2 maat

haver.
pictural [*mv* **aux**] *bn* van de schilderkunst.
pie I *zn v* ekster; *jaser comme une —*, erg kletsen; 2 (*fam.*) kletskous. II *bn* 1 bont (*vache —*); 2 vroom.
pièce *v* 1 stuk (gedeelte v.e. geheel, dat zelf een geheel vormt); *— à —*, stuk voor stuk; *tout d'une —*, uit één stuk *— de toutes —s*, geheel en al; van top tot teen; 2 stuk dat een geheel vormt; *dix francs* (*la*) *—*, tien francs per stuk; *— d'eau*, vijver; *— de gibier*, stuk wild; *— de théâtre*, toneelstuk; *travailler à la —*, op stukloon werken; 3 stuk v.e. gebroken voorwerp; *mettre en —*, verbrijzelen; *mettre*, *tailler en —s l'ennemi*, de vijand in de pan hakken; 4 (*fam.*) persoon; *une bonne —*, een mooie vent; 5 vuurmond; 6 kamer, vertrek; 7 geldstuk; 8 vat; 9 stuk in schaakspel; 10 toneelstuk; 11 document; 12 fooi (*donner la —*). ▾**piécette** *v* geldstukje.
pied *m* 1 voet v.e. mens; *à —*, te voet; *— à —*, voetje voor voetje; *au petit —*, in het klein, in miniatuur; *avoir toujours un — en l'air*, altijd in de weer zijn; *avoir un — dans la fosse*, met één been in het graf staan; *coup de —*, schop; *de — en cap*, *des —s à la tête*, van top tot teen; *de — ferme*, standvastig; *lâcher —*, vluchten, terrein verliezen; *lever le —*, de hielen lichten, met de noorderzon vertrekken; *mettre — à terre*, afstijgen v.h. paard, uitstappen, voet aan wal zetten; *portrait en —*, portret ten voeten uit; *prendre —*, vaste voet krijgen; *ne savoir sur quel — danser*, niet weten, wat men doen moet; *sur —*, op de been, te velde staand; 2 poot, voet (v. dieren, v. verschillende voorwerpen); *le — du lit*, het voeteneinde; *—s de mouche*, hanepoten; *— de porc*, varkenspootje; *sécher sur —*, van verdriet verteren; *— de table*, tafelpoot; *— de veau*, kalfspoot; 3 voet (*= maat*); *sur un grand —*, op grote voet; *prendre au — de la lettre*, letterlijk opvatten; *faire un — de nez à qn.*, een lange neus tegen iem. trekken; 4 versvoet.
pied-à-terre *m* id., optrekje.
pied†-d'alouette *m* riddersspoor (*plk.*).
pied†-de-biche *m* knop v.e. bel; klauwhamer; worteltang; voetje (v. naaimachine).
pied†-de-cheval *m* soort grote oester.
pied†-de-veau [*mv* **x**] *m* aronskelk.
pied†-droit†, piédroit *m* 1 loodrechte muur ter ondersteuning v.e. gewelf; 2 post v. deur of venster.
piédestal [*mv* **aux**] *m* voetstuk, piëdestal.
pied†-fort†, piéfort *m* proefmunt.
pied†-noir† *m* (*fam.*) Fransman uit (in) Algerije.
pied†-plat†-m (*oud*) ploert, fielt.
piège *m* 1 strik, val; 2 valstrik (*fig.*); *prendre au —*, in de val lokken; *donner dans le —*, in de val lopen. ▾**piégeage** *m* jacht met vallen of strikken. ▾**piéger** *ov.w* 1 vangen met strikken of vallen; 2 een booby-trap aanbrengen. ▾**piégeur** *m* strikken-, vallenzetter.
pie†-grièche† *v* 1 bonte ekster; 2 helleveeg.
piémontais *bn* uit Piemont.
piéride *v* koolwitje.
pierraille *v* gruis, grint, puin.
pierre *v* 1 steen; *à fusil*, vuursteen; *— angulaire*, hoeksteen; *— à plâtre*, gips; *c'est d'achoppement*, steen des aanstoots; *— de touche*, toetssteen; *faire d'une — deux coups*, twee vliegen in één klap slaan; *— fondamentale*, grondslag; *— infernale*, helse steen; *ne pas laisser — sur —*, geen steen op de andere laten; *— qui roule n'amasse pas mousse* (spr.w), een rollende steen vergaart geen mos; *— philosophale*, steen der wijzen; *— ponce*, puimsteen; 2 niersteen, galsteen; 3 harde pit in vruchten; 4 P— Petrus, Piet. ▾**pierr/eries** *v mv* edelstenen. ▾**—ette** *v* 1 steentje; 2 vrouwelijke pierrot. ▾**—eux, -euse** *bn* vol stenen, steenachtig.
pierrot *m* 1 mus; 2 pierrot, hansworst.
piétaille *v* 1 (*min.*) infanterie; 2 voetgangers.
piété *v* 1 vroomheid, piëteit; 2 liefde, eerbied;
— filiale, kinderliefde.
piéter I *on.w* hard lopen v. vogels. II **se** — 1 op de tenen gaan staan; 2 zich schrap zetten.
piétin/ement *m* getrappel. ▾**—er** I *ov.w* vertrappen, trappen op. II *on. w* 1 trappelen, stampvoeten; 2 stilstaan, stagneren (*affaire qui piétine*).
piétisme *m* piëtisme (protestantse beweging uit de 17e eeuw). ▾**piétiste** *m* piëtist.
piéton I *zn m* voetganger. II *bn*: *sentier —*, voetpad. ▾**—nier** *bn* voetgangers-; *zone —nière*, voetgangersgebied.
piètre *bn* armzalig, pover.
pieu [*mv* **x**] *m* 1 (puntige) paal, heipaal; 2 (*pop.*) bed, 'nest'.
pieusement *bw* 1 vroom; 2 vol eerbiedige liefde.
pieuter (se) (*pop.*) naar bed gaan.
pieuvre *v* 1 inktvis; 2 (*fig.*) uitzuiger.
pieux, -euse *v* 1 vroom; 2 eerbiedig en liefdevol.
piézomètre *m* piëzometer, drukkingsmeter.
pif *m* (*pop.*) 1 neus; 2 grote neus, kokker.
pifomètre *m* flair; *au —*, op zijn gevoel.
pige *v* 1 (willekeurige) maat; 2 (*regel*) tarief (v. journalist); 3 (*pop.*) jaar; 4 (*pop.*): *faire la — à qn.*, iem. de loef afsteken.
pigeon *m* 1 duif; *gorge-de-pigeon*, paarsachtige kleur met weerschijn; *— vole*, alle vogels vliegen! (kinderspel); *— voyageur*, postduif; 2 suffer, onnozele bloed. ▾**—ne** *v* wijfjesduif. ▾**—neau** [*mv* **x**] *m* 1 duifje; 2 suffer; onnozele bloed. ▾**—ner** *ov.w* bedotten, beetnemen. ▾**—nier** *m* duiventil.
piger *ov.w* (*pop.*) 1 bekijken, bewonderen; 2 begrijpen, snappen; 3 (*oud*) pakken, nemen, oplopen (*— un rhume*); 4 betrappen.
pigiste *m/v* free-lance journalist(e).
pigment *m* pigment, kleurstof. ▾**—aire** *bn* wat het pigment betreft. ▾**—ation** *v* pigmentvorming. ▾**—er** *ov.w* (met pigment) kleuren.
pignade *v* bos van zeedennen. ▾**pigne** *v* pijnappel.
pignocher *on.w* 1 kieskauwen; 2 schilderen met kleine streekjes.
pignon *m* 1 puntgevel; *avoir — sur rue*, een eigen huis hebben; een goedlopende winkel hebben; 2 kamrad.
pignouf *m* (*pop.*) 1 vlegel; 2 vrek.
pilaf, pilau *m* (*cul.*) pilav.
pilage *m* (het) stampen.
pilaire *bn* van de haren.
pilastre *m* pilaster.
pile I *zn v* 1 stapel, hoop; 2 pijler; 3 zuil, batterij; *— atomique*, atoomzuil, kernreactor; 4 pak slaag; 5 muntzijde v.e. geldstuk; *— ou face*, kruis of munt; *s'arrêter —*, (*pop.*) plotseling stoppen. II *bw à huit heures —*, precies om 8 uur.
piler *ov.w* fijnstampen; *se faire —*, (*sp.*) ingemaakt worden.
pileux, -euse *bn* v.h. haar.
pilier *m* 1 pilaar, pijler; 2 steunpilaar (*fig.*), verdediger; 3 vaste bezoeker; *— de cabaret*, kroegloper.
pilifère *bn* haardragend.
pill/age *m* plundering. ▾**—ard** *m*, **-e** *v* 1 plunderaar(ster); 2 letterdief; 3 kwade hond. ▾**—er** *ov.w* 1 plunderen; 2 plagiaat plegen; 3 *pille!*, pak ze! (aanmoedigingskreet voor jachthonden). ▾**—erie** *v* plundering. ▾**—eur** *m*, **-euse** *v* plunderaar(ster).
pilon *m* 1 stamper; heiblok; *mettre un ouvrage au —*, de oplaag v.e. boek vernietigen; 2 vogelboud; 3 houten been. ▾**—nage** *m* 1 (het) stampen; 2 zwaar bombardement. ▾**—ner** *ov.w* 1 stampen, vaststampen; 2 heftig beschieten of bombarderen.
pilori *m* schandpaal; *mettre, clouer au —*, aan de kaak stellen.
pilot *m* heipaal. ▾**pilotage** *m* 1 hei-, paalwerk; 2 (het) loodsen, loodswezen; 3 (het) besturen (v. auto, vliegtuig). ▾**pilote** I *zn m* 1 bestuurder v. vliegtuig, stuurman v. schip; 2 loods; 3 loodsmannetje (visje). II *bn* 1 wat

loods betreft; *bateau* —, loodsboot; *ballon* —, loodsballon; 2 voorbeeld-, model-. ▼**piloter** *ov.w* 1 van heipalen voorzien; 2 besturen; 3 rondleiden, als gids dienen. ▼**pilotin** *m* stuurmansleerling.
pilotis *m* heipaal, heiwerk.
pilulaire *bn* pilvormig. ▼**pilule** *v* pil; *dorer la* —, de pil vergulden.
pimbêche I *zn v* feeks, kat. II *bn* kattig, snibbig.
piment *m* Spaanse peper. ▼**—er** *ov.w* 1 kruiden met Spaanse peper; 2 kruiden (*fig.*: — *un récit*).
pimpant *bn* elegant, schitterend, keurig.
pimprenelle *v* pimpernel.
pin *m* den; — *maritime*, zeeden; — *sylvestre*, grove den.
pinacle *m* tinne; *porter au* —, hemelhoog verheffen.
pinacothèque *v* schilderijenmuseum.
pinard (*pop.*) *m* alledaagse wijn.
pinasse *v* pinas, lichte boot.
pinastre *m* zeeden.
pinçage *m* (het) knijpen. ▼**pince** *v* 1 (het) knijpen; kneep; 2 tang, pincet (meestal *mv*); — *à linge*, wasknijper; — *de cycliste*, broekknijper; 3 koevoet; 4 snijtand van herbivoren; 5 schaar v.e. kreeft. ▼**pincé** *bn* stijf, effen.
pinceau [*mv* x] *m* 1 penseel; 2 wijze v. schilderen; 3 lichtstreep; 4 (*pop.*) voet.
pincée *v* wat men tussen duim en vinger kan pakken; — *de tabac*, snuifje. ▼**pince-maille**† *m* (*oud*) vrek. ▼**pincement** *m* 1 (het) knijpen, kneep; 2 (het) afknijpen (v. jonge knoppen); 3 (het) tokkelen. ▼**pince-nez** *m* lorgnet.
▼**pincer** I *ov.w* 1 knijpen; 2 afknijpen v. jonge knoppen of v.h. uiteinde der takken; 3 (*fam.*) betrappen; 4 pakken, arresteren; 5 bijten, prikken; *ça pince*, het is koud. II *on.w* 1 tokkelen (— *de la harpe*); 2 (*pop.*): *en* — *pour qn.*, verliefd op iem. zijn.
▼**pince-sans-rire** *m* of *v* droogkomiek.
▼**pincette** *v* 1 tangetje; 2 (meestal *mv*) vuurtang, tang; *il n'est pas à prendre avec de* —*s*, je zou hem met geen tang aanpakken.
▼**pinçon** *m* kneep, blauwe plek na een kneep.
pineau [*mv* x] *m* kleine Bourgondische druif.
pinède, pineraie *v* dennenbos.
pingouin *m* pinguïn.
ping-pong *tv* tafeltennis.
pingre I *zn m* gierigaard. II *bn* gierig.
▼**pingrerie** *v* gierigheid, inhaligheid.
pinière *v* dennenbos.
pin-pon *tw* geluid van brandweerauto.
pinson *m* vink.
pintade *v* parelhoen. ▼**—ine** *v* pareloester.
pint/e *v* pint; *se payer une* — *de bon sang*, zich geweldig amuseren. ▼**—er** I *on.w* (*pop.*) zuipen, pimpelen. II *ov.w* drinken.
pin up *v* pin-up-girl.
piochage *m* (het) hakken met een houweel; hard werken. ▼**pioch/e** *v* houweel. ▼**—er** I *ov.w* 1 openhakken met een houweel; 2 hard blokken op. II *on.w* blokken, vossen. ▼**—eur** *m*, **-euse** *v* blokker (-ster), vosser.
piolet *m* gletsjerhouweel.
pion *m* 1 pion (schaakspel); 2 damsteen; *damer le* — *à qn.*, iem. de loef afsteken; 3 (*fam.*) surveillant op school.
pioncer *on.w* (*pop.*) maffen.
pionn/e *v* (*fam.*) surveillante. ▼**—ier** *m* 1 pionier (*mil.*); 2 pionier, baanbreker.
pioupiou *m* (*pop.*) infanterist.
pipe *v* 1 tabakspijp; *casser sa* — (*pop.*), sterven; 2 groot wijnvat.
pipeau [*mv* x] *m* 1 schalmei, herdersfluit, lokfluit; 2 lijmstok. ▼**pipée** *v* 1 (het) vangen v. vogels met gebruikmaking der lokfluit; 2 boerenbedrog.
pipelet *m*, **-ette** *v* (*pop.*) conciërge.
pipe-line† *m* pijpleiding (voor olie).
piper *ov.w* (*oud*) bedriegen; *ne pas* —, geen woord zeggen; — *des dés*, — *des cartes*, dobbelstenen verzwaren, kaarten merken.
▼**piperie** *v* bedrog.
pipette *v* pipet.

pipeur *m*, **-euse**, **-eresse** *v* (*oud*) 1 vogelvanger (-ster); 2 valsspeler (-speelster), bedrieger (-ster).
pipi *m* (kindertaal) urine; *faire* —, wateren.
pipi, pipit *m* pieper (vogel).
pipier *m*, **-ère** *v* pijpenmaker (-maakster).
pipo *m* (*arg.*) leerling v.d. *école polytechnique*.
piquant I *bn* 1 stekend, stekelig, scherp; 2 scherp, pikant; 3 scherp, vinnig (*mot* —); 4 geestig, aantrekkelijk. II *zn m* 1 stekel, prikkel, punt; 2 (het) geestige, (het) aantrekkelijke.
pique I *v* 1 spies, piek; *à la* — *du jour*, voor dag en dauw; 2 (*oud*) onenigheid, twist. II *m* schoppen (in het kaartspel).
piqué I *zn m* 1 soort katoenen stof; 2 *en* —, in duikvlucht. II *bn* 1 gestoken door insekten; — *des vers*, wormstekig; 2 zuur (v. wijn); 3 gepikeerd, kwaad; 4 (*fam.*) een beetje getikt.
pique-assiette *m* klaploper.
pique-feu *m* pook.
pique-nique† *m* picknick. ▼**pique-niquer** *on.w* picknicken.
pique-notes *m* liaspen.
piquer I *ov.w* 1 steken (in), prikken (in), doorsteken; *piqué des vers*, wormstekig; 2 stikken (naaien); 3 larderen v. vlees; 4 bijten v.e. slang; 5 kwetsen (*fig.*); 6 duiken, in duikvlucht dalen; — *une tête*, in het water duiken; 7 bijten, prikkelen; 8 pikeren bij biljartspel; 9 doen, maken, krijgen; — *un chien*, een uiltje knappen; — *une crise de nerfs*, een toeval krijgen; — *un soleil*, een kleur krijgen; 10 (*pop.*) stelen. II *on.w* 1 zuur worden (bijv. van wijn); 2 — *au vent*, in de wind opvaren; 3 — *des deux*, de sporen geven. III *se* — 1 zich prikken, zich steken; 2 zuur worden, verschalen; 3 boos worden; 4 *se* — *le nez*, zich bedrinken; 5 *se* — *de*, zich laten voorstaan op; *se* — *d'honneur*, iets niet op zich laten zitten.
piquet *m* 1 paaltje; tentpaal, haring; 2 piket (*mil.*); — *de grève*, stakingspost; *être au* —, (*school*) in de hoek staan; 3 piketspel. ▼**—age** *m* (het) afpalen, afzetting met paaltjes. ▼**—er** *ov.w* 1 afpalen; 2 spikkelen.
piquette *v* slechte wijn.
piqueur *m* 1 bereden jachtknecht, pikeur; 2 opzichter; 3 steenbikker; 4 wijnproever (— *de vin*); 5 machinestikker (-ster, **-euse**).
piqûre *v* 1 steek, prik, beet v.e. slang; 2 gat, veroorzaakt door wormen of motten; 3 stiksel; 4 inspuiting (*med.*).
piranha, piraya *m* piranha.
pirat/e *m* 1 zeerover, kaper; 2 zeeroversschip; 3 afzetter; 4 rover; piraat; *émetteur* —, piratenzender. ▼**—erie** *v* piraterij, zeeroverij. ▼**—er** *ov.w* zeeroof plegen.
pire I *bn* erger, slechter; *il n'est* — *eau que l'eau qui dort* (*spr.w*), stille waters hebben diepe gronden. II *zn m* (het) slechtste, ergste.
piriforme *bn* peervormig.
pirogu/e *v* prauw. ▼**—ier** *m* prauwvoerder.
pirouet/te *v* 1 omzwenking op één been, draai op de tenen; 2 omzwaai (*fig.*); 3 draaitolletje; 4 *répondre par des* —*s*, zich er met grapjes af maken. ▼**—ter** *on.w* ronddraaien op één been, - op de tenen, pirouetteren.
pis I *zn m* uier. II *bw* erger, slechter; *au pis-aller*, in het ergste geval; *qui* — *est*, wat erger is; *tant* —, des te erger; wat kan het mij schelen. III *zn m*: *le* —, het ergste; *de mal en* —, *de* — *en* —, hoe langer hoe erger. ▼**pis-aller** *m* id. (iets wat men doet bij gebrek aan beter; laatste middel).
pisci/culteur *m* viskweker. ▼**—culture** *v* visteelt. ▼**—forme** *bn* visvormig. ▼**piscine** *v* 1 zwembad; 2 doopbekken. ▼**piscivore** I *bn* visetend. II *zn m* visetend dier.
pissat *m*, **pisse** *v* urine. ▼**pisse-froid** *m* (*fam.*) kniesoor. ▼**pissement** *m* (het) wateren, lozen.
pissenlit *m* paardebloem; *salade* —, molsla.
piss/er *on. en ov.w* wateren. ▼**—eur** *m*, **-euse** *v* iem. die veel watert. ▼**—eux, -euse** *bn* urineachtig, -kleurig. ▼**—oir** *m* urinoir.

▼—otière v (*fam.*) urinoir.
pistach/e v groene amandel. ▼—**ier** m pistacheboom.
piste v **1** spoor; *être à la* —, op het spoor zijn; **2** renbaan, ijsbaan, piste; **3** dansvloer; **4** rijwielpad, ruiterpad; **5** — *sonore*, geluidsspoor. ▼**pister** ov.w volgen, nalopen.
pistil m stamper (*plk.*).
pistole v pistool (oude munt).
pistolet m **1** pistool (vuurwapen); **2** kerel; *un singulier* —, een rare kerel; **3** mal; **4** broodje (Belgisch).
piston m **1** zuiger v. pomp, v. stoommachine, v. motor; **2** drukknop; **3** soort hoorn; **4** (*fam.*) kruiwagen (*fig.*). ▼—**nage** m (het) vooruithelpen. ▼—**ner** ov.w voorthelpen.
pitance v (*oud*) rantsoen, portie.
pitchpin m hout v. Noordamerikaanse den.
piteusement bw erbarmelijk, treurig.
▼**piteux, -euse** bn erbarmelijk, treurig, beklagenswaardig.
pithécanthrope m aapmens.
pitié v medelijden; *à faire* —, erbarmelijk; *avoir — de*, medelijden hebben met; *faire* —, medelijden opwekken; *prendre — de*, *prendre en* —, medelijden krijgen met; *sans* —, meedogenloos; *il vaut mieux faire envie que* — (*spr.w*), beter benijd dan beklaagd.
piton m **1** ringbout, ringschroef; **2** hoge bergtop.
pitoyable bn erbarmelijk, beklagenswaardig.
pitre m hansworst, p:as. ▼**pitrerie** v hansworsterij.
pittoresque I bn **1** wat de schilderkunst betreft; **2** schilderachtig, pittoresk; **3** typisch. II zn m (het) schilderachtige.
pituite v snot, slijm.
pivert m groene specht.
pivoine v pioenroos.
pivot m **1** spil, as; **2** drijfveer; datgene waar alles om draait; **3** hartwortel (*plk.*). ▼—**ant** bn draaiend. ▼—**er** ov.w draaien (om of als om een spil, een as).
placage m (het) maken van fineerwerk.
placard m **1** muurkast; **2** plakkaat, aanplakbiljet; **3** stroken (druk)proef; **4** (*oud*) schotschrift. ▼—**er** ov.w **1** aanplakken; **2** (*oud*) belachelijk maken in een schotschrift.
place v **1** plaats; — *assise*, zitplaats; — *debout*, staanplaats; *ne pas tenir en* —, geen rust of duur hebben; **2** betrekking, ambt, post; **3** rangnummer; **4** plein (— *publique*); — *d'armes*, exercitieveld; *voiture de* —, huurrijtuig; **5** vesting (— *forte*); **6** beurs, markt, gezamenlijke bankiers, - handelaars. ▼**place** bn: *être bien* — *pour*…, in een goede positie verkeren om… ▼**placement** m **1** (het) bezorgen v.e. betrekking, v. werk; *bureau de* —, bemiddelingsbureau; **2** verkoop; **3** geldbelegging; **4** plaatsing.
placenta m nageboorte, placenta.
placer I ov.w **1** plaatsen; **2** plaatsen (een rangnummer geven (*sp.*)); **3** een betrekking bezorgen; **4** verkopen, afzetten; **5** beleggen v. geld. II zn m goudbedding.
placet m verzoekschrift, smeekschrift.
placeur m, **-euse** v plaatsaanwijzer, -aanwijsster (— *de spectateurs*).
placide bn kalm, bedaard, vreedzaam. ▼**placidité** v bedaardheid, kalmte.
placier m, **-ère** v **1** handelaar, die aan de deur verkoopt; **2** marktmeester.
plafond m **1** plafon(d); **2** plafon(d)schildering; **3** maximumsnelheid, -hoogte; **4** maximumuitgifte v.e. bank; **5** hoogte v. wolken. ▼**plafonn/age, —ement** m plafonnering. ▼—**er** I ov.w **1** plafonneren; **2** een plafondschildering aanbrengen. II on.w op maximumhoogte vliegen, met maximumsnelheid rijden; het hoogtepunt bereikt hebben. ▼—**eur** m stukadoor. ▼—**ier** m plafondlamp.
plage v **1** strand; **2** (*dicht.*) streek, klimaat; **3** hoofdstreek; **4** ruimte; — *de silence*, lege ruimte op geluidsband.
plag/iaire I zn m letterdief, plagiaris, plagiator.

II bn die zich schuldig maakt aan letterdieverij. ▼—**iat** m letterdieverij, plagiaat. ▼—**ier** ov.w naschrijven.
plagiste m of v strandvuurhuurder.
plaid m **1** (*oud*) pleidooi, gerechtszitting; **2** reisdeken, plaid.
plaid/able bn verdedigbaar. ▼—**ant** bn pleitend. ▼—**er** I on.w bepleiten, verdedigen. II on.w **1** een proces voeren; **2** pleiten. ▼—**eur** m, **-euse** v **1** pleiter (-ster); **2** iem. die graag procedeert. ▼—**oirie** v pleidooi. ▼—**oyer** m pleidooi.
plaie v **1** wond; *mettre le doigt sur la* —, de vinger op de wonde plek leggen; **2** plaag, ramp, gesel (*les dix* —*s d'Egypte*).
plaignant m aanklager.
plain bn vlak, effen, gelijk; *de* —*-pied*, gelijkvloers.
plain-chant m gregoriaanse zang (*rk*).
plaindre I ov.w onw. **1** beklagen; **2** betreuren, spijt hebben over. II **se** — **1** klagen; **2** een aanklacht indienen.
plaine v vlakte; *la* — *liquide* (*dicht.*), de zee.
plaint/e v **1** klacht; **2** verwijt; **3** aanklacht; *porter* —, *déposer une* —, een aanklacht indienen. ▼—**if, -ive** bn klagend. ▼—**ivement** bw op klagende toon.
plaire I on.w onw. **1** bevallen, behagen, aanstaan. II onp.w behagen, bevallen; *plaise à Dieu, plût à Dieu*, God geve…, God gave…; *à Dieu ne plaise*, God verhoede; *plaît-il?*, wat blief je?; *s'il vous plaît*, als 't u belieft. III **se** — **1** elkaar bevallen; **2** graag iets doen; *le gibier se plaît dans les bois*, wild leeft graag in bossen; **3** *se — à*, behagen scheppen in, graag ergens zijn, bevallen; *se — à la campagne*, graag buiten zijn.
plais/amment bw **1** aardig; **2** koddig, belachelijk. ▼—**ance** v (*oud*) plezier; *bateau de* —, plezierboot. ▼—**ancier** m bezitter v.e. plezierjacht. ▼**plaisant** I bn **1** aardig; **2** koddig; **3** (*oud*) belachelijk. II zn m **1** (het) grappige; **2** grappenmaker; *mauvais* —, iem. die zich vermaakt ten koste van anderen. ▼—**er** I on.w schertsen, grappen maken. II ov.w voor de gek houden. ▼—**erie** v grap, scherts; — *à part*, in ernst gesproken; *entendre la* —, goed tegen een grapje kunnen; *par* —, voor de grap. ▼—**in** m flauwe grappenmaker.
plaisir m **1** plezier, pret, vermaak, genot; *à* —, zonder reden, uit de duim gezogen; *au* — (*de vous revoir*)!, tot genoegen!; *par* —, voor zijn genoegen; *partie de* —, uitstapje; *prendre* — *à*, genoegen scheppen in; *faire* — *à qn.*, iem. een genoegen doen; **2** welbehagen, wil; *tel est notre* — (van vorsten), het behaagt ons; **3** oblie.
plan I zn m **1** plat vlak; — *incliné*, hellend vlak; — *de sustention*, vleugel v.e. vliegmachine; **2** tekening, plattegrond; *lever un* —, een schetsplan maken; **3** verwijdering; **4** opname; *premier* —, voorgrond; *troisième* —, achtergrond; *reléguer au second* —, naar de achtergrond schuiven (*film, tv*) *gros* —, *rapproche*, close-up; **5** ontwerp; **6** plan, voornemen; *laisser en* —, in de steek laten. II bn vlak, plat; *angle* —, vlakke hoek. ▼**planage** m (het) glad, effen maken.
planch/e I v **1** plank; *faire la* —, onbeweeglijk op de rug drijven bij het zwemmen; **2** graveerplaat; **3** gravure; **4** tuinbed; **5** — *de bord*, dash-board. II—**s** v mv (de planken (het toneel); **2** *jour de* —*s*, ligdag v.e. schip. ▼—**éiage** m (het) bevloeren met planken. ▼—**éier** ov.w met planken bevloeren. ▼—**er** m **1** vloer, bodem, niveau; *débarrasser le* —, weggaan, eruit geschopt worden; *mettre le pied au* —, plankgas geven; **2** dek; *le* — *des vaches*, (*fam.*) de vaste wal. ▼—**ette** v plankje.
plançon, plantard m loot, stek.
plan/-concave† bn plathol. ▼—**convexe†** bn platbol.
plancton m plankton.
plan/ement m (het) zweven. ▼—**er** I on.w zweven; *vol plané*, glijvlucht. II ov.w (*tech.*) vlak, plat maken.

planétaire I *bn* van de planeten. **II** *zn m* planetarium. **▼planète** *v* planeet.
▼planétoïde *v* kleine planeet.
planeur *m* 1 polijster; 2 zweefvliegtuig.
plani/ficateur *m* planner. **▼—fication** *v* planning. **▼—fier** *ov.w* leiden volgens een bepaald plan, plannen; *économie planifiée*, geleide economie.
planimétrie *v* vlakke meetkunde.
planisphère *m* wereld- of hemelkaart der beide halfronden.
planning *m* planning; *— familial*, gezinsplanning.
planque *v* (*pop.*) 1 schuilplaats; 2 rustig baantje. **▼planquer (se)** (*pop.*) zich verbergen.
plant *m* 1 stek; 2 aanplanting. **▼—age** *m* (het) planten. **▼—ain** *m* weegbree (*plk.*). **▼—ation** *v* 1 (het) planten; 2 aanplanting; 3 plantage; 4 (het) plaatsen (v.e. toneeldecor). **▼plant/e** *v* 1 plant; 2 zool (*— du pied*). **▼—er** *ov.w* 1 planten; *— là qn.*, iem. in de steek laten; *— un clou*, een spijker inslaan; 2 oprichten, plaatsen (*— une échelle*), planten (*— un drapeau*). **▼—eur** *m*, **-euse** *v* planter (-ster).
plantigrade *m* zoolganger.
planton *m* (*mil.*) oppasser, ordonnans; *être de —*, plantondienst hebben.
plantule *v* kiemplantje.
plantur/eusement *bw* overvloedig. **▼—eux, -euse** *bn* 1 overvloedig; *une femme —euse*, een forse, dikke vrouw; 2 vruchtbaar.
plaquage *m* (*rugby*) tackle.
plaque *v* 1 plaat; *— d'auto*, nummerplaat; *— commémorative*, gedenkplaat; *— photographique*, fotogr. plaat; *— tournante*, draaischijf; 2 plaatje, dat veldwachters, kruiers dragen; 3 ster v.e. ridderorde.
plaqué *m* verguld of verzilverd metaal; *chaîne en —*, vergulde, verzilverde ketting.
plaquemine *v* dadelpruim.
plaquer *ov.w* 1 opleggen, vergulden, verzilveren; 2 (*rugby*) tackelen; (*pop.*) in de steek laten.
plaquette *v* 1 plaatje, schijfje; 2 dun boekje.
plaqueur *m*, **-euse** *v* maker (maakster) van fineerwerk.
plasma *m* plasma.
plastic *m* plastiekbom. **▼—age**, **plastiquage** *m* aanslag met een kneedbom.
plasticité *v* kneedbaarheid.
plastifier *ov.w* plastificeren.
plastique *bn* 1 kneedbaar; 2 beeldend (*arts —s*); 3 van plastic; *matière —*, plastic. **II** *zn v* beeldhouwkunst, boetseerkunst, plastiek. **III** *m* plastic. **▼—r** *ov.w* met een kneedbom doen ontploffen.
plastron *m* 1 borstharnas; 2 id., borstlap voor het schermen; 3 mikpunt; 4 groep soldaten die tijdens een oefening de vijand voorstelt; 5 borststuk v.e. hemd; frontje. **▼—ner I** *ov.w* voorzien v.e. plastron enz. **II** *on.w* een hoge borst zetten.
plat I *bn* 1 vlak, plat; *bourse —e*, lege beurs; *calme —*, volkomen windstilte (op zee); *cheveux —s*, sluike haren; *mer —e*, stille zee; *tomber à —*, languit vallen; mislukken; *tomber à — ventre*, plat op de buik vallen; *vaisselle —e*, zilveren vaatwerk; 2 onbeduidend, alledaags; 3 laag, gemeen. **II** *zn m* 1 plat, het platte gedeelte (*le — d'un sabre*); (*fam.*) *faire du — à qn.*, iem. vleien, verleiden; 2 schaal, schotel; 3 gerecht; (*fam.*) *faire tout un — de qc.*, ergens een kwestie van maken; *servir à qn. un — de son métier*, iem. een poets bakken.
platane *m* plataan.
plat†-bord† *m* dolboord (*scheepv.*).
plate *v* platboomde schuit.
plateau [*mv* x] *m* 1 theeblad, bierblad enz.; 2 schaal v.e. balans; 3 hoogvlakte; 4 zandplaat; 5 toneel; 6 set, deel v.e. filmstudio; 7 draaitafel.
plate†-bande† *v* 1 smal tuinbed; 2 zoom, rand, lijst.
platée *v* 1 schotelvol; 2 (*arch.*) (de) fundamenten.

plate†-forme† *v* 1 plat dak; 2 platform, balkon; 3 verkiezingsprogramma.
plate†-longe† *v* spanriem.
platement *bw* zie **plat** *bn*.
platin/age *m* (het) bedekken met een laag platina. **▼—e I** *v* 1 geweerplaat; 2 horlogeplaat; 3 slotplaat; 4 (*pop.*) tong; *avoir une fameuse —*, kunnen praten als Brugman. **II** *m* platina. **▼—er** *ov.w* 1 met een laag platina bedekken; 2 blonderen v. haren; *blonde platinée*, platinablonde vrouw. **▼—ifère** *bn* platinahoudend.
platitude *v* 1 gemeenheid, laagheid; 2 onbeduidendheid, platheid, alledaagsheid.
platonicien, -enne I *bn* platonisch. **II** *zn m*, **-enne** *v* aanhanger (-ster) van Plato. **▼platon/ique** *bn* platonisch. **▼—isme** *m* 1 leer v. Plato; 2 platonische liefde.
plâtrage *m* 1 pleisterwerk; 2 (het) bepleisteren. **▼plâtras** *m* kalkpuin, afval van pleisterkalk. **▼plâtr/e I** *m* 1 pleisterkalk; *battre comme —*, afrossen; 2 pleister, gips; 3 gipsen beeld; 4 pleisterwerk. **II** *—s m mv* gipswerk; nieuwe muren; *essuyer les —s*, in een nieuwe woning trekken, die nog vochtig is. **▼—er** *ov.w* 1 bepleisteren; gipsen; *appareil plâtré*, gipsverband; 2 bemesten met kalk; 3 klaren met gips (v. wijn); 4 blanketten. **▼—erie** *v* pleisterwerk. **▼—eux, -euse** *bn* met gips bedekt. **▼—ier** *m* pleisterwerker, stucadoor. **▼—ière** *v* 1 pleistergroeve; 2 kalkoven.
plausibilité *v* aannemelijkheid, geloofwaardigheid. **▼plausible** *bn* aannemelijk, geloofwaardig.
plébéian, plébain *m* plebaan.
plèbe *v* plebs. **▼plébéien, -enne I** *bn* plebejisch. **II** *zn m* plebejer. **▼plébiscit/aire** *bn* wat een volksstemming betreft. **▼—e** *m* volksstemming. **▼—er** *ov.w* bij een volksstemming kiezen.
plectre *m* plectrum.
pléiade *v* groep van zeven dichters uit de Franse Renaissance.
plein I *bn* 1 vol; volledig, geheel; *à —s bords*, boordevol; *à — gorge*, luidkeels; *en — air*, in de open lucht; *avoir le cœur —*, verdriet hebben; *en — jour*, midden op de dag; *un jour —*, een volle, gehele dag; *—e lune*, volle maan; *—e mer*, volle zee; *— pouvoir*, volmacht; *— de soi-même*, egoïstisch; *— de vin*, dronken; *en — visage*, vlak in het gezicht; *voix —e*, volle stem; 2 drachtig. **II** *bw*: *tout —*, volop; *avoir tout — d'amis*, vrienden zat hebben. **III** *zn m* 1 volheid, volledigheid, gevulde ruimte; *battre son —*, in volle gang zijn; *faire le —*, voltanken. **▼plein-emploi** *m* (*econ.*) volledige werkgelegenheid. **▼plénier, -ère** *bn* volledig; *cour —ère*, plechtige algemene vergadering, welke de koning uitschreef in de middeleeuwen; *indulgence —ère*, volle aflaat. **▼plénipotentiaire I** *zn m* gevolmachtigde. **II** *bn*: *ministre —*, gevolmachtigd minister. **▼plénitude** *v* volheid, volledigheid.
pléonasme *m* overtollig gebruikt woord. **▼pléonastique** *bn* pleonastisch.
pleur *m* traan; *les —s de l'aurore*, de morgendauw (*dicht.*); *essuyer les —s*, troosten.
pleural [*mv* aux] *bn* wat het borstvlies betreft.
pleurard I *zn m* huilebalk. **II** *bn* huilerig. **▼pleurer I** *on.w* wenen, schreien. **II** *ov.w* bewenen, betreuren.
pleuré/sie *v* pleuris. **▼—tique** *bn* 1 pleurisachtig; 2 lijdend aan pleuris.
pleureur, -euse I *bn* 1 wenend; 2 vaak wenend; *saule —*, treurwilg. **II** *zn m*, **-euse** *v* huilebalk. **III -euse** *v* 1 lange hangende struisveer; 2 vrouw die gehuurd werd om te treuren, te wenen bij begrafenissen.
pleurite *v* droge pleuris.
pleurnich/er *on.w* (*fam.*) grienen. **▼—erie** *v*, **—ement** *m* gegrien. **▼—eur, -euse I** *bn* grienerig. **II** *zn m*, **-euse** *v* griener, dreiner.
pleuronecte *m* platvis.
pleuropneumonie *v* longontsteking en pleuris.

pleutre *m* lafbek, lammeling, mispunt. ▼**pleutrerie** *v* laffe streek.

pleuvasser, pleuviner, pleuvoter, pluviner *onp.w (fam.)* motregenen. ▼**pleuvoir** *on.w onr.* regenen; *il pleut à verse, il pleut à torrents,* het stortregent.

plèvre *v* borstvlies.

pli *m* 1 vouw, plooi; *cela ne fera pas un —,* dat loopt vanzelf; — *de terrain,* terreinplooi, inzinking, ravijn; 2 enveloppe; *sous ce —,* hierbij ingesloten; 3 brief; — *chargé,* aangetekende brief; 4 rimpel; 5 gewoonte *(prendre un bon —, un mauvais —);* 6 watergolf *(mise en —s);* 7 slag bij kaartspel. ▼**pliable** *I bn* 1 vouwbaar; 2 plooibaar, gedwee. II *zn m* vouwfiets. ▼**pliage** *m* (het) vouwen, plooien. ▼**pliant** *I bn* 1 buigzaam; *table —e,* klaptafel; 2 plooibaar, gedwee. II *zn m* vouwstoeltje.

plie *v* 1 bot; 2 schol (— *franche).*

plié *m* doorbuiging der knieën bij het dansen. ▼**plier** *I ov.w* 1 vouwen, dichtvouwen; — *bagage,* zijn biezen pakken; 2 buigen (— *les genoux);* 3 wennen, onderwerpen (— *qn. à la discipline);* 4 plooien. II *on.w* 1 buigen, doorbuigen; 2 zwichten, wijken, toegeven. III *se —* 1 buigen; 2 zich schikken, buigen. ▼**plieur** *v 1, -euse v* vouwer (-ster). II *-euse v* vouwmachine.

plinthe *v* plint.

pliocène *m* Plioceen.

plioir *m* 1 vouwbeen; 2 visplankje.

plissage *m* (het) plooien. ▼**pliss/é** *m* plooisel, plissé. ▼—**ement** *m* 1 aardplooiing; 2 (het) plooien. ▼—**er** *I ov.w* plooien. II *on.w* plooien hebben, plooien. ▼—**eur** *I m, -euse v* plooier (-ster). II *-euse v* plooimachine. ▼—**ure** *v* plooisel.

pliure *v* 1 (het) vouwen van de bladen v.e. boek; 2 atelier waar dit geschiedt.

ploc! tw plof!

plomb *m* 1 lood; *à —,* loodrecht, in het lood; *avoir du — dans l'aile,* aan de rand v.h. graf staan; zijn ondergang nabij zijn; *fil à —,* schietlood; *mine de —,* potlood; *sommeil de —,* zeer zware slaap; 2 (jacht)hagel; 3 gootsteen v. lood of zink; 4 loodje (om te verzegelen); 5 peilloodje (v. vissers); 6 stop; — *fusible,* loodzekering. ▼—**age** *m* 1 (het) beleggen met lood, het solderen; 2 (het) plomberen; 3 (het) aanhechten v.e. loodje. ▼—**agine** *v* potlood. ▼—**é** *bn* 1 voorzien v. lood; 2 loodkleurig. ▼—**ée** *v* 1 werpspies, van lood voorzien; 2 loodverzwaring v.e. hengel. ▼—**er** *ov.w* 1 met lood beslaan, beleggen; 2 v.e. loodje voorzien; 3 plomberen; 4 met een schietlood controleren. ▼—**erie** *v* 1 loodgietersvak; loodgieterswerk; 2 loodgieterij. ▼—**eur** *m* iem. die iets voorziet v. loodjes. ▼—**ier** *m* loodgieter.

plombières *v* soort vruchtenijs.

plomb/ifère *bn* loodhoudend. ▼—**oir** *m* instrument om tanden te plomberen.

plong/e *v* 1 (het) bordenwassen. ▼—**eant** *bn* duikend; *décolleté —,* diep uitgesneden decolleté. ▼—**ée** *v* 1 (het) onderduiken; duik; 2 helling v.e. borstwering; 3 filmopname van bovenaf. ▼—**eoir** *m* springplank (bij het duiken), springtoren. ▼—**eon** *m* 1 onderduiking, duik (ook bij *sp.:* 'safe'); *faire un —,* duiken; *faire le —,* in geldmoeilijkheden zitten; 2 (fam.) diepe buiging; duikeend. ▼—**er** *I ov.w* 1 onderdompelen; *être plongé dans le sommeil,* in diepe slaap gedompeld zijn; 2 steken; — *un poignard dans le cœur de qn.,* iem. een dolk in het hart stoten; iemands hart wonden *(fig.);* 3 werpen, slingeren (— *qn. dans le cachot).* II *on.w* 1 duiken; 2 van boven naar beneden kijken; 3 verdwijnen. III *se —* 1 zich onderdompelen, duiken; 2 zich overgeven aan, zich verdiepen in. ▼—**eur** *m, -euse v* 1 duiker (-ster); 2 duikervogel; 3 bordenwasser (in restaurant).

plot *m* contactblok, -schuif.

plouf! *tw* plof!

ploutocrat/e *m* man die machtig is door zijn rijkdom. ▼—**ie** *v* heerschappij v.h. geld.

ploy/able *bn* buigbaar. ▼—**age** *m* (het) buigen. ▼—**er** *I ov.w* (door)buigen. II *on.w* buigen, zwichten. III *se —* 1 zich buigen; 2 zich schikken.

pluches *v mv (fam.)* schoonmaken v. groente.

pluie *v* regen; bui; *après la — le beau temps (spr.w),* na regen komt zonneschijn; — *de balles,* kogelregen; *ennuyeux comme la —,* doodvervelend; *le temps est à la —,* er zit regen in de lucht; *faire la — et le beau temps,* invloedrijk, machtig zijn; *parler de la — et du beau temps,* over koetjes en kalfjes praten; — *d'orage,* onweersbui.

plum/age *m* gevederte. ▼—**aison** *v* (het) plukken v. veren. ▼—**ard** *m* 1 veren stoffer; 2 (pop.) bed. ▼**plum/e** *v* 1 veer; *lit de —,* aangename toestand; 2 gevederte; 3 pluim; *la belle — fait le bel oiseau (spr.w),* de kleren maken de man; *guerre de —,* pennestrijd; *homme de —,* schrijver; *nom de —,* schuilnaam; 4 schrijver; 5 stijl; 6 *(pop.)* bed. ▼—**ée** *v* 1 (het) plukken v.e. vogel; 2 (de) geplukte veren. ▼—**er** *ov.w* 1 (veren) plukken; 2 (iem.) plukken. ▼—**et** *m* vederbos. ▼—**eur** *m, -euse v (oud)* vogelplukker (-ster). ▼—**eux, -euse** *v* 1 vederachtig; 2 bedekt met veren. ▼—**ier** *m* pennebakje, penne-, griffelkoker. ▼—**itif** *m* 1 protocol v.e. rechtszitting; 2 pennelikker, bureaucraat.

plum-pudding *m* plumpudding.

plumule *v* donsveertje.

plupart (la) *de* meesten, het merendeel; *la — du temps,* meestal; *pour la —,* merendeels.

plural *[mv aux] bn* 1 meervoudig. ▼—**ité** *v* 1 veelheid; 2 meerderheid. ▼**pluriel, -elle** *I bn* meervoudig. II *zn m* meervoud.

plus *bw* 1 meer; *au —, tout au —,* hoogstens, ten hoogste; *d'autant — (que),* des te meer (omdat); *de —, qui —* est, bovendien; *de en —,* hoe langer hoe meer; *on ne peut — heureux,* allergelukkigst; — *ou moins,* min of meer; *qui — qui moins,* de een meer, de ander meer; 2 (meestal met *ne*) niet meer; *(ne pas) non —,* evenmin, ook niet; 3 plus. ▼**plusieurs** *I bn* verscheidene. II *vnw* velen.

plus-que-parfait *m* voltooid verleden tijd.

plus-value† *v* 1 waardevermeerdering; 2 toeslag op loon; 3 meerwaarde.

plutonien, -enne *bn* vulkanisch, plutonisch. ▼**plutonigène** *bn* plutonium producerend.

plutôt *bw* 1 eerder; 2 liever; *voyez —,* kijk maar eens; 3 nogal.

pluvial *[mv aux] bn* van de regen; *eau —e,* regenwater.

pluvier *m* plevier.

pluvi/eux, -euse *bn* regenachtig. ▼—**omètre** *m* regenmeter. ▼—**ôse** *m* 5e maand v.d. republ. kalender (van 20, 21 of 23 januari tot 19, 20 of 21 februari). ▼—**osité** *v* regenachtigheid.

pneu *[mv s] m* 1 luchtband; 2 stadstelegram. ▼—**matique** *I bn* van de lucht, door lucht gedreven; *bandage —,* luchtband; *carte —,* soort stadstelegram, verzonden door middel van luchtbuizen. II *zn m* 1 luchtband; 2 stadstelegram. III *v* leer der gassen.

pneumon/ie *v* longontsteking. ▼—**ique** *bn* lijdend aan longontsteking.

pochade *v* 1 met enkele penseelstreken uitgevoerd schilderstuk, vlotte schets; 2 vlug geschreven werk.

pochard *I bn (fam.)* dronken. II *zn m (fam.)* zuiplap. ▼—**er (se)** *(oud)* zich bedrinken. ▼—**ise** *v (oud)* dronkenschap.

poche *v* 1 zak (in kleren); *livre de —,* pocketboek; *acheter chat en —,* een kat in de zak kopen; *c'est dans la — (pop.),* het is dik voor mekaar, kinderlijk eenvoudig; 2 zak voor koren, haver enz.; 3 schoplepel, grote soeplepel; 4 krop; 5 zaknet, zakvormig gedeelte v.e. sleepnet; 6 wal onder de ogen. ▼**pocher** *I ov.w* 1 pocheren (v. eieren); 2 een blauw oog slaan (— *l'œil à qn.);* 3 een ruwe schets maken. II *on.w* opbollen, valse plooien maken.

poch/etée *v* 1 (oud) zakvol; 2 (pop.)

stommeling. ▼—ette v 1 zakje; 2 kleine zakviool; 3 klein netje; 4 lefdoekje, pochet; 5 plat passerdoosje.
pochon m pollepel.
podium m podium.
poêl/e I m 1 kachel; 2 lijkkleed; 3 sluier die men vroeger boven het bruidspaar hield gedurende de huwelijksinzegening. II v braad-, koekepan; *tenir la queue de la —*, het heft in handen hebben. ▼—ée v panvol. ▼—er ov.w in een braad- of koekepan bakken. ▼—on m kleine braad- of koekepan.
poème m gedicht. ▼**poésie** v 1 dichtkunst; 2 dichterlijkheid; 3 gedicht. ▼**poète** m dichter; *femme —*, dichteres. ▼**poét/esse** v dichteres. ▼—**ique** I zn v regels voor de verskunst, poëtica. II bn dichterlijk, poëtisch. ▼—**iser** I on.w dichten. II ov.w dichterlijk maken.
pogne v (pop.) hand.
pognon m (pop.) geld.
pogrom, pogrome m pogrom.
poids m 1 gewicht; *il ne fait pas le —*, hij is niet opgewassen (tegen); — *et mesures*, maten en gewichten; — *de mouche*, (bokssport) vlieggewicht; — *spécifique*, soortelijk gewicht; — *plume*, (bokssport) vedergewicht; — *à vide*, eigen gewicht (v.e. voertuig); 2 kogel (voor kogelslingeren); 3 last, gewicht (*le — des affaires*); 4 gewicht, aanzien; *donner du — à ses paroles*, zijn woorden klem bijzetten; 5 — *public*, waag; 6 — *lourd*, zwaargewicht; vrachtwagen; 7 — *mort*, last.
poignant bn grievend, schrijnend.
poignard m dolk; *coup de —*, dolksteek; *le — sur la gorge*, met het mes op de keel. ▼—er ov.w doorsteken met een dolk.
poign/e v 1 kracht in de handen; 2 energie. ▼—**ée** v 1 handvol; — *de main*, handdruk; 2 handvat, greep, knop. ▼—et m pols(gewricht).
poil m 1 haar, de haren (geen menselijk hoofdhaar); *à —*, spiernaakt; *au —*, 1 mieters; 2 precies; *brave à trois —s*, ijzervreter; *de tout —*, van allerlei slag; *être de mauvais —*, slecht gehumeurd zijn; — *follet*, vlashaar; *monter un cheval à —*, zonder zadel rijden; *reprendre du — de la bête*, de moed niet verliezen; opknappen na een ziekte; 2 haarkleur van dieren. ▼—er (**se**) (pop.) zich rot lachen. ▼**poilu** I bn behaard. II zn m 1 ijzervreter; 2 soldaat v.d. oorlog van 1914-'18.
poinçon m 1 priem; 2 goud- of zilvermerk; 3 muntstempel; 4 vat; 5 pons. ▼—**nage**, —**nement** m 1 (het) stempelen, merken; 2 (het) knippen v. kaartjes. ▼—**ner** ov.w 1 merken, stempelen; 2 kaartjes knippen. ▼—**neuse** v ponsmachine.
poindre I ov.w steken. II on.w aanbreken, gloren (v.d. dag).
poing m vuist; *coup de —*, vuistslag; boksbeugel; *dormir à — s fermés*, slapen als een roos.
point I zn m 1 punt, stip; — *d'appui*, steunpunt; *caractère de 5 —s*, 5-puntsletter; *deux points*, dubbele punt; *être sur le —*, op het punt staan te; — *d'exclamation*, uitroepteken; — *d'interrogation*, vraagteken; — *d'intersection*, snijpunt; *point-virgule*, puntkomma; — *de vue*, gezicht; *un — c'est tout!*, en daarmee uit!; 2 punt, graad; *au dernier —*, in de hoogste mate; — *d'ébullition*, kookpunt; — *de fusion*, smeltpunt; *au — mort*, (auto) in z'n vrij; 3 kantwerk, borduurwerk; 4 steek bij naaiwerk; 5 **punt** = onderwerp; *le — capital*, de hoofdzaak; 6 punt bij het spel; oog; *rendre des —s à qn.*, iem. iets voorgeven; 7 positie v.e. schip; *faire le — d'un navire*, het bestek opmaken; 8 punt, aantekening (*bon —, mauvais —*); 9 steek (pijn); — *de côté*, steek in de zij; 10 ogenblik, begin; *le — du jour*, het begin v.d. dag, de dageraad; *être sur le — de*, op het punt zijn, staan te; *à —*, op tijd, van pas; *à — nommé*, precies, juist van pas; *le — du jour*, het aanbreken v.d. dag. II bw niet, geen (meestal met *ne*). ▼**pointage** m 1 prikklokcontrole; 2 (het) richten (v.e.

kanon); *vis de —*, stelschroef. ▼**pointe** v 1 punt, spits; *à la — de l'épée*, met geweld; *en —*, spits toelopend; *heure de —*, spitsuur; *industrie de —*, speerpuntindustrie; 2 draadnagel; 3 landtong; 4 graveernaald; 5 geestigheid, pointe; 6 begin, (het) aan-, doorbreken (*la — du jour*); 7 een weinigje, een beetje; *avoir une — de vin*, lichtelijk aangeschoten zijn. ▼**pointer** I ov.w 1 steken; 2 aanpunten; 3 opnemen, aantekenen; 4 richten (— *un canon*); stellen; *vis de pointage*, stelschroef; 5 — *une note*, een noot voorzien v.e. punt, waardoor ze met de helft verlengd wordt; 6 — *les oreilles*, de oren spitsen. II on.w 1 opstijgen; 2 ontkiemen; 3 steigeren. ▼**pointeur** m 1 richter (v. kanon); 2 stemopnemer.
pointill/age, —ement m 1 (het) stippelen, stippelwerk; 2 gevit. ▼—**é** m 1 stippeltekening; 2 geperforeerde rand. ▼—**er** I ov.w 1 stippelen; *ligne pointillée*, stippellijn; 2 bevitten. II on.w (*ook*) vitten, kibbelen. ▼—**eux, -euse** bn pietluttig. ▼—**isme** m manier van schilderen, waarbij de kunstschilder zich bedient van stippeltjes, van kleine streekjes. ▼—**iste** m aanhanger v.h. pointillisme.
pointu bn 1 puntig, spits; 2 scherp (*fig.*).
pointure v maat v. schoenen, handschoenen, hoeden.
poire v 1 peer (vrucht); — *d'angoisse*, bittere pil; *entre la — et le fromage*, aan het dessert; *garder une — pour la soif*, een appeltje voor de dorst bewaren; — *tapée*, gedroogde peer; 2 peer (v. lamp); 3 kruithoorn; 4 (*pop.*) domoor, suffer; 5 (*pop.*) gezicht.
poireau [*mv* x] m 1 prei; 2 *faire le —*, (*fam.*) lang moeten wachten; 3 wrat. ▼—**ter** on.w (*fam.*) wachten.
poirée v snijbiet.
poirier m pereboom.
pois m 1 erwt; *manger des — chauds*, met de mond vol tanden staan; — *cassé*, splitterwt; — *chiche*, grauwe erwt; *petits —*, doperwtjes; — *sans cosse*, peulen; — *de senteur*, lathyrus; 2 stip.
poison m 1 vergif; 2 (*pop.*) kreng, stuk vergif.
poissard I bn wat taal en gewoonten van het plebs betreft (*style —*). II zn -e v viswijf (*ook fig.*).
poiss/e v (*pop.*) pech. ▼—**er** ov.w 1 met pek besmeren; 2 bevuilen. ▼—**eux, -euse** bn 1 pekachtig, kleverig; 2 smerig.
poisson m 1 vis; — *d'avril*, makreel; aprilmop; *comme un — dans l'eau*, op zijn gemak; *les gros —s mangent les petits*, de machtigen verdrukken de zwakken; — *rouge*, — *doré*, goudvis; — *sans boisson est poison*, vis wil zwemmen; 2 oude vloeistofmaat. ▼—**nerie** v visafslag. ▼—**neux, -euse** bn visrijk. ▼—**nier** m, **-ère** v vishandelaar, visverkoopster. ▼—**scie** m zaagvis.
poitevin I bn uit Poitou of Poitiers. II zn P— m, -e v bewoner, bewoonster van Poitou, of Poitiers.
poitrail m 1 borst v.e. paard; 2 borstriem. ▼**poitrinaire** I bn aan t.b.c. lijdend. II zn m of v t.b.c.-lijder(es). ▼**poitrine** v 1 borst; 2 longen. ▼—**e** v borstriem.
poivrade v pepersaus. ▼**poivre** m peper; *cher comme —*, peperduur; — *long*, Spaanse peper; — *et sel* (*fam.*), peper- en zoutkleurig. ▼**poivr/é/e** bn 1 gepeperd; 2 'schuin'; 3 (*pop.*) peperduur. ▼—**er** I ov.w peperen. II se — (*fam.*) dronken worden. ▼—**ier** m 1 peperboom; 2 peperbus. ▼—**ière** v 1 peperplantage; 2 peperbus. ▼—**on** m Spaanse peper. ▼—**ot** m (*pop.*) dronkenlap.
poix v pek.
polaire bn 1 van de polen; *cercle —*, poolcirkel; *étoile —*, poolster; *glace —*, pooljs; 2 wat elektr. of magn. polen betreft.
polaque m Poolse ruiter; (*min.*) polak.
polar m (*arg.*) politieroman.
polaris/ateur, -atrice bn het licht polariserend. ▼—**ation** v polarisatie. ▼—**er**

ov.w polariseren. ▼—**eur** *m* polarisator.
▼**polarité** *v* polariteit.
polder *m* polder.
pôle *m* 1 pool; 2 tegenstelling.
polémique /e l *zn v* polemiek, pennestrijd. II *bn* polemisch, strijdend. ▼—**er** *on.w* polemiseren, een pennestrijd voeren. ▼**polémiste** *m* polemicus, iem. die een pennestrijd voert.
poli l *bn* 1 glad, glanzend; 2 beschaafd; 3 beleefd. II *zn m* glans.
police *v* 1 politie; *bonnet de —*, politiemuts; *salle de —*, (*mil.*) politiekamer; 2 polis.
policer *ov.w* beschaven.
polichinelle *m* 1 hanswort; *secret de —*, geheim dat iedereen kent; 2 wisselvallig mens. 'weerhaan'.
policier, **-ère** l *bn* van de politie; *roman —*, *film —*, detectiveroman, -film; *mesure —ère*, politiemaatregel. II *zn m* politiebeambte.
policlinique *v* gemeentelijke kliniek.
poliment *bw van* **pol**; beleefd.
polio l *v* kinderverlamming; 2 *m of v* iem. die lijdt aan kinderverlamming. ▼—**myélite** *v* kinderverlamming.
polir *ov.w* 1 polijsten; 2 beschaven; 3 afwerken, verfijnen, 'bijschaven'. ▼**poliss/able** *bn* te polijsten. ▼—**age**, —**ement** *m* (het) polijsten. ▼—**eur** *m*, **-euse** *v* polijster (-ster). ▼—**oir** *m* polijststeen, polijstbank.
polisson l *zn m*, **-onne** *v* 1 straatjongen, -meid; 2 kwajongen, snaak, rakker; 3 gemeen sujet. II *bn* gemeen, 'schuin'. ▼—**ner** *on.w* kwajongensstreken uithalen. ▼—**nerie** *v* 1 straatjongens-, kwajongensstreek; 2 'schuine' taal, - mop.
politesse *v* beleefdheid, beschaafdheid; *brûler la —*, vertrekken zonder te groeten; een afspraak om iem. te ontmoeten niet nakomen.
polit/icard *m* (*ong.*) politicus. ▼—**icien** *m* politicus. ▼—**ique** l *zn v* 1 staatkunde; 2 handigheid, tact. II *m* 1 staatsman, politicus; 2 handig mens, tacticus. III *bn* 1 politiek, staatkundig; 2 handig, slim, tactisch. ▼—**iser** *ov.w* een politiek karakter geven. ▼—**ologie**, -**icologie** *v* politicologie.
polka *v* 1 polka (dans); 2 wijs op deze dans.
poll/en *m* stuifmeel. ▼—**ineux**, **-euse** *bn* stuifmeelachtig. ▼—**inique** *bn* van het stuifmeel. ▼—**inisation** *v* bestuiving.
polluer *ov.w* bezoedelen, schenden, vervuilen. ▼**pollution** *v* bezoedeling, schending, vervuiling.
polo *m* 1 polo (balspel); 2 polohemd.
polochon *m* (*fam.*) peluw.
Pologne (la) Polen. ▼**polonais** l *bn* Pools. II *zn m* de Poolse taal. III **P—** *m*, **-e** *v* Pool(se). ▼—**e** *v* 1 (*muz.*) id.; 2 soort gebak.
poltron, **-onne** l *bn* laf. II *zn m*, **-onne** *v* lafaard. ▼—**nerie** *v* lafheid.
poly/anthe *bn* veelbloemig. ▼—**chrome** *bn* veelkleurig. ▼—**chromie** *v* veelkleurigheid. ▼—**clinique** *v* polikliniek. ▼—**copie** *v* gehectografeerde afdruk. ▼—**copier** *ov.w* stencilen. ▼—**culture** *v* gelijktijdige verbouw van verschillende gewassen. ▼—**èdre** *m* veelvlak. ▼—**ester** *m* id. ▼—**éthylène**, -**thène** *m* polyethyleen, polytheen. ▼—**game** *bn* veelwijvig. ▼—**gamie** *v* veelwijverij. ▼—**glotte** l *bn* veeltalig. II *zn m of v* kenner van vele talen. ▼—**gonal** [*zn v aux*] *bn* veelhoekig. ▼—**gone** *m* veelhoek. ▼—**graphe** *m* schrijver. ▼—**mère** *m* polymeer. ▼—**morphe** *bn* veelvormig. ▼—**morphisme** *m* veelvormigheid.
polynésien, -**enne** *bn* uit Polynesië.
polynôme *m* veelterm.
polype *m* poliep.
poly/pétale *bn* veelbladig. ▼—**phonie** *v* veelstemmigheid. ▼—**phonique** *bn* veelstemmig. ▼—**syllabe**, -**syllabique** *bn* meerlettergrepig.
polytechn/icien *m* leerling der *Ecole polytechnique*. ▼—**ique** *bn* veel kunsten of wetenschappen omvattend; *Ecole —*, school ter opleiding v. ingenieurs en artillerie- of genieofficieren.
poly/théisme *m* veelgoderij. ▼—**théiste** l *bn* veel goden dienend. II *zn m of v* veelgodendienaar (-dienares). ▼—**valent** *bn* veelwaardig. ▼—**vinylique** *bn* polyvinyl-.
pomiculteur *m* appel- en perenkweker.
pommade *v* pommade, haarzalf.
pommard *m* beroemde bourgognewijn.
pomme *v* 1 appel; *aux —s* (*fam.*), eersteklas; — *de discorde*, twistappel; —*s frites*, in olie gebakken aardappels (in reepjes); — *de laitue*, kropsla; —*s nature*, gekookte aardappels; — *de pin*, denappel; — *de terre*, aardappel; *tomber dans les —s* (*pop.*), flauwvallen; 2 knop. ▼**pommé** *bn* 1 rond; *chou —*, sluitkool; 2 (*fam.*) volkomen, volmaakt.
pommeau [*mv x*] *m* 1 degenknop; 2 zadelknop.
pommelé *bn* met grijze en witte vlekken; *cheval —*, appelschimmel; *ciel —*, lucht met schapewolkjes.
pommelle *v* rooster v.e. goot enz.
pommer *on.w* kroppen v. kool, sla.
pommette *v* 1 knopje; 2 koon.
pommier *m* appelboom. ▼**pomologie** *v* ooftkunde.
pompadour *m* (*oud*) 1 meubelstijl uit de tijd v. Lodewijk XIV; 2 soort bonte stof.
pompe *v* 1 praal, pracht, luister; — *funèbre*, lijkstaatsie; *les —s*, de ijdele, wereldse genoegens; 2 pomp; — *aspirante*, zuigpomp; *un coup de —* (*pop.*), een stortbui; *avoir un coup de —* (*pop.*), zich plotseling uitgeput voelen; 3 (*pop.*) schoen; 4 (*fam.*): *à toute —*, vliegensvlug; 5 (*arg.*) un (*soldat de*) *deuxième —*, een eenvoudig (2e klas) soldaat; — *foulante*, perspomp; — *aspirante et foulante*, zuigperspomp; — *à incendie*, brandspuit; — *à pneu* (*matique*), fietspomp. ▼**pomper** l *ov.w* (op)pompen, opzuigen. II *on.w* 1 blokken, vossen; 2 (*pop.*) zuipen. ▼**pompette** *bn* (*fam.*) lichtelijk aangeschoten.
pomp/eusement *bw* 1 luisterrijk; statig; 2 hoogdravend. ▼—**eux**, **-euse** l *bn* 1 luisterrijk, statig; 2 hoogdravend. II *zn m* (het) hoogdravende.
pompier l *zn m* 1 pompen-, brandspuitenfabrikant; 2 verkoper v. pompen, v. brandspuiten; 3 brandweerman; 4 pompier (kleermaker). II *bn* hoogdravend. ▼**pompiste** *m* houder v.e. benzinepomp.
pompon *m* kwastje, pompon; *avoir le —*, (*fam.*) de kroon spannen; *avoir son —*, (*oud*) lichtelijk aangeschoten zijn. ▼—**ner** l *ov.w* 1 met kwastjes versieren; 2 versieren, mooi maken. II *se —* zich opdirken.
ponant *m* (*oud*) westen.
ponçage *m* (het) polijsten met puimsteen. ▼**ponce** l *pierre —*, puimsteen.
ponceau [*mv x*] *m* 1 bruggetje; 2 klaproos. II *bn* felrood.
ponc/er *ov.w* 1 met puimsteen polijsten; 2 plamuren. ▼—**eux**, **-euse** l *bn* puimsteenachtig. II *zn* **-euse** *v* polijstmachine.
poncif l *zn m* 1 doorgeprikte tekening; 2 banaal litt. werk, schilderij enz. II—, **-ive** *bn* 1 doorgeprikt (v. tekening); 2 banaal.
ponction *v* prik, punctie. ▼—**ner** *ov.w* een punctie verrichten bij.
ponctualité *v* stiptheid, nauwkeurigheid.
ponctuation *v* (het) zetten v. leestekens; *signe de —*, leesteken. ▼**ponctuel**, **-elle** *bn* stipt, nauwkeurig, op tijd. ▼—**lement** *bw* stipt, nauwkeurig, op tijd. ▼**ponctuer** *ov.w* 1 leestekens plaatsen (— *une phrase*); 2 stippelen; 3 onderstrepen (*fig.*: — *un mot d'un geste*).
ponder/abilité *v* weegbaarheid. ▼—**able** *bn* weegbaar. ▼—**al** [*mv aux*] *bn* gewichts-; *augmentation —e*, gewichtstoename. ▼—**ateur**, **-atrice** *bn* (het) evenwicht bewarend. ▼—**ation** *v* 1 evenwicht; 2 bezadigdheid, evenwichtigheid. ▼**pondér/é** *bn* bezadigd, evenwichtig. ▼—**er** *ov.w* in

evenwicht brengen, - houden. ▼—**eux** bn
zwaar.
pond/eur, -euse I bn veel leggend (*poule*
—euse). **II** zn **-euse** v leghen. **III** m
veelschrijver. ▼—**oir** m leghok, legmand.
▼**pondre** ov.w **1** leggen; **2** (*pop.*) maken.
poney m pony (paardje).
pongiste m tafeltennisser.
pont m **1** brug (over water); —*s et chaussées*,
dienst, ongeveer overeenkomend met de
Waterstaat; — *aérien*, luchtbrug; — *de*
bateaux, schipbrug; *jeter un* —, een brug
slaan; — *suspendu*, hangbrug; — *tournant*,
draaibrug; **2** scheepsdek; **3** dag tussen twee
feestdagen; *faire le* —, op een dag tussen twee
feestdagen niet werken; **4** klep v.e. broek.
ponte I m **1** speler tegen de bankier bij roulette
enz.; **2** (*fam.*) invloedrijk persoon, hoge ome.
II v **1** (het) eieren leggen; **2** legtijd; **3** de
gelegde eieren.
ponté bn voorzien v.e. dek. ▼**ponter I** on.w
tegen de bankier spelen (bij roulette enz.).
II ov.w v.e. dek voorzien.
pontier m brugwachter.
pontif/e m **1** priester; *souverain* —, paus;
2 (*fam.*) gewichtig doend leider, - kopstuk.
▼—**ical** [*mv* **aux**] bn bisschoppelijk,
pauselijk. **II** zn m ceremoniënboek v. pausen
en bisschoppen. ▼—**icat** m **1** pauselijke
waardigheid; **2** pauselijke regering. ▼—**ier**
on.w **1** optreden als hogepriester; **2** gewichtig
doen, deftig -, hoogdravend praten.
pont-l'évêque *onver.* m soort Fr. kaas.
pont†-levis m ophaalbrug.
ponton m **1** schipbrug, ponton; —*-grue*,
drijvende kraan; **2** gevangenisschip. ▼—**nier**
m **1** pontonnier (*mil.*); **2** brugwachter.
pope m Russisch priester.
popeline v popeline.
popote v (*fam.*) **1** keuken; *faire la* —, koken;
2 restaurant; **3** huishouden;
4 gemeenschappelijke tafel; — *d'officiers*,
officierstafel.
popul/ace v plebs, gepeupel. ▼—**acier,**
-acière bn v.h. plebs, gemeen, ordinair.
▼—**aire** bn **1** v.h. volk, geschikt voor het volk
(*livre* —); **2** algemeen bemind, populair. **II** zn
m het volk, de massa. ▼—**ariser** ov.w **1** voor
iedereen verstaanbaar maken; **2** algemeen
bemind maken. ▼—**arité** v volksgunst,
populariteit. ▼—**ation** v bevolking. ▼—**eux,**
-euse bn volkrijk. ▼**populo** m (*fam.*) het
lagere volk, de massa.
porc m **1** varken, zwijn; **2** varkensvlees;
3 vuilpoes, zwijn; **4** smeerlap, zwijn;
5 schrokker.
porcelaine/e v porselein. ▼—**ier, -ière I** bn wat
porselein betreft (*industrie —ère*). **II** zn m,
-ière v **1** porseleinverkoper (*-ster*);
2 porseleinfabrikant(e).
porcelet m big. ▼**porc†-épic†** m stekelvarken.
porche m portaal.
porcher m, **-ère** v varkenshoeder (*-ster*).
▼**porcherie** v varkensstal. ▼**porcin** bn v.d.
varkens; *race —e*, varkensras.
por/e m porie. ▼—**eux, -euse** bn poreus.
porion m mijnopzichter.
porno bn porno-. ▼—**graphe** m of v
vuilschrijver (*-schrijfster*). ▼—**graphie** v
vuilschrijverij, pornografie. ▼—**graphique** v
pornografisch.
porosité v poreusheid.
porphyre m porfier. ▼**porphyrique** bn
porfierhoudend, -achtig.
porreau [*mv* **x**] = **poireau** v prei.
port m **1** haven; — *aérien*, luchthaven; *arriver à*
bon —, behouden en wel aankomen; *faire*
naufrage au —, in het zicht v.d. haven
stranden; **2** rustplaats, toevluchtsoord; — *de*
salut, uitkomst; **3** (het) dragen;
4 laadvermogen, tonnage (*scheepv.*); **5** porto;
franc de —, franco; **6** houding;
7 Pyreneeënpas.
port/able bn draagbaar. ▼—**age** m (het)
dragen.
portail m hoofdingang v.e. kerk.

portant I zn m hengsel v. koffer. **II** bn
1 dragend; *tirer à bout* —, van dichtbij
schieten; **2** gezond; *bien* —, goed gezond; *mal*
—, ziek. ▼**portatif, -ive** bn draagbaar; *poste*
(*de radio*) —, portable radio.
porte v **1** deur; *à la* —, *aux —s de*, dichtbij; —
brisée, schuifdeur; *fausse* —, loze deur; — *à*
glissière, schuifdeur; — *matelassée*, tochtdeur;
mettre à la —, de deur uitzetten; *mettre la clef*
sous la —, met de noorderzon vertrekken;
ouvrir ses —s, zich overgeven; *prendre la* —,
weggaan, zijn biezen pakken; *refuser sa* —,
weigeren iem. te ontvangen; *faire du* — *à* —,
huis aan huis verkopen; **2** poort; **3** bergpas,
-engte; **4** Porte (Turkije); **5** oog v.e. haak.
porté bn geneigd tot (*à*).
porte/(-) à (-)faux zn m **1** wankele toestand; *en*
—, wankel, onzeker; **2** wankele constructie.
▼—**affiches** m aanplakbord. ▼—**aiguilles**
m naaldenkoker. ▼—**allumettes** m
lucifersdoos, -standaard. ▼—**avions** m
vliegtuigmoederschip. ▼—**bagages** m
bagagedrager. ▼—**bannière(†)** m
vaandeldrager. ▼—**billets** m kleine
portefeuille. ▼—**bonheur** m mascotte.
▼—**bouquet** m bloemvaasje.
▼—**bouteilles** m flessenrek. ▼—**carte(s)** m
portefeuille, - bakje voor visitekaartjes.
▼—**chapeaux** m kapstok voor hoeden.
▼—**cigares** m sigarenkoker. ▼—**cigarettes**
m sigarettenkoker. ▼—**clefs** m (*oud*)
1 cipier; **2** sleutelring, sleutelhanger.
▼—**couteau** m messelegger. ▼—**crayon(†)**
m potloodhouder. ▼—**croix** m kruisdrager
(*rk*). ▼—**documents** m diplomatentas.
▼—**drapeau(†)** m vaandeldrager.
portée v **1** dracht (jongen, worp); **2** draagwijdte
v. geweer enz.; **3** afstand, bereik; *à* — *de la*
main, bereikbaar met de hand; **4** betekenis,
belang; **5** dracht v.e. balk, boogwijdte;
6 notenbalk.
porte-enseigne m vaandeldrager.
▼—**épée(†)** m degenriem. ▼—**étendard(†)**
m standaarddrager. ▼—**faix** m pakjesdrager.
▼—†**fenêtre†** v glazen deur (tot aan de
grond). ▼—**feuille** m **1** portefeuille,
brieventas; **2** ministersambt; **3** aandelen,
geldswaardig papier; *société de* —,
beleggingsmaatschappij. ▼—**jupe** m
rokophouder. ▼—**malheur** m ongeluksbode.
▼—**manteau** [*mv* **x**] m **1** kapstok; **2** valies.
portement m (het) dragen (v.h. Kruis).
porte/-menu m menuhouder. ▼—**mine(†)** m
vulpotlood. ▼—**monnaie** m portemonnaie.
▼—**musique** m muziektas. ▼—**papier** m
closetrolhouder. ▼—**parapluies** m
paraplustandaard, -bak. ▼—**parole** m
woordvoerder. ▼—**plume** m penhouder.
porter I ov.w **1** dragen; — *les armes*, soldaat
zijn; — *envie*, benijden; — *des fers*, gevangen
zijn, slaaf zijn (*ook fig.*); — *qn. aux nues*, iem.
verheerlijken, ophemelen; **2** bij zich hebben
(— *une somme d'argent*) **3** brengen; — *qc.*
au compte de qn., iem. iets in rekening
brengen; — *à domicile*, aan huis bezorgen; —
plainte, een klacht indienen; — *témoignage*,
getuigen; **4** richten; — *la parole*, het woord
voeren; — *ses pas*, zijn schreden richten; —
un toast, een toast uitbrengen; **5** opbrengen;
— *intérêt*, rente opbrengen; **6** aanzetten tot
(— *à*); **7** verdragen (— *bien son vin*). **II** on.w
1 rusten (op), steunen (op); **2** dragen (v.e.
vuurwapen); **3** dragen (drachtig zijn);
4 stevenen, varen; **5** betrekking hebben;
6 treffen, raken; **7** — *contre*, stoten tegen; **8** —
à la tête, naar het hoofd stijgen. **III** se —
1 gedragen worden; **2** zich begeven; **3** se —
bien, se — *mal*, het goed, het slecht maken;
comment vous portez-vous?, hoe maakt u het?
4 se — *candidat*, zich kandidaat stellen; se —
garant, garant blijven.
porte/-savon(†) m zeepbakje.
▼—**serviettes** m handdoekenrek.
porteur I m, **-euse** v drager, draagster; *chaise à*
—*s*, draagstoel. **II** m **1** witkiel; **2** toonder;
payable au —, betaalbaar aan toonder;

3 brenger (— de nouvelles); 4 paard v.d. postiljon.
porte-/-vent m windpijp v.e. orgel. ▼—**voix** v 1 spreektrompet, scheepsroeper; 2 spreekbuis (fig.).
portier m, **-ière** v portier(ster).
portière v 1 portier v.e. rijtuig; 2 deurgordijn; 3 deel v.e. schipbrug.
portillon m deurtje.
portion v deel, portie. ▼—**naire** m of v deelhebber (-ster) in een erfenis.
portique m overdekte galerij.
porto m portwijn.
portrait m 1 portret; 2 karakterbeschrijving; 3 (pop.) gezicht; se faire abîmer le —, zich in elkaar laten timmeren. ▼—**iste** m portretschilder. ▼—**urer** ov.w het portret maken, portretteren.
port-salut m soort Fr. kaas.
portuaire bn v.e. haven.
portugais I bn Portugese. **II** zn m de Portugese taal. **III** P— m, -aise v Portugees (-ese).
▼**Portugal (le)** m Portugal.
pose v 1 (het) leggen, zetten, plaatsen, aanbrengen enz.; 2 houding, pose; 3 aanstellerij; 4 belichting (fot.); temps de —, belichtingstijd; 5 (het poseren); 6 tijdopname.
posé bn 1 rustig, bedaard, ernstig; 2 vast (v. stem). ▼—**ment** ov.w rustig, bedaard.
posemètre m belichtingsmeter (fot.).
poser I ov.w 1 leggen, zetten, plaatsen, aanbrengen enz.; — une dent, een tand inzetten; — une question, een vraag stellen; — des rideaux, gordijnen ophangen; 2 neerleggen (— les armes); 3 bekendheid geven, aanzien verschaffen; 4 aannemen, onderstellen; — en principe, als beginsel aannemen; posé que, gesteld dat. **II** on.w 1 rusten, steunen; 2 poseren; 3 zich aanstellen; 4 (pop.) wachten; faire — qn, iem. laten wachten. **III** se— 1 gaan zitten; 2 zich uitgeven voor, zich voordoen, opwerpen als (se — en); 3 landen. ▼**poseur** m 1 plaatser, aanlegger enz.; 2 aansteller.
positif, -ive I bn zeker, stellig, positief; esprit —, verstandsmens; 2 bevestigend, positief (wisk., nat., fot.); épreuve —ive, positief (fot.). **II** zn m 1 (het) zekere; 2 (het) praktische; 3 kamerorgel; 4 positief (fot.); 5 stellende trap. **III** -ive v positief (fot.).
position v 1 ligging, plaatsing, positie; 2 houding; 3 stelling (mil.); 4 betrekking.
positiv/ement av vast, stellig. ▼—**isme** m ervaringswijsbegeerte. ▼—**iste** m aanhanger v.h. positivisme.
possédant I zn m kapitalist. **II** bn bezittend.
▼**possédé I** bn bezeten. **II** m of v 1 bezetene (door de duivel); (crier comme un —);
2 dolleman. ▼**posséder I** ov.w 1 bezitten; 2 beheersen (v.e. wetenschap); 3 beheersen, de baas zijn; être possédé du démon, van de duivel bezeten zijn. **II** se— zich beheersen; il ne se possède pas de joie, hij is buiten zichzelf van vreugde. ▼**possess/eur** m bezitter. ▼—**if, -ive** bn bezittelijk (pronom —). ▼—**ion** v 1 bezit, bezitting; entrer en —, in bezit nemen; 2 bezetenheid. ▼—**oire I** bn bezitrechtelijk. **II** zn m bezitrecht.
possibilité v mogelijkheid. ▼**possible I** bn mogelijk; au —, uiterst, aller-; avare au —, aartsgierig; le mieux —, zo goed mogelijk; le moins de fautes —, zo weinig mogelijk fouten. **II** zn m het mogelijke; faire son —, zijn best doen.
post/age m (het) posten, op de post doen.
▼—**al** [mv aux] bn wat de post betreft; carte —e, briefkaart; carte —e illustrée, prentbriefkaart; colis —, postpakket.
post/combustion v naverbranding.
▼—**communion** v gebed v.d. priester na de communie.
post/date v latere dagtekening dan de ware.
▼—**dater** ov.w een latere dagtekening vermelden dan de ware.
post/e I v 1 (het) reizen met de postwagen; maître de —, postmeester; 2 afstand tussen

twee pleisterplaatsen van ongeveer twee uren gaans; 3 brievenpost; 4 postkantoor; jeter une lettre à la —, een brief op de post doen. **II** m 1 post v.e. soldaat; 2 wachthuis; — de police, politiepost; 3 op post staande soldaat (soldaten); relever un —, een post aflossen; 4 betrekking, post; 5 radiostation; 6 radiotoestel. ▼—**er** ov.w 1 uitzetten, opstellen; 2 op de post doen.
postér/ieur I bn 1 later; 2 achterste. **II** zn m (fam.) achterste. ▼—**iorité** v (het) later zijn. ▼—**ité** v nageslacht.
postface v nabericht.
posthume bn 1 geboren na de dood v.d. vader; 2 uitgegeven na de dood v.d. schrijver, nagelaten, postuum.
postiche bn 1 vals, nagemaakt, voorwendend (douleur —); 2 bijgevoegd.
postier m postbeambte.
postillon m 1 postiljon; — d'amour, overbrenger v. liefdesbrieven; 2 envoyer des —s, 'vloeibaar spreken'.
postopératoire bn na de operatie.
postcolaire bn na de school.
post-scriptum m postscriptum.
postsynchronis/ation v nasynchronisatie.
▼—**er** ov.w nasynchroniseren.
postulant m, -e v 1 sollicitant(e); 2 iem. die in een klooster wil treden.
postulat m stelling die men zonder bewijs aanneemt.
postulation v sollicitatie. ▼**postuler** ov.w solliciteren naar.
posture v 1 houding; 2 toestand.
pot m 1 pot, kan; — à fleurs, bloempot; — d'échappement, knalpot; — de vin, kan wijn; mettre la poule au —, en goed bij zitten; payer les —s cassés, de schade, het gelag betalen; 2 vleespot; à la fortune du —, wat de pot schaft; découvrir le — aux roses, het geheim ontdekken; tourner autour du —, eromheen draaien; 3 kan (oude maat); 4 papierformaat van 40 bij 31 cm.
potable bn 1 drinkbaar; eau —, drinkwater; 2 middelmatig; 3 vloeibaar (or —).
potache m (fam.) leerling (v.e. midd. school).
potage m soep; pour tout —, alles bij elkaar genomen.
potager I zn m 1 moestuin; 2 keukenfornuis. **II** bn 1 eetbaar (plantes —ères); 2 jardin —, moestuin.
potass/e v potas. ▼—**er** ov.w (fam.) blokken.
▼—**ium** m kalium.
pot-au-feu I zn m 1 soep v. rundvlees met wortels, prei enz.; 2 soepvlees; 3 soepketel. **II** bn huishoudelijk.
pot-bouille v (pop., oud) burgerpot.
pot†-de-vin m steekpenning.
pote m (pop.) vriend.
poteau [mv x] m 1 paal; — indicateur, wegwijzer; — télégraphique, telegraafpaal; 2 eindpunt, vertrekpunt (paardesport); se faire battre sur le —, op de streep geklopt worden; 3 (pop.) kameraad = **pote**.
potée v potvol, kanvol.
potelé bn mollig.
potence v 1 galg; gibier de —, galgeaas; 2 kruk.
potentat m 1 absoluut vorst v.e. grote staat; 2 (fig.) potentaat, despoot, heerser.
potentialité v mogelijkheid.
potentiel, -elle I bn na enige tijd werkend. **II** zn m 1 voorwaardelijke wijs; 2 elektr. spanning, potentiaal.
potentille v ganzerik (plk.).
poterie v 1 aardewerk; 2 pottenbakkerij; 3 pottenbakkerskunst; 4 metalen vaatwerk.
poterne v sluippoort.
potiche v Japanse of Chinese vaas van versierd porselein.
potier m 1 pottenbakker; 2 verkoper van aardewerk.
potin m 1 (fam.) lawaai, herrie; 2 (fam.) kletspraatje. ▼—**er** on.w 1 kletsen; 2 kwaadspreken. ▼—**ier** m, -ière v kletser, kletstante.

potion *v* drankje.
potiron *m* pompoen.
pot†-pourri† *m* **1** ragoût v. verschillende vleessoorten; **2** potpourri.
potron-jacquet, potron-minet *m*: (fam.) *dès* —, bij het krieken van de dag.
pou [*mv* **x**] *m* luis; *chercher des* —*x à qn.*, op iem. vitten.
pouacre (fam.) **I** *zn m* of *v* smeerpoets. **II** *bn* smerig.
pouah! ba!
poubelle *v* vuilnisemmer, -bak.
pouc/e *m* **1** duim; *manger sur le* —, staande uit het vuistje eten; *mettre les* —*s*, zich gewonnen geven; *se mordre les* —*s*, berouw hebben; **2** grote teen; **3** duim (maat); **4** klein beetje, klein stukje. ▼—*et m* duimpje; *Petit P*—, kleinduimpje. ▼—*ettes v mv* duimschroeven; *mettre les* — *à*, de duimschroeven aanleggen.
pouding *m* pudding.
poudr/e *v* **1** stof; *jeter de la* — *aux yeux*, zand in de ogen strooien; *mettre, réduire en* —, verwoesten; **2** poeder; — *de perlimpinpin*, kwakzalversmiddel; *tabac en* —, snuif; **3** buskruit; *ne pas avoir inventé la* —, het buskruit niet uitgevonden hebben. ▼—*er ov.w* bepoederen. ▼—*erie v* kruitfabriek. ▼—*ette v* **1** poederdoos. ▼—*ier m* poederdoos. ▼—*ière v* **1** kruitmagazijn; kruitvat (ook *fig.*). ▼—*in m* stuifregen. ▼—*oiement m* (het) stuiven (v.e. weg). ▼—*oyer l ov.w* met stof bedekken. **II** *on.w* stuiven, bedekt zijn met stof.
pouf! **I** *tw* plof!, boem! **II** *zn m* poef.
pouffer *on.w*: — *de rire*, stikken v.h. lachen.
pouf(f)iasse *v* (*plat*) vulgaire dikke meid, slet.
pouillard *m* jonge patrijs, - fazant.
pouill/erie *v* (*pop.*) **1** grote armoede; **2** gierigheid; **3** smeerboel. ▼—*es v mv*: *chanter* — *à qn.*, iem. de huid vol schelden. ▼—*eux, -euse l bn* **1** vol luizen; **2** onvruchtbaar, kaal; **3** smerig. **II** *zn m, -euse v* arme drommel.
poulailler *m* **1** kippenhok; **2** poelier; **3** engelenbak.
poulain *m* **1** veulen jonger dan 2½ jaar; **2** iem. die onder leiding staat v.e. trainer, beginneling.
poulaine *v* voorsteven; *souliers à la* —, schoenen met omhoogstaande spitse punten.
poularde *v* gemeste jonge kip. ▼**poul/e** *v* **1** kip, wijfje van sommige vogels; — *d'eau*, waterhoentje; — *faisane*, wijfjesfazant; — *d'Inde*, kalkoense hen; *avoir la chair de* —, kippevel hebben; — *mouillée*, besluiteloos persoon, bangerd; *tuer la* — *aux œufs d'or*, de kip met de gouden eieren slachten; **2** wedstrijd, spel; **3** inzet v.e. speler; **4** pot bij spel; **5** poule; **6** (*fam.*) vrouw v. lichte zeden, snol; **7** (*fam.*) liefje, deerntje. ▼—*et m* **1** kuiken; **2** kip (als gerecht); **3** (*fam.*) politieagent. ▼—*ette v* **1** (*oud*) jonge hen; **2** (*fam.*) schatje, liefje.
pouliche *v* merrieveulen.
poulie *v* **1** katrol; **2** schijf.
pouliner *on.w* werpen v. paarden. ▼**poulinière** *bn v*: *jument* —, fokmerrie.
poulot *m*, -**otte** *v* (*fam.*) lieveling, schatje, snoesje.
poulpe *m* inktvis.
pouls *m* pols(slag); — *fréquent*, snelle pols; *tâter le* — *à qn.*, iem. de pols voelen.
poumon *m* long; *à pleins* —*s*, uit volle borst; — *d'acier*, ijzeren long.
poupard **I** *bn* dik en rond, met bolle wangen. **II** *zn m* **1** bakerkind; **2** (*oud*) bakerpop.
poupe *v* achtersteven; *avoir le vent en* —, de wind in de zeilen hebben.
poup/ée *v* **1** pop; **2** kostuumpop; **3** pop bij schieten; **4** (*fam.*) verbandje om een vinger. ▼—*in bn* popperig. ▼**poupon** *m* **1** baby; **2** mollig kind. ▼—*nière v* **1** zuigelingafdeling; **2** loopbrek.
pour l *vz* **1** voor = ten behoeve van; **2** bestemd voor; **3** voor = in plaats van; **4** naar (*partir* — *Paris*); **5** terwille van, uit liefde voor (— *l'amour de Dieu*); **6** om, ten einde (met onb.

wijs: *il faut manger* — *vivre*); **7** voor = als (*laisser* — *mort*); **8** voor = voor de tijd van (— *un an*); **9** op het punt te (*fam.*) (*être* — *partir*); **10** voor = om, wegens; **11** voor = tegen de prijs van (— *cinq francs*); **12** voor = tegen (*remède* — *la fièvre*); **13** wat betreft (— *moi, je ne partirai pas*); **14** al, hoewel, ofschoon (— *être riche, il n'en est pas moins malheureux*); **15** — *lors*, toen. **II** *vgw*: — *que* (met *subj.*), opdat; om te; — *peu que* (met *subj.*), hoe weinig ook, zo… al, als maar. **III** *zn m*: *le* — *et le contre*, het voor en het tegen.
pourboire *m* fooi, drinkgeld.
pourceau [*mv* **x**] *m* varken, zwijn.
pourcentage *m* percentage.
pourchasser *ov.w* najagen.
pourfen/deur *m* (*oud*) geweldpleger. ▼—*dre ov.w* te lijf gaan.
pourlécher l *ov.w* (*fam.*) aflikken. **II se** — likkebaarden.
pourparler *m* onderhandeling.
pourpier *m* postelein.
pourpoint *m* wambuis.
pourpre l *zn v* **1** purperverf; **2** purperen stof; **3** purperen kleed, -mantel; **4** (*poët.*) bloed. **II** *m* **1** purperkleur; **2** netelroos. **III** *bn* purperrood, donkerrood (— *de colère*). ▼**pourpré** *bn* purperkleurig.
pourquoi l *bw* waarom. **II** *vgw* **1** waarom; **2** *c'est* —, daarom. **III** *zn m* (het) waarom, vraag.
pourr/i l *bn* verrot; *temps* —, vochtig, ongezond weer. **II** *zn m*: *sentir le* —, bedorven ruiken. ▼—*ir l on.w* verrotten, vergaan, bederven. **II** *ov.w* doen verrotten. ▼—*issement m* snelle achteruitgang. ▼—*iture v* verrotting.
poursuit/e v **1** vervolging; **2** achtervolging (ook *sp.*); **3** (het) voortzetten; **4** (het) najagen (*fig.*). ▼—*eur m* achtervolger (*sp.*).
▼**poursuiv/ant l** *m* **1** aanklager, vervolger; **2** dinger, sollicitant. ▼—*re ov.w onr.* **1** achtervolgen; **2** vervolgen (recht); **3** dingen naar, najagen; **4** voortzetten.
pourtant *bw* toch, evenwel, echter.
pourvoi *m* (*jur.*) beroep. ▼**pourvoir l** *on.w onr.* voorzien in (— *à*). **II** *ov.w* **1** voorzien; **2** uithuwelijken, v.e. betrekking voorzien (*bien* — *ses enfants*). **III se** — **1** zich voorzien (van); **2** in hoger beroep gaan (*se* — *en cassation*). ▼**pourvoyeur** *m*, -**euse** *v* leverancier(ster).
pourvu que *vgw* (met *subj.*) mits.
poussa(h) *m* **1** tuimelaar; **2** dikzak.
pousse *v* **1** (het) uitkomen, de groei; **2** loot; **3** wijnziekte die de wijn troebel maakt.
pousse/-café *m* (*fam.*) glaasje likeur of cognac na de koffie. ▼—*cailloux* *m* (*fam., oud*) infanterist, zandhaas.
poussée *v* **1** duw, stoot; **2** aanval; **3** drang.
pousse/-pied *m* licht bootje. ▼—*pousse* *m* riksja.
pousser l *ov.w* **1** (voort)duwen, drukken, stoten; **2** aandrijven, aanzetten; — *à bout*, tot het uiterste drijven; — *trop loin*, te ver drijven; — *le feu*, het vuur opporren; **3** doorzetten, voortzetten; **4** toebrengen (— *un coup d'épée*); **5** slaken, uitstoten (— *un cri*); **6** schieten (v. loten); **7** opdrijven (bij verkopingen); **8** voorthelpen (— *un écolier*), pousseren; **9** zeggen; zingen (*pop.*) (— *une chanson*). **II** *on.w* **1** groeien; **2** duwen, stoten; — *à la roue*, meehelpen; **3** voorwaarts gaan, doorgaan, doorrijden; — *au large*, het ruime sop kiezen. **III se** — **1** elkaar duwen, stoten; **2** vooruit trachten te komen, zich vooruitwerken (*se* — *dans le monde*).
▼**poussette v** **1** kinderwagen; **2** (het) duwen (v.e. wielrenner); **3** (het) langzaam in een file rijden.
pouss/ier *m* kolengruis, afval. ▼—*ière v* stof; *mordre la* —, in het zand bijten; *réduire en* —, vernietigen. ▼—*iéreux, -euse bn* stoffig.
poussif, -ive *bn* kortademig, dampig.
poussin *m* **1** kuiken; **2** kindje. ▼**poussinière** *v* kuikenhok.
poussoir *m* knop, drukknop.

poutrage *m* balkwerk. ▼poutre *v* balk.
▼poutrelle *v* balkje.
pouvoir I *ov.w onr.* 1 kunnen; *je n'y puis rien*, ik kan er niets aan doen; *je n'en puis mais*, het is mijn schuld niet; *n'en — plus*, niet meer kunnen; 2 mogen; *puis-je entrer?*, mag ik binnenkomen?; *puisse-t-il réussir!*, moge hij slagen! II se — (met *subj.*), mogelijk zijn (*il se peut que...*). III *zn m* 1 macht; — *d'achat*, koopkracht; 2 volmacht; 3 invloed; 4 vermogen.
pragmat/ique *bn* pragmatiek, pragmatisch. ▼—isme *m* id.
prairial *m* negende maand v.h. republikeinse jaar (20 mei tot 18 juni). ▼prairie *v* weide.
praline *v* suikeramandel. ▼praliner *ov.w* bakken in suiker.
prame *v* praam (*scheepv.*).
pratic/abilité *v* 1 uitvoerbaarheid; 2 begaanbaarheid. ▼—able *bn* 1 uitvoerbaar, bruikbaar; 2 begaanbaar.
praticien *m*, -enne *v* praktizerend geneesheer, - advocaat (-ate).
pratiquant I *bn* zijn godsdienstige plichten vervullend. II *zn m* iem. die zijn godsdienstige plichten vervult. ▼pratique I *zn v* praktijk, manier v. doen; *mettre en —*, in praktijk brengen, toepassen; 2 gebruik, gewoonte; 3 omgaan; 4 rechtspraktijk; 5 klant, klandizie; 6 (*fam.*) gewiekste kerel (*vieille —*). II *bn* praktisch. ▼pratiquer I *ov.w* 1 uitoefenen, beoefenen, betrachten, praktizeren; 2 aanleggen, maken, uitvoeren; 3 verwerven, voor zich winnen (— *des sympathies*); 4 omgaan met, verkeren in (een gezelschap); 5 toepassen. II *on.w* zijn godsdienstplichten vervullen.
pré *m* kleine weide; *aller sur le —*, gaan duelleren.
préalable I *bn* voorafgaand; prealabel; *au —*, vooraf, eerst.
préambule *m* inleiding.
préau [*mv* x] *m* 1 overdekte speelplaats; 2 binnenplaats v. klooster, - v. gevangenis.
préavis *m* 1 preadvies; 2 opzegging.
prébende *v* prebende. ▼prébendé I *bn* een prebende genietend. II *zn m* geestelijke, die een prebende geniet.
précaire *bn* onzeker, onbestendig.
▼précarité *v* onzekerheid, onbestendigheid.
précaution *v* voorzorg, voorzorgsmaatregel.
▼—ner voorzorgsmaatregelen nemen.
▼—neusement *bw* voorzichtig. ▼—neux, -neuse *bn* voorzichtig.
préséd/emment *bw* van tevoren. ▼—ent I *bn* voorafgaand. II *zn m* precedent; voorafgaand geval; *sans —*, zonder voorbeeld. ▼—er *ov.w* 1 voorafgaan (tijd); 2 vooruitgaan, lopen vóór (plaats).
précept/e *m* voorschrift; les. ▼—eur *m*, -rice *v* opvoeder (-ster); gouverneur, gouvernante.
▼—orat *m* ambt v. opvoeder, - v. gouverneur.
prêch/er *m* 1 prot. preek; 2 prot. kerk; 3 prot. godsdienst. ▼—er I *ov.w* 1 prediken, verkondigen; 2 aanbevelen. II *on.w* preken; — *d'exemple*, een goed voorbeeld geven.
▼—eur *m*, -euse *v* iem. die graag vermaningen geeft; *frère —*, dominicaan.
▼prêchi-prêcha *m* (*fam.*) geklets vanaf de kansel.
précieuse *v* 1 elegante, beschaafde vrouw (*oud*); 2 vrouw met overdreven manieren en die aanstellerig spreekt. ▼précieusement *bw* 1 zorgvuldig; 2 aanstellerig. ▼précieux, -euse *bn* 1 kostbaar; *pierre —euse*, edelsteen; 2 belangrijk; 3 aanstellerig, gezocht.
▼préciosité *v* aanstellerigheid, gemaaktheid.
précipice *m* 1 afgrond; 2 ondergang.
précipit/amment *bw* haastig, in allerijl.
▼—ation *v* 1 overhaasting; 2 neerslag (*chem.*); 3 les — *s*, de neerslag (regen, sneeuw enz.). ▼—é *m* neerslag (*chem.*). ▼—er I *ov.w* 1 werpen, neerwerpen, neerslaan; 2 neerslaan (*chem.*); 3 verhaasten, overhaasten; versnellen (— *les pas*). II se — 1 zich werpen, zich storten; 2 voortsnellen; 3 neerslaan

(*chem.*).
précis I *bn* 1 nauwkeurig, juist, precies; *à huit heures précises*, precies om acht uur; 2 beknopt (*style —*). II *zn m* beknopt overzicht. ▼—ément *bw* nauwkeurig, juist, precies. ▼—er *ov.w* nauwkeurig aangeven, - beschrijven, preciseren. ▼—ion *v* nauwkeurigheid, juistheid, precisie; *instrument de —*, precisie-instrument, zeer gevoelig, precies aangevend instrument.
précité *bn* voornoemd.
précoce *bn* 1 vroegrijp; 2 voortijdig, vroeg, vroeg ontwikkeld (*enfant —*). ▼précocité *v* 1 vroegrijpheid; 2 voortijdigheid, vroege ontwikkeling.
précompter *ov.w* vooruit aftrekken.
précon/ception *v* van tevoren gevormde mening, vooroordeel. ▼—cevoir *ov.w* van tevoren een mening vormen.
préconis/ation *v* bevoegdverklaring door de paus v.e. bisschop, die door de wereldlijke autoriteiten benoemd is. ▼—er *ov.w* 1 bevoegd verklaren v.e. bisschop; 2 aanprijzen. ▼—eur *m* iem. die ophemelt.
précordial [*mv aux*] *bn* van de hartstreek.
précurseur I *bn*: *signe —*, voorteken. II *zn m* voorloper, voorbode.
prédateur *m* roofdier.
prédécesseur *m* voorganger.
prédestin/ation *v* voorbeschikking. ▼—er *ov.w* voorbeschikken, uitverkiezen, bestemmen, predestineren.
prédéterminer *ov.w* vooruit bepalen.
prédicant *m* dominee.
prédicat *m* gezegde, predikaat.
prédicat/eur *m*, -rice *v* predikant(e). ▼—ion *v* prediking, predikatie.
prédiction *v* voorspelling.
prédilection *v* voorliefde, voorkeur.
prédire *ov.w onr.* voorspellen.
prédisposer (à) *ov.w* vatbaar maken voor.
▼prédisposition *v* vatbaarheid, aanleg.
prédomin/ance *v* overheersing, overwicht.
▼—er *ov.w* overheersen, de overhand hebben.
préemballé *bn* voorverpakt.
prééminence *v* voorrang. ▼prééminent *bn* voornaamst.
préemption *v* voorkoop.
préétablir *ov.w* van tevoren vaststellen.
préexistence *v* voorbestaan. ▼préexister *on.w* van tevoren bestaan.
préfabriqué *bn* prefab; *maison —e*, huis waarvan de verschillende onderdelen vóór de bouw zijn klaargemaakt.
préfac/e *v* 1 inleiding, voorrede; 2 prefatie (*rk*). ▼—er *ov.w*: — *un livre*, een voorbericht schrijven in een boek. ▼—ier *m* schrijver v.e. voorbericht.
préfect/oral [*mv aux*] *bn* van de prefect.
▼—ure *v* 1 gebied waarover een prefect gesteld is; 2 waardigheid v.d. prefect; 3 woonhuis v.d. prefect; 4 kantoren v.d. prefect; 5 stad waar een prefect zetelt; 6 — *de police*, hoofdcommissariaat v. politie.
préférable *bn* verkieslijk. ▼préfér/é *bn* geliefkoosd, lievelings-. ▼—ence *v* voorkeur; *de —*, bij voorkeur. ▼—entiel, -elle *bn* wat voorkeur betreft; *tarif —*, voorkeurstarief.
▼—er (à) *ov.w* verkiezen, de voorkeur geven boven; *il préfère rester*, hij blijft liever.
préfet *m* 1 prefect (hoofd v.e. departement); 2 — *de police*, hoofdcommissaris v. politie in het departement v.d. Seine.
préfiguration *v* voorafbeelding. ▼préfigurer *ov.w* voorafbeelden.
préfixe *m* voorvoegsel, prefix. ▼préfixer *ov.w* van tevoren vaststellen. ▼préfixion *v* vaststelling v.e. termijn.
préglaciaire *bn* van vóór de gletsjertijd.
prégnant *bn* drachtig.
préhens/eur, -ile *bn* grijpend. ▼—ion *v* (het) grijpen.
préhistoire *v* voorhistorische tijd, prehistorie.
▼préhistorique *bn* voorhistorisch, prehistorisch.
préjudic/e *m* schade, nadeel, benadeling; *au*

— de, ten nadele van; sans — de, onverminderd, behoudens. ▼—iable bn schadelijk, nadelig. ▼—ier on.w schaden, nadelig zijn.

préjuge m 1 vooroordeel; 2 vroeger vonnis in een overeenkomstige zaak. ▼préjuger ov.w 1 van tevoren beoordelen zonder grondig onderzoek; 2 voorlopig vonnissen.

prélasser (se) een gewichtige houding aannemen; zich gemakkelijk met een gewichtig gezicht neerzetten.

prélat m prelaat. ▼—ure v 1 waardigheid v. prelaat; 2 prelatencorps.

prélèvement m 1 (het) afhouden, heffing; 2 monster (om onderzocht te worden). ▼prélever ov.w 1 afhouden, heffen; 2 nemen van monsters.

préliminaire I bn inleidend, voorafgaand. II —s m mv inleiding; —s de paix, vredesonderhandelingen.

prélude m 1 inleiding, voorspel; 2 voorbode. ▼préluder on.w een voorspel spelen.

prématuré bn te vroeg, vroegtijdig, voorbarig, prematuur. ▼—ment bn te vroeg, vroegtijdig, voorbarig; mourir —, vóór zijn tijd sterven.

prémédit/ation v voorbedachten rade; (het) van tevoren overdenken. ▼—er ov.w vooraf overdenken, beramen.

prémices v mv 1 eerstelingen; 2 eerste werken v.e. kunstenaar; 3 begin.

premier, -ère I bn eerste, beste; matières —es, grondstoffen; nombre —, ondeelbaar getal. II zn m 1 eerste verdieping; 2 eerste v.d. maand; 3 (het) eerst; le — venu, la —ère venue, de eerste de beste; 4 (de) eerste. III -ère v 1 eerste klas (v. trein enz.); 2 id., eerste uitvoering; 3 stalles; 4 hoogste klas v.e. school; 5 eerste verkoopster. ▼premièrement bw ten eerste, in de eerste plaats. ▼premier/†-nét m eerstgeborene. ▼—†-Paris m (oud) hoofdartikel uit Parijs' dagblad.

prémilitaire bn: instruction —, mil. vooropleiding.

prémisse v premisse.

prémonit/ion v voorgevoel. ▼—oire bn waarschuwend (symptôme —).

prémontré m premonstratenzer.

prémunir I ov.w beveiligen. II se — zich beveiligen, zich beschermen.

prenable bn 1 inneembaar; 2 omkoopbaar. ▼prenant bn 1 nemend, ontvangend; 2 grijpend; queue —, grijpstaart.

prénatal [mv als] bn vóór de geboorte, prenataal.

prendre I ov.w onr. 1 nemen, aannemen, pakken, aanpakken, grijpen; — de l'âge, oud worden; — à cœur, ter harte nemen; c'est à ou à laisser, graag of niet; — à témoin, tot getuige nemen; — congé, afscheid nemen; — le deuil, de rouw aannemen; — les devants, vooruitlopen; — femme, trouwen; — fue, vlam vatten; — la fuite, vluchten; — en grippe, een hekel krijgen; — le large, het ruime sop kiezen; le — haut, een hoge toon aanslaan; — mal, kwalijk nemen; — la mer, zich inschepen, zee kiezen; — qn. au mot, iem. aan zijn woord houden; — la mouche, opstuiven; — son parti, berusten, zich schikken; — en pitié, medelijden krijgen; — le voile, non worden; — son vol, opstijgen, opvliegen; à tout —, alles wel beschouwd; 2 stelen; 3 aanvallen; 4 innemen, veroveren; 5 afhalen; 6 betrappen, vangen; je vous y prends!, daar betrap ik je!; sur le fait, op heterdaad betrappen; — en faute, betrappen; 7 inslaan v.e. weg; 8 krijgen, oplopen, vatten (v.e. ziekte); — froid, kou vatten; — un rhume, een verkoudheid oplopen; 9 aanzien voor, houden voor (— pour); 10 innemen, gebruiken, eten, drinken. II on.w 1 wortelen; 2 vlam vatten; le feu pris à la maison, het huis is in brand gevlogen; 3 bevriezen, stollen, dik worden; 4 slagen, succes hebben (un livre qui n'a pas pris); 5 overkomen; bekomen; il lui en prendra mal, het zal hem slecht bekomen; qu'est-ce qui

vous prend?, wat heb je?, wat scheelt je?; 6 prikkelen, bijten, aantasten (— au nez, — à la gorge); 7 indruk maken, inslaan, vat hebben; 8 afslaan; — à travers champs, door de velden gaan. III se — 1 elkaar nemen; se — aux cheveux, elkaar in de haren vliegen; 2 blijven haken (se — à un clou); 3 beklemd raken; 4 zich vastklampen; 5 bevriezen, stollen, dik worden; 6 gevangen worden; se — au piège, in de val lopen; 7 se — d'amitié, vriendschap opvatten; se — de vin, dronken worden; 8 se — à qc., s'y —, het aanleggen; comment vous y êtes-vous pris?, hoe hebt u dat aangelegd? 9 s'en — à qn., iem. iets verwijten; 10 se — à, beginnen te; 11 se — pour, zich houden voor.

▼preneur, -euse I bn nemend, vangend. II zn m, -euse v 1 nemer, neemster; 2 koper (koopster); 3 gebruiker (-ster); — de café, koffiedrinker (-ster); 4 huurder (-ster).

prénom m vóórnaam. ▼—mé m vóórnoemd. ▼—mer ov.w een voornaam geven.

prénuptial [mv aux] bn vóór het huwelijk.

préoccup/ation v 1 bezorgdheid; 2 vooringenomenheid. ▼—er I ov.w bezorgd maken. II se — zich bezorgd maken over; zich voortdurend bezighouden met.

prépar/ateur m, -atrice v 1 opleider (-ster), repetitor; 2 amanuensis. ▼—atifs m mv toebereidselen, voorbereidende maatregelen. ▼—ation v 1 voorbereiding; opleiding; 2 (toe)bereiding; 3 preparaat. ▼—atoire bn voorbereidend. ▼—er ov.w 1 voorbereiden, opleiden; — un examen, studeren voor een examen; 2 gereedmaken; 3 bereiden, toebereiden, prepareren.

prépondér/ance v overwicht. ▼—ant bn overwegend, beslissend; la classe —e, heersende klasse; voix —e, beslissende stem.

préposé I bn beambte. II bn (— à) belast met. ▼préposer ov.w aanstellen.

préposition v voorzetsel, prepositie. ▼—nel, -nelle bn van het voorzetsel.

préraphaël/ite m aanhanger v.h. prerafaëlisme. ▼—i(ti)sme m schildersschool uit het midden der 19e eeuw (waarvan de aanhangers de werken v.d. voorgangers van Raphaël beschouwden als het hoogtepunt der schilderkunst).

prérogative v voorrecht, prerogatief.

préromantisme m periode die de romantiek inleidt.

près I bw dichtbij (plaats en tijd); à beaucoup —, op geen stukken na; à cela —, dat uitgezonderd; à peu —, ongeveer; de —, van nabij; rasé de —, gladgeschoren; il n'y regarde pas de si —, hij kijkt zo nauw niet. II vz bij (ook — de); — Paris, bij Parijs; ambassadeur — la cour, gezant bij het hof. III— de vz 1 bij, dicht bij; 2 bijna, ongeveer (— de 100 francs); 3 op het punt te (il est — de partir).

présage m 1 voorspelling; 2 voorteken. ▼présager ov.w voorspellen.

présalaire m studieloon.

présanctifié bn vooraf gewijd; la Messe des —s, de mis op Goede Vrijdag.

presbyte bn en zn verziend(e).

presbyt/éral [mv aux] bn priesterlijk. ▼—ère m pastorie. ▼—érianisme m leer der presbyterianen. ▼—érien, -enne I bn presbyteriaans. II zn m, -enne v volgeling(e) der presbyteriaanse leer.

presbytie v verziendheid.

prescience v voorkennis.

préscolaire bn betreffende de tijd vóór het 6e jaar.

prescription v 1 voorschrift; 2 recept; 3 (jur.) verjaring, prescriptie. ▼prescrire I ov.w voorschrijven; 2 laten verjaren. II se — verjaren.

préséance v voorrang.

présélection v keuze van tevoren, voorselectie.

présence v tegenwoordigheid, aanwezigheid, presentie; en — de, in tegenwoordigheid van; met het oog op; faire acte de —, tegenwoordig zijn, zich laten zien. ▼présent I zn m

1 geschenk, gave; *faire — de*, schenken; *—s de Bacchus* (*dicht.*), wijn; *—s de Cérès* (*dicht.*), oogst; *—s de Flore* (*dicht.*), bloemen; *—s de Pomone* (*dicht.*), vruchten; 2 (het) tegenwoordige; *à —*, tegenwoordig; 3 tegenw. tijd. II *bn* 1 tegenwoordig; 2 aanwezig; *par la —e*, bij dezen.

présent/able *bn* toonbaar. ▼**—ateur** *m* voorsteller, aanbieder, presentator. ▼**—ation** *v* 1 aanbieding; *P— de la Vierge*, Feest der Opdracht van O.L.V. (21 nov.); 2 verzorging, aankleding; 3 voorstelling, presentatie; 4 voordracht. ▼**—atrice** *v* presentatrice.

présentement *bw* (*oud*) tegenwoordig.

présent/er I *ov.w* 1 aanbieden; *— les armes*, het geweer presenteren; *— des difficultés*, moeilijkheden opleveren; 2 voorstellen, presenteren; 3 voordragen. II *se —* 1 zich voorstellen; 2 zich voordoen (*une difficulté se présente*); 3 zich vertonen; *se — aux yeux*, in het oog vallen; 4 zich aanmelden; 5 zich laten aanzien (*cette affaire se présente bien*). ▼**—oir** *m* display, toonbankdoos.

présérie *v* serie van proefmodellen.

préserv/atif *m* condoom, voorbehoedmiddel. ▼**—ation** *v* bescherming, beveiliging. ▼**—er** *ov.w* (*— de*) behoeden voor, beschermen tegen.

présid/ence *v* voorzitterschap, presidentschap. ▼**—ent** *m* voorzitter, president; *— du Conseil*, minister-president. ▼**—ente** *v* 1 voorzitster; 2 vrouw v.e. president. ▼**—entiel, -elle** *bn* v.d. president, v.d. voorzitter, presidentieel. ▼**—er** I *ov.w* presideren, voorzitten. II *on.w* (*— à*) leiden, regelen.

présompt/if, -ive *bn* vermoedelijk. ▼**—ion** *v* 1 vermoeden; 2 eigenwaan, verwaandheid. ▼**—ueux, -euse** *bn* verwaand.

présonorisation *v* play-back.

presque *bw* bijna. ▼**presqu'île** *v* schiereiland.

press/age *m* (het) persen. ▼**—ant** *bn* 1 aandringend; 2 dringend. ▼**presse** *v* 1 gedrang; *fendre la —*, zich een weg banen door de menigte; 2 pers (drukkers, wijnpers enz.); *— à copier*, kopieerpers; *sous —*, ter perse; 3 de kranten, de pers; 4 aandrang; 5 (*fam.*) haast. ▼**pressé** *bn* 1 haastig, gehaast; 2 uitgeperst; 3 dringend; *aller au plus —*, het dringendste het eerst afhandelen; 4 in het nauw gedreven, gekweld (*— de faim et de soif*); *être — d'argent*, dringend geld nodig hebben. ▼**presse/-citron** *m* citroenpers. ▼**—fruits** *m* vruchtenpers.

pressent/iment *m* voorgevoel. ▼**—ir** *ov.w* onr. 1 een voorgevoel hebben van; 2 polsen.

presse/-papiers *m* presse-papier. ▼**—purée** *m* aardappel- en groentepers. ▼**press/er** I *ov.w* 1 drukken, uitdrukken, persen, uitpersen; 2 bestoken, op de hielen zitten; 3 verhaasten, bespoedigen. II *on.w* dringen, haast hebben; *rien ne presse*, er is geen haast bij. III *se —* 1 zich haasten; 2 elkaar verdringen. ▼**—ier** *m* (*oud*) drukker. ▼**—ing** *m* 1 (het) persen; 2 zaak waar geperst wordt. ▼**—ion** *v* 1 druk, drukking; *— artérielle*, bloeddruk; *bière* (*à la*) *—*, bier van het vat; 2 dwang, pressie. ▼**—oir** *m* 1 wijnpers, vruchtenpers, oliepers enz.; 2 perskamer, -huis.

pressur/age *m* 1 (het) uitpersen; 2 perswijn. ▼**—er** *ov.w* 1 uitpersen; 2 uitzuigen (*fig.*), afpersen. ▼**—isé** *bn*: *cabine —e*, luchtdrukcabine.

prestance *v* statig -, krijgshaftig uiterlijk.

prestant *m* hoofdregister v.e. orgel.

prestation *v* 1 levering, lening; 2 aflegging v.e. eed (*— de serment*); 3 prestatie.

prest/e *bn* vlug, handig. ▼**—ement** *bw* vlug, snel. ▼**—esse** *v* vlugheid, handigheid.

prestidigitateur *m*, **-trice** *v* goochelaar(ster). ▼**prestidigitation** *v* goochelarij.

prestig/e *m* 1 (*oud*) begoocheling, zinsbedrog; 2 prestige, invloed, gezag. ▼**—ieux, -ieuse** *bn* begoochelend,

oogverblindend.

presto, prestissimo *bw* snel, zeer snel (*muz.*).

présum/able *bn* vermoedelijk. ▼**—er** *ov.w* 1 vermoeden; 2 geloven, denken; *trop — de ses talents*, zijn talenten overschatten.

présuppos/er *ov.w* vóóronderstellen. ▼**—ition** *v* vóóronderstelling.

présure *v* stremsel. ▼**présurer** *ov.w* doen stremmen.

prêt I *zn m* 1 (het) lenen; 2 geleende som, lening; *— d'honneur*, renteloos voorschot aan een student. II (*— à*) *bn* klaar, gereed (om te). **pretantaine** *v*: (*fam.*) *courir la —*, rondzwerven.

prêt-à-porter *m* confectiekleding.

prêté *m*: *c'est un — pour un rendu*, leer om leer.

prét/en/dant *m* 1 troonpretendent; 2 vrijer, aanbidder v.e. vrouw. ▼**—dre** I *ov.w* 1 opeisen, aanspraak maken op, pretenderen; 2 eisen, willen, verlangen; 3 beweren. II *on.w* (*— à*) dingen naar. ▼**—du** I *bn* zogenaamd. II *zn m*, *-e v* verloofde, aanstaande.

prête-nom *m* stroman.

prét/ent/ieusement *bw* 1 aanmatigend; 2 gezocht. ▼**—ieux, -ieuse** *bn* 1 aanmatigend; 2 gezocht (*style —*). ▼**—ion** *v* 1 vordering, eis; 2 aanmatiging, verwaandheid, pretentie.

prêter I *ov.w* 1 lenen, verlenen; *— le flanc*, zich blootstellen; *— l'oreille*, luisteren; *— secours*, hulp verlenen; *— serment*, een eed afleggen; 2 toeschrijven. II *on.w* 1 lenen; 2 rekken; 3 aanleiding geven tot. III *se —* 1 geleend worden; 2 (*se — à*) toestemmen in, zich lenen tot.

prétérit *m* verleden tijd.

préteur *m* pretor.

prêteur, -euse I *bn* (graag) lenend. II *zn m*, *-euse* *v* lener, leenster.

prétexte *m* voorwendsel. ▼**prétexter** *ov.w* voorwenden.

prétoire *m* kantongerecht; pretorium. ▼**prétorien, -enne** *bn* 1 v.d. pretor; 2 v.d. keizerlijke lijfwacht.

prêtr/e *m* priester; *— ouvrier*, priester die in een fabriek werkt. ▼**—esse** *v* priesteres. ▼**—ise** *v* priesterschap.

prêture *v* 1 ambt v.d. pretor; 2 ambtstijd v.d. pretor.

preuve *v* 1 bewijs; 2 proef; *faire — de*, blijk geven van; *faire ses —s*, zijn sporen verdienen.

preux *m* dappere.

prévaloir I *on.w* onr. de overhand hebben, prevaleren. II *se —* zich laten voorstaan op.

prévaricat/eur, -rice I *bn* zijn (haar) plicht verzakend. II *zn m*, *-rice* v plichtverzaker (-verzaakster). ▼**—ion** *v* plichtverzuim. ▼**prévariquer** *on.w* zijn plicht verzuimen.

prévén/ance *v* voorkomendheid, gedienstigheid. ▼**—ant** *bn* voorkomend, gedienstig. ▼**—ir** *ov.w* onr. 1 voorkómen; 2 waarschuwen; 3 *être prévenu en faveur de qn.*, voor iem. ingenomen zijn; 4 *— des désirs*, aan wensen tegemoet komen.

prévent/if, -ive *bn* voorbehoedend; *détention —ive*, voorlopige hechtenis. ▼**—ion** *v* 1 vooringenomenheid; 2 staat v. beschuldiging; 3 voorlopige hechtenis. ▼**—ivement** *bw* 1 voorlopig; 2 uit voorzorg.

prévenu I *bn* 1 verwittigd; 2 vooringenomen; 3 beschuldigd. II *zn m* verdachte.

prévis/ible *bn* te voorzien, voorspelbaar. ▼**—ion** *v* vooruitzicht, verwachting; *en — de*, met het oog op. ▼**prévoir** *ov.w* onr. voorzien.

prévôt *m* 1 (*oud*) titel v. verschillende officieren, provoost; 2 officier-commissaris bij een krijgsraad.

prévoy/ance *v* 1 (het) voorzien; 2 voorzorg, bedachtzaamheid. ▼**—ant** *bn* 1 vooruitziend, met vooruitziende blik; 2 bedachtzaam, zorgzaam. ▼**prévu** *m* (het) voorziene.

prie-Dieu *m* bidstoel. ▼**prier** *ov.w* 1 bidden; 2 (*— de*) verzoeken; *je vous prie*, als 't u belieft; *je vous en prie*, als 't u belieft; ga uw gang; 3 smeken; 4 uitnodigen (*prier à*).

▼**prière** v 1 gebed; 2 verzoek; — *de ne pas fumer*, verzoeke niet te roken; 3 smeekbede.
prieur m, -e v prior(in). ▼**—ê** m
1 kloostergemeente, bestuurd door prior(in);
2 kerk of woonhuis van deze kloostergemeente; 3 waardigheid v. prior(in).
primaire bn eerste, laagste, primair; *école* —, lagere school, basisschool.
prim/at m 1 primaat; 2 (het) belangrijker zijn; ▼**—ate** m primaat, opperdier. ▼**—atial** [mv **aux**] bn v.e. primaat. ▼**—atie** v
1 primaatschap; 2 gebied v.e. primaat; 3 zetel v.e. primaat. ▼**—auté** v 1 voorrang; 2 (het) belangrijker zijn; 3 primaatschap.
prime I zn v 1 premie (in versch. betekenissen); *aux enfants*, kinderbijslag; 2 eerste getijde (*rk.*); 3 prime (*muz.*); 4 soort halfdoorschijnend bergkristal. II bn eerste; *de — abord*, op het eerste gezicht; — *jeunesse*, prille jeugd; *de — saut*, dadelijk. ▼**primer** ov.w 1 overtreffen, te boven gaan; *sagesse prime richesse*, (spr.w.) wijsheid gaat boven rijkdom; 2 een premie toekennen.
primerose v stokroos.
primesautier, **-ère** bn zijn eerste opwellingen volgend, spontaan.
primeur v 1 (*mv*) eerste groente, eerste vruchten; 2 nieuwheid, versheid. ▼**—iste** m kweker v. jonge groenten en vruchten.
primevère v sleutelbloem.
primit/if, **-ive** I bn oorspronkelijk, oudste, primitief; *couleurs —ives*, hoofdkleuren; *la —ive Eglise*, de oudste christenkerk; *langue —ive*, oertaal; *mot —*, stamwoord; *temps —*, grondtijd. II zn m schilder of beeldhouwer uit de tijd, die de Renaissance onmiddellijk voorafgaat. ▼**—ivement** bw oorspronkelijk, aanvankelijk.
primo bw ten eerste. ▼**—géniture** v eerstgeboorte; *droit de —*, eerstgeboorterecht.
primordial [mv **aux**] bn oorspronkelijk, oudste.
primulacées v mv sleutelbloemachtigen.
prince m vorst, prins; *le — des Apôtres*, de H. Petrus; *être bon —*, een gemakkelijk, goedmoedig karakter hebben; — *de l'Eglise*, kerkvorst; — *du sang*, prins v.d. bloede; *le — des ténèbres*, de duivel.
princeps bn: *édition* —, eerste uitgave.
princ/esse v prinses, vorstin; *faire la* —, de deftige dame uithangen; *aux frais de la* —, op staatskosten, op kosten v.d. baas; *robe* —, lange japon zonder ceintuur, nauw in het midden en wijd uithangend. ▼**—ier**, **-ière** bn prinselijk, vorstelijk. ▼**—ièrement** bw vorstelijk.
principal [mv **aux**] I bn voornaamste, hoofd-; *proposition —e*, hoofdzin. II zn m
1 hoofdzaak; 2 hoofdsom; 3 directeur v.e. gemeentelijke middelb. school. ▼**—ement** bw vooral, hoofdzakelijk.
princip/at m 1 vorstelijke waardigheid; 2 keizerlijke waardigheid bij de Romeinen. ▼**—auté** v 1 vorstendom, prinsdom; 2 vorstelijke, prinselijke waardigheid; 3 P**—s** v mv Vorsten (derde engelenkoor).
principe m 1 begin; *dans le* —, in den beginne; 2 oorsprong, bron; 3 beginsel, principe; 4 grondslag, wet (*d'Archimède*); 5 element, bestanddeel.
printanier, **-ère** bn v.d. lente; *fleurs —ères*, lentebloemen; 2 jeugdig. ▼**printemps** m
1 lente; *au* —, in de lente; 2 (*dicht*.) jeugd.
prior/at m 1 priorschap; 2 duur v.h. priorschap. ▼**—itaire** I bn die voorrang heeft. II zn iem. die voorrang heeft. ▼**—ité** v voorrang, prioriteit.
pris (*v.dw van* **prendre**) bn 1 ontleend; 2 aangetast (— *de fièvre*); 3 bevangen (— *de vin*, aangeschoten); 4 bezet (*journée —e*); 5 gevangen; 6 bevroren; 7 fraaie bien —e, welgevormde gestalte. ▼**prise** v 1 (het) nemen, grijpen, pakken enz.; — *d'air*, luchtmonster; — *d'armes*, parade; — *de bec*, twist; — *de corps*, hechtenis; — *de courant*, stopcontact; — *d'eau*, voedingsplaats voor

waterleiding; — *directe*, rechtstreekse overbrenging; *lâcher* —, loslaten; — *de possession*, inbezitname; — *de son*, geluidsopname; — *de tabac*, snuifje; — *de terre*, aarding; — *de vue*, (film)opname; 2 buit, vangst; 3 (het) innemen (v.e. stad); 4 vat; *donner* —, vat geven; 5 (het) stollen, dichtvriezen; 6 aansluiting.
prisée v schatting bij publieke verkoop.
▼**priser** I ov.w 1 schatten; 2 waarderen; 3 opsnuiven (— *du tabac*). II on.w snuiven. ▼**priseur** m 1 schatter; 2 snuiver.
prismatique bn prismatisch. ▼**prisme** m
1 prisma; 2 driezijdig glazen prisma.
prison v 1 gevangenis; 2 gevangenschap, gevangenisstraf; *faire de la* —, zitten; *mettre en* —, gevangen zetten. ▼**—nier** m, **-ère** v gevangene; *faire* —, gevangen nemen; — *de guerre*, krijgsgevangene.
privat/if, **-ive** bn ontkennend, de afwezigheid uitdrukkend (de a van *anormal* is een a —). ▼**—ion** v 1 verlies, beroving; 2 gemis; 3 ontbering.
privauté v te grote vrijheid, familiariteit.
▼**privé** I bn 1 particulier, privé; 2 huiselijk, privaat, privé- (*vie —e*); 3 tam. II zn m particulier leven. ▼**priver** I ov.w 1 beroven; 2 temmen. II se — de qc. zich iets ontzeggen.
privilège m privilege, voorrecht. ▼**privilégié** I bn bevoorrecht; preferent (*aandeel = action*). II zn m, -e v bevoorrechte, rijke.
prix m 1 prijs; — *fait*, overeengekomen prijs; *à — fixe*, tegen vaste prijs; *à tout* —, tot elke prijs; *au — de*, vergeleken met; ten koste van; *au — de sa vie*, ten koste van zijn leven; — *courant*, marktprijs; prijscourant; *de* —, van hoge waarde; *hors de* —, peperduur; — *imposé*, (door de overheid) vastgestelde prijs; 2 prijs = beloning; *distribution de* —, prijsuitdeling; *mettre à — la tête de qn*, een prijs op iemands hoofd zetten; *Prix de Rome*, staatsprijs aan kunstenaars, die daardoor hun studie kunnen voltooien te Rome; 3 loon, prijs = straf; 4 prijswinnaar.
probabilité v waarschijnlijkheid. ▼**probable** bn waarschijnlijk.
▼**probant** bn overtuigend, afdoend (*preuve —e*).
probat/ion v 1 proeftijd vóór het noviciaat; 2 noviciaat. ▼**—oire** bn overtuigend; *acte* —, tentamen.
probe bn rechtschapen, eerlijk. ▼**probité** v rechtschapenheid, eerlijkheid.
problématique bn twijfelachtig. ▼**problème** m 1 vraagstuk, probleem; 2 (*fig.*) raadsel.
procéd/é m 1 handelwijze; *de bons —s*, goede bejegening; 2 bereidingswijze, manier v. werken; 3 pomerans v.e. biljartkeu. ▼**—er** on.w 1 procederen; 2 voortkomen uit, het gevolg zijn van (— *de*); 3 te werk gaan, handelen; 4 overgaan tot (— *à*). ▼**—ure** v rechtspleging; 2 pleitziek. ▼**—urier**, **-ière** bn 1 bedreven in de rechtspleging; 2 pleitziek.
procès m proces, rechtzaak; *faire le — de qn*., iem. systematisch bekritiseren.
processif, **-ive** bn pleitziek.
procession v 1 processie; 2 stoet, rij. ▼**—nal** m gezang- en gebedenboek voor processies. ▼**—nel**, **-nelle** bn wat een processie betreft. ▼**—nellement** bw in processie.
processus m 1 verlenging, voortzetting; 2 ontwikkeling.
procès-verbal [mv **aux**] m 1 procesverbaal; *dresser* —, een procesverbaal opmaken; 2 verslag, notulen.
prochain I zn m naaste. II bn 1 naburig; 2 aanstaande, volgende (*la semaine —e*); 3 *cause —e*, directe oorzaak. ▼**—ement** bw eerstdaags, binnenkort. ▼**proche** I bn 1 naburig, naast; 2 nabij (*l'heure est* —); 3 naaste verwant. II bw dichtbij. III vz (ook — *de*); dichtbij. IV zn **—s** m mv naaste verwanten.
proclam/ateur m, **-atrice** v uitroeper (-ster), verkondiger (-ster). ▼**—ation** v afkondiging, bekendmaking. ▼**—er** ov.w 1 afkondigen,

bekendmaken; 2 uitroepen; — *qn. roi,* iem. als koning uitroepen.
proclitique *bn* v.e. woord zonder klemtoon, dat een ander voorafgaat, proclitisch.
proconsul *m* proconsul.
procré/ate/ation, -atrice *l bn* scheppend, voortbrengend. **ll** *zn m,* **-atrice** *v* verwekker (-ster). **▼—ation** *v* voortplanting, procreatie.
▼—er *ov.w* verwekken, voortbrengen.
procur/ation *v* volmacht. **▼—atrice** *v* gevolmachtigde.
procurer *l ov.w* bezorgen, verschaffen. **ll se —** aanschaffen.
procur/eur *m* gevolmachtigde; — *de la République,* officier van justitie. **▼—euse** *v* 1 vrouw v.e. procureur; 2 koppelaarster.
prodigalité *v* verkwisting.
prodig/e l *zn m* 1 wonder; 2 wonderkind. **ll** *bn* wonderlijk; *enfant* —, wonderkind.
▼—ieusement *bw* verbazend, buitengewoon. **▼—ieux, -ieuse** *bn* 1 wonderlijk; 2 verbazend, buitengewoon.
prodigu/e l *bn* verkwistend, kwistig; *l'Enfant* —, de Verloren Zoon. **ll** *zn m* of *v* verkwister (-ster). **▼—er** *ov.w* 1 verkwisten; 2 kwistig zijn met; — *des soins à qn.,* iem. buitengewoon goed verzorgen; 3 niet sparen, niet ontzien (— *sa santé*).
product/eur, -rice *l bn* voortbrengend, produktief. **ll** *zn m,* **-rice** *v* voortbrenger (-ster), producent(e). **▼—ible** *bn* produceerbaar. **▼—if, -ive** *bn* 1 winstgevend; 2 vruchtbaar, produktief. **▼—ion** *v* 1 voortbrenging; 2 voortbrengsel, produkt; 3 vertoning v.e. toneelstuk; 4 filmproduktie; film; 5 overlegging. **▼—ivité** *v* 1 produktiviteit; 2 rentabiliteit. **▼produire l** *ov.w* onr. 1 voortbrengen, produceren; 2 opbrengen; 3 veroorzaken; 4 vertonen, overleggen; 5 bijbrengen v. getuigen; 6 uiten (— *son opinion*). **ll se —** 1 zich vertonen, optreden; 2 overgelegd worden; 3 gebeuren. **▼produit** *m* 1 produkt, voortbrengsel; 2 opbrengst; 3 afstamming; 4 produkt (= uitkomst).
proëmin/ence *v* 1 (het) uitsteken; 2 verhevenheid. **▼—ent** *bn* vooruitstekend.
prof *m (fam.)* leraar, professor.
profan/ateur, -atrice *l bn* (heilig) schendend. **ll** *zn m,* **-atrice** *v* heiligschender (-ster). **▼—ation** *v* heiligschennis, ontwijding, profanatie. **▼—e l bn* 1 heiligschennend; 2 wereldlijk, profaan. **ll** *zn m* 1 leek; 2 (het) wereldlijke. **▼—er** *ov.w* 1 ontwijken, schenden, profaneren; 2 misbruiken.
proférer *ov.w* uiten, uitspreken.
profès, -esse *bn* geprofest.
profess/er *ov.w* 1 openlijk belijden; 2 uitoefenen (— *un métier*); 3 onderwijzen, doceren. **▼—eur** *m* leraar, docent, professor; — *adjoint,* buitengewoon hoogleraar; — *de faculté,* gewoon hoogleraar. **▼—ion** *v* 1 belijdenis, bekentenis; — *de foi,* geloofsbelijdenis; 2 betrekking, beroep; 3 professie (v. kloosterling). **▼—ionnel, -elle l** *bn* v.h. vak, v.h. beroep; *école —elle,* ambachtsschool; *enseignement —,* vakonderwijs; *devoirs —s,* beroepsplichten. **ll** *zn m* beroepsspeler, professional. **▼—oral** [*mv aux*] *bn* v.d. hoogleraar, v.d. leraar; *ton —,* schoolmeesterachtige, verwaande toon. **▼—orat** *m* leraarschap, professoraat.
profil *m* 1 gelaat van terzijde gezien; 2 doorsnede. **▼profilé** *m* profielijzer. **▼profiler l** *ov.w* van terzijde-, in doorsnee tekenen, profileren. **ll se —** zich aftekenen.
profit *l m* 1 voordeel, nut, profijt; *au — de,* ten bate van; *mettre à —,* benutten; 2 winst; *compte des —s et pertes,* winst- en verliesrekening. **ll—s** *m mv* verval (v. dienstboden enz.). **▼—able** *bn* 1 winstgevend; 2 nuttig, heilzaam. **▼—ant** *bn* 1 inhalig; 2 *(fam.)* voordelig. **▼—er** *ov.w* 1 verdienen op (— *sur*); 2 voordeel hebben (van), zich ten nutte maken, profiteren (van);

3 voordeel opleveren, nuttig zijn; *bien mal acquis ne profite pas* (spr.w), onrechtvaardig verkregen goed gedijt niet; 4 vorderingen maken, vooruitgaan; 5 groeien, aankomen. **▼—eur** *m,* **-euse** *v* id., iem. die profiteert; — *de guerre,* oweeër.
profond *bn* 1 diep; 2 diepzinnig; 3 zeer groot, hevig enz.; *nuit —e,* stikdonkere nacht. **▼—ément** *bw* diep, erg enz. **▼—eur** *v* 1 diepte; 2 hoogte, dikte; 3 lengte; 4 diepzinnigheid; ondoorgrondelijkheid.
profus *bn* overvloedig. **▼—ément** *bw* in overvloed, overdadig. **▼—ion** *v* 1 overvloed, overdaad; à —, overvloedig; 2 verkwistend.
progéniture *v* kroost.
programm/ateur *l m,* **-atrice** *v* samensteller van een programma. **ll** *m* programmeermachine. **▼—ation** *v* programmering. **▼programm/e** *m* 1 program(ma); 2 leerplan. **▼—er** *ov.w* programmeren, een programma samenstellen. **▼—eur** *m* programmeur.
progrès *m* vooruitgang, vordering. **▼progress/er** *on.w* vooruitgaan, vorderingen maken. **▼—if, -ive** *bn* 1 vooruitgaand; 2 geleidelijk opklimmend. **▼—ivité** *v* 1 progressiviteit; 2 progressie *(belasting)*. **▼—ion** *v* 1 geleidelijke opklimming; progressie; 2 reeks *(wisk.)*. **▼—iste** *bn* vooruitstrevend. **▼—ivement** *bw* geleidelijk.
prohib/er *ov.w* verbieden; *armes prohibées,* verboden wapenen; *temps prohibé,* verboden tijd (voor jacht; visvangst). **▼—itif, -ive** *bn* verbiedend. **▼prohibition** *v* verbod; drankverbod. **▼—nisme** *m* systeem v. beschermende rechten of verbodsbepalingen voor invoer v. buitenlandse goederen, prohibitiestelsel. **▼—niste** *m* voorstander v. beschermende rechten, -van drankverbod.
proie *v* prooi, buit; *en — à,* ten prooi aan; *oiseau de —,* roofvogel; *lâcher la — pour l'ombre,* iets zekers laten schieten voor iets onzekers.
project/eur *m* 1 schijnwerper, zoeklicht, koplamp; *(pour) virages,* bermlamp; 2 — *de flammes,* vlammenwerper. **▼—if, -ive** *bn* projectie-, projecterend. **▼—ile** *m* werptuig, projectiel. **▼—ion** *v* 1 (het) werpen; 2 projectie; 3 (het) projecteren v. films enz.; *appareil à —,* projectietoestel; 4 lichtbeeld. **▼—ionniste** *m* filmoperateur.
projet *m* plan, ontwerp, schets, project; — *de loi,* wetsontwerp. **▼—er** *ov.w* 1 werpen; *l'auto fut projetée contre un arbre,* de auto werd tegen een boom geworpen, geslingerd; 2 projecteren; 3 projecteren v. beeld; 4 beramen, ontwerpen.
prolégomènes *m mv* prolegomena, inleidende opmerkingen.
prolét/aire l *zn m* proletariër. **ll** *bn* proletarisch. **▼—ariat** *m* proletariaat. **▼—arien, -enne** *bn* proletarisch. **▼—ariser** *ov.w* proletariseren.
prolifér/ation *v* sterke toename, verspreiding. **▼—er** *on.w* 1 zich snel vermenigvuldigen; 2 snel groeien; 3 zich vermenigvuldigen (v. cellen).
prolifique *bn* z. snel vermenigvuldigend.
prolixe *bn* langdradig, omslachtig. **▼prolixité** *v* langdradigheid, omslachtigheid.
prologue *m* voorrede, voorspel, inleiding, proloog.
prolong/ation *v* verlenging. **▼—ement** *m* verlengde, verlengstuk. **▼—er** *ov.w* verlengen, prolongeren.
promen/ade *v* 1 wandeling, tochtje (— *en bateau: à bicyclette*); ritje (— *à cheval*); 2 wandelplaats, park. **▼—er l** *ov.w* 1 wandelen met (— *un enfant*), uitlaten, rondleiden, laten lopen; 2 laten rondgaan (— *ses regards*); *sa main sur,* zijn hand laten glijden over. **ll se —** 1 wandelen; *envoyer se* — *qn.,* iem. wegsturen; *j'ai tout envoyé* —, ik heb alles in de steek gelaten; 2 een ritje maken (*se — à cheval,* — *en voiture*), een tochtje maken. **▼—eur** *m,* **-euse** *v* wandelaar(ster).

▼—**oir** m 1 overdekte wandelplaats;
2 staanplaatsen in schouwburg.
promesse v belofte. ▼**prometteur, -euse** l bn
veelbelovend. II zn m, **-euse** v iem. die veel
belooft. ▼**promettre** l ov.w onr. 1 beloven;
— monts et merveilles, gouden bergen
beloven; 2 voorspellen (le ciel promet de la
pluie). II on.w beloven; enfant qui promet,
veelbelovend kind. III **se**— 1 elkaar beloven;
2 zich voornemen; 3 verwachten, rekenen op.
▼**promis** m, -e v verloofde.
promiscuité v promiscuïteit, ordeloze
vermenging, willekeurige (seksuele) omgang.
promission v: terre de —, land v. belofte.
promo v = promotion, (fam.) de klas die door
het eindexamen heen is.
promontoire m voorgebergte, hoge kaap.
promot/eur m, **-rice** v bevorderaar,
stuwkracht. ▼—**ion** v 1 bevordering,
promotie; 2 de bevorderden; 3 verbreiding.
▼—**ionnel, -elle** bn (verkoop)
bevorderend. ▼**promouvoir** ov.w onr.
bevorderen; être promu, overgaan.
prompt bn 1 snel, vlug; 2 voorbijgaand, van
korte duur; 3 voortvarend, 4 snel begrijpend,
vlug v. verstand (avoir l'esprit —);
5 opvliegend, kort aangebonden. ▼—**itude** v
1 snelheid, vlugheid; 2 voortvarendheid;
3 vlugheid v. verstand, levendigheid v. geest
(— d'esprit); 4 opvliegendheid, drift.
promu v. dw van **promouvoir**.
promulgation v uitvaardiging, afkondiging.
▼**promulguer** ov.w uitvaardigen,
afkondigen.
prôn/e/m mispreek. ▼—**er** l ov.w 1 een preek
houden voor (— les fidèles); 2 aanprijzen,
ophemelen. II on.w vervelende zedenpreken
houden. ▼—**eur** m 1 prediker; 2 vervelende
zedenpreker.
pronom m voornaamwoord. ▼—**inal** [mv aux]
bn voornaamwoordelijk; verbe —,
wederkerend werkwoord.
prononçable bn uit te spreken. ▼**prononc/é**
l bn 1 scherp; traits —s, scherpe trekken;
2 vast (caractère —). II zn m (jur.) uitspraak.
▼—**er** l ov.w uitspreken; — un arrêt, een
vonnis vellen; — un discours, een redevoering
houden; ne se prononcent pas, geen mening.
II **se**— 1 uitgesproken worden; 2 zijn mening
zeggen. ▼—**iation** v uitspraak.
pronostic m 1 prognose; 2 voorteken.
▼**pronostiquer** ov.w voorspellen,
prognosticeren. ▼**pronostiqueur** m, **-euse** v
voorspeller (-ster).
propag/ande v propaganda. ▼—**andiste** m of
v propagandist(e). ▼—**ateur, -atrice** l bn
verbreidend. II zn m, **-atrice** v verbreider
(-ster). ▼—**ation** v 1 voortplanting;
2 verbreiding; 3 voortplanting v. licht enz.
▼—**er** ov.w 1 voortplanten; 2 verbreiden;
propageren; 3 verbreiden (v. licht enz.).
propane m propaan.
propédeute l bn voorbereidend. II zn leerling
van de 'propédeutique'. ▼**propédeutique** v
1 voorbereidende verplichte cursus vóór het
hogere onderwijs; 2 voorbereidend onderwijs.
propension v geneigdheid, neiging.
propergol m stuwstof.
prophète m, **prophétesse** v profeet, profetes;
— de malheur, ongeluksprofeet; nul n'est —
en son pays (spr. w), een profeet wordt in zijn
eigen land niet geëerd. ▼**prophét/ie** v
1 profetie; 2 voorspelling. ▼—**ique** bn
profetisch. ▼—**iser** ov.w 1 profeteren;
2 voorspellen.
prophylactique bn voorbehoedend,
profylactisch. ▼**prophylaxie** v deel der
geneeskunde, dat zich bezighoudt met het
voorkomen van bepaalde ziekten, profylaxe.
propice (à) bn 1 genadig; 2 gunstig.
propitiat/ion v verzoening; sacrifice de —,
zoenoffer. ▼—**oire** bn verzoenend; sacrifice
—, zoenoffer.
proportion l zn v 1 verhouding; 2 afmeting;
3 evenredigheid, proportie; à —, naar
verhouding; à — de, en — de, in verhouding

tot. II vgw: à — que, naarmate. ▼—**nalité** v
onderlinge verhouding, evenredigheid. ▼—**né**
bn goed gevormd, - gebouwd. ▼—**nel, -elle**
bn evenredig, proportioneel. ▼—**nellement**
bw naar evenredigheid. ▼—**ner** ov.w in
overeenstemming brengen met,
proportioneren; afmeten naar.
propos m 1 plan; être dans le — de, het plan
hebben om; de — délibéré, met opzet;
2 gesprek; — de table, tafelgesprekken;
3 praatje, kwaadsprekerij; 4 zaak, doel,
onderwerp v. gesprek; de — délibéré, met
opzet; à —, van pas, op de juiste tijd; à — de,
naar aanleiding van; hors de —, mal à —, te
onpas, ongelegen; à tout —, te pas en te
onpas.
propos/er l ov.w 1 voorstellen; 2 bieden;
3 opgeven v. onderwerp, uitschrijven v.e.
prijsvraag; 4 uitloven v.e. prijs; 5 voordragen
v.e. kandidaat. II **se**— 1 zich voornemen, van
plan zijn; 2 zich aanbieden, solliciteren.
▼—**ition** v 1 voorstel; 2 voordracht; 3 stelling
(wisk.); 4 volzin.
propre l bn 1 eigen; de sa — main,
eigenhandig; nom —, eigennaam; 2 eigenlijk;
sens —, eigenlijke betekenis; 3 geschikt (—
à); propre-à-rien, nietsnut, deugniet;
4 zindelijk, schoon, rein, netjes, proper. II zn m
1 eigendom; avoir en —, in eigendom hebben;
2 kenmerk, kenmerkende eigenschap; 3 (het)
eigen; le — du temps, het tijdeigen; le — des
saints, het eigen der heiligen; 4 buiten de
huwelijksgemeenschap vallend bezit;
5 eigenlijke betekenis; au —, in de eigenlijke
betekenis; 6 c'est du —!, 't is wat moois!
▼—**ment** bw 1 netjes; 2 fatsoenlijk, keurig;
3 juist, precies; 4 eigenlijk, in eigenlijke
betekenis; à — parler, eigenlijk gezegd; la
France — dite, het eigenlijk Frankrijk.
▼**propret** bn keurig, netjes. ▼**propreté** v
zindelijkheid.
propriétaire m of v eigenaar (eigenares),
huiseigenaar (-eigenares); faire le tour du —,
iem. zijn huis en landerijen (tuin) laten zien.
▼**propriété** v 1 eigendom; — littéraire,
auteursrecht; 2 eigendom v. onroerend goed;
— foncière, grondbezit; 3 eigenschap; 4 juist
gebruik v.e. woord.
proprio m (pop.) = afk. van **propriétaire**.
propuls/er ov.w voortdrijven. ▼—**eur** m
middel om voort te drijven (schroef, propeller
enz.). ▼—**if, -ive** bn voortbewegend; roue
—ive, drijfrad. ▼—**ion** v (het) voortdrijven; —
par reaction, straalaandrijving.
propylées m mv propyleeën, zuilengangen.
prorog/atif, -ive bn uitstellend, verdagend.
▼—**ation** v uitstel, verdaging, verlenging.
▼—**er** ov.w uitstellen, verdagen, verlengen.
prosa/ïque bn prozaïsch, alledaags. ▼—**isme**
m 1 gebrek aan dichterlijkheid;
2 alledaagsheid, nuchterheid. ▼—**teur** m
prozaschrijver.
proscript/eur m verbanner. ▼—**ion** v
1 vogelvrijverklaring; 2 verbanning;
3 afschaffing. ▼**proscrire** ov.w onr.
1 vogelvrij verklaren; 2 verbannen;
3 afschaffen. ▼**proscrit** l bn 1 vogelvrij
verklaard; 2 verbannen; 3 afgeschaft,
verboden. II zn m, -e v 1 vogelvrij verklaarde;
2 balling.
prose v 1 proza; 2 soort Lat. hymne (rk).
prosecteur m prosector.
prosély/te m of v pas bekeerde, bekeerling(e).
▼**prosélytisme** m zucht om te bekeren.
prosimiens m mv halfapen.
prosodie v prosodie. ▼**prosodique** bn wat
prosodie betreft.
prospect/er ov.w 1 e. terrein onderzoeken
naar natuurlijke rijkdommen. ▼—**eur** m iem.
die een terrein onderzoekt naar metalen
(goud) zoeker; prospector. ▼—**ion** v
1 prospectie, onderzoek; 'research';
2 studiereis i.v.m. research.
prospectus m prospectus.
prospère bn voorspoedig, bloeiend.
▼**prospérer** on.w bloeien, voorspoed

hebben. ▼**prospérité** v bloei, welvaart,
voorspoed.
prostat/e v prostaat. ▼**—ectomie** v
prostaatoperatie. ▼**—ite** v prostaatontsteking.
prostern/ation v, **—ement** m voetbal, (het)
neerknielen. ▼**—er** I ov.w ter aarde werpen.
II **se** — zich ter aarde werpen, neerknielen.
prosthèse v 1 toevoeging v.e. letter aan het
begin v.e. woord; 2 de aldus toegevoegde
letter.
prostit/uée v publieke vrouw. ▼**—uer** ov.w
1 prostitueren, aan prostitutie overgeven; 2 te
schande maken, vergooien. ▼**—ution** v
prostitutie.
prostr/ation v 1 (het) plat voorover liggen;
2 grote neerslachtigheid. ▼**—é** bn
neerslachtig.
protagoniste m 1 voorvechter;
2 hoofdpersoon, protagonist.
protecteur I zn m beschermer, protector.
II **-teur, -trice** bn protectie-, beschermend.
▼**protection** v bescherming, protectie.
protée m proteus, wispelturig iem.
protégé m, -e v beschermeling(e).
▼**protége/-cahier†** m schriftomslag.
▼**—dents** m gebitbeschermer (bij boksers).
▼**—parapluie†** m parapluhoes. ▼**protéger**
ov.w 1 beschermen; 2 aanbevelen v.e.
kandidaat. ▼**protège-tibia†** m
scheenbeschermer.
protéine v eiwitstof.
protestant I bn hervormd. II zn m, -e v
hervormde. ▼**—isme** m protestantisme.
protest/ataire I bn protesterend. II zn m of v
iem. die protesteert. ▼**—ation** v 1 betuiging;
2 protest. ▼**—er** I ov.w 1 verzekeren,
betuigen; 2 protesteren v.e. wissel. II on.w
1 — de, betuigen, de verzekering geven van;
2 — contre, opkomen, protesteren tegen.
▼**protêt** m protest v.e. wissel.
prothèse v aanzetting-, inzetting v.e.
kunstmatig lid, prothese; — auditive,
gehoorapparaat; — dentaire, het inzetten v.e.
gebit, v. kunstmatige tanden. ▼**prothétique**
bn van de prothese.
proto/colaire bn volgens het protocol, - de
etiquette. ▼**—cole** m 1 verslag, notulen;
2 etiquette, protocol.
proton m proton (waterstofkern).
protonotaire m protonotarius (die de
pauselijke akten registreert en verzendt).
protoplasme, protoplasma m vocht v.
levende cel.
proto/type m 1 oervorm; 2 volmaakt
voorbeeld. ▼**—zoaire** m 1 laagste diervorm,
infusiediertje, protozoön.
protubérance v uitwas, knobbel.
▼**protubérant** bn uitstekend.
prou bw veel; ni peu ni —, in het geheel niet;
peu ou —, meer of minder.
proue v voorsteven.
prouesse v 1 heldendaad; 2 moed.
prouv/able bn bewijsbaar. ▼**—er** ov.w
bewijzen.
provenance v 1 oorsprong, herkomst;
2 uitgevoerd produkt.
provençal [mv aux] I bn Provençaals. II zn m
de Provençaalse taal. III P— m, -e v
Provençaal(se).
provende v 1 voorraad levensmiddelen,
proviand; 2 gemengd veevoer.
provenir on.w onr. voortkomen, afkomstig
zijn.
proverbe m 1 spreekwoord; passer en —
spreekwoordelijk worden; il komt blijspel dat
een spreekwoord tot grondslag heeft.
▼**proverbial** [mv aux] bn spreekwoordelijk.
providence v 1 voorzienigheid; 2 verzorgster,
beschermengel. ▼**providentiel, -elle** bn door
de Voorzienigheid bepaald. ▼**—lement** bw
door de Voorzienigheid.
provign/age, -ement m (het)
vermenigvuldigen v.d. wijnstok door loten.
▼**—er** I ov.w vermenigvuldigen v.d. wijnstok
door loten. II on.w zich vermenigvuldigen
door loten.

province v 1 provincie; 2 Frankrijk buiten
Parijs; 3 de Fransen buiten Parijs.
▼**provincial** [mv aux] I bn 1 provinciaal;
2 kleinsteeds. II zn m, -e v bewoner
(bewoonster) van Frankrijk buiten Parijs. III m
provinciaal (overste van een regionale groep
kloosters; kloosterprovincie). ▼**—at** m
1 waardigheid v.d. provinciaal; 2 ambtsduur
v.d. provinciaal. ▼**—isme** m 1 gewestelijke
uitdrukking; 2 kleinsteedsheid.
proviseur m rector v.e. lyceum.
provision v 1 voorraad; faire ses —s, inkopen
doen; 2 dekkingssom, dekking; 3 (jur.)
voorlopige toewijzing. ▼**—nel, -elle** (jur.) bn
voorlopig. ▼**—nellement** bw voorlopig.
▼**provisoire** I bn voorlopig. II zn m
voorlopige toestand.
provisorat m rectoraat.
provoc/ant bn 1 uitdagend, provocerend;
2 prikkelend. ▼**—ateur, -atrice** I bn
uitdagend, provocerend (ton —). II zn m,
-atrice v uitdager, uitdaagster, provo; agent
—, iem. die strafbare handelingen uitlokt om
de overtreder in de val te laten lopen. ▼**—ation**
v (het) uitdagen, provocatie. ▼**provoquer**
ov.w 1 uitdagen, provoceren; 2 ophitsen,
aanzetten; 3 uitlokken; 4 veroorzaken.
proxénète m 1 souteneur, koppelaar.
▼**proxénétisme** m koppelarij.
proximité v nabijheid; à — de, in de buurt van.
prude I bn preuts. II zn v preutse vrouw.
prud/emment bw voorzichtig, behoedzaam.
▼**—ence** v voorzichtigheid, behoedzaamheid.
▼**—ent** bn voorzichtig, behoedzaam.
pruderie v preutsheid.
prud'homie v rechtschapenheid.
▼**prud'homme** m 1 (oud) wijs en
rechtschapen man; 2 lid v.d. raad v. overleg op
een fabriek enz. ▼**prudhommesque** bn
burgerlijk, banaal.
prun/e v pruim; pour des —s, voor niets.
▼**—eau** [mv x] m 1 gedroogde pruim;
2 (fam.) blauwe boon. ▼**—elaie** v
pruimeboomgaard. ▼**—elle** v 1 pruimenjam.
▼**—elle** v 1 vrucht v.d. sleedoorn; 2 oogappel.
▼**—ellier** m sleedoorn. ▼**—ier** m pruimeboom.
prurigineux, -euse bn 1 jeukend; 2 jeuk
veroorzakend. ▼**prurigo** m jeukende
huiduitslag.
Prusse I (de) Pruisen. ▼**prussien, -enne** I bn
Pruisisch. II zn P— m, -enne v Pruis,
Pruisische. ▼**prussique** bn: acide —,
blauwzuur.
psallette v koorschool.
psalm/iste m 1 psalmdichter; 2 koning David.
▼**—odie** v 1 psalmgezang; 2 het opdreunen.
▼**—odier** ov. en on.w 1 psalmzingen;
2 opdreunen. ▼**psaume** m psalm; —s de la
pénitence, boetpsalmen. ▼**psautier** m
1 psalmboek; 2 rozenkrans; 3 boekpens.
pseudo- vals, onecht, zogenaamd.
pseudonyme I bn een schuilnaam voerend
(auteur —). II zn m schuilnaam, pseudoniem.
psitt! pst! tw pst!
psittac/isme m napraterij. ▼**—ose** v
papegaaieziekte.
psoriasis m id., schurft.
psychana/lyse v psychoanalyse. ▼**—lyser**
ov.w 1 via psychoanalyse behandelen; 2 via
psychoanalyse onderzoeken. ▼**—lyste** m/v
psychoanalyticus, -ca. ▼**—lytique** bn
psychoanalytisch.
psyché v 1 grote toiletspiegel; 2 (ook
psychè) psyche.
psychiatr/e m psychiater. ▼**—ie** v psychiatrie.
▼**—ique** bn psychiatrisch.
psych/ique bn psychisch. ▼**—isme** m (het)
psychische leven, (de) psyche.
psycholog/ie bn v psychologie. ▼**—ique** bn
psychologisch. ▼**—ue** m psycholoog.
psychopathe m psychopaat.
psychose v psychose; — collective,
massa-suggestie.
psychosomatique bn psychosomatisch.
psychothérapie v psychotherapie.
psychotique bn psychotisch.

psychromètre *m* vochtigheidsmeter.
puamment *bw* 1 stinkend; 2 brutaal, onbeschaamd (*mentir* —). ▼**puant** I *bn* 1 stinkend; 2 onbeschaamd, brutaal (*mensonge* —). II *zn m* lage, gemene vent. ▼**puanteur** *v* stank.
pub/ère *m* of *v* puber. ▼—**erté** *v* puberteit.
pubesc/ence *v* donzigheid. ▼—**ent** *bn* donzig.
pubis *m* schaambeen.
publiable *bn* wat gepubliceerd kan worden.
public, -ique I *bn* openbaar, publiek; *la chose* —*ique*, de Staat; *droit* —, staatsrecht. II *zn m* publiek, de mensen; *en* —, in het openbaar; *rendre* —, openbaar maken.
publicain *m* 1 tollenaar, belastinggaarder; 2 (*min.*) financier, zakenman.
public/ation *v* 1 publikatie, bekendmaking; 2 uitgave; 3 uitgegeven werk. ▼—**iste** *m* (*oud*) publicist, journalist die over bepaalde onderwerpen schrijft, schrijver. ▼—**itaire** I *bn* reclame-, publicitair. II *zn m* reclameman.
▼—**ité** *v* 1 openbaarheid; 2 reclame, publiciteit, (het) adverteren; — *lumineuse*, lichtreclame. ▼**publier** *ov.w* 1 bekendmaken, openbaar maken; 2 adverteren; 3 uitgeven. ▼**publipostage** *m* mailing. ▼**publiquement** *bw* in het openbaar.
puce I *v* vlo; *avoir la* — *à l'oreille*, ongerust zijn, op zijn hoede zijn. II *bn* donkerbruin.
pucelage *m* (*fam.*) maagdelijkheid. ▼**pucelle** *v* maagd; *La P*—, Jeanne d'Arc.
puceron *m* bladluis.
puche *v* schepnet voor garnalen enz.
pucier *m* (*pop.*) bed, 'nest'.
puddler *ov.w* (metaal) puddelen.
pudeur *v* 1 schaamtegevoel; kuisheid; 2 bescheidenheid, schroomvalligheid; *sans* —, op onbeschaamde wijze. ▼**pudibond** *bn* 1 preuts; 2 bedeesd. ▼—**erie** *v* 1 preutsheid; 2 grote bedeesdheid. ▼**pudicité** *v* kuisheid. ▼**pudique** *bn* kuis.
puer I *on.w* stinken. II *ov.w* stinken naar.
puériculture *v* kinderzorg. ▼**puéril** *bn* 1 kinderlijk; 2 kinderachtig, pueriel. ▼**puérilité** *v* kinderachtigheid.
pugilat *m* vuistgevecht. ▼**pugiliste** *m* bokser.
pugnace *bn* strijdlustig. ▼**pugnacité** *v* vechtlust.
puîné I *bn* later geboren (broer of zuster). II *zn m*, -ee *v* jongere broer of zuster.
puis *bw* 1 daarna, vervolgens; 2 overigens, bovendien.
puis/age *m* (het) putten. ▼—**ard** *m* zinkput. ▼—**atier** I *bn* putten gravend (*ouvrier* —). II *zn m* puttengraver. ▼—**ement** *m* (het) putten, scheppen. ▼—**er** *ov.w* 1 scheppen, putten; — *aux sources*, tot de bron afdalen; 2 ontlenen; 3 halen.
puisque *vgw* daar; immers.
puiss/amment *bw* verbazend, machtig; — *riche*, schatrijk. ▼—**ance** *v* 1 macht, vermogen; 2 macht, invloed; 3 mogendheid; 4 arbeidsvermogen; 5 macht (*wisk.*); 6 *les* —*s célestes*, de machten (engelenkoor); *les* —*s infernales*, —*des ténèbres*, de duivels. ▼—**ant** I *bn* 1 machtig; 2 krachtig; 3 invloedrijk, hooggeplaatst; 4 dik, zwaarlijvig. II *zn m* machtige; *Le Tout-Puissant*, de Almachtige.
puits *m* 1 put; — *de science*, wonder v. geleerdheid; 2 mijnschacht (— *de mine*).
pull *m* truitje, pull.
pullman *m* pullmanwagen.
pull-over I *m* pull-over.
pullul/ation *v*, —**ement** *m* snelle voortplanting, voortwoekering. ▼—**er** *on.w* 1 voortwoekeren, zich snel vermenigvuldigen; 2 krioelen, wemelen.
pulmonaire *bn* van de longen.
pulpe *v* 1 vruchtvlees; 2 moes; 3 pulp. ▼**pulpeux, -euse** *bn* 1 moesachtig; 2 vlezig.
pulsat/if, -ive *bn* (*med.*) kloppingen veroorzakend (*douleur* —*ive*). ▼—**ion** *v* polsslag.
pulsion *v* (*psych.*) 'Trieb'.
pulvérin *m* kruithoorn.
pulvéris/ateur *m* toestel om een vloeistof te verstuiven, pulverisator. ▼—**ation** *v* verstuiving. ▼—**er** *ov.w* 1 tot stof verbrijzelen, vermalen; 2 verstuiven; 3 vernietigen; 4 ontzenuwen (— *une objection*). ▼—**eur** *m* 1 fijnmaker (v. verfstoffen, poeders); 2 kluitenbreker.
pulvérulence *v* poedervorm. ▼**pulvérulent** *bn* poedervormig.
puma *m* poema (Amerikaanse leeuw).
punaise I *zn v* 1 wandluis; 2 punaise. II *tw* (*pop.*) verdraaid!
punch *m* 1 punch; 2 punch (boksen); 3 (*fam.*) dynamiek. ▼—**ing-ball** *m* boksbal.
puni I *bn* gestraft. II *zn m* gestrafte.
punique *bn* Punisch; *foi* —, trouweloosheid.
punir *ov.w* straffen. ▼**puniss/able** *bn* strafbaar. ▼—**eur, -euse** I *bn* graag straffend. II *zn m*, -euse *v* iem. die straft, wreker (wreekster). ▼**punit/if, -ive** *bn* straffend; *expédition* —*ive*, strafexpeditie. ▼—**ion** *v* 1 (het) straffen; 2 straf.
pupe *v* pop v.e. insekt.
pupillaire *bn* 1 wat onmondigen betreft; 2 wat de pupillen v.d. ogen betreft. ▼**pupillarité** *v* minderjarigheid. ▼**pupille** I *m* of *v* minderjarige wees, bestedeling(e). II *v* oogappel.
pupitre *m* lessenaar, tafel.
pur *bn* zuiver, rein, puur; *en* —*e perte*, vruchteloos; — *sang*, volbloed.
purée *v* 1 brei, puree; — *de pois*, erwtensoep; 2 (*fam.*) armoe, narigheid.
purement *bw* 1 zuiver, rein; 2 alleen, enkel; — *et simplement*, enkel en alleen.
pureté *v* reinheid, zuiverheid.
purg/atif, -ive I *bn* purgerend. II *zn m* purgeermiddel. ▼—**ation** *v* 1 purgering; 2 purgeermiddel. ▼—**atoire** *m* vagevuur. ▼**purg/e** *v* 1 purgering; 2 purgeermiddel; 3 (*pol.*) zuivering. ▼—**er** *ov.w* 1 een purgeermiddel toedienen; 2 reinigen, zuiveren; 3 bevrijden; 4 aflossen (— *une hypothèque*); 5 uitzitten (— *sa peine*).
purifiant *bn* reinigend, zuiverend. ▼**purific/ateur, -atrice** I *bn* reinigend. II *zn m*, -atrice *v* zuiveraar (ster). ▼—**ation** *v* 1 reiniging, zuivering; 2 la P— Maria Lichtmis (R.K. feestdag). ▼—**atoire** *m* kelkdoekje (*rk*). ▼**purifier** *ov.w* reinigen, zuiveren.
purin *m* gier (mest).
pur/isme *m* overdreven zucht naar (taal)zuiverheid. ▼—**iste** *m* (taal)zuiveraar.
purit/ain I *bn* puriteins, overdreven streng. II *zn m* 1 puritein, streng protestant; 2 iem. van (overdreven) strenge levensopvatting. ▼—**anisme** *m* 1 leer der puriteinen; 2 (te) strenge levensopvatting.
purotin *m* (*pop.*) arme drommel.
purpurin *bn* purperkleurig. ▼**purpurine** *v* meekraprood.
pur-sang *m* raspaard, volbloed.
purul/ence *v* ettering. ▼—**ent** *bn* etterend.
pus *m* etter.
pusillanime *bn* kleinmoedig, laf. ▼**pusillanimité** *v* kleinmoedigheid, lafhartigheid.
pustule *v* zweertje, puistje. ▼**pustulé, pustuleux, -euse** *bn* puistig.
putain I *zn v* 1 (*fam.*) vrouw van lichte zeden, hoer; 2 (*pop.*) (— *de*) rot-; *quel* — *de temps*, wat een rotweer. II *tw* verdraaid (of sterker).
putatif, -ive *bn* vermeend.
pute *v* (*fam.*) = **putain**.
putois *m* bunzing.
putré/faction *v* rotting. ▼—**fiable** *bn* spoedig rottend. ▼—**fier** I *ov.w* doen rotten. II *se*— rotten.
putresc/ence *v* rotting. ▼—**ent** *bn* rottend. ▼—**ibilité** *v* vatbaarheid voor rotting. ▼—**ible** *bn* spoedig rottend.
putride *bn* rottend, bedorven. ▼**putridité** *v* rotting, bederf.
puy *m* 1 bergtop (vooral in Auvergne); 2 letterkundige kring in de middeleeuwen.
puzzle *m* legpuzzel.
pygargue *m* visarend.

pygmé/e *m* **1** dwerg, pygmee; **2** talentloos, onbeduidend mens. **v—en, -enne** *bn* **1** dwergachtig; **2** onbeduidend, onbelangrijk.

pyjama *m* pyjama.

pylône *m* mast, toren.

pyram/idal [*mv* aux] *bn* **1** piramidevormig; **2** kolossaal, enorm (*succès* —). **v—ide** *v* piramide. **v—ider** *on.w* **1** een piramidevorm hebben; **2** trots doen, opscheppen.

pyrénéen, -enne *bn* uit de Pyreneeën.

pyrex *m*: *de* —, vuurvast.

pyrite *v* pyriet.

pyro/graver *ov.w* in hout of leer branden. **v—gravure** *v* (het) branden v. figuren in hout of leer. **v—mane** *m/v* pyromaan. **v—mètre** *m* pyrometer (instrument voor het meten v. zeer hoge temperaturen). **v—technie** *v* (het) maken v. vuurwerk. **v—technique** *bn* wat het maken v. vuurwerk betreft.

pyrrhonisme *m* twijfelzucht, scepticisme.

Pythagore *m* Pythagoras. **v pythagor/icien, -enne** *bn* van Pythagoras (*philosophie* —*enne*). **II** *zn m,* -**enne** *v* volgeling(e) v. Pythagoras. **v—ique** *bn* van Pythagoras. **v—isme** *m* leer v. Pythagoras.

python *m* python (slang).

q *m* de letter q.

qu' *zie* que.

quadra/génaire I *bn* veertigjarig. **II** *zn m* of *v* veertigjarige, veertiger. **v—gésimal** [*mv* aux] *bn* v.d. veertigdaagse vasten. **v—gésime** *v* veertigdaagse vasten; *dimanche de la Q—,* eerste zondag in de Vasten.

quadrangle *m* vierhoek. **v quadrangulaire** *bn* vierhoekig.

quadrant *m* kwadrant.

quadratique *bn* kwadratisch. **v quadrature** *v* kwadratuur.

quadri/ennal [*mv* aux] *bn* **1** vierjarig; **2** vierjaarlijks. **v—latéral** [*mv* aux] *bn* vierzijdig. **v—latère** *m* vierhoek.

quadr/illage *m* geruit patroon. **v—ille I** *v* troep ruiters, troep stierenvechters. **II** *m* **1** quadrille (soort dans); **2** muziek bij deze dans; **3** quadrille (kaartspel). **v—illé** *bn* geruit. **v—iller** *ov.w* in ruiten verdelen.

quadri/moteur I *bn* viermotorig. **II** *zn m* viermotorig vliegtuig. **v—réacteur I** *bn* met 4 reactoren. **II** *zn m* vliegtuig met 4 reactoren. **v—syllabique** *bn* vierlettergrepig.

quadrivium *m* de vier hogere kunsten in de middeleeuwen (rekenkunde, muziek,. meetkunde en sterrenkunde).

quadru/mane I *bn* vierhandig. **II—s** *m mv* vierhandigen. **v—pède I** *bn* viervoetig. **II—s** *m mv* viervoeters.

quadrupl/e I *bn* viervoudig. **II** *zn m* viervoud. **v—er** *on.* en *ov.w* verviervoudigen. **v—és, -ées** *zn mv* vierling.

quai *m* **1** kade; **2** perron.

quaker *m,* -**esse** *v* kwaker(es) (prot. sekte).

qualif/iable *bn* bepaalbaar, te betitelen. **v—icatif, -ive I** *bn* bepalend. **II** *zn m* bepalend woord. **v—ication** *v* benoeming, betiteling, kwalificatie. **v—ié** *bn* **1** bevoegd, geschikt (— *pour*); **2** *vol* —, diefstal onder verzwarende omstandigheden; **3** adellijk, invloedrijk. **v—ier I** *ov.w* bepalen, benoemen, betitelen, kwalificeren. **II se** — (*sp.*) zich kwalificeren, plaatsen.

qualitat/if, -ive *bn* kwalitatief, wat de hoedanigheid betreft. **v—ivement** *bw* kwalitatief, wat de hoedanigheid betreft. **v qualité** *v* **1** hoedanigheid, kwaliteit; *en* — *de,* als, in de hoedanigheid van; *personne de* —, voorname, adellijke man; **2** aanleg, talent; **3** titel; **4** bevoegdheid.

quand I *vgw* **1** (met *présent* of *imparfait*) als, wanneer; **2** (met *passé simple*) toen; **3** (met *condit.*) al, zelfs al (s); — *même,* al, zelfs al. **II** *bw* **1** wanneer?; **2** — *même,* toch.

quant (à) *vz* wat betreft. **v quant-à-moi, quant-à-soi** *m*: *tenir son* —, *se tenir sur son* —, zich groot houden, zich op een afstand houden.

quant/ième *m* hoeveelste, zoveelste. **v—ifier** *ov.w* kwantificeren, bepalen, meten, in cijfers uitdrukken. **v—itatif, -ive** *bn* kwantitatief, wat de hoeveelheid betreft. **v—itativement** *bw* kwantitatief, wat de hoeveelheid betreft. **v—ité** *v* **1** hoeveelheid, aantal, menigte, kwantiteit; **2** een groot aantal (— *de gens*); **3** lengte v.e. lettergreep. **v—um** *m* **1** hoeveelheid, bedrag; **2** deel.

quarantaine v 1 veertigtal; 2 veertigjarige leeftijd; 3 veertigdaagse vasten; 4 quarantaine (afzondering voor reizigers of goederen uit besmette landen). ▼**quarant**/e telw. veertig; les Q—, de leden der Franse Académie; les — heures, (econ.) de veertigurige werkweek. ▼—**enaire** bn 1 veertigjarig; 2 wat de quarantaine betreft. **I** telw. veertigste. **II** zn m veertigste deel. **III** m of v de veertigste.

quart I telw. vierde; fièvre —e, derdedaagse koorts. **II** zn m 1 vierde deel, kwart; — de cercle, kwadrant; aux trois —s ivre, stomdronken; les trois —s du temps, meestentijds; 2 kwart liter, -pond, -vat, -okshoofd; 3 kwartier; — d'heure, kwartier; il est deux heures et (un) —, het is kwart over twee; il est deux heures moins un —, het is kwart vóór twee; passer un mauvais d'heure, een benauwd ogenblik doormaken; pour le — d'heure, voor het ogenblik; le — d'heure de Rabelais, het ogenblik van betalen; onaangenaam ogenblik; 4 wacht (scheepv.); être de —, de wacht hebben. ▼**quartaut** m 1 (oud) ¹/₄ okshoofd (70 liter); 2 klein vat van 57 à 137 liter. ▼**quarte** v 1 (oud) maat v. twee pinten; 2 kwart (muz.); 3 vierde parade bij het schermen; les trois — (oud) kwart pond; 2 25 of 26 stuks (un — de noix). ▼**quartette** m jazz-kwartet. ▼**quartier** m 1 vierde deel; 2 stuk, brok enz.; — de terre, stuk land; 3 wijk; bas —, achterbuurt; — latin, Parijse studentenwijk; 4 kwartier v.d. maan (premier —); 5 kwartaal; 6 kwartier (her.); 7 genade, kwartier; faire —, kwartier geven; 8 kwartier (mil.); — général, hoofdkwartier. ▼**quartier-maître** m kwartiermeester.

quarto bw ten vierde.

quartz m kwarts. ▼—**eux, -euse** bn kwartsachtig. ▼—**ifère** bn kwartshoudend.

quasi, —**ment** bw bijna, ongeveer, quasi. ▼—**contrat**† m stilzwijgende overeenkomst. ▼—**délit**† m onopzettelijk vergrijp.

quasimodo v de eerste zondag na Pasen.

quaternaire bn 1 vierdelig; 2 door vier deelbaar; 3 van het quaternaire tijdvak. ▼**quaterne** m serie v. vier tegelijk genomen nummers in loterij. ▼**quaternion** m katern.

quatorz/e I telw. 1 veertien; 2 veertiende (Louis quatorze). **II** zn m de veertiende. **III** zn m de nel (kaarten). ▼—**ième I** telw. veertiende. **II** zn m of v de veertiende. **III** m veertiende deel. ▼—**ièmement** bw ten veertiende.

quatrain m vierregelig vers, kwatrijn.

quatre telw. 1 vier; à — pas, vlak bij; descendre, monter l'escalier — à —, de trap af-, opvliegen; dire à qn. ses — vérités, iem. ongezouten de waarheid zeggen; se mettre en —, zijn uiterste best doen, zich inspannen; se tenir à —, zich inhouden; 2 vierde (Henri —; le — mai). ▼—**-huit** m ⁴/₈ maat. ▼—**-mâts** m viermaster. ▼—**-saisons** v: marchand des —, groenteventer, -boer. ▼—**-temps** m mv quatertemper (dagen).

quatre/-vingtième I telw. tachtigste. **II** zn m of v tachtigste. **III** m tachtigste deel. ▼—**-vingt(s)** telw. tachtig. ▼—**-vingt-dix** telw. negentig.

quatrième I telw. vierde. **II** zn m of v vierde. **III** m 1 vierde deel; 2 vierde verdieping. **IV** v vierde klas. ▼—**ment** bw ten vierde.

quatriennal [mv aux] bn 1 vierjarig; 2 vierjaarlijks.

quatuor m kwartet (muz.); — à cordes, strijkkwartet.

que (qu' voor klinker en stomme h) **I** betr. vnw die, dat, wat, welke; advienne — pourra, er moge gebeuren wat er wil; ce —, wat, hetgeen. **II** vragend vnw wat. **III** vgw 1 dat, dan; ne … que, slechts, pas; 2 drukt bevel of wens uit; qu'il parte tout de suite !, hij moet onmiddellijk vertrekken; — je meure, si …, ik moge sterven, als …; 3 vervangt een ander voegwoord; venez ici — je te voie mieux, kom hier, opdat ik je beter kan zien; qu'il appelle, tout le monde

accourt, als hij roept, komt iedereen aanrennen; ne sortez pas — je ne sois de retour, ga niet uit, voor ik terug ben; 4 ter herhaling v.e. ander voegwoord; quand on est intelligent et qu'on a de l'énergie, on peut aller loin, wanneer men een goed verstand heeft en energiek is, kan men het ver brengen; 5 als stopwoord gebruikt; c'est un beau pays — la France, Frankrijk is een mooi land; je dis — non, ik zeg neen; qu'est-ce — la vie?, wat is het leven? **IV** bw 1 waarom; — n'êtes-vous venu à temps?, waarom bent u niet op tijd gekomen?; 2 wat; — de monde!, wat een mensen!; — je suis heureux!, wat ben ik blij!

quel, quelle vnw 1 welk, welke, wat, wie; quelle heure est-il?, hoe laat is het?; — est cet homme?, wie is die man?; 2 (uitroepend) wat een!, welk een!; quelle déveine!, wat een pech!; 3 quel que (met subj.), welke ook, wie ook, wat ook; — qu'il soit, wie hij ook is; quels que soient vos projets, wat ook -, welke ook uw plannen mogen zijn.

quelconque vnw 1 een of ander, welke ook, wie ook; un livre —, een of ander boek; 2 banaal, alledaags, middelmatig.

quelque I vnw 1 enig, enige, een of ander; — chose, iets; — part, ergens; 2 enige, enkele, weinige (mv); 3 —que, welke ook; —s intentions que vous ayez, welke bedoelingen u ook heeft. **II** bw 1 ongeveer (il a — huit ans); — peu, enigszins; 2 … que, hoe ook; — bon qu'il soit, hoe goed hij ook is. ▼—**fois** bw soms.

quelqu'un vnw 1 iemand; 2 belangrijk persoon; 3—s un(e)s mv enige(n), sommige(n).

quémand/er ov.w en on.w bédelen, bedelen om. ▼—**eur** m, -**euse** v bedelaar (bedelares).

qu'en-dira-t-on m (mv) praatjes der mensen.

quenelle v balletje kalfsvlees, vis of gevogelte ter opvulling v.e. pastei of gevogelte.

quenotte v (fam.) tand.

quenouille v 1 spinrokken; tomber en —, vervallen v.e. troon aan de vrouwelijke linie; 2 (het) snoeien in de vorm v.e. spinrokken (arbre en —).

querell/e v twist, onenigheid; chercher — à, ruzie zoeken met; se prendre de —, ruzie krijgen. ▼—**er I** ov.w twisten met. **II se** twisten. ▼—**eur, -euse I** bn twistziek. **II** zn m, -**euse** v ruziezoeker (-ster).

quérir ov.w halen; envoyer —, laten halen.

questeur m 1 quaestor; 2 met financieel beheer en administratie belast lid der Kamer.

question v 1 vraag; 2 kwestie, vraagpunt; — brûlante, brandende vraag; — de confiance, — de cabinet, vertrouwenskwestie; de quoi est-il—?, waar gaat het over?; mettre en —, in twijfel trekken; in bespreking brengen; la — est de savoir si …, de vraag is of …; 3 foltering, pijnbank; mettre, soumettre à la —, op de pijnbank leggen; la — du feu, de vuurproef. ▼—**naire** m vragenlijst, vragenboekje. ▼—**ner** ov.w ondervragen. ▼—**neur** m, -**neuse** v iem. die graag en veel vraagt.

questure v ambt v.d. quaestor.

quêt/e v 1 (het) zoeken; se mettre en —, op zoek gaan; 2 (geld) inzameling, collecte; 3 (het) ingezamelde geld. ▼—**er I** ov.w 1 zoeken; 2 opsporen v. wild; 3 bedelen om, hengelen naar (— des louanges). **II** on.w collecteren, giften inzamelen. ▼—**eur, -euse I** bn 1 zoekend, opsporend (chien —); 2 bedelend; moine —, bedelmonnik. **II** zn m, -**euse** v collectant(e).

quetsche v kwets (pruim).

queue v 1 staart; finir en — de poisson, op niets uitlopen; la — basse, met de staart tussen de benen; 2 steel (plk.); 3 handvat, steel; 4 staartje (bijv. v. winter, v. onweer); 5 sleep v.e. japon; 6 rij; faire la —, in rij gaan staan, queue maken; à la — leu leu, achter elkaar op een rij; prendre la —, achteraan gaan staan; 7 biljartkeu. ▼—**†-d'aronde** v zwaluwstaart. ▼—**†-demoure** v 1 breed plat penseel; 2 (fam.) rokkostuum. ▼—**†-de-pie** v (fam.)

rokkostuum.
qui I *betr.vnw* 1 die; 2 wat; — *pis est*, wat erger is. II *vr.vnw* wie.
quia (à) *bw*: *être à* —, met de mond vol tanden staan; *mettre qn. à* —, iem. de mond snoeren.
quiche *v* platte koek.
quiconque *vnw* wie ook, al wie.
quidam *m*: *un* —, een zeker iemand.
quiétude *v* rust, gemoedsrust.
quignon *m* homp brood.
quille *v* 1 kegel; 2 (*fam.*) been; 3 langwerpige fles; 4 kiel; 5 (*mil.*) (het) afzwaaien, demobilisatie. ▼**quillier** *m* de negen kegels.
quincall/erie *v* 1 ijzer-, koperwaren; 2 ijzer-, blikwinkel. ▼—**ier** *m* verkoper v. ijzer-, blik- en koperwaren.
quinconce *m*: *en* —, schaakbordsgewijze.
quinine *v* kinine.
quinquagénaire I *bn* vijftigjarig. II *zn m* of *v* vijftigjarige, vijftiger.
Quinquagésime *v* zondag vóór de Vasten (zondag Quinquagesima).
quinquennal [*mv* aux] *bn* 1 vijfjarig; *plan* —, vijfjarenplan; 2 vijfjaarlijks.
quinquet *m* 1 soort petroleumlamp: 2 (*pop.*) oog.
quinquina *m* kina.
quint *telw*. vijfde (in *Charles*-—, en *Sixte* —).
quintal [*mv* aux] *m* centenaar (50 kg).
quinte *v* 1 kwint (*muz.*); 2 (*oud*) altviool; 3 vijfkaart; 4 hevige hoestbui; 5 kuur, gril.
quintessence *v* kwintessens, (het) voornaamste, beste.
quintette *v* kwintet.
quinteux, -euse *bn* (*oud*) grillig, humeurig.
quinto *bw* ten vijfde.
quintuple I *bn* vijfvoudig. II *zn m* vijfvoud. ▼**quintuplés** *m mv* vijfling.
quinzaine *v* 1 vijftiental; 2 veertien dagen. ▼**quinze** *telw*. 1 vijftien; —*jours*, veertien dagen; *aujourd'hui en* —, vandaag over veertien dagen; 2 vijftiende (*Louis* —, *le* — *janvier*). ▼**quinzième** I *telw*. vijftiende. II *zn m* vijftiende deel. ▼—**ment** *bw* op de vijftiende plaats.
quiproquo *m* vergissing, misverstand.
quittance *v* kwitantie; *donner* —, kwiteren. ▼**quittancer** *ov.w* kwiteren.
quitte *bn* 1 quitte; 2 vrij, ontslagen; *en être* — *pour la peur*, er met de schrik afkomen; 3 — *à*, op gevaar af van.
quitter *ov.w* 1 verlaten; *ne quittez pas*, (*tel.*) blijf aan de lijn; — *le monde*, in het klooster gaan; 2 afstaan (— *ses droits*); 3 kwijtschelden; 4 afleggen, uittrekken (— *ses habits*); 5 opgeven (— *ses études*).
quitus *m*: *donner* —, decharge verlenen.
qui-vive I *tw*: —?, werda? II *zn*: *être, se tenir sur le* —, op zijn hoede zijn.
quoc-ngu *m* omzetting van Viëtnamese letters in Latijnse letters.
quoi I *vr.vnw* wat; — *de plus utile que l'étude?*, wat is er nuttiger dan de studie? II *betr.vnw* (met *voorzetsel*) wat; *à* —, waaraan; *après* —, waarna; *de* —, het nodige om, voldoende om; *pas de* —, niet te danken; *avoir de* — *vivre*, voldoende hebben om te kunnen leven; *avoir de* —, er warmpjes bijzitten; *donnez-moi de* — *écrire*, geef mij schrijfgereedschap; *il n'y a pas de* — *vous fâcher*, er is geen reden om kwaad te worden. III *onbep. vnw*: — *que*, wat ook; — *que vous disiez*, wat u ook zegt; — *qu'il en soit*, hoe het ook zij. IV *tw* wat?, hoe?
quoique *vgw* (met *subj.*) hoewel, ofschoon.
quolibet *m* kwinkslag, flauwe mop.
quorum *m* vereiste aantal leden om te kunnen stemmen, quorum.
quote†-part† *v* aandeel, bijdrage, quota, quotum.
quotidien, -enne I *bn* dagelijks. II *zn m* dagblad. ▼—**nement** *bw* dagelijks.
quotient *m* quotiënt; — *intellectuel*, intelligentiequotiënt.
quotité *v* bedrag.

r *m* of *v* de letter r.
rabâch/age *m* (*fam.*) vervelende herhaling; *tomber dans le* —, voortdurend in herhaling vervallen. ▼—**er** *ov.w* en *on.w* (*fam.*) voortdurend herhalen, zaniken. ▼—**eur** *m*, -euse *v* zeurkous, zanikpot.
rabais *m* korting, afslag, prijsvermindering, rabat (*vendre au* —); *adjuger au* —, aan de laagste inschrijver gunnen. ▼—**sement** *m* 1 prijsverlaging; 2 vernedering, kleinering. ▼—**ser** I *ov.w* 1 lager plaatsen, neerhalen; — *la voix*, zachter spreken; 2 afslaan, de prijs verlagen van; 3 vernederen. II *se* — zich vernederen, zich verlagen.
rabat *m* 1 bef; 2 klopjacht, drijfjacht.
rabat-joie *m* spelbreker, vreugdeverstoorder. ▼**rabatt/age** *m* (het) opdrijven v.h. wild. ▼—**ement** *m* 1 (het) neerslaan; 2 (het) neerslaan v.e. vlak (*wisk.*). ▼—**eur** *m* drijver (bij drijfjacht); ▼**rabattre** I *ov.w* 1 neerslaan; *col rabattu*, liggende kraag; 2 neerslaan v.e. vlak; 3 gladstrijken; 4 afdoen v.d. prijs, verminderen; 5 verkorten; — *un arbre*, de takken afkappen tot aan de stam; 6 vernederen, fnuiken (— *l'orgueil*); 7 opdrijven v. wild. II *on.w* verminderen, matigen (— *de*). III *se* — 1 van richting veranderen, een andere weg inslaan; 2 plotseling v. onderwerp, v. gesprek veranderen.
rabbi(n) *m* rabbijn. ▼**rabbin/at** *m* ambt v. rabbijn. ▼—**ique** *bn* v.e. rabbijn. ▼—**isme** *m* leer der rabbijnen.
rabdomanc/ie, rhabdomanc/ie *v* (het) wichelroedelopen. ▼—**ien** *m*, -ienne *v* wichelroedeloper (-loopster).
rabelaisien, -enne *bn* (als) v. Rabelais.
rabibocher *ov.w* (*fam.*) 1 oplappen, herstellen; 2 verzoenen.
rabiot, rab *m* (*arg. mil.*) 1 wat er na het eten uitdelen overblijft; *du rabiot*, overschot; 2 tijd die een soldaat moet nadienen om de wegens straf verzuimde dagen in te halen; 3 overwerk; 4 *en rab*, (*fam.*) extra, gratis. ▼—**er** I *ov.w* (*fam.*) 1 afmaken; 2 inpikken. II *on.w* winst maken.
rabique *bn* wat hondsdolheid betreft.
râble *m* 1 rugstuk v. haas of konijn; 2 vuurhaak. ▼**râblé** *bn* met een brede rug (*lièvre* —).
rabot *m* schaaf. ▼—**age, —ement** *m* (het) schaven. ▼—**er** *ov.w* 1 schaven; 2 bijschaven (*fig.*), polijsten (— *son style*). ▼—**eur** *m* schaver. ▼—**euse** *v* schaafmachine. ▼—**eux, -euse** *bn* ruw, oneffig, hobbelig.
rabougr/i *bn* klein, verschrompeld, mismaakt. ▼—**ir** I *on.w* verschrompelen, kwijnen, niet groeien. II *ov.w* doen verschrompelen. III *se* — als *on.w*. ▼—**issement** *m* verschrompeling, (het) niet groeien.
rabouillère *v* konijnehol.
rabouter *ov.w* aan elkaar zetten.
rabrouer *ov.w* afsnauwen.
racage *m* rak (*scheepv.*).
racaille *v* grauw, uitvaagsel.
raccommod/able *bn* te herstellen. ▼—**age** *m* (het) herstellen, verstellen. ▼—**ement** *m* verzoening. ▼—**er** I *ov.w* 1 verstellen,

herstellen; 2 verzoenen. **II se** — zich met elkaar verzoenen. ▼**—eur** m, **-euse** v versteller (-ster).

raccord m 1 samenvoeging, aaneenhechting; 2 verbindingsstuk; overgang; 3 faire un —, (fam.) even de make-up bijwerken. ▼**—ement** m samenvoeging, verbinding; voie de —, verbindingslijn. ▼**—**er ov.w samenvoegen, verbinden.

raccourc/i I bn: à bras — (s), uit alle macht. **II** zn m 1 verkorting; en —, in het klein; 2 uittreksel, samenvatting; 3 kortere weg. ▼**—ir** I ov.w verkorten. **II** on.w korter worden. ▼**—issement** m verkorting.

raccoutumer (oud) = **réaccoutumer**.

raccroc m 1 geluksstoot (bij biljarten); 2 (oud) meevaller; par —, op goed geluk.

raccroch/age m 1 (het) weer ophangen; 2 (het) aanklampen v. voorbijgangers (= racolage). ▼**—er** I ov.w 1 (weer) ophangen; 2 aanklampen. **II** on.w een 'beest' maken (bij biljarten). **III se** — à zich vastklampen aan.

race v 1 ras; chien de —, rashond; 2 geslacht. ▼**racé** bn rasecht.

racer m 1 raceauto; 2 racejacht.

rachat m 1 terugkoop; 2 (het) vrijkopen; afkoop; prix de —, afkoopsom; 3 aflossing. ▼**rachet/able** bn 1 weer teruggekocht kan worden; 2 aflosbaar; 3 afkoopbaar. ▼**—er** I ov.w 1 terugkopen; 2 vrijkopen; afkopen; 3 aflossen; 4 (fig.) afkopen, goedmaken; — ses péchés, zijn zonden uitboeten. **II se** — 1 teruggekocht worden; 2 zich vrijkopen. ▼**—eur** m, **-euse** v terugkoper, vrijkoper.

rachidien, -enne bn v.d. ruggegraat. ▼**rachis** m ruggegraat. ▼**rachitique** I bn lijdend aan Engelse ziekte. **II** zn m of v lijder(es) aan Eng. ziekte. ▼**rachitisme** m Engelse ziekte, rachitis.

racial [mv aux] bn wat het ras betreft.

racinal m [mv aux] grondbalk.

racine v 1 wortel; — carrée, vierkantswortel; — cubique, derdemachtswortel; pousser des —s, wortels krijgen; prendre —, wortel schieten; ergens lang blijven; 2 oorsprong; 3 stamwoord. ▼**raciner** on.w (oud) wortel schieten.

racinien bn in de stijl van Racine.

racisme m rassenpolitiek, racisme. ▼**raciste** m voorstander van raszuiverheid en rassenscheiding, racist.

racket m geldafpersing. ▼**—teur** m geldafperser.

raclage m (het) afschrapen. ▼**racl/e** v krabber, schraapijzer. ▼**—ée** v (pop.) pak slaag. ▼**—er** I ov.w afschrapen, afkrabben. **II** on.w: — du violon, op de viool krassen. ▼**—ette** v schraapijzer. ▼**—eur** m 1 schraapijzer; 2 krasser op een viool. ▼**—oir** m schraapijzer. ▼**—ure** v schraapsel.

racol/age m (het) ronselen; 2 (het) aanklampen, aanspreken (door prostituée). ▼**—er** ov.w ronselen, (aan)werven, aanklampen. ▼**—eur** m ronselaar, klantenlokker. ▼**—euse** v prostituée.

racont/able bn te vertellen. ▼**—ar** m praatje. ▼**—er** ov. en on.w vertellen, verhalen. ▼**—eur** m, -euse v iem. die veel vertelt.

racorn/ir I ov.w verhoornen, hard maken. **II se** — 1 hard worden; 2 vermageren (fam.). ▼**—issement** m verharding.

radar m radar. ▼**radariste** m radarspecialist.

rade v rede (haven).

radeau [mv x] m vlot.

rader v 1 op de rede brengen; 2 gladstrijken met een strijkhout (— du blé).

radi/aire bn straalvormig. ▼**—al** [mv aux] bn 1 gestraald; couronne —e, stralenkroon; 2 v.h. spaakbeen; 3 v.d. straal; pneu —, radiaalband. ▼**—ale** v weg, die straalvormig uit het centrum loopt. ▼**—ance** v straling. ▼**—ant** I bn (uit)stralend. **II** zn m (of point radiant) uitstralingscentrum. ▼**—ateur** m radiator. ▼**—ation** v 1 uitstraling; 2 doorhaling.

radical [mv aux] I bn 1 v.d. wortel; 2 de kern v.d. zaak betreffend, grondig, volstrekt; 3 radicaal (vooruitstrevend). **II** zn m 1 stam

v.e. woord; 2 aanhanger der radicale partij; 3 wortelteken, wortelgrootheid. ▼**—isme** m stelsel der radicalen.

radié bn straalvormig.

radier ov.w schrappen.

radiesthésie v gave om bronnen te vinden. ▼**radiesthésiste** m of v wichelroedeloper, (-loopster); pendule de —, wichelroede.

radieux, -euse bn stralend.

radifère bn radiumhoudend.

radin bn (pop.) gierig.

radiner se (pop.) komen aanzetten.

radio I zn v 1 radio; 2 radiotoestel. **II** m 1 radiogram; 2 marconist, radiotelegrafist. **III** bn röntgen-. ▼**—ive** bn radioactief. ▼**—activation** v (het) radioactief maken. ▼**—activité** v radioactiviteit. ▼**—balisage** m radiobebakening (via geluidsgolven). ▼**—communication** v 1 radioverbinding; 2 draadloos telegram. ▼**—concert** m radioconcert. ▼**—diffusion** v, **—émission** v radio-uitzending, radio-omroep. ▼**—gramme** m draadloos telegram. ▼**—graphe** m röntgenoloog. ▼**—graphie** v röntgenfotografie. ▼**—graphier** ov.w een röntgenopname maken, doorlichten. ▼**—graphique** bn radiografisch. ▼**—guidage** m draadloze besturing. ▼**—isotope** m radio-isotoop. ▼**—journal** m nieuwsberichten per radio. ▼**—logie** v (het) bestralen (med.). ▼**—logue**, **—logiste** m röntgenoloog; radioloog. ▼**—phare** m radiobaken. ▼**—phonie** v (het) draadloos telefoneren. ▼**—phonique** bn radio-; jeu —, luisterspel. ▼**—reportage** m radioverslag. ▼**—scopie** v onderzoek met X-stralen. ▼**—signalisation** v (het) aangeven der route aan schepen en vliegtuigen door middel v.d. radio. ▼**—technique** I zn v radiotechniek. **II** bn radiotechnisch. ▼**—télégramme** m draadloos telegram. ▼**—télégraphie** v draadloze telegrafie. ▼**—téléphonie** v draadloze telefonie. ▼**—télévisé** bn via radio en tv uitgezonden. ▼**—thérapie** v genezing door bestraling, radiotherapie.

radis m 1 radijs; 2 (pop.) geld; n'avoir plus un —, geen rooie cent meer hebben.

radium m radium. ▼**—thérapie** v geneeswijze door middel v. radium.

radius m spaakbeen, radius.

radot/age m gebazel. ▼**—er** on.w bazelen, leuteren. ▼**—eur** m, -euse v kletskous, raaskaller (-ster).

radoub m kalfatering; bassin de —, droogdok. ▼**—er** ov.w kalfateren.

radoucir I ov.w verzachten. **II se** — zachter worden (le temps se radoucit). ▼**radoucissement** m verzachting, leniging.

rafale v 1 rukwind; 2 serie schoten, salvo (van mitrailleur).

raffermir ov.w steviger maken, versterken. ▼**raffermissement** m versterking, (het) steviger worden.

raffinage m (het) raffineren. ▼**raffin/é** I bn 1 geraffineerd; 2 verfijnd; 3 doortrapt. **II** zn m 1 iem. met een verfijnde smaak; 2 doortrapte vent. ▼**—ement** m 1 verfijning; 2 gekunsteldheid, gezochtheid; 3 doortraptheid. ▼**—er** ov.w 1 zuiveren; raffineren; 2 verfijnen. ▼**—erie** v raffinaderij. ▼**—eur** m raffinadeur.

raffoler on.w: — de musique, verzot zijn op muziek.

raffut m (fam.) lawaai.

raffûter ov.w weer slijpen.

rafistolage m (het) oplappen. ▼**rafistoler** ov.w oplappen.

rafle v 1 afgeriste tros druiven of bessen; 2 plundering; 3 razzia; 4 soort net. ▼**rafler** ov.w 1 plunderen, wegkapen; 2 oppakken (door politie).

rafraîchir I ov.w 1 verfrissen, koelen v. dranken; 2 bijwerken, herstellen, ophalen (— un tableau); 3 punten, bijknippen v. haar; 4 — la mémoire, het geheugen opfrissen. **II** on.w koelen, afkoelen v. dranken. **III se** — 1 fris worden (*le temps se rafraîchit*); 2 zich verfrissen, iets drinken. ▼**rafraîchiss/ant** I *bn* verfrissend. II *zn m* verfrissend middel. ▼—**ement** I *m* 1 afkoeling, opfrissing; 2 (het) ophalen v. kleuren. II —**s** *m mv* verversingen. ▼—**oir** *m* koelvat, koeler.

ragaillardir *ov.w* opvrolijken.

rage *v* 1 hondsdolheid; 2 woede; *faire —*, woeden; 3 pijn; — *de dents*, hevige kiespijn; 4 zucht, manie; *avoir la — de faire des vers*, verzot zijn op verzen maken. ▼**rageant** *bn* (*fam.*) vervelend, beroerd. ▼**rager** *on.w* razen, tieren. ▼**rageur, -euse** (*fam.*) I *bn* opvliegend, driftig. II *zn m, -euse* v driftkop.

ragot I *bn* kort en dik. II *zn m* 1 dikkerd; 2 (*pop.*) kletspraatje; 3 jong wild zwijn.

ragoût *m* 1 ragoût; 2 lekkere smaak; 3 bekoring, aantrekkingskracht. ▼—**ant** *bn* smakelijk.

ragréer *ov.w* opknappen, herstellen.

rai *m* 1 straal; 2 spaak.

raid *m* 1 inval; 2 afstandsrit, -tocht; 3 — *aérien*, luchtaanval.

raid/e I *bn* 1 stijf, strak; 2 steil; 3 onbuigzaam (*caractère —*); 4 kras (*c'est —/*), gewaagd (*des propos —s*). II *bw*: — *mort*, morsdood; (*sp.*) *renvoyer la balle —*, de bal hard retourneren. ▼—**eur** v 1 stijfheid, strakheid; 2 steilheid; 3 onverzettelijkheid, onbuigzaamheid. ▼—**illon** *m* steil paadje. ▼—**ir** I *ov.w* stijf -, strak maken, spannen. II *on.w* en *se* — stijf worden. III **se** — zich schrap zetten. ▼—**issement** *m* verstijving. ▼—**isseur** *m* draadspanner.

raie v 1 rog; 2 haarscheiding; 3 streep, lijn; 4 ondiepe vore.

raifort *m* mierikwortel.

rail *m* rail.

raill/er I *ov.w* bespotten, voor de gek houden. II *on.w* gekscheren. III **se** — de spotten met, maling hebben aan. ▼—**erie** v scherts, spotternij; — *à part*, alle gekheid op een stokje; *entendre —*, goed tegen scherts kunnen; *entendre la —*, goed kunnen schertsen. ▼—**eur, -euse** I *bn* spottend. II *zn m, -euse* v spotter (-ster). ▼—**eusement** *bw* spottend.

rainer, rainurer *ov.w* een sleuf maken in, groeven.

rainette v 1 boomkikvors; 2 renet.

rainure v sponning, reet, groef, gleuf.

rais *m* spaak.

raisin *m* 1 druif; — *de Corinthe*, krent; — *noir, blauwe druif*; — *sec*, rozijn; 2 papierformaat (65 bij 50 cm). ▼**raisiné** *m* 1 druivengelei, -jam; 2 (*pop.*) bloed.

raison v 1 rede; verstand; *âge de —*, jaren v. verstand; *entendre —*, naar rede luisteren; *comme de —*, zoals billijk is; *ménage de —*, huwelijk uit berekening; *de raison*; oorzaak; *se faire une —*, zich schikken; *à plus forte —*, reden te meer om; *en — de*, wegens; 3 rekenschap; *rendre —*, rekenschap geven; 4 verhouding; *à — de*, tegen; 5 gelijk; *avoir —*, gelijk hebben; 6 firmanaam (— *sociale*). ▼—**nable** *bn* 1 redelijk, verstandig; 2 billijk, schappelijk (*prix —*). ▼—**nement** *m* redenering. ▼—**ner** I *on.w* redeneren. II *ov.w* 1 beredeneren; 2 redeneren over; 3 tot rede -, tot andere gedachten brengen. ▼—**neur, -neuse** I *bn* tegenstribbelend. II *zn m, -neuse* v 1 redeneerder (-ster); 2 tegenstribbelaar(ster).

rajeunir I *ov.w* verjongen, jonger maken. II *on.w* jonger worden. III **se** — zich voor jonger uitgeven dan men is. ▼**rajeunissement** *m* verjonging.

rajout *m* 1 toevoegsel; 2 aanbouwsel. ▼—**er** *ov.w* weer bijvoegen.

rajustement *m* (het) weer in orde brengen, herstel, herziening. ▼**rajuster** I *ov.w* weer in orde brengen, herzien, herstellen, rechtzetten. II **se** — zich verzoenen.

raki *m* raki, arak (oosterse likeur).

râle *m* 1 gerochel (*ook* râlement); 2 ral (vogel).

ralentir I *ov.w* vertragen; — *sa marche*,

langzamer rijden; *film au ralenti*, vertraagde film; *tactique du travail au ralenti*, langzaam-aan-tactiek. II *on.w* langzamer gaan rijden. III **se** — langzamer gaan, afnemen. ▼**ralentissement** *m* vertraging.

râler *on.w* 1 rochelen; 2 schreeuwen v.e. pauw; 3 (*pop.*) mopperen; 4 (*pop.*) pingelen. ▼**râleur** *m, -euse* v (*pop.*) pingelaar(ster); mopperaar.

ralliement *m* (het) opnieuw verzamelen, hereniging; *mot de —*, wachtwoord. ▼**rallier** I *ov.w* 1 weer verzamelen, weer verenigen; 2 tot overeenstemming brengen; 3 weer gaan naar (— *son poste*). II **se** — 1 zich herenigen; 2 zich weer voegen bij; 3 onderschrijven.

rallonge/1 verlengstuk; 2 (*pop.*) steekpenning, extraatje. ▼—**ement** *m* verlenging. ▼—**er** *ov.w* verlengen, uittrekken (— *une table*).

rallumer *ov.w* 1 weer aansteken; 2 weer doen opvlammen (— *une guerre*).

rallye *m* rally; — *automobile*, autorally.

ramage *m* 1 loofwerk, bloemwerk op stoffen; 2 gekweel v. vogels in de bomen; 3 gebabbel v. kinderen. ▼**ramager** I *ov.w* stoffen versieren met loof- of bloemwerk. II *on.w* kwelen van vogels.

ramas *m* 1 hoop; 2 bende. ▼**ramassage** *m* (het) sprokkelen; — *scolaire*, schoolophaaldienst. ▼**ramassé** *bn* ineengedrongen. ▼**ramasse-miettes** *m* tafelschuier. ▼**ramass/er** I *ov.w* 1 oprapen; 2 verzamelen, bijeenbrengen; — *ses forces*, zijn krachten verzamelen; 3 (*fam.*) arresteren, inrekenen. II **se** — ineenduiken, ineenkrimpen. ▼—**ette** v vuilnisblik. ▼—**eur** *m, -euse* v opraper (opraapster). ▼—**is** *m* samenraapsel, zootje.

rambarde v reling.

rame v 1 staak, rijshout; 2 roeiriem; 3 riem papier; 4 sleep boten; 5 rij -, koppel wagons (v. metro).

ramé *bn* voorzien v. staken (*pois —s*). ▼**rameau** [*mv* x] *m* 1 twijg, takje; *dimanche des R—x*, Palmzondag; 2 vertakking, zijlinie. ▼**ramée** v loof, groen.

ramender *ov.w* 1 opnieuw bemesten; 2 opnieuw vergulden; 3 afslaan v. waren.

ramener I *ov.w* 1 opnieuw brengen; 2 — *à la vie*, weer tot leven brengen; 3 herstellen, terugbrengen; 4 weer leggen, zetten; 5 herleiden. II **se** — 1 (*pop.*) komen; 2 herleid worden; *son raisonnement se ramène à ceci*, zijn redenering komt hierop neer.

ramer I *ov.w* rijshout, stokken zetten bij; *il s'y entend comme à — des choux*, hij kent er niets van. II *on.w* roeien.

ramereau [*mv* x], **ramerot** *m* jonge houtduif.

rameur *m, -euse* v roeier (-ster).

rameux, -euse *bn* met veel takken.

rami *m* rummy (kaartspel).

ramier *m* hout-, ringduif (*ook pigeon —*).

ramification v vertakking. ▼**ramifier (se)** zich vertakken.

ramille v takje.

ramoll/i I *bn* kinds, stompzinnig. II *zn m* kinds -, stompzinnig mens. ▼—**ir** I *ov.w* 1 week maken; 2 verslappen (*fig.*). II **se** — 1 verslappen; 2 week worden. ▼—**issant** I *bn* verzachtend. II *zn m* verzachtend middel. ▼—**issement** *m* verslapping, verweking. ▼**ramollo** *bn* (*pop.*) kinds, stompzinnig.

ramon/age *m* (het) schoorsteenvegen. ▼—**er** *ov.w* schoorsteenvegen. ▼—**eur** *m* schoorsteenveger.

rampant *bn* 1 kruipend; 2 kruiperig; 3 *personnel —*, (*arg.*) grondpersoneel (*luchtv.*).

rampe v 1 trapleuning; 2 helling; 3 voetlicht; *fièvre de la —*, plankenkoorts; 4 — *de lancement*, lanceerinrichting.

rampement *m* (het) kruipen. ▼**ramper** *on.w* 1 kruipen (*ook fig.*); 2 hellen.

ramure v 1 loof; 2 gewei.

rancard, rencard *m* 1 (*pop.*) tip, inlichting; 2 (*pop.*) geheime ontmoeting (splaats). ▼—**er**

ov.w (pop.) tippen.

rancart *m: mettre au —,* afdanken.

ranc/e l *bn* ranzig. ll *zn m* ranzige lucht; *sentir le —,* ranzig smaken, - ruiken. ▼—**ir** *on.w* ranzig worden. ▼—**issement** *m* (het) ranzig worden.

rancœur *m* wrok, wrevel.

rançon v 1 losgeld; 2 prijs, boete. ▼—**nement** *m* 1 vrijlating tegen losgeld; 2 afpersing, afzetterij. ▼—**ner** *ov.w* 1 brandschatten; 2 afzetten. ▼—**neur** *m* afzetter.

rancun/e v wrok; *sans —,* even goeie vrienden! ▼—**eux, -euse** *bn (oud)* wrevelig, haatdragend. ▼—**ier** *bn* haatdragend.

randonnée v zwerftocht, lange tocht

rang *m* 1 rij; 2 gelid; 3 rang, plaats; 4 stand. ▼—**ée** v reeks, rij. ▼—**ement** *m* rangschikking. ▼—**er** l *ov.w* 1 rangschikken, op een rij zetten; 2 op zij zetten; 3 opruimen; 4 onderwerpen; 5 varen langs. ll **se** — 1 zich scharen; *se — du parti de qn.,* iemands partij kiezen; 2 opzij gaan; 3 zich onderwerpen; 4 een gevestigd leven gaan leiden.

ranimer *ov.w* 1 doen herleven, doen opleven, bijbrengen; *(— un noyé);* 2 nieuwe moed geven; 3 aanwakkeren.

rapace l *bn* 1 roofzuchtig; 2 inhalig. ll *zn m* roofvogel. ▼**rapacité** v 1 roofzucht; 2 hebzucht.

râpage *m* (het) raspen.

rapatriement *m* 1 terugzending, terugkeer naar het vaderland; repatriëring; 2 verzoening. ▼**rapatrier** l *ov.w* 1 naar het vaderland terugzenden, repatriëren; 2 verzoenen. ll **se** — naar het vaderland terugkeren, repatriëren.

râpe v 1 rasp; — *anglaise,* raspvijl; 2 afgeriste druiventros. ▼**râpé** *bn* tot op de draad versleten. ▼**râper** *ov.w* 1 raspen, vijlen; 2 tot op de draad verslijten. ▼—**ie** v rasperij.

rapetassage *m* (het) oplappen, verstellen. ▼**rapetasser** *ov.w* oplappen, verstellen.

rapetiss/ement *m* verkleining. ▼—**er** l *ov.w* verkleinen. ll *on.w* kleiner-, korter worden.

râpeux, -euse *bn* ruw.

raphia *m* raffia.

rapiat *bn (fam.)* gierig.

rapide l *bn* 1 vlug, snel; 2 steil. ll *zn m* 1 stroomversnelling; 2 sneltrein. ▼**rapidité** v 1 snelheid; 2 steilheid.

rapié/cage *m* (het) verstellen, inzetten v.e. stuk. ▼—**cer** *ov.w* verstellen, oplappen.

rapière v 1 rapier; 2 *(pop.)* mes.

rapin v 1 schildersleerling; 2 kladschilder.

rapine v roof, plundering. ▼**rapiner** *on.* en *ov.w (oud)* plunderen, roven.

raplatir *ov.w* opnieuw plat maken.

rappareiller *ov.w* (een stel) aanvullen.

rappel *m* 1 terugroeping; 2 (het) herzamelen; *sonner le —,* herzamelen blazen; 3 betaling v. achterstallig loon; 4 terugloop v.e. werktuig; 5 herroeping; 6 herhaling (sbord). ▼**rappeler** l *ov.w* 1 terugroepen; — *à l'ordre,* tot de orde roepen; 2 herhaaldelijk roepen; 3 herinneren; 4 gelijken op. ll **se** — zich herinneren.

rappliquer l *ov.w* opnieuw toepassen. ll *on.w (pop.)* (terug)komen.

rapport *m* 1 opbrengst; *en plein —,* veel vruchten gevend; 2 rapport, verslag; 3 overeenkomst; 4 verhouding; 5 betrekking; *par — à,* met betrekking tot; — *à (pop.),* wat betreft, wegens; *sous le — de,* wat betreft; *sous ce —,* in dat opzicht; *sous tous les —s,* in alle opzichten; 6 betrekking, omgang; —*s d'amitié,* vriendschapsbetrekkingen. ▼—**age** *m (fam.)* verklikken. ▼—**er** l *ov.w* 1 terugbrengen; 2 meebrengen; 3 opbrengen, overbrengen (hoek); 4 apporteren; 5 verhalen, vermelden; 6 doen teruggaan tot (— *un fait au moyen âge);* 7 verklikken; 8 herroepen. ll **se** — 1 met elkaar overeenstemmen; *se — à,* betrekking hebben op; *3 s'en — à,* zich verlaten op. ▼—**eur** l *zn m,* **-euse** v klikspaan. ll *m* 1 rapporteur, verslaggever; 2 graadboog.

rapprendre *ov.w* en *onr.* weer leren.

rapprochement *m* 1 (het) bij elkaar brengen; 2 vergelijking; 3 verzoening. ▼**rapprocher** l *ov.w* 1 bij elkaar brengen; 2 verzoenen; 3 naderbij brengen; 4 vergelijken; 5 naderbij halen (door middel v.e. kijker). ll **se** — 1 naderbij komen; 2 tot elkaar komen.

rapt *m* schaking, ontvoering.

râpure v schraapsel.

raquer *ov.w (pop.)* betalen.

raquette v 1 racket; 2 tafeltennisbat; 3 sneeuwschoen.

rare *bn* 1 zeldzaam; *devenir —,* weinig op bezoek komen; 2 buitengewoon, zeer verdienstelijk *(homme —);* 3 dun *(barbe —);* 4 ijl.

raré/faction v 1 verdunning; 2 (het) zeldzamer worden. ▼—**fiable** *bn* verdunbaar. ▼—**fiant** *bn* verdunnend. ▼—**fier** *ov.w* verdunnen. ll **se** — zeldzamer worden.

rarement *bw* zelden. ▼**rareté** v 1 zeldzaamheid; 2 zeldzaam voorwerp; 3 ijlheid, dunheid. ▼**rarissime** *bn* uiterst zeldzaam.

ras l *bn* 1 kort geknipt *(barbe —e),* kortharig; 2 vlak; *en — e campagne,* in het open veld; *faire table —e,* schoon schip maken. ll *zn m* 1 *au —de,* gelijk met; 2 schietstroom; — *de marée,* vloedgolf.

rasade v glasvol.

rasage *m* (het) scheren. ▼**rasant** *bn* 1 even rakend, scherend langs; *vol —,* scheervlucht; 2 *(fam.)* vervelend. ▼**rase-mottes:** *voler en —,* vlak langs de grond vliegen. ▼**raser** l *ov.w* 1 scheren; — *de près,* glad scheren; 2 met de grond gelijk maken; — *un navire,* de masten v.e. schip kappen; 3 scheren langs; 4 *(fam.)* vervelen. ll **se** — 1 zich scheren; 2 *(fam.)* zich vervelen. ▼**raseur** *m,* **-euse** v 1 scheerder (-ster); 2 *(fam.)* vervelende vent. - vrouw. ▼**rasoir** *m* 1 scheermes; 2 *(fam.)* vervelende vent; 3 *(fam.)* vervelende zaak.

rassasiant *bn* voedzaam. ▼**rassasier** *ov.w* verzadigen (ook *fig.);* — *ses yeux de,* zijn ogen uitkijken op.

rassembl/ement *m* 1 verzameling, (het) verzamelen; *sonner le —,* verzamelen blazen; 2 oploop, standje. ▼—**er** l *ov.w* 1 opnieuw verzamelen, weer bijeenbrengen; 2 verzamelen, bijeenbrengen; — *ses forces,* al zijn krachten verzamelen. ll **se** — bij elkaar komen. ▼—**eur** *m* verzamelaar *(fig.).*

rasseoir l *ov.w onr.* 1 weer neerzetten, weer plaatsen; 2 geruststellen, kalmeren. ll **se** — 1 weer gaan zitten; 2 tot kalmte komen.

rasséréner l *ov.w* 1 weer helder maken; 2 weer kalm maken. ll **se** — 1 weer helder worden; 2 weer kalm worden.

rassir (**se**) *on.w* hard worden. ▼**rassis** *bn* 1 oudbakken; 2 rustig, bezadigd.

rassortiment *m zie* **réassortiment.** ▼**rassortir** *zie* **réassortir.**

rassur/ant *bn* geruststellend. ▼—**er** *ov.w* 1 weer vastmaken, versterken; 2 geruststellen.

rat *m* 1 rat; *à bon chat bon —,* baas boven baas; — *de bibliothèque,* boekenwurm; — *d'église,* kerkloper; — *d'hôtel,* hoteldief; 2 gril; 3 gierigaard.

rata *m* 1 *(oud, arg. mil.)* ratjetoe; 2 eten, portie.

ratage *m* mislukking.

rataplan, rantanplan *m* tromgeroffel.

ratiné *m* gerimpeld, verschrompeld; *(fam.)* in de prak. ▼(**se**) **ratatiner** verschrompelen, rimpelen.

ratatouille v 1 *(cul.)* id.; 2 ratjetoe.

rate v milt; *dilater la —,* aan het lachen brengen; *ne pas se fouler la —,* zich niet dood werken; 2 wijfjesrat.

raté *m* 1 (het) ketsen v.e. geweer; 2 (het) niet aanslaan v.e. motor; 3 mislukkeling.

râteau *[mv x] m* 1 hark; 2 harkje v. croupier; 3 *(pop.)* kam. ▼**râtel/age** *m* (het) aanharken. ▼—**ée** v harkvol. ▼—**er** *ov.w* harken. ▼—**eur** *m,* **-euse** v hooiharker (-ster).

râtelier *m* 1 ruif; *manger à deux (plusieurs) —s,* van twee wallen eten; 2 geweerrek, rek voor gereedschappen; 3 (kunst)gebit.

râtelures *v mv* bijeengeharkt hooi.
rater I *on.w* **1** ketsen v.e. vuurwapen;
2 mislukken. **II** *ov.w* **1** missen (— *une
perdrix*); **2** niet krijgen (— *une place*);
3 zakken voor.
ratiboiser *ov.w* **1** (*fam.*) blut maken, stelen;
2 ruineren.
ratier *m* rattenvanger. ▼**ratière** *v* ratteval.
ratification *v* bekrachtiging, ratificatie.
▼**ratifier** *ov.w* bekrachtigen, ratificeren.
ratiner *ov.w* krullig maken.
ratiociner *on.w* eindeloos redeneren.
ration *v* rantsoen, portie.
rational/iser *ov.w* **1** rationaliseren;
2 praktischer inrichten. ▼—**isme** *m*
rationalisme. ▼—**iste I** *bn* rationalistisch. **II** *zn*
m of *v* rationalist(e).
rationalité *v* meetbaarheid. ▼**rationnel, -elle**
bn **1** op de rede gegrond, rationeel;
2 meetbaar; **3** theoretisch; *mécanique —elle*,
theoretische mechanica. ▼—**lement** *bw*
verstandig.
rationnement *m* rantsoenering. ▼**rationner**
ov.w op rantsoen stellen.
ratiss/age *m* (het) aanharken, schoffelen,
uitkammen. ▼—**er** *ov.w* **1** aanharken;
2 schoffelen; **3** afschrapen; **4** uitkammen (v.e.
wijk). ▼—**oire** *v* schoffel.
raton *m* **1** ratje; **2** wasbeer; **3** kaaskoekje.
rattachement *m* **1** (het) verbinden,
aanhechten; **2** verbinding, aanhechting.
▼**rattacher** *ov.w* **1** weer (ver)binden, weer
vastmaken, weer aanhechten; **2** verbinden,
vastknopen; **3** in verband brengen.
rattrapage *m* (het) inhalen; *cours de —,
inhalles(sen).* ▼**rattraper I** *ov.w* **1** (weer)
inhalen; **2** weer vangen, terugkrijgen; *on ne
m'y rattrapera plus*, dat zal me niet weer
overkomen. **II se** — **1** zich vastgrijpen; **2** geld
terugwinnen; **3** tijd inhalen; **4** achterstand
inlopen.
ratur/age *m* (het) doorhalen. ▼—**e** *v*
doorhaling. ▼—**er** *ov.w* doorhalen.
raucité *v* schorheid. ▼**rauque** *bn* schor.
▼**rauquer** *on.w* brullen v.e. tijger.
ravag/e *m* verwoesting. ▼—**er** *ov.w*
verwoesten. ▼—**eur** *m*, -**euse** *v* **I** *zn*
verwoester (-ster). **II** *bn* verwoestend.
raval/ement *m* **1** bepleistering; **2** uitholling
v.e. muur; **3** (het) afkrabben; **4** vernedering,
verkleining. ▼—**er** *ov.w* **1** weer inslikken;
2 bepleisteren; **3** uithollen v.e. muur;
4 afkrabben; **5** vernederen, verkleinen.
ravaud/age *m* **1** (het) oplappen; **2** knoeiwerk,
lapwerk. ▼—**er I** *ov.w* oplappen. ▼—**eur** *m*,
-**euse** *v* **1** versteller (-ster); **2** wauwelaar,
zeurkous.
rave *v* raap. ▼**ravière** *v* veld met rapen.
ravigote *v* soort pikante saus. ▼**ravigoter**
ov.w (*fam.*) opknappen.
ravilir *ov.w* verlagen.
ravin *m* ravijn.
ravin/e *v* **1** bergbeekje; **2** bergkloof. ▼—**ée** *v*
kloof gevormd door bergstroom. ▼—**ement** *m*
wegspoeling, ondergraving. ▼—**er** *ov.w*
wegspoelen, ondergraven.
ravioli *m mv* gekruide deegkoekjes met gehakt
vlees en geraspte kaas.
ravir *ov.w* **1** ontrukken, ontroven, ontvoeren;
2 verrukken, vervoeren; *à —*, verrukkelijk.
raviser (se) zich bedenken, van mening
veranderen.
raviss/ant *bn* **1** rovend, verscheurend;
2 bekoorlijk, verrukkelijk. ▼—**ement** *m*
1 (*oud*) schaking, ontvoering; **2** verrukking,
vervoering. ▼—**eur**, -**euse I** *bn* rovend. **II** *zn m*
rover, schaker, ontvoerder.
ravitaill/ement *m* proviandering,
ravitaillering. ▼—**er** *ov.w* provianderen,
ravitailleren. ▼—**eur** *m* leverancier.
raviver *ov.w* verlevendigen (— *l'espérance*);
aanwakkeren (— *le feu*).
ravoir *ov.w* terugkrijgen.
rayage *m* trek (v.e. vuurwapen); (het)
doorhalen. ▼**rayé** *bn* **1** gestreept; **2** getrokken
(v.d. loop v.e. vuurwapen). ▼**rayer** *ov.w*

1 strepen trekken; **2** bekrassen; **3** doorhalen;
4 trekken aanbrengen in de loop v.e.
vuurwapen.
ray-grass *m* Eng. raaigras.
rayon *m* **1** lichtstraal, straal; — *d'espérance*,
straal van hoop; — *X*, X-straal; **2** straal (*wisk.*):
3 spaak; **4** voor; **5** plank v.e. boekenkast;
6 honingraat; **7** afdeling v.e. grote winkel,
rayon. ▼—**nage** *m* **1** (het) trekken v. ondiepe
voren; **2** gezamenlijke planken v.e.
boekenkast. ▼—**nant** *bn* **1** stralend; *pouvoir
—*, uitstralingsvermogen; *style —*, gotische
stijl na het begin der dertiende eeuw;
2 stervormig.
rayonne *v* rayon (kunstzijde).
rayon/nement *m* **1** (uit)straling;
2 opgetogenheid. ▼—**ner** *on.w* (uit)stralen,
schitteren.
rayure *v* **1** streping (— *d'une étoffe*);
2 doorhaling; **3** trek v.d. loop v.e. vuurwapen.
raz, ras *m* sterke stroom (in zeeëngte); — *de
marée*, vloedgolf.
razzia *v* razzia, strooptocht. ▼**razzier** *ov.w*
uitplunderen.
re-, ré-, r- *voorvoegsel met betekenis*: weer,
opnieuw, terug.
ré *m* de noot d.
réa *m* katrolschijf.
réabonner *ov.w* een abonnement vernieuwen,
verlengen.
réac *afk. van* réactionnaire.
réaccoutumer *ov.w* weer gewennen.
réact/eur *m* **1** (*oud*) reactionair;
2 straalmotor; **3** reactor; — *nucléaire*,
kernreactor; *cuve de —*, reactorvat. ▼—**if, -ive**
I *bn* reagerend. **II** *zn m* reageermiddel, reagens.
▼—**ion** *v* **1** reactie; *à —*, straal-; **2** terugslag;
3 uitwerking. ▼—**ionnaire** *bn en zn*
reactionair. ▼—**iver** *ov.w* reactiveren, weer
werkzaam maken.
réadapt/ation *v* **1** weer aanpassing;
2 reclassering. ▼—**er** *ov.w* reclasseren.
réadjudication *v* **1** herbesteding; **2** nieuwe
toewijzing. ▼**réadjuger** *ov.w* opnieuw
toewijzen.
réaffirmer *ov.w* opnieuw verzekeren.
réagir *on.w* **1** terugwerken, reageren; **2** —
contre, ingaan tegen, strijden tegen (— *contre
ses passions*).
réal [*mv aux*] *m* reaal (Spaanse munt).
réalis/able *bn* te verwezenlijken. ▼—**ateur**,
-**atrice I** *bn* verwezenlijkend. **II** *zn m*, -**atrice**
v **1** uitvoerder; **2** regisseur. ▼—**ation** *v*
1 uitvoering, verwezenlijking, realisatie;
2 tegeldemaking. ▼—**er** *ov.w* **1** uitvoeren,
realiseren, verwezenlijken; **2** te gelde maken.
▼**réal/isme** *m* realisme. ▼—**iste I** *bn*
realistisch. **II** *zn m* realist, realistisch
kunstenaar. ▼—**ité** *v* werkelijkheid, realiteit; *en
—*, werkelijk, inderdaad.
réanimation *v* reanimatie, resuscitatie.
▼**réanimer** *ov.w* doen herleven; bijbrengen
(uit verdoving, bewusteloosheid).
réapparaître *on.w* onr. weer verschijnen.
▼**réapparition** *v* wederverschijning.
réapprovisionn/ement *m* herbevoorrading.
▼—**er** *ov.w* opnieuw bevoorraden.
réarmement *m* herbewapening. ▼**réarmer**
ov.w herbewapenen; opnieuw laden, vullen.
réassigner *ov.w* opnieuw dagvaarden.
réassortiment *m* hersortering. ▼**réassortir**
ov.w opnieuw sorteren, aanvullen (v.e. set).
réassurance *v* herverzekering. ▼**réassurer**
ov.w herverzekeren.
rebaptiser *ov.w* herdopen.
rébarbatif, -ive *bn* stuurs, nors.
rebâtir *ov.w* herbouwen.
rebattre *ov.w* **1** opnieuw uitkloppen;
2 opnieuw doorlopen; *chemin rabattu*, veel
begane weg; **3** herhalen; — *les oreilles*, tot
vervelens toe herhalen.
rebec *m* oude viool met drie snaren, gebruikt
door de minstrelen.
rebell/e I *bn* **1** weerspannig, opstandig, rebels;
les esprits —*s*, de gevallen engelen;
2 hardnekkig (*maladie —*). **II** *zn m* rebel.

▼—**er (se)** in opstand komen, zich verzetten, rebelleren. ▼—**ion** v 1 oproer, muiterij, rebellie; 2 verzet.

rebiffer (se) (pop.) tegenspartelen, het vertikken.

rebiquer on.w (fam.) omkrullen.

rebobinage m (het) terugspoelen. ▼**rebobiner** ov.w terugspoelen.

rebois/ement m bebossing. ▼—**er** ov.w bebossen.

rebond m terugsprong, opsprong v.e. bal, rebound. ▼**rebond/i** bn dik, rond, bol (joues —es). ▼—**ir** on.w 1 terugstuiten, opspringen v.e. bal; 2 weer ter sprake komen. ▼—**issement** m (het) terugstuiten, opspringen.

rebord m 1 opstaande rand; 2 kant; 3 kraag.

rebours l bn onhandelbaar, stug. ll zn m (het) tegen de draad ingaan; (het) omgekeerde; à —, au —, tegen de draad in, averrechts; compte à —, (het) aftellen (bij lancering); au — de, in tegenstelling met.

rebouter ov.w (fam.) (een gebroken lichaamsdeel) zetten.

reboutonner ov.w weer dichtknopen.

rebras m omslag v.e. mouw.

rebroussement m 1 (het) tegen de draad op kammen, opstrijken enz.; 2 terugkeer. ▼**rebrousser** l ov.w tegen de draad opkammen, opstrijken enz.; — chemin, op zijn schreden terugkeren; à rebrousse-poil, tegen de draad in. ll se — opkrullen.

rebuffade v 1 ruwe afwijzing; 2 onheuse ontvangst.

rébus m rebus.

rebut m 1 afwijzing, weigering; 2 uitschot, uitvaagsel. ▼**rebuter** l ov.w 1 afwijzen, ruw bejegenen; 2 ontmoedigen. ll on.w mishagen, afstoten.

recacheter ov.w weer verzegelen.

récalcitrant bn weerspannig, onwillig, recalcitrant.

recaler ov.w (fam.) afwijzen op een examen, laten zakken.

récapitul/atif, -ive bn herhalend. ▼—**ation** v recapitulatie. ▼—**er** ov.w herhalen, samenvatten, recapituleren.

recaser ov.w (fam.) weer onderbrengen.

recel, recélé m heling, verduistering. ▼**receler, receler** ov.w helen, verbergen, verduisteren. ▼**receleur** m, **-euse** v heler (heelster).

récemment bw onlangs.

recens/ement m 1 volkstelling; 2 telling. ▼—**er** ov.w tellen. ▼—**eur** m volksteller.

recension v 1 vergelijking v.e. oude tekst met de handschriften; 2 recensie; 3 kritisch onderzoek.

récent bn pas gebeurd, kort geleden, recent, nieuw.

receper, recéper ov.w kort afsnoeien.

récépissé m reçu, recepis.

récept/acle m 1 verzamelplaats; 2 bloembodem. ▼—**eur** l zn m 1 ontvangtoestel; 2 telefoonhoorn; 3 radiotoestel. ll bn, **-rice**, ontvangend; antenne -rice, ontvangstantenne. ▼—**if, -ive** bn ontvankelijk, vatbaar, receptief. ▼—**ion** v 1 ontvangst; accuser —, de ontvangst berichten; 2 receptie; 3 (het) toelaten (v.e. kandidaat). ▼—**ionnaire** m of v receptionist(e). ▼—**ionner** ov.w (hand.) goederen bij ontvangst keuren, afschouwen. ▼—**ivité** v ontvankelijkheid, vatbaarheid.

récessif, -ive bn (biol.) recessief. ▼**récession** v 1 recessie; 2 verwijdering.

recette v 1 ontvangst; garçon de —, wisselloper; 2 ontvangerskantoor; 3 (het) ambt van ontvanger; 4 recept.

recev/abilité v ontvankelijkheid. ▼—**able** bn ontvankelijk. ▼—**eur** m 1 ontvanger; 2 tram- of busconducteur; 3 controleur v. schouwburg- en bioscoopbiljetten; 4 iem. die bloed ontvangt. ▼—**euse** v 1 vrouwelijke tram- of busconducteur; 2 controleuse in schouwburgen en bioscopen; 3 vrouw v.e.

ontvanger. ▼—**oir** l ov.w 1 ontvangen, krijgen; 2 toelaten v.e. kandidaat; 3 aannemen (— toutes les formes); 4 ontvangen, onthalen, recipiëren, begroeten, receptie houden. ll on.w bezoeken ontvangen. lll se — terechtkomen (sp.).

rechang/e m (het) verwisselen; partie de —, reservedeel. ▼—**er** ov.w weer wisselen.

rechanter ov.w 1 nog eens zingen; 2 (fam.) herhalen.

rechaper ov.w coveren (v.e. band).

réchapper on.w ontkomen, ontsnappen.

recharg/e v 1 (het) opnieuw laden; 2 nieuwe lading; reservevulling. ▼—**ement** m (het) opnieuw laden, vullen; nieuwe bestrating. ▼—**er** ov.w 1 opnieuw laden; 2 opnieuw be-, opladen; 3 opnieuw begrinten, - bestraten; 4 opnieuw aanvallen.

rechasser ov.w 1 terugjagen; 2 terugslaan.

réchaud m komfoor; — à gaz, gasstel. ▼**réchauff/age** m (het) opwarmen. ▼—**é** m 1 opgewarmd eten; 2 oude kost, oud nieuws. ▼—**ement** m (het) opwarmen. ▼—**er** l ov.w 1 opwarmen; 2 aanvuren, opwekken. ll se — zich warmen.

rechausser ov.w 1 weer schoeien; 2 aanaarden.

rêche bn 1 ruig, ruw; 2 scherp, wrang; 3 stug, nors.

recherche v 1 onderzoek, nasporing, navorsing; partir à la — de, op zoek gaan naar; faire des —s, naspeuringen doen; faire de la —, research doen; 2 (het) zoeken, streven naar (la — de); 3 (oud) aanzoek; 4 verfijning; 5 gezochtheid. ▼**recherché** bn 1 gezocht, zeldzaam; 2 gemaakt, gekunsteld. ▼**rechercher** ov.w 1 opnieuw zoeken; 2 ijverig zoeken; 3 onderzoeken, nasporen; 4 najagen, dingen naar (— l'amitié); 5 ten huwelijk vragen (— en mariage).

rechigné bn gemelijk. ▼**rechigner** on.w (oud) een zuur gezicht trekken.

rechute v wederinstorting (v.e. zieke); herval in zonde enz., terugval.

récidiv/e v 1 herhaling v.e. misdrijf, recidive; 2 nieuwe aanval v.e. ziekte, recidief. ▼—**er** on.w 1 in dezelfde misdaad of fout hervallen; 2 zich herhalen (v. ziekte). ▼—**iste** m of v iem. die in dezelfde misdaad vervalt, recidivist. ▼—**ité** v (med.) neiging terug te komen (v. ziekte).

récif m rif, klip.

récipi/endaire m nieuw lid, dat plechtig ontvangen wordt. ▼—**ent** m ontvanger, vat.

réciprocité v wederkerigheid. ▼**réciproque** l bn wederkerig (verbe —). ll zn v 1 wederkerig; rendre la —, met gelijke munt betalen; 2 (het) omgekeerde (wisk.).

récit m 1 verhaal; 2 recitatief (muz.). ▼—**al** m [mv als] solo-uitvoering, recital. ▼—**ant** m voordrager. ▼—**atif** m recitatief (muz.). ▼—**ation** v voordracht, (het) opzeggen. ▼—**er** ov.w 1 opzeggen, voordragen; 2 verhalen.

réclamation v 1 eis; reclame; 2 klacht, protest. ▼**réclame** v aanprijzing, reclame. ▼**réclamer** l ov.w 1 eisen; 2 vereisen; 3 dringend verzoeken, afsmeken. ll on.w 1 protesteren; 2 tussenbeide komen. lll se — (de), z. beroepen op, verwijzen naar.

reclassement m herclassificatie, herindeling. ▼**reclasser** ov.w opnieuw indelen.

reclus l bn 1 opgesloten; 2 afgezonderd. ll zn m, **-e** v kluizenaar(ster). ▼**réclusion** v 1 opsluiting; 2 afzondering.

récognition v erkenning.

recoiffer ov.w opnieuw kappen.

recoin m uithoek, verborgen hoek; coins et —s, hoekjes en gaatjes.

recollage m (het) weer vastplakken.

récollection v vrome overpeinzing, meditatie.

recollement m (het) weer vastplakken. ▼**recoller** l ov.w weer vastplakken. ll on.w (sp.) weer aanhaken (bij peloton). lll se — (pop.) weer bij elkaar intrekken.

récoltable bn geschikt om te oogsten. ▼**récolte** v oogst; faire la —, oogsten.

▼**récolter** *ov.w* oogsten.

recombinaison *v* hergroepering. ▼**recombiner** *ov.w* hergroeperen, recombineren.

recommand/able *bn* aanbevelenswaardig. ▼—**ation** *v* 1 aanbeveling; 2 (het) aantekenen v.e. brief. ▼—**er I** *ov.w* 1 aanbevelen; 2 op het hart drukken, opdragen; 3 aantekenen v. brieven enz. **II se**— zichzelf aanbevelen; *se* — *de,* zich beroepen op.

recommenc/ement *m* wederaanvang, herhaling. ▼—**er** *ov.* en *on.w* opnieuw beginnen.

récompens/e *v* beloning; *en* — *de,* als beloning voor. ▼—**er** *ov.w* 1 belonen; 2 schadeloos stellen; 3 straffen.

recomposer *ov.w* 1 opnieuw samenstellen; 2 *(typ.)* overzetten.

recompter *ov.w* overtellen.

réconcili/ateur, -atrice *bn* verzoenend. **II** *zn m,* **-trice** *v* vredestichter (-ster). ▼—**ation** *v* verzoening. ▼—**er I** *ov.w* verzoenen. **II se**— zich verzoenen; *se* — *avec Dieu,* zich bekeren, gaan biechten.

recondamner *ov.w* opnieuw veroordelen.

reconduction *v* hernieuwing (v. contract, verdrag). ▼**reconduire** *ov.w onr.* 1 uitgeleide doen; 2 naar huis brengen, terugbrengen; 3 *(spottend)* de deur uitjagen; 4 hernieuwen (v. contract). ▼**reconduite** *v* uitgeleide.

réconfort *m* troost, steun. ▼—**ant I** *bn* versterkend. **II** *zn m* versterkend middel. ▼—**er** *ov.w* 1 versterken; 2 troosten.

reconnais/able *bn* herkenbaar. ▼—**ance** *v* 1 herkenning; 2 erkenning; 3 erkentelijkheid, dankbaarheid; 4 verkenningstocht; alléé s, op verkenning uitgaan; 5 onderzoek; 6 reçu, schuldbewijs. ▼—**ant** *bn* dankbaar, erkentelijk. ▼**reconnaître I** *ov.w onr.* 1 herkennen; *se faire* —, zich bekend maken; 2 erkennen; 3 verkennen; 4 dankbaar zijn voor (— *un service*). **II se**— 1 zichzelf herkennen; 2 zich oriënteren; 3 berouw hebben. ▼**reconnu** *v.dw van* **reconnaître**; — *coupable,* schuldig bevonden.

reconquérir *ov.w onr.* heroveren, herkrijgen. ▼**reconquête** *v* herovering.

reconsidérer *ov.w* heroverwegen.

reconstit/uant I *bn* versterkend. **II** *zn m* versterkend middel. ▼—**uer** *ov.w* herstellen. ▼—**ution** *v* 1 herstel; 2 overzicht, nauwkeurige voorstelling (v.e. loopbaan); 3 reconstructie (v.e. misdaad).

reconstruction *v* wederopbouw, reconstructie. ▼**reconstruire** *ov.w onr.* weder opbouwen, reconstrueren.

reconver/sion *v* omschakeling. ▼—**tir** *ov.w* omschakelen, terugschakelen.

recopier *ov.w* overschrijven.

record *m* record; *battre un* —, een record slaan; *détenir un* —, een record houden; *établir un* —, een record vestigen.

recorder *ov.w* opnieuw bespannen (v. tennisracket).

recordman *m,* **recordwoman** *v* (*zn* **recordmen, recordwomen**) recordhouder (-ster).

recorriger *ov.w* opnieuw verbeteren.

recoucher *ov.w* weer naar bed brengen. **II se** — weer naar bed gaan.

recoudre *ov.w onr.* weer (aan)naaien, hechten.

recoup/e *v* 1 steengruis; 2 afknipsels v. stof. ▼—**ement** *m* toetsing, verificatie. ▼—**er** *ov.w* 1 weer snijden; 2 versnijden (v. wijn); 3 kloppen met.

recourb/ement *m* 1 (het) ombuigen; 2 ombuiging. ▼—**er** *ov.w* om-, opnieuw buigen. ▼—**ure** *v* kromming.

recourir *ov.w onr.* (à) zijn toevlucht nemen tot. ▼**recours** *m* 1 toevlucht; *avoir* — *à,* zijn toevlucht nemen tot; 2 eis tot schadeloosstelling; 3 beroep (— *en cassation*); 4 verzoek; — *en grâce,* gratieverzoek.

▼**recouvr/able** *bn* inbaar. ▼—**ement** *m* 1 (het) terugkrijgen; herstel; — *des forces,* herstel van krachten; 2 innen; 3 (het) overtrekken (— *d'un parapluie*); 4 bedekking, overtrek. ▼—**er** *ov.w* 1 terugkrijgen; 2 innen. ▼**recouvrir** *ov.w onr.* 1 opnieuw bedekken; 2 weer bedekken; 3 bemantelen.

recracher *ov.w* uitspuwen.

récréatif, -ive *bn* genoeglijk, vermakelijk, recreatief. ▼**récréation** *v* 1 uit-, ontspanning; recreatie; 2 speeltijd (*afk.: récré*).

recréer *ov.w* herscheppen.

récréer I *ov.w* ontspannen, vermaken. **II se**— zich ontspannen.

recrépir *ov.w* opnieuw bepleisteren. ▼**recrépissage** *m* (het) overpleisteren.

recreuser *ov.w* uitdiepen.

récrier (se) 1 luidkeels protesteren; 2 kreten slaken v. verwondering enz.

récrimination *v* verwijt, tegenbeschuldiging. ▼**récriminer** *on.w* verwijten -, tegenbeschuldigingen uiten.

récrire *ov.w onr.* overschrijven; weer schrijven.

recroqueviller (se) 1 krimpen, ineenschrompelen; 2 ineenkruipen.

recru *bn* uitgeput.

recrû *m* nieuwe loot.

recrudescence *v* verergering. ▼**recrudescent** *bn* toenemend.

recru/e *v* 1 lichting (*mil.*); 2 rekruut; 3 nieuw lid. ▼—**tement** *m* aanwerving, rekrutering. ▼—**ter I** *ov.w* aanwerven, aanvullen, rekruteren. **II se**— aangevuld worden, nieuwe leden krijgen. ▼—**teur** *m* werver.

recta *bw* stipt, juist.

rectal [*mv aux*] *bn* rectaal.

rectangle *I zn m* rechthoek. **II** rechthoekig. ▼**rectangulaire** *bn* rechthoekig.

recteur I *zn m* 1 voorzitter v.e. academie; 2 rector (v.e. door geestelijken geleide school); 3 pastoor (in Bretagne). **II** *bn,* **-trice** besturend; *les (plumes) rectrices,* de stuurpennen (v.e. vogel).

recti/fiable *bn* verbeterbaar. ▼—**ficatif I** *zn m* rechtzetting. **II** *bn,* **-ive** verbeterend. ▼—**fication** *v* 1 verbetering, rectificatie; 2 zuivering. ▼—**fier** *ov.w* 1 recht maken; 2 verbeteren, herstellen; *(fig.)* rechtzetten; 3 zuiveren. ▼—**ligne** *bn* rechtlijnig. ▼—**tude** *v* 1 rechtheid; 2 juistheid.

recto *m* voorzijde v.e. blad papier.

rectoral [*mv aux*] *bn* v.d. rector. ▼**rectorat** *m* 1 waardigheid v.d. rector; 2 ambtsduur v.d. rector.

rectum *m* endeldarm.

reçu *I zn m* ontvangstbewijs. **II** *v.dw van* **recevoir**; *idées* —*es,* aanvaarde ideeën.

recueil *m* verzameling.

recueillement *m* overpeinzing. ▼**recueilli** *bn* stemmig, in overpeinzing. ▼**recueillir I** *ov.w onr.* 1 oogsten, verzamelen; 2 ontvangen, aanvaarden; 3 opnemen. **II se**— zich aan gepeins overgeven, mediteren.

recuire *ov.w onr.* 1 opnieuw koken, opkoken; 2 ontlaten (v. metaal).

recul *m* 1 (het) teruglopen; *phare de* —, achteruitrijlamp; *prendre du* —, afstand nemen; 2 terugstoot (v.e. kanon); uitloop (tennis). ▼—**ade** *v* 1 teruglopen, -gaan; 2 *(fig.)* terugtocht. ▼**reculé** *bn* 1 afgelegen; 2 verwijderd (tijd), vroeg (*époque* —*e*). ▼**reculement** *m* (*oud*) (het) teruglopen, -gaan. ▼**reculer I** *ov.w* 1 achteruit-, terugschuiven, terugzetten, -plaatsen (— *une chaise*); 2 uitstellen; 3 uitbreiden, verleggen (— *les bornes*). **II** *on.w* 1 achteruitgaan, -lopen, terugtreden; 2 terugdeinzen, terugschrikken *(fig.),* aarzelen; terugkrabbelen *(fig.).* ▼**reculons (à)** achteruit.

récup/érable *bn* herwinbaar, terug te krijgen, in te halen. ▼—**ation** *v* 1 (het) herkrijgen, terugwinnen; ▼—**érer I** *ov.w* 1 terugkrijgen; 2 inhalen (bijv. v. werkuur); 3 recyclen; 4— *qn.,* (na omscholing) weer in dienst nemen. **II** *on.w* recupereren, herstellen. **III se**— zich schadeloos stellen.

récurage *m* (het) schoonmaken, schuren.
▼**récurer** *ov.w* schoonmaken, schuren.
récurr/ence *v* herhaling, terugkeer. ▼—**ent** *bn* terugkerend.
récus/able *bn* wraakbaar. ▼—**ation** *v* wraking. ▼—**er** I *ov.w* wraken (— *un témoin*). II se — zich onbevoegd verklaren.
recyclage *m* 1 omscholing, herscholing; 2 omschakeling (v. studierichting). ▼—**er** *ov.w* herscholen.
rédact/eur *m*, -**rice** *v* redacteur (-trice). ▼—**ion** *v* 1 (het) opstellen; 2 redactie; 3 redactiebureau; 4 opstel. ▼—**ionnel, -elle** *bn* redactioneel.
reddition *v* 1 overgave; 2 overlegging.
redécouvrir *ov.w* herontdekken.
redemander *ov.w* 1 opnieuw vragen; 2 terugvragen.
Rédempteur *m* Verlosser, Zaligmaker. ▼**Rédemption** *v* Verlossing. ▼**rédemptoriste** *m* redemptorist.
redescendre I *on.w* weer naar beneden komen, dalen. II *ov.w* weer neerlaten, weer naar beneden brengen.
redevable *bn* schuldig (— *de*). ▼**redevance** *v* op vaste tijd te betalen som.
redevenir *on.w* weer worden.
redevoir *ov.w* nog schuldig zijn.
rédhibition *v* vernietiging v.e. koop.
rédiger *ov.w* opstellen, redigeren.
rédimer *ov.w* vrij-, afkopen.
redingote *v* geklede jas.
redire I *ov.w* *onr.* 1 herhalen; 2 oververtellen. II *on.w* afkeuren, aanmerkingen maken; *il n'y a rien à — à sa conduite*, er valt op zijn gedrag niets aan te merken.
redistribution *v* herverdeling.
redite *v* nodeloze herhaling.
redondance *v* wijdlopigheid. ▼**redondant** *bn* wijdlopig (*style* —).
redonner I *ov.w* hergeven. II *on.w* 1 — *dans*, weer vervallen in; 2 opnieuw beginnen (*la chaleur redonne*); 3 opnieuw aanvallen.
redorer *ov.w* opnieuw vergulden; — *son blason*, een rijke burgerdochter trouwen (v.e. arm edelman).
redoubl/é *bn* versneld (*pas* —). ▼—**ement** *m* 1 verdubbeling; 2 verergering. ▼—**er** I *ov.w* 1 verdubbelen; 2 vermeerderen; 3 overmaken (— *une classe*); 4 opnieuw voeren. II *on.w* 1 toenemen, sterker worden; 2 — *de*, verdubbelen.
redoutable *bn* geducht, verschrikkelijk.
redoute *v* 1 kleine schans (*mil.*); 2 (*oud*) openbare plaats, waar men danst, speelt, muziek maakt; — *costumée*, gemaskerd bal.
redouter *ov.w* vrezen, duchten.
redresse : *à la* —, (*pop.*) die van wanten weet. ▼**redress/ement** *m* 1 (het) weer recht maken; 2 wederoprichting; 3 herstel; *maison de* —, verbeteringsgesticht. ▼—**er** I *ov.w* 1 weer recht maken; 2 weer recht zetten; 3 verbeteren, herstellen; 4 een uitbrander geven. II se — 1 zich weer oprichten; 2 een trotse houding aannemen. ▼—**eur** *m* 1 dolend ridder (— *de torts*); 2 gelijkrichter (*elektr.*).
réduct/eur, -rice I *bn* reducerend. II *zn m* 1 reductiemiddel; 2 verkleiningstoestel (*fot.*). ▼—**ibilité** *v* herleidbaarheid. ▼—**ible** *bn* herleidbaar. ▼—**if, -ive** *bn* reducerend. —**ion** *v* 1 vermindering, verkleining; *échelle de* —, verkleinde schaal; 2 reductie; 3 onderwerping; 4 herleiding; 5 korting; 6 zetting (*med.*). ▼**réduire** I *ov.w onr.* 1 verminderen, verkleinen; 2 omzetten; 3 herleiden; 4 reduceren; 5 zetten (*med.*); 6 onderwerpen; 7 — *à*, brengen tot, nopen tot; — *à la besace*, tot de bedelstaf brengen. II se — 1 verminderd worden; 2 uitlopen (op), neerkomen (op). ▼**réduit** I *zn m* 1 eenzaam plekje; 2 hokje; 3 (*oud*) verdedigingswerk; 4 gevechtstoren op oorlogsschip. II *v.dw van* **réduire**.
réduplicatif, -ive *bn* verdubbelend. ▼**réduplication** *v* verdubbeling.
réédifi/cation *v* wederoprichting. ▼—**er** *ov.w*

1 weer oprichten, - opbouwen; 2 herstellen.
rééditer *ov.w* weer uitgeven. ▼**réédition** *v* nieuwe uitgave.
réédu/cation *v* heropvoeding. ▼—**quer** *ov.w* opnieuw opvoeden, herscholen.
réel, -elle I *bn* wezenlijk, werkelijk, reëel. II *zn m* (de) werkelijkheid.
réélection *v* herkiezing. ▼**rééligibilité** *v* herkiesbaarheid. ▼**rééligible** *bn* herkiesbaar. ▼**réélire** *ov.w onr.* herkiezen.
réellement *bw* werkelijk, wezenlijk.
réensemencer *ov.w* opnieuw bezaaien.
réescompte *m* herdiscontering.
réexaminer *ov.w* herkeuren.
réévalu/ation *v* herwaardering. ▼—**er** *ov.w* herwaarderen.
réexpédier *ov.w* 1 weer verzenden; 2 doorzenden.
réexportation *v* wederuitvoer. ▼**réexporter** *ov.w* weder uitvoeren.
refaçonner *ov.w* opnieuw vormen.
réfaction *v* refactie, korting (op het gewicht wegens beschadiging).
refaire I *ov.w* 1 overdoen, overmaken; *c'est à* —, dat moet nog eens overgedaan -, overgemaakt worden; 2 herstellen, opknappen, in orde brengen; 3 (*pop.*) bedriegen. II se — 1 overgedaan-, overgemaakt worden; 2 eten of drinken; 3 nieuwe kracht opdoen; 4 zijn zaken weer op orde brengen. ▼**réfection** *v* 1 herstel; 2 (het) opdoen v. nieuwe kracht. ▼**réfectoire** *m* eetzaal, refter.
refend *m*: *mur de* —, binnenmuur. ▼**refendre** *ov.w* 1 weer kloven; 2 in de lengte doorzagen.
référé *m* kort geding. ▼**référence** I *v* melding, verwijzing, referentie; *ouvrage de* —, werk om na te slaan. II —**s** *v mv* getuigschriften.
référendaire *m* referendaris.
référendum, référendum *m* volksstemming, referendum.
référer I *ov.w* toeschrijven. II *on.w*: *en — à*, verslag uitbrengen aan. III se — *à*, zich beroepen op; zich refereren aan, afgaan op, verwijzen naar; *se référant à*, onder referte aan.
refermer *ov.w* weer sluiten.
refiler *ov.w* (*pop.*) aansmeren, aan de hand doen.
réfléch/i *bn* 1 bedachtzaam; 2 doordacht; 3 wederkerend (*verbe* —). ▼—**ir** I *ov.w* terugkaatsen, reflecteren. II *on.w* nadenken, overpeinzen. III se — zich weerspiegelen. ▼**réfléchissant** *bn* weerkaatsend. ▼**réflecteur** I *bn*, v -**trice** weerkaatsend. II *zn m* reflector.
reflet *m* weerschijn. ▼**refléter** I *ov.w* weerspiegelen. II *on.w* en se — zich weerspiegelen.
refleurir I *on.w* weer bloeien. II *ov.w* weer met bloemen sieren. ▼**refleurissement** *m* tweede bloei.
réflex I *zn m* reflexcamera. II *bn* reflex-.
réflex/e I *bn*: *mouvement* —, reflexbeweging. II *zn m* reflexbeweging. ▼—**ibilité** *v* terugkaatsbaarheid. ▼—**ible** *bn* terugkaatsbaar. ▼—**ion** *v* 1 terugkaatsing, reflectie; 2 overdenking; — *faite*, bij nader inzien.
refluer *on.w* 1 terugvloeien; 2 terugkeren van grote menigten. ▼**reflux** *m* eb.
refondre *ov.w* 1 opnieuw gieten; 2 omwerken. ▼**refonte** *v* 1 hergieting; 2 omwerking.
réform/able *bn* verbeterbaar, herstelbaar. ▼—**ateur, -atrice** I *bn* hervormend. II *zn m*, -**atrice** *v* hervormer (-ster). ▼—**ation** *v* hervorming, Hervorming. ▼**réform/e** *v* 1 hervorming, verbetering, afschaffing v. misbruiken; 2 ontslag, afkeuring; *mettre à la* —, ontslaan, afkeuren. ▼—**er** I *ov.w* 1 hervormen, afschaffen v.e. misbruik; 2 afkeuren. II se — 1 zijn leven beteren; 2 zich verzamelen (v. verspreide troepen). ▼—**iste** I *bn* hervorming eisend. II *zn m* voorstander v. hervorming.
refouill/ement *m* uitholling. ▼—**er** *ov.w*

1 opnieuw doorzoeken; **2** uithollen.
refoulé bn/zn gefrustreerd (iem.).
▼**refoulement** m (het) terugdrijven, onderdrukken, verdringen. ▼**refouler** ov.w **1** terugdrijven; **2** aanstampen; **3** onderdrukken, inhouden (— sa colère); **4** (psych.) verdringen.
réfract/aire I bn **1** vuurvast; **2** weerspannig. II zn m dienstweigeraar. ▼—er ov.w breken v. stralen. ▼—eur bn straalbrekend. ▼—ion v straalbreking.
refrain m refrein; c'est toujours le même —, het is altijd hetzelfde deuntje.
réfrangibilité v breekbaarheid (v. lichtstralen). ▼**réfrangible** bn breekbaar (v. lichtstralen).
refrènement m (oud) beteugeling. ▼**refréner** ov.w beteugelen.
réfrigér/ant I bn afkoelend; mélange —, verkoelend mengsel. II zn m **1** verkoelend geneesmiddel; **2** koelvat. ▼—ateur, -atrice I bn verkoelend. II zn m ijskast, koelcel. ▼—atif, -ive I bn verkoelend. II zn m verkoelend geneesmiddel. ▼—ation v afkoeling. ▼—er ov.w afkoelen.
refroid/ir I ov.w afkoelen, bekoelen; (pop.) koud maken (doden). II on.w en se — koud worden, bekoelen. ▼—issement m **1** afkoeling, verkoeling; **2** verkoudheid; attraper un —, een kou vatten; **3** verflauwing, bekoeling. ▼—isseur m koeler.
refuge m **1** toevluchtsoord; **2** toevlucht; **3** armenhuis; **4** vluchtheuvel. ▼**réfugié** m **1** vluchteling, uitgewekene. **2** protestant die uitgeweken was na de herroeping v.h. edict v. Nantes. ▼**réfugier (se)** uitwijken.
refus m weigering; ce n'est pas de —, (fam.) daar zeg ik geen nee op. ▼—**able** bn weigerbaar. ▼—**er** I ov.w **1** weigeren; **2** ontzeggen; **3** afwijzen v.e. kandidaat. II on.w krimpen v.d. wind. III se — zich ontzeggen. IV se — à weigeren, niet toestemmen in.
réfut/able bn weerlegbaar. ▼—**ation** v weerlegging. ▼—**er** ov.w weerleggen.
regagner ov.w **1** terugwinnen; **2** terugkeren in, - naar, weer bereiken, zich weer voegen bij; **3** inhalen (— le temps perdu); **4** her-, terugkrijgen. ▼**regain** m **1** nagras; **2** wederopleving.
régal [mv als] m **1** (oud) feestmaal; **2** lievelingsgerecht, traktatie. ▼—**ade** v **1** onthaal; **2** houtvuurtje.
régalage, régalement m egalisatie (v.e. terrein).
régaler I ov.w (— de) **1** een goede maaltijd aanbieden; **2** trakteren; **3** egaliseren. II se — **1** lekker eten; **2** genieten; **3** winst boeken.
régalien, -enne bn koninklijk.
regard m **1** blik; au — de, ten opzichte van; en —, tegenover; **2** mangat; d'égoût, rioolmond. ▼—ant bn precies, zuinig. ▼—er I ov.w **1** kijken naar, bekijken; **2** uitzien op (ma maison regarde le nord); **3** aangaan; ça ne vous regarde pas, dat gaat je niet aan; **4** —, comme, houden voor. II on.w **1** — à, letten op; y — à deux fois, zich twee maal bedenken; — à un franc, op een franc kijken; **2** kijken; **3** — sur, uitzien op. III se — **1** elkaar aankijken; **2** tegenover elkaar liggen, - staan; **3** zich houden (voor).
regarnir ov.w opnieuw voorzien, - garneren, - stofferen.
régate v **1** roei- of zeilwedstrijd; **2** zelfstrikker.
regazonner ov.w weer v.e. grasmat voorzien.
regel m het opnieuw invallen v.d. vorst. ▼**regeler** on.w opnieuw vriezen.
régence v regentschap.
régénér/ateur, -atrice I bn herstellend. II zn m, -atrice v hersteller (-ster). ▼—**ation** v herstel, wedergeboorte. ▼—**er** ov.w herstellen, weer doen opleven, hervormen.
régent m **1** regent; **2** beroemde Fr. kroondiamant; **3** klasseleraar. ▼**régenter** ov.w **1** (oud) les geven in (— une classe); **2** bevelen, de baas spelen over.

régicide m **1** koningsmoord; **2** koningsmoordenaar.
régie v **1** goederenbeheer; **2** (oud) dienst voor het innen der indirecte belastingen; **3** tabaksregie.
régimbement m **1** (het) achteruitslaan v.e. paard; **2** (het) tegenstribbelen. ▼**régimber** on.w **1** achteruitslaan v.e. paard; **2** tegenstribbelen.
régime m **1** stelsel; **2** leefregel; dieet; suivre un —, dieet houden; **3** beheer, bestuur; — des prisons, gevangeniswezen; **4** huwelijksvoorwaarde; — dotal, huwelijksvoorwaarden; — de communauté, huwelijk in gemeenschap v. goederen; **5** ris, tros; **6** normale snelheid, normaal toerental; **7** voorwerp (taalk.).
régiment m regiment; (pop.) militaire dienst; massa. ▼**régimentaire** bn v.h. regiment.
région v **1** (land)streek, regio; **2** hemelstreek; **3** luchtlaag. ▼—**al** [mv aux] I bn gewestelijk, regionaal. II zn m **1** provincieblad; **2** gewestelijk telefoonnet. ▼—**alisation** v decentralisatie t.b.v. de regio. ▼—**alisme** m streven naar gewestelijke vrijheid of cultuur; (taalk.) plaatselijke uitdrukking. ▼—**aliste** m aanhanger v.h. regionalisme.
régir ov.w **1** regeren, besturen; **2** beheren; **3** regelen (— le mouvement); **4** regeren, gevolgd worden door (taalk.). ▼**régisseur** m **1** beheerder; **2** technisch leider (toneel, film).
registre m **1** inschrijvingsboek, register; **2** (stem)register; **3** (orgel)register; **4** (kachel)schuif. ▼**réglage** m **1** regeling, afstelling; bouton de —, regelknop, afstemknop; **2** liniëring.
réglable bn regelbaar. ▼**règle** v **1** liniaal; **2** regel, voorschrift; il est de — que, het is regel dat; dans les —s, volgens voorschrift; **3** orde; **4** —s, menstruatie (avoir ses —s). ▼**réglé** bn **1** gelinieerd; **2** ordelijk; **3** regelmatig (pouls —). ▼**règlement** m **1** bepaling, regeling; **2** reglement; **3** afrekening; en — de, ter voldoening van. ▼**règlement/aire** bn reglementair. ▼—**ation** v regeling, reglementering. ▼—**er** ov.w reglementeren, regelen. ▼**régler** I ov.w **1** liniëren; **2** regelen; **3** bepalen, vaststellen; **4** beslechten, schikken (— un différend); **5** gelijk zetten (— une pendule); afstellen; **6** beperken (— sa dépense); **7** vereffenen; — son compte à qn., met iem. afrekenen. II se — sur, een voorbeeld nemen aan. ▼**réglet** m **1** duimstok; **2** lijstje.
réglisse v zoethout.
réglure v liniëring.
régnant bn **1** heersend; **2** overheersend. ▼**règne** m **1** regering; **2** regeringstijd; **3** heerschappij, macht; **4** rijk; — animal, dierenrijk; — végétal, plantenrijk. ▼**régner** on.w heersen.
regonfl/age, —ement m **1** (het) weer vullen; **2** (het) stijgen (v. water). ▼—**er** I ov.w weer vullen, weer oppompen; — (le moral de qn.) (fam.), oppeppen. II on.w weer zwellen, weer stijgen.
regorgement m (het) overlopen, overvloeien. ▼**regorger** I ov.w **1** teruggeven; uitbraken. II on.w **1** overlopen, overvloeien; **2** — de, overvol zijn met, rijkelijk bedeeld zijn met.
regratter I ov.w afkrabben. II on.w pingelen. ▼**regrattier, -ère** v **1** sjacheraar (ster); **2** (fam.) pingelaar (ster).
regréer ov.w weer optuigen (scheepv.).
régress/er on.w achteruitgaan, minderen. ▼—**if, -ive** bn teruggaand, achteruitgaand, regressief. ▼—**ion** v achteruitgaande beweging, achteruitgang.
regret m **1** verdriet, smart, leed; à —, met tegenzin; **2** spijt; **3** klacht; **4** berouw. ▼—**table** bn betreurenswaardig. ▼—**ter** ov.w **1** betreuren, spijt hebben over; je regrette que (met subj.), het spijt mij, dat; **2** terugverlangen, (iem.) missen.
regrèvement m belastingverhoging.
regrimper I on.w weer klimmen. II ov.w weer beklimmen, - bestijgen.

regroup/ement *m* hergroepering. ▼—**er** *ov.w* hergroeperen.

régular/isation *v* regularisatie, ordening. ▼—**iser** *ov.w* 1 regulariseren, in overeenstemming brengen met de regels; 2 regelen, regelmatig maken; 3 normaliseren. ▼—**ité** *v* 1 regelmatigheid, geregeldheid, regelmaat; 2 trouwe nakoming, strenge naleving. ll *zn m,* -**atrice** *l bn* regelend. ll *zn m,* -**atrice** *v* regelaar, regulator. ▼—**ation** *v* regeling. ▼—**ier,** -**ière** *bn* regelmatig, geregeld, regulier; *clergé* —, ordesgeestelijken. ▼—**ièrement** *bw* regelmatig.

réhabilit/ation *v* eerherstel, rehabilitatie. ▼—**er** *ov.w* in rechten-, in eer herstellen, rehabiliteren.

rehauss/ement *m* verhoging. ▼—**er** *ov.w* 1 verhogen, vergroten; 2 sterker doen uitkomen.

réimporter *ov.w* weer invoeren.

réimposer *ov.w* opnieuw belasten.

▼**réimposition** *v* nieuwe belasting.

réimpression *v* herdruk. ▼**réimprimable** herdrukbaar. ▼**réimprimer** *ov.w* herdrukken.

rein *m* 1 nier; 2 *les* —*s,* de lendenen; *avoir les* —*s solides,* rijk, machtig zijn; *casser les* —*s à qn.,* iem. in elkaar timmeren; *se casser les* —*s,* zich uitsloven; *coup de* —*s,* spitaanval.

réincarcérer *ov.w* weer in de gevangenis zetten.

réincarnation *v* wedervleeswording, reincarnatie.

réincorporer *ov.w* weer indelen.

reine *v* 1 koningin; 2 koningin, dame in het schaakspel. ▼**reine†-claude†** *v* reine-claude. ▼**reinette** *v* renetappel.

réinscrire *ov.w onr.* weer inschrijven.

réinsertion *v* : — *sociale,* reclassering.

réinstallation *v* herstel in een ambt.

▼**réinstaller** *ov.w* in een ambt herstellen.

réintégration *v* (het) weer in bezit stellen van, wederbenoeming. ▼**réintégrer** *ov.w* 1 weer in bezit stellen, weer benoemen; 2 weer op zijn plaats brengen; 3 zich weer vestigen in.

réintro/duction *v* hernieuwde invoering. ▼—**duire** *ov.w* opnieuw uitvinden.

réinviter *ov.w* opnieuw uitnodigen.

réitér/able *bn* herhaalbaar. ▼—**atif,** -**ive** *bn* herhalend. ▼—**ation** *v* herhaling. ▼—**er** *ov.w* herhalen.

reître *m* Duits ruiter in Franse dienst (in de middeleeuwen); *vieux* —, ouwe rot.

rejaill/ir *ov.w* 1 terugkaatsen; 2 opspatten; 3 neerkomen (v. schande). ▼—**issement** *m* 1 (het) terugkaatsen; 2 (het) opspatten.

rejet *m* 1 verwerping (— *d'une loi*); 2 overbrenging op een andere rekening; 3 uitgegraven aarde; 4 loot. ▼—**able** *bn* van af te keuren. ▼—**er** *ov.w* 1 opnieuw werpen; 2 terugwerpen; — *la faute sur,* de schuld werpen op; 3 terugslaan; 4 verwerpen, afwijzen; 5 opnieuw schieten (— *des branches*). ▼—**on** *m* 1 loot; 2 afstamming, telg.

rejoindre *ov.w onr.* 1 weer bij elkaar brengen, herenigen; 2 zich voegen bij, gaan naar; 3 inhalen.

rejouer *ov.w* overspelen.

réjoui *l bn* opgeruimd. ll *zn m* opgeruimde kerel. ▼**réjouir** *l ov.w* 1 opvrolijken, verheugen; — *la vue,* het oog strelen. ll **se** — zich verheugen. ▼**réjouis/ance** *v* vreugde, vrolijkheid; *des* —*s,* feestelijkheden. ▼—**ant** *bn* vermakelijk.

relâche *l m* 1 (er) ophouden, ontspanning; *sans* —, onophoudelijk; 2 *faire* —, niet spelen (v. toneelgezelschap). ll *v* 1 onderbreking v.e. reis; *faire* —, aandoen; 2 verversingsplaats v. schepen, noodhaven. ▼**relâch/é** *bn* los, losbandig (*mœurs* —*es*). ▼—**ement** *m* 1 ontspanning; 2 diarree; 3 verslapping; 4 rust, ontspanning. ▼—**er** *l ov.w* 1 slap maken, ontspannen; 2 vrijlaten (— *un prisonnier*); 3 iets laten vallen van (— *de*). ll *on.w* 1 binnenlopen (*scheepv.*);

2 verslappen, verflauwen. lll **se**— 1 verslappen, verflauwen; 2 zachter worden (v.h. weer).

relais *m* 1 heruitzending (radio); 2 pleisterplaats; 3 verse paarden; 4 *course par* (*de*) —, estafetteloop; 5 aflossing.

relance *v* 1 verhoogde inzet (spel); 2 (*fig.*) opleving. ▼**relancer** *ov.w* 1 opnieuw werpen, starten, op gang brengen; 2 weer opjagen (jacht); 3 lastigvallen; achterna zitten; 4 inzet verhogen.

relaps *l bn* weer afvallig. ll *zn m,* -**e** *v* afvallige, ketter(se).

rélargir *ov.w* verwijden.

relater *ov.w* vermelden, verhalen.

relat/if, -**ive** *bn* 1 betrekkelijk, relatief; *pronom* —, betrekkelijk voornaamwoord; 2— *à,* betrekking hebbend op. ▼—**ion** *v* 1 betrekking, verhouding; 2 omgang, betrekking, relatie; 3 kennis, bekende; 4 verslag, verhaal, relaas. ▼—**ivement** *bw* betrekkelijk, relatief. ▼—**iviser** *ov.w* relativeren. ▼—**ivité** *v* betrekkelijkheid, relativiteit.

relax/ation *v* 1 ontspanning, verslapping; 2 invrijheidstelling. ▼—**er** *l ov.w* 1 doen verslappen, ontspannen; 2 in vrijheid stellen. ll **se**— z. ontspannen, relaxen.

relayer *l ov.w* 1 aflossen; 2 heruitzenden, relayeren. ll *on.w* (*oud*) v. paarden verwisselen. lll **se**— elkaar aflossen.

relégation *v* uitwijzing, levenslange verbanning naar een Fr. kolonie. ▼**reléguer** *ov.w* 1 uitwijzen, levenslang verbannen naar een Fr. kolonie; 2 terzijde leggen, verwijderen; — *au second plan,* op de achtergrond schuiven.

relent *m* muffe smaak, - geur.

relevable *bn* opklapbaar, opschuifbaar.

relevailles *v* kerkgang na een bevalling.

relève *v* aflossing. ▼**relevé** *l bn* 1 hoog, hooggeplaatst; 2 edel; 3 pikant. ll *zn m* 1 overzicht, staat; — *du compteur,* meterstand; 2 tussengerecht; 3 plooi in japon. ▼**relevée** *v* (*oud*) namiddag. ▼**relèvement** *m* 1 (het) wederoprichten; 2 (het) lichten v.e. schip; 3 (het) opmaken v.e. staat; 4 bepaling v.e. plaats; 5 opheffing; 6 verhoging (— *de salaire*). ▼**relever** *l ov.w* 1 weer rechtop zetten, weer opbeuren, weer oprichten enz.; 2 weer tot welvaart brengen; 3 verheffen (*fig.*); 4 doen herleven, aanwakkeren (— *le courage*); 5 berispen; 6 de aandacht vestigen op; 7 aflossen; 8 ontslaan; — *d'un vœu,* v.e. gelofte ontslaan; 9 verhogen, doen uitkomen (— *la beauté*); 10 de plaats bepalen van; opmeten; 11 kruiden; 12 opslaan, oplichten, opheffen (— *la tête*); 13 roemen, prijzen. ll *on.w* 1 genezen, weer opknappen; 2— *de,* afhangen van, ondergeschikt zijn aan. lll **se**— 1 weer opstaan; 2 weer op krachten komen, genezen; 3 elkaar aflossen; 4 *s'en* —, er weer bovenop komen. ▼**releveur** *m* (*de compteurs*), meteropnemer.

relief *m* 1 reliëf, uitspringend gedeelte; 2 aanzien, glans; *mettre en* —, doen uitkomen; 3 *les* —*s,* de etensresten.

relier *l ov.w* 1 opnieuw (ver) binden; 2 verbinden, de verbinding vormen; 3 inbinden. ll **se**— à in verbinding staan met, samenhangen. ▼**relieur** *m,* -**euse** *v* l boekbinder (-ster). ll **-euse** *v* bindmachine.

relig/ieusement *bw* 1 godsdienstig; 2 nauwgezet, stipt. ▼—**ieux,** -**ieuse** *l bn* 1 godsdienstig, vroom, religieus; 2 stipt, nauwgezet; 3 v.d. geestelijke orden; *l'habit* —, het kloosterkleed. ll *zn m,* -**ieuse** *v* ordesgeestelijke, kloosterling (e); monnik, non. ▼—**ion** *v* 1 godsdienst, geloof, religie; *avoir de la* —, godsdienstig zijn; *entrer en* —, in het klooster gaan; *se faire une* — *d'une chose,* zich iets tot plicht rekenen; *surprendre la* — *de qn.,* misbruik maken v. iemands goede trouw, iem. om de tuin leiden; 2 protestantisme. ▼—**iosité** *v* vage godsdienstzin.

reliquat *m* **1** overschot v.e. rekening;
2 hetgeen men uit een ziekte overhoudt.

relique *v* relikwie, reliek.

relire *ov.w onr.* her-, overlezen.

reliure *v* **1** boekbindersvak; **2** boekband.

reloger *ov.w* opnieuw huisvesten, weer onderbrengen.

relouer *ov.w* **1** weder verhuren;
2 onderverhuren.

reluire *on.w onr.* schitteren, blinken; *tout ce qui reluit, n'est pas or* (*spr.w*), het is niet alles goud wat blinkt. **▼reluisant** *bn* blinkend, schitterend.

reluquer *ov.w* begluren; (*fig.*) loeren op.

remâcher *ov.w* **1** herkauwen; **2** overdenken.

remake *m* nieuwe filmversie.

rémanent *bn* (over) blijvend.

reman/iable *bn* veranderbaar. **▼—iement** *m* omwerking. **▼—ier** *ov.w* omwerken, veranderen.

remaquiller *ov.w* opnieuw opmaken.

remari/age *m* hertrouw. **▼—er I** *ov.w* weer uithuwelijken. **II se—** hertrouwen.

remarquable *bn* opmerkelijk, merkwaardig.
▼remarque *v* aan-, opmerking. **▼remarquer** *ov.w* **1** opnieuw merken; **2** opmerken, bemerken, onderscheiden; *faire — qc. à qn.*, iemands aandacht vestigen op; *se faire —*, uitblinken, zich onderscheiden.

remballage *m* (het) opnieuw inpakken.
▼remballer *ov.w* opnieuw inpakken.

rembarquement *m* wederinscheping.
▼rembarquer I *ov.w* weer inschepen. **II** *on.w* en **se—** zich weer inschepen.

rembarrer *ov.w* **1** krachtig terugdringen (— *l'ennemi*); **2** de mond snoeren.

remblai *m* ophoging, opgebrachte aarde.

remblayer *ov.w* opnieuw inzaaien.

remblayer *ov.w* ophogen.

remboît/age *m* (het) weer in de band zetten v.e. boek. **▼—ement** *m* (het) weer in het lid zetten (*med.*). **▼—er** *ov.w* **1** weer in het lid zetten; **2** weer in de band zetten.

rembour/rage *m* **1** (het) opvullen;
2 opvulsel. **▼—er** *ov.w* opvullen; *bien rembourré*, lekker dik. **▼—rure** *v* opvulsel.

rembours/able *bn* terug te betalen.
▼—ement *m* **1** terugbetaling; aflossing;
2 terug te betalen som; *contre —*, onder rembours. **▼—er** *ov.w* terugbetalen, aflossen.

rembranesque *bn* rembrandtiek.

rembrunir I *ov.w* **1** donkerbruin maken;
2 versomberen, bedroeven. **II** *on.w* donkerbruin worden. **III se—** somber worden; *le temps se rembrunit*, de lucht betrekt.

rembucher I *ov.w* wild met speurhonden volgen. **II se—** terugkeren naar het leger of het woud (v. wild).

remède *m* **1** geneesmiddel, remedie; — *de bonne femme*, huismiddeltje; *porter — à*, genezen, verhelpen; **2** middel. **▼remédiable** *bn* te verhelpen. **▼remédier (à)** *on.w* **1** verhelpen; **2** uit de weg ruimen, afschaffen.

remembrement *m* ruil-, herverkaveling.
▼remembrer *ov.w* verkavelen.

remémor/atif, -ive *bn* ter herdenking. **▼—er I** *ov.w* herdenken. **II se—** zich herinneren.

remerci/ement *m* dank, dankbetuiging.
▼—er *ov.w* **1** bedanken; **2** ontslaan, afdanken.

réméré *m*: *à —*, met recht van terugkoop.

remettre I *ov.w onr.* **1** weer zetten, weer plaatsen, weer leggen enz.; **2** weer aantrekken (— *un habit*); **3** weer in het lid zetten;
4 overhandigen; **5** neerleggen v.e. betrekking;
6 overnemen, remitteren; **7** geruststellen;
8 toevertrouwen; **9** opknappen, herstellen;
10 herkennen; **11** uitstellen, verschuiven; **13** kwijtschelden v. straf. **II se—**
1 weer gaan zitten, weer gaan liggen;
2 bekomen; **3** zich herinneren; **4** *se — à*, weer beginnen met; **5** *s'en — à qn.*, zich op iem. verlaten.

remeubler *ov.w* opnieuw meubelen.

remilitaris/ation *v* herbewapening. **▼—er** *ov.w* herbewapenen.

réminiscence *v* flauwe herinnering.

remis *v.dw van* **remettre**.

remisage *m* stalling.

remise *v* **1** (het) weer zetten, - leggen, - plaatsen; **2** overhandiging, overmaking;
3 wissel; **4** korting; **5** courtage;
6 kwijtschelding v. schuld, - van straf;
7 uitstel; **8** (*oud*) kreupelhout, waar het wild zich verschuilt; **9** koetshuis, remise; *voiture de —*, huurrijtuig.

remiser I *ov.w* stallen. **II** *on.w* **1** (een rijtuig) stallen; **2** opnieuw inzetten (bij spel). **III se—** neerstrijken v. gevleugeld wild.

remisier *m* beursagent.

rémissible *bn* vergeeflijk. **▼rémission** *v*
1 vergeving, kwijtschelding; **2** (*med.*) remissie, (tijdelijke) vermindering (bijv. van koorts). **▼rémittent** *bn* van tijd tot tijd bedarend (*fièvre —e*).

remmaillage *m* (het) mazen, ophalen v.e. ladder in een kous. **▼remmailler** *ov.w* mazen, ophalen v.e. ladder.

remmener *ov.w* weer meenemen.

remodelage *m* vernieuwing, hervorming.

rémois I *bn* uit Reims. **II** *zn* **R**— *m* inwoner van Reims.

remont/age *m* (het) opwinden (v. uurwerk);
weer in elkaar zetten (v.e. motor). **▼—ant I** *bn* klimmend. **II** *zn m* opwekkende drank, borrel.
▼—e *v* **1** (het) stroomopwaarts varen;
2 aanvulling v. paarden (*mil.*). **▼—ée** *v* **1** (het) weer opstijgen, - opvliegen; (*sp.*) (het) 'terugkomen', ophalen; **2** soort skilift.
▼remonte-pente† *m* skilift. **▼remonter I** *on.w* **1** weer naar boven gaan, weer opstijgen enz.; **2** omhoog staan (*collet qui remonte*);
3 weer beklimmen (— *sur le trône*);
4 teruggaan, opklimmen; **5** stroomopwaarts varen. **II** *ov.w* **1** weer naar boven brengen;
2 hoger optrekken (— *un mur*);
3 stroomopwaarts varen (— *un fleuve*);
4 weer bestijgen (— *un cheval*); **5** weer inrichten (— *une maison*); **6** weer ineenzetten; **7** een ander paard geven aan (— *un cavalier*); **8** opmonteren; — *le courage*, weer nieuwe moed geven; **9** opnieuw monteren v.e. toneelstuk. **III se—** **1** een nieuw paard kopen; **2** zich weer inrichten;
3 opknappen, op verhaal komen. **▼remontoir** *m* **1** opwindwerk; **2** remontoir.

remontrance *v* vermaning, berisping.
▼remontrer I *ov.w* **1** weer vertonen;
2 aantonen, onder het oog brengen. **II** *on.w*:
en — à qn., iem. een lesje geven.

remordre I *ov.w* weer bijten. **II** *on.w* weer beginnen (*au travail*).

remords *m* wroeging.

remorquage *m* (het) slepen (*scheepv.*).
▼remorqu/e *v* **1** (het) slepen; *prendre à la —*, op sleeptouw nemen; **2** sleeptouw;
3 aanhangwagen. **▼—er** *ov.w* slepen. **▼—eur** *m* sleepboot.

rémoudre *ov.w onr.* weer malen.

rémoulade *v* kruidensaus.

rémouleur *m* scharenslijper.

remous *m* **1** zog; **2** tegenstroom, neer; **3** (*fig.*) deining.

rempaill/age *m* (het) stoelenmatten. **▼—er** *ov.w* (stoelen) matten. **▼—eur** *m*, **-euse** *v* stoelenmatter (-ster).

rempart *m* wal, schans.

rempiler I *ov.w* opnieuw opstapelen. **II** *on.w* (*arg. mil.*) bijtekenen.

rempla/çable *bn* vervangbaar. **▼—çant** *m* plaatsvervanger, reserve. **▼—cement** *m* vervanging. **▼—cer** *ov.w* vervangen.

rempli *m* opnaaisel. **▼remplir I** *ov.w* **1** weer vullen, vullen, aanvullen, opvullen; **2** invullen;
3 vervullen; **4** beantwoorden aan (— *l'attente*); **5** gebruiken, besteden (— *son temps*). **II se—** **1** vol worden, zich vullen;
2 (*pop.*) zich verrijken. **▼remplissage** *m* (het) (aan-, op)vullen.

remployer, réemployer *ov.w* weer gebruiken.

remplumer (se) **1** nieuwe veren krijgen;

2 weer dik worden; 3 er weer bovenop komen (in zaken).

rempocher *ov.w* weer in de zak steken.

remporter *ov.w* 1 weer meenemen, weer terugbrengen; 2 behalen (— *la victoire*).

rempoter *ov.w* verpotten.

remu/age *m* 1 behandeling v. (witte) wijn volgens de 'méthode champenoise'; 2 (het) omschudden, verschieten (v. koren). **▼—ant** *bn* beweeglijk, onrustig. **▼—e-ménage** *m* 1 verhuisdrukte; 2 wanorde, drukte. **▼—ement** *m* 1 beweging, verplaatsing; 2 opschudding, verwarring. **▼—er I** *ov.w* 1 bewegen; 2 verplaatsen; 3 ontroeren; — *ciel et terre*, hemel en aarde bewegen; 4 omwerken, omspitten; 5 omroeren, schudden (v. kaarten), verschieten (v. koren); 6 — *la queue*, kwispelstaarten. **II** *on.w* 1 zich bewegen; 2 onrustig zijn, woelig zijn. **III se** — 1 zich bewegen; 2 de handen uit de mouwen steken.

remugle *m* (oud) muffe lucht.

rémunérat/eur, -rice I *bn* voordelig, winstgevend, renderend. **II** *zn m*, **-rice** *v* beloner, beloonster. **▼—ion** *v* beloning, loon. **▼rémunérer** *ov.w* belonen, vergelden.

renâcler *on.w* 1 snuiven; 2 (pop.) — *à*, de neus ophalen voor, geen zin hebben in.

renaissance *v* 1 wedergeboorte; 2 *R—*, Renaissance. **▼renaître** *on.w onr.* 1 herboren worden; 2 weer verschijnen (*le jour renaît*); 3 herleven, weer op krachten komen.

rénal [*mv* aux] *bn* van de nieren; *calcul* —, niersteen.

renard *m* 1 vos; — *argenté*, zilvervos; — *polaire*, poolvos; 2 pels v.e. vos; 3 geslepen kerel, sluwe vos; 4 (pop.) onderkruiper. **▼—e** *v* wijfjesvos. **▼—eau** [*mv* x] *m* jonge vos. **▼—er** *on.w* 1 sluw handelen; 2 (pop., oud) braken. **▼—ier** *m* vossejager. **▼—ière** *v* vossehol.

renauder *on.w* (pop., oud) mopperen, brommen.

rencard *zie* rancard

renchér/ir I *on.w* 1 duurder worden; 2 overdrijven (— *sur*). **II** *ov.w* opslaan, in prijs verhogen. **▼—issement** *m* prijsverhoging.

rencogner *ov.w* (fam.) **I** in een hoek duwen. **II se** — zich in een hoek verbergen.

rencontre *v* 1 ontmoeting; *aller à la* — *de*, tegemoet gaan; 2 botsing; 3 duel; 4 geval, toeval; de —, toevallig gekocht, toevallig. **▼rencontrer I** *ov.w* 1 ontmoeten; 2 treffen; 3 vinden (*mot bien rencontré*); 4 raden. **II se** — 1 elkaar ontmoeten; 2 gevonden worden, voorkomen; 3 met elkaar duelleren; 4 dezelfde gedachte hebben.

rendement *m* 1 opbrengst; *d'un bon* —, renderend; 2 arbeidsvermogen.

rendez-vous *m* 1 afspraak; *donner* —, afspreken; 2 plaats v. samenkomst.

rendormir I *ov.w onr.* weer in slaap maken. **II se** — weer inslapen.

rendosser *ov.w* weer aantrekken.

rendre I *ov.w* 1 teruggeven; — *l'âme*, *l'esprit*, de geest geven; — *les armes*, de wapens neerleggen; — *le bien pour le mal*, kwaad met goed vergelden; — *compte*, rekenschap geven; — *grâce*, dank zeggen; 2 bezorgen; — *à domicile*, aan huis bezorgen; 3 braken; 4 opbrengen; 5 bewijzen; — *les derniers devoirs*, de laatste eer bewijzen; — *hommage*, hulde brengen; 6 uitwasemen; 7 weergeven; uitdrukken, vertalen; 8 uitspreken (— *un arrêt*); 9 maken (met een bijv. naamwoord); — *heureux*, gelukkig maken; 10 voortbrengen (— *des sons*). **II** *on.w* weel opbrengen, renderen. **III se** — 1 zich overgeven, zich neerleggen bij (fig.); 2 zich begeven; 3 zich maken; *se* — *maître*, zich meester maken; 4 gevolg -, gehoor geven aan. **▼rendu I** *bn* 1 doodop; 2 aangekomen; *nous voilà* —*s*, we zijn er. **II** *zn m* 1 ruil, (het) met gelijke munt betalen; 2 weergave v.e. kunstwerk. **III** *v.dw* van **rendre**.

rêne *v* teugel.

renégat *m*, **-e** *v* afvallige.

renfermé *m* mufheid; *sentir le* —, muf ruiken. **▼renfermer I** *ov.w* 1 opsluiten; 2 bevatten; 3 verbergen. **II se** — opgesloten worden, zich hullen (fig.), zich begraven (fig.); *se* — *dans le silence*, het stilzwijgen bewaren.

renflammer *ov.w* weer doen ontvlammen.

renfl/é *bn* opgezwollen, dik. **▼—ement** *m* opzwelling, verdikking. **▼—er I** *ov.w* doen zwellen, weer vullen. **II** *on.w* zwellen.

renflouer *ov.w* weer vlot maken (*scheepv.*); er (financieel) weer bovenop helpen.

renfonc/ement *m* 1 uitholling, deuk. **▼—er** *ov.w* 1 dieper inslaan; — *son chapeau*, zijn hoed dieper in de ogen trekken; 2 terugdringen; — *ses larmes*, zijn tranen bedwingen.

renforçateur *m* versterker (fot.). **▼renforc/é** *bn* versterkt; *sot* —, driedubbele gek. **▼—ement**, **renforçage** *m* versterking. **▼—er** *ov.w* versterken. **▼renfort** *m* versterking; *à grand* — *de*, met behulp van veel.

renfrogn/ement *m* stuursheid, norsheid. **▼—é** *bn* stuurs, nors. **▼—er (se)** een stuurs gezicht zetten.

rengagement *m* (het) bijtekenen (mil.). **▼rengager I** *ov.w* opnieuw in dienst nemen. **II se** — weer dienst nemen.

rengaine *v* (pop.): *c'est toujours la même* —, het is altijd hetzelfde liedje.

rengainer *ov.w* (fam.) voor zich houden.

rengorgement *m* verwaande houding. **▼rengorger (se)** een hoge borst opzetten.

rengréner, rengrener *ov.w* in elkaar doen grijpen van raderen.

reniement *m* verloochening. **▼renier** *ov.w* 1 verloochenen; 2 afzweren.

renifl/ement *m* gesnuif. **▼—er I** *on.w* snuiven. **II** *ov.w* opsnuiven (— *du tabac*). **▼—eur** *m*, **-euse** *v* (fam.) snuiver, snuifster.

rénitent *bn* 1 gespannen; 2 weerspannig.

renne *m* rendier.

renom *m* bekendheid, beroemdheid; *mauvais* —, slechte naam. **▼—mé** *bn* bekend, vermaard. **▼—mée** *v* 1 naam, vermaardheid, beroemdheid; *bonne* — *vaut mieux que ceinture dorée* (spr.w), een goede naam is meer waard dan rijkdom; 2 openbare mening. **▼—mer** *ov.w* 1 herbenoemen; 2 (oud) roemen.

renonc/ement *m* (het) afstand doen, verzaking; — *à soi-même*, — *de soi-même*, zelfverloochening. **▼—er (à) I** *on.w* afstand doen van, afzien van. **II** *ov.w* verloochenen. **▼—iataire** *m* of *v* persoon, te wiens behoeve men afstand doet. **▼—iateur** *m*, **-trice** *v* degene die afstand doet. **▼—iation** *v* 1 afstand; 2 zelfverloochening.

renoncule *v* ranonkel, boterbloem.

renouement *m* (het) weer aanknopen. **▼renouer I** *ov.w* 1 weer knopen; 2 weer aanknopen, hervatten; — *le fil de la conversation*, de draad van het gesprek weer opvatten. **II** *on.w*: — *avec qn*., de vriendschap met iem. hernieuwen.

renouveau *m* 1 lente, voorjaar; 2 vernieuwing. **▼renouvel/able** *bn* hernieuwbaar. **▼—er** *ov.w* her-, vernieuwen. **▼—lement** *m* her-, vernieuwing.

rénov/ateur, -atrice I *bn* vernieuwend. **II** *zn m*, **-atrice** *v* vernieuwer (-ster), hervormer (-ster). **▼—ation** *v* her-, vernieuwing, renovatie. **▼—er** *ov.w* vernieuwen, moderniseren, renoveren.

renseignement *m* inlichting. **▼renseigner I** *ov.w* inlichten. **II se** — inlichtingen inwinnen.

rentabilité *v* rentabiliteit. **▼rentable** *bn* voldoende rente gevend. **▼rente** *v* 1 rente; — *viagère*, lijfrente; *porter* —, rente opbrengen; *à* —*s composées*, rente op rente; 2 inkomen. **▼rentier** *m*, **-ère** *v* rentenier(ster).

rentoiler *ov.w* verdoeken.

rentrage *m* (het) weer binnenhalen. **▼rentrant I** *zn m* (plaats) vervanger voor (verliezende) speler. **II** *bn*: *angle* —, inspringende hoek. **▼rentré I** *bn* 1 naar binnen geslagen; 2 ingehouden (*colère*

—*e*); **3** diepliggend (*yeux —s*). ▼**rentrée** *v*
1 terugkeer; *la — des classes,* het begin v.h.
nieuwe schooljaar; **2** (het) binnenhalen v.d.
oogst; **3** (het) innen v. gelden; **4** (*sp.*) — *en
touche,* ingooi. ▼**rentrer I** *on.w* **1** weer
binnenkomen, thuiskomen; **2** in elkaar passen;
3 behoren bij; **4** binnenkomen v. geld;
5 terugkeren, naar huis gaan; *il va lui —
dedans* (*arg.*), hij stormt op hem af; *faire — qc.
dans sa tête,* iets erin stampen; *tout est rentré
dans l'ordre,* alles is weer normaal; — *dans ses
droits,* zijn rechten terugkrijgen; — *dans les
grâces de qn.,* iem. 's gunst herwinnen; — *en
soi-même,* in zichzelve keren; *vouloir — sous
terre,* wel door de grond willen zinken. **II** *ov.w*
1 binnenhalen v.d. oogst, binnenbrengen;
2 inhouden (— *ses larmes*); **3** verbergen,
wegstoppen; *colère rentrée,* ingehouden
woede.
renvers/ant *bn* (*fam.*) verbazingwekkend.
▼—e *v*: à la —, achterover, omver (*tomber à la
—*). ▼—é *bn* omgekeerd; *c'est le monde —,* het
is de omgekeerde wereld. ▼—**ement**
1 omverwerping; **2** omkering; — *de l'esprit,*
geestesverwarring. ▼—er **I** *ov.w*
1 omverwerpen, om(ver)gooien, omkegelen;
2 omkeren; **3** versteld doen staan (*fam.*).
II *on.w* omvallen. **III** *se —* **1** achterovervallen,
omkantelen; **2** zich achterover buigen;
3 omgeworpen worden.
renvoi *m* **1** terugzending; **2** afdanking;
3 verwijzing; **4** verdaging; **5** oprisping;
6 terugkaatsing; **7** (het) terugslaan (v.e. bal).
▼**renvoyer** *ov.w* **1** terugzenden; **2** ontslaan;
3 vrijspreken; **4** verwijzen; **5** verdagen;
6 terugkaatsen; **7** terugslaan (v.e. bal): (*fig.*)
— *la balle,* het antwoord niet schuldig blijven.
réoccuper *ov.w* weer bezetten.
réorganisation *v* reorganisatie.
▼**réorganiser** *ov.w* reorganiseren.
réorient/ation *v* heroriëntatie. ▼—**er** *ov.w*
heroriënteren.
réouverture *v* heropening.
repaire *m* hol.
repaître I *ov.w onr.* eten, grazen. **II** *ov.w*
1 voeden; **2** bezighouden. **III** *se —* zich
voeden; *se — de sang,* in bloed baden.
répandre I *ov.w* **1** verspreiden; verbreiden;
2 storten, vergieten (— *des larmes,* — *du
sang*); **3** verdelen, uitdelen. **II** *se —*
1 verspreid -, verbreid worden; **2** gestort -,
vergoten worden; **3** uitgedeeld worden; **4** veel
uitgaan (*se — dans le monde*); **5** *se — en
excuses,* zich uitputten in
verontschuldigingen. ▼**répandu** *bn* verbreid;
être — dans le monde, veel in deftige kringen
verkeren.
réparable *bn* herstelbaar.
reparaître *on.w onr.* weer verschijnen.
répar/ateur, -atrice I *bn* herstellend. **II** *zn m,
-atrice v* hersteller (-ster), reparateur.
▼—**ation** *v* **1** herstel, reparatie;
2 genoegdoening; — *d'honneur,* eerherstel;
surface de —, strafschopgebied. ▼—**er** *ov.w*
1 herstellen, repareren; **2** weer goed maken,
vergoeden; — *le temps perdu,* de verloren tijd
inhalen; **3** voldoening geven voor (— *une
injure*).
reparler *on.w* opnieuw spreken.
repart/ie *v* snedig antwoord; *avoir la —
prompte, être prompt à la —,* nooit om een
antwoord verlegen zijn. ▼—**ir I** *on.w onr.* weer
vertrekken. **II** *ov.w* antwoorden.
répart/ir *ov.w* verdelen, omslaan. ▼—**iteur** *m*
1 verdeler; **2** dispatcher, verdeler v.
olieprodukten. ▼**répartition** *v* verdeling,
omslag.
repas *m* maaltijd.
repass/age *m* **1** (het) opnieuw overtrekken;
2 (het) slijpen; **3** (het) strijken (v.
linnengoed). ▼—**er I** *on.w* **1** weer gaan door,
-over enz.; **2** weer aanlopen. **II** *ov.w* **1** weer
overtrekken; **2** weer overzetten; **3** weer
nagaan, weer denken aan, herhalen; **4** slijpen;
5 nazien v.e. horloge; **6** strijken v. linnengoed.
▼—**eur** *m, -***euse** *v* slijper (-ster). ▼—**euse** *v*

strijkster; strijkmachine.
repêch/age *m* (het) weer opvissen; (het)
opnieuw laten lopen, rijden enz. (van in hun
serie uitgevallen kandidaten, *sp.*). ▼—**er** *ov.w*
1 (weer) opvissen; **2** uit het water halen (—
un noyé); **3** uit de moeilijkheid redden; **4** (een
kandidaat) nog een kans geven.
repeindre *ov.w onr.* opnieuw schilderen,
overschilderen.
repenser *on.w, ov.w* weer (over)denken.
repent/ant *bn* berouwvol. ▼—**ir (se)** *onr.*
berouw -, spijt hebben. ▼—**ir** *m* berouw.
repérage *m* **1** (het) aanbrengen v.
herkenningstekens; **2** opsporing;
3 afstemming.
réper/cussion *v* **1** terugkaatsing; **2** (het)
verplaatsen v.e. ziekte; **3** weerslag. ▼—**cuter
I** *ov.w* **1** terugkaatsen; **2** een ziekte
verplaatsen. **II** *se —* zijn weerslag hebben.
reperdre *ov.w* weer verliezen.
repère *m* merk, merkteken; *point de —,*
herkenningsteken, richtpunt. ▼**repérer** *ov.w*
1 merken, herkenningstekens plaatsen;
2 vinden, ontdekken, opsporen.
répertoire *m* **1** overzicht, register, tabel;
2 repertoire (*kunst*). ▼**répertorier** *ov.w* in een
register inschrijven.
répét/er *ov.w* **1** herhalen; **2** repeteren;
3 weerkaatsen; **4** terugvorderen. ▼—**iteur** *m,
-trice v* repetitor; **2** studiemeester(es) (in
een lyceum). ▼—**itif, -ive** *bn* zich herhalend.
▼—**ition** *v* **1** herhaling; *montre à —,*
repetitiehorloge; **2** repetitie. ▼**repeuplement**
m wederbevolking, (het) weer voorzien van
vis, van wild.
repeupler *ov.w* weer bevolken (ook v.e. vijver
met vis, v.e. woud met wild).
repiquage *m* **1** verplanting; **2** verbetering (of
bestrating); **3** (het) retoucheren (v.e. foto).
▼**repiquer** *ov.w* **1** verplanten; **2** verbeteren
(der bestrating); **3** retoucheren (v.e. foto);
4 (*pop.*) weer beginnen.
répit *m* uitstel, rust.
replac/ement *m* herplaatsing. ▼—**er** *ov.w*
1 weer plaatsen; **2** weer aanstellen.
replanter *ov.w* **1** verplanten; **2** weer planten.
replâtrage *m* **1** overpleistering; **2** schijnbare
verzoening. ▼**replâtrer** *ov.w*
1 overpleisteren; **2** vergoelijken.
repl/et, -ète *bn* zwaarlijvig. ▼—**étif, -ive** *bn*
vullend. ▼—**étion** *v* zwaarlijvigheid.
repli *m* **1** plooi, vouw; **2** bocht, kronkel; — *de
terrain,* terreinplooi; **3** verborgenheid;
4 ordelijke terugtocht (*mil.*). ▼—**able** *bn*
opvouwbaar. ▼—**ement** *m* **1** (het)
opvouwen; **2** (het) ordelijk terugtrekken.
▼—**er I** *ov.w* **1** weer opvouwen; **2** buigen v.h.
lichaam. **II** *se —* **1** zich kronkelen; **2** zich
ordelijk terugtrekken.
réplique *v* **1** antwoord; tegenspraak; *avoir la
— prompte,* slagvaardig zijn (*fig*); *sans —,*
onweerlegbaar; **2** laatste woord v.e.
toneelspeler, dat aan het antwoord van zijn
tegenspeler voorafgaat, repliek; **3** tweede
exemplaar v.e. kunstwerk, replica. ▼**répliquer**
ov. en on.w antwoorden, repliceren.
reploiement *m* = **repliement**.
replonger I *ov.w* **1** weer dompelen; **2** weer
brengen, weer storten. **II** *on.w* weer
onderduiken.
reployer = **replier**.
repolir *ov.w* **1** overpolijsten; **2** weer
verbeteren, weer bijschaven (— *un écrit*).
répond/ant *m* **1** misdienaar; **2** kandidaat op
een openbaar examen; **3** borg. ▼—**eur** *m*: —
de téléphone, tel. antwoordapparaat.
▼**répondre I** *ov.w* antwoorden. **II** *on.w*
1 antwoorden (— *à*), beantwoorden (— *à*);
2 beantwoorden aan, in overeenstemming zijn
met (— *à*); **3** verzekeren; **4** in verbinding staan
(met = *à,* dans); *la sonnette répond* dans *la
cuisine,* de bel komt in de keuken uit; **5** instaan
(voor), borg blijven (voor). ▼**répons** *m*
responsorium (rk-gezang). ▼**réponse** *v*
antwoord.
repopulation *v* (*oud*) wederbevolking

report *m* 1 transport (bij boekhouden); 2 getransporteerde som; 3 (het) overbrengen v.e. tekening. ▼—age *m* reportage. ▼—er I *ov.w* 1 terugbrengen; 2 transporteren v.e. som. II se— 1 terugdenken aan (*se — à*); 2 verwijzen naar (*se — à*). III *zn m* reporter, verslaggever.

repos *m* 1 rust; *repos!*, rust! (*mil.*); *champ du* —, kerkhof; 2 rustplaats; 3 slaap; 4 rust, rustpunt (bij muz. en lezen). ▼—ant *bn* rust gevend, verkwikkend. ▼—é *bn* uitgerust; *à tête* —*e*, rustig, bij kalm nadenken. ▼—ée v leger v. wild. ▼—er I *ov.w* 1 weer zetten, weer plaatsen enz.; 2 neerleggen, laten rusten (— *la tête*); 3 rust verschaffen, ontspannen (*cela repose l'esprit*). II *on.w* 1 (uit)rusten, slapen; 2 rusten, liggen, begraven zijn; *ici repose...*, hier rust...; 3 bezinken (*laisser — du vin*); 4 gebouwd zijn (op); 5 gegrond zijn op (— *sur*). III *se—* 1 (uit)rusten; 2 *se — sur qn.*, op iem. vertrouwen, zich op iem. verlaten. ▼—oir *m* rustaltaar.

repouss/ant *bn* terugstotend, afzichtelijk. ▼—ement *m* (het) terugstoten, terugstoot (— *d'une arme à feu*). ▼—er I *ov.w* 1 terugstoten, terugduwend weer dichtschuiven; — *l'ennemi*, de vijand terugwerpen; 2 afslaan (v.e. aanval), afweren (v.e. slag); 3 verwerpen; 4 afstoten, afschrikken; 5 weer voortbrengen, wegkrijgen (— *des branches*). II *on.w* 1 terugstoten v.e. vuurwapen; 2 aangroeien. ▼—oir *m* 1 drevel; 2 repoussoir (iets dat iets anders beter doet uitkomen).

répréhensible *bn* laakbaar, afkeurenswaardig. ▼**répréhension** v (*oud*) afkeuring, berisping.

reprendre I *ov.w onr.* 1 weer nemen, hernemen, terugnemen, weer aannemen, weer aantrekken enz.; 2 weer krijgen; — *ses sens*, bijkomen; 3 weer gevangen nemen; 4 verstellen, herstellen; 5 berispen. II *on.w* 1 weer wortel schieten; 2 zich herstellen (*sa santé reprend*); 3 weer beginnen, terugkomen (*la chaleur reprend*); 4 dichtvriezen. III *se—* 1 zichzelf weer meester worden; 2 zijn woorden verbeteren.

représaille(s) v vergelding, wraak; *user de* —*s*, wraak nemen.

représent/able *bn* vertoonbaar. ▼—ant *m*, -*e* v vertegenwoordiger (-ster). ▼—atif, -ive *bn* vertegenwoordigend, representatief. ▼—ation v 1 voorlegging, vertoning; 2 voorstelling, opvoering; 3 vertegenwoordiging; *frais de* —, representatiekosten; 4 vertoon, (het) ophouden v. stand; 5 afbeelding, voorstelling; 6 vermaning. ▼—ativité v 1 vertegenwoordigend karakter; 2 representatief zijn. ▼—er I *ov.w* 1 opnieuw voorstellen; 2 voor de geest brengen; 3 voorstellen, afbeelden; 4 opvoeren, vertonen; 5 de rol spelen van; 6 vertegenwoordigen; 7 voorhouden. II *on.w* 1 een goed voorkomen hebben; 2 zijn stand ophouden. III *se—* zich voorstellen, zich verbeelden.

répress/if, -ive *bn* beteugelend, repressief. ▼—ion v beteugeling, bestraffing, repressie.

réprimand/e v berisping. ▼—er *ov.w* berispen.

réprimer *ov.w* 1 onderdrukken, beteugelen; 2 bestraffen.

repris *m*: — *de justice*, recidivist.

reprisage *m* (het) stoppen.

reprise v 1 (het) terugnemen, herovering; 2 herhaling; *à plusieurs* —*s*, herhaaldelijk; 3 hervatting; 4 stop, verstelling; 5 ronde (bij boksen enz.); 6 heropvoering; 7 partij die herhaald moet worden (*muz.*); 8 herstel (in zaken).

repriser *ov.w* stoppen, verstellen.

réprobateur, -trice *bn* afkeurend. ▼**réprobation** v 1 verwerping; 2 afkeuring; 3 verdoemenis.

reprochable *bn* afkeurenswaardig. ▼**reproche** *m* verwijt; *sans* —, onberispelijk, smetteloos. ▼**reprocher** *ov.w* verwijten.

reproduct/eur, -rice I *bn* voortplantend. II *zn m* fokdier. ▼—if, -ive *bn* 1 voortplantend; 2 nabootsend. ▼—ion v 1 voortplanting; 2 nabootsing, reproductie; kopie; 3 weergave. ▼**reproduire** I *ov.w onr.* 1 weer voortplanten, weer voortbrengen; 2 namaken, reproduceren; 3 weergeven. II *se—* 1 zich voortplanten; 2 zich herhalen.

reprograph/ie v reprografie. ▼—ier *ov.w* reprograferen.

réprouvé *m* verdoemde. ▼**réprouver** *ov.w* 1 afkeuren, verwerpen; 2 verdoemen.

reps *m* rips.

rept/ation v (het) kruipen. ▼—ile *m* reptiel.

repu *bn* verzadigd.

républicain I *bn* republikeins. II *zn m*, -e v republikein(se). ▼**république** v republiek.

répudi/ation v 1 (het) verstoten; 2 verloochening. ▼—er *ov.w* 1 verstoten; 2 afwijzen.

répugn/ance v afkeer, weerzin. ▼—ant *bn* weerzinwekkend, afstotend. ▼—er *on.w* 1 een afkeer hebben van (— *à*); 2 afstoten; 3 strijdig zijn met.

répulsif, -ive *bn* afstotend. ▼**répulsion** v 1 afstotingskracht; 2 afkeer.

réputation v 1 naam, bekendheid, reputatie; 2 goede naam; *être en* —, een goede naam hebben. ▼**réputé** *bn* 1 bekend als; 2 vermaard. ▼**réputer** *ov.w* achten, houden voor (— *pour*).

requérant *m* eiser. ▼**requérir** *ov.w onr.* 1 verzoeken; 2 eisen. ▼**requête** v 1 verzoek; 2 rekest, smeekschrift.

requiem *m* requiem (*rk*).

requin *m* haai.

requinquer I *ov.w* (*pop.*) opdirken. II se— 1 zich opdirken; 2 opknappen (na een ziekte); 3 een hoge borst opzetten.

requis I *bn* vereist. II *zn m*: — *du travail*, tewerkgestelde. ▼**réquisition** v 1 verzoek; 2 oproeping; 3 gedwongen levering. ▼—ner *ov.w* beslag leggen op. ▼**réquisitoire** *m* eis v.h. Openbaar Ministerie, requisitoir. ▼**réquisitorial** [*mv aux*] *bn* wat de eis v.h. Openbaar Ministerie betreft.

rescapé *m* geredde; iem. die aan een ramp, een gevaar ontsnapt is.

resc/indant *bn* (*jur.*) vernietigend. ▼—inder *ov.w* nietigverklaren. ▼—ision v nietigverklaring. ▼—isoire *bn* nietigverklarend.

rescousse v herovering; *à la* —!, help!; *venir à la* —, helpen.

réseau [*mv* x] *m* 1 net; 2 wegennet, spoorwegnet, telefoonnet enz.

résection v afsnijding, wegneming (*med.*).

réséda *m* reseda.

réséquer *ov.w* afsnijden, verwijderen (*med.*).

réservation v 1 voorbehoud; 2 (het) bespreken v. plaatsen, reservering. ▼**réserve** v 1 voorbehoud; 2 reservetroepen, reserveleger; 3 gedeelte v.e. woud, waarvan men de bomen nog laat groeien om later gekapt te worden; 4 wettelijke portie v.e. erfenis; 5 terughouding, bescheidenheid; *avec* —, behoedzaam. ▼**réserv/é** *bn* 1 behoedzaam, terughoudend, gereserveerd; 2 voorbehouden, apart; *tous droits* —*s*, alle rechten voorbehouden. ▼—er I *ov.w* 1 bewaren, besparen; 2— *à*, bestemmen voor; 3 (plaatsen) bespreken, reserveren. II se— wachten; *se — pour une autre occasion*, een betere gelegenheid afwachten. ▼—iste *m* reservist (*mil.*). ▼—oir *m* vergaarbak, reservoir; — (*à essence*), benzinetank.

résid/ant/ent ▼—ence v 1 verblijf, verblijfplaats, zetel, residentie; — *secondaire*, 'tweede huis'; — *surveillée* (*forcée*), huisarrest; 2 ambt v. resident. ▼—ent *m* 1 zaakgelastigde met (lagere rang dan gezant); 2 resident. ▼—entiel *bn* quartier —, woonwijk. ▼—er *on.w* verblijf houden, zetelen, resideren; *voilà où réside la difficulté*, dáár ligt de moeilijkheid.

résidu *m* 1 overblijfsel; 2 bezinksel.

résiduaire—résumé 268

▼**résiduaire** bn wat het overblijfsel, het bezinksel betreft; eau —, afvalwater.
résign/ation v 1 berusting; 2 afstand. ▼—é bn berustend. ▼—er I ov.w 1 afstand doen van; 2 overgeven (— son âme à Dieu). II se — zich onderwerpen, berusten.
résiliation v opzegging, nietigverklaring, ontbinding. ▼**résilier** ov.w opzeggen, nietig verklaren.
résille v haarnetje.
résin/e v hars. ▼—er ov.w 1 hars halen uit; 2 met hars bestrijken. ▼—eux, -euse bn harsachtig, -houdend.
résipiscence v berouw, inkeer.
résist/ance v 1 weerstand, tegenstand, resistentie; 2 tegenstandsvermogen; pièce de —, hoofdschotel; 3 uithoudingsvermogen; 4 tegenstand, verzet; 5 (het) Verzet (v. 1940–1945). ▼—ant I bn tegenstand biedend, hard, taai, resistent. II zn m verzetsman (1940–1945). ▼—er on.w (— à) weer-, tegenstand bieden, weerstaan.
résolu I bn vastberaden, flink, resoluut. II v.dw van **résoudre**. ▼**résoluble** bn 1 oplosbaar; 2 ontbindbaar. ▼**résolument** bw vastberaden, resoluut. ▼**résolution** v 1 oplossing, omzetting; 2 oplossing (v.e. vraagstuk); 3 opheffing, ontbinding; 4 besluit, beslissing, resolutie; 5 vastberadenheid; manque de —, besluiteloosheid. ▼**résolvant** I bn oplossend. II zn m oplossend mi:ddel.
réson/ance v weer-, nagalm, resonantie. ▼—nant bn weerklinkend. ▼—ner on.w weerklinken, resonneren; cette salle résonne bien, deze zaal heeft een goede akoestiek.
résorber I ov.w 1 opslorpen, resorberen; 2 doen verdwijnen, terugdringen. ▼**résorption** v 1 opslorping, resorptie; 2 (het) terugdringen.
résoudre I ov.w onr. 1 oplossen, ontbinden; 2 omzetten; 3 oplossen (v.e. vraagstuk); 4 opheffen, nietig verklaren; 5 doen slinken (med.); 6 beslissen (— une guerre); 7 – qn. à, iem. bewegen te; 8 — de, besluiten te, tot. II se — 1 oplossen, zich ontbinden; 2 se — à, besluiten tot, - te.
respect I m eerbied, hoogachting, ontzag, respect; — humain, menselijk opzicht; sauf votre —, met uw verlof, met alle respect; tenir en —, op een afstand houden. II—s m mv complimenten, groeten. ▼—abilité v achtenswaardigheid, eerbiedwaardigheid. ▼—able bn 1 achtenswaardig, respectabel; 2 aanzienlijk, groot (quantité —). ▼—er I ov.w 1 eerbiedigen, eren, achten, respecteren; 2 sparen, verschonen. II se — de vormen in acht nemen, gevoel v. eigenwaarde hebben. ▼—if, -ive bn 1 wederzijds; 2 van ieder afzonderlijk. ▼—ivement bw respectievelijk. ▼—ueusement bw eerbiedig. ▼—ueux, -euse bn eerbiedig.
respir/able bn inadembaar. ▼—ateur bn van de ademhaling. ▼—ation v ademhaling. ▼—atoire bn voor de ademhaling; voies —s, luchtwegen. ▼—er I on.w 1 ademen; 2 weer op adem komen; 3 levend lijken (portrait qui respire). II ov.w 1 inademen; 2 uitademen; 3 getuigen van; ademen; 4 dorsten naar.
resplend/ir on.w schitteren. ▼—issant bn schitterend. ▼—issement m schittering.
respons/abilité v verantwoordelijkheid, aansprakelijkheid. ▼—able (de) bn verantwoordelijk -, aansprakelijk voor.
resquill/er v wederrechtelijk van iets profiteren, flessentrekkerij. ▼—er I ov.w onrechtmatig verkrijgen. II on.w binnengaan zonder betaling. ▼—eur m klaploper.
ressac m branding.
ressaigner I ov.w weer aderlaten. II on.w weer bloeden.
ressaisir I ov.w 1 weer grijpen, - pakken; 2 weer onder zijn macht brengen. II se — zichzelf weer meester worden.
ressasser ov.w tot vervelens toe herhalen.
ressaut m 1 uitsteeksel v.e. kroonlijst;

2 oneffenheid (— de terrain).
ressauter ov.w weer springen over.
ressayer, réessayer ov.w opnieuw proberen.
ressembl/ance v gelijkenis. ▼—ant bn gelijkend. ▼—er I on.w gelijken op (— à). II se — op elkaar lijken; qui se ressemble, s'assemble (spr.w), soort zoekt soort.
ressemel/age m verzoling. ▼—er ov.w verzolen.
ressentiment m wrok. ▼**ressentir** I ov.w onr. 1 diep gevoelen; 2 wrok koesteren over (— une injure). II se — 1 merkbaar -, voelbaar zijn; 2 de gevolgen ondervinden van (se — d'une maladie); 3 s'en — pour (pop.), zich in vorm voelen voor.
resserre v bergplaats. ▼**resserr/é** bn eng, nauw. ▼—ement m bekrompenheid. ▼—er I ov.w 1 nauwer toehalen; 2 opnieuw -, enger opsluiten (— un prisonnier); 3 weer wegbergen; 4 beperken, verminderen. II se — 1 nauwer, enger worden; inkrimpen; 2 ineenkrimpen (fig.); 3 zich bekrimpen, bezuinigen.
resservir I on.w onr. weer dienst doen, weer bruikbaar zijn. II ov.w weer (op)dienen.
ressort m 1 veerkracht; 2 veer; faire —, veren; — à boudin, — hélicoïdal, spiraalveer; sommier à —s, springveren matras; 3 middel; faire jouer tous les —s, alle middelen aanwenden; 4 instantie, rechtsgebied; en dernier —, in laatste instantie; 5 bevoegdheid.
ressortir on.w onr. 1 weer uitgaan; 2 uitkomen; faire —, doen uitkomen; 3 (— de) volgen uit, voortvloeien uit.
ressort/ir (à) on.w reg. behoren tot een rechtsgebied. ▼—issant m onderdaan.
ressouder ov.w weer aaneenhechten, -solderen.
ressource I v 1 toevlucht, uitweg, redmiddel; homme de —, vindingrijk man; sans —, onherroepelijk; 2 (het) optrekken v.e. vliegmachine na een duikvlucht. II—s v mv geldmiddelen, hulpbronnen.
ressouvenir (se) onr. zich weer herinneren.
ressusciter I ov.w 1 uit den dode opwekken; 2 doen herleven (fig.). II on.w uit den dode opstaan.
.**restant** I bn (over) blijvend; poste —e, brieven die op het postkantoor blijven om afgehaald te worden. II zn m overschot.
restaur/ant I bn versterkend, verkwikkend. II zn m 1 versterkend middel; 2 restaurant. ▼—ateur (-trice), -atrice v 1 hersteller (-ster); 2 restauranthouder (-ster). ▼—ation v 1 herstel, restauratie; 2 herstel op de troon (v.d. Bourbons: 1814–1830); 3 versterking, verkwikking; 4 restaurant (in Zwitserland); 5 restaurantbedrijf. ▼—er ov.w 1 herstellen, restaureren; 2 versterken; 3 op de troon herstellen.
reste I m 1 overschot, rest; au —, du —, overigens; de —, (te) over; il a de la bonté de —, hij is te goed; être en —, nog schuldig zijn. II—s m mv 1 stoffelijk overschot; 2 kliekjes. ▼**rester** on.w 1 blijven, overblijven, rest(er)en; en — là, het daarbij laten; — court, blijven steken; on a en sommes-nous restés?, waar zijn we gebleven?; reste à savoir si, het is de vraag, of; 2 over doen om te (— à).
restitu/able bn terug te geven, - te betalen. ▼—er ov.w 1 teruggeven, -betalen, restitueren; 2 in de oorspronkelijke staat herstellen. ▼—tion v teruggave, restitutie, herstel.
restoroute m wegrestaurant.
restreindre I ov.w onr. beperken. II se — zich beperken, zich bekrimpen. ▼**restrictif, -ive** bn beperkend. ▼**restriction** v beperking, restrictie.
restructur/ation v herstructurering. ▼—er ov.w herstructureren, herindelen.
résult/ant I bn volgend (uit), voortvloeiend (uit). II zn -e v resultante. ▼—at m 1 resultaat, uitslag; 2 uitkomst v.e. bewerking. ▼—er (de) onp.w voortvloeien uit.
résumé m id., samenvatting; en —, kortom.

▼**résumer** *ov.w* samenvatten, resumeren.
resurgir *on.w* weer opduiken. ▼**résurrection** *v* opstanding, verrijzenis.
retable *m* altaarblad.
rétabl/ir l *ov.w* herstellen. **ll se —** herstellen v.e. ziekte. ▼**—issement** *m* **1** herstel (ling); **2** genezing, herstel.
rétameur *m* ketellapper.
retaper l *ov.w* **1** opknappen, herstellen; **2** slordig opmaken (— *un lit*). **ll se —** opknappen.
retard *m* **1** uitstel, vertraging; *avoir du —*, te laat zijn; *être en —*, te laat zijn; **2** (het) achterlopen (v.e. uurwerk); — *à l'allumage*, naontsteking, (*fig.*) late reactie. ▼**—ataire l** te laat komend. **ll** *zn m* laatkomer, achterblijver. ▼**—ateur, -trice** *bn* vertragend. ▼**—ement** *m* vertraging; *bombe à —*, tijdbom. ▼**—er l** *ov.w* **1** uitstellen, vertragen; **2** ophouden; **3** tegenhouden; — *une pendule*, een klok achteruitzetten. **ll** *on.w* **1** achterlopen (v.e. uurwerk); *enfant retardé*, achterlijk kind; — *sur*, achter zijn op.
reteindre *ov.w onr.* ververven.
retéléphoner *ov.w* opnieuw opbellen.
retendre *ov.w* weer spannen.
retenir l *ov.w onr.* **1** tegenhouden, weerhouden, ophouden; **2** inhouden (— *ses larmes*), bedwingen (— *sa colère*); **3** onthouden; **4** terughebben, -krijgen; **5** behouden; **6** bespreken v. plaatsen; **7** afhouden; **8** onthouden (v.e. cijfer bij het optellen). **ll se —** **1** zich vasthouden, zich vastklampen; **2** zich inhouden. ▼**rétention** *v* **1** voorbehoud; **2** opstopping (*méd.*). ▼**—naire** *m* houder v.e. pand.
retent/ir *on.w* **1** weerklinken; **2** een terugslag hebben. ▼**—issant** *bn* weerklinkend, luid, schel. ▼**—issement** *m* **1** weerklank; **2** terugslag; **3** opzien, opschudding.
retenue *v* **1** (het) achterhouden, tegenhouden; *3 de —*, (bij rekenen) **3** onthouden; **2** aftrek, pensioenbijdrage; **3** bescheidenheid; **4** (het) schoolblijven; *mettre en —*, school laten blijven.
rétic/ence *v* verzwijging; *faire une —*, iets verzwijgen. ▼**—ent** *bn* terughoudend.
réticulaire *bn* netvormig. ▼**réticule** *m* soort damestasje. ▼**réticulé** *bn* netvormig; met ruitjes.
rétif, -ive *bn* koppig, weerspannig.
rétine *v* netvlies.
retiré *bn* **1** afgelegen; **2** teruggetrokken. ▼**retirement** *m* samentrekking. ▼**retirer l** *ov.w* **1** terugtrekken, naar zich toe trekken; **2** halen uit; **3** ontnemen; afnemen; **4** intrekken (— *sa parole*); **5** onderdak verlenen; **6** trekken, ontvangen. **ll se —** **1** zich terugtrekken; naar huis gaan; **2** krimpen, samentrekken.
rétiveté, rétivité *v* koppigheid.
retombée *v*: —*s radioactives*, fall-out, radioactieve neerslag. ▼**retomber** *on.w* **1** weer vallen; neervallen; neerkomen; **2** afhangen; **3** instorten (v. zieke); **4** — *sur*, neerkomen op.
retord/ement, —age *m* het twijnen. ▼**—eur** *m, -euse* *v* twijnder (-ster). ▼**—re** *ov.w* twijnen; *donner du fil à —*, heel wat te stellen geven.
rétorquer *ov.w* iem. met zijn eigen argumenten weerleggen.
retors l *bn* **1** getwijnd; **2** slim, geslepen. **ll** *zn m* slimmerd.
rétorsion *v* bestrijding met eigen argumenten; *mesure de —*, vergeldingsmaatregel.
retouch/e *v* retouche, (het) retoucheren. ▼**—er** *ov.w* **1** verbeteren, retoucheren; **2** afwerken, de laatste hand leggen aan. ▼**—eur** *m, -euse* *v* retoucheur (*fot.*).
retour *m* **1** terugkeer, terugreis, terugkomst; — *d'âge*, kritieke leeftijd; *être sur le —*, oud worden, aftakelen; *être de —*, terug zijn; *faire un — sur soi-même*, tot inkeer komen; *par — du courrier*, per omgaande; *sans —*, onherstelbaar; — *en arrière*, (*film*) flashback;

2 wisselvalligheid, ommekeer; **3** bocht, hoek; **4** vergelding, wederliefde, wederdienst; *en — de*, in ruil voor; *match —*, returnwedstrijd; *effet en —*, terugslag; **5** terugzending.
▼**retournage** *m* (het) keren v. kleren enz.
▼**retourne** *v* gekeerde kaart.
▼**retournement** *m* omkering. ▼**retourner l** *ov.w* **1** omkeren, omdraaien; — *un habit*, een jas keren; — *une page*, een blad omslaan; — *le sol*, de grond ompitten; **2** van alle kanten bekijken (— *un projet*); **3** hevig aangrijpen; **4** van mening doen veranderen; **5** terugzenden. **ll** *on.w* **1** terugkeren (van de spreker af); **2** terugvallen op (*fig.*) (— *sur*). **lll se —** **1** zich omdraaien; **2** zich ergens doorheen slaan; **3** omslaan. **lV s'en —** weggaan, heengaan.
retracer l *ov.w* **1** overtrekken, overtekenen; **2** opnieuw ontwerpen; **3** beschrijven. **ll se —** **1** zich herinneren, zich voor de geest halen; **2** voor de geest komen.
rétract/able *bn* herroepbaar. ▼**—ation** *v* herroeping, intrekking. ▼**—er** *ov.w* **1** herroepen, intrekken (*fig.*); **2** intrekken (*lett.*). ▼**—if, -ive** *bn* samentrekkend. ▼**—ile** *bn* intrekbaar. ▼**—ilité** *v* intrekbaarheid. ▼**—ion** *v* samentrekking.
retraduction *v* vertaling v.e. vertaling.
retrait *m* **1** intrekking, samentrekking; **2** intrekking (*fig.*); — *d'emploi*, ontslag. ▼**—ant** *m, -e* *v* deelnemer, deelneemster aan een retraite (*rk*). ▼**retraite** *v* **1** (het) terugtrekken, terugtocht; *battre en —*, terugtrekken (ook *fig.*); **2** taptoe (*sonner la —*); **3** afzondering, plaats v. afzondering, rustplaats; **4** pensioen; *mettre à la —*, pensioneren; *mise à la —*, pensionering; *prendre sa —*, ontslag nemen, met pensioen gaan; *caisse de —*, pensioenfonds; **5** retraite (*rk*). ▼**retraité l** *bn* gepensioneerd. **ll** *zn m* gepensioneerde. ▼**retraitement** *m* (het) opnieuw behandelen (v. kernafval).
retranchement *m* **1** vermindering, afsnijding, inkorting; **2** weglating; **3** verschansing. ▼**retrancher l** *ov.w* **1** verminderen, afsnijden, inkorten; **2** weglaten; **3** verschansen. **ll se —** zich verschansen (ook *fig.*).
retransmettre *ov.w onr.* heruitzenden.
▼**retransmission** *v* heruitzending.
rétréc/i *bn* bekrompen. ▼**—ir l** *ov.w* vernauwen, doen krimpen. **ll** *on.w* **en se —** **1** krimpen; **2** bekrompen worden. ▼**—issement** *m* **1** inkrimping; **2** bekrompenheid.
retremper l *ov.w* **1** opnieuw indompelen; **2** opnieuw harden; **3** harden (*fig.*), stalen, nieuwe kracht geven. **ll se —** nieuwe energie opdoen.
rétribuer *ov.w* bezoldigen. ▼**rétribution** *v* bezoldiging, loon.
rétro l *zn m* **1** terugkeer (naar het verleden); **2** (*fam.*) achteruitkijkspiegel; **3** trekbal. **ll** *bn* nostalgisch, ouderwets, van vroeger. ▼**—actif, -ive** *bn* terugwerkend; *effet —*, terugwerkende kracht. ▼**—action, —activité** *v* terugwerkende kracht, terugkoppeling. ▼**—céder** *ov.w* doorverkopen. ▼**—fusée** *v* remraket. ▼**—gradation** *v* achteruitgang. ▼**—grade** *bn* **1** achterwaarts; **2** reactionair, ouderwets. ▼**—grader l** *on.w* **1** achteruit lopen; terugtrekken. **ll** *ov.w* verlagen in rang (*mil.*), achteruitzetten. ▼**—gression** *v* teruggang. ▼**—pédalage** *m*: *frein par —*, terugtraprem. ▼**—pédaler** *on.w* terugtrappen. ▼**—spectif, -ive** *bn* terugblikkend. ▼**—spection** *v* terugblik. ▼**—spective** *v* overzichtstentoonstelling. ▼**—spectivement** *bw* terugblikkend.
retrouss/é/è *bn* opgestroopt; *nez —*, wipneus. ▼**—ement** *m* (het) oplichten, opstropen. ▼**—er l** *ov.w* oplichten, opstropen. **ll se —** zijn rokken enz. opnemen.
retrouvailles *v mv* (*fam.*) hereniging.
▼**retrouver l** *ov.w* **1** terugvinden; **2** weer opzoeken; **3** herkennen. **ll se —** **1** teruggevonden worden; **2** elkaar

weervinden; **3** de weg terugvinden; **4** zich
weer bevinden.
rétroviseur m achteruitkijkspiegel.
rets m **1** net; **2** valstrik.
réun/ification v hereniging. **▼—ifier** ov.w
herenigen. **▼—ion** v **1** hereniging, vereniging,
reünie, samenkomst; **2** vergadering. **▼—ir**
I ov.w **1** herenigen, verenigen; **2** verzamelen;
3 verbinden; **4** verzoenen. **II se**— **1** zich her-,
verenigen; **2** samenwerken, samenspannen.
réuss/ir I on.w slagen, lukken; *j'ai réussi à*, het
is mij gelukt te. **II** ov.w goed uitvoeren, goed
treffen (— *un portrait*), *réussi*, goed gelukt.
▼—ite v **1** afloop, uitslag; **2** goede uitslag;
3 soort patiencespel.
revaccination v herinenting, revaccinatie.
▼revacciner ov.w herinenten.
revaloir ov.w onr. betaald zetten.
revalorisation v herwaardering.
▼revaloriser ov.w **1** herwaarderen (geld);
2 koopkracht teruggeven; **3** nieuwe waarde
geven (aan doctrine).
revanchard I bn op revanche belust. **II** zn m
(*pol.*) revanchist. **▼revanch/e** v **1** vergelding,
wraak; en —, daarentegen; **2** revanchepartij.
▼—er I ov.w (*pop.*) verdedigen, helpen bij een
aanval. **II se**— zich wreken, zich revancheren,
betaald zeten.
rêvass/er on.w dromen, suffen. **▼—erie** v
(*fam.*) **1** dromerij; **2** hersenschim. **▼—eur** m,
-euse v dromer, droomster. **▼rêve** m **1** droom;
2 illusie, hersenschim.
revêche bn **1** wrang; **2** onhandelbaar, nors.
réveil m **1** (het) ontwaken; **2** reveille (*mil.*);
3 wekker. **▼réveill/e-matin** m wekker. **▼—er**
I ov.w **1** wekken; **2** bijbrengen v.e.
bewusteloze; **3** weer opwekken, aanvuren (—
le courage). **II se**— wakker worden. **▼—eur** m
porder. **▼réveillon** m nachtelijk diner (vooral
in de kerstnacht). **▼—ner** on.w (*fam.*) een
réveillon houden.
révél/ateur, -atrice I bn openbarend, wat
opheldert. **II** zn m, **-atrice** v openbaarder
(-ster). **III** m ontwikkelingsbad (*fot.*).
▼—ation v onthulling, openbaring. **▼—er**
I ov.w **1** openbaren, onthullen, doen kennen;
2 ontwikkelen (*fot.*). **II se**— **1** z. openbaren;
2 z. kenbaar maken; **3** blijken te zijn.
revenant I bn (*oud*) innemend, aangenaam.
II zn m spook.
revenant†-bon† m buitenkansje.
revendeur m, **-euse** v wederverkoper,
-verkoopster; opkoper, -koopster.
revendicatif bn veel eisend, veel grieven
hebbend; *programme* —, eisenpakket.
▼revendication v terugvordering, eis.
▼revendiquer ov.w **1** terugvorderen, eisen;
2 — *la responsabilité*, de verantwoordelijkheid
op zich nemen.
revendre ov.w weer verkopen; *en* — *à qn.*,
iem. te slim af zijn.
revenez-y m terugkeer; *ce plat a un goût de* —,
die schotel smaakt naar meer. **▼revenir** I on.w
onr. **1** terugkomen, terugkeren; *en* — *à*,
terugkomen op; — *à ses moutons*, op zijn
onderwerp terugkomen; — *à soi*, weer
bijkomen (na flauwte); *cela revient au même*,
dat komt op hetzelfde neer; — *d'une erreur*,
zijn dwaling inzien; *en* —, genezen; *je n'en
reviens pas*, ik sta er versteld van; *il n'en
reviendra pas*, hij haalt het niet, hij zal niet
genezen; — *sur ce qu'on a dit*, terugkomen op
hetgeen men gezegd heeft; **2** verschijnen v.
geesten; **3** oprijzen (v. spijzen); **4** zich
verzoenen, toegeven; **5** behagen, bevallen;
6 kosten; **7** toekomen, ten goede komen.
II se— terugkeren.
revente v wederverkoop.
revenu I m inkomen. **II —s** m mv inkomsten.
rêver I on.w **1** dromen, mijmeren. **II** ov.w
1 dromen over; **2** bedenken; **3** vurig verlangen
naar; haken naar.
réverbération v terugkaatsing. **▼réverbère** m
1 reflector; **2** straatlantaarn. **▼réverbérer**
ov.w terugkaatsen.
reverdir I on.w **1** weer groen worden; **2** weer

jong worden. **II** ov.w **1** weer groen schilderen;
2 weer groen maken. **▼reverdissement** m
(het) weer groen worden.
révéremment bw eerbiedig. **▼révérenc/e** v
1 eerbied; *sauf* —; — *parler*, met uw verlof;
2 buiging; **3** *R*—, weleerwaarde. **▼—iel, -elle**
bn eerbiedig. **▼—ieux** bn eerbiedig.
▼révérend bn eerwaarde. **▼—issime** bn
hoogeerwaarde. **▼révérer** ov.w vereren,
eerbiedigen.
rêverie v **1** dromerij; **2** hersenschim.
revers m **1** achterzijde, rugzijde (*le* — *de la
main*), keerzijde (v. munt); **2** tegenspoed; —
de fortune, tegenspoed, klap.
reverser ov.w **1** opnieuw inschenken;
2 overschrijven.
réversibilité v veranderlijkheid,
overdraagbaarheid. **▼réversible** bn
overdraagbaar, veranderlijk.
reversoir m stuwdam.
revêtement m bekleding, bedekking.
▼revêtir ov.w onr. **1** bekleden, bedekken;
2 aantrekken (— *un habit*); **3** — *de*,
bedekken, bestrijken met; **4** in zich hebben.
rêveur, -euse I bn dromerig, mijmerend. **II** zn
m, **-euse** v dromer, droomster. **▼rêveusement**
bw dromerig.
revient m: *prix de* —, kostprijs.
revif m **1** opkomend tij; **2** wederopleving.
revigorer ov.w nieuwe kracht geven.
revirement m zwenking, omkeer.
révis/able bn te herzien. **▼—er** ov.w **1** herzien;
2 reviseren (v.e. motor). **▼—eur** m herziener,
revisor. **▼—ion** v herziening, revisie; *conseil de*
—, keuringsraad (*mil.*). **▼—ionniste** m
voorstander v. herziening.
revivification v herleving, verlevendiging.
▼revivifier ov.w weer doen opleven,
verlevendigen.
revivre I on.w onr. herleven, nieuwe kracht
krijgen. **II** ov.w opnieuw doorleven.
révoc/abilité v **1** herroepbaarheid;
2 afzetbaarheid. **▼—able** bn **1** herroepbaar;
2 afzetbaar. **▼—ation** v **1** herroeping;
2 afzetting. **▼—atoire** bn herroepend.
revoici, revoilà hier -, daar is opnieuw.
revoir I ov.w onr. **1** opnieuw zien, terugzien;
2 herzien. **II** zn m (het) weerzien; *au* —,
jusqu'au —, tot ziens.
revoler on.w terugvliegen, met spoed
terugkeren.
révoltant bn weerzinwekkend, schandelijk.
▼révolt/e v opstand, oproer. **▼—é** m, -e v
opstandeling (e), oproerling (e). **▼—er** I ov.w
1 in opstand brengen; **2** weerzin verwekken,
tegen de borst stuiten. **II se**— in opstand
komen.
révolu bn verlopen; *avoir vingt ans* —*s*, volle
twintig jaar zijn. **▼révolution** v
1 omwenteling, omloop; **2** omwenteling,
revolutie. **▼—naire** I bn revolutionair. **II** zn m
of v revolutionair, omwentelingsgezinde.
▼—ner ov.w **1** in opstand brengen; **2** in de
war -, van streek brengen.
revolver m revolver. **▼revolvériser** ov.w
(*fam.*) met een revolver neerschieten.
révoquer ov.w **1** herroepen, intrekken;
2 ontslaan; **3** — *en doute*, in twijfel trekken.
revouloir ov.w (*fam.*) weer (iets) willen; meer
willen van.
revoyure v (*pop.*); *à la* —, tot kijk.
revue v **1** (het) nauwkeurig nazien; *faire la* —
de, nauwkeurig nagaan; parade, inspectie
afnemen (*mil.*); *passer en* —, parade afnemen;
nous sommes (gens) de —, we zien elkaar nog
wel (gauw); — *de la presse*, persoverzicht;
2 tijdschrift; **3** revue (*toneel*). **▼revuiste** m
revueschrijver.
révulser ov.w doen onstellen.
rez vz gelijk met; — (*de*) *terre*, gelijk met de
grond; *à* — *de*, gelijk met. **▼rez-de-chaussée**
m **1** begane grond; **2** gelijkvloerse verdieping.
rhabdomancie v zie rabdomancie.
rhabill/age, ▼—ement m (*fam.*) (het)
herstellen, opknappen. **▼—er** ov.w **1** opnieuw
aankleden; **2** herstellen, opknappen. **▼—eur**

m, **-euse** *v* hersteller (-ster), oplapper (-ster).
rhapsodie, rapsodie *v* rapsodie.
rhénan *bn* van de Rijn, Rijnlands. ▼ **Rhénanie (la)** Rijnland.
rhéostat *m* dimschakelaar.
rhésus *m: facteur —,* resusfactor.
rhéteur *m* 1 retor; 2 bombastisch redenaar. ▼ **rhétorique** *v* 1 leer der welsprekendheid, retoriek, redekunst; 2 boek over de welsprekendheid; 3 hoogste afdeling v.h. gymnasium.
Rhéto-roman *bn* Rhaeto-Romaans.
Rhin *m* Rijn. ▼ **rhingrave** *m* Rijngraaf.
rhinite *v* neusontsteking.
rhinocéros *m* neushoorn.
rhizophora, rizophore *m* wortelboom.
rhodanien, -enne *bn* v.d. Rhône.
rhombe *m* ruit. ▼ **rhomboïdal** [*mv* aux] *bn* ruitvormig.
rhubarbe *v* rabarber.
rhum *m* rhum (*spr. rom*) rum.
rhumat/isant *l bn* lijdend aan reumatiek. **ll** *zn m, -e v* reumatieklijder(es). ▼ **—ismal** [*mv* aux] *bn* reumatisch (*douleur —e*). ▼ **—isme** *m* reumatiek; — *articulaire,* gewrichtsreumatiek.
rhume *m* verkoudheid; *attraper un —,* verkouden worden; — *de cerveau,* neusverkoudheid; — *des foins,* hooikoorts.
rhum/é *bn* met rum. ▼ **—erie** *v* rumstokerij.
riant *bn* 1 lachend, vrolijk; 2 bekoorlijk, lieflijk.
ribambelle *v* lange rij, sleep (— *d'enfants*).
ribaud *m* (*oud*) losbandig persoon.
ribote *v* (*oud*) 1 schranspartij; 2 zuippartij.
ribouis *m* (*pop.*) schoen.
ribouldingue *v* (*pop.*) fuif.
ricain *bn* (*pop.*) Amerikaans.
rican/ement *m* grijnslach, hoongelach. ▼ **—er** *on.w* grijnzen; honend lachen. ▼ **—eur, -euse** *l bn* honend, grijnzend. **ll** *zn m, -euse v* grijnzer (-ster).
richard *m, -e v* (*fam.*) rijkaard, schatrijke vrouw. ▼ **riche** *l bn* 1 rijk; 2 overvloedig; 3 prachtig, kostbaar. **ll** *zn m* of *v* rijke man, -vrouw; *un nouveau —,* een oweeër.
richelieu *m* lage veterschoen.
richesse *v* rijkdom; *contentement passe — (spr.w),* tevredenheid gaat boven rijkdom; 2 vruchtbaarheid (— *du sol*); 3 pracht; 4 *les —s,* schatten, kostbare goederen. ▼ **richissime** *bn* (*fam.*) schatrijk.
ricin *m: huile de —,* wonderolie.
ricocher *on.w* terugspringen. ▼ **ricochet** *m* (het) opspringen v.e. steen, die over het water scheert; *faire des —,* een steen over het water scheren.
ric-rac *bw* (*fam.*): *payer —,* prompt (tot op de laatste cent) betalen.
rictus *m* grijns.
ride *v* rimpel, plooi. ▼ **ridé** *bn* gerimpeld.
rideau [*mv* x] *m* 1 gordijn; *tirer le —,* het gordijn openen of dichttrekken; 2 een rij bomen enz., die het uitzicht belemmeren; 3 toneelscherm; — *à vingt heures,* begin der voorstelling om 8 uur.
ridelle *v* wagenladder.
rid/ement *m* rimpeling. ▼ **—er** *ov.w* rimpelen.
ridicule *l bn* belachelijk. **ll** *zn m* 1 (het) belachelijke, spot; *tourner en —,* belachelijk maken; *le — tue,* als men zich belachelijk maakt, wordt men onmogelijk; 2 belachelijke toestand, belachelijke hoedanigheid. ▼ **ridiculiser** *ov.w* belachelijk maken.
rien *l zn v* 1 (het) niet; 2 kleinigheid; de minste kleinigheid. **ll** *onb.vnw* 1 niets (meestal met *ne*); *comme si de — n'était,* alsof er niets gebeurd was; *cela ne fait —,* dat geeft niets; *il n'en est —,* er is geen woord van waar; *ne pas — que,* niet alleen; *pour —,* voor niets; — *du tout,* volstrekt niets, helemaal niets; 2 iets; *sans — dire,* zonder iets te zeggen; *elle est — chouette,* (*pop.*) ze is hardstikke mieters.
rieur, -euse *l bn* lachend, lacherig. **ll** *zn m, -euse v* lacher (-ster); *avoir les —s de son côté,* de lachers op zijn hand hebben.

rififi *m* (*arg.*) 1 ruzie; 2 schietpartij.
riflard *m* 1 grove vijl; 2 (*fam.*) grote paraplu. ▼ **rifler** *ov.w* bewerken met de grove vijl.
rigaudon, rigodon *m* dans uit de 17e en 18e eeuw.
rigide *bn* 1 stijf, strak, star; 2 onwrikbaar, streng, star. ▼ **rigidité** *v* 1 stijfheid, strakheid; 2 onwrikbaarheid, strengheid.
rigol/ade *v* pret, grap (*pop.*). ▼ **—ard** *bn* (*fam.*) lollig.
rigole *v* geultje, gootje, greppel.
rigol/er *on.w* (*pop.*) pret maken, lachen. ▼ **—eur** *m,* **-euse** *v* (*pop.*) pretmaker (-maakster). ▼ **—o, -ote** *bn* (*pop.*) grappig, lollig. **ll** *zn m* (*pop.*) revolver.
rigor/isme *m* grote strengheid. ▼ **—iste** *m* persoon die al te streng is van opvatting. ▼ **rigour/eusement** *bw* 1 streng; 2 stipt. ▼ **—eux, -euse** *bn* 1 streng, hard; *hiver —,* strenge winter; 2 stipt; 3 onweerlegbaar. ▼ **rigueur** *v* strengheid, hardheid, stiptheid; *à la —,* desnoods; *de —,* noodzakelijk; *tenir — à qn.,* boos blijven op iem.
rillettes *v mv* gebraden varkensgehakt.
rimaill/er *on.w* (*oud*) rijmelen. ▼ **—eur** *m* (*oud*) rijmelaar. ▼ **rime** *v* rijm. ▼ **rimer** *on.w* rijmen; *cela ne rime à rien,* dat heeft geen zin, dat lijkt nergens naar; — *ensemble,* op elkaar rijmen. ▼ **rimeur** *m* rijmer.
rinçage *m* (het) (om)spoelen, spoeling.
▼ **rince-bouteilles** *m* flessenspoeler.
▼ **—doigts** *m* vingerkom. ▼ **rinc/ée** *v* 1 (*pop.*) pak slaag; 2 (*fam.*) stortbui. ▼ **—er** *ov.w* 1 (uit-, om-) spoelen; 2 (*pop.*) een pak slaag geven. ▼ **—ette** *v* (*fam.*) afzakkertje.
▼ **—eur** *m,* **-euse** *v* spoeler (-ster); **-euse** *v* spoelmachine. ▼ **rinç/oir** *m* spoelkom. ▼ **—ure** *v* spoelwater.
ringard *m* pook.
ripaill/e *v* (*fam.*) braspartij (*faire —*). ▼ **—er** *on.w* brassen. ▼ **—eur** *m* brasser.
ripaton *m* (*pop.*) voet.
riper *ov.w* afkrabben.
riposte *v* 1 gevat antwoord; *être prompt à la —, avoir la — prompte,* gevat zijn; 2 tegenstoot bij het schermen. ▼ **riposter** *on.w* 1 gevat antwoorden; 2 een tegenstoot geven bij het schermen.
ripuaire *bn* aan, op de (Rijn)oever.
riquiqui *bn* klein, pietluttig.
rire *l on.w* *onr.* 1 lachen; — *dans sa barbe,* — *sous cape,* in zijn vuistje lachen; *rira bien qui rira le dernier* (*spr.w*), wie het laatst lacht, lacht het best; — *du bout des dents,* — *des lèvres,* flauwtjes lachen; — *aux éclats, éclater de —,* schaterlachen, in de lach schieten; *vous me faites —,* dat is belachelijk; — *jaune,* lachen als een boer die kiespijn heeft; — *aux larmes,* tranen in de ogen krijgen van het lachen; — *à gorge déployée,* luidkeels lachen; *mourir de —, étouffer de —,* stikken v.h. lachen; *pour —,* voor de grap; — *sous cape,* in zijn vuistje lachen; *tel qui rit vendredi, dimanche pleurera* (*spr.w*), 't kan verkeren; *vous voulez —!,* dat meent u niet!; 2 toelachen; 3 uitlachen, lachen om, maling hebben aan (— *de*). **ll se — de** spotten met. **lll** *zn m* lach, gelach. ▼ **ris** *m* 1 lach, gelach; 2 zwezerik; 3 (*scheepv.*) rif, reef. ▼ **risée** *v* 1 luid algemeen gelach; 2 spotlach, spot, voorwerp v. spot, risee; *être la — de,* tot spot zijn. 3 windstoot (*scheepv.*). ▼ **risette** *v* 1 lachje, kinderlachje; 2 rimpeling v.h. zeewater. ▼ **risible** *bn* lachwekkend.
risque *m* risico, gevaar, kans; *au — de,* op gevaar af, -van; *à tout —,* op goed geluk; *à ses —s et périls,* op eigen risico; *une police tous —s,* A-Z-polis. ▼ **risqué** *bn* riskant. ▼ **risquer** *ov.w* wagen, op het spel zetten, riskeren; — *le tout pour le tout,* alles op het spel zetten; *qui ne risque rien, n'a rien* (*spr.w*), wie niet waagt, wie niet wint; — *de,* gevaar lopen om, het risico lopen van. ▼ **risque-tout** *m* waaghals.
rissoler *ov.w* bruin bakken.
ristourne *v* rabat, reductie; bonificatie.
rite *m* ritus, kerkgebruik.

ritournelle v herhalingsthema, ritornel.
ritualiste m kenner v. kerkgebruiken. ▼**rituel,
-elle** I bn ritueel. **II** zn m ritueel.
rivage m oever, strand.
rival [mv aux] bn concurrerend,
wedijverend. **II** zn m, -e v mededinger (-ster),
rivaal, rivale; sans —, weergaloos,
ongeëvenaard. ▼—**iser** on.w wedijveren in (—
de), rivaliseren. ▼—**ité** v concurrentie,
wedijver, rivaliteit.
rive v oever.
river ov.w vastklinken; — son clou à qn., iem.
de mond snoeren.
riverain I bn langs de oever gelegen. **II** zn m, -e
v 1 oeverbewoner (-bewoonster); 2 iem. die
langs een weg -, een spoorweg woont.
rivet m klinknagel. ▼**riveter** ov.w vastslaan
met klinknagels.
rivière v rivier; — (de diamants), diamanten
halssnoer; les petits ruisseaux font les grandes
—s (spr.w), vele kleintjes maken een grote.
rivoir m klinkhamer, -machine.
rixdale v rijksdaalder.
rixe v heftige twist, kloppartij.
riz m rijst; — au lait, rijstebrij. ▼**rizerie** v
rijstpellerij. ▼**riziculture** rijstcultuur. ▼**rizière**
v rijstveld.
rob m ingekookt vruchtesap.
rob, robre m robber (bridge).
robe v 1 japon, jurk; — de chambre,
kamerjapon; pommes de terre en — de
chambre, aardappelen in de schil gekookt;
ventre de son, — de velours (spr.w), wordt
gezegd van iem. die zich alles, tot het eten toe,
ontzegt om maar mooi gekleed te zijn; 2 toga;
noblesse de —, adel, verkregen door het
bekleden van sommige functies als magistraat;
3 huid v.e. dier; 4 dekblad v.e. sigaar; 5 schil
van sommige vruchten. ▼**rober** ov.w een
dekblad om sigaren doen.
roberts m mv (pop.) borsten.
robinet m kraan (tje); — d'eau tiède, leuteraar.
▼—**ier** m kranenmaker.
roboratif, -ive v versterkend.
robot m robot.
robre m robber (bridge).
robust/e bn 1 sterk, krachtig, robuust;
2 onwankelbaar (foi —). ▼—**esse** v kracht,
stevigheid.
roc m rots, klip; ferme comme un —,
onwrikbaar.
rocade v 1 spoorweg of strategische weg
(evenwijdig met de vuurlinie);
2 verbindingsweg tussen twee hoofdwegen.
rocaill/e v schelpen, kiezelstenen die een grot
versieren. ▼—**eux, -euse** bn 1 rotsachtig;
2 stroef (fig.: style —).
rocambole v (oud) Spaanse knoflook.
rocambolesque bn uitzonderlijk,
onwaarschijnlijk.
roche v 1 rots, klip; cœur de —, hart v. steen;
2 gesteente; homme de la vieille —, de
l'ancienne —, man v.d. oude stempel.
rochelois bn van, uit La Rochelle.
rocher m 1 hoge rots; 2 rotsbeen.
rochet m 1 koorhemd v. bisschoppen e.d.
rocheux, -euse bn rotsachtig.
rock m rockmuziek.
rocking-chair† m schommelstoel.
rococo I bn rococostijl. **II** bn: style —.
rodage m (het) inrijden v. auto's; en —, deze
wagen wordt ingereden.
rôdailler on.w (fam.) slenteren.
roder ov.w glad schuren; inrijden (v. auto).
rôder on.w rondzwerven, sluipen. ▼**rôdeur,
-euse** I bn zwervend, sluipend. **II** zn m, -euse
v zwerver, zwerfster.
rodomont m zwetser, opsnijder.
▼**rodomontade** v zwetserij, opsnijderij.
rogations v mv kruisdagen (rk).
rogatoire bn wat een vraag betreft.
rogatons m mv (fam.) kliekje.
rognage m (het) (be)snoeien, afsnijden.
rogne v (fam.) slecht humeur.
rogne-pied m veegmes v.e. hoefsmid.
▼**rogner** ov.w (be)snoeien; — sur,

beknibbelen op; — les ailes à, kortwieken.
rognon m nier (als gerecht). ▼—**nade** v
kalfsnierstuk.
rognonner on.w (fam.) mopperen, brommen.
rognure v afknipsel, snipper, spaander.
rogomme m (pop., oud) sterke drank; voix de
—, grogstem.
rogue bn hooghartig, bars (ton —).
roi m 1 koning; le R— du ciel, God; le — des
dieux, Jupiter; le Grand —, Lodewijk XIV; le
jour —, la fête des Rois, Driekoningen; les
R—s Mages, de Wijzen uit het Oosten; le —
Très Chrétien, de koning v. Frankrijk; 2 koning
(schaken); 3 heer (kaartspel).
roide bn, **roideur** v, **roidir** ov.w = **raide** enz.
roitelet m 1 koninkje; 2 goudhaantje.
rôle m 1 rol, lijst, register; à tour de —, om
beurten; 2 kohier der belastingen; 3 rol v.
toneelstuk; créer un —, een rol het eerst
spelen; 4 rol pruimtabak.
romain I bn Romeins; l'Église —e, de kath.
Kerk. **II** zn **R**— m, -e v Romein (se). **III** m
Romeinse letter. ▼**romaine** v 1 unster; 2 soort
kropsla.
romaïque I bn nieuw-Grieks. **II** zn m (het)
nieuw-Grieks.
roman I bn Romaans. **II** zn m 1 verhaal in de
oude Romaanse taal; 2 roman; roman-fleuve,
roman in verschillende delen; — historique,
historische roman; —-photo, beeldroman; —
policier, detectiveroman; 3 de oude Romaanse
taal. ▼—**ce** v romance. ▼—**cer** ov.w in
romanvorm gieten (vie romancée).
romanche m Rheto-Romaans.
romancier m, -**ère** v romanschrijver
(-schrijfster).
romand bn: la Suisse —e, Frans-Zwitserland.
romanesque I bn romantisch, avontuurlijk.
II zn m het romantische, het avontuurlijke.
roman†-**feuilleton**† m roman als feuilleton.
romani m, **romanichel** m, -**elle** v
zigeuner (in).
roman/iser I ov.w verlatijnsen. **II** on.w rooms
worden. ▼—**iste** m romanist.
romantique I bn romantisch. **II** zn m
romantisch schrijver (uit het begin der 19e
eeuw). ▼**romantisme** m romantisme.
romarin m rosmarijn (plk.).
rombière v (pop.): une vieille —, een ouwe
'tante'.
rompre I ov.w 1 breken, verbreken,
doorbreken; à tout —, daverend, uitbundig
(applaudir à tout —); — le caractère de qn.,
iem. gedwee maken; rompu de fatigue,
doodop; — la paille, vriendschap sluiten; — le
silence, het stilzwijgen verbreken; — la tête à
qn., iem. aan het hoofd zeuren; — vif,
radbraken; 2 afbreken, onderbreken, storen; —
le sommeil, in de slaap storen; 3 onbruikbaar
maken (la pluie a rompu les chemins); 4 doen
uiteengaan; — les rangs, uit het gelid gaan;
rompez!, ingerukt (mil.); 5 wennen aan (— à).
II on.w 1 breken; 2 met iemand breken;
3 wijken bij het schermen. **III se** — 1 breken,
gebroken worden; se — le cou, zijn nek
breken; 2 se — à, zich wennen aan. ▼**rompu**
I bn 1 doodop; 2 bedreven in (— à); 3 à
bâtons —s, te hooi en te gras. **II** v.dw van
rompre.
romsteck m rumpsteak, biefstuk.
ronc/e v 1 braam, braamstruik; — artificelle,
prikkeldraad; 2 moeilijkheid. ▼—**eraie** v
braambos. ▼—**eux, -euse** bn 1 vol
braamstruiken; 2 gevlamd (v. hout).
romsteck, rumsteck m rumpsteak, biefstuk.
ronchonn/ement m (fam.) gemopper,
gebrom. ▼—**er** on.w (fam.) mopperen,
mopperen. ▼—**eur** m, -**euse** v brompot.
roncier m, **roncière** v braambosje.
rond I bn 1 rond; bourse —e, goed gevulde
beurs; nombre —, heel getal (zonder breuken);
tourner —, regelmatig lopen v.e. motor; 2 kort
en dik (v. personen); 3 rondborstig, eerlijk
(être — en affaires); 4 (pop.) dronken. **II** zn m
1 kring; 2 ring; —†-de-cuir, ambtenaar,
pennelikker; — de serviette, servetring; en —,

in het rond; **3** (*pop.*) geldstuk; *il n'a pas le —*, hij heeft geen rooie cent. ▼**rond**/*e v* **1** ronde, patrouille; *la R— de Nuit*, de Nachtwacht *v.* Rembrandt; **2** beurtzang; **3** rondedans; **4** rondschrift; **5** hele noot (*muz.*); **6** omtrek; *à la —*, in de omtrek; om beurten. ▼**—eau** [*mv x*] *m* **1** ronde (*muz.*); **2** rondeel. ▼**—elet, -ette** *bn* tamelijk rond en dik; *bourse —ette*, goedgevulde beurs. ▼**—elle** *v* **1** rond schild; **2** schijfje. ▼**—ement** *bw* **1** vlug (*marcher —*); **2** recht door zee. ▼**—eur** *v* **1** rondheid; **2** rondborstigheid, openhartigheid. ▼**—in** *m* **1** rond brandhout; **2** gepelde sparrestam; **3** knuppel. ▼**—ouillard** *bn* (*fam.*) te rond (*v.* lichaamsvormen op schilderij enz.).
▼**—†-point**† *m* rond plein, rotonde.
ronéo *v* stencilmachine. ▼**—typer** *ov.w* stencilen.
ronfl/ant *bn* **1** snorkend, snorrend; **2** hoogdravend; **3** schoonklinkend (*promesses —es*). ▼**—ement** *m* gesnork, (het) snorren. ▼**—er** *on.w* snorken, snorren, dreunen. ▼**—eur** *m*, **-euse** *v* **1** snorker (-ster); **2** zoemer.
rong/ement *m* geknaag. ▼**—er** *ov.w* **1** knagen, afknagen; **2** verteren, aantasten, ondermijnen; **3** bijten op; *— son frein*, zich verbijten. ▼**—eur, -euse** *l bn* knagend; *animal —*, knaagdier. **II —s** *m mv* knaagdieren.
ronron, ronronnement *m* (het) spinnen *v.e.* kat. ▼**—ner** *on.w* spinnen, snorren enz.
roque *m* rokade (schaken).
roquefort *m* bekende Fr. schapekaas.
roquer *on.w* rokeren bij het schaakspel.
roquet *m* keffertje.
roquette *v* raket.
rosace *v* **1** rozet; **2** roosvenster. ▼**rosaire** *m* rozenkrans. ▼**rosat** *bn* van (rode) rozen; *huile —*, rozenolie. ▼**rosâtre** *bn* rozekleurig.
rosbif *m* roastbeef.
rose l *v* **1** roos; *découvrir le pot aux —s*, een geheim ontdekken; *être sur des —s*, op rozen wandelen; *il n'y a pas de —s sans épines* (*spr.w*), geén roos zonder doornen; *— de Noël*, kerstroos; *— trémière*, stokroos; *voir tout couleur de —*, alles rooskleurig inzien; *teint de —*, frisse rode kleur; **2** rozet; **3** roosvenster; **4** windroos, kompasroos. **II** *m* roze kleur. **III** *bn* roze; *tout n'est pas — en ce monde*, het is niet alles rozegeur en maneschijn. ▼**rosé l** *bn* bleekrood. **II** *zn m* lichtrode wijn.
roseau [*mv x*] *m* riet.
rosée *v* dauw; *une — de larmes*, een regen *v.* tranen.
roselier, -ère *bn* begroeid met riet. ▼**roselière** *v* rietveld.
roser *ov.w* een roze tint geven. ▼**roseraie** *v* rozentuin. ▼**rosette** *v* **1** roosje, rozet; *— de la Légion d'Honneur*, rozet *v.h.* legioen *v.* eer; **2** soort rode inkt; **3** rood krijt; **4** rood koper. ▼**rosier** *m* rozestruik. ▼**rosiériste** *m* rozenkweker. ▼**rosir** *on.w* roze worden.
rossard *m* **1** gemeen iemand; **2** mispunt. ▼**ross/e l** *zn v* **1** knol (paard); **2** mispunt. **II** *bn* scherp, ironisch, streng. ▼**—ée** *v* (*fam.*) pak slaag. ▼**—er** *ov.w* (*fam.*) afrossen. ▼**—erie** *v* (*fam.*) **1** gemene streek; **2** scherp, ironisch woord, - liedje.
rossignol *m* **1** nachtegaal; *— d'Arcadie*, ezel; **2** loper (sleutel); **3** verlegen, moeilijk te verkopen waren.
rossinante *v* knol (paard).
rot *m* boer, oprisping.
rôt *m* gebraad.
rotacé *bn* radvormig.
rotang *m* rotan.
rotarien l *zn m* lied *v.d.* Rotary. **II** *bn v.d.* Rotary.
rotat/eur, -rice *bn* draaiend. ▼**—if, -ive l** *bn* draaiend. **II** *zn* **-ive** *v* rotatiepers. ▼**—ion** *v* **1** draaiing; **2** wisselbouw. ▼**—oire** *bn* draaiend.
rote *v* **1** oud Fr. muziekinstrument; **2** rota (pauselijke rechtbank).
roter *on.w* boeren.
rôti, rôt *m* gebraad. **rôtie** *v* toast.

rotin *m* rotting.
rôtir l *ov.w* **1** braden, roosteren; **2** verzengen. **II** *on.w* braden, roosteren; *on rôtit ici*, het is hier om te stikken. **III** *se —* gebraden, geroosterd worden, braden (in de zon). ▼**rôtiss/age** *m* (het) braden, roosteren. ▼**—érie** *v* **1** restaurant; **2** winkel waar gebraad verkocht wordt. ▼**—eur, -euse** *v* restauranthouder, verkoper (verkoopster) *v.* gebraad. ▼**—oire** *v* braadpan.
rotonde *v* **1** rond gebouw met koepel; koepeltje (in tuinen enz.); **2** ronde of halfronde locomotievenloods. ▼**rotondité** *v* **1** rondheid; **2** (*fam.*) gezetheid.
rotule *v* knieschijf.
roture *v* **1** burgerstand; **2** de burgermensen. ▼**roturier, -ère l** *bn* burgerlijk. **II** *zn m*, **-ère** *v* burgerman, burgerjuffrouw.
rouage *m* raderwerk.
rouan l *bn: cheval —*, rode schimmel. **II** *zn m* rode schimmel.
roublard *bn* (*fam.*) uitgeslapen, gewiekst. ▼**roublardise** *v* (*pop.*) uitgeslapenheid.
rouble *m* roebel.
roucoul/ade *v*, **—ement** *m* gekir. ▼**—er l** *on.w* **1** kirren, roekoeën; **2** kirren, smachten *v.* geliefden. **II** *ov.w* sentimenteel zingen.
roue *v* **1** rad, wiel; *— dentée*, tandrad; *— hydraulique*, waterrad; *— libre*, freewheel; *faire la —*, radslag maken; (*fig.*) pronken *v.e.* pauw; pronken, geuren; **2** (het) radbraken, (het) rad. ▼**roué l** *bn* **1** geradbraakt; **2** doodop; **3** uitgeslapen, gewiekst. **II** *zn m* **1** losbol; **2** gemeen persoon. ▼**rouelle** *v* schijfje.
rouennais *bn* van, uit Rouaan.
rouer *ov.w* radbraken; *— de coups*, een flink pak slaag geven. ▼**rouerie** *v* doortraptheid.
▼**rouet** *m* **1** spinnewiel; **2** schijf *v.e.* katrol.
rouf *m* roef *v.d.* schuit.
rouflaquette *v* (*pop.*) **1** spuwlok; **2** tochtlatje, bakkebaardje.
roug/e l *bn* rood; *fer —*, roodgloeiend ijzer; *— et noir*, hazardspel; *Peau-Rouge*, roodhuid. **II** *zn m* **1** rode kleur; **2** rouge, rood blanketsel, lippenstift; **3** rode wijn; **4** revolutionair (rode). ▼**—eâtre** *bn* roodachtig. ▼**—eaud** *bn* (*fam.*) hoogrood (v. gezicht). ▼**—et-gorge**† *m* roodborstje. ▼**—eole** *v* mazelen. ▼**—eoleux, -euse** *bn* lijdend aan mazelen. ▼**—eoyer** *on.w* zich rood kleuren. ▼**—et-queue**† *m* roodstaartje. ▼**—et l** *bn* lichtrood. **II** *zn m* zeehaan. ▼**—eur l** *v* **1** rode kleur; **2** blos. **II —s** *v mv* rode huidvlekken. ▼**—ir l** *ov.w* rood maken, doen gloeien (*— du fer au feu*); *— son eau*, wat wijn bij water doen. **II** *on.w* rood worden, blozen.
rouill/e l *v* **1** roest; **2** (het) roesten; **3** brand (in het koren). ▼**—er l** *ov.w* **1** doen roesten; **2** verstompen (*— l'esprit*). **II** *on.w* **en se —** roesten. ▼**—eux, -euse** *bn* roestkleurig. ▼**—ure** *v* roest, roestigheid.
rouir *ov.w* en *on.w* roten, weken. ▼**rouissage** *m* (het) roten, weken. ▼**rouissoir** *m* rootplaats.
roul/ade *v* **1** loopje (*muz.*); **2** (*cul.*) rollade. ▼**—age** *m* **1** (het) rollen; **2** vrachtvervoer (met paardentractie); **3** vrachtrijderij. ▼**—ant** **1** rollend, rijdend; *matériel —*, rollend materieel; *tapis —*, *escalier —*, roltrap; *feu —*, trommelvuur; **2** goed berijdbaar (*chemin —*); **3** (*fam.*) om je rot te lachen. ▼**—ante** *v* (*pop.*) rijdende keuken. ▼**—é** *m* houten cilinder. ▼**—é l** *bn* **1** opgerold; **2** rollend uitgesproken; **3** (*fam.*) gevormd met ronde lijnen (*femme bien roulée*). **II** *zn m* **1** rolletje; **2** (*pop.*) pak slaag. ▼**—eau** [*mv x*] *m* rol, rolletje, wals; *— essuie-mains*, handdoek op rol; *être au bout de son —*, uitgepraat zijn. ▼**—et-boulé** *m* koprol. ▼**—ement** *m* **1** (het) rollen, rijden, gerol, (het) ratelen enz.; *— à billes*, kogellager; *le — du tonnerre*, het rommelen *v.d.* donder; *fonds de —*, werkkapitaal; **2** tromgeroffel; **3** afwisseling, toerbeurt. ▼**—er l** *ov.w* **1** voortrollen; *— sa bosse*, (*fam.*) zwerven; *— carosse*, een eigen rijtuig hebben;

2 overdenken (in zijn hoofd hebben) (— *des projets dans sa tête*); 3 oprollen; — *une cigarette*, een sigaret rollen; 4 (*fam.*) beetnemen, bedriegen; 5 pletten met een rol (— *un champ*). II *on.w* 1 rollen, lopen (v. trein enz.), rijden; — *sur l'or*, bulken v.h. geld; *tout roule là-dessus*, daar draait alles om; 2 rondzwerven; 3 rommelen (v.d. donder), roffelen (v.e. trom); 4 slingeren v.e. schip; 5 — *sur*, betrekking hebben op, gaan over. III *se* — zich omrollen, zich omwentelen. ▼—ette *v* 1 rolletje; *aller comme sur des —s*, v.e. leien dakje gaan, op rolletjes lopen; *patin à —s*, rolschaats; 2 soort hazardspel. ▼—eur *m* 1 werkman die (krui)wagens, tonnen voortbeweegt; 2 (*oud*) los werkman; 3 (*sp.*) id., stayer. ▼—ier *m* (*oud*) vrachtrijder. ▼—is *m* (het) slingeren (v.e. schip, v.e. vliegtuig). ▼—otte *v* woonwagen; — *de camping*, (*oud*) caravan. ▼—ure *v* 1 (het) ineenrollen; 2 (*plat*) prostitutie.

roumain I *bn* Roemeens. II *zn* **R**— *m*, -e *v* Roemeen(se). III *m* (het) Roemeens. ▼**Roumanie** (la) Roemenië.

round *m* ronde (bij het boksen).

roupie *v* 1 roepia; 2 (*oud*) snot; *ce n'est pas de la — de sansonnet* (*fam.*), dat is geen kattepies.

roupiller *on.w* 1 roepia; (*pop.*) dutten. ▼**roupillon** *m* (*pop.*) dutje.

rouquin I *bn* (*fam.*) roodharig. II *zn m* 1 roodharige; 2 (*pop.*) rode wijn.

rouspét/er *on.w* (*pop.*) tegenpraten, protesteren. ▼—**eur** *m*, -**euse** *v* (*pop.*) kankeraar(ster).

roussâtre *bn* rossig. ▼**rousse** *v* (*pop.*) politie; *zie* roux.

rousselet *m* suikerpeer.

rousserolle *v* rietzanger.

rousseur *v* rossigheid; *taches de —*, zomersproeten.

roussi *m* branderige lucht; *sentir le —*, branderig ruiken; (*oud*) naar de mutsaard rieken.

roussin *m* 1 zwaar paard; — *d'Arcadie*, ezel; 2 (*oud*) politieagent.

roussir I *on.w* 1 rossig maken; 2 schroeien. ▼**roussissement** *m*, **roussissure** *v* (het) schroeien.

routage *m* (het) sorteren v. post. ▼**rout/e** *v* 1 weg; *faire fausse —*, verdwalen, op een dwaalspoor geraken (*fig.*); 2 weg, richting, koers; — *émeraude*, (*in Fr.*) alternatieve route; *en cours de —*, onderweg; *feuille de —*, verlofpas; *se mettre en —*, zich op weg begeven; 3 loop (— *d'un fleuve*), baan (*la — du soleil*). ▼—**er** *ov.w* sorteren v. post. ▼—**ier**, -**ière** I *bn* wat wegen betreft; *carte —ière*, wegenkaart; *cycliste —*, wegrenner. II *zn m* 1 reisboek; 2 wegrenner; 3 ongeregeld plunderend soldaat.

routin/e *v* 1 routine, oefening, gewoonte; 2 sleur. ▼—**ier**, -**ière** *bn* uit gewoonte handelend (*esprit —*); *être —*, routinemens.

rouvieux, -**euse** I *bn* schurftig. II *zn m* schurft.

rouvre *m* steeneik.

rouvrir *ov.w onr.* weer-, heropenen.

roux, **rousse** I *bn* rossig. II *zn m* 1 rossige kleur; 2 roodharig persoon; 3 bruine botersaus.

royal [*mv aux*] *bn* koninklijk, vorstelijk; *aigle —*, koningsarend; *lièvre à la —e*, haas met ui, knoflook en rode wijn; *prince —*, kroonprins; *tigre —*, koningstijger. ▼**royale** *v* sikje. ▼**royal/isme** *m* koningsgezindheid. ▼—**iste** I *bn* koningsgezind. II *zn m* koningsgezinde. ▼**royaume** *m* koninkrijk; *le — des morts*, het dodenrijk; *le R—-Uni*, het Verenigd Koninkrijk; *au — des aveugles les borgnes sont rois* (*spr.w*), in het land der blinden is éénoog koning. ▼**royauté** *v* koningschap.

ruade *v* (het) achteruitslaan v.e. paard enz.

ruban *m* lint, band; *le — rouge*, decoratie v.h. Legioen v. Eer; *scie à —*, lintzaag. ▼**ruban/é** *bn* met linten versierd. ▼—**er** *ov.w* 1 met linten versieren; 2 pletten. ▼—**erie** *v* 1 handel

in lint; 2 lintweverij. ▼—**ier**, -**ière** I *bn* wat lint betreft (*industrie —ière*). II *zn m*, -**ière** *v* 1 lintfabrikant(e); 2 handelaar(ster) in lint.

rubé/faction *v* rode plek op de huid, huiduitslag. ▼—**fiant** *bn* rood makend. ▼—**fier** *ov.w* rood maken. ▼—**ole** *v* rodehond.

rubescent *bn* roodachtig, rood wordend. ▼**rubicond** *bn* hoogrood (v. gezicht).

rubiette *v* roodborstje, roodstaart.

rubigineux, -**euse** *bn* 1 roestkleurig; 2 roestig.

rubis *m* robijn; *payer — sur l'ongle*, tot op de laatste cent betalen.

rubrique I *v* 1 rood krijt, rode oker; 2 in rood geschreven titel; 3 rubriek, afdeling. II —**s** *v mv* streken, kneepjes.

ruche *v* 1 bijenkorf; 2 plooisel. ▼**ruch/ée** *m* geplooide strook. ▼—**ée** *v* bevolking v.e. bijenkorf. ▼—**er** I *zn m* bijenstal. II *ov.w* afzetten met plooisel.

rude *bn* 1 ruw, stroef, grof; 2 hobbelig (*chemin —*); 3 moeilijk, vermoeiend, zwaar (— *travail*); 4 ruw, guur (*saison —*); 5 wrang, scherp (*vin —*); 6 bars, streng; 7 geducht, moeilijk te overwinnen (— *adversaire*); 8 verbazend (*un — appétit*). ▼**rudesse** *v* 1 ruwheid, stroefheid, grofheid; 2 moeilijkheid; 3 guurheid, ruwheid; 4 wrangheid, scherpheid; 5 barsheid.

rudiment *m* 1 grondbeginsel; 2 boekje dat de eerste beginselen v.e. wetenschap (vooral v.h. Latijn) bevat. ▼—**aire** *bn* 1 wat de grondbeginselen betreft; 2 onontwikkeld, nog niet ontwikkeld.

rudoiement, **rudoyement** *m* ruwe bejegening. ▼**rudoyer** *ov.w* ruw bejegenen.

rue *v* straat; *la grande —*, de hoofdstraat; *être vieux comme les —s*, stokoud zijn.

ruée *v* stormloop, wilde jacht.

ruelle *v* 1 steegje; 2 ruimte tussen ledikant en muur; 3 in de 17e eeuw alkoof in damesslaapkamer.

ruer I *on.w* achteruitslaan v. paarden en ezels; — *dans les brancards*, zich fel verzetten tegen bevel of discipline. II *se* — zich werpen, zich storten.

rugby *m* rugby.

rugir I *on.w* 1 brullen; 2 loeien v.d. wind. II *ov.w* brullen. ▼**rugissement** *m* 1 gebrul v. leeuw enz.; 2 geloei v.d. storm.

rug/osité *v* ruwheid. ▼—**ueux**, -**euse** *bn* ruw.

ruin/e *v* 1 bouwval, ruïne; 2 verval, instorting; *tomber en —*, instorten; *menacer —*, dreigen in te storten; 3 ondergang, verval (*fig.*), verderf; *courir à sa —*, zijn ondergang tegemoet gaan; 4 oorzaak v. ondergang, v. verderf; 5 verlies v. fortuin, v. goede naam enz. ▼—**er** I *ov.w* 1 verwoesten, tot puin maken; 2 ruïneren; 2 bederven, verwoesten (*fig.*) (— *sa santé*). II *se* — 1 in puin vallen; 2 zich ruïneren. ▼—**eux**, -**euse** *bn* verderfelijk, ruïnerend.

ruisseau [*mv x*] *m* 1 beek; 2 straatgoot; 3 stroom (*des —x de larmes*, — *de vin*). ▼**ruissel/ant** *bn* druipend. ▼—**er** *on.w* druipen, stromen. ▼—**et** *m* beekje. ▼—**lement** *m* (het) stromen, druipen.

rumen *m* pens.

rumeur *v* gedruis, rumoer.

rumin/ant I *bn* herkauwend. II *zn m* herkauwend dier. ▼—**ation**, —**ement** *m* (het) herkauwen. ▼—**er** I *ov.w* 1 herkauwen; 2 wikken en wegen. II *on.w* 1 herkauwen; 2 peinzen, ernstig nadenken.

rumsteck *zie* romsteck.

runes *v mv* runen. ▼**runique** *bn* runen-.

rupestre *bn* op rotsen groeiend (*plantes —s*); *dessin —*, rotstekening.

rupin *bn* (*pop.*) rijk, weelderig. ▼—**er** *on.w* (*arg. school*) slagen.

rupteur *m* stroomverbreker. ▼**rupture** *v* 1 breuk, (het) breken; doorbraak (— *d'une digue*); 2 breuk (*fig.*), onenigheid; 3 verbreking, ontbinding (— *de mariage*).

rural [*mv aux*] *bn* landelijk.

ruse *v* list. ▼**rusé** *bn* listig, sluw. ▼**ruser** *on.w* gebruik maken v. list.

russe I *bn* Russisch. **II** *zn* **R—** *m* of *v* Rus(sin).
III *m* de Russische taal. **▼Russie (la)** *v*
Rusland. **▼russifier** *ov.w* Russisch maken.
rust/aud I *bn* boers, lomp. **II** *zn m*, **-e** *v*
1 lomperd, kinkel, boerendeern. **▼—icité** *v*
1 landelijkheid; 2 boersheid, lompheid.
▼—ique I *bn* 1 landelijk, rustiek; 2 lomp,
boers; 3 gemaakt uit ruw hout of ruwe steen;
ongekunsteld; 4 gehard (v. planten of dieren).
II *zn m* 1 (het) landelijke; 2 boersheid,
lompheid. **▼—iquer** *ov. w* ruw pleisteren (v.
muur), berapen. **▼rustre I** *zn m* lomperd. **II** *bn*
lomp, boers.
rut *m* bronstigheid.
rutilant *bn* helrood. **▼rutiler** *on.w* schitteren,
glanzen.
rythm/e *m* ritme. **▼—é** *bn* ritmisch. **▼—er** *ov. w*
in de maat brengen. **▼—ique** *bn* ritmisch.

s *m* of *v* de letter s.
s' *zie* **se, si.**
sa *zie* **son.**
Saardam *m* Zaandam.
sabbat *m* 1 sabbat; 2 heksenketel.
▼sabbatique *bn* v.d. sabbat.
Sabin *m*, **-e** *v* Sabijn(se); *l'enlèvement des
—es*, de Sabijnse maagdenroof.
sable *m* 1 zand; *des —s*, zandgronden, duinen;
le marchand de —, Klaas Vaak; *— mouvant*,
drijfzand; *être sur le —*, (*fam.*) zonder werk,
geld zitten; 2 sabeldier; 3 sabelbont; 4 sabel
(zwart). **▼sabl/é I** *bn* met zand bedekt. **II** *zn m*
zandtaartje. **▼—er** *ov.w* 1 met zand bedekken;
2 in zand gieten; 3 zandstralen; 4 ineens
leegdrinken. **▼—erie** *v* zandvormerij. **▼ eux,
-euse** *bn* zandig, zanderig. **▼—ier** *m*
1 zandloper; 2 zandkoker. **▼—ière** *v*
1 zandgroeve; 2 rib bij timmerwerk;
3 zandkist, zandstrooiwagen. **▼sablon** *m* fijn
zand. **▼—ner** *ov.w* met schuurzand reinigen.
▼—neux, -euse *bn* zandig. **▼—nière** *v*
zandgroeve.
sabord *m* geschutpoort. **▼—er** *ov.w*
doorboren v.e. schip onder de waterlinie.
sabot *m* 1 klomp; *en —s*, op klompen; 2 hoef;
3 remschoen; 4 drijftol; *dormir comme un —*,
slapen als een roos; 5 algemene naam voor iets
wat slecht is (biljart, muziekinstrument, schip
enz.). **▼—age** *m* 1 (het) klompen maken;
2 sabotage. **▼—er I** *on.w* klossen (met
klompen). **II** *ov.w* 1 saboteren; 2 aframmelen
(*— un morceau de musique*). **▼—erie** *v*
klompenmakerij. **▼—eur** *m*, **-euse** *v* 1 knoeier
(-ster); 2 saboteur. **▼—ier** *m*, **-ière** *v*
klompenmaker (-maakster).
sabouler *ov.w* (*oud*) 1 door elkaar schudden;
2 afsnauwen, doorhalen.
sabr/e *m* 1 sabel; *bruit de —*, (*fig.*)
sabelgerinkel; *coup de —*, sabelhouw; 2 (het)
sabelschermen; *faire du —*, sabelschermen.
▼—er *ov.w* 1 neersabelen; 2 afroffelen (*— un
travail*); 3 doorhalen. **▼—etache** *v* sabeltas.
▼—eur *m* 1 houwdegen; 2 iem. die zijn werk
afraffelt.
sac *m* 1 zak; *l'affaire est dans le —*, de zaak is
beklonken; *— à vin*, dronkaard; *homme de —
et de corde*, galgeaas; *prendre la main dans le
—*, op heterdaad betrappen; *vider son —*
(*fam.*), zijn gal spuwen; 2 ransel; 3 tas; *— à
main*, damestasje; *— de voyage*, reistas; *avoir
le — bien garni*, *avoir le —* (*pop.*); er goed bij
zitten; 4 boetekleed; 5 maag, buik (*pop.*);
6 plundering, vermoording (v.d. inwoners v.e.
stad) (*le — d'une ville*); *mettre à —*,
plunderen.
saccade *v* schok, ruk, stoot. **▼saccadé** *bn*
hortend, stotend. **▼saccader** *ov.w* aan de
teugel rukken.
saccager *ov.w* 1 plunderen; 2 omverhalen.
▼saccageur *m* plunderaar.
sacchar/eux, -euse *bn* suikerachtig.
▼—ification *v* omzetting in suiker. **▼—ifier**
ov.w in suiker omzetten. **▼—ine** *v* sacharine.
▼—ose *m* rietsuiker.
sacerdo/ce *m* 1 priesterschap; 2 de
geestelijkheid. **▼—tal** [*mv* aux] *bn* priesterlijk.
sachet *m* 1 zakje; 2 reukkussentje. **▼sacoche**

v **1** leren geldtas; **2** fietstas; **3** zadeltas; **4** damestasje.

sacquer, saquer *ov.w* (*fam.*) ontslaan.

sacramental *m* sacramentarium (*rk*).

▼**sacramental, -elle** *bn* sacramenteel.

▼**sacre** *m* wijding, zalving, inhuldiging.

▼**sacré** I *bn* **1** gewijd, gezalfd, sacraal; **2** heilig; *histoire sainte*, —*e*, gewijde geschiedenis; *le — collège*, het college der kardinalen; *feu* —, geestdrift; **3** (*pop.*) vervloekt, doortrapt (— *menteur*). II *zn m* (het) heilige. ▼**sacredieu, sacrebleu** *tw* verdomme. ▼**sacrement** *m* **1** sacrament; *fréquenter les —s*, vaak biechten en communiceren; *le saint* —, de H. Eucharistie; **2** huwelijk. ▼**sacrer** I *ov.w* wijden, zalven. II *on.w* (*fam.*) vloeken. ▼**sacri/ficateur** *m* offerpriester. ▼**—ficatoire** *bn* v.h. offer.
▼**—fice** *m* **1** offer; — *humain*, mensenoffer; *le saint* —, de heilige mis; **2** opoffering. ▼**—fier** I *ov.w* offeren, opofferen; *prix sacrifié*, weggeefprijs. II *on.w* offeren. III *se* — zich opofferen. ▼**—lège** I *zn m* heiligschennis. II *m* of *v* heiligschenner (-ster). III *bn* heiligschennend. ▼**—pant** *m* deugniet, schurk. ▼**—stain** *m* koster. ▼**sacristi!, sapristi!** *tw* sakkerloot!, drommels! ▼**sacristie** *v* sacristie. ▼**sacro-saint** *bn* (dikwijls *ironisch*) zeer heilig. ▼**sacrum** *m* heiligbeen.

sadique I *bn* sadistisch. II *zn m* sadist. ▼**sadisme** *m* sadisme.

safran *m* **1** saffraanplant; **2** saffraangeel. ▼**safran/é/e** *bn* saffraankleurig. ▼—*er ov.w* **1** toebereiden met saffraan (— *du riz*); **2** kleuren met saffraan. ▼**—ière** *v* saffraankwekerij.

saga *v* Noorse sage.

sagace *bn* scherpzinnig. ▼**sagacité** *v* scherpzinnigheid.

sagaie *v* assegaai.

sage I *bn* **1** wijs, verstandig; **2** wijs, gematigd, voorzichtig; **3** kuis, eerbaar; **4** zoet (*enfant* —); — *comme une image*, erg zoet. II *zn m* wijze. ▼**sage†-femme†** *v* vroedvrouw. ▼**sagesse** *v* **1** wijsheid; **2** wijsheid, gematigdheid, voorzichtigheid; **3** kuisheid, eerbaarheid; **4** zoetheid, gedweeheid.

sagitt/aire I *m* Boogschutter (sterrenbeeld). II *v* pijlkruid. ▼**—al** [*mv* **aux**] *bn* pijlvormig. ▼**—é** *bn* pijlvormig (*plk.*).

sagou *m* sago. ▼**—ier, —tier** *m* sagopalm.

sagouin *m* viespeuk.

saharien, -enne *bn* van, uit de Sahara.

saign/ant *bn* bloedend. ▼—*ée* *v* **1** aderlating; **2** greppel, geultje; **3** plooi tussen opper- en benedenarm. ▼—*ement* *m* (neus) bloeding. ▼—*er* I *ov.w* **1** aderlaten (ook *fig.*); **2** slachten, doden; **3** droog laten lopen. II *on.w* bloeden. III *se* — zich veel opofferingen getroosten (*se — pour ses enfants*). ▼—*eur* *m* slachter. ▼—*eux, -euse* *bn* bebloed, bloederig.

saill/ant I *bn* **1** vooruitspringend, uitstekend (*angle* —); **2** treffend, in het oog vallend. II *zn m* uitspringende hoek. ▼—*ie* *v* **1** sprong; **2** dekking, paring; **3** uitsteeksel; *faire* —, uitsteken; **4** uitstek, erker; *en* —, vooruitspringend; **5** gril, kuur; **6** geestige zet. ▼—*ir* I *on.w* **1** opspatten, opborrelen; **2** uitsteken, vooruitspringen. II *ov.w* dekken.

sain *bn* **1** gezond; — *et sauf*, gezond en wel, heelhuids; **2** gezond, onbeschadigd.

saindoux *m* reuzel.

saint I *bn* **1** heilig; *à la Saint-Glinglin*, met sint-juttemis; *les Lieux —s, la Terre —e*, het H. Land; *mercredi — jeudi —, vendredi —, samedi* —, woensdag enz. in de Goede Week; *la semaine* —, de Goede Week; *terre —e*, gewijde aarde; *la Sainte-Touche* (*pop.*), de betaaldag. II *zn m, -e v* heilige; *la communion des —s*, de gemeenschap der Heiligen; *les —s de glace*, de ijsheiligen; *lasser la patience d'un* —, iem. tureluurs maken; *les litanies des —s*, de litanie van alle heiligen; *ne savoir à quel — se vouer*, geen raad meer weten; ten einde raad

zijn; *il vaut mieux avoir affaire au bon Dieu qu'à ses —s*, men kan zich beter rechtstreeks tot de baas wenden dan tot zijn ondergeschikten.

Saint-Barthélemie *m: la* —, de Bartholomeusnacht.

saint-bernard *m* sint-bernardshond.

Saint-Cyrien *m* leerling v. Saint-Cyr (Fr. mil. Academie).

Saint-Domingue *m* Santo Domingo.

sainte nitouche *v* heilig boontje.

sainteté *v* heiligheid.

saint-frusquin *m: tout le* (*son*) —, het hele hebben en houden.

saint-julien *m* bekende bordeauxwijn.

Saint-/Office *m* inquisitierechtbank.

▼**—Père** *m* H. Vader. ▼**—-Siège** *m* Heilige Stoel.

Saint-Sylvestre *m: la* —, oudejaar (savond).

saisi I *zn m* schuldenaar wiens bezittingen in beslag genomen zijn. II *v.dw van* **saisir**.

▼**saisie** *v* beslaglegging. ▼**—†-arrêt†** *v* beslag op gelden, salaris; derdenbeslag.

▼**—†-exécution†** *v* verkoop bij executie.

▼**saisir** I *ov.w* **1** grijpen, pakken, vatten; — *au collet*, bij de kraag grijpen; — *l'occasion*, de gelegenheid aangrijpen; **2** aangrijpen, bevangen; **3** in beslag nemen; **4** begrijpen, vatten; **5** zich meester maken van (— *le pouvoir*); **6** — *de*, in het bezit stellen van; **7** — *un tribunal d'une affaire*, een zaak aanhangig maken bij een rechtbank. II *se* — *de*, zich meester maken van. ▼**saisiss/able** *bn* wat in beslag kan worden genomen. ▼**—ant** I *bn* aangrijpend. II *zn m* beslaglegger. ▼**—ement** *m* **1** (het) bevangen worden door de kou; **2** ontroering, schrik.

saison *v* **1** jaargetijde, seizoen; — *nouvelle*, lente; **2** tijd waarin iets groeit, waarin men bepaalde bezigheden verricht; **3** kuurtijd; **4** geschikte tijd; *hors de* —, te onpas, ontijdig; *n'être plus de* —, afgedaan hebben. ▼**—nier, -nière** *bn* seizoen-.

saké, saki *m* rijstwijn.

salace *bn* wellustig. ▼**salacité** *v* wellustigheid.

salade *v* **1** sla; *panier à* —, overvalwagen; **2** rommeltje, zootje (*fam.*); **3** —*s* (*pop.*), geklets, leugens. ▼**saladier** *m* **1** slabak; **2** slavergiet.

salage *m* **1** (het) zouten; **2** (*oud*) zoutbelasting.

salaire *m* **1** loon (vooral v. werklieden); *toute peine mérite* —, de werkman is zijn loon waard; — *à la pièce*, stukloon; **2** beloning; **3** straf.

salamalec *m* diepe buiging, overdreven groet.

salamandre *v* **1** salamander; **2** salamanderkachel.

salami *m* knoflookworst.

salangane *v* zwaluw (die eetbare nesten maakt).

salant I *bn* zout voortbrengend; *marais* —, zoutmoeras. II *zn m* zoutmoeras.

salar/ial *bn* loon-. ▼**—ier** *ov.w* bezoldigen; *être salarié*, loon trekken.

salaud *m, -e v* (*pop.*) **1** vuilpoes; **2** gemene vent, gemeen wijf. ▼**sale** *bn* **1** vuil; **2** gemeen (*une — affaire*).

salé I *zn m* gezouten varkensvlees; *petit* —, vers pekelvlees. II *bn* **1** gezouten; **2** zout; **3** 'schuin', pikant; **4** overdreven (*prix* —); **5** (*fam.*) duur. ▼**saler** *ov.w* **1** zouten, inzouten; **2** te duur verkopen; **3** (*fam.*) een uitbrander geven.

saleté *v* **1** vuilheid; **2** gemeenheid; **3** gemeen woord, gemene grap.

saleur *m, -euse v* inzouter (-ster). ▼**sali/cole** *bn* zout voortbrengend (*industrie* —).

▼**—corne** *v* zeekraal. ▼**—cyclique** *bn: acide* —, salicylzuur. ▼**—ère** *v* zoutvat, -vaatje; — *double*, peper-en-zoutvaatje. ▼**—fication** *v* zoutvorming. ▼**—fier** *ov.w* in zout omzetten.

saligaud *m* (*pop.*) vuilak, smeerpoets, zwijn.

salignon *m* zoutklomp. ▼**salin** I *bn* zoutachtig, zilt. II *zn m* zoutmoeras. ▼**—e** *v* zoutmijn, zoutpan. ▼**—ier** *m* **1** zoutfabrikant; **2** zoutverkoper. ▼**—ité** *v* zoutgehalte.

salique *bn* Salisch.

salir *ov.w* vuilmaken, bezoedelen. ▼**saliss/ant** *bn* 1 vuilmakend (*travail —*); 2 besmettelijk (*couleur —e*). ▼**—on** *v* (*fam.*) vuil meisje. ▼**—ure** *v* vuil, vuiligheid.

saliv/aire *bn* wat speeksel betreft. ▼**—ation** *v* speekselvorming. ▼**—e** *v* speeksel; *dépensær beaucoup de —*, veel praten. ▼**—er** *ov.w* veel ' speeksel afscheiden, kwijlen.

salle *v* zaal, groot vertrek; *— des actes*, aula; *— d'armes*, schermzaal; *— d'asile*, kinderbewaarplaats; *— d'audience*, rechtszaal; *— de bains*, badkamer; *— à manger*, eetkamer; *— de police*, politiekamer.

salmigondis *m* 1 ragoût v. allerlei soorten opgewarmd vlees; 2 allegaartje, poespas.

salmis *m* ragoût van gebraden wild.

saloir *m* vleeskuip, zoutvat.

salon *m* 1 ontvangvertrek; 2 mensen die in een Salon bijeenkwamen; 3 naam v. verschillende tentoonstellingen (*le — de l'automobile* enz.); 4 naam voor verschillende zaken; *— de coiffure*, kapsalon; *— de thé*, tearoom; 5 meubelen in een bepaalde stijl; (*ensemble de*) *—*, bankstel.

salop/ard *m* (*pop.*) gemene kerel, schoft. ▼**—e** *v* (*pop.*) smerig wijf. ▼**—er** *ov.w* (*pop.*) afknoeien. ▼**—erie** (*pop.*) 1 vuiligheid, vuile boel; 2 gemeen praatje; 3 bocht. ▼**—ette** *v* morsjurk, schort, werkbroek, overall.

salpêtr/e *m* 1 salpeter; 2 (*dicht.*) buskruit; 3 opgewonden standje. ▼**—ière** *v* (*oud*) salpeterfabriek; *la S—*, Parijs ziekenhuis.

salpicon *m* ragoût bestaande uit verschillende vleessoorten, truffels en champignons.

salsifis *m* schorseneer (*— d'Espagne, — noir*).

saltimbanque *m* 1 kunstenmaker; 2 kwakzalver.

salubr/e *bn* gezond. ▼**—ité** *v* gezondheid; *publique*, gezondheidsdienst.

saluer *ov.w* 1 (be)groeten; 2 uitroepen tot.

salure *v* zoutheid.

salut *m* 1 heil, redding; *Armée du —*, Leger des Heils; 2 eeuwig heil, zaligheid; 3 groet, saluut; 4 lof (*rk*). ▼**—aire** *bn* heilzaam. ▼**—ation** *v* groet, begroeting; *la — angélique*, de Engel des Heren. ▼**—iste** *m* of *v* heilsoldaat.

salvateur, -trice *bn* reddend, heilzaam.

salve *v* salvo; *— d'applaudissements*, donderende toejuichingen.

salvé *m* gebed tot de H. Maagd (*rk*)

samaritain I *bn* Samaritaans. **II** *zn m* Samaritaan (*le bon —*).

samedi *m* zaterdag; *le — saint*, zaterdag vóór Pasen.

samovar *m* Russische theeketel.

sana *m* afkorting voor sanatorium. ▼**sanatorium** *m* sanatorium.

sanctificat/eur I *bn* heiligmakend. **II** *zn S—* *m* H. Geest. ▼**—ion** *v* heiliging. ▼**sanctifier** *ov.w* heiligen.

sanction *v* 1 bekrachtiging; 2 goedkeuring; 3 beloning; 4 straf. ▼**—ner** *ov.w* 1 bekrachtigen; 2 goedkeuren; 3 bevestigen, staven.

sanctissime *bn* zeer heilig. ▼**sanctuaire** *m* 1 het Heilige der Heiligen; 2 priesterkoor; 3 heiligdom, kerk.

sandal/e *v* 1 sandaal; 2 schermschoen. ▼**—ette** *v* lichte sandaal. ▼**—ier** *m* sandalenmaker.

sandre *v* zander, snoekbaars.

sandwich *m* sandwich; *homme-—*, sandwichman.

sang *m* 1 bloed; *avoir du — dans les veines*, moedig zijn; *avoir le — chaud*, opvliegend zijn; *coup de —*, beroerte; *prise de —*, bloedproef; *mon — n'a fait qu'un tour*, ik sta paf; *se faire du mauvais —*, zich ergeren; *mettre à feu et à —*, te vuur en te zwaard verwoesten; *pur —*, volbloed; *répandre, verser le —*, bloed vergieten; *bon — leven, leven; *donner son —*, zijn leven geven; *payer de son —*, met zijn leven betalen; 3 bloed, afkomst, geslacht, familie; *les liens du —*, de banden des bloeds; *prince du —*, prins van den bloede; **sang-froid** *m* —

koelbloedigheid; *de —*, in koelen bloede.

▼**sanglant** *bn* 1 bloed(er)ig; 2 bloedend; *mort —e*, gewelddadige dood; 3 bloedrood; 4 fel, wreed, grievend (*affront —*).

sangle *v* riem, singel. ▼**sangler** *ov.w* 1 singelen, rijgen, een riem strak aanhalen om; 2 striemen; *un coup de fouet à qn.*, iem. een zweepslag geven.

sanglier *m* wild zwijn.

sanglot *m* snik. ▼**—er** *on.w* snikken.

sang-mêlé *m* halfbloed.

sangsue *v* 1 bloedzuiger; 2 uitzuiger.

sanguin *bn* 1 wat bloed betreft; *vaisseaux —s*, bloedvaten; 2 volbloedig, sanguinisch; 3 bloedrood. ▼**—aire** *bn* bloeddorstig. ▼**sanguine** *v* 1 rood krijt; 2 roodkrijttekening; 3 soort rode edelsteen; 4 bloedsinaasappel. ▼**sanguinolent** *bn* met bloed vermengd, bloeddoorlopen.

sanieux, -euse *bn* etterachtig.

sanitaire I *bn* wat (het behoud v.) d. gezondheid betreft, sanitair. **II** *zn m* sanitair.

sans I *vz* zonder; *— cela, — quoi*, anders; *— cesse*, onophoudelijk; *— doute*, ongetwijfeld, zeker. **II** *— que vgw* zonder dat. ▼**—abri** *m* dakloze. ▼**—cœur** *m* (*fam.*) lafaard.

sanscrit *m* Sanskriet.

sans-culotte *m* republikein in Frankrijk omstreeks 1792. ▼**—façon** *m* ongegeneerdheid. ▼**—fil** *m* 1 draadloze telefonie, -telegrafie, radio; 2 draadloos telegram. ▼**—filiste** *m* 1 marconist; 2 radio-amateur. ▼**—gêne** *m* ongegeneerdheid. ▼**—le-sou** *m* (*fam.*) arme drommel. ▼**—logis** *m* dakloze.

sansonnet *m* spreeuw.

sans/-souci I *zn m* (*fam.*) 1 zieltje zonder zorg; 2 zorgeloosheid. **II** *bn* zorgeloos. ▼**—travail** *m* werkloze.

santé *v* 1 gezondheid; *à votre —*, op uw gezondheid!; *maison de —*, inrichting voor zenuwlijders; verpleeginrichting; *officier de —*, iem. die vóór 1892 dokterspraktijk mocht uitoefenen zonder titel; 2 toost, dronk; *porter une —*, een dronk uitbrengen; 3 *la S—*, bekende gevangenis in Parijs.

saoul *zie* **soûl**. ▼**saouler** *zie* **soûler**.

sapajou *m* mormel.

sape *v* 1 soort loopgraaf; 2 (*fig.*) ondermijning. ▼**—ment** *m* ondermijning. ▼**saper** *ov.w* 1 ondermijnen (ook *fig.*); 2 maaien met een kleine zicht. ▼**sapeur** *m* sapeur, geniesoldaat. ▼**—†-pompier** *m* brandweerman.

saphique *bn* sapfisch.

saphir *m* saffier. ▼**—ine** *v* blauwe agaat.

sapide *bn* smakelijk. ▼**sapidité** *v* smakelijkheid.

sapience *v* (*oud*) wijsheid; *livre de la S—*, boek der Wijsheid. ▼**sapientiaux** *m mv* boeken der Wijsheid.

sapin *m* 1 spar; *— blanc*, zilverspar; *— de Noël*, kerstboom; 2 vurehout; 3 (*pop.*) doodkist. ▼**sapin/e** *v* 1 vuren plank of balk; 2 tobbe v. vurehout; 3 hijstoestel voor het omhoogbrengen v. bouwmaterialen. ▼**—ière** *v* sparrenbos.

sapon/acé *bn* zeepachtig. ▼**—ification** *v* verzeping. ▼**—ifier** *ov.w* verzepen.

sapristi *tw* drommels, sakkerloot.

saquer *zie* **sacquer**.

sarabande *v* 1 langzame dans uit de 17e en 18e eeuw; 2 muziek bij deze dans; 3 (*fam.*) wilde dans, luidruchtig spel.

sarbacane *v* blaasroer, proppeschieter.

sarcasme *m* sarcasme, bijtende spot. ▼**sarcastique** *bn* sarcastisch, bijtend.

sarcelle *v* taling.

sarcl/age *m* (het) wieden. ▼**—er** *ov.w* wieden. ▼**—eur** *m, *-euse* v wieder (-ster). ▼**—oir** *m* schoffel. ▼**—ure** *v* uitgewied onkruid.

sarcome *m* vleesuitwas, sarcoom, tumor.

sarcophage *m* 1 stenen doodkist; 2 gedeelte v. grafmonument dat doodkist voorstelt; 3 vleesvlieg.

Sardaigne *v* Sardinië. ▼**sarde I** *bn* Sardinisch. **II** *zn S—* *m* of *v* Sardiniër, Sardinisch.

sardin/e v 1 sardientje; 2 (fam.) sergeantsstreep. ▼—**erie** v sardineninmakerij. ▼—**ier** m 1 sardinenvisser; 2 werkman in sardineninmakerij; 3 sardinenet; 4 boot voor de sardinenvangst.

sardonique bn schamper (rire —), sardonisch.

sargasse v soort zeewier; Mer des S—s, Sargassozee.

sarigue m of v buidelrat.

sarment m houtachtige rank, wijngaardrank. ▼—**eux, -euse** bn rijk aan ranken.

sarracénique bn Saraceens. ▼**sarrasin** l zn m -1 boekweit; 2 S— Saraceen. ll bn Saraceens. ▼—**e** v valpoort.

sarrau m 1 lange boerenkiel; 2 morsschort.

Sarre v 1 Saar; 2 Saargebied. ▼**sarrois** l bn uit het Saargebied. ll zn S— m, -e v bewoner, bewoonster v.h. Saargebied.

sas m 1 zeef; 2 sluiskolk. ▼**sassement** m (het) zeven.

sassenage m bekende Fr. kaassoort.

sasser ov.w 1 zeven; — et ressasser, wikken en wegen; 2 schutten v.e. schip. ▼**sasseur** m, **-euse** v l zifter (-ster). ll m zeeftoestel.

satan/é bn duivels, drommels. ▼—**ique** bn duivels, satanisch. ▼—**isme** m 1 duivels karakter; 2 satansdienst.

satell/isation v 1 fabricage of lancering van satellieten; 2 (het) tot satelliet maken. ▼—**iser** ov.w 1 in een baan om de aarde brengen; 2 tot satelliet maken. ▼—**ite** m 1 kunstmaan; 2 satelliet; 3 bijplaneet, maan; 4 handlanger.

satiété v verzadiging, walging.

satin m satijn; peau de —, zachte huid. ▼—**age** m (het) satineren, glanzen. ▼—**é** l bn glanzend, zacht (peau —e). ll zn m satijnglans. ▼—**er** ov.w satineren, glanzen. ▼—**ette** v satinet. ▼—**eur** m satineerder.

satir/e v satire, hekeldicht. ▼—**ique** l bn satirisch, hekelend, spottend. ll zn m hekeldichter. ▼—**iser** ov.w hekelen.

satis/faction v voldoening; donner —, genoegdoening geven. ▼—**faire** l ov.w onr. tevredenstellen, voldoen, bevredigen (— ses passions); — l'attente, aan de verwachtingen voldoen. ll on.w: — à, voldoen aan. ▼—**faisant** bn voldoend, bevredigend. ▼—**fait** bn voldaan, tevreden. ▼—**fecit** m goedkeuring.

satrape m 1 satraap; 2 despotisch rijk heer.

satur/abilité v verzadigbaarheid. ▼—**able** bn verzadigbaar. ▼—**ant** bn verzadigd (vapeur —e). ▼—**ateur** m (lucht) bevochtiger. ▼—**ation** v verzadiging. ▼—**é** bn verzadigd. ▼—**er** ov.w verzadigen.

saturnales v mv saturnaliën. ▼**Saturne** Saturnus (god en planeet). ▼**saturnien, -enne** bn van Saturnus. ▼**saturnisme** m loodvergiftiging.

satyre m 1 sater, bosgod; 2 cynisch wellusteling. ▼**satyrique** bn van de saters (danse —).

sauc/e v 1 saus; il n'est — que d'appétit, (spr.w) honger is de beste saus; mettre qn. à toutes les — s, iem. van alles laten doen; 2 doezelkrijt. ▼—**ée** v (fam.) regenbui. ▼—**er** ov.w 1 sausen; 2 (fam.) doornat maken (la pluie l'a saucé). ▼—**ier** m sausenbereider. ▼—**ière** v sauskom.

sauciss/e v 1 worst; ne pas attacher ses chiens avec des —s, erg gierig zijn; 2 kabelballon (mil.). ▼—**on** m 1 dikke, sterk gekruide worst; 2 langwerpig, rond brood; 3 staaf springstof. ▼—**onner** ov.w (fam.) picknicken.

sauf, -ve bn veilig, behouden; avoir la vie —ve, er heelhuids afkomen; l'honneur est —, de eer is gered; sain et —, gezond en wel, heelhuids.

sauf vz 1 uitgezonderd, behalve; — votre respect, met permissie; 2 behoudens; — erreur, vergissing voorbehouden.

sauf-conduit† m vrijgeleide.

sauge v salie (plk.).

saugrenu bn ongerijmd, zot.

saulaie, saussaie v wilgenbosje. ▼**saule** m wilg; — étêté, knotwilg; — pleureur, treurwilg. ▼**saulée** v rij wilgen.

saumâtre bn 1 brak, zilt(ig); 2 (fig.) bitter, flauw; 3 (fam.) slecht.

saumon l zn m 1 zalm; 2 blok metaal. ll bn zalmkleurig. ▼**saumoné** bn met zalmkleurig vlees; truite —e, zalmforel.

saumur/age m (het) pekelen. ▼—**e** v pekel.

sauna m of v 1 sauna; 2 saunabad.

saun/age m 1 zoutwinning; 2 zoutverkoop. ▼—**er** on.w zout winnen. ▼—**ier** m 1 zoutzieder; 2 zouthandelaar. ▼—**ière** v zoutbak.

saupiquet m soort pikante saus.

saupoudr/er ov.w 1 bestrooien; 2 (fig.) doorspekken. ▼—**oir** m strooier.

saur bn: hareng —, bokking. ▼**saurer** ov.w roken.

sauriens m mv hagedisachtigen.

saurin m verse bokking. ▼**sauriss/age** m (het) bokking roken. ▼—**erie** v bokkingrokerij.

saussaie zie **saulaie**.

saut m 1 sprong; au — du lit, bij het opstaan; — périlleux, salto mortale; triple —, hink-stap-sprong; de plein —, ineens; 2 waterval in een rivier; 3 val. ▼—†**-de-mouton** m viaduct. ▼**saute** v: — de vent, (het) uitschieten v.d. wind; — d'humeur, plotselinge verandering v. humeur. ▼**sauté** m gebakken vlees. ▼**saute-mouton** m haasje-over. ▼**sauter** l on.w 1 springen; — aux nues, driftig worden; faire — qn., iem. van zijn betrekking beroven; faire — un poulet, een kip braden, terwijl men haar geregeld omkeert; faire — une licence, een vergunning intrekken; — d'un sujet à l'autre, van de hak op de tak springen; — aux yeux, in het oog springen, duidelijk zijn; 2 in de lucht vliegen; faire — la cervelle à qn., iem. door zijn hoofd schieten; 3 een klas overslaan. ll ov.w 1 springen over (— un fossé); 2 overslaan; 3 bespringen. ▼**sauterelle** v sprinkhaan. ▼**sauterie** v huiselijk dansavondje.

sauternes m bekende witte bordeauxwijn.

saute-ruisseau m (oud) loopjongen (bij advocaat, notaris enz.). ▼**sauteur, -euse** l bn springend. ll zn m 1 springer; 2 springpaard; 3 weerhaan (fig.). lll -**euse** v 1 vrouw v. lichte zeden; 2 braadpan.

sautill/ement m gehuppel. ▼—**er** on.w huppelen.

sautoir m 1 springplaats; 2 lange halsketting; 3 rildderorde die gekruist op de borst hangt; en —, gekruist.

sauvag/e l zn m 1 wilde; 2 mensenschuw persoon. ll bn 1 wild; 2 woest, onbebouwd; 3 mensenschuw. ▼—**erie** v 1 wildheid; 2 (mensen)schuwheid. ▼—**esse** v wilde (vrouw). ▼—**in** bn met een wildsmaak, met een wildlucht.

sauve/garde v 1 bescherming; 2 vrijgeleide. ▼—**garder** ov.w beschermen, waarborgen. ▼—**-qui-peut** m wilde vlucht. ▼**sauver** l ov.w 1 redden; — les apparences, de schijn redden; 2 redden, zalig maken, verlossen. ll se — 1 zich redden; 2 ervandoor gaan; 3 zalig worden. ▼**sauvet/age** m redding; bateau de —, reddingsboot. ▼—**eur** l zn m redder. ll bn reddend; bateau —, reddingsboot. ▼**sauvette**: à la —, haastig, stiekem. ▼**sauveur** m 1 redder; 2 S— Heiland.

savamment bw op geleerde wijze, als een kenner.

savane v savanne.

savant l bn 1 geleerd; 2 knap, kundig; chien —, hond die kunstjes kent. ll zn m, -e v geleerde. ▼—**asse** m (oud) schijngeleerde.

savarin m soort ronde taart.

savate v 1 oude schoen, slof; traîner la —, arm zijn; 2 onhandig mens, knoeier. ▼**savetier** m (oud) schoenlapper.

saveur v smaak.

Savoie (la) Savoye.

savoir l ov.w onr. 1 weten; (à) —, namelijk; que je sache, voor zover ik weet; 2 kennen; par cœur, van buiten kennen; 3 kunnen; je ne saurais vous le dire, ik kan het u niet zeggen;

4 vernemen. **II** on.w weten. **III** se— bekend worden. **IV** zn m wetenschap, kennis. ▼—**faire** m bekwaamheid, handigheid. ▼—**vivre** m kunst van zich gemakkelijk bewegen; beschaving.

savon m 1 zeep; — dentrifice, tandpasta; **2** stuk zeep (ook pain de —); **3** (het) wassen met zeep; **4** (fam.) flinke uitbrander. ▼—**nage** m (het) wassen met zeep. ▼—**ner** ov.w 1 met zeep wassen; **2** inzepen; **3** (fam.) een flinke uitbrander geven. ▼—**nerie** v 1 zeepfabriek; **2** zeepfabricage; **3** soort tapijt. ▼—**nette** v toiletzeep. ▼—**neux, -euse** bn zeepachtig. ▼—**nier, -ère** I bn wat zeep betreft. **II** zn m zeepzieder.

savour/er ov.w smaken, langzaam genieten van, langzaam proeven. ▼—**eux, -euse** bn smakelijk, heerlijk, aangenaam.

savoyard I bn uit Savoye. **II** zn **S**— m, -e v bewoner, bewoonster v. Savoye.

saxatile bn op rotsen levend, groeiend.

Saxe (la) v Saksen. ▼**saxe** m Saksisch porselein.

saxifrage v steenbreek (plk.).

saxo m 1 saxofoon; **2** saxofonist.

saxon, -onne I bn Saksisch. **II** zn **S**— m, -onne v Sakser, Saksische.

saxophone/e m saxofoon. ▼—**iste** m of v saxofonist(e).

sayette v sajet.

saynète v korte (Spaanse) komedie, sketch.

sbire m (min.) smeris.

scabieuse v scabiosa (plk.). ▼**scabieux, -euse** bn schurftachtig.

scabreux, -euse bn 1 ruw, hobbelig (chemin —); **2** gevaarlijk; **3** gewaagd, 'schuin'.

scalde m skald.

scalène bn ongelijkzijdig (triangle —).

scalp m scalp. ▼—**el** m ontleedmes. ▼—**er** ov.w scalperen.

scandal/e m 1 ergernis; **2** schandaal. ▼—**eusement** bw ergerlijk. ▼—**eux, -euse** bn ergerlijk, schandalig. ▼—**iser** I ov.w ergeren, aanstoot geven aan. **II** se— zich ergeren.

scander ov.w scanderen.

scandinave I bn Scandinavisch. **II** zn **S**— m of v Scandinaviër, Scandinavische. ▼**Scandinavie (la)** v Scandinavië.

scansion v (het) scanderen.

scaphandre m 1 duikerpak; **2** zwemvest. ▼**scaphandrier** m duiker.

scapulaire I zn m 1 scapulier; **2** schouderband. **II** bn van de schouder.

scarabée v mestkever.

scarification v insnijding, inkerving. ▼**scarifier** ov.w kerven, insnijdingen maken.

scarlatine I zn v roodvonk. **II** bn: fièvre —, roodvonk.

scatolog/ie v vuilschrijverij. ▼—**ique** bn vuil.

sceau [mv x] m, **scel** m 1 stempel, zegel; garde des —x, grootzegelbewaarder; sceau-de-Salomon, Salomonszegel (plk.); **2** stempel, kenmerk.

scélérat I bn snood, schelmachtig, schurkachtig. **II** zn m, -e v 1 schelm, schurk, snoodaard; **2** deugniet. ▼**scélératesse** v schanddaad, schurkachtigheid.

scellage m verzegeling. ▼**scell/é** m zegel; apposer les —s, gerechtelijk verzegelen. ▼—**ement** m inmetseling. ▼—**er** ov.w 1 (ver)zegelen; **2** in-, vastmetselen; **3** vastgieten.

scénario m scenario. ▼**scénariste** m scenarioschrijver. ▼**scène** v 1 toneel (waar gespeeld wordt); entrer en —, opkomen; mettre en —, ten tonele voeren; metteur en —, regisseur; **2** plaats v. handeling; la — se passe à Paris, het stuk speelt te Parijs; **3** toneel als onderdeel v.d. bedrijf; **4** toneelkunst; **5** standje; **6** schouwspel; **7** twist. ▼**scénique** bn v.h. toneel; art —, toneelkunst.

scepticisme m id., twijfelzucht. ▼**sceptique** I bn sceptisch, twijfelend. **II** zn m of v scepticus, twijfelaar (-ster).

sceptre m 1 scepter; **2** koningschap.

schah, **shah**, **chah** m sjah v. Perzië.

schako, **shako** m sjako.

schelem, **chelem** m slem.

schéma, **schème** m schema. ▼**schématique** bn schematisch. ▼**schématiser** ov.w schematisch voorstellen, schematiseren. ▼**schématisme** m schematisch karakter.

schiedam m Hollandse jenever.

schismatique I bn schismatisch. **II** zn m of v scheurmaker (-maakster). ▼**schisme** m 1 schisma; **2** verschil v. mening, tweespalt.

schiste m leisteen.

schizo/phrène bn schizofreen. ▼—**phrénie** v schizofrenie, gespletenheid.

schlass I bn (pop.) dronken. **II** zn m (pop.) mes.

schlittage m (het) vervoeren v. hout per slee. ▼**schlitt/e** v houtslee. ▼—**er** ov.w hout langs een helling vervoeren per houtslee. ▼—**eur** m houtsleder.

schnaps m (fam.) brandewijn, cognac.

schnorchel, **schnorkel** m snorkel.

schnouff v (arg.) drug.

schooner m schoener (scheepv.).

schupo m Duitse agent.

sciage m (het) zagen; bois de —, zaaghout. ▼**sciant** bn (fam.) stomvervelend.

sciatique I bn van de heup. **II** zn v heupjicht.

scie v 1 zaag; — à bras, handzaag; — anglaise, figuurzaag; — à ruban, lintzaag; en dent de —, getand; **2** zaagvis; **3** iets dat verveelt (doordat het telkens terugkomt); afgezaagde mop, afgezaagd deuntje.

sciemment bw willens en wetens. ▼**science** v wetenschap, kennis; de — certaine, uit zekere bron; les —s exactes, de wis- en natuurkundige wetenschappen. ▼**scientifique** bn wetenschappelijk.

sci/er ov.w 1 zagen, doorzagen; **2** — (le dos à) qn., iem. 'doorzagen'. ▼—**erie** v zagerij. ▼—**eur** m zager. ▼—**euse** v zaagmachine.

scinder ov.w splitsen.

scintill/ant bn schitterend, fonkelend. ▼—**ation** v, —**ement** m fonkeling, schittering. ▼—**er** on.w fonkelen, flikkeren.

scion m 1 twijg, loot; **2** ontluikende knop; **3** hengeltop.

scissile bn splijtbaar. ▼**scission** v scheuring, verdeeldheid, splitsing. ▼**scissure** v kloof, spleet, scheur.

sciure v zaagsel.

sclér/ose v verharding, verkalking (med.). ▼—**osé** m, -e v lijder(es) aan verkalking. ▼—**oser (se)** 1 verkalken, verstijven; **2** (fig.) statisch worden. ▼—**otique** v hard oogvlies, oogwit.

scolaire bn v.d. school; année —, schooljaar. ▼**scolarisation** v 1 (het) naar school sturen; **2** scholenbouw. ▼**scolariser** ov.w van scholen voorzien. ▼**scolarité** v schoolcursus, schoolbezoek. ▼**scolastique** I bn 1 schools; **2** betrekking hebbend op middeleeuwse universiteiten. **II** zn m scholastisch wijsgeer. **III** v scholastiek, middeleeuwse wijsbegeerte.

scoliose v zijdelingse ruggegraatsvergroeiïng.

scolopendre v duizendpoot.

scombre m makreel.

sconse m, **sconce** m, **skunks** m skunk.

scooter m scooter. ▼**scootériste** m of v scooterrijder, -ster.

scopie v (fam.) afk. van **radioscopie** (röntgenonderzoek).

scops m ransuil.

scorbut m scheurbuik. ▼**scorbutique** I bn wat scheurbuik betreft. **II** m of v scheurbuiklijder(es).

score m score.

scorie v metaalslak(ken).

scorpion m schorpioen.

scorsonère v schorseneer (plk.).

scout m padvinder, verkenner. ▼—**isme** m padvinderij, verkennerij.

scribe m 1 afschrijver; **2** schriftgeleerde. ▼**scribouillard** m (fam.) pennelikker. ▼**scripte** m/v regieassistent(e). ▼**scriptural** [mv aux] bn wat de H. Schrift betreft.

scrofule v kliergezwel. ▼**scrofuleux, -euse**

I *bn* klierachtig. II *zn m*, -euse *v* klierachtig persoon.

scrupul/e *m* 1 gewetensbezwaar; *sans —s*, gewetenloos; 2 nauwgezetheid. ▼**—eusement** *bw* nauwgezet, angstvallig. ▼**—eux, -euse** *bn* nauwgezet, angstvallig.

scrut/ateur I *bn* (na)vorsend. II *zn m* navorser. III—s *m mv* stemopnemers. ▼**—er** *ov.w* onderzoeken, navorsen, doorgronden. ▼**—in** *m* 1 stemming; *second tour de —*, herstemming; 2 stembus; *dépouiller le —*, de stemmen tellen.

sculpt/er *ov.w* beeldhouwen, beelden snijden. ▼**—eur** *m* beeldhouwer; *beeldensnijder*. ▼**—ural** [*mv* **aux**] *bn* 1 van de beeldhouwkunst; 2 waard gebeeldhouwd te worden (*beauté —e*). ▼**—ure** *v* 1 beeldhouwkunst; 2 beeldhouwwerk.

se *vnw* 1 zich, elkaar; 2 in lijdende zinnen (onvertaald); *la porte s'ouvre*, de deur wordt geopend.

séance *v* 1 zitting; *— tenante*, op staande voet; 2 tijd gedurende welke men poseert voor een schilder enz.; 3 tijd gedurende welke men ergens mee bezig is, les, uitvoering enz.; *faire une longue — à table*, lang tafelen. ▼**séant** I *bn* 1 behoorlijk, passend; 2 zittinghoudend. II *zn m* achterste; *se mettre sur son —*, overeind gaan zitten.

seau [*mv* **x**] *m* emmer; *il pleut à —x*, het regent dat het giet.

sébacé *bn*: *glandes —es*, talkklieren.

sébile *v* centenbakje.

sec, **sèche** I *bn* 1 droog; *fruit —*, leerling die zijn eindexamen niet heeft gehaald; *perte sèche*, zuiver verlies; *l'avoir —* (*pop.*), tegenslag hebben; *rester —* (*fam.*), met de mond vol tanden staan; 2 dor; *bois —*, dood hout; 3 schraal, mager (*homme —*); 4 ongevoelig (*cœur —*); 5 kort, bars (*réponse sèche*); *bruit —*, kort, knappend geluid; 6 niet zoet (*vin —*). II *bw* 1 kortaf, bars (*répondre —*); *en cinq —*, een twee drie, vlug; *aussi —* (*pop.*), onmiddellijk; 2 onaangelengd; *boire —*, wijn zonder water drinken; en niet in spuwen. III *zn m* (het) droge, droogte; *être à —*, platzak zijn; *mettre à —*, drooggleggen.

sécable *bn* snijdbaar, deelbaar. ▼**sécant** I *bn* snijdend. II -**e** *zn v* snijlijn. ▼**sécateur** *m* snoeischaar.

sécession *v* afscheiding.

séchage *m* droging. ▼**sèche** I *zn v* 1 zandplaat; 2 (*pop.*) sigaret. II *bn zie* sec. ▼**—ment** *bw* 1 droog; 2 bars, koel, kortaf (*répondre —*). ▼**sèche-cheveux** *m* haardroger. ▼**sèch/er** I *ov.w* 1 drogen, uitdrogen, afdrogen; 2 drooglegen; 3 verdorren. II *on.w* 1 droogworden, uitdrogen; 2 verdorren; 3 verteren v. verdriet enz.; 4 (*arg.*) spijbelen. III *se —* 1 droog worden; 2 verdorren; 3 ophouden te vloeien (*la pluie sécha*). ▼**—eresse** *v* 1 droogte; 2 dorheid; 3 barsheid; 4 koelheid, ongevoeligheid. ▼**—erie** *v* droogplaats. ▼**—eur** *m*, **sécheuse** *v* droogtoestel, föhn. ▼**—oir** *m* droogplaats, droogrek enz.

second I *bn* tweede; *— e vue*, helderziendheid. II *zn m* 1 tweede; 2 secondant; 3 tweede verdieping; 4 tweede stem; 5 eerste stuurman. ▼**—aire** *bn* 1 bijkomstig, ondergeschikt; 2 secundair (*aardrk.*); 3 *enseignement —*, middelbaar onderwijs. ▼**seconde** *v* 1 op één na hoogste klasse; 2 seconde; 3 seconde (*muz.*); 4 revisie (tweede drukproef). ▼**—ment** *bw* ten tweede. ▼**seconder** *ov.w* helpen, bijstaan.

secouement *m* (het) uitschudden. ▼**secouer** I *ov.w* 1 schudden, afschudden, uitschudden; 2 aangrijpen (*fig.*); 3 wakker schudden. II *se —* aanpakken, zich vermannen.

secour/able *bn* behulpzaam, gediestig. ▼**—ir** *ov.w* onr. helpen, bijstaan. ▼**—isme** *m* E.H.B.O., hulpdienst. ▼**—iste** *m* of *v* E.H.B.O.-er. ▼**secours** I *m* hulp, bijstand, ondersteuning; *au —!*, help!; *aller au —, venir*

---

au —, te hulp komen; *prêter —*, bijstand verlenen; *roue de —*, reservewiel; *sortie de —*, nooduitgang. II *les — m mv* hulptroepen.

secousse *v* schok; *par —s*, met horten en stoten.

secret, -ète I *bn* 1 geheim, verborgen; 2 stilzwijgend, gesloten. II *zn m* 1 geheim; *en —*, heimelijk; *de polichinelle*, geheim dat iedereen kent; 2 geheimhouding; 3 eenzame opsluiting (*mettre un prisonnier au —*). ▼**secrét/aire** I *m* of *v* secretaris (-esse); *— d'État*, staatssecretaris; *— de mairie*, gemeentesecretaris; *—* schrijfkast. ▼**—airerie** *v* secretariaat, kanselarij. ▼**—ariat** *m* 1 secretarisschap, secretariaat; 2 secretarie. ▼**secrètement** *bw* heimelijk.

sécrét/er *ov.w* af-, uitscheiden. ▼**—eur, -euse, -rice** *bn* af-, uitscheidend. ▼**—ion** *v* uit-, afscheiding. ▼**—oire** *bn* afscheidend (*organe —*).

sect/aire I *bn* dwependn. II *zn m* dweper. ▼**—ateur** *m* aanhanger, sektariër. ▼**secte** *v* sekte.

secteur *m* 1 sector; 2 elektr. net. ▼**section** *v* 1 (het) snijden; 2 doorsnede, snijvlak; 3 afdeling; 4 sectie (*mil.*). ▼**—nement** *m* (het) in secties verdelen. ▼**—ner** *ov.w* in secties verdelen. ▼**—eur** *m* stroomonderbreker.

séculaire *bn* 1 eeuwenoud, zeer oud; 2 iedere eeuw plaatsvindend; *fête —*, eeuwfeest. ▼**—ment** *bw* sinds eeuwen.

séculair/isation *v* (het) in handen brengen van leken, secularisatie. ▼**—iser** *ov.w* in handen van leken brengen, seculariseren. ▼**—ité** *v* stand der wereldheren. ▼**séculier, -ère** I *bn* 1 in de wereld (v. geestelijken); 2 werelds; 3 wereldlijk; *le bras —*, de wereldlijke macht. II *zn m* leek.

secundo *bw* ten tweede.

sécurité *v* veiligheid, gerustheid; *en toute —*, veilig.

sédatif, -ive I *bn* pijnstillend. II *zn m* pijnstillend middel. ▼**sédation** *v* bedaring (*med.*).

sédentaire *bn* 1 zittend; 2 huiselijk; 3 blijvend, aan vaste plaats gebonden. ▼**sédentarité** *v* zittend leven.

sédiment *m* neerslag, bezinksel. ▼**—aire** *bn* wat bezinking betreft. ▼**—ation** *v* bezinking.

sédit/ieusement *bw* oproerig. ▼**—ieux, -ieuse** I *bn* oproerig. II *zn m* oproerling. ▼**—ion** *v* oproer, opstand.

séduct/eur, -rice I *bn* verleidend, verleidelijk. II *zn m, -rice* *v* verleider (-ster). ▼**—ion** *v* verleiding, verleidelijkheid. ▼**séduire** *ov.w onr.* verleiden, bekoren. ▼**séduisant** *bn* verleidelijk, aantrekkelijk.

sédum *m* vetkruid.

segment *m* 1 segment; *—s de piston*, zuigerveren; 2 lid v.e. insekt. ▼**—aire** *bn* uit segmenten bestaand. ▼**—ation** *v* verdeling in segmenten. ▼**—er** *ov.w* in segmenten verdelen.

ségrégatif, -ive *bn* afscheidend. ▼**ségrégation** *v* afscheiding, afzondering. ▼**—isme** *m* apartheidspolitiek. ▼**—iste** I *bn* 1 die de apartheid voorstaat; 2 betreffende de apartheid. II *zn* voorstander v.d. apartheid.

seiche *v* inktvis.

seigle *m* rogge.

seigneur *m* 1 heer, edelman; *à tout — tout honneur*, (*spr.w*) ere wie ere toekomt; *faire le —*, de grote heer uithangen; *être maître et — chez soi*, thuis de baas zijn; *2 S—: le —*, God, de Heer; *Notre —*, Jezus Christus. ▼**—iage** *m* muntrecht. ▼**—ial** [*mv* **aux**] *bn* heerlijk; *droits —aux*, heerlijke rechten. ▼**—ie** *v* 1 heerlijkheid; *2 Votre S—*, Uwe Heerlijkheid.

seille *v* houten emmer, - vat.

sein *m* 1 borst; 2 moederschoot, schoot; *le — de l'Église*, de schoot der Kerk; 3 binnenste (*le — de la terre*); 4 hart, ziel.

seing *m* handtekening; *sous — privé*, onderhands.

séisme *m* aardschok.
seiz/aine *v* zestiental: ▼—e *telw.* 1 zestien;
2 zestiende. ▼—**ième** I *telw.* zestiende. II *zn m*
of *v* zestiende. III *m* zestiende deel.
▼—**ièmement** *bw* ten zestiende.
séjour *m* 1 verblijf; 2 verblijfplaats; *céleste* —,
hemel; *infernal* —, *noir* —, *sombre* —,
ténébreux —, hel. ▼—**ner** *on.w* 1 verblijven,
vertoeven, logeren; 2 stilstaan v. water.
sel *m* 1 zout; — *gris*, — *de cuisine*, grof zout;
2 geestigheid, pit; *gros* —, grove aardigheid;
3 *les* —*s*, het vlugzout.
sélect *bn* (fam.) uitgezocht, fijn. ▼—**eur** *m*
keuzetoets; — *de canaux*, kanaalkiezer. ▼—**if**,
-ive *bn* selectief (radio). ▼—**ion** *v* 1 keus,
selectie; 2 teeltkeus. ▼—**ionner** *ov.w*
uitkiezen, selecteren. ▼—**ionneur** *m* selecteur.
▼—**ivité** *v* selectiviteit (radio).
self-service *m* zelfbedieningszaak.
selle *v* 1 zadel; *cheval de* —, rijpaard; *être bien
en* —, stevig te paard zitten, een vaste
betrekking hebben; 2 ontlasting; stoelgang;
3 wasplank; 4 rugstuk (— *de mouton*, —
d'agneau). ▼**seller** I *ov.w* zadelen. II *on.w* en
se — hard en brokkelig worden van kleigrond.
▼**sellerie** *v* 1 zadelmakerij; 2 zadelhandel;
3 bergplaats voor zadels en tuig. ▼**sellette** *v*
1 beklaagdenbank; 2 schoenpoetserskistje.
▼**sellier** *m* zadelmaker.
selon I *vz* volgens, naar; *c'est* —, dat hangt
ervan af. II *vgw:* — *que*, naar gelang.
semailles *v mv* (het) zaaien; *temps des* —*s*,
zaaitijd.
semain/e *v* 1 week; *à la petite* —, (op) korte
termijn; *être de* —, de week hebben; — *sainte*,
Goede Week; 2 weekloon; 3 zakgeld v.e.
week; 4 armband bestaande uit zeven
schakels. ▼—**ier** *m* weekagenda, -kalender.
sémantique I *zn v* leer der woordbetekenissen.
II *bn* wat op deze leer betrekking heeft.
sémaphore *m* 1 seinpaal; 2 kusttelegraaf.
▼**sémaphorique** *bn* wat seinpaal, wat
kusttelegraaf betreft (*signal* —).
semblable I *bn* dergelijk, zulk, gelijkvormig.
II *zn m* of *v* weerga, gelijke. III *m* evenmens.
▼—**ment** *bw* insgelijks, evenzo. ▼**semblant**
m schijn; *faire* — *de*, doen alsof, voorwenden;
ne faire — *de rien*, niets laten merken.
▼**sembler** *on.w* en *onp.* schijnen, lijken; *que
vous en semble?*, wat dunkt u ervan?; *si bon
vous semble*, als u het goed vindt.
séméiologie *v* leer der ziektesymptomen.
semelle *v* 1 zool; 2 voetbreedte; *ne pas
avancer d'une* —, geen steek opschieten; *ne
pas reculer d'une* —, geen duimbreed wijken;
3 onderlaag.
sem/ence *v* 1 zaad; *blé de* —, zaaikoren;
2 kopspijkertje; 3 zeer klein pareltje; 4 zaad,
oorzaak. ▼—**er** *ov.w* 1 zaaien; bezaaien; *il faut
— pour récolter* (spr.w), voor wat hoort wat;
2 strooien; bestrooien; 3 verspreiden (— *de
faux bruits*); 4 (pop.) wegsturen, zich handig
afmaken van.
semestre *m* 1 tijdvak v. zes maanden,
semester; 2 halfjaarlijks salaris; 3 verlof v.e.
half jaar. ▼**semestriel, -elle** *bn* 1 halfjaarlijks;
2 voor de duur van een half jaar.
semeur I *m*, **-euse** *v* 1 zaaier (-ster);
2 verspreider (-ster). II **-euse** *v* zaaimachine.
semi-/automatique *bn* half-automatisch.
▼—**conducteur** *m* halfgeleider. ▼—**fini** *bn:
produit* —, halffabrikaat.
sémillant *bn* levendig, dartel.
semi-lunaire *bn* in de vorm v.e. halve maan.
séminaire *m* 1 seminarie; 2 seminarietijd.
séminal [*mv* **aux**] *bn* van het zaad.
séminariste *m* seminarist.
sémiologie *zie* séméiologie.
semi-remorque *v* 1 aanhangwagen (v.
vrachtwagen); 2 trailer.
semis *m* 1 (het) zaaien; 2 zaaibed.
sémit/e *m* Semiet. ▼—**ique** *bn* Semitisch.
▼—**isme** *m* semitisme.
semoir *m* 1 zaaizak; 2 zaaimachine.
semonc/e *v* vermaning. ▼—**er** *ov.w* vermanen.
semoule *v* griesmeel.

sempiternel, -elle *bn* eeuwig.
▼**sempiternellement** *bw* uit den treure.
sénat *m* 1 senaat; 2 Eerste Kamer. ▼—**eur** *m*
1 senator; 2 Eerste-Kamerlid. ▼—**orial** [*mv*
aux] *bn* v.d. senaat.
séné *m* sennebladen.
sénéchal [*mv* **aux**] *m* drost, hofmaarschalk.
sénégalais I *bn* Senegalees. II *zn* S— *m*, -e *v*
Senegalees (-lese).
sénescence *v* 1 (het) oud(er) worden;
2 ouderdomsverschijnselen.
sénestre, senestre *bn* links.
sénevé *m* zwart mosterdzaad.
sénile *bn* v.d. ouderdom. ▼**sénilité** *v*
ouderdomszwakte.
sens *m* 1 zintuig; *plaisirs des* —, zingenot;
2 zin, gevoel; 3 verstand; *bon* —, gezond
verstand; — *commun*, gezond verstand;
4 mening, oordeel; *à mon* —, naar mijn
mening; 5 betekenis; *vide de* —, zinloos;
6 kant, zijde; — *dessus dessous*,
ondersteboven; — *devant derrière*,
achterstevoren; 7 richting; *dans tous les* —, in
alle richtingen; — *unique*,
eenrichtingsverkeer.
sensass' *bn* (fam.) geweldig. ▼**sensation** *v*
1 gewaarwording; 2 opschudding; *faire* —,
opzien baren. ▼—**nel, -nelle** *bn*
opzienbarend.
sensé *bn* verstandig.
sensibilis/ateur, -atrice *bn* gevoelig makend
(bijv. van fotografisch bad). ▼—**ation** *v* (het)
gevoelig maken; *groupe de* —,
sensitivitygroep. ▼—**er** *ov.w* gevoelig maken.
▼**sensibilité** *v* gevoeligheid. ▼**sensible** *bn*
1 gevoelig; 2 waarneembaar; *le monde* —, de
stoffelijke wereld; 3 merkbaar, duidelijk
(*amélioration* —); 4 levendig (*plaisir* —);
smartelijk (*chagrin* —). ▼—**ment** *bw*
1 merkbaar, duidelijk; 2 levendig, diep (*être
ému*). ▼—**rie** *v* (fam.) overgevoeligheid.
▼**sens/itif, -ive** *bn* 1 zinnelijk; 2 v.h. gevoel.
▼—**itive** *v* kruidje-roer-mij-niet (ook *fig.*).
▼—**oriel, -elle** *bn* zintuiglijk. ▼—**orimoteur,
-trice** *bn* senso-motorisch. ▼—**ualisme** *m*
zinnelijkheid. ▼—**ualité** *v* zinnelijkheid.
▼—**uel, -uelle** *bn* zinnelijk.
sente *v* pad.
sentenc/e *v* 1 vonnis; uitspraak; — *de mort*,
doodvonnis; 2 (zin)spreuk. ▼—**ieusement**
bw deftig; als iem. die de wijsheid in pacht
heeft. ▼—**ieux, -euse** *bn* vol spreuken; deftig,
schoolmeesterachtig (*ton* —).
senteur *v* reuk, geur; *pois de* —, lathyrus.
sentier *v* voetpad; — *s battus*, platgetreden
paden.
sentiment *m* 1 gevoel, bewustzijn,
gewaarwording; *avoir le* — *de sa force*, zich
zijn kracht bewust zijn; 2 mening, gevoelen
(*changer de* —); 3 liefde. ▼—**al** [*mv* **aux**] *bn*
sentimenteel. ▼—**alité** *v* sentimentaliteit.
sentine *v* poel (*fig.*), broeinest.
sentinelle *v* schildwacht; — *perdue*, verloren,
afgelegen post.
sentir I *ov.w* en *onr.* 1 voelen; *paroles bien
senties*, goed gekozen bewoordingen;
2 gevoelen; 3 ruiken, ruiken aan; 4 ruiken
naar, smaken naar; 5 zwemen naar, lijken op;
6 inzien; bemerken. II *on.w* ruiken, rieken; —
bon, lekker ruiken. III *se* — 1 zich voelen; *ne
pas se* — *de joie*, buiten zichzelf zijn van
vreugde; 2 *se* — *de*, de invloed, de gevolgen
voelen van; *on se sent toujours d'une bonne
éducation*, een goede opvoeding laat altijd
haar sporen na.
seoir *on.w onr.* 1 (*oud*) zitten; 2 passen,
betamen; *il vous sied mal de ...*, het staat u lelijk
om ...
sépale *v* kelkblad.
sépar/able *bn* scheidbaar. ▼—**ateur, -trice**
bn; **—atif, -ive** *bn* scheidend; *mur séparatif*,
scheidingsmuur. ▼—**ation** *v* scheiding.
▼—**atisme** *m* geest v. afscheiding. ▼—**atiste**
m voorstander voor afscheiding. ▼—**ément**
bw afzonderlijk, separaat. ▼—**er** I *ov.w*
1 scheiden, delen; 2 onderscheiden. II *se* —

scheiden, uit elkaar gaan.
sépia v 1 inktvis; 2 sepia-inkt;
 3 sepiatekening.
sept telw. 1 zeven; 2 zevende. ▼**—ain** m
 1 zevenregelige strofe of gedicht; 2 belasting
 op zout (oud). ▼**—ante** telw. zevential (dial.
 en in België); les S—, de Septuaginta.
septembr/al [mv aux] bn van september;
 purée —e, wijn. ▼—e m september. ▼**—isades**
 v mv septembermoorden (op de politieke
 gevangenen in Parijs: 2-6 september 1792).
septemvir m zevenman. ▼**septemvirat** m
 zevenmanschap. ▼**septénaire** bn
 1 zeventallig; 2 zevendaags, zevenjarig.
 ▼**septen/nal** [mv aux] bn 1 zevenjaarlijks;
 2 zevenjarig. ▼**—nalité** v zevenjarige duur.
 ▼**—nat** m zevenjarige regering (in Frankrijk na
 1873).
septentrion m noorden. ▼**septentrional** [mv
 aux] bn noordelijk.
septième I telw. zevende. II zn m of v zevende.
 III m 1 zevende verdieping; 2 zevende deel.
 IV v 1 zevende klas; 2 septime (muz.).
 ▼**—ment** bw ten zevende. ▼**septimo** bw ten
 zevende.
septique bn infectie veroorzakend (med.);
 fosse —, septictank.
septuagé/naire I bn zeventigjarig. II zn m of v
 zeventigjarige. ▼**—sime** v Septuagesima
 (derde zondag vóór de Vasten).
septuor m septet.
septupl/e I bn zevenvoudig. II zn m
 zevenvoud. ▼**—er** I ov.w verzevenvoudigen.
 II on.w verzevenvoudigd worden.
sépulcral [mv aux] bn v.h. graf; voix —e,
 grafstem. ▼**sépulcre** m graf; le saint —, het H.
 Graf. ▼**sépulture** v 1 begrafenis; 2 graf,
 begraafplaats.
séquelle v nasleep, nadelig gevolg.
séquence v 1 sequentia (rk); 2 roem bij
 kaarten.
séquestration v 1 vrijheidsberoving,
 onwettige opsluiting; 2 beslag op goederen.
 ▼**séquestr/e** m 1 bewaring v. betwiste
 goederen; 2 bewaarder dezer goederen. ▼**—er**
 I ov.w 1 betwiste goederen in bewaring
 geven; 2 op onwettige wijze opsluiten, van de
 vrijheid beroven. II se — zich uit de wereld
 terugtrekken, eenzaam gaan leven.
sérac m 1 gletsjerblok; 2 witte alpenkaas.
sérail m 1 paleis v.d. sultan; 2 (oud) harem.
séran m (vlas) hekel. ▼**—cer** ov.w (vlas)
 hekelen. ▼**—ceur** m (vlas) hekelaar.
séraphin m seraf (ijn). ▼**séraphique** bn v.d.
 serafijnen, engelachtig; le Docteur —, de H.
 Bonaventura.
serbe I bn Servisch. II zn m de Servische taal.
 III S— m of v Serviër, Servische. ▼**Serbie (la)**
 v Servië. ▼**serbo-croate** bn Servo-Kroatisch.
serein I zn m avonddauw, avonddamp. II bn
 1 helder (temps —); 2 kalm, rustig, sereen;
 3 vrolijk, gelukkig.
sérénade v serenade.
sérénissime bn doorluchtig. ▼**sérénité** v
 1 helderheid v.d. lucht; 2 kalmte, rust;
 3 vrolijkheid, blijheid, geluk; 4 Sa S—, Zijn
 Doorluchtige Hoogheid.
serf, serve I bn horig, lijfeigen. II zn m, -e v
 lijfeigene.
serge v serge.
sergent m 1 (oud) gerechtsbode,
 deurwaarder; 2 sergeant; — de ville,
 politieagent.
sériciculteur m zijderupskweker.
 ▼**sériciculture** v zijderupsteelt.
série v 1 rij, reeks; article de —, massa-artikel;
 hors —, v.e. bijzondere maat, - model waarvan
 de serie onvolledig is; 2 loonschaal. ▼**sériel,
 -elle** bn 1 in volgorde; 2 (muz.) serieel.
 ▼**sérier** ov.w volgens reeksen indelen.
sérieusement bw ernstig, in ernst. ▼**sérieux,
 -euse** I bn ernstig. II zn m ernst, ernstig
 gezicht; prendre au —, ernstig, in ernst
 opvatten.
serin m 1 kanarievogel; 2 sijsje (— vert);
 3 (pop.) uilskuiken. ▼**—er** ov.w 1 een wijsje

leren aan een vogel met een vogelorgeltje;
 2 voorkauwen, inpompen (fig.).
seringa(t) m wilde jasmijn.
seringue v spuit, klisteerspuit. ▼**seringuer**
 ov.w in-, bespuiten; (arg.) beschieten (met
 autom. wapen).
sérique bn: injection —, seruminspuiting.
serment m eed; faux —, valse eed; —
 d'ivrogne, ijdele eed; prêter —, een eed
 afleggen.
sermon m 1 preek; 2 vervelende zedenpreek.
 ▼**—naire** m 1 schrijver v. preken; 2 boek met
 preken. ▼**—ner** I ov.w vermanen. II on.w
 preken. ▼**—neur** m, -euse v vervelende
 zedenpreker (-preekster).
sérothérapie v behandeling met een serum,
 serumtherapie.
serpe v snoeimes.
serpent m 1 slang; — à sonnettes, ratelslang;
 2 duivel; 3 helleveeg, boosaardig mens;
 4 serpent (soort blaasinstrument);
 5 kronkeling. ▼**—aire** I v slangekruid. II m
 secretarisvogel. ▼**—eau** [mv x] m 1 slangetje;
 2 soort vuurpijl. ▼**—ement** m gekronkel.
 ▼**—er** on.w kronkelen. ▼**—in** I bn
 1 slangachtig; 2 gevlekt; 3 kronkelig. II zn m
 1 distilleerbuis; 2 serpentine. ▼**—ine** v
 serpentijn(steen).
serpette v snoeimesje.
serpillière v 1 paklinnen; 2 voorschoot v. grof
 linnen.
serpolet m wilde tijm (plk.).
serrage m (het) aandrukken, vastzetten.
serran m zeebaars.
serre v 1 (het) persen, drukken;
 2 roofvogelklauw; 3 kas; — chaude, broeikas.
 ▼**serré** I bn 1 nauw, bedrukt,
 ineengedrongen, opeengedrongen; avoir le
 cœur —, diep bedroefd zijn; avoir un jeu —,
 niets wagen; en rangs —s, in gesloten
 gelederen; 2 bondig (style —); 3 streng
 (logique —e); 4 gierig. II bw: jouer —,
 voorzichtig spelen. ▼**serre/-file** m
 1 heksluiter; 2 gelidsluiter, opsluitend gelid.
 ▼**—fils** m draadklem. ▼**—frein(s)** m
 remmer. ▼**—joint(s)** m klemschroef.
 ▼**—livres** m boekensteun. ▼**serrement** m
 1 (het) drukken; — de mains, handdruk;
 2 (het) klemmen; — de cœur, grote droefheid.
 ▼**serre-nez** m neusknijper (voor paarden).
 ▼**serrer** I ov.w 1 klemmen, persen, drukken;
 — les dents, de tanden op elkaar klemmen; —
 la main, de hand drukken; 2 aanhalen (— un
 nœud), aandraaien, toetrekken; 3 weg-,
 opbergen; 4 — de près, op de hielen zitten; —
 à gauche, links aanhouden; voorsorteren; —
 les rangs, de gelederen sluiten. II se — 1 dicht
 op elkaar gaan zitten, opschikken;
 2 ineenkrimpen (mon cœur se serre).
 ▼**serre-tête** m 1 hoofddoek; 2 valhelm.
 ▼**serrur/e** v slot; — à combinaison, letterslot.
 ▼**—erie** v 1 slotenmakersvak, -werk;
 2 slotenmakerij. ▼**—ier** m slotenmaker.
serte v (het) vatten, zetten v. edelstenen.
 ▼**sertir** ov.w vatten, zetten v. edelstenen.
 ▼**sertiss/age** m (het) zetten, vatten. ▼**—eur**
 m zetter. ▼**—ure** v zetting, vatting.
sérum m serum.
servage m horigheid, lijfeigenschap.
serval [mv als] m tijgerkat.
serv/ant I zn m kanonnier. II bn dienend; frère
 —, lekebroeder. ▼**—e** v 1 (oud) dienstbode;
 2 dienares; 3 dientafel. ▼**—eur** m, -euse v
 1 tafeldienaar (-dienares); kelner(in);
 2 serveerder (bij tennis-, kaatsspel).
 ▼**—iabilité** v gedienstigheid. ▼**—iable** bn
 gedienstig. ▼**—ice** m 1 dienst; être de —,
 dienst hebben; mise en —, ingebruikneming;
 prendre du —, dienst doen; rendre —, een
 dienst bewijzen; 2 servies, bestek; 3 gang bij
 diner; 4 godsdienstoefening, lijkmis;
 5 dienstgebouw; 6 (het) serveren (sp.).
 ▼**—iette** v 1 servet; 2 handdoek; 3 aktentas,
 grote portefeuille; 4 —s hygiéniques,
 maandverband. ▼**—ile** bn 1 slaafs; imitation

—, slaafse navolging; *œuvres —s*, slafelijke werken; **2** gemeen, laag. **▼—ilité** *v* slaafsheid.
▼—ir l *ov.w onr.* **1** dienen, in dienst zijn van; **2** bedienen; **3** helpen, diensten bewijzen; **4** opdienen (— *le potage*); *madame est servie,* u kunt aan tafel, mevrouw; **5** serveren (*sp.*); **6** doden v. wild; **7** dekken (— *la table*); **8** geven v. kaarten. II *on.w* **1** dienen; dienst doen; **2** — *à*, dienen tot, voor; *à quoi sert cela?,* waartoe dient dat?; **3** — *de*, dienen tot, als; *faire — d'exemple*, als voorbeeld stellen. III *se* — zich bedienen. **▼—iteur** *m* dienaar, bediende; knecht; *je suis votre* —, ik ben uw dienaar, ik dank je wel! (*ironisch*). **▼—itude** *v* **1** dienstbaarheid, onderworpenheid, slavernij; **2** servituut.
servo/direction *v* stuurbekrachtiging.
▼—graissage *m* automatische smering.
▼—mécanisme *m* servomechanisme.
▼—moteur *m* motorregelaar, hulpmotor.
ses *vnw* zie **son**.
sessile *bn* ongesteeld, zittend (*plk.*). **▼session** *v* **1** zitting; **2** zittingstijd.
set *m* (*sp.*) set; *balle de* —, set-point.
sétacé *bn* borstelig.
setter *m* Eng. jachthond.
seuil *m* **1** drempel; **2** begin (*le — de la vie*).
seul l *bn* **1** enig(e), enkel; *il tremble au — nom de la mort*, hij trilt alleen al bij het horen van het woord 'dood'; **2** alleen, eenzaam. II *zn m, -e v* de enige; *un(e) —(e)*, één enkel persoon.
▼—ement *bw* **1** slechts, maar; *non — mais encore*, niet alleen . . . maar ook . . .; **2** pas, eerst; **3** wel; *sait-il . . . . ?*, weet hij wel . . . ?; **4** echter, maar, evenwel. **▼—et, -ette** *bn* heel alleen.
sève *v* **1** plantesap; **2** pit, kracht.
sévère *bn* **1** streng; **2** ernstig; *architecture —,* sobere architectuur. **▼sévérité** *v* **1** strengheid; **2** ernst, soberheid.
sév/ices *m mv* slechte behandeling, mishandeling. **▼—ir** *on.w* **1** streng optreden (— *contre qn.*); **2** heersen, woeden.
sevrage *m* (het) spenen. **▼sevrer** *ov.w* **1** spenen; **2** beroven.
sèvres *m* sèvresporselein.
sexa/génaire l *bn* zestigjarige. II *zn m* of *v* zestigjarige. **▼—gésime** *v* Sexagesima.
sexe *m* **1** geslacht; **2** seks; **3** geslachtsdelen.
sexennal [*mv* **aux**] *bn* **1** zesjarig; **2** zesjaarlijks.
sexologie *v* seksuologie.
sextant *m* **1** (het) zesde deel v.e. cirkel; **2** sextant (*scheepv.*). **▼sext/e** *v* bep. getijde (*rk*), middaguur. **▼—uor** *m* sextet (*muz.*).
▼—uple *bn* zesvoudig. II *zn m* zesvoud.
▼—upler *ov.w* verzesvoudigen.
sexualité *v* geslachtelijkheid, seksualiteit. **▼sexué** *bn* geslachtelijk. **▼sexuel, -elle** *bn* geslachtelijk, seksueel.
seyant *bn* goed passend, - staand, - zittend.
shaker *m* (cocktail)shaker.
shakespearien, -enne *bn* van Shakespeare.
shako, schako *m* sjako.
shampooing *m* **1** haarwassing; **2** (haar)wasmiddel, shampoo.
shérif *m* sheriff.
shooter *ov.w* schieten (voetbal); (*arg.*) *se* —, zich een shot toedienen.
short *m* korte sportbroek, short.
shrapnel (l) *m* granaatkartets.
si l *vgw* **1** als, indien, zo, wanneer; — *ce n'est, behalve*; **2** als eens; *si nous allions dîner en ville*, als we eens buitenshuis gingen eten?; **3** of; *je ne sais pas s'il est venu*, ik weet niet of hij gekomen is; **4** al; *s'il est riche, il n'en est pas moins malheureux*, al is hij rijk, hij is toch ongelukkig; **5** *comme* —, alsof. II *bw* **1** ja, jawel; — *fait*, wel zeker; **2** zo; — *bien que, zodat*; **3** — *que*, hoe . . . ook (met *subj.*); — *riche qu'il soit*, hoe rijk hij ook is. III *zn m* de noot b.
siamois l *bn* Siamees; *frères —, sœurs —es,* Siamese tweelingen. II *zn* **S—** *m, -e v* Siamees, Siamese.
Sibérie (la) *v* Siberië. **▼sibérien, -enne** l *bn* Siberisch. II *zn* **S—** *m, -enne v* Siberiër,

Siberische.
sibilant *bn* fluitend.
sibyll/e *v* sibille, waarzegster. **▼—in** *bn* **1** sibillijns; **2** onbegrijpelijk, raadselachtig.
sicaire *m* gehuurde moordenaar.
sicc/atif, -ive l *bn* sneldrogend. II *zn m* sneldrogend middel. **▼—ité** *v* droogheid.
Sicile (la) *v* Sicilië. **▼sicilien, -enne** l *bn* Siciliaans. II *zn* **S—** *m, -enne v* Siciliaan(se).
side-car *m* zijspan.
sidér/al [*mv* **aux**] *bn* van de sterren. **▼—ant** *bn* (*fam.*) beangstigend. **▼—er** *ov.w* (*fam.*) verlammen door schrik.
sidérur/gie *v* ijzerbewerking, -industrie.
▼—gique *bn* v.d. ijzerindustrie.
sidi *m* (*fam.*) in Frankrijk wonende Noordafrikaner.
siècle *m* **1** eeuw; *être de son —,* met zijn tijd meegaan; *les futurs*, de toekomst, het nageslacht; *le grand —,* tijd v. Lodewijk XIV; **2** werelds leven; *quitter le* —, in een klooster treden.
siège *m* **1** zetel; *le saint* —, de H. Stoel; — *social*, hoofdkantoor; **2** zetel, stoel, zitplaats, bok; — *arrière*, duozitting; *bain de* —, zitbad; **3** beleg; *lever le* —, het beleg opbreken; **4** haard v. ziekte. **▼siéger** *on.w* zetelen, zitting hebben.
sien, -enne l *bez.vnw bijv.* zijn, haar; *une —ne cousine*, een van zijn nichten. II *bez.vnw zelfst.* de (het) zijne; *le* (het) hare; *y mettre du* —, zijn goede wil tonen. III *zn mv* les —s, de zijnen. IV *faire des —nes*, (dolle) streken uithalen.
sieste *v* middagslaapje, siësta.
sieur *m* heer.
siffl/ant *bn* fluitend, sissend. **▼—ement** *m* gefluit, gesis, gehuil v.d. wind. **▼—er** l *on.w* fluiten, sissen, huilen v.d. wind. II *ov.w* **1** fluiten; **2** uitfluiten; **3** (*fam.*) drinken. **▼—et** *m* **1** fluitje; *coup de* —, gefluit; *en* —, schuin; **2** (*fam.*) keel, strot; *couper le — à qn.,* iem. de keel afsnijden; *iemands mond snoeren*; **3** *les —s*, het gefluit. **▼—eur, -euse** l *bn* fluitend. II *zn m, -euse v* fluiter (-ster). **▼—otement** *m* (het) zachtjes fluiten. **▼—oter** *on.* en *ov.w* zachtjes fluiten.
sigillaire *bn* wat zegels betreft. **▼sigillé** *bn* verzegeld. **▼sigillographie** *v* zegelkunde.
sigle *m* beginletter ter afkorting v.e. woord.
signal [*mv* **aux**] *m* signaal, sein, teken; — *avertisseur*, stopsein; — *horaire*, tijdsein.
▼signal/é *bn* uitstekend, buitengewoon.
▼—ement *m* signalement, persoonsbeschrijving. **▼—er** l *ov.w* **1** seinen, aankondigen; **2** het signalement geven van; **3** opmerkzaam maken op, aanduiden, aanwijzen; **4** in het oog doen vallen, beroemd maken. II *se* — zich onderscheiden.
▼—étique *bn* signalement gevend. **▼—eur** *m* seiner, seinwachter. **▼—isation** *v* **1** (het) geven v. seinen, v. signalen; *feux de* —, verkeerslichten; seinlichten (o.a. knipperlichten) v.e. auto; **2** bewegwijzering; **3** seinwezen. **▼—iser** *ov.w* bewegwijzeren.
signat/aire *m* of *v* ondertekenaar (ster).
▼—ure *v* **1** handtekening; **2** (het) ondertekenen.
signe *m* **1** teken, merkteken; — *de croix,* kruisteken; *ne pas donner — de vie*, geen teken v. leven meer geven; niets van zich laten horen; **2** wenk; — *de tête*, hoofdknik. **▼signer** l *ov.w* **1** ondertekenen; **2** merken. II *se* — een kruisteken maken. **▼signet** *m* bladwijzer.
signi/ficatif, -ive *bn* veelbetekenend.
▼—fication *v* **1** betekenis; **2** betekening (*jur.*). **▼—fier** *ov.w* **1** betekenen; **2** te kennen geven (— *sa volonté*); **3** betekenen (*recht*).
silenc/e *m* **1** stilte, stilzwijgen; *garder le* —, zich stilhouden, het stilzwijgen bewaren; *imposer — à qn.,* iem. het zwijgen opleggen; **2** *passer sous* —, stilzwijgend voorbijgaan; **3** rust (*muz.*). **▼—ieusement** *bw* stil, in stilte.
▼—ieux, -ieuse l *bn* stil, stilzwijgend, geruisloos. II *zn m* knaldpot, geluiddemper.
silex *m* vuursteen.

silhouett/e v schaduwbeeld, silhouet. ▼—**er** ov.w als een schaduwbeeld tekenen.
silicate m silicaat. ▼**silic/e** v kiezelaarde. ▼—**eux, -euse** bn 1 kiezelachtig; 2 kiezelhoudend. ▼—**ose** v id., stoflongziekte.
sillage m kielwater, zog. ▼**sillon** m 1 voor; — de feu, streep v. vuur; 2 rimpel; 3 (dicht.) les —s, de velden. ▼—**ner** ov.w 1 voren trekken door; 2 doorklieven; 3 rimpels veroorzaken in.
silo m 1 ondergrondse bergplaats voor granen enz.; 2 (graan)silo.
silure m meerval.
silurien, -enne bn silurisch (geologie).
simagrée v gemaaktheid, geveinsde houding; (faire la — de refuser). **II —s** v mv aanstellerige manieren.
simiesque bn aapachtig.
similaire bn dergelijk, gelijksoortig. ▼**simili** I v nagemaakt. **II** zn m (fam.): en —, nagemaakt. ▼—**gravure** v autotypie. ▼—**tude** v gelijkvormigheid, gelijkenis. ▼**similor** m id., halfgoud.
simonie v simonie.
simoun m hete woestijnwind, samoem.
simpl/e I bn 1 eenvoudig, simpel; gewoon; c'est — comme bonjour, het is doodeenvoudig; croire qn. sur sa — parole, iem. op zijn woord geloven; 2 enkelvoudig; billet —, enkele-reisbiljet; 3 onnozel. **II** zn m 1 (het) eenvoudige; 2 single (tennis); 3 eenvoudig mens. **III —s** m mv geneeskrachtige kruiden. ▼—**et, -ette** bn 1 simpel, naïef; 2 armetierig, pover (v. dingen). ▼—**icité** v 1 eenvoud, eenvoudigheid; 2 onnozelheid. ▼—**ifiable** bn vereenvoudigbaar. ▼—**ificateur, -trice** I bn vereenvoudigend. **II** zn m, **-trice** v vereenvoudiger (-ster). ▼—**ification** v vereenvoudiging. ▼—**ifier** ov.w vereenvoudigen. ▼—**isme** m 1 eenzijdige wijze v. redeneren; 2 (het) gebruiken v. eenvoudige middelen. ▼—**iste** I bn eenzijdig, simplistisch. **II** zn m iem. die eenzijdig redeneert.
simulacre m 1 beeld; 2 schijn, schijnbeeld; — de combat, spiegelgevecht.
simul/ateur, -atrice v iem. die iets (vooral ziekte) voorwendt, simulant. ▼—**ation** v voorwending (vooral v. ziekte). ▼—**er** ov.w 1 voorwenden, fingeren, simuleren; 2 nabootsen; — un combat, een spiegelgevecht houden.
simultan/é bn gelijktijdig, simultaan. ▼—**éité** v gelijktijdigheid. ▼—**ément** bw gelijktijdig, simultaan.
sinapisme m mosterdpap, -pleister.
sincère bn 1 oprecht, ongeveinsd; 2 echt. ▼**sincérité** v 1 oprechtheid, ongeveinsdheid; 2 echtheid.
sinécure v gesalarieerde betrekking waarvoor men weinig of geen werk te doen heeft.
Singapour m Singapore.
singe m 1 aap; payer en monnaie de —, zich v. iemand met mooie woorden en beloften afmaken, zonder hem te betalen; 2 lelijk mens; 3 naäper; 4 (pop.) patroon; 5 geconserveerd vlees (arg. mil.). ▼**singer** ov.w naäpen. ▼**singerie** v 1 grimas; 2 belachelijke naäperij.
single m single (tennis).
singleton m singleton (bridge enz.).
singul/ariser I ov.w onderscheiden, zonderling maken. **II se** — zich zonderling gedragen. ▼—**arité** v bijzonderheid, zonderlingheid, eigenaardigheid. ▼—**ier, -ère** I bn 1 zonderling, eigenaardig, vreemd; 2 enkelvoudig (forme —ère); combat —, duel. **II** zn m enkelvoud.
sinisation v expansie v.d. Chinese beschaving.
sinistre I bn 1 somber, onheilspellend, noodlottig; 2 ongunstig. **II** zn m ramp, onheil. ▼**sinistré** I bn door een ramp getroffen, verongelukt. **II** zn m, -e v slachtoffer.
sino-/japonais bn Chinees-Japans. ▼—**logie** v kennis v.h. Chinees, de Chin. beschaving, geschiedenis enz. ▼—**logique** bn sinologisch. ▼—**logue** m kenner v.h. Chinees, v.d. Chinese

geschiedenis enz., sinoloog.
sinon vgw zo niet, anders, tenzij.
sinople m groen, sinopel.
sinu/eux, -euse bn bochtig. ▼—**osité** v bocht, kronkeling. ▼**sinus** m sinus (wisk.). ▼**sinusite** v ontsteking van een (lucht)holte.
sionisme m zionisme. ▼**sioniste** I zn m of v zionist. **II** bn zionistisch.
siphon m 1 hevel; 2 sifon; 3 waterhoos. ▼**siphonner** ov.w hevelen.
sire m 1 (oud) heer; pauvre —, stakker; 2 Sire.
sirène v 1 meermin; zeer schone, verleidelijke vrouw; 2 sirene, misthoorn.
sirocco, siroco m zeer hete Z.O.-wind (Middell. Zee).
sirop m siroop, stroop.
siroter ov. en on.w met kleine teugen drinken.
sirupeux, -euse bn stroopachtig.
sirvente, sirventès m soort oud-Provençaals gedicht der troubadours.
sis bn gelegen.
sism/ique, séism/ique bn v. aardbevingen, seismisch. ▼—**ographe** m seismograaf. ▼—**ologie** v kennis der aardbevingen, seismologie.
site m plekje, oord, ligging; angle de —, schootshoek.
sitelle, sittèle v boomklever.
sitôt bn zo gauw; de —, zo spoedig; — que, zodra; ne pas — que, nauwelijks of.
situ/ation v 1 ligging, houding; 2 toestand, situatie; 3 betrekking. ▼—**é** bn gelegen; être —, liggen. ▼—**er** ov.w plaatsen, situeren.
six tefw. 1 zes; 2 zesde. ▼—**ain** m zie sizain. ▼**sixième** I tefw. zesde. **II** zn m zesde deel. **III** v zesde klas (op een lyceum enz. de laagste). ▼—**ment** bw ten zesde. ▼**six-quatre-deux (à la)** bw (pop.) in een vloek en zucht. ▼**sixte** I m: Sixte Quint, Paus Sixtus de Vijfde. **II** v sext (muz.).
sixtin bn Sixtijns.
sizain, sixain m zesregelig vers.
sizerin m barmsijsje.
skating m 1 (het) rolschaatsen; 2 rolschaatsbaan.
sketch m (—es mv) sketch, korte eenakter.
ski m 1 ski; 2 (het) skilopen, skiën. ▼**skier** on.w skiën. ▼**skieur** m, -**euse** v skiloper (-loopster), skiër (skiester).
skiff m skiff.
skunks m skunk.
slalom m slalom.
slav/e I bn Slavisch. **II** zn m of v Slaaf, Slavische. ▼—**iser** ov.w Slavisch maken. ▼—**on** bn Slavonisch. ▼**S—onie (la)** Slavonië. ▼—**ophile** I bn Slavischgezind. **II** zn m of v Slavischgezinde.
slip m korte onderbroek.
slogan m slogan, slagzin.
sloughi m Afrikaanse windhond.
smaragdin bn smaragdgroen.
smart bn (oud/fam.) chic, elegant.
smash m smash (tennis). ▼—**er** on.w smashen.
smic m minimumloon. ▼—**ard** m minimumloontrekker.
snack (-bar) m snackbar, snelbuffet.
snob m iem. die op de hoogte wil zijn, die alles, wat nieuw en in de mode is, bewondert; aansteller. ▼—**isme** m snobisme; aanstellerige bewondering voor alles wat nieuw en in de mode is.
sobre bn matig, sober. ▼**sobriété** v matigheid, soberheid.
sobriquet m bijnaam.
soc m ploegijzer.
soci/abilité v gezelligheid, zin voor het maatschappelijk leven. ▼—**able** bn gezellig; aangenaam in de omgang; een natuurlijke aanleg bezittend om in de maatschappij te leven (l'homme est —). ▼**social [mv aux]** bn 1 maatschappelijk, sociaal; 2 een firma betreffend; raison —e, firma. ▼—**isation** v socialisatie. ▼—**iser** ov.w socialiseren. ▼—**isme** m socialisme. ▼—**iste** I bn socialistisch. **II** zn m of v socialist(e).
sociét/aire m lid. ▼—**ariat** m lidmaatschap.

▼**société** v **1** maatschappij; gemeenschap; — *anonyme*, naamloze vennootschap; **2** vereniging; — *des Nations*, Volkerenbond; **3** omgang; **4** gezelschap; *la (haute)* —, de hogere standen; **5** genootschap.
socio/drame m sociodrama. ▼—**gramme** m sociogram. ▼—**logie** v sociologie. ▼—**logique** bn sociologisch. ▼—**logue** m socioloog.
socket m fitting.
socle m; **1** voetstuk, sokkel; **2** plateau; — *continental*, continentaal plat.
socque m **1** houten schoen, als overschoen gebruikt; klompschoen; **2** toneellaars (*oud*); **3** blijspel. ▼**socquette** v damessokje, anklet.
socratique bn Socratisch.
soda m sodawater. ▼**sodé** bn sodahoudend. ▼**sodium** m natrium.
sodom/ie v id. ▼—**ite** m sodomiet.
sœur v **1** zuster; **2** kloosterzuster, non; — *de charité*, verpleegster. ▼**sœurette** v (*fam.*) zusje.
sofa m sofa.
soi vnw zich, zichzelf; *amour de* —, eigenliefde; *ça va de* —, dat spreekt, dat gaat vanzelf. ▼**soi-disant** bn en bw zogenaamd.
soie v **1** zijde; *papier de* —, vloeipapier; *peau de* —, zachte huid; **2** borstel v.e. varken enz.; **3** spinrag. ▼—**rie** v **1** zijden stof; **2** zijdefabriek; **3** zijdefabricage; **4** zijdehandel.
soif v dorst; — *de l'or*, gouddorst. ▼—**fard** m (*pop.*) pimpelaar.
soign/er l ov.w zorgen voor, verzorgen; verplegen. ll se — **1** zorg dragen voor zijn gezondheid; **2** zich soigneren, veel zorg aan zijn uiterlijk besteden. ▼—**eur** m verzorger, soigneur (*sport*). ▼—**eusement** bw zorgvuldig, stipt. ▼—**eux, -euse** bn zorgzaam, nauwgezet, zorgvuldig.▼**soin** m **1** zorg, zorgvuldigheid; *avoir* —, *prendre* — *de*, zorgen voor; *à petits* —s, attenties.
soir m **1** avond; *à ce* —, tot vanavond; **2** middag (*trois heures du* ——). ▼**soirée** v **1** avond; **2** avondpartij.
soit l vgw **1** — ... — , hetzij ... hetzij; **2** — *que* (met *subj.*), hetzij (dat); **3** d.w.z.; **4** stel (*wisk.*). ll tw: —*l*, het zij zo!, nou goed dan! lll ww: *ainsi soit-il*, amen. lV bw: *tant — peu*, een beetje, zeer weinig.
soixantaine v **1** zestigtal; **2** tiental. ▼**soixante** telw. **1** zestig; **2** zestigste (*page* —). ▼—**dix** telw. zeventig. ▼**soixantième** telw. zestigste.
soja, soya m soja.
sol m **1** grond, bodem; **2** g (*muz.*); **3** oude vorm v. *sou*.
solaire bn van de zon; *cadran* —, zonnewijzer. ▼**solarium** m **1** id., inrichting voor zonnekuren; **2** zonnedek.
soldanelle v alpenklokje.
soldat m **1** soldaat, militair; **2** strijder. ▼—**esque** l bn van soldaten. ll zn v tuchteloze soldatentroep. ▼**sold/e** l v soldij; *être à la* —, in dienst zijn van en betaald worden door. ll m **1** saldo; **2** overschot, restant; **3** goederen bestemd voor uitverkoop. ▼—**er** ov.w **1** voldoen, betalen; **2** uitverkopen, opruimen; **3** soldij uitbetalen aan. ▼—**eur** m, **-euse** v koopman, koopvrouw in ongeregelde goederen.
sole v **1** hoornzool v.e. dier; **2** tong (vis).
soléaire bn: *muscle* —, kuitspier.
solécisme m sol(o)ecisme, grove taalfout.
soleil m **1** zon; *coup de* —, zonnesteek; *il fait du* —, de zon schijnt; *le* — *luit pour tout le monde*, alle mensen hebben dezelfde rechten; *piquer un* —, blozen; **2** monstrans; **3** zonvormige decoratie; **4** zonnebloem; **5** zon (vuurwerk).
solenn/el, -elle bn plechtig, hoogdravend. ▼—**ellement** bw plechtig. ▼—**iser** ov.w plechtig vieren. ▼—**ité** v **1** plechtigheid; **2** hoogdravendheid.
solfatare m terrein waaruit zwaveldampen opstijgen.
solfège m id., (het) zingen waarbij men alleen

de namen v.d. noten uitspreekt. ▼**solfier** ov.w een muziekstuk zingen, terwijl men alleen de namen v.d. noten uitspreekt, solfegiëren.
solidaire bn **1** ieder afzonderlijk aansprakelijk voor allen en voor het geheel (*obligation* —), solidair; **2** saamhorig. ▼**solidar/iser** ov.w solidair maken. ▼—**ité** v **1** solidariteit, aansprakelijkheid v. ieder afzonderlijk voor allen en voor het geheel; **2** saamhorigheid.
solid/e l bn **1** vast (tegenstelling met vloeibaar: *corps* —); **2** sterk, stevig, hecht, solide; **3** gegrond (*raison* —); **4** trouw, echt (*ami* —). ll zn m vast lichaam. ▼—**ification** v (het) vastworden, stollen. ▼—**ifier** ov.w vastmaken, doen stollen. ▼—**ité** v **1** vastheid; **2** stevigheid, hechtheid; **3** degelijkheid, betrouwbaarheid.
soliloque m (het) in zichzelf praten. ▼**soliloquer** on.w in zichzelf praten.
solipède l bn eenhoevig. ll —s m mv eenhoevigen.
soliste l zn m of v solist(e). ll bn solistisch, solo-.
soli/taire l bn **1** eenzaam; *ver* —, lintworm; **2** verlaten, afgelegen. ll zn m **1** kluizenaar; **2** eenzaam levend mens; **3** oud everzwijn; **4** soort patiencespel; **5** diamant die alleen gezet is. ▼—**tude** v **1** eenzaamheid; **2** woestenij, eenzame plaats.
solive v dwarsbalk, bint. ▼**soliveau** [mv x] m kleine dwarsbalk.
sollicit/ation v aanvraag, dringend verzoek. ▼—**er** ov.w **1** aanvragen, dingen naar, dringend verzoeken; **2** aanzetten, ophitsen; **3** trekken (aandacht); **4** gaande maken, prikkelen. ▼—**eur** m, **-euse** v sollicitant(e), verzoeker (-ster).
sollicitude v zorg, bezorgdheid.
solstice m zonnestilstand.
solubiliser ov.w oplosbaar maken. ▼**solubilité** v oplosbaarheid. ▼**soluble** bn oplosbaar. ▼**solution** v oplossing. ▼—**ner** ov.w oplossen.
solvabilité v vermogen om te betalen, solventie. ▼**solvable** bn in staat te betalen, solvent. ▼**solvant** m oplosmiddel.
somatique bn somatisch.
sombre bn **1** donker, somber; **2** somber, droevig.
sombrer on.w zinken, vergaan (*scheepv.*).
sommaire l bn beknopt, kort. ll zn m overzicht, korte inhoud.
sommation v dagvaarding, aanmaning.
somme l v **1** som; *en* —, — *toute*, alles te zamen genomen; **2** grindbank vóór haven, vóór mond v. rivier; **3** S— kort begrip v.e. wet, v.e. wetenschap; **4** last; *bête de* —, lastdier. ll m slaap, dutje.
sommeil m slaap; *le* — *éternel*, de dood; *maladie du* —, slaapziekte; — *de plomb*, zware slaap. ▼—**ler** on.w dutten, sluimeren.
sommel/ier m, **-ère** v spijsverzorger (-ster), linnenmeester(es), keldermeester(es), wijnkelner. ▼—**lerie** v **1** ambt v. de sommelier of sommelière; **2** spijskamer, wijnkelder, linnenbewaarplaats.
sommer ov.w **1** optellen; **2** dagvaarden, aanmanen.
sommet m top, kruin, toppunt.
sommier m **1** lastdier, pakpaard; **2** ondermatras; **3** dwars-, schoorbalk; **4** hoofdregister.
sommité v **1** top, spits; **2** *les* —s, de kopstukken.
somnambul/e m of v **1** somnambule; **2** slaapwandelaar(ster). ▼—**isme** m (het) slaapwandelen. ▼**somnifère** l bn **1** slaapverwekkend; **2** zeer vervelend. ll zn m slaapmiddel. ▼**somnol/ence** v **1** slaperigheid, slaapdronkenheid; **2** traagheid. ▼—**ent** bn slaperig, soezerig. ▼—**er** on.w dommelen, soezen.
somptuaire bn wat uitgaven betreft.
somptu/eusement bw weelderig. ▼—**eux, -euse** bn weelderig, prachtig, weids. ▼—**osité** v weelde, pracht.

son, sa, ses *bez.vnw* zijn, haar.
son *m* 1 klank, toon; 2 zemelen; *taches de —,* zomersproeten.
sonat/e *v* sonate. **▼—ine** *v* sonatine.
sond/age *m* 1 peiling, boring; 2 enquête, opinieonderzoek. **▼—e** *v* 1 sonde (*med.*); 2 peillood, dieplood; 3 soort peiltoestel om de inhoud v. kisten te onderzoeken bij de douane, om de kwaliteit v. waren te onderzoeken; — *à fromage,* kaasboor; — *spatiale,* ruimtesonde. **▼—er** *ov.w* 1 peilen v.e. wonde; 2 peilen; 3 de inhoud v. kisten enz., de kwaliteit v. waren met de sonde onderzoeken; 4 polsen, uithoren, sonderen. **▼—eur** *m* peiler, onderzoeker.
song/e *m* droom. **▼—e-creux** *m* dromer.
▼—er *on.w* 1 mijmeren; 2 denken; *vous n'y songez pas!,* dat meent u toch niet! **▼—erie** *v* mijmering, dromerij. **▼—eur, -euse** *I bn* mijmerend, peinzend. **II** *zn m, -euse v* dromer (droomster), mijmeraar(ster).
sonique *bn* v.h. geluid (*vitesse —*).
sonn/aille *v* belletje aan de hals v. dieren. **▼—ailler I** *on.w* vaak en onnodig bellen. **II** *m* belhamel. **▼—ant** *bn* klinkend, slaand; *espèces —es,* klinkende munt; *à dix heures —es,* klokslag tien. **▼—é** *bn* 1 klokslag (*il est midi —*); 2 voleindigd; *il a cinquante ans —s,* hij is over de vijftig; 3 (*fam.*) uitgeteld (v. bokser); (*fam.*) gek; (*fam.*) *il est midi —,* het heeft twaalf uur geluid; het is te laat. **▼—er I** *on.w* 1 luiden, klinken; 2 blazen; — *de,* blazen op; 3 slaan v.e. klok. **II** *ov.w* 1 luiden (*— les cloches*); 2 bellen; 3 opbellen; 4 blazen; — *la diane,* de reveille blazen; *ne — mot,* geen woord zeggen; 5 (*pop.*) iem. een flinke klap om zijn oren geven. **▼—erie** *v* 1 klokgelui, gebeier; *la grosse —,* het gelui v. alle klokken; 2 slagwerk; 3 trompetsignaal (*mil.*); 4 — *électrique,* elektrische bel.
sonnet *m* sonnet.
sonn/ette *v* 1 bel, schel; *serpent à —s,* ratelslang; 2 heimachine. **▼—eur** *m* 1 klokkeluider; 2 speelman; 3 heier.
sono *v* (*fam.*) geluidsinstallatie. **▼sonomètre** *m* klankmeter. **▼sonor/e** *bn* 1 klank gevend, geluid voortbrengend; *film —,* geluidsfilm; *bande —,* geluidsband; *enregistrement —,* geluidsopname, bandopname; 2 klankrijk; helder klinkend; 3 met een goede akoestiek (*salle —*). **▼—isation** *v* geluidsopname. **▼—iser** *ov.w* een klankfilm maken v.e. stomme film; van akoestiek voorzien. **▼—ité** *v* 1 klankrijkheid; 2 goede akoestiek. **▼sonothèque** *v* geluidsarchief.
sophisme *m* drogrede. **▼sophiste** *m* drogredenaar.
sophistication *v* vervalsing, raffinement, gekunsteld karakter.
sophistique *bn* sofistisch.
sophistiqu/é *bn* 'sophisticated': gekunsteld, geraffineerd, intellectualistisch. **▼—er** *ov.w* (*oud*) vervalsen.
soporifique I *bn* 1 slaapverwekkend; 2 zeer vervelend (*livre —*). **II** *zn m* slaapmiddel.
soprano *m* [*mv* **soprani**] 1 sopraanstem; 2 sopraanzangeres.
sorbe *v* lijsterbes.
sorbet *m* drank bestaande uit vruchtesap en likeur met ijs.
sorbier *m* lijsterbesseboom.
sorbonnard *m* (*fam.*) student v.d. Sorbonne.
sorcellerie *v* hekserij, toverij. **▼sorcier** *m, -ère v* tovenaar (tovenares), heks.
sordide *bn* 1 vuil, vies, armzalig; 2 afzichtelijk, weerzinwekkend. **▼sordidité** *v* 1 vuilheid, armzaligheid; 2 afzichtelijkheid, weerzinwekkendheid.
sornette *v* kletspraatje.
sort *m* 1 lot, noodlot; *faire un —, à,* 1 bekend maken, 2 (*fam.*) soldaat maken; *le — en est jeté,* de teerling is geworpen; *tirer au —,* loten; 2 toverij; *jeter un —,* beheksen.
sortable *bn* 1 waarmee men voor de dag kan komen; 2 (*oud*) passend, geschikt.
sorte I *v* 1 soort; *toutes —s de,* allerlei; 2 manier, wijze; *de la —,* op die manier; *en —*

de, zo, dat; *en quelque —,* als het ware. **II de — que, en — que** *vgw* zodat.
sortie *v* 1 (het) uitgaan, uitkomen; *à la — de,* bij het verlaten van; *examen de —,* eindexamen; *sortie-de-bain,* badmantel; 2 uitgang; 3 uitval v. belegerden; 4 uitvoer; *droits de —,* uitvoerrechten; 5 (het) verlaten v.h. toneel; 6 uitval (*fig.*).
sortilège *m* hekserij, toverij.
sortir I *on.w onr.* 1 uitgaan, weggaan, komen uit, -van; — *des bornes,* te ver gaan; — *des gonds,* woedend worden; — *d'une maladie,* pas hersteld zijn; *ne pas — de là,* bij zijn mening blijven; 2 afdwalen (*du sujet*); 3 uitsteken; 4 voortkomen, afstammen; 5 (*fam.*) *je sors de lui parler,* ik heb hem (haar) net gesproken. **II** *ov.w* 1 halen uit; 2 (een nieuw artikel) in de handel brengen; 3 naar buiten brengen, laten wandelen (*— un enfant*); 4 wegsturen (*fam.*); 5 *son effet,* effect sorteren; 6 publiceren. **III** *au — de,* na afloop van, bij het uitgaan van.
sosie *m* dubbelganger.
sot, sotte I *bn* 1 dwaas, gek; 2 onthutst, overbluft, sprakeloos (*rester —*); 3 dom, onnozel. **II** *zn m, sotte v* dwaas, zot(tin), gek. **▼sotie** *v* sotternij (14e en 15e eeuw).
▼sottis/e *v* 1 dwaasheid, domheid, gekke streek, onnozel gezegde; 2 lompheid, grofheid, belediging. **▼—ier** *m* moppenboek.
sou *m* $^{1}/_{20}$ franc; *n'avoir pas le —, être sans le —, être sans un — vaillant,* geen rooie duit bezitten; *n'avoir pas pour un — de talent,* totaal geen talent hebben; *être près de ses —s,* zuinig zijn; *gros —,* tweestuiverstuk; *propre comme un — neuf,* kraakzindelijk.
Souabe (la) Zwaben.
soubassement *m* onderbouw.
soubresaut *m* 1 onverwachte sprong; 2 luchtsprong; 3 stuiptrekking.
soubrette *v* 1 kamenier in blijspel; 2 kamermeisje.
souche *v* 1 boomstronk; *dormir comme une —,* slapen als een roos; 2 stamvader; 3 stam (*fig.*); *faire —,* nakomelingen hebben; 4 stok v. geperforeerd boekje; 5 suffer, nietsnut.
souci *m* 1 zorg, bezorgdheid; *c'est là le moindre de mes —s,* daar maak ik me nu helemaal geen zorgen over; *prendre — de,* zorgen voor; 2 voorwerp v. zorg; 3 goudsbloem. **▼—er (se)** zich bekommeren. **▼—eusement** *bw* vol zorgen. **▼—eux, -euse** *bn* (— *de*) bezorgd, bekommerd.
soucoupe *v* schotel onder een kop; — *volante,* vliegende schotel.
soud/able *bn* soldeerbaar. **▼—age** *m* soldering.
soudain I *bn* plotseling, snel; *mort —e,* plotselinge dood. **II** *bw* eensklaps, plotseling. **▼—ement** *bw* plotseling, eensklaps. **▼—eté** *v* (het) plotselinge, onverwachtheid.
Soudan (le) Soedan. **▼soudanais, soudanien, -enne I** *bn* Soedanees. **II** *zn* S—*m,* -enne *v* Soedanees (-ese).
soude *v* 1 soda; 2 natrium (*in samenst.*).
soud/er I *ov.w* solderen, lassen. **II se —** samengroeien. **▼—eur** *m* soldeerder.
soudier *m* sodafabrikant. **▼soudière** *v* sodafabriek.
soudoyer *on.w* 1 bezoldigen; 2 omkopen, huren (— *un assassin*).
soudure *v* 1 soldeersel; 2 soldeerwerk; — *autogène,* het autogeen lassen; 3 gesoldeerde, gelaste plaats; 4 vergroeiing (*med.*); 5 *période de —,* overbruggingsperiode.
souffl/age *m* (het) glasblazen. **▼—ant I** *bn* 1 blazend; 2 (*fam.*) adembenemend. **II** *zn m* (*pop.*) pistool, revolver. **▼souffle** *m* 1 uitademing, adem, (het) blazen; *n'avoir plus que le —,* op sterven liggen; 2 ingeving, bezieling (*le — du génie*); 3 windje, zuchtje; 4 uitwaseming. **▼souffl/é I** *bn* gerezen (*omelette —e*). **II** *zn m* soes. **▼—ement** *m* geblaas. **▼—er I** *on.w* 1 blazen; 2 ademhalen; 3 waaien; 4 spreken; 5 voorzeggen;

6 snuiven. **II** *ov.w* **1** blazen, aanblazen (— *le feu*); opblazen; — *la discorde*, tweedracht zaaien; — *le verre*, glasblazen; **2** uitblazen (— *une chandelle*); **3** wegblazen; **4** blazen bij het damspel; **5** voorzeggen, soufleren; **6** voor de neus wegkapen (— *un emploi*). **▼—erie** *v* **1** blaaswerk; — *aérodynamique*, windtunnel; **2** blaasbalgen. **▼—et** *m* **1** blaasbalg; **2** oorvijg; **3** balg v. fototoestel, harmonika v. trein; **4** beledigiing. **▼—eter** *ov.w* **1** een oorvijg geven aan; **2** beledigen. **▼—eur** *m*, **-euse** *v* **1** blazer, iem. die aan de blaasbalg trekt, glasblazer; — *d'orgue*, orgeltrapper; **2** hijger; **3** souffleur. **▼—ure** *v* blaas in glas en metaal.
souffr/ance *v* smart, leed, lijden; *laisser en —*, onafgedaan laten, verwaarlozen. **▼—ant** *bn* **1** lijdend, ongesteld; **2** geduldig, verdraagzaam. **▼—e-douleur** *bn* zondebok. **▼—eteux, -euse** *bn* **1** behoeftig; **2** ziekelijk, sukkelend. **▼—ir** *I ov.w onr.* **1** dulden, uitstaan, verdragen; **2** veroorloven, toestaan; vergunnen; **3** lijden (*la faim*). **II** *on.w* **1** lijden; **2** kwijnen (*le commerce souffre*).
soufr/age *m* zwaveling. **▼—e** *m* zwavel. **▼—er** *ov.w* zwavelen. **▼—eur** *I m*, **-euse** *v* zwavelaar (-ster). **II -euse** *v* toestel voor het zwavelen van gewassen. **▼—ière** *v* zwavelgroeve.
souhait *m* wens; *à —*, naar wens; — *s de bonne année*, nieuwjaarswensen. **▼—able** *bn* wenselijk. **▼—er** *ov.w* (toe)wensen; *je vous en souhaite !*, ik help het je wensen!
souillard *m* **1** gat in een steen voor afwatering; **2** gootsteen. **▼souill/e** *v* modderige plek waarin de wilde zwijnen zich wentelen. **▼—er** *ov.w* bevuilen, bezoedelen (ook *fig.*). **▼—on** *m* vuilpoets, smeerpoets. **▼—onner** *ov.w* bevuilen. **▼—ure** *v* **1** vuile vlek, bezoedeling; **2** smet (*fig.*).
soûl, saoul *I bn* **1** verzadigd, zat (ook *fig.*); **2** (*pop.*) dronken, zat. **II** *zn m* (*fam.*): *en avoir tout son —*, er zijn bekomst van hebben.
soulag/ement *m* verzachting, verlichting, leniging. **▼—er** *I ov.w* verzachten, verlichten, lenigen. **II se—** *1* zijn hart luchten; *2* zijn behoeften doen.
soûlard, soûlaud *m*, **-e** *v* (*pop.*) dronkaard. **▼soûler, saouler** *I ov.w* **1** dronken maken; **2** volstoppen met eten. **II se—** *1* zich bedrinken; *2* zich overeten. **▼—ie** *v* dronkemanspartij.
soulèvement *m* **1** (het) opheffen, oplichten, stijgen; — *de cœur*, misselijkheid; **2** verontwaardiging; **3** opstand, oproer. **▼soulever** *I ov.w* **1** (niet hoog of met moeite) opbeuren, opheffen; — *le cœur*, misselijk maken; **2** doen opwaaien; **3** verontwaardigd maken, in beroering brengen; **4** opruien; **5** opwerpen (— *une question*). **II se—** *1* zich oprichten; *2* in opstand komen; **3** verontwaardigd worden; **4** *son cœur se soulevait*, hij werd misselijk (ook *fig.*).
soulier *m* schoen; *être dans ses petits —s*, in de knel zitten, niet op zijn gemak zijn.
soulign/age, —ement *m* onderstreping. **▼—er** *ov.w* **1** onderstrepen; **2** goed doen uitkomen, onderstrepen (*fig.*).
soulte *v* bijslag, conversiepremie.
soumettre *I ov.w onr.* **1** onderwerpen; **2** (een vraag) voorleggen. **II se—** zich onderwerpen; *se — ou se démettre*, buigen of barsten. **▼soumis** *bn* onderdanig, volgzaam, gedwee. **▼soumission** *v* **1** onderwerping; **2** onderworpenheid, onderdanigheid; **3** inschrijving bij aanbesteding. **▼—naire** *m* inschrijver. **▼—ner** *ov.w* inschrijven.
soupape *v* ventiel, klep; — *de sûreté*, veiligheidsklep.
soupçon *m* **1** achterdocht, verdenking; vermoeden; — *z*een beetje (*un — de vin*). **▼—ner** *ov.w* **1** verdenken; **2** vermoeden. **▼—neux, -neuse** *bn* achterdochtig, wantrouwend.
soupe *v* soep, broodsoep; *s'emporter comme une — au lait*, opvliegend zijn.
soupente *v* vliering.
souper *I zn m* **1** avondmaaltijd;

2 nachtmaaltijd. **II** *on.w* souperen; *avoir soupé d'une chose*, ergens genoeg van hebben.
soupeser *ov.w* iets oplichten om te voelen hoe zwaar het is.
soupeur *m*, **-euse** *v* iem. die soupeert, of gewoon is te souperen.
soupière *v* soepterrine.
soupir *m* **1** zucht; *jusqu'au dernier —*, tot aan de dood; *rendre le dernier —*, de laatste adem uitblazen; **2** (het) ruisen v.d. wind; **3** kwart rust (*muz.*).
soupirail [*mv aux*] *m* keldergat.
soupir/ant *m* minnaar. **▼—er** *I on.w* zuchten; — *après*, — *pour*, — *vers*, smachten naar, verlangen naar. **II** *ov.w* uitzuchten (— *ses peines*, — *des vers*).
soupl/e *bn* **1** lenig, buigzaam, soepel; **2** gedwee, volgzaam, handelbaar. **▼—esse** *v* **1** buigzaamheid, lenigheid, soepelheid; **2** gedweeheid, volgzaamheid, plooibaarheid.
souquer *I ov.w* stevig aantrekken. **II** *on.w*: — *sur les avirons*, hard aan de riemen trekken.
source *v* bron (ook *fig.*), *de bonne —*, uit goede bron; *prendre sa —*, ontspringen.
▼sourcier *m*, **-ère** *v* wichelroedeloper, -loopster.
sourcil *m* wenkbrauw; *froncer le(s) —(s)*, de wenkbrauwen fronsen. **▼—ier, -ière** *bn* van de wenkbrauwen. **▼—ler** *on.w* de wenkbrauwen fronsen; *sans —*, zonder een spier te vertrekken. **▼—leux, -leuse** *bn* trots.
sourd *I bn* **1** doof; *faire la — e oreille*, Oostindisch doof zijn; *sourd-muet*, doofstom; — *comme un pot*, stokdoof; **2** ongevoelig voor, doof voor (— *aux prières*); **3** dof; *lanterne —e*, dievenlantaarn; **4** vaag (*bruit —*); **5** heimelijk. **II** *zn m*, **-e** *v* dove; *crier comme un —*, hard schreeuwen; *frapper comme un —*, erop los slaan. **▼—ement** *bn* **1** dof; **2** heimelijk. **▼—ine** *v* demper; *en —*, zachtjes. **▼—†-muet† I** *bn* doofstom. **II** *zn m*, **-e—te** *v* doofstomme.
sourdre *on.w* **1** opwellen; **2** ontstaan.
souric/eau [*mv x*] *m* muisje. **▼—ier** *m* muizenvanger, -eter. **▼—ière** *v* **1** muizeval; **2** valstrik v.d. politie; *se mettre, se jeter dans la —*, in de val lopen.
sourire *I on.w onr.* **1** glimlachen; **2** toelachen (— *à*). **II** *zn m* glimlach.
souris *I v* muis; *on entendrait trotter une —*, het is muisstil; **2** (*pop.*) meisje, vriendinnetje.
sournois *I bn* gluiperig, geniepig. **II** *zn m* gluiperd. **▼—erie** *v* geniepigheid, gluiperigheid, geniepige streek.
sous *vz* onder; — *clef*, achter slot; — *huit jours*, binnen acht dagen; — *main*, in het geheim; — *peu*, binnenkort; — *ce rapport*, in dat opzicht.
sous-aide† *m* medehelper.
sous-alimentation *v* ondervoeding. **▼sous-alimenter** *ov.w* ondervoeden.
sous-arbrisseau [*mv x*] *m* halfstruik.
sous-bail [*mv aux*] *m* onderhuur-contract.
sous-bois *m* **1** onderhout; **2** bosgezicht (schilderij, tekening).
sous-chef† *m* onderchef, onderbevelhebber.
sous-commission† *v* subcommissie.
sous-consommation *v* onderconsumptie.
sous/cripteur *m* **1** ondertekenaar; **2** intekenaar. **▼—cription** *v* **1** intekening (— *à*); **2** intekensom; **3** ondertekening. **▼—crire** *I ov.w onr.* **1** ondertekenen; **2** sluiten (verzekering). **II** *on.w* **1** intekenen; **2** goedkeuren, onderschrijven (— *à*).
sous-culture *v* subcultuur.
sous-cutané† *bn* onderhuids.
sous-développé† *bn* onderontwikkeld.
sous-diaconat *m* subdiaconaat (*rk*). **▼sous-diacre†** *m* subdiaken (*rk*).
sous-directeur† *m*, **-trice** *v* onderdirecteur, onderdirectrice.
sous-emploi *m* tekort aan arbeidsplaatsen.
sous-entendre *ov.w* stilzwijgend bedoelen. **▼sous-entendu†** *m* bijbedoeling.
sous-épidermique† *bn* onder de opperhuid.
sous-équipé† *bn* onderontwikkeld op industrieel gebied.

sous-estimer, sous-évaluer ov.w onderschatten.

sous-exposer ov.w onderbelichten (fot.). ▼**sous-exposition** v onderbelichting.

sous-fifre† m (fam.) iem. met een zeer ondergeschikt baantje.

sous-gorge v halsriem v.e. paard.

sous-intendant† m onderintendant.

sous-jacent† bn onderliggend.

sous-lieutenant† m tweede luitenant.

sous/-locataire† m of v onderhuurder (-ster). ▼——**location†** v onderhuur. ▼——**louer** ov.w 1 onderhuren; 2 onderverhuren.

sous-main m onderlegger.

sous-maître† m, **sous-maîtresse†** v (oud) hulponderwijzer(es), surveillant(e).

sous/-marin† l bn onderzees. ll zn m onderzeeër. ▼——**marinier†** m matroos op een onderzeeboot.

sous-multiple† m factor, deler.

sous-nappe† v onderkleed (onder het tafellaken).

sous-off m (fam.) onderofficier. ▼**sous-officier†** m onderofficier.

sous-ordre† m 1 ondergeschikte; 2 onderdeel (plk. en dierk.).

sous-pied† m voetriem, sous-pied.

sous-préfect/oral† [mv aux] bn v.d. onderprefect. ▼——**ure†** v 1 onderprefectuur (onderafdeling v.e. departement); 2 hoofdplaats v.d. onderprefectuur; 3 ambt, woning, bureau v.d. onderprefect. ▼**sous-préfet†** m onderprefect. ▼**sous-préfète†** v vrouw v.d. onderprefect.

sous-production v onderproduktie.

sous-produit† m bijprodukt.

sous-secrét/aire† m 2e secretaris; — d'Etat, secretaris-generaal v.e. ministerie. ▼——**ariat** m ambt, bureau v.e. 2e secretaris.

sous-seing† m onderhandse akte.

soussign/é bn 1 die ondertekend heeft (hebben); 2 ondergetekende (je —). ▼**soussigner** ov.w ondertekenen.

sous-sol† m souterrain v.e. huis.

sous-tension v te geringe spanning.

sous/-titre† m ondertitel. ▼——**titrage** m ondertiteling. ▼——**titrer** ov.w van ondertitels voorzien.

sous/tractif, -ive bn wat afgetrokken moet worden (nombre —). ▼——**traction** v 1 aftrekking; 2 verduistering, ontvreemding. ▼——**traire** ov.w onr. 1 aftrekken; 2 onttrekken; 3 verduisteren, ontvreemden.

sous-traitant† m onderaannemer. ▼**sous-traiter** ov.w onderaannemen.

sous-ventrière† v buikriem v. paard.

sous-vêtements m mv ondergoed. ▼——**acher** ov.w versieren met oplegsels, galonneren.

soutane v 1 priesterrok; 2 priesterstand.

soute v bergplaats in een schip, ruim; — aux poudres, kruitkamer.

souten/able bn 1 te dragen, te verdragen; 2 houdbaar, verdedigbaar (opinion —). ▼——**ance** v verdediging v.e. proefschrift. ▼——**eur** m id., pooier. ▼——**ir** I ov.w onr. 1 steunen, ondersteunen; 2 uithouden, weerstaan (— une attaque); verdragen; 3 verdedigen (— ses droits); 4 beweren, staande houden; 5 steunen, helpen, bijstaan; 6 gaande houden (— la conversation); 7 ophouden; — son rang, zijn stand ophouden; — sa réputation, zijn naam ophouden; 8 moedig dragen (— une épreuve); 9 verdedigen (— une thèse). ll se — 1 zich staande houden, blijven staan; 2 elkaar steunen; 3 elkaar helpen. ▼**soutenu** bn 1 gebonden (v. stijl); gedragen (muz.); 2 aanhoudend, niet verslappend (bijv. belangstelling), vast.

souterrain I bn 1 ondergronds; 2 slinks. ll zn m onderaards(e) gang, gewelf.

soutien m steun, stut; — de famille, kostwinner. ▼——**†-gorge** m bustehouder.

soutier m trimmer.

soutirage m 1 (het) aftappen; 2 tapwijn.

▼**soutirer** ov.w 1 aftappen; 2 afpersen.

souvenance v (oud) vage herinnering; avoir —, zich herinneren. ▼**souvenir** I (se — de) onr. zich herinneren. ll onp.ww: il me souvient, ik herinner mij. lll zn m 1 herinnering; 2 aandenken.

souvent bw dikwijls, vaak; le plus —, meestal.

souverain I bn hoogst, opperst, soeverein; cour —e, opperste gerechtshof; — pontife, paus; remède —, onfeilbaar middel. ll zn m 1 soeverein; 2 soeverein (Engelse gouden munt). ▼——**ement** bw 1 uiterst, in de hoogste mate; Dieu est — bon, God is oneindig goed; 2 zonder appèl. ▼——**eté** v 1 oppermacht; 2 soevereiniteit; 3 gebied v.e. vorst.

soviet m raad v. soldaten en arbeiders. ▼**soviétique** bn van de sovjets.

soya, soja m soja.

soyeux, -euse I bn zijdeachtig, zacht. ll zn m 1 zijdefabrikant; 2 zijdehandelaar (te Lyon).

spacieusement bw ruim. ▼**spacieux, -euse** bn ruim, uitgestrekt.

spadassin m vechtersbaas; gehuurd moordenaar (— à gages).

spahi m inlands of Frans cavalerist in N.-Afrika.

sparadrap m hechtpleister.

sparte I m spartogras. ll v S— Sparta. ▼**sparterie** v matten enz. v. spartogras.

spartiate I bn Spartaans. ll zn S— m of v Spartaan(se).

spasme m kramp. ▼**spasmodique** bn krampachtig.

spath m spaat.

spatial [mv aux] bn ruimtelijk, ruimte-. ▼——**iser** ov.w 1 ruimtelijk karakter geven; 2 aan de ruimte aanpassen. ▼**spationef** m ruimtevaartuig.

spatul/e v 1 spatel; 2 voegmes; 3 lepelaar (vogel). ▼——**é** bn spatelvormig.

speaker m 1 voorzitter v.h. Lagerhuis; 2 omroeper. ▼——**ine** v omroepster.

spécial [mv aux] bn bijzonder, speciaal. ▼——**isation** v specialisatie. ▼——**iser** I ov.w in bijzonderheden aangeven. ll se — zich specialiseren. ▼——**iste** I bn specialistisch. ll zn m of v specialist(e). ▼——**ité** v 1 specialiteit; 2 specialist; 3 patentmiddel.

spécieusement bw schoonschijnend. ▼**spécieux, -euse** bn schoonschijnend.

spéci/fication v specificatie. ▼——**ficité** v bijzonder karakter, karakter der soort. ▼——**fier** ov.w nauwkeurig -, afzonderlijk opnemen. ▼——**fique** I bn v.d. soort, soortelijk; poids —, soortelijk gewicht. ll zn m geneesmiddel voor een bepaalde ziekte.

spécimen I zn m staal, model, exemplaar. ll bn als proef; numéro —, proefnummer.

spéciosité v (het) schoonschijnende, gezochte.

spectacle m 1 schouwspel; 2 toneelvoorstelling, opvoering; se donner en —, zich aanstellen, de aandacht willen trekken; salle de —, schouwburgzaal. ▼**spectaculaire** bn opzienbarend, wat trekt. ▼**spectateur** m, **-trice** v toeschouwer (-ster).

spectr/al [mv aux] bn 1 spookachtig; 2 v.h. spectrum; analyse —e, spectraalanalyse. ▼——**e** m 1 spook; 2 spectrum. ▼——**omètre** m spectrometer. ▼——**oscope** m spectroscoop. ▼——**oscopique** bn spectroscopisch.

spéculaire bn spiegelend; pierre —, mica.

spécul/ateur m, **-atrice** v speculant(e). ▼——**atif, -ive** I bn beschouwend, theoretisch, speculatief. ll zn m theoreticus. ▼——**ation** v 1 theoretische beschouwing; 2 speculatie. ▼——**ativement** bw theoretisch. ▼——**er** on.w 1 bespiegelingen houden; 2 speculeren.

speech m speech.

spéléo/logie v studie der natuurlijke holen. ▼——**logique** bn wat de speleologie betreft. ▼——**logue, —logiste** m beoefenaar v.d. studie der natuurlijke holen.

spergule v spurrie (pl.).

spermatique bn v.h. sperma. ▼**spermatozoïde** m zaaddiertje. ▼**sperme** m sperma.

sphacèle *m* koudvuur.
sphère *v* 1 bol; — *céleste*, hemel;
2 invloedssfeer, werkkring. ▼**sphér/icité** *v*
bolrondheid. ▼—**ique** *bn* bolvormig. ▼—**oïde**
m bijna bolrond lichaam.
sphincter *m* sluitspier.
sphinx *m* 1 sfinx; 2 raadselachtig persoon.
spic *m* grote lavendel (*plk.*); *huile de* —,
lavendelolie.
spiciforme *bn* aarvormig.
spicilège *m* verzameling v. stukken, akten,
gedachten enz.
spider *m* dickey-seat.
spinal [*mv* **aux**] *bn* v.d. ruggegraat.
spinelle *v* 1 lichtrode robijn; 2 stekelhaar.
spiral [*mv* **aux**] *bn* spiraalvormig. II *zn m*
horlogeveer. ▼**spirale** *v* spiraal, schroeflijn; *en*
—, spiraalvormig. ▼**spiralé** *bn* spiraal-,
schroefvormig.
spirante *v* spirant, schuringsgeluid.
spire *v* schroefwinding, schroefgang.
spirée *v* spirea.
spirit/e l *bn* spiritistisch. II *zn m* of *v*
spiritist(e). ▼—**isme** *m* spiritisme.
   ▼—**ualisation** *v* vergeestelijking. ▼—**ualiser**
ov.w vergeestelijken. ▼—**ualité** *v*
1 onstoffelijkheid; 2 geestelijk leven. ▼—**uel**,
-uelle l *bn* 1 geestelijk, onstoffelijk; *concert*
—, concert v. gewijde muziek; 2 geestig. II *zn*
m (het) geestelijke. ▼—**uellement** *bw* 1 in de
geest; 2 geestig. ▼—**ueux**, **-euse l** *bn*
alcoholisch, geestrijk. II *zn m mv* alcoholische
dranken, spiritualiën.
spiroïdal [*mv* **aux**] *bn* spiraalvormig.
Spitzberg *m* Spitsbergen.
spleen *m* lusteloosheid, levensmoeheid.
splendeur *v* glans, luister, pracht. ▼**splendide**
bn schitterend, prachtig.
splén/étique, splénique *bn* v.d. milt.
   ▼**splénite** *v* miltontsteking.
spoli/ateur, -atrice l *bn* berovend, afzettend.
II *zn m*, **-atrice** *v* rover, afzetter (-ster),
plunderaar(ster). ▼—**ation** *v* beroving,
plundering. ▼—**er** *ov.w* beroven, plunderen.
spondaïque *bn* spondeïsch. ▼**spondée** *m*
spondeus.
spongi/culture *v* sponsenkwekerij. ▼—**eux**,
-euse *bn* sponsachtig. ▼—**osité** *v*
sponsachtigheid.
spontané *bn* spontaan, vanzelf. ▼—**ité** *v*
spontaneïteit, vrijwilligheid. ▼—**ment** *bw*
spontaan, vanzelf.
sporadicité *v* sporadisch karakter.
   ▼**sporadique** *bn* sporadisch.
sporange *m* sporenhouder. ▼**spore** *v* spoor
(*plk.*). ▼**sporozoaires** *m mv* sporediertjes.
sport l *zn m* sport. II *bn*: *costume* —,
sportkostuum. ▼—**if**, **-ive l** *bn* v.d. sport,
sportief. II *zn m*, **-ive** *v* sportbeoefenaar(ster).
   ▼—**ivité** *v* sportiviteit. ▼—(**s**)**man** [*mv*
sportsmen] *m* sportliefhebber.
   ▼—(**s**)**woman** [*mv* **sportswomen**] *v*
sportliefhebster.
sporulation *v* voortplanting door middel v.
sporen.
spot *m* 1 spot(licht); 2 (reclame)spot.
spoutnik *m* spoetnik.
sprat *m* sprot.
sprint *m* sprint. ▼—**er l** *zn m* sprinter. II *on. w*
sprinten.
spumescent *bn* schuimachtig, schuimend.
   ▼**spumeux**, **-euse** *bn* schuimachtig,
schuimend.
squale *m* haai.
squam/e *v* schilfer. ▼—**eux**, **-euse** *bn*
schilferig. ▼—**ifère** *bn* geschubd. ▼—**ule** *v*
schubje.
square *m* plein met groen, - met bomen.
squatter *m* kraker.
squelette *m* geraamte, skelet. ▼**squelettique**
bn skeletachtig; *maigreur* —, buitengewone
magerheid.
stabil/isateur l *zn m* richtstuur. II **-rice** *bn*
stabilisatie-; *barre* —**rice**, stabilisatiestang.
   ▼—**isation** *v* stabilisatie, (het) vaster doen
liggen. ▼—**iser** *ov.w* stabiliseren, vaster

maken. ▼—**ité** *v* stabiliteit, vastheid. ▼**stable**
bn vast, blijvend, duurzaam, stabiel.
stabulation *v* (het) stallen -, stalling v. vee.
stade *m* 1 stadium; 2 stadion.
stag/e *m* id., proeftijd, voorbereidingstijd,
volontairschap. ▼—**iaire l** *bn* een proeftijd
doorbrengend; de proeftijd betreffend. II *zn m*
volontair, kwekeling, hospitant, stagiair.
stagn/ant *bn* stilstaand (*eau* —*e*). ▼—**ation** *v*
stilstand, stagnatie. ▼—**er** *on.w* stilstaan,
stagneren.
stalactite *v* druipsteen aan het gewelf v.
grotten.
stalag *m* gevangenkamp in Duitsland tijdens
de Tweede Wereldoorlog.
stalagmite *v* druipsteen op bodem v. grotten.
stalinien, -enne *bn* stalinistisch.
stalle *v* 1 koorstoel (in kerkkoor); 2 zitplaats in
schouwburg; 3 box in paardestal.
staminal [*mv* **aux**] *bn* v.d. meeldraden.
stance *v* strofe, couplet.
stand *m* 1 tribune op renbaan; 2 schietbaan;
3 stand (op tentoonstelling).
standard *m* 1 model; 2 telefoonpost.
   ▼—**isation** *v* standaardisering. ▼—**iser** *ov.w*
standaardiseren. ▼—**iste** *m* of *v* telefonist(e).
standing *m* stand, standing.
stannifère *bn* tinhoudend.
staphylocoques *m mv* stafylococcen.
star *v* filmster.
starie, **estarie** *v* ligtijd v.e. schip.
starter *m* 1 starter (*sport*); 2 autostarter,
choke. ▼**starting-block†** *m* (= *bloc de
départ*) startblok.
stathouder *m* stadhouder. ▼**stathoudérat** *m*
stadhouderschap.
station *v* 1 oponthoud; 2 stand; 3 station;
4 statie; 5 pleisterplaats, standplaats, ligplaats,
tijdelijke rustplaats; — *balnéaire*, badplaats; —
service, servicestation; — *thermale*, badplaats
met geneeskrachtige bronnen; 6 (schijnbare)
stilstand v.e. planeet; 7 reeks advents- of
passiepreken. ▼—**naire l** *bn* stilstaand,
bestendig, stationair. II *zn m* wachtschip.
   ▼—**nement** *m* (het) stationeren; *endroit de*
—, parkeerplaats. ▼—**ner** *on.w* stationeren,
parkeren, zich ophouden.
statique l *bn* statisch. II *zn v* statica.
statisticien *m* statisticus. ▼**statistique l** *zn v*
1 statistiek (wetenschap); 2 statistiek (tabel).
II *bn* statistisch.
statuaire l *zn m* beeldhouwer. II *v*
beeldhouwkunst. III *bn* geschikt om beelden
te maken (*marbre* —). ▼**statue** *v*
1 (stand)beeld; 2 koel wezen.
statuer l *ov.w* verordenen, vaststellen. II *on.w*:
— *sur*, een uitspraak doen over.
statu/ette *v* beeldje. ▼—**fier** *ov.w* (*fam.*) een
standbeeld oprichten voor.
statu quo *m* status quo.
stature *v* lichaamsgrootte.
statut *m* statuut, verordening, wet, reglement.
   ▼**statutaire** *bn* volgens de statuten.
stayer *m* stayer (*sp.*).
steak *m* biefstuk.
steamer *m* (*oud*) stoomboot.
stéar/ine *v* stearine. ▼—**inerie** *v*
stearinefabriek. ▼—**ique** *bn*: *bougie* —,
stearinekaars.
stéatite *v* speksteen. ▼**stéatose** *v* vervetting.
steeple(-chase†) *m* wedren, paardenren met
hindernissen.
stèle *v* zuil.
stellaire *bn* 1 v.d. sterren; 2 stervormig.
stencil *m* stencil.
sténo/dactylo, —**dactylographe** *m* of *v*
stenotypist(e). ▼—**gramme** *m* stenogram.
   ▼—**graphe** *m* of *v* stenograaf (-grafe).
   ▼—**graphie** *v* snelschrift, stenografie.
   ▼—**graphique** *bn* stenografisch.
sténose *v* (*med.*) vernauwing.
sténo/type *v* machine voor kortschrift.
   ▼—**typie** *v* mechanisch kortschrift.
   ▼—**typiste** *m* of *v* machinestenograaf
(-grafe).
stentor *m* iem. met een machtige stem; *voix de*

—, stentorstem.
steppe v steppe.
stère m kubieke meter voor het meten v. hout.
stéréo v stereo; *chaîne* —, stereo-installatie; *enceinte* —, stereoboxen. ▼—**métrie** v stereometrie. v—**métrique** bn stereometrisch. ▼—**phonie** v stereofonie. v—**phonique** bn stereofonisch; *disque* —, stereoplaat. ▼—**photographie** v stereofotografie. ▼—**scope** m stereoscoop. v—**scopique** bn stereoscopisch. v—**type** bn 1 gedrukt met vaste letters; 2 geijkt, onveranderlijk. v—**typer** ov.w met vaste letters drukken. v—**typie** v (het) drukken met vaste letters.
stérer ov.w de inhoud bepalen met de stère.
stéril/e bn 1 onvruchtbaar, kinderloos, steriel; 2 vruchteloos, nutteloos. v—**isateur** m toestel om kiemen te doden. v—**isation** v 1 (het) onvruchtbaar maken, sterilisatie; 2 (het) doden v. ziektekiemen. v—**iser** ov.w 1 onvruchtbaar maken, steriliseren; 2 ziektekiemvrij maken. v—**ité** v onvruchtbaarheid, dorheid.
sterlet m kleine steur.
sterling (*livre* —) pond sterling.
sterne v stern, zeezwaluw.
sternum m borstbeen.
sternutat/ion v (het) niezen. ▼—**oire** bn niezen veroorzakend; *poudre* —, niespoeder.
stétho/scope m stethoscoop (voor borstonderzoek). v—**scopie** v onderzoek v.d. borstholte met de stethoscoop.
steward m steward.
stigmat/e m 1 brandmerk; 2 litteken; 3 stigma, litteken v.d. vijf wonden v. Christus; 4 schandvlek, merkteken; 5 stempel (*plk.*). v—**isation** v 1 brandmerking; 2 vorming v. littekens; 3 vorming van wonden, gelijk aan die v. Christus, bij sommige personen. v—**iser** ov.w 1 brandmerken; 2 littekens vormen op; 3 schandvlekken.
stillation v (het) druppelen. v**stilligoutte** m druppelteller.
stimul/ant I bn prikkelend, opwekkend (*med.*). II zn m 1 prikkel; 2 opwekkend -, prikkelend middel, stimulans. v—**ateur**, **-atrice** I bn opwekkend, prikkelend. II zn m: — *cardiaque*, pacemaker. v—**ation** v opwekking, prikkeling. v—**er** ov.w aansporen, prikkelen, stimuleren.
stipe m stam, stengel (— *de palmier*).
stipendier ov.w omkopen.
stipendier ov.w omkopen.
stipulation v beding, bepaling. v**stipuler** ov.w bedingen, bepalen.
stock m voorraad. v—**age** m (het) opslaan. v—**er** ov.w opslaan.
stockfisch m stokvis.
stockiste m depothouder.
stoïcien, **-enne** I bn stoïcijns. II zn m 1 stoïcijn; 2 onverstoorbaar mens. v**stoïcisme** m 1 stoïcijnse leer; 2 onbewogenheid, onverstoorbaarheid. v**stoïque** I bn stoïcijns, onbewogen. II zn m of v 1 stoïcijn; 2 onverstoorbaar, onbewogen mens.
stoma/cal [*mv aux*] bn 1 van de maag; 2 goed voor de maag (*vin* —). v—**chique** I bn goed voor de maag. II zn m maagversterkend middel. v—**tite** v ontsteking v.h. mondslijmvlies. v—**tologie** v leer der mond- en tandziekten. v—**tologiste**, —**tologue** m specialist voor mondziekten. v—**toscope** m mondklem.
stop I tw 1 stop (in telegrammen); 2 (*fam.*) halt! II zn m 1 stilstand; 2 remlicht; 3 (*fam.*) (het) liften; *faire du* —, liften. v—**page** m (het) stoppen, stop (v. goed). v—**per** I on.w stilstaan. II ov.w 1 doen stilstaan; 2 stoppen (v. goed). v—**peur** m, **-peuse** v stopper (-ster).
store m rolgordijn, zonnescherm.
strabisme m loensheid.
strangulation v worging.
strapontin m klapstoeltje.
strass, **stras** m valse diamant.

Strasbourg m Straatsburg.
stratagème m (krijgs)list.
stratège m strateeg, krijgskundige.
v**stratég/ie** v krijgskunde, strategie. v—**ique** bn strategisch, krijgskundig. v—**iste** m strateeg, krijgskundige.
stratification v gelaagdheid v**stratifié** bn gelaagd. v**stratifier** ov.w laagsgewijs schikken.
strato/pause v bovengrens v.d. stratosfeer. v—**sphère** v stratosfeer. v—**sphérique** bn stratosfeer-, tot de hogere luchtlagen behorend.
stratus m streepvormige wolk.
streptocoque m soort bacterie, streptokok.
stress m stress, schok.
strict bn stipt, nauwkeurig, streng.
stridence v schril geluid. v**strident** bn schril, scherp.
stridul/ant bn schel piepend (*insecte* —). v—**ation** v schel gepiep. v—**er** on.w schel piepen. v—**eux**, **-euse** bn piepend (*bruit* —).
strie v kras, groef. v**strier** ov.w krassen, groeven.
strip-teaseuse v striptease-danseres.
striure v gestreeptheid, streep, kras, groef.
strix m kerkuil.
strophe v strofe, couplet.
structur/al [*mv aux*] bn wat de bouw betreft. v—**aliste** I bn van de taalbouw, structuralistisch. II zn m structuralist. v—**ation** v structurering. v—**e** v bouw, structuur. v—**el** bn structureel. v—**er** ov.w structureren, opbouwen.
strumeux, **-euse** bn klierachtig.
stuc m pleisterkalk, stuc. v—**age** m pleisterwerk. v—**ateur** m stukadoor.
studieusement bn ijverig, vlijtig. v**studieux**, **-euse** bn vlijtig, ijverig. v**studio** m 1 atelier; 2 werkkamer; 3 filmstudio; 4 vertrek dat tegelijk als salon, eetkamer en slaapkamer dient.
stupé/faction v stomme verbazing. v—**fait** bn stom verbaasd. v—**fiant** I bn 1 verbazingwekkend; 2 verdovend. II zn m verdovend -, bedwelmend middel. v—**fier** ov.w 1 stom verbazen, verstomd doen staan; 2 verdoven, bedwelmen. v**stupeur** v 1 ontsteltenis, ontzetting; 2 verdoving, bedwelming. v**stupid/e** bn 1 verstomd, ontzet; 2 dom, stompzinnig. v—**ité** v 1 domheid; 2 dom woord, domme daad.
stupre m 1 schanddaad; 2 verkrachting.
stuquer ov.w pleisteren, stukadoren.
style m 1 stijl, trant; 2 schrijfstift; 3 wijzer v.e. zonnewijzer; 4 stijl (*plk.*). v**stylé** bn stijlvol. v**styler** ov.w africhten, drillen.
stylet m kleine scherpe dolk, stiletto.
stylis/ation v (het) styleren. v—**er** ov.w styleren. v—**te** m of v schrijver (schrijfster) met goede stijl, stylist(e). v—**tique** v stijlleer.
stylite m zuilheilige.
stylo m, **stylographe** (*oud*) m vulpenhouder; — *à bille*, balpen.
su m (het) weten; *au vu et au su de tout le monde*, openlijk.
suaire m lijkwade, zweetdoek. v**suant** bn 1 (*pop.*) vervelend; 2 (*fam.*) bezweet.
suav/e bn zacht, lieflijk, zoet. v—**ité** v zachtheid, lieflijkheid, zoetheid, fijne geur.
subalpin bn aan de voet der Alpen.
subalterne I bn ondergeschikt. II zn m ondergeschikte.
subconscient I bn onderbewust. II zn m (het) onderbewuste.
subdiviser ov.w onderverdelen. v**subdivision** v 1 onderverdeling; 2 onderafdeling.
subéreux, **-euse** bn kurkachtig.
subir ov.w ondergaan, lijden, verduren; — *un examen*, een examen afleggen.
subit bn plotseling. v—**ement** bw plotseling. v**subito** bw (*fam.*) plotseling.
subject/if, **-ive** bn 1 persoonlijk, subjectief; 2 wat het onderwerp betreft; *proposition* —*ive*, onderwerpszin. v—**ivité** v persoonlijk

karakter.
subjonctif, -ive I bn aanvoegend (*proposition —ive*). **II** zn m aanvoegende wijs.
subjuguer ov.w onderwerpen, beheersen.
sublimation v overhaling, vervluchtiging. **▼sublime I** bn verheven, hoogstaand, edel, subliem. **II** zn m (het) verhevene, edele. **▼sublimé** m sublimaat. **▼sublimer** ov.w vluchtig maken, sublimeren.
subliminal bn onderbewust.
sublimité v verhevenheid.
sublunaire bn ondermaans.
submerger ov.w **1** onderdompelen; **2** overstromen; **3** overstelpen. **▼submers/ible I** bn overstroombaar. **II** zn m duikboot. **▼—ion** v **1** onderdompeling; **2** overstroming.
subodorer ov.w (fam.) vermoeden.
subordination v ondergeschiktheid. **▼subordonn/é I** bn ondergeschikt. **II** zn m ondergeschikte. **▼—ée** v bijzin. **▼—er** ov.w ondergeschikt -, afhankelijk maken.
suborn/ation v verleiding, omkoping. **▼—er** ov.w verleiden, omkopen. **▼—eur** m, **-euse** v omkoper (omkoopster), verleider (-ster).
subrécargue m supercarga, -cargo.
subreptice bn slinks, bedrieglijk. **▼subreption** v bedrog.
subrogation v plaatsvervanging (jur.). **▼subrogé** bn: — tuteur, toeziende voogd. **▼subroger** ov.w in de plaats stellen, overdragen.
subséquent bn volgend. **▼—iaire** bn ondersteunend, helpend, hulp-.
subsist/ance v levensonderhoud, bestaan; les —s, leeftocht. **▼—er** ov.w **1** nog bestaan, over zijn; **2** —de, bestaan van.
subsonique bn minder snel dan het geluid, subsonisch.
substance v **1** substantie, zelfstandigheid; **2** (het) beste, (de) hoofdzaak. **▼substant/iel, -ielle** bn **1** voedzaam; **2** vol inhoud, substantieel; **3** belangrijk, **4** wezenlijk. **▼—if, -ive I** bn zelfstandig. **II** zn m zelfst. naamwoord. **▼—ivement** bw zelfstandig.
substit/uer I ov.w in de plaats stellen, substitueren. **II se** — in de plaats gesteld worden. **▼—ut** m plaatsvervanger, substituut. **▼—ution** v plaatsvervanging, vervanging, substitutie.
substrat, substratum m substraat.
subterfuge m uitvlucht.
subtil bn **1** fijn; **2** snel werkend (venin —); **3** scherp, doordringend (vue —é); **4** scherpzinnig, vernuftig, subtiel. **▼—iser I** ov.w (pop.) rollen, afhandig maken. **II** on.w — sur, scherpzinnig redeneren, muggeziften. **▼—ité** v **1** fijnheid, ijlheid; **2** snelle werking; **3** doordringendheid, scherpte; **4** scherpzinnigheid, subtiliteit; **5** spitsvondigheid; **6** geslepenheid, sluwheid.
subtropical [mv aux] bn subtropisch.
suburbain bn nabij de stad gelegen; quartiers —s, voorsteden.
subvenir (à) on.w onr. voorzien (in), bijstaan. **▼subvention** v bijdrage, subsidie. **▼—ner** ov.w een bijdrage, een subsidie geven aan.
subversif, -ive bn omverwerpend, oproerig, subversief. **▼subversion** v omverwerping. **▼subvertir** ov.w omverwerpen.
suc m **1** sap; **2** kern, merg (fig.).
succédané I bn vervangend. **II** zn m surrogaat.
▼succéder (à) I on.w opvolgen, volgen op. **II se** — elkaar opvolgen.
succès m **1** afloop; **2** goede afloop, succes.
success/eur m opvolger. **▼—ibilité** v recht-, volgorde van opvolging. **▼—ible** bn tot opvolgen bevoegd. **▼—if, -ive** bn **1** achtereenvolgend, opeenvolgend; **2** wat erfenis of opvolging betreft; droit —s, erfrecht; droits —s, successierechten. **▼—ion** v **1** opeenvolging; **2** opvolging, erfrecht; **3** erfenis. **▼—ivement** bw achtereenvolgens. **▼—oral** [mv aux] bn wat erfrecht betreft.
succin m barnsteen.

succinct bn **1** beknopt; **2** (fam.) niet uitgebreid, sober (repas —).
succion v (het) in-, uit-, opzuigen.
succomber on.w **1** bezwijken; **2** sterven.
succulence v **1** sappigheid; **2** smakelijkheid. **▼succulent** bn **1** sappig; **2** smakelijk.
succursale v **1** hulpkerk; **2** bijkantoor, filiaal.
suc/er ov.w **1** in-, uit-, opzuigen; **2** uitzuigen (fig.). **▼—ette** v **1** speen; **2** lolly. **▼—eur, -euse** v zuiger (-ster). **▼suçoir** m zuigspriet, zuignapje. **▼suçoter** ov.w sabbelen op.
sucrage m (het) suikeren. **▼sucrant** bn suiker-, zoetmakend. **▼sucre** m suiker; — candi, kandijsuiker; — de canne, rietsuiker; casser du — (fam.), kwaadspreken; — de lait, melksuiker; pain de —, suikerbrood; en pain de —, kegelvormig; — d'orge, suikerstang. **▼sucr/é** bn **1** gesuikerd, zoet; **2** zoetsappig, overdreven lief. **▼—ée** v: faire la —, preuts doen. **▼—er** ov.w **1** suikeren, zoeten; **2** (pop.) annuleren, wegstrepen. **▼—erie I** v suikerfabriek, -raffinaderij. **II —s** v mv suikergoed. **▼—ier, -ère I** bn wat de suikerfabricage betreft. **II** zn m suikerpot. **▼—in** m suikermeloen.
sud I zn m zuiden. **II** bn zuidelijk. **▼—africain** bn Zuidafrikaans. **▼—américain** bn Zuidamerikaans.
sudation v (het) zweten.
sud-est I zn m zuidoosten. **II** bn zuidoostelijk.
sudor/ifique I bn zweetverwekkend. **II** zn m zweetmiddel. **▼—ipare, —ifère** bn zweetafscheidend.
sud-ouest I zn m zuidwesten. **II** bn zuidwestelijk.
Suède (la) I v Zweden. **II s—** v soort handschoenenleer. **▼suédois I** bn Zweeds. **II** zn S— m, -e v Zweed (se). **III s—** m Zweedse taal.
suée v **1** zweet, (het) zweten; **2** (pop.) grote angst, schrik, rats. **▼suer I** on.w **1** zweten; faire — qn. (pop.), iem. het leven zuur maken; **2** uitslaan (bijv. van muren). **II** ov.w zweten; — sang et eau, water en bloed zweten; — l'ennui, zich dodelijk vervelen; — la peur, in dodelijke angst zitten. **▼sueur** v zweet; être en —, bezweet zijn; à la — de son front, in het zweet zijns aanschijns.
suffire I on.w onr. voldoen, voldoende zijn; à chaque jour suffit sa peine (spr.w), elke dag heeft genoeg aan zijn eigen leed. **II** onp.w: il suffit que, het is voldoende, dat; cela suffit, het is genoeg. **III se** — in zijn eigen onderhoud voorzien. **▼suffis/amment** bw voldoende, genoeg. **▼—ance** v **1** voldoende hoeveelheid; à —, en —, voldoende; **2** verwaandheid, inbeelding. **▼—ant I** bn **1** voldoende; **2** verwaand, zelfgenoegzaam. **II** zn m verwaande kerel.
suffixe m achtervoegsel, suffix.
suffocant bn verstikkend (chaleur —e). **▼suffocation** v verstikking. **▼suffoquer I** ov.w verstikken. **II** on.w **1** stikken; **2** buiten zichzelve zijn.
suffragant m wijbisschop.
suffrage m **1** stem; **2** stemrecht; **3** bijval, goedkeuring.
suggérer ov.w suggereren, inblazen. **▼suggest/ibilité** v vatbaarheid voor suggestie. **▼—ible** bn gemakkelijk te beinvloeden. **▼—if, -ive** bn suggestief, gedachten opwekkend. **▼—ion** v suggestie, ingeving. **▼—ionner** ov.w beinvloeden. **▼—ivité** v suggestiviteit.
suicidaire bn **1** zelfmoord-; **2** tot zelfmoord geneigd; **3** tot mislukken gedoemd. **▼suicid/e** m **1** zelfmoord; **2** zelfmoordenaar. **▼—é** m, -e v zelfmoordenaar (-moordenares). **▼—er (se)** zelfmoord plegen.
suie v roet.
suif m talk, kaarsvet. **▼suiffer** ov.w met vet -, met talk insmeren. **▼suiffeux, -euse** bn talkachtig.
suintement m doorsijpeling, (het) uitslaan. **▼suinter** on.w doorsijpelen, uitslaan.
suisse I bn Zwitsers. **II** zn **Suisse** m,

Suissesse v Zwitser, Zwitserse. **III la S—** v
Zwitserland. **IV s—** m 1 portier, kerkknecht;
2 Zwitsers kaasje.
suite v 1 gevolg, stoet; 2 rij, reeks,
aaneenschakeling; *de —*, daarna,
achtereenvolgens; *tout de —*, dadelijk;
3 gevolg, uitvloeisel; *à la — de*, ten gevolge
van; *donner — à*, gevolg geven aan; *par —*,
bijgevolg; *par — de*, tengevolge van;
4 vervolg; 5 suite (*muz.*); *esprit de —*,
doorzettingsvermogen.
suitée bn (merrie) met haar veulen.
suivant bn v 1 volgeling. **II** bn volgend. **III** vz
volgens, naar. **IV** vgw: *— que*, naarmate, naar
gelang. **▼—e** v kamenier. **▼suiveur** m
1 volger; 2 navolger. **▼suivi** bn
1 samenhangend, logisch; 2 druk bezocht
(*théâtre —*); 3 aanhoudend, geregeld.
▼suivre **I** ov.w onr. 1 volgen, volgen op;
2 achtervolgen; 3 nagaan; 4 bijwonen.
II on.w volgen. **III** onp.w: *il suit de là*, daaruit
volgt. **IV se—** 1 elkaar opvolgen; 2 achter
elkaar lopen; 3 een logisch verband vormen.
sujet, -ette **I** bn (*— à*) 1 onderworpen -,
onderhevig aan; 2 geneigd tot (*— à*);
verslaafd aan; 3 blootgesteld aan, lijdend aan
(*— à la goutte*). **II** zn m 1 onderdaan; 2 reden,
oorzaak, aanleiding; *avoir — de*, reden hebben
om; 3 onderwerp; 4 patiënt; 5 persoon, sujet;
mauvais —, losbol; 6 voorwerp, subject.
▼sujétion v 1 onderworpenheid;
2 gebondenheid, afhankelijkheid.
sulf/amide m sulfapreparaat. **▼—ate** m
sulfaat. **▼—hydrique** bn: *acide —*,
zwavelwaterstof. **▼—ite** m sulfiet. **▼—urage**
m (het) zwavelen. **▼—ure** m sulfide.
▼—ureux, -euse bn zwavelachtig.
▼—urique bn: *acide —*, zwavelzuur.
sultan m 1 sultan; 2 met zijde bedekt mandje;
3 reukkussentje voor een linnenkoffer.
▼sultane v 1 sultane; 2 lang, rijk gewaad dat
van voren open is.
summum m toppunt.
supé bn vastzittend in de modder (*navire —*).
super m superbenzine.
superbe **I** bn 1 prachtig, schitterend, groots,
verheven; 2 fier, hoogmoedig. **II** zn m
hoogmoedige.
supercherie v list, bedrog.
superfétation v overbodigheid, nodeloze
herhaling.
superfic/ie v 1 oppervlakte;
2 oppervlakkigheid. **▼—iel, -elle** bn 1 aan de
oppervlakte gelegen; 2 (*fig.*) oppervlakkig.
▼—iellement bw oppervlakkig.
superfin bn zeer fijn.
superflu **I** bn overbodig, overtollig. **II** zn m
(het) overtollige, overvloed. **▼superfluité** v
overbodigheid, overtolligheid.
superforteresse v superfort.
super-grand m (*fam.*) supermacht.
supérieur **I** bn 1 hoger, bovenste; *officier —*,
hoofdofficier; 2 beter, groter; 3 uitstekend,
voortreffelijk. **II** zn m 1 meerdere;
2 kloosteroverste. **▼supériorité** v
1 meerderheid, overwicht, overmacht,
superioriteit; 2 de grotere voortreffelijkheid;
3 waardigheid v. kloosteroverste.
superlatif, -ive **I** bn overtreffend, in de
hoogste mate. **II** zn m overtreffende trap,
superlatief; *au —*, buitengewoon.
▼superlativement bw buitengewoon.
supermarché m supermarkt.
superphosphate m superfosfaat.
superposer ov.w op elkaar plaatsen.
▼superposition v (het) op elkaar plaatsen.
superproduction v superproductie.
superpuissance v supermogendheid.
supersonique bn sneller dan het geluid,
supersonisch, -soon.
superstit/ieusement bw 1 bijgelovig; 2 al te
nauwgezet. **▼—ieux, -euse** **I** bn 1 bijgelovig;
2 al te nauwgezet. **II** zn m, v bijgelovig
mens. **▼—ion** v 1 bijgeloof; 2 al te grote
nauwgezetheid; *avoir la — du passé*, te veel
aan het verleden gehecht zijn.

superstructure v bovenbouw.
super/viseur m supervisor. **▼—vision** v
supervisie.
supplanter ov.w verdringen, onderkruipen.
supplé/ance v plaatsvervanging. **▼—ant** **I** bn
plaatsvervangend. **II** zn m, -ster v
plaatsvervanger (-ster). **▼—er** **I** ov.w
1 vervangen; 2 aanvullen. **II** on.w (*— à*)
vergoeden, goedmaken. **▼supplément** m
aanvulling, toeslag, supplement. **▼—aire** bn
aanvullend; *heures —s*, overuren. **▼—er** ov.w
laten bijbetalen. **▼supplétif, -ive**,
supplétoire bn aanvullend.
supplication v smeekbede.
supplic/e m 1 doodstraf, lijfstraf, marteling; *le
dernier —*, de doodstraf; *les —s éternels*, de
straffen der hel; 2 marteling (*fig.*), kwelling; *il
est au —*, dat is een marteling voor hem; hij zit
op hete kolen. **▼—ié** m terechtgestelde. **▼—ier**
ov.w 1 terechtstellen; 2 folteren.
supplier ov.w smeken; *je vous en supplie*, ik
smeek het je; toe nou! **▼supplique** v
verzoekschrift.
support m steun (ook *fig.*). **▼—able** bn
1 draaglijk, te verdragen; 2 vergefelijk. **▼—er**
ov.w 1 steunen; 2 dragen; (*— les frais*);
3 verdragen, verduren; (*— l'eau*, waterdicht
zijn; *— le feu*, vuurvast zijn); 4 dulden.
suppos/able bn veronderstelbaar. **▼—é** **I** bn
verzonnen, vals. **II** vgw: *— que*, gesteld dat.
▼—er ov.w 1 onderstellen; 2 verzinnen,
uitdenken, vervalsen. **▼—ition** v
1 onderstelling; 2 verzinsel, vervalsing.
▼—itoire m zetpil.
suppôt m 1 suppoost; 2 handlanger.
suppression v 1 onderdrukking; 2 opheffing,
afschaffing; 3 weglating. **▼supprimer** ov.w
1 onderdrukken; 2 opheffen, afschaffen;
3 weglaten; 4 verzwijgen.
suppur/atif, -ive **I** bn de ettering
bevorderend. **II** zn m ettervormend middel.
▼—ation v ettering. **▼—er** ov.w etteren.
supputation v raming, schatting. **▼supputer**
ov.w ramen, schatten, berekenen.
suprasensible bn bovenzinnelijk.
supraterrestre bn bovenaards.
suprématie v voorrang, meerderheid,
suprematie. **▼suprême** **I** bn 1 hoogste,
opperste, supreem; *au — degré*, in de hoogste
mate; *l'Être —*, God; 2 laatste, uiterste; *heure
—, moment —*, het uur v.d. dood; *honneurs
—s*, laatste eer; *volonté —*, uiterste wil. **II** zn m
(*cul.*) vis-, wildfilet met zachte saus.
sur vz 1 op; bovenop; 2 boven, over; 3 van
(*prendre — la table*); 4 aan (*cette ville est
située — la Seine*); 5 bij (*avoir dix florins —
soi*); 6 over; 7 naar, volgens (*juger — les
apparences*, naar de schijn oordelen; 8 tegen
(*— le soir*); 9 op (*tijd*); *— le coup de midi*,
klokslag twaalf.
sur bn zuur.
sûr bn 1 zeker, betrouwbaar (*ami —*); *à coup
—*, ongetwijfeld; *avoir la main —e*, een vaste
hand hebben; *goût —*, fijne smaak; 2 veilig;
mettre qn. en lieu —, iem. op een veilige plaats
brengen; iem. achter slot en grendel zetten.
surabond/amment bw meer dan voldoende.
▼—ance v overmaat, overdaad, (te) grote
overvloed. **▼—ant** bn 1 zeer overvloedig;
2 overtollig, overbodig. **▼—er** on.w zeer
overvloedig voorkomen.
suraigu bn krijsend, schril.
surajouter ov.w 1 achteraf toevoegen;
2 overcompleet maken.
suralimenter ov.w overvoeden.
suranné bn verouderd.
surboum v (*fam.*) surprise-party, dansfeest
thuis.
surcharge v 1 overbelasting, overwicht,
overlading; 2 opdruk (op postzegels);
3 woord dat over een ander heen geschreven
is. **▼surcharger** ov.w 1 overladen,
overbelasten; 2 een woord over een ander
schrijven.
surchauffe v oververhitting. **▼surchauffer**
ov.w oververhitten.

surchoix *m* eerste kwaliteit (*viande de* —).
surclasser *ov.w* verpletteren (*sport*).
surconsommation *v* overconsumptie.
surcontrer *ov.w* redoubleren (*bridge*).
surcot *m* middeleeuws bovenkleed.
surcouper *ov.w* overtroeven.
surcroît *m*: *par* —, *de* —, bovendien; *pour* — *de malheur*, tot overmaat v. ramp.
surdent *v* overtand.
surdi-mutité *v* doofstomheid. ▼**surdité** *v* doofheid.
sureau [*mv* **x**] *m* vlier.
surélévation *v* 1 verhoging, bovenbouw; 2 prijsverhoging. ▼**surélever** *ov.w* 1 hoger optrekken (— *un mur*); 2 erg (in prijs) verhogen (— *les prix*).
surelle *v* klaverzuring.
sûrement *bw* zeker, veilig.
surenchère *v* hoger bod, opbod. ▼**surenchérir** *ov.w* hoger bieden. ▼**surenchériss/ement** *m* (het) hoger bieden. ▼—**eur** *m*, -**euse** *v* iem. die hoger biedt.
surentraîner *ov.w* overtrainen.
suréquip/ement *m* te grote voorzieningen. ▼—**er** *ov.w* van te veel voorzien.
surestim/ation *v* te hoge schatting. ▼—**er** *ov.w* overschatten, te hoog schatten, overwaarderen.
suret, -ette *bn* iets zuur.
sûreté *v* 1 zekerheid, betrouwbaarheid; 2 veiligheid; *en* —, in veiligheid; *en* — *de conscience*, met een zuiver geweten; *serrure de* —, veiligheidsslot; 3 waarborg, veiligheidsmaatregel; 4 **S**— Veiligheidsdienst; *agent de la* —, rechercheur.
surévaluer *ov.w* te hoog schatten.
surexcit/ation *v* overprikkeling, zeer grote opwinding. ▼—**er** *ov.w* overprikkelen, overspannen.
surexposer *ov.w* overbelichten (*fot.*). ▼**surexposition** *v* overbelichting (*fot.*).
surf *m* surf. ▼—**er** *on.w* surfen. ▼—**eur** *m* surfer.
surface *v* 1 oppervlakte; *faire* —, naar boven komen v.e. onderzeeboot; *grande* —, supermarkt; 2 schijn; 3 krediet.
surfaire *ov.* en *on.w onr.* 1 overvragen; 2 overschatten, te zeer prijzen.
surfiler *ov.w* rijgen.
surfin *bn* zeer fijn.
surgelé *bn* diepvries-.
surgeon *m* wortelscheut. ▼**surgir** *on.w* opwellen, opkomen, opdoemen; *des difficultés surgissent*, er doen zich plotseling moeilijkheden voor.
surhaussement *m* verhoging.
surhomme *m* 'Uebermensch'.
surhumain *bn* bovenmenselijk.
surimposer *ov.w* te hoog belasten.
surimpression *v* (*fot.*) afdruk over elkaar heen.
surin *m* (*fam., oud*) mes. ▼—**er** *ov.w* doodsteken.
surir *on.w* zuur worden.
surjet *m* overnaad; *de* —, overhands.
surjeu *m* play-back.
sur-le-champ *bw* dadelijk, terstond, onmiddellijk.
surlendemain *m* de tweede dag daarna.
surmen/age *m* overspanning. ▼—**er** *ov.w* overladen, afbeulen. **II se** — zich overwerken, zich overspannen.
sur-moi *m* super-ego.
surmontable *bn* te overkomen, overkomelijk (*difficulté* —). ▼**surmonter** *ov.w* 1 stijgen boven; 2 staan op; 3 te boven komen, overwinnen (— *des difficultés*).
surmouler *ov.w* een afgietsel maken naar een ander afgietsel.
surmultiplication *v* overdrive.
surnager *on.w* 1 drijven; 2 voortleven, overblijven.
surnaturel, -elle I *bn* 1 bovennatuurlijk; 2 ongelooflijk, buitengewoon. **II** *zn m* (het) bovennatuurlijke.

surnom *m* bijnaam.
surnombre *m* overtal; *en* —, te veel.
surnommer *ov.w* een bijnaam geven.
surnuméraire I *bn* boventallig, overcompleet. **II** *zn m* surnumerair.
suroffre *v* hoger bod.
suroît *m* 1 Z.W. wind; 2 zuidwester.
surpassable *bn* overtrefbaar. ▼**surpasser** *ov.w* 1 overtreffen, overvleugelen; 2 uitsteken boven; 3 te boven gaan (*cela dépasse mes moyens*).
surpay/e *v* toeslag. ▼—**er** *ov.w* te veel betalen voor, te duur kopen.
surpeuplé *bn* overbevolkt. ▼**surpeuplement** *m* overbevolking.
surplis *m* superplie (*rk*).
surplomb *m* overhelling. ▼—**ement** *m* overhelling. ▼—**er I** *on.w* overhellen. **II** *ov.w* hangen over (*rocher qui surplombe un ravin*).
surplus *m* overschot; *au* —, overigens, bovendien.
surpoids *m* overwicht.
surpopulation *v* overbevolking.
surprenant *bn* verrassend. ▼**surprendre** *ov.w onr.* 1 verrassen; 2 betrappen, overvallen; 3 verwonderen; 4 bedriegen; 5 onderscheppen (— *une lettre*).
surpression *v* abnormaal hoge (grote) druk.
surprise *v* 1 verrassing; 2 verwondering. ▼—†-**partie†** *v* dansfeest bij iem. thuis.
surproduction *v* overproduktie. ▼**surproduire** *ov.w onr.* te veel produceren.
surréalisme *m* surrealisme. ▼**surréaliste** *m* aanhanger v.h. surrealisme.
surrégénérateur, -trice *bn*: *réacteur* —, kweekreactor.
sursaturation *v* oververzadiging. ▼**sursaturer** *ov.w* oververzadigen.
sursaut *m* plotselinge (op)sprong; *se réveiller en* —, wakker schrikken. ▼**sursauter** *on.w* plotseling opspringen.
surséance *v* (*oud*) uitstel, opschorting.
sursemer *ov.w* opnieuw inzaaien.
surseoir *on.* en *ov.w onr.* uitstellen. ▼**sursis** *m* uitstel; — *de paiement*, surséance v. betaling. ▼**sursitaire I** *bn* met uitstel. **II** *zn m* 1 iem. die uitstel heeft; 2 student met studieverlof.
surtaux *m* te hoge belasting.
surtaxe *v* 1 verhoogde belasting; 2 toeslag, strafport. ▼**surtaxer** *ov.w* een extra belasting leggen op.
surtension *v* (te) grote spanning.
surtout I *zn m* overjas. **II** *bw* vooral.
surveillance *v* toezicht. ▼**surveiller** *ov.w* toezicht houden op, bewaken.
survenance *v* onvoorziene komst. ▼**survenir** *on.w onr.* onverwachts komen. ▼**survenue** *v* onverwachte komst.
survêtement *m* trainingspak.
survie *v* 1 (het) 't langst leven; 2 (het) voortbestaan na de dood. ▼**surviv/ance** *v* 1 (het) overleven, overleving; 2 (het) voortbestaan na de dood; 3 recht tot opvolging na overlijden. ▼—**ant** *m*, -**e** *v* overlevende, overblijvende. ▼**survivre** *on.w onr.* (**à**) overleven.
survol *m* vlucht boven, (het) overvliegen. ▼**survoler** *ov.w* vliegen boven.
sus I *vz* op; *courir* — *à qn.*, op iem. aanstormen; *en* —, daarenboven; *en* — *de*, behalve. **II** *tw* vooruit!
suscept/ibilité *v* 1 vatbaarheid; 2 lichtgeraaktheid. ▼—**ible** *bn* 1 vatbaar voor (— *de*); 2 gevoelig; 3 lichtgeraakt.
susciter *ov.w* 1 verwekken; 2 doen ontstaan (— *une querelle*); 3 opruien.
suscription *v* adres.
susdit *bn* voornoemd. ▼**susmentionné** *bn* bovengemeld. ▼**susnommé** *bn* of *m* of v. bovengenoemd(e).
suspect I *bn* verdacht. **II** *zn m* verdachte. ▼**suspecter** *ov.w* verdenken.
sus/pendre *ov.w* 1 ophangen; 2 in spanning -, in onzekerheid houden; 3 opschorten, uitstellen; 4 onderbreken (— *sa marche*); 5 schorsen. ▼—**pendu** *bn*

1 hangend, zwevend; *pont* —, hangbrug;
2 besluiteloos; 3 uitgesteld; 4 geschorst.
▼**suspens** *bn* geschorst; *en* —, in
onzekerheid, in spanning, onbeslist. ▼—e l v
kerkelijke schorsing. ll m spanning. ▼—if,
-ive *bn* schorsend, uitstellend. ▼—ion v
1 (het) ophangen, hangen; (*tech.*) ophanging;
en —, hangend, zwevend; 2 hanglamp;
3 schorsing; 4 uitstel, opschorting; — *d'armes*,
tijdelijke wapenstilstand. ▼—oir *m* draagband.
suspicion v verdenking; *tenir en* —,
verdenken.
sustentation v 1 (*oud*) voeding, onderhoud;
2 (het) in evenwicht houden (v.e. vliegtuig).
▼**sustenter** *ov.w* (*oud*) voeden,
onderhouden.
susurr/ation v, —**ement** *m* geruis, geritsel.
▼—*er on.* en *ov.w* ruisen, gonzen, fluisteren.
suture v 1 hechting (*med.*); 2 naad. ▼**suturer**
ov.w hechten (*med.*).
suzerain l *zn m* opperleenheer. ll *bn* v.d.
opperleenheer.
svastika *m* hakenkruis.
svelt/e *bn* slank. ▼—**esse** v slankheid.
sweater *m* sweater.
swing *m* 1 zijdelingse vuiststoot; 2 swing;
3 ritme. ▼—**uer** *on.w* swingen.
sybarite *m* sybariet, wekeling.
sycomore *m* esdoorn.
sycophante *m* (*oud*) verklikker, aanbrenger.
syllabe v id., lettergreep; *ne pas répondre une*
—, geen antwoord geven. ▼**syllabique** *bn* v.d.
lettergrepen. ▼**syllabus** *m* lijst der door de
paus veroordeelde dwalingen.
syllogisme *m* sluitrede.
sylphe *m* luchtgeest. ▼**sylphide** v
1 vrouwelijke luchtgeest; 2 slanke, bevallige
vrouw.
sylv/ains *m mv* bosgeesten. ▼—**estre** *bn* in de
bossen groeiend. ▼—**icole** *bn* van de
bosbouw. ▼—**iculteur** *m* bosbouwkundige.
▼—**iculture** v bosbouw.
symbol/e *m* 1 symbool, zinnebeeld; 2 *le* —
des Apôtres, de twaalf artikelen des geloofs;
3 scheikundig teken. ▼—**ique** l *bn* symbolisch.
ll *zn* v symboliek. ▼—**isation** v zinnebeeldige
voorstelling. ▼—**iser** *ov.w* zinnebeeldig
voorstellen, symboliseren. ▼—**isme** *m*
symboliek, symbolisme (stroming in literatuur
en beeldende kunsten uit het einde der 19e
eeuw). ▼—**iste** l *bn* symbolistisch. ll *zn m* of v
symbolist.
symétrie v symmetrie. ▼**symétrique** *bn*
symmetrisch.
sympa *bn* (*fam.*) sympathiek, prettig.
▼**sympath/ie** v sympathie, medegevoel.
▼—**ique** l *bn* sympathiek, innemend. ll *zn m*
zenuw langs de wervelkolom (*ook: grand* —).
▼—**iser** *on.w* sympathiseren.
symphon/ie v symfonie. ▼—**ique** *bn*
symfonisch. ▼—**iste** *m* 1 schrijver v.e.
symfonie; 2 lid van een symfonieorkest.
symptom/atique *bn* symptomatisch, de
kentekenen v.e. ziekte vertonend.
▼—**atologie** v leer der symptomen.
▼**symptôme** *m* 1 symptoom,
ziekteverschijnsel; 2 kenteken, verschijnsel.
synagogue v 1 synagoge; 2 joodse
godsdienst, -wet.
synchron/e *bn* gelijktijdig ▼—**ique** *bn*
gelijktijdig, synchronisch; *tableau* —, tabel
waarop gelijktijdige feiten zijn aangegeven.
▼—**isation** v synchronisatie (het met elkaar in
overeenstemming brengen v.d. beelden en
klanken v.e. film). ▼—**iser** *ov.w* 1 gelijktijdig
maken; 2 beelden en muziek op elkaar
afstemmen, synchroniseren. ▼—**isme** *m*
gelijktijdigheid.
syncopal [*mv* **aux**] *bn* wat een flauwte betreft.
▼**syncope** v 1 flauwte (*tomber en* —); 2 (het)
weglaten v.e. letter of deel v.e. woord;
3 syncope (*muz.*). ▼**syncoper** *ov.w* 1 een
letter of deel v.e. woord weglaten;
2 syncoperen (*muz.*).
syndic *m* 1 bestuurder, gildemeester; *les* —*s*
des drapiers, de Staalmeesters v. Rembrandt;

2 curator in een faillissement; 3 gemachtigde.
▼—**al** [*mv* **aux**] *bn* v.e. (vak)vereniging.
▼—**alisme** *m* vakbeweging. ▼—**aliste** l *zn m*
voorstander -, lid der vakbeweging. ll *bn* v.e.
vakbeweging. ▼—**at** *m* 1 waardigheid v.d.
gildemeester of curator; 2 duur van zijn
ambtsperiode; 3 syndicaat; 4 vakvereniging;
— *d'initiative*, vereniging tot bevordering v.h.
vreemdelingenverkeer. ▼—**ataire** l *bn* wat de
(vak)vereniging betreft. ll *zn m* lid v.e.
vakvereniging. ▼**syndiqué** *m* lid v.e.
vakvereniging. ▼**syndiquer** l *ov.w* verenigen
tot een syndicaat of de vakvereniging. ll *se* — een
syndicaat -, een vakvereniging vormen.
syndrome *m* syndroom.
synod/al [*mv* **aux**] *bn* een synode betreffend.
▼—**e** *m* synode. ▼—**ique** *bn* v.e. synode.
synonym/e *m* synoniem. ▼—**ie** v gelijke
betekenis, zinverwantschap.
synoptique *bn* overzichtelijk; *tableau* —,
synopsis.
syntactique, **syntaxique** *bn* syntactisch.
▼**syntaxe** v syntaxis.
synthèse v samenstelling, opbouw,
samenvatting tot een geheel, synthese.
▼**synthétique** *bn* synthetisch. ▼**synthétiser**
ov.w samenvatten.
syntonisation v afstemming (*radio*).
▼**syntoniser** *ov.w* afstemmen (*radio*).
syphilis v syfilis. ▼**syphilitique** l *bn* syfilitisch.
ll *zn m* of v lijder(es) aan syfilis.
Syrie (la) v Syrië. ▼**syrien, -enne** l *bn* Syrisch.
ll *zn* **S**— *m*, -**enne** v Syriër, Syrische.
syringe, **syrinx** v pansfluit.
systématique l *bn* stelselmatig; systematisch.
ll *zn* v systematiek. ▼**systématiser** *ov.w*
systematiseren. ▼**système** *m* systeem, stelsel;
le — *D*, (*fam.*) (*d* = *débrouille-toi*), het
zichzelf ergens doorheen slaan, het zichzelf
zien te redden; — *féodal*, leenstelsel.
systole v samentrekking v. hart en slagaderen.

t *m* de letter t.

t' *zie* te.

ta *vnw zie* ton.

tabac *m* **1** tabak; *avoir le gros —* (*fig.*), veel succes hebben; *bureau de —,* (staats)tabakswinkel; *c'est le même —,* (*pop.*) het is hetzelfde; *prendre du —,* snuiven; *— à priser, — râpé,* snuif; **2** (*pop.*) (staats)tabakswinkel; **3** (*fam.*): *pot à —,* klein en dik persoon; **4** *passer à —,* (*pop.*) afranselen; **5** tabakskleurig; **6** *les —s,* de administratie der tabaksregie. ▼**taba/gie** *v* rookkamer, rookhol. ▼**—gisme** *m* nicotinevergiftiging.

tabaooor *ov.w* (*pop.*) aftuigen.

tabatière *v* snuifdoos; *fenêtre à —,* klapvenster.

tabellaire *bn* tabellarisch.

tabernacle *m* **1** tent; *fête des —s,* Loofhuttenfeest; **2** tabernakel.

tablature *v* tablatuur.

table *v* **1** tafel, dis; *— d'hôte,* open tafel; *mettre, dresser la —,* de tafel dekken; *se mettre à —,* aan tafel gaan; *— de nuit,* nachtkastje; *la sainte —,* de H. Communie; *s'approcher de la sainte —,* ter communie gaan; **2** tafel, vlak v. steen of metaal; *— d'autel,* altaarblad; *— de communion,* communiebank; *les —s de la loi,* de tafelen der Wet; **3** tabel, lijst; *— des matières,* inhoudsopgave; *— de multiplication,* tafel v. vermenigvuldiging; *faire —rase,* schoon schip, tabula rasa maken.

tableau [*mv* x] *m* **1** schilderij, tafereel; toneel; **2** tafel, lijst; **3** schoolbord (*— noir*); **4** tafereel (toneel); *—x vivants,* levende beelden; **5** spiegel (*scheepv.*); **6** (het) geschoten wild; **7** *— de dessin,* tekentafel; **8** bord, paneel; *— indicateur,* nummerbord; *— de bord,* dashboard. ▼**—tin** *m* schilderijtje.

tabler (**sur**) *on.w* rekenen op.

tablette I *v* **1** plank; blad (*— de cheminée*); **2** plak, tablet (*— de chocolat*). II **—s** *v mv* wastafeltje om op te schrijven; *rayez cela de vos —s,* reken daar niet op.

tablier *m* **1** voorschoot, schort; *— de cuisine,* keukenschort; **2** dashboard; **3** brugdek.

tabou I *bn* heilig, onschendbaar. II *zn m* taboe.

tabouret *m* **1** taboeret, krukje; **2** voetenbankje; **3** voorrecht der hertoginnen om op een taboeret te mogen zitten in het bijzijn v.d. koning of koningin.

tabulaire *bn* tafel-, tabelvormig.

tabulateur *m* tabulator (v. schrijfmachine). ▼**tabulatrice** *v* ponskaartenmachine.

tac *m* tik v.e. degen; *riposter du — au —,* een aanval bij het schermen met een tegenaanval beantwoorden; iem. een venijnig antwoord teruggeven.

tacet *m* rust (*muz.*).

tache *v* **1** vlek; *— de rousseur, — de son,* sproet; *— du soleil, — solaire,* zonnevlek; **2** smet (*fig.*); *faire —,* niet passen; *— originelle,* erfzonde.

tâche *v* taak; *à chaque jour suffit sa —,* (*spr.w*) men moet niet te veel hooi op de vork nemen; *prendre à — de,* zich tot taak stellen te; *travailler à la —,* tegen stukloon werken.

tacher *ov.w* bevlekken, bezoedelen.

tâcher (met **à** of **de**) *on.w* trachten, pogen,

proberen.

tâcheron *m* stukwerker.

tacheter *ov.w* vlekken.

tachy/cardie *v* versnelde hartslag. ▼**—graphe** *m* tachograaf. ▼**—mètre** *m* snelheidsmeter, toerenteller, tachometer.

tacite *bn* stilzwijgend. ▼**taciturne** *bn* stilzwijgend; *Guillaume le T—,* Willem de Zwijger. ▼**taciturnité** *v* stilzwijgendheid.

tacler *ov.w* tackelen.

tacot *m* (*fam.*) rammelkast (auto enz.).

tact *m* **1** gevoel; **2** tact, fijn gevoel, handigheid in de omgang. ▼**—icien** *m* tacticus. ▼**—ile** *bn* **1** v.h. gevoel; **2** tastbaar. ▼**—ique** I *zn v* tactiek. II *bn* tactisch.

taffetas *m* taf (zijde).

taie *v* **1** sloop; **2** witte vlek op het oog.

taillable *bn* belastingplichtig.

taillade *v* **1** snee; **2** split. ▼**tailladher** *ov.w* kerven, snijden in.

taillanderie *v* gereedschapswinkel, handel in gereedschappen.

taille *v* **1** (het) hakken, houwen; **2** (het) snijden; **3** (het) slijpen v. diamanten; **4** (het) snoeien v. bomen; **5** scherp v.e. degen; *frapper d'estoc et de —,* er flink op losslaan; **6** afmeting, grootte, maat, formaat; *à (de) la — de,* in verhouding tot, geschikt voor; *être de — à,* opgewassen zijn tegen, sterk genoeg zijn om ...; **7** gestalte, figuur; *avoir la — bien prise,* een aardig figuurtje hebben; *sortir en —,* zonder mantel of overjas uitgaan; **8** middel; **9** luxut dat na het hakken weer uitloopt; **10** belasting van vóór de Fr. Revolutie; **11** kerfstok; **12** insnijding met de graveerstift; *gravure en — douce,* kopergravure; *gravure en — dure,* staalgravure; **13** blaassteenoperatie. ▼**taillé** I (*fig.*) gebouwd; **2** *être — pour,* geknipt zijn voor; **3** gesnoeid, bijgepunt enz. ▼**—taille/-crayon**(s) *m* potloodslijper. ▼**—†-douce†** *v* kopergravure. ▼**taill/er** I *ov.w* **1** hakken, houwen; *— en pièces,* in de pan hakken; *— de la besogne, — des croupières à qn.,* iem. de handen vol werk geven; **2** snijden; **3** slijpen v. diamanten; **4** snoeien; **5** knippen; **6** belasting opleggen aan (*oud*). II *se —* (*pop.*) ervandoor gaan. ▼**—erie** *v* **1** (het) slijpen v. diamanten; **2** diamantslijperij. ▼**—eur** *m* **1** slijper, houwer, snijder, snoeier; **2** kleermaker; (*costume*) *tailleur,* dameskostuum, bestaande uit jasje en rok. ▼**—euse** *v* (*oud*) kleermaakster. ▼**—is** I *zn m* **1** hakhout, kreupelhout. II *bn: bois —,* kreupelhout, hakhout. ▼**—oir** *m* **1** hakbord; **2** bovenstuk v.e. kapiteel.

tain *m* verfoeliesel.

taire I *ov.w onr.* verzwijgen; *faire —,* het zwijgen opleggen; *faire — le canon,* het kanon tot zwijgen brengen. II *se —* zwijgen.

talc *m* talk. ▼**—ique** *bn* talksteenachtig.

talent *m* **1** oud Grieks gewicht; **2** oude Gr. munt; **3** talent, gave; **4** begaafd mens. ▼**—ueux, -euse** *bn* (*fam.*) begaafd, talentvol.

taler *ov.w* (vruchten) kneuzen.

talion *m* wedervergelding.

talisman *m* talisman.

tallage *m* **1** (het) uitstoelen v. planten; **2** (de) scheuten. ▼**talle** *v* wortelscheut. ▼**taller** *on.w* uitstoelen.

talmudique *bn* v.d. talmud.

taloche *v* oorvijg. ▼**talocher** *ov.w* een oorvijg geven aan.

talon *m* **1** hiel, hak; *marcher sur les —s de qn.,* iem. op de hielen zitten; *montrer les —s,* de hielen lichten; **2** hiel v. schoen of kous; **3** achterstuk, uiteinde (*— de pain*); **4** stok (kaartspel); **5** talon (v. effect enz.). ▼**—ner** *ov.w* **1** aanzetten v.e. paard met de hielen of de sporen; **2** op de hielen zitten (*= un ennemi*); **3** vervolgen, nazetten (*fig.*); **4** achteruit schieten. ▼**—nette** *v* **1** hielstuk v. kous; **2** stootband v. broek.

talpack *m* kolbak.

talqueux, -euse *bn* talkachtig.

talus *m* talu(d) d, glooiing.

tamar/in *m* tamarinde(boom). ▼**—inier** *m*

tamarindeboom. ▼—is *m* tamarisk.
tambouille *v* (*pop.*) keuken; slecht eten.
tambour *m* 1 trom; — *battant*, met slaande
trom; *battre du* —, de trom roeren; *ce qui vient
de la flûte s'en va par le* —, (*spr.w*) zo
gewonnen, zo geronnen; *partir sans* — *ni
trompette*, met stille trom vertrekken;
2 trommelslager; 3 trommelholte v.h. oor;
4 cilinder v.e. horloge; 5 borduurraam;
6 tochtportaal; 7 hardkast (*scheepv.*). ▼—in
m tamboerijn, hoge, smalle trom. ▼—inage,
—inement *m* getrommel. ▼—inaire *m*
Provençaalse tamboerijnslager. ▼—iner
I *on.w* trommelen, tamboer(er)en. II *ov.w*
1 trommelen; 2 door de omroeper laten
rondtrommelen; 3 (*fig.*) rondbazuinen.
▼—ineur *m* trommelslager. ▼—†-major†*m*
tamboer-majoor.
tamier *m* smeerwortel.
tamis *m* zeef; *passer au* —, ziften, zeer
nauwkeurig onderzoeken. ▼—age *m* (het)
zeven.
Tamise *v* Theems.
tamis/er I *ov.w* ziften, zeven; dempen (licht).
II *on.w* wind doorlaten (*voile qui tamise*).
▼—eur *m* zever.
tampon *m* 1 stop, prop, plug, tampon;
2 inktrol, inktkussen, stempel; 3 buffer;
4 (*fam.*) ronde platte pet; 5 (*fam.*) ordonnans,
oppasser; 6 (*pop.*): *coup de* —, vuistslag.
▼—nement *m* 1 (het) dichtstoppen met een
prop; 2 (het) insmeren met een prop; 3 botsing
(v. treinen). ▼—ner *ov.w* 1 betten; 2 insmeren
met een prop; 3 botsen tegen (v. treinen)
4 stempelen. ▼—neur, -neuse *m* botsend;
auto —*neuse*, botsauto.
tam-tam†*m* 1 gong, keteltrom; 2 (*fam.*)
drukte, ophef (*faire du* —).
tan *m* run.
tancer *ov.w* berispen, een uitbrander geven
aan.
tanche *v* zeelt.
tandem *m* tandem.
tandis que *vgw* terwijl.
tangage *m* (het) stampen v.e. schip, v.e.
vliegtuig.
tang/ence *v* aanraking; *point de* —, raakpunt.
▼—ent *bn* rakend. ▼—ente *v* raaklijn,
tangens. ▼—entiel, -elle *bn* wat de raaklijn
betreft, tangentieel. ▼—ibilité *v* tastbaarheid.
▼—ible *bn* voelbaar, tastbaar.
tango *m* tango.
tanguer *on.w* 1 stampen v.e. schip; 2 (*fam.*) de
tango dansen.
tanière *v* 1 dierenhol; 2 krot.
tanin, tannin *m* looistof.
tank *m* gevechtswagen. ▼—er *m* olietanker.
▼—iste *m* tanksoldaat.
tann/age *m* (het) looien. ▼—ant *bn* 1 geschikt
voor het looien; 2 (*pop.*) vervelend. ▼—e *v*
vetpuistje. ▼—é *bn* 1 gelooid; 2 gebruind,
tanig, taankleurig. II *zn m* taankleur. ▼—er
ov.w 1 looien; 2 bruinen; 3 (*pop.*) erg vervelen,
plagen. ▼—erie *v* leerlooierij. ▼—eur *m*
leerlooier. ▼—in = tanin. ▼—ique *bn* looistof
bevattend.
tan-sad *m* duozitting.
tant *bw* zoveel, zo; zolang; — *bien que mal*, zo
goed en zo kwaad als het gaat (ging); *en* —
que, voor zover; — *mieux*, des te beter; — *que*,
zolang, zover; — *pis*, des te erger; — *s'en faut
que*, het scheelt heel wat, dat; *si* — *est que*, als
het waar is, dat; verondersteld, dat; (*un*) — *soit
peu*, enigszins, een weinig.
Tantale *m*: *supplice de* —, tantaluskwelling.
tante *v* 1 tante; *grand'* —, oudtante; 2 (*pop.*):
ma —, ome Jan, de lommerd; 3 (*pop.*)
homo(fiel).
tantième *bn en zn m* 1 zoveelste; 2 aandeel in
de winst, tantième.
tantine *v* (*fam.*) tantetje.
tantinet *m* een klein beetje.
tantôt I *bw* zo meteen, straks; *à* —, tot straks; —
... —, nu eens, dan weer. II *zn m* middag.
taon *m* horzel.
tapag/e *m* geraas, lawaai; *faire du* —, herrie

maken; opschudding verwekken. ▼—eur,
-euse I *bn* 1 luidruchtig; 2 opzichtig. II *zn m*,
-euse *v* herrieschopper (-ster).
tapant *bn* klokslag (*midi* —). ▼tape *v* 1 tik,
klapje; 2 tap, prop. ▼tapé *bn* 1 plat en
gedroogd (*poire* —*e, pomme* —*e*); 2 (*fam.*):
c'est —*!*, die zit! ▼tape-à-l'œil *bn* (*fam.*)
opvallend. ▼tapecul, tape-cul *m* hotsend
rijtuig. ▼tapée *v* (*fam.*) groot aantal (—
d'enfants). ▼taper I *ov.w* 1 slaan, tikken,
kloppen; 2 dichtstoppen; 3 tikken op
schrijfmachine; 4 op een piano rammelen;
5 (*fam.*) geld lenen. II *on.w* kloppen, slaan,
tikken, steken (v.d. zon); — *dans le mille*, in de
roos schieten. III *se* — 1 elkaar slaan; 2 (*pop.*)
eten, drinken, naar binnen werken; (*fam.*)
afleggen (weg); opknappen (v. werk).
▼tapette *v* 1 klapje, tikje; 2 kleerklopper;
3 soort knikkerspel; 4 (*pop.*) tong. ▼tapeur *m*,
-euse *v* 1 (*fam.*) iem. die veel leent; 2 iem. die
op de piano rammelt.
tapin *m* 1 (*oud*) slecht tamboer; 2 (*pop.*)
trottoir; *faire le* —, 'tippelen'.
tapinois: *en* —, stilletjes, heimelijk.
tapioca *m* 1 tapioca; 2 tapiocasoep.
tapir *m* 1 tapir; 2 (*arg.*) iem. die privé-les krijgt.
tapir (se) zich verbergen, neerhurken.
tapis *m* vloerkleed, tapijt, tafelkleed; *mettre sur
le* —, te berde -, op het tapijt brengen; —
roulant, lopende band, roltrap; *le* — *vert*, het
groene laken, de speeltafel; — *de billard*,
biljartlaken; — *de table*, tafelloper. ▼tapiss/er
ov.w 1 behangen, stofferen; 2 bekleden,
bedekken. ▼—erie *v* 1 tapisserie, wandtapijt;
2 borduurwerk; 3 behang; *faire* —,
muurbloempje zijn. ▼—ier *m*, -ière *v*
1 tapijtwever (-weefster); 2 meubel- en
tapijtverkoper (-verkoopster); 3 behanger.
▼—ière *v* (*oud*) meubelwagen,
verhuiswagen.
tapotement *m* (het) trommelen. ▼tapoter
ov.w 1 tikken; 2 op de piano trommelen.
taquet *m* klamp; (*scheepv.*) kikker.
taquin I *bn* plaagziek. II *zn m* plaaggeest. ▼—er
ov.w plagen. ▼—erie *v* 1 plaagzucht;
2 plagerij.
tarabiscoter *ov.w* opsmukken, te mooi
maken.
tarabuster *ov.w* (*fam.*) hinderen, vervelen.
taratata! *tw* och kom!, loop heen!
taraud *m* houtschroef. ▼—er *ov.w* uitboren en
een schroefdraad maken.
tard *bw* laat; *au plus* —, op zijn laatst; *il se fait*
—, het wordt laat; *sur le* —, op (te) late leeftijd;
op het nippertje. ▼—er I *on.w* dralen; *il ne* — *a
pas à venir*, hij zal spoedig komen. II *onp.w*: *il
me tarde de*, ik verlang ernaar om te. ▼—if,
-ive *bn* 1 laat; 2 langzaam; 3 achterlijk.
▼—illon *m*, -onne *v* (*fam.*) nakomertje.
▼—ivement *bw* 1 laat; 2 langzaam. ▼—iveté
v 1 late ontwikkeling; 2 achterlijkheid.
tare *v* 1 tarra; 2 gebrek, fout, smet (*fig.*). ▼taré
bn bedorven, berucht.
tarentelle *v* 1 Zuiditaliaanse dans, tarantella;
2 muziek bij die dans.
tarentule *v* soort grote spin, tarantella.
tarer *ov.w* 1 beschadigen; 2 bezoedelen, een
smet werpen op; 3 de tarra bepalen, tarreren.
taret *m* paal-, houtworm.
targuer (se — de) prat gaan op, zich laten
voorstaan op.
tarière *v* 1 avegaar; 2 legboor v. insekt.
tarif *m* tarief; — *mobile*, glijdend tarief. ▼—aire
bn volgens het tarief. ▼—er *ov.w* de prijs, het
tarief vaststellen van. ▼—ication *v* tarifering,
tariefregeling.
tarin *m* 1 sijsje; 2 (*pop.*) neus.
tarir I *ov.w* doen opdrogen, uitputten. II *on.w*
1 uitdrogen; 2 ophouden (*pleurs qui ne
tarissent pas*); 3 *ne pas* — *sur un sujet*, niet
uitgepraat raken over een onderwerp.
▼tarissement *m* opdroging; uitputting.
tarot *m* 1 kaartspel met 78 kaarten, tarok; 2 een
kaart van dit spel.
tarse *m* 1 voetwortel; 2 tars v.e. insekt.
tartan *m* 1 Schotse geruite stof; 2 kledingstuk,

sjaal van die stof.
Tartare m Ta(r)taar; un (steak) t—, een (biefstuk) tartaar.
tartarinade v (oud) opsnijderij, pocherij.
tarte I zn v 1 taart; — à la crème, loze kreet; c'est pas de la — (pop.), dat is moeilijk of naar; 2 (pop.) klap, trap. II bn (fam.) lelijk; idioot, stom. ▼—**lette** v taartje. ▼**tartine** v 1 boterham; 2 (fam.) lang artikel, lang vertoog. ▼**tartiner** ov. w 1 besmeren; 2 beleggen.
tartre m 1 wijnsteen; 2 tandsteen; 3 ketelsteen.
tartuf(f)e m huichelaar, schijnheilige. ▼**tartuf(f)erie** v 1 schijnheiligheid, huichelarij; 2 schijnheilige daad.
tas m 1 hoop, stapel; grève sur le —, sit-downstaking; 2 troep, hoop; 3 klein draagbaar aambeeld. ▼**tassage** m (sp.) (het) wegdrukken.
tasse v kopje; demi-tasse, kleintje koffie; la grande —, (fam.) de zee.
tassé bn (bien —) 1 vol; 2 sterk; 3 op zijn minst.
Tasse (le) m Tasso.
tasseau [mv x] m klamp.
tassement m verzakking. ▼**tasser** I ov. w 1 opstapelen; 2 opeendringen. II se — verzakken; (fam.) minderen; (pop.) zich volproppen (met eten).
tâter I ov. w 1 betasten, bevoelen; — le pavé, aarzelend voorwaarts gaan; — le pouls, de pols voelen; aan de tand voelen; — le terrain, het terrein verkennen; 2 onderzoeken, polsen. II on. w 1 voelen, tasten; 2 proeven (— de of — à); beproeven, proberen (— de). ▼**tâte-vin**, **taste-vin** m hevel voor het proeven v. wijn.
tatillon, -onne I bn pietluttig. II zn m, -onne v pietluttig mens. ▼—**ner** on. w zich pietluttig gedragen, over kleinigheden vallen.
tâtonnement m 1 (het) tasten, zoeken; 2 weifeling. ▼**tâtonner** on. w 1 zoeken, tasten; 2 weifelen. ▼**tâtons (à)** bw al tastend, in den blinde.
tatou/age m tatoeëring. ▼—**er** ov. w tatoeëren.
taudis m krot.
taul/e, tôl/e v (pop.) 1 kamer; 2 (arg.) gevangenis. ▼—**ier** m hospes. ▼—**ière** v hospita.
taup/e v 1 mol; aller au royame des —s, sterven; guerre de —s, loopgravenoorlog; 2 mollevel. ▼—**é** bn op mollevel lijkend. ▼—**é†-grillon†** m veenmol. ▼—**ier** m mollevanger. ▼—**ière** v mollevel. ▼—**in** m 1 kniptor; 2 (arg.) kandidaat voor de École polytechnique. ▼—**inière**, —**inée** v 1 molshoop; 2 kleine hoogte; 3 laag gebouwtje.
taur/e v vaars. ▼—**eau** [mv x] m 1 stier; cou de —, stierenek; course de —x, stieregevecht; prendre le — par les cornes, de koe bij de horens vatten; 2 sterke man (stier). ▼—**illon** m jonge stier. ▼—**omachie** v stieregevecht. ▼—**omachique** bn v.e. stieregevecht.
tautologie v id., (het) uitdrukken van dezelfde gedachte in een andere vorm, nodeloze herhaling.
taux m 1 vastgestelde prijs; 2 rentevoet; 3 aanslag in de belasting; 4 maatstaf, peil; — de travail, toelaatbare spanning; 5 percentage.
taveler ov. w spikkelen.
taverne v herberg. ▼**tavernier** m, -ère v herbergier(ster).
taxateur I bn schattend. II zn m schatter. ▼**taxation** v schatting. ▼**taxe** v 1 belasting, aanslag; 2 officieel vastgestelde prijs, tarief; — de séjour, verblijfsbelasting die een hôtel moet heffen. ▼**taxer** ov. w 1 een prijs officieel vaststellen; 2 schatten, taxeren; 3 belasting vaststellen voor; 4 — de, beschuldigen van.
taxi m 1 taxi; 2 taxichauffeur.
taxidermie v kunst v. h. opzetten v. dieren.
taxi-girl† v animeermeisje.
taximètre m taxameter.
tchécoslovaque I bn Tsjechoslowaaks. II zn T—m of v Tsjechoslowaak(se). ▼**Tchécoslovaquie (la)** v Tsjecho-Slowakije. ▼**tchèque** I bn Tsjechisch. II zn m (het) Tsjechisch. III m of v T—Tsjech, Tsjechische.

te vnw je, u.
tê tw hé!, kijk! (in Z.-Frankrijk).
tè m 1-vormig voorwerp (bijv. tekenhaak).
team m (oud) team.
techn/icien m technicus, vakman. ▼—**icité** v technisch karakter. ▼—**ique** I bn technisch. II zn v techniek. ▼—**ocrate** m technocraat. ▼—**ologie** v technologie, bedrijfsleer. ▼—**ologique** bn technologisch. ▼—**ologue** m technoloog.
teck (tek) m teak(hout).
tectrice bn v: plumes —s, dekveren.
tégument m bedekking, bekleedsel. ▼**tégumentaire** bn bedekkend.
teigne v 1 mot; 2 hoofdzeer; 3 boomkanker. ▼**teigneux, -euse** bn zeerhoofdig.
teill/age, till/age m (het) schillen v. vlas of hennep. ▼—**e** v 1 hennepschil; 2 vooronder; 3 plecht. ▼—**er** ov. w (vlas of hennep) schillen. ▼—**eur** m, -**euse** v vlas- of hennepschiller (-ster).
teindre ov. w onr. verven.
teint m 1 gelaatskleur; 2 kleur v. geverfde stoffen; bon —, wasecht. ▼—**e** v 1 kleur, tint; 2 een weinig, zweem (une — d'ironie). ▼—**er** ov. w met één kleur verven; papier teinté, getint papier.
teintur/e v 1 kleurstof; 2 (het) verven; 3 kleur; 4 oppervlakkige kennis; vernis (fig.); 5 tinctuur. ▼—**erie** v ververij. ▼—**ier, -ière** I bn vervend (ouvrier —). II zn m, -ière v verver, verfster.
tek zie **teck**.
tel, telle bn zulk, zo, zodanig, dergelijk; un — homme, zo'n man; — père, — fils, (spr.) de appel valt niet ver van de boom; — que, zoals, evenals; — qui, menigeen die (— rit aujourd'hui qui pleurera demain); — quel, onveranderd, in dezelfde toestand; middelmatig (un vin —); monsieur un —, mijnheer die en die.
télé v televisie(toestel). ▼—**benne**, —**cabine** v kabellift, kabelcabine. ▼—**commande** v (het) besturen op een afstand. ▼—**commander** ov. w 1 op een afstand besturen; 2 inspireren. ▼—**communication** v telecommunicatie. ▼—**cran** m tv-projectiescherm. ▼—**férique** (—**phérique**) m luchtkabelspoorweg. ▼—**génique** bn telegeniek, geschikt voor tv-uitzendingen. ▼—**gramme** m telegram. ▼—**graphe** m telegraaf. ▼—**graphie** v telegrafie; — sans fil, draadloze telegrafie. ▼—**graphier** ov. w telegraferen. ▼—**graphique** bn telegrafisch. ▼—**graphiste** I zn m 1 telegrafist; 2 telegrambesteller. II bn (officier —). ▼—**guidage** m afstandsbesturing. ▼—**guider** ov. w op afstand besturen. ▼—**imprimeur** m telex, teletype. ▼—**kinésie** v telekinese. ▼—**mètre** m afstandsmeter, telemeter. ▼—**objectif** m telelens. ▼—**pathe** I zn telepaat. II bn telepatisch. ▼—**pathie** v telepathie. ▼—**pathique** bn telepathisch. ▼—**phérage** m vervoer per luchtkabelbaan. ▼—**phérique** (—**férique**) m luchtkabelspoorweg. ▼—**phone** m telefoon (toestel); coup de —, telefoontje. ▼—**phoner** ov. en on.w telefoneren. ▼—**phonie** v telefonie; — sans fil, draadloze telefonie. ▼—**phonique** bn telefonisch. ▼—**phoniste** m of v telefoonbeambte, -juffrouw. ▼—**photographie** v telefoto (grafie). ▼—**scopage** m (het) ineenschuiven v. voertuigen bij een botsing. ▼—**scope** m telescoop. ▼—**scoper** II ov. w in elkaar drukken (v. voertuigen bij een botsing). II se — in elkaar schuiven v. voertuigen bij een botsing. ▼—**scopique** bn 1 telescopisch; 2 alleen door een telescoop waar te nemen. ▼—**scripteur** m teletype. ▼—**siège** m stoeltjeslift. ▼—**ski** m skilift. ▼—**spectateur** m, -**trice** v televisiekijker (-ster). ▼—**viser** ov. w via de tv uitzenden. ▼—**viseur** m televisietoestel. ▼—**vision** v televisie. ▼**télex** m telex. ▼—**iste** m/v telexist(e).

tellement *bw* zo, zodanig, zozeer; — *quellement,* zo, zo.

tellière *m* papierformaat (44 bij 34 cm).

tellur/ien, -ienne *bn* v.d. aarde. ▼**—ique** *bn* v.d. aarde. ▼**—isme** *m* invloed v.d. bodem op karakter enz. der bewoners.

téméraire I *bn* stoutmoedig, vermetel, roekeloos; *Charles le T—,* Karel de Stoute. **II** *m* of *v* waaghals. ▼**témérité** *v* stoutmoedigheid, vermetelheid, roekeloosheid.

témoign/age *m* getuigenis, blijk; *porter —,* getuigenis afleggen. ▼**—er I** *ov.w* bewijzen, betuigen. **II** *on.w* **1** getuigenis afleggen; **2** — *de,* betuigen, blijk geven van; — *pour,* pleiten voor. ▼**témoin** *m* **1** getuige; — *oculaire,* ooggetuige; *prendre à —,* ten getuige roepen; **2** getuigenis, bewijs; **3** secondant.

tempe *v* slaap (aan het hoofd).

tempérament *m* **1** temperament, gestel, neiging; **2** gematigdheid; **3** bemiddeling, middenweg; **4** *vente à —,* verkoop op afbetaling.

tempér/ance *v* gematigdheid, matigheid; *société de —,* vereniging tot bestrijding v. drankmisbruik. ▼**—ant** *bn* matig, sober.

température *v* temperatuur; *avoir de la —,* verhoging hebben.

tempéré *bn* gematigd. ▼**tempérer** *ov.w* matigen, temperen.

tempête *v* **1** storm; **2** gekijf. ▼**tempêter** *on.w* uitvaren. ▼**tempétueux, -euse** *bn* stormachtig, onstuimig.

temple *m* **1** tempel; **2** protestantse kerk. ▼**templier** *m* tempelier.

temporaire *bn* tijdelijk.

temporal [*mv aux*] *bn* van de slapen.

tempor/alité *v* (*oud*) wereldlijke macht v. bisschoppen enz. ▼**—el, -elle I** *bn* **1** tijdelijk; **2** wereldlijk. **II** *zn m* **1** (het) tijdelijke; **2** de wereldlijke macht.

temporis/ateur, -atrice *bn* dralend, talmend. ▼**—ation** *v* (het) talmen, uitstel, tijdwinning. ▼**—er** *on.w* dralen, talmen, uitstellen.

temps *m* **1** tijd; *à —,* op tijd, tijdig; *avoir le —,* tijd hebben; *ces derniers —,* in de laatste tijd; *dans le —,* indertijd; *de — à autre, de —en —,* van tijd tot tijd; *de tout —,* te allen tijde; *en même —,* te zelfder tijd, tevens; *en — et lieu,* bij gelegenheid; *entre —,* ondertussen; *en — utile,* tijdig; *être de son —,* met zijn tijd meegaan; *faire son —,* zijn tijd uitdienen; *il a fait son —,* hij heeft zijn tijd gehad; — *mort,* time-out; *prendre bien son —,* het goede ogenblik kiezen; *prendre du bon —,* het ervan nemen; *réparer le — perdu,* de verloren tijd inhalen; **2** weer; *il fait beau* (*temps*)*, le — est beau,* het is mooi weer; *chien de —,* — *de chien,* hondeweer; *gros —,* zwaar weer (op zee); *par tous les —,* weer of geen weer; **3** tempo, maat; *mesure à trois —,* driekwartsmaat.

tenable *bn* houdbaar.

tenace *bn* **1** taai; **2** vasthoudend, taai (*fig.*), koppig; *mémoire —,* sterk geheugen. ▼**ténacité** *v* **1** taaiheid; **2** vasthoudendheid, taaiheid (*fig.*), koppigheid.

tenaill/e(s) *v* (*mv*) nijptang. ▼**—er** *ov.w* **1** (*oud*) een misdadiger met gloeiende tangen folteren; **2** kwellen, folteren.

tenancier *m,* **-ère** *v* **1** houder (-ster); **2** pachter (-ster). ▼**tenant I** *bn: séance —e,* staande de vergadering, op staande voet. **II** *zn m* **1** voorstander, verdediger; **2** *les —s et les aboutissants,* de aangrenzende erven; **3** *tout d'un —, tout en un —,* aan één stuk.

tendanc/e *v* neiging, strekking, stroom, tendens, tendentie. ▼**—ieux, -euse** *bn* met een bepaalde strekking, tendentieus.

tender *m* tender.

tend/erie *v* (het) zetten v. strikken. ▼**—eur** *m* **1** spanner; **2** — *de pièges,* strikkenzetter.

tendineux, -euse *bn* peesachtig.

tendoir *m* (*oud*) droogrek, waslijn.

tendon *m* pees.

tendr/e I *ov.w* **1** spannen, strekken, rekken; — *une tente,* een tent opslaan; **2** toesteken,

uitstrekken (— *la main*); **3** inspannen (— *son esprit*); **4** behangen. **II** *on.w* **1** gaan (naar), gericht zijn (naar); **2** leiden (tot), strekken (tot). **III** *bn* **1** zacht, week; *pain —,* vers brood; **2** teder, gevoelig, zacht; *dès l'âge le plus —,* vanaf de prilste jeugd; **3** licht (v. kleuren). ▼**—esse I** *v* tederheid, liefde. **II—s** *v mv* liefkozingen. ▼**—eté** *v* malsheid, zachtheid. ▼**—on** *m* **1** loot; **2** (*fam.*) zeer jong meisje. ▼**tendu** *v.dw van* **tendre**.

ténèbres *v mv* **1** duisternis; *l'empire des —,* de hel; **2** onwetendheid, onzekerheid. ▼**ténébreux, -euse** *bn* **1** donker, duister; **2** donker, somber; **3** duister, wat het daglicht niet kan verdragen (*des projets —*); **4** duister, moeilijk te begrijpen.

teneur I *zn v* **1** inhoud; **2** gehalte. **II** *m,* **-euse** *v* houder (-ster); — *de livres,* boekhouder.

ténia *m* lintworm.

tenir I *ov.w onr.* **1** houden; vasthouden; *tiens!,* kijk!, pak aan!, hier!; — *conseil,* raad houden; — *tête,* het hoofd bieden; **2** houden = onderhouden; — *en bon état,* in goede staat houden; **3** inhouden, bevatten (*cette bouteille tient un demi-litre*); **4** houden voor, beschouwen; **5** hebben, bezitten; *je vous tiens,* daar heb ik je; — *boutique,* een winkel houden; **6** houden, besturen (— *une classe*); **7** vasthouden, tegenhouden; — *la route,* vast op de weg liggen; **8** ophouden (— *son rang*); **9** innemen, beslaan; **10** vernemen hebben van (*je tiens cela de mon frère*); **11** (be)spelen; — *l'orgue,* de orgelpartij spelen. **II** *on.w* **1** grenzen aan (*ma maison tient à la sienne*); **2** vastzitten (aan); — *sur la route,* vast op de weg liggen; **3** zitting houden; **4** het uithouden; — *ferme,* standhouden; **5** aanhouden (*la pluie ne tiendra pas*); **6** — *à,* gesteld zijn op; **7** — *à,* afhangen van; **8** — *de,* aarden naar, lijken op; **9** *en — pour,* verliefd zijn op. **III** *se —* **1** zich vasthouden; **2** zich ophouden, zich bevinden; **3** zich houden, blijven; *se — droit,* rechtop blijven staan; **4** verband houden; **5** gehouden worden, plaats vinden; **6** zich houden aan, blijven bij; *il ne sait pas à quoi s'en tenir,* hij weet niet waaraan hij zich houden moet; **7** zich achten, zich rekenen. **IV** *onp.w: qu'à cela ne tienne,* laat dat geen bezwaar zijn; *il ne tient qu'à moi,* het hangt slechts van mij af.

tennis *m* tennis; *cour(t) de —,* tennisbaan; *jouer au —,* tennissen.

tenon *m* pin.

ténor *m* **1** tenorstem; **2** tenor(zanger).

tension *v* **1** spanning; — (*artérielle*), bloeddruk; **2** inspanning (— *d'esprit*).

tentacule *m* vangarm, voelhoorn.

tent/ant *bn* aanlokkelijk. ▼**—ateur, -atrice I** *bn* verleidend; *l'esprit —,* de duivel. **II** *zn m, -atrice v* verleider (-ster). ▼**—ation** *v* verleiding, bekoring. ▼**—ative** *v* poging.

tente *v* tent. ▼**tentet**†**-abri**† *v* kleine tent.

tenter *ov.w* **1** beproeven, proberen; — *le coup,* de kans wagen; **2** verlokken, verleiden; **3** aanlokken, aantrekken; **4** met een tent bedekken.

tenture *v* behang, behangsel.

tenu *v.dw van* **tenir: 1** verzorgd, onderhouden; **2** vast v. koers; **3** *être — à* of *de,* verplicht zijn tot.

ténu *bn* dun, fijn.

tenue *v* **1** (het) houden; — *des livres,* boekhouden; **2** verzorging, onderhoud; **3** houding, manieren; **4** kleding, uiterlijke verzorging, tenue; **5** aangehouden toon. ▼**ténuité** *v* dunheid, fijnheid.

ter *bw* **1** driemaal; **2** voor de derde maal.

tercer, terser *ov.w zie* **tiercer**.

térébenthine *v: essence de —,* terpentijn. ▼**térébrant** *bn* doorborend.

Térence *m* Terentius.

tergal *m* tergal (kunststof).

tergivers/ation *v* uitvluchten. ▼**—er** *on.w* **1** uitvluchten zoeken; **2** dralen, aarzelen.

term/e *m* **1** eind, eindpaal, eindpunt (*le — de la vie*); **2** termijn, vervaltijd, huur voor drie maanden; — *de rigueur,* uiterste termijn;

3 driemaandelijkse huursom (*payer son* —);
4 tijdstip der bevalling; **5** term, uitdrukking; *le* — *propre*, het juiste woord; **6** term v.e. vergelijking, lid v.e. zin; **7** *les* —s, betrekking, verstandhouding; *en bons* —s, op goede voet. ▼—**inaison** v **1** afloop, einde; **2** uitgang.
▼—**inal** [*mv aux*] **I** *bn* aan het eind, aan de top. **II** *zn m* **1** terminal (v. computer); **2** eindstation. ▼—**inale** v laatste klas. ▼—**iner** **I** *ov.w* eindigen, beëindigen, afmaken, voltooien, afwerken; *en* — *avec qc.*, een eind aan iets maken. **II** se — *par*, *en*, eindigen op. **terminologie** v terminologie, vaktermen.
▼**terminologique** *bn* terminologisch. **terminus I** *zn m* eindpunt. **II** *bn* eind- (*gare* —). **termit/e** *m* witte mier, termiet. ▼—**ière** v termietenheuvel.
ternaire *bn* drietallig.
tern/e I *zn m* buitenkansje, bof. **II** *bn* mat, dof. ▼—**ir** *ov.w* **1** dof maken; **2** (*fig.*) bezoedelen. ▼—**issement** *m* (het) mat of dof maken. ▼—**issure** v **1** dofheid, matheid; **2** smet.
terrain *m* **1** terrein, grond, wal; *être sur son* —, op zijn terrein zijn; *gagner du* —, veld winnen; *sonder le* —, poolshoogte nemen; — *vague*, onbebouwde grond in een stad; **2** slagveld, duelleerplaats; *aller sur le* —, gaan duelleren.
terrass/e/v 1 terras; *en* —s, terrasvormig; **2** plat dak; **3** deel v.h. trottoir waarop de cafébezoekers zitten. ▼—**ement** *m* grondwerk. ▼—**er** *ov.w* **1** met een aarden wal versterken; **2** op de grond werpen, neerslaan, verslaan; **3** terneerslaan (*fig.*), verpletteren (*fig.*). ▼—**ier** *m* grondwerker.
terre v **1** aarde; — *cuite*, terra cotta; — *de pipe*, pijpaarde; **2** grond, land; *à* — , *par* —, op de grond, ter aarde; — *à* —, laag bij de grond; *armée de* —, landleger; — *ferme*, vaste grond, wal; *mettre en* —, *porter en* —, begraven; *perdre* —, het land uit het oog verliezen, vaste grond verliezen; *prendre* —, aanlanden; *rentrer sous* —, door de grond zinken; *reprendre* —, weer op zijn verhaal komen; *qui* — *a*, *guerre a* (*spr.w*), eigendom brengt twist en oorlog met zich mede; **3** landgoed, stuk land. ▼**terreau** *m* teelaarde. ▼—**ter** *ov.w* met teelaarde bedekken.
terre-neuvas *m zie* **terre-neuvien**.
▼**Terre-Neuve I** v New-Foundland. **II** *m* New-Foundlander (hond). ▼**terre-neuvien** *m* **1** visser die op de kabeljauwvangst gaat bij New-Foundland; **2** boot van zulk een visser.
terre-plein† *m* ophoging; *un* — *central*, een middenberm. ▼**terrer I** *ov.w* **1** grond brengen bij een plant; **2** met grond bedekken; **3** bleken v. suiker. **II** *on.w* in een hol leven (v. dieren). **III** se — onder de grond leven, zich ingraven.
▼**terrestre** *bn* aards; *écorce* —, aardkorst.
terreur v **1** schrik, angst; *pris de* —, dodelijk verschrikt; *jouer les* —*s* (*pop.*), terroriseren; **2 T** — schrikbewind (tijdens de Fr. Revolutie).
terreux, **-euse** *bn* aardachtig, aardkleurig; *couleur* —*euse*, doffe kleur; *visage* —, grauw gezicht.
terrible *bn* verschrikkelijk; *enfant* —, kind dat door zijn gezegden grote mensen in verlegenheid brengt.
terrien, **-enne I** *bn* **1** aards; **2** landerijen bezittend. **II** *zn m* **1** grootgrondbezitter; **2** aardbewoner; **3** (*fam.*) landrot. ▼**terrier** *m* **1** hol v. e. dier; **2** terriër.
▼**terrifiant** *bn* schrikwekkend. ▼**terrifier** *ov.w* verschrikken.
terril, **terri** *m* steenberg (v.e. mijn). ▼**terrine** v aarden schotel, pannetje. ▼**terrir** *on.w* vlak bij de kust komen (v. vissen). ▼**terri/toire** *m* grondgebied, territorie, territorium. ▼—**torial** [*mv aux*] *bn* v.h. grondgebied, territoriaal; *armée* —*e*, landweer, landstorm. **II** *zn m* landweerman. ▼**terroir** *m* grond, bodem.
terror/iser *ov.w* een schrikbewind voeren over, verdrukken, terroriseren. ▼—**isme** *m* schrikbewind. ▼—**iste I** *zn m* voorstander v.e. schrikbewind, terrorist. **II** *bn* terroristisch.
tertiaire I *bn* van de derde rang, van de derde aardformatie; *période* —, tertiair tijdvak. **II** *zn m*

tertiair tijdvak. ▼**tertio** *bw* ten derde.
tertre *m* heuveltje; — *funéraire*, grafheuvel.
tes *zie* **ton**.
Tessin *m* Ticino.
tessiture v (*muz.*) ligging, omvang register.
tesson *m* scherf.
test *m* **1** schaal v. dieren; **2** test.
testament *m* **1** testament; **2** Testament.
▼—**aire** *bn* v.h. testament; *exécuteur* —, uitvoerder v.e. testament. ▼**testateur** *m*, **-trice** v erflater (erflaatster). ▼**tester I** *on.w* een testament maken. **II** *on.w* testen.
testicule *m* testikel, teelbal.
testimonial [*mv aux*] *bn* door getuigenis verkregen (*preuve* —*e*).
têt *m* smeltkroes, -schaal; — *à rôtir*, roostschaal.
tétanie v samentrekking der ledematen.
▼**tétanique** *bn* wat tetanus betreft. ▼**tétanos** *m* tetanus, stijfkramp.
têtard *m* **1** dikkop (jonge kikvors); **2** afgeknotte boom (vooral knotwilg); **3** kind.
▼**tête** v **1** hoofd, kop; *à* — *reposée*, rustig; *autant de* —*s*, *autant d'avis*, (*spr.w*) zoveel hoofden, zoveel zinnen; *avoir la* — *près du bonnet*, kort aangebonden zijn; *avoir la* — *dure*, hardleers zijn; *avoir toute sa* —, bij zijn volle verstand zijn; *coup de* —, onberaden stap, ondoordachte streek; *courber la* —, zich onderwerpen; *crier à tue-tête*, luidkeels schreeuwen; *de* —, uit het hoofd; *faire sa* —, lastig zijn, zich gewichtig voelen; *en avoir par-dessus la* —, meer dan genoeg van iets hebben; — *forte*, knappe kop; *mauvaise* —, driftkop; *j'y mettrais ma* —, ik durf er mijn hoofd onder verwedden; — *de mort*, doodskop, rond Hollands kaasje; *perdre la* —, de kluts kwijtraken; *piquer une* —, duiken; *ne savoir où donner de la* —, ten einde raad zijn; *tenir* —, het hoofd bieden; **2** top, bovenste deel; **3** gewei; **4** voorste deel; *en* —, vooraan, aan het hoofd; — *de ligne*, kopstation; — *de liste*, lijstaanvoerder; — *de pont*, bruggehoofd; **5** kopbal; **6** kopstuk. ▼**tête/-à-tête** *m* **1** gesprek onder vier ogen; **2** samen, met twee plaatsen; **3** theeservies voor twee personen.
▼—**bêche** *bw* kop aan staart (bijv. van twee postzegels). ▼—†**-de-loup** v ragebol.
▼—**-de-nègre I** *zn m* donkerbruine kleur. **II** *bn* donkerbruin.
téter *ov.w* zuigen.
têtière v **1** hoofdstel v.e. paard; **2** mutsje voor pasgeboren kinderen.
têt/in *m* tepel. ▼—**ine** v **1** uier; **2** speen v. zuigfles; **3** (*pop.*) borst. ▼—**on** *m* (*fam.*) borst. ▼—**onnière** v (*fam.*) vrouw met grote borsten.
tétra/dactyle *bn* viertenig. ▼—**èdre** *m* viervlak. ▼—**gone** *bn* vierhoekig. ▼—**pode** *bn* viertpotig. ▼—**ptère** *bn* viervleugelig.
▼**tétrarque** *m* viervorst.
tétras *m* korhaan.
tétrasyllabe, **tétrasyllabique** *bn* vierlettergrepig.
tette v tepel (v. dier).
têtu *bn* koppig.
teuf-teuf *m* **1** tuf-tuf; **2** auto (*oud*).
Teuton *m*, **-onne** v Teutoon, mof(fin).
▼**teutonique** *bn* Teutonisch.
texan *bn* Texaans.
texte *m* tekst; *revenir à son* —, op zijn onderwerp terugkomen.
textile I *bn* spinbaar, weefbaar; *industrie* —, textielindustrie. **II** *zn m* **1** geweven stof; **2** textielindustrie.
textuel, **-elle I** *bn* letterlijk. ▼**textuellement** *bw* letterlijk.
texture v **1** weefsel; **2** samenstel, bouw.
thaï *bn* Thais. ▼**Thaïlande (la)** Thailand.
thaler *m* daalder, thaler.
thaumaturge *m* wonderdoener.
▼**thaumaturgie** v wonderkracht.
thé *m* **1** thee; **2** theepartij (— *dansant*).
théâtral [*mv aux*] *bn* **1** v.h. toneel; *représentation* —*e*, toneelvoorstelling; **2** overdreven, gemaakt, theatraal. ▼**théâtre** *m* **1** schouwburg, theater; *coup de* —,

onverwachte wending; **2** toneel in een schouwburg; **3** beroep v. toneelspeler; **4** toneelkunst; **5** de werken v.e. toneelschrijver; **6** terrein, schouwplaats.
thébaïde v diepe eenzaamheid.
thébain I *bn* Thebaans. II *zn m*, -e v Thebaan(se).
thébaïque m van opium.
théière v theepot.
théisme m **1** geloof aan het bestaan v.e. persoonlijke God; **2** theevergiftiging. ▼**théiste** I *zn m* theïst. II *bn* theïstisch.
thématique *bn* thematisch. ▼**thème** m thema (in versch. betekenissen).
théo/crate m theocraat. ▼—**cratie** v theocratie, Godsregering. ▼—**cratique** *bn* theocratisch. ▼—**logal** [*mv aux*] *bn* op de theologie betrekking hebbend; *vertus* —*es*, deugden van geloof, hoop en liefde. ▼—**logie** v **1** godgeleerdheid; **2** theologisch werk; **3** theologische cursus. ▼—**logien** m theoloog. ▼—**logique** *bn* theologisch.
théor/ème m stelling, theorema. ▼—**icien** m theoreticus. ▼—**ie** v **1** theorie; **2** optocht. ▼—**ique** *bn* theoretisch.
théosoph/e m theosoof. ▼—**ie** v theosofie. ▼—**ique** *bn* theosofisch.
thérap/eutique I *bn* wat de behandeling der zieken betreft. II *zn* v therapie. ▼—**ie** v therapie.
therm/al [*mv aux*] *bn* wat warme bronnen betreft; *station* —*e*, badplaats met warme bronnen. ▼—**es** *mv* warme baden. ▼—**idor** m elfde maand v.h. republikeinse jaar (20 juli tot 18 augustus). ▼—**ique** *bn* van de warmte. ▼**thermo/chimie** v thermochemie. ▼—**électricité** v elektriciteit die door warmte wordt opgewekt. ▼—**électrique** *bn* van de thermo-elektriciteit. ▼—**gène** *bn* warmte gevend, thermogeen. ▼—**mètre** m thermometer. ▼—**métrie** v warmtemeting. ▼—**métrique** *bn* thermometrisch. ▼—**nucléaire** *bn* thermonucleair. ▼—**résistant** *bn* hitte bestendig. ▼**thermos** v thermosfles. ▼**thermo/stat** m thermostaat. ▼—**thérapie** v geneeswijze door warmte.
thésaurisation v (het) oppotten v. geld. ▼**thésauriser** *on.w* geld potten.
thèse v **1** stelling, thesis; **2** proefschrift; *soutenir, passer sa* —, promoveren.
thom/isme m wijsbegeerte v.d. H. Thomas v. Aquino. ▼—**iste** m wijsgeer uit de school v.d. H. Thomas v. Aquino.
thon m tonijn (vis). ▼—**aire** m tonijnenet. ▼—**ier** m boot voor tonijnevangst. ▼—**ine** v tonijn uit de Middell. Zee.
thoracique *bn* van de borst. ▼**thorax** m **1** borst, borstkas; **2** borststuk v. insekten.
thrombose v trombose.
thuriféraire m **1** wierookvatdrager; **2** vleier.
thuya m thuja (*plk.*).
thym m tijm (*plk.*).
thyrse m **1** Bacchusstaf; **2** bloemtuil.
tiare v **1** pauselijke kroon, tiara; **2** pauselijke waardigheid.
Tibétain m Tibetaan. ▼**t**—*bn* Tibetaans.
tibia m scheenbeen. ▼**tibial** [*mv aux*] *bn* v.h. scheenbeen.
tic m bespottelijke gewoonte, tic.
ticket m kaartje; (*pop.*) biljet v. duizend (oude) francs; (*pop.*) *avoir le* —, bij iem. in de smaak vallen.
tic-tac m getik; *faire* —, tikken. ▼**tictaquer** *on.w* tikken.
tiédasse *bn* (vies)lauw. ▼**tiède** *bn* **1** lauw, zoel; **2** koel (*fig.*) (*ami* —). ▼**tiéd/eur** v **1** lauwheid, zoelheid; **2** lauwheid, koelheid (*fig.*). ▼—**ir** I *on.w* **1** lauw worden; **2** verflauwen. II *ov.w* **1** lauw maken; **2** verflauwen, verkoelen (*fig.*). ▼—**issement** m afkoeling.
tien, tienne *vnw* **1** *zelfst.* **1** (het) jouwe, (het) uwe; *à la* — (*fam.*), op je gezondheid; *il faut y mettre du* —, je moet er ook zelf iets aan doen; **2** *les* —, de uwen. II *bn* van jou, van u.
tierc/e v **1** terts (*muz.*); **2** driekaart; **3** 60e deel v.e. seconde; **4** liturgisch getijde (9 uur

's morgens). ▼—**é** m (*of* **pari tiercé**) weddenschap op drie paarden. ▼—**elet** m mannetje v.e. valk, v.e. sperwer. ▼—**er** *ov.w* een akker voor de derde maal bewerken. ▼—**iaire** m of v lid ener derde orde. ▼**tiers, tierce** I *bn* derde; *tiers état*, derde stand; *tiers ordre*, derde orde (*rk*); *fièvre tierce*, derdendaagse koorts; *le* — *monde*, de derde wereld. II *zn m* **1** derde stand; **2** derde deel; **3** derde man; *le* — *et le quart*, jan-en-alleman. ▼**tiers-points** m **1** kruispunt v. twee spitsbogen; **2** driekantige vijl.
tifs, tiffes *m mv* (*pop.*) haar (dos).
tige v **1** stengel, steel; **2** stamvader; **3** schacht v.e. laars, v.e. veer; —*de piston*, zuigerstang.
Tigre m Tigris.
tignasse v (*fam.*) ragebol (haardos).
tigr/e I *zn m*, -**esse** v **1** tijger(in); *jaloux comme un* —, erg jaloers; **2** wreedaard. II *bn* getijgerd (*cheval* —). ▼—**é** *bn* getijgerd (*cheval* —); *lis* —, tijgerlelie.
tilbury m tilbury (rijtuig).
tillac m bovendek.
tillage, tille, tiller *zie* **teillage** enz.
tilleul m **1** linde; **2** lindebloesem.
timbal/e v **1** pauk; **2** beker, kroes; *décrocher la* —, de prijs winnen. ▼—**ier** m paukenist.
timbrage m (het) zegelen, stempelen.
▼**timbre** m **1** stempel, zegel; **2** schel, bel; **3** hersenen; *avoir le* — *fêlé*, niet goed bij zijn hoofd zijn; **4** klankkleur, timbre. ▼**timbré** *bn* **1** gestempeld, gezegeld; **2** (*fam.*) getikt. ▼**timbre/-poste** m postzegel. ▼—**†-quittance†** m plakzegel. ▼**timbrer** *ov.w* zegelen, stempelen.
timide *bn* verlegen, bedeesd, beschroomd. ▼**timidité** v verlegenheid, bedeesdheid, beschroomdheid.
timon m **1** lamoen; **2** roerpen; **3** bewind, roer (*fig.*); **4** dissel. ▼—**erie** v **1** stuurhut; **2** stuur- en reminrichting (v. treinen en auto's). ▼—**ier** m roerganger.
timoré *bn* angstvallig, scrupuleus.
tinctorial [*mv aux*] *bn* wat verven betreft; *matière* —*e*, verfstof.
tint/amarre m spektakel, rumoer. ▼—**ement** m (het) luiden, kleppen; —*s d'oreilles*, oorsuizingen. ▼—**er** I *ov.w* luiden. II *on.w* **1** luiden, klinken; **2** suizen v.d. oren. ▼—**innabuler** *on.w* klingelen, tingelen. ▼—**ouin** m (*fam.*) hoofdbreken, moeite, last (*donner du* —).
tique v teek.
tiquer *on.w* **1** kribbebijten; **2** (*fam.*) (gezicht) pijnlijk vertrekken; vreemd opkijken.
tique/té *bn* gespikkeld. ▼—**ture** v spikkeling.
tir m **1** (het) schieten; —*de barrage*, spervuur; *salon de* —, schiettent; **2** schietterrein, schietbaan; —*s*, schietoefeningen. ▼**tirade** v reeks zinnen of verzen, tirade. ▼**tirage** m **1** (het) voorttrekken; **2** (het) trekken, trek v.e. schoorsteen; **3** trekking v.e. loterij; —*au sort*, loting; **4** (het) drukken v.e. boek; oplage; **5** jaagpad; **6** moeilijkheid (*fam.*).
tirail/ement m **1** (het) heen en weer trekken, geruk; **2** kramp, scheut; **3** onenigheid. ▼—**er** I *ov.w* **1** heen en weer trekken, rukken; **2** lastig vallen. II *on.w* vaak en ongeregeld vuren, tirailleren. ▼—**eur** m **1** inlands soldaat; **2** naar voren gezonden soldaat, die door voortdurend te schieten de vijand verontrust.
tirant m **1** koord v.e. beurs; **2** trekker v.e. laars; **3** —*d'eau*, diepgang. ▼**tirasse** v tiras, treknet.
▼**tire** v (*pop.*) (het) trekken; *vol à la* —, zakkenrollerij; (*arg.*) auto, kar. ▼**tiré** I *bn* **1** vermoeid, vermagerd; **2** —*à quatre épingles*, om door een ringetje te halen. II *zn m* **1** betrokkene (v. wissel); **2** laag hakhout op manshoogte; **4** trekbal.
tire/-au-flanc m lijntrekker. ▼—**botte** m laarzetrekker. ▼—**bouchon†** m kurketrekker. ▼—**braise** m kolenkrabber. ▼—**d'aile** m **2** —, pijlsnel, klapwiekend. ▼—**fesse** m (*fam.*) sleeplift. ▼—**fond** m oogbout. ▼—**jus** m (*pop.*) snotlap. ▼—**laine** m (*oud*) manteldief. ▼—**larigot** (à): *boire à* —, met volle teugen

drinken. ▼—-**ligne**† *m* trekpen.
tirelire *v* 1 spaarpot; 2 (*pop.*) pens; 3 (*fam.*) kop.
tirer I *ov.w* 1 trekken, aanhalen; — *une affaire au clair*, een zaak ophelderen; — *les cartes*, — *l'horoscope*, de toekomst voorspellen; — *la langue*, de tong uitsteken; — *l'œil*, de aandacht trekken; — *un portrait* (*pop.*), een foto maken; — *sa révérence*, groeten, een buiging maken; 2 uittrekken, uithalen; — *d'affaire*, — *d'embarras*, uit de verlegenheid redden; — *une épine du pied*, uit een grote verlegenheid redden; — *d'erreur*, uit de droom helpen; — *les larmes des yeux*, ontroeren; — *son origine de*, afkomstig zijn van; — *parti*, voordeel trekken; — *du sang*, aderlaten; — *vengeance*, zich wreken; 3 aftroggelen (— *de l'argent*); 4 (af)tappen; 5 afschieten, aftrekken (— *le canon*); 6 — *de*, ontlenen aan (— *un mot du grec*); 7 (af)drukken; 8 verkrijgen (— *satisfaction*); 9 een diepgang hebben van (— *quinze pieds d'eau*); 10 (*pop.*) ondergaan, uitzitten (— *un an de prison*); 11 een trekking houden (— *une loterie*). II *on.w* 1 trekken; — *sur*, trekken aan; 2 trekken v. schoorsteen; 3 schermen; 4 vuren, schieten; 5 — *sur*, een wissel trekken op; 6 — *sur*, zwemen naar, lijken op (*couleur qui tire sur le rouge*); 7 — *à sa fin*, op zijn einde lopen; — *au large*, in zee steken; 8 loten. III *se* — 1 (*pop.*) verdwijnen; 2 — *de*, zich redden uit; 3 *s'en tirer*, er afkomen; 4 getrokken -, gerekt worden, lang duren. ▼**tire-sou**† *m* 1 woekeraar; 2 duitendief. ▼**tiret** *m* koppelteken. ▼**tirette** *v* 1 gordijnkoord; 2 schuif aan tafel. ▼**tireur** I *zn m*, -**euse** *v* 1 schutter; 2 schermer (-ster); 3 trekker (-ster) v.e. wissel; 4 houtvlotter; 5 — *de cartes*, kaartlegger (-ster). II -**euse** *v* afdrukinrichting (*fot.*). ▼**tire-veille(s)** *v* valreeptouw. ▼**tiroir** *m* 1 lade; 2 stoomschuif; *roman à —s*, roman met verrassende vreemde dingen.
tisane *v* drankje, aftreksel v. kruiden, kruidenthee; — *de champagne*, licht soort champagne.
tison *m* 1 verkoold stuk hout; — *de discorde*, stokebrand; 2 windlucifer. ▼—**ner** *ov.w* oppoken. ▼—**nier** *m* pook.
tiss/age *m* 1 (het) weven; 2 weverij. ▼—**er** *ov.w* weven. ▼—**erand** *m* wever. ▼—**erin** *m* wevervogel. ▼—**eur** I *zn m* wever. II *bn* wevend. ▼**tissu** I *zn m* 1 weefsel; 2 aaneenschakeling (— *de mensonges*). II *v.dw van* **tisser**: geweven. ▼—†-**éponge**† *m* badstof. ▼**tissure** *v* weefsel.
titan I *zn m* reus. II *bn* geweldig.
titane *m* titanium.
titan/esque *bn* reusachtig. ▼—**ique** *bn* reusachtig, titanisch.
Tite-Live *m* Livius.
titi *m* (*pop.*) Parijse straatjongen.
titillation *v* kitteling, prikkeling. ▼**titiller** *ov.w* kittelen, prikkelen.
titrage *m* gehaltebepaling. ▼**titre** *m* 1 titel; *en —*, vast benoemd; *faux —*, Franse titel; *professeur en —*, gewoon hoogleraar; 2 benoeming, hoedanigheid; *à — de*, in de hoedanigheid van; *à — exceptionnel*, bij wijze v. uitzondering; *à — gratuit*, voor niets; *à juste —*, met recht; 3 oorkonde, bewijsstuk, diploma; 4 effect; 5 gehalte; 6 aanspraak. ▼**titr/é** *bn* met een titel. ▼—**er** *ov.w* 1 een titel geven; 2 het gehalte bepalen van.
titubant *bn* wankelend, waggelend. ▼**titubation** *v* (het) wankelen, waggelen. ▼**tituber** *on.w* wankelen, waggelen.
titulaire I *bn* titulair; *membre —*, werkend lid. II *zn m* titularis. ▼**titulariser** *ov.w* voor vast benoemen.
toast *m* 1 toost, heildronk; *porter un —*, een heildronk uitbrengen; 2 geroosterd brood.
toboggan *m* bobslee.
toc I *zn m* 1 klop, klop (*faire — —*); 2 (*fam.*) namaak (*bijou en —*). II *bn* (*pop.*) lelijk. ▼**tocante, toquante** *v* (*fam.*) horloge. ▼**tocard** I *bn* (*fam.*) belachelijk, lelijk. II *zn m*

(*pop.*) waardeloos iemand, nul.
tocsin *m* brandklok, alarmklok.
toge *v* toga.
tohu-bohu *m* warboel, verwarring.
toi *vnw* 1 je, u (*voorwerp*); 2 jij, gij, u.
toile *v* 1 weefsel v. vlas (linnen), hennep of katoen; — *cirée*, wasdoek; — *d'emballage*, paklinnen; 2 weefsel; — *d'araignée*, spinneweb; 3 toneelgordijn; 4 doek (schilderij); 5 soldatentent; 6 zeil; 7 zeil v.e. molenwiek. ▼**toilerie** *v* 1 linnenfabriek; 2 linnenhandel; 3 linnen stof.
toilet/te *v* 1 toilet; 2 toilettafel; 3 overtrek, doek om iets in te pakken; 4 opschik; 5 (het) aankleden, verzorgen; *faire sa —*, zich opmaken, zich opknappen; *faire la —* (*de qn.* (*pop.*), iem. in elkaar slaan; *faire un brin de —*, een beetje toilet maken. ▼—**ter** *ov.w* opknappen, wassen, verzorgen (— *un chien*).
toilier, -**ère** I *bn* v.h. linnen (*industrie* -*ère*). II *zn m*, -**ère** *v* 1 linnenfabrikant(e); 2 handelaar(ster) in linnen.
toise *v* 1 oude landmaat (1,949 meter); *long d'une —*, erg lang; 2 meetlat. ▼**toisé** *m* meting, schatting (bij bouwwerken). ▼**toiser** *ov.w* 1 opmeten, schatten; 2 iem. v.h. hoofd tot de voeten (vaak minachtend) opnemen.
toison *v* 1 vacht; 2 (*fam.*) haardos.
toit *m* 1 dak; — *ouvrant*, open dak; *crier, publier sur les —s*, van de daken verkondigen; 2 huis; 3 stal, kot. ▼**toiture** *v* dak, dakbedekking.
tokai, tokay *m* tokayer (wijn).
tôle *v* 1 plaatijzer; — *ondulée*, golfplaat; 2 (*pop.*) gevangenis; *zie* **taule**.
tôlé *bn*: *neige —e*, opgevroren sneeuw.
tolér/able *bn* draaglijk, te verdragen. ▼—**ance** *v* verdraagzaamheid, tolerantie; *maison de —*, bordeel. ▼—**ant** *bn* verdraagzaam, tolerant. ▼—**er** *ov.w* dulden, verdragen, toelaten, tolereren.
tôlerie *v* 1 fabriek v. plaatijzer; 2 (het) smeden v. plaatijzer.
tolet *m* dol, roeipin.
tôlier *m* smeder v. plaatijzer.
tollé *m* 1 protestkreet; boegeroep; 2 protest.
toluène *m* tolueen.
tomahawk *m* id., strijdbijl der roodhuiden.
tomate *v* 1 tomatenplant; 2 tomaat.
tombal *bn* v.h. graf; *pierre —e*, grafsteen.
tombant *bn* 1 vallend, afhangend (*cheveux —s*); *à la nuit —e*, bij het vallen v.d. nacht; 2 verzwakkend, wegstervend (v. klank).
tomb/e *v* 1 graf; 2 grafsteen; 3 dood. ▼—**eau** [*mv* x] *m* 1 graftombe; 2 graf; *rouler à —ouvert*, op levensgevaarlijke manier rijden.
tombée *v* (het) vallen; *à la — du jour*, — *de la nuit*, bij het vallen v.d. avond.
tombelle *v* grafheuvel.
tomber I *on.w* 1 vallen, neervallen, neerstorten; — *à plat*, volledig mislukken; — *à la renverse*, omvallen; *bien —*, juist van pas komen; *cela tombe bien*, dat treft goed; *la conversation tombe*, het gesprek vlot niet meer; — *dans l'erreur*, zich vergissen; — *dans l'oubli*, in vergetelheid raken; — *dans un piège*, erin vliegen; — *des nues*, verbaasd zijn; — *en disgrâce*, in ongenade vallen; — *en ruine*, vervallen; — *entre les mains*, in handen vallen; *la foudre est tombée sur la maison*, de bliksem is in het huis geslagen; 2 zwakker worden, verflauwen; *le vent est tombé*, de wind is gaan liggen; *laisser — la voix*, de stem laten dalen; 3 worden; — *d'accord*, het eens worden; *amoureux*, verliefd worden; — *malade*, ziek worden; 4 vallen v.e. toneelstuk; 5 vallen op (*cette fête tombe le 3 mai*); 6 neerhangen; afzakken v. kleren; 7 — *sur qn.*, iem. onverwachts ontmoeten. II *ov.w* (*sp.*) vloeren, neerwerpen, overwinnen; (*sp.*) *coup de pied tombé*, drop-kick; (*pop.*) verleiden, versieren (v. vrouw). III *onp.w*: *il tombe de la neige*, er valt sneeuw. ▼**tombereau** [*mv* x] *m* vuilniskar; stortkar. ▼**tombeur** *m* 1 (*sp.*) die zijn tegenstander vloert; 2 (*pop.*) (vrouwen)verleider.
tombola *v* tombola.

tome m deel v.e. boek. ▼**tomer** ov.w in boekdelen verdelen.

tom-pouce m (fam.) **1** dwerg; **2** korte damesparaplu.

ton, ta, tes bez.vnw je, uw.

ton m **1** toon (muz.); donner le —, de toon aangeven; le prendre sur un —, een (hoge) toon aanslaan; **2** toonaard; **3** toonsafstand; **4** toon (wijze v. spreken); bon —, goede manieren; se donner un —, gewichtig doen; **5** kracht, veerkracht; **6** toon in de schilderkunst. ▼**tonal** [mv als] bn v.d. toon, v.d. toonaard. ▼**tonalité** v **1** klankgehalte; **2** toon v.e. schilderij; **3** zoemtoon.

tond/age m (het) scheren v. laken. ▼—**aille** v (oud) **1** (het) scheren v. schapen; **2** feest bij die gelegenheid. ▼—**aison** zie **tonte.** ▼—**eur** I zn m, **-euse** v scheerder, scheerster. II v grasmachine; tondeuse (voor het knippen v. haren). ▼**tondre** ov.w **1** scheren (bijv. van schapen); il tondrait un œuf, hij is buitengewoon gierig; **2** kort knippen (v. haren, v. gras). ▼**tondu** v.dw van **tondre** geschoren, kort geknipt; quatre pelés et un —, drie man en een paardekop; le Petit Tondu, bijnaam aan Napoleon gegeven door zijn soldaten.

tonifi/ant bn versterkend. ▼—**er** ov.w (med.) versterken. ▼**tonique** I bn **1** betoond; **2** versterkend (med.); eau —, tonic. II zn m versterkend middel, tonicum. III v **1** grondtoon; **2** geaccentueerde lettergreep of klinker.

tonitruant bn donderend.

tonlieu m (oud) marktgeld.

tonnage m id., tonnenmaat.

tonnant bn donderend.

tonne v **1** ton; **2** ton = 1000 kg. ▼**tonneau** [mv x] m **1** ton, vat; — d'arrosage, sproeiwagen; **2** ton = 1,44 m³; **3** licht tweewielig rijtuigje; **4** figuur uit de luchtacrobatiek, (het) over de kop slaan. ▼**tonnel/et** m vaatje, tonnetje. ▼—**ier** m kuiper. ▼—**le** v **1** prieel; **2** rondboog; **3** patrijzenet. ▼—**lerie** v **1** kuipersvak; **2** kuiperswerkplaats.

tonn/er I onp.w donderen. II on.w **1** donderen; **2** uitvaren. ▼—**erre** m donder; un — d'applaudissements, een donderend applaus; un coup de —, een donderslag; voix de —, donderende stem; une fille du —, een moordgriet; —/, mietersl; la voiture a marché le —, de auto liep dondersgoed.

tonsure v kruinschering. ▼**tonsurer** ov.w de kruinschering geven.

tonte, tondaison v **1** (het) scheren v. schapen; **2** scheertijd; **3** afgeschoren wol.

tonton (ook foutief: **toton**) (fam.) oom.

tonture v **1** (het) scheren v. laken; **2** scheerwol; **3** kromming v.e. schip tussen voor- en achtersteven.

tonus m **1** id.; **2** (fig.) energie, fut.

top m signaal, tijdsein, piep(toon).

topaze v topaas.

top/el tw top! ▼—**er** on.w de handslag geven als bewijs dat een koop gesloten is; toestemmen; topez-là!, de hand erop!

topette v lange, nauwe fles.

topique I bn **1** plaatselijk (med.); **2** ter zake dienend (argument —). II zn m **1** plaatselijk geneesmiddel; **2** gemeenplaats.

topo m (fam., afk.) praatje, verhaaltje. ▼—**graphe** m plaatsbeschrijver, landmeter, topograaf. ▼—**graphie** v plaatsbeschrijving, landmeetkunde, topografie. ▼—**graphique** bn topografisch.

toquade, tocade v gril, kuur.

toquante, tocante v (fam.) horloge.

toquard = **tocard.**

toque v **1** baret; **2** jockeypet.

toqué bn **1** getikt; **2** — de, gek op. ▼**toquer** I on.w (fam.) kloppen. II se — verkikkerd worden.

torche v toorts, fakkel; langwerpige zaklamp.

torch/e-cul† m (plat) pleepapier. ▼—**er** ov.w **1** afvegen; **2** (pop.) afknoeien. ▼—**ette** v **1** wrijflapje; **2** strowis. ▼—**on** m dweil, vaatdoek; papier-torchon, aquarelpapier.

▼—**onner** ov.w **1** met een vaatdoek schoonmaken (— la vaisselle); **2** (fam.) afknoeien.

tord/age m (het) twijnen. ▼—**ant** bn (fam.) koddig, grappig. ▼—**boyaux** m (fam.) sterke of slechte brandewijn of cognac. ▼—**eur** I m, **-euse** v twijner (-ster). II v twijnmachine. ▼**tordre** I ov.w wringen; — le cou, de nek omdraaien. II **1** se —; se — de rire, rire à se — (les côtes), stikken v.h. lachen; **2** zich wringen, zich draaien. ▼**tordu** I zn m (pop.) idioot. II v.dw van **tordre: 1** krom; **2** niet correct; **3** vreemd.

toréador, torero m stierenvechter. ▼**toréer** on.w stieren bevechten.

torgnole v (pop.) vuistslag.

tornade v wervelstorm, tornado.

toron m streng.

torpédo v open auto.

torpeur v verdoving, verstijving. ▼**torpide** bn gevoelloos, verdoofd.

torpillage m (het) torpederen, torpedering. ▼**torpill/e** v **1** sidderrog; **2** torpedo. ▼—**er** ov.w torpederen (ook fig.). ▼—**eur** I zn m **1** torpedist; **2** torpedoboot. II bn: bateau —, torpedoboot.

torréfaction v (het) branden (bijv. van koffie). ▼**torréfier** ov.w roosteren, branden.

torrent m **1** bergstroom; **2** stortvloed (il pleut à —s). ▼—**iel, -elle** bn op een bergstroom, op een stortvloed gelijkend; une pluie —elle, een stortbui. ▼—**ueux, -ueuse** bn woest, onstuimig.

torride bn gloeiend, brandend; zone —, hete luchtstreek.

tors I bn gedraaid. II zn m (het) twijnen.

torse m romp, tors(o). ▼**torsion** v **1** (het) wringen, draaien; **2** kronkel; **3** barre de —, torsiestaaf.

tort m **1** ongelijk; à —, ten onrechte; à — et à travers, door dik en dun; **2** onrecht; faire — à qn., iem. onrecht aandoen; faire (du) — à qn., iem. benadelen; **3** fout, gebrek.

torticolis m stijve nek.

tortillage m **1** (het) ineendraaien; **2** verwarde manier van zich uit te drukken; **3** draaierij. ▼**tortill/e** v (oud) slingerpaadje. ▼—**ement** m **1** (het) ineendraaien; **2** draaierij. ▼—**er** I ov.w ineendraaien; (fig. pop.) vlug (op)eten. II on.w uitvluchten zoeken, draaien; il n'y a pas à —, hier valt niet te aarzelen. III se — heen en weer draaien, wiebelen (se — sur sa chaise). ▼—**on** m **1** wrong; **2** doezelaar.

tortionnaire I bn folterend. II zn m folteraar.

tortis m streng, snoer.

tortorer ov.w (pop.) eten.

tortu bn (oud) krom, verdraaid, scheef.

tortue v schildpad; à pas de —, in een slakkegang.

tortu/eux, -euse bn **1** bochtig; **2** onoprecht, slinks. ▼—**osité** v **1** bochtigheid; **2** onoprechtheid, slinksheid.

tortur/e v foltering; mettre à la —, folteren, pijnigen. ▼—**er** ov.w **1** folteren, pijnigen, kwellen; **2** verdraaien (— un texte).

torve bn grimmig, dreigend (v. blik).

tôt bw vroeg; — ou tard, vroeg of laat; le (au) plus —, zo spoedig mogelijk.

total [mv **aux**] I bn geheel, totaal. II zn m geheel, totaal bedrag; au —, alles bijeen, in totaal. III bw (pop.) alles bij elkaar. ▼—**isateur** m **1** telmachine; **2** totalisator. ▼—**isation** v **1** samentelling. ▼—**iser** ov.w **1** samentellen; **2** scoren. ▼—**itaire** bn totalitair. ▼—**itarisme** m totalitair systeem. ▼—**ité** v geheel, totaliteit; en —, in zijn geheel.

toto m (arg.) luis.

touage m **1** sleepdienst; **2** sleeploon.

toubib m (fam.) dokter.

touchant I bn ontroerend, treffend. II zn m (het) aandoenlijke. III vz (oud) omtrent, aangaande. ▼**touche** v **1** toets (v. piano, orgel); **2** toets (v. goud); pierre de —, toetssteen (ook fig.); **3** toets v. schilder, streek; **4** stok om ossen voort te drijven; **5** troep vette ossen, die naar de markt geleid worden;

6 (*pop.*) gezicht, uiterlijk; **7** *la Sainte-Touche* (*pop.*), de betaaldag; **8** beet (bij het vissen); contact; *faire une* —, contact maken op —; amoureus gebied; **9** (*sp.*) zijlijn; *juge de* —, grensrechter; *rentrée en* —, ingooi.
▼**touche-à-tout** m **1** iem. die overal aanzit; **2** bemoeial. ▼**toucher** I ov.w **1** (aan) raken; **2** innen (— *de l'argent*); **3** aangaan, raken; *cela ne me touche en rien*, dat raakt me niet; **4** treffen; **5** treffen, ontroeren; **6** opdrijven (v. vee); **7** zeggen (— *un mot*); **8** verwant zijn; — *qn. de près*, nauwe relaties met iem. hebben. II on.w **1** aanraken; — *à la quarantaine*, tegen de veertig lopen; — *au but*, zijn doel nabij zijn; — *à sa fin*, zijn einde nabij zijn; **2** wijzigen (— *à une loi*); **3** grenzen aan (— *à*); **4** aandoen v.e. haven; **5** aan de grond lopen (*scheepv.*); **6** — *de*, spelen op (— *du piano*). III zn m **1** gevoel; **2** aanslag (op piano); **3** tastzintuig.
▼**toucheur** m veedrijver.
tou/e v **1** soort veerpont; **2** (het) slepen met een kettingsleepboot. ▼—**ée** v **1** (het) slepen met een sleepketting; **2** sleepketting. ▼—**er** ov.w slepen met een sleepketting. ▼—**eur** m **1** kettingsleepboot; **2** schipper op een kettingsleepboot.
touffe v dot, bos, bundel. ▼**touffu** bn dicht (begroeid).
toujours bw **1** altijd; **2** nog altijd; **3** toch, tenminste; — *est-il que . . .*, in ieder geval is het zeker dat . . .
toundra v toendra.
toupet m **1** kuif; **2** (*pop.*) durf, brutaliteit.
toup/ie v **1** tol; — *d'Allemagne*, bromtol; *jouer à la* —, tollen; **2** (*pop.*) kop; **3** (*oud*) slet. ▼—**iller** on.w (*oud*) rondtollen.
toupillon m (*oud*) kuifje.
tour I v **1** toren; **2** kasteel (in het schaakspel). II m **1** ronddraaiing, slag; à — *de bras*, uit alle macht; *fermer à double* —, op het nachtslot doen; *en un* — *de bras*, in een ommezien; **2** draaibank; **3** omtrek, omvang; — *de cou*, halswijdte; **4** rondreis; *faire le* — *du cadran*, de klok rondslapen; *faire le* — *du monde*, een reis om de wereld maken; *faire le* — *du propriétaire*, de gasten zijn huis en landerijen laten zien; *mon sang ne fit qu'un* —, het bloed vloog mij naar het hoofd; **5** uitstapje, reis, wandeling; **6** beurt; à — *de rôle*, ieder op zijn beurt; **7** streek; *jouer un* — à *qn.*, iem. een poets bakken; *mauvais* —, gemene streek; **8** kunstje, toer; *avoir le* — *de main*, handig zijn; — *d'adresse*, handige toer; — *de force*, krachttoer; **9** kronkeling, bocht; **10** wending, vorm; — *de plume*, schrijfwijze; — *de phrase*, zinswending.
tourangeau [*mv* x], **-elle** I bn uit Tours of la Touraine. II zn T—, **-elle** v inwoner (inwoonster) v. Tours of la Touraine.
tourb/e v **1** turf; **2** menigte, volkshoop, rapalje. ▼—**er** I on.w turf steken. II ov.w uitvenen. ▼—**eux, -euse** bn veenrijk. ▼—**ier** m **1** turfsteker; **2** eigenaar v.e. veenderij. ▼—**ière** v veenderij.
tourbillon m **1** wervelwind; **2** draaikolk; **3** maalstroom (*fig.*). ▼—**nement** m dwarreling. ▼—**ner** on.w dwarrelen, ronddraaien.
tour/elle v **1** torentje; **2** revolverkop. ▼—**et** m **1** wieltje, spinnewiel; **2** molen v.e. werphengel. ▼—**ier, -ière** bn van de toren; *frère* —, *sœur* —*ière*, kloosterportier(ster). ▼—**illon** m spil, tap.
Touring-club (de France) m Fr. toeristenbond voor auto- en wielrijders (te vergelijken met de ANWB).
tour/isme m toerisme; *voiture de* —, luxewagen. ▼—**iste** I zn m of v toerist(e). II bn: *classe* —, toeristenklasse. ▼—**istique** bn toeristisch.
tourmaline v toermalijn.
tourment m kwelling, foltering, pijn, smart. ▼**tourment/e** v (korte) storm (*ook fig.*); — *de neige*, sneeuwjacht. ▼—**er** I ov.w **1** pijnigen, folteren, martelen; **2** kwellen, verontrusten, plagen; **3** lastig vallen, achtervolgen. II se—

1 zich afbeulen; **2** zich erg ongerust maken; **3** krompkrukken v. hout. ▼—**eur, -euse** bn kwellend. ▼—**eux, -euse** bn stormachtig. ▼—**in** m stormfok.
tourn/age m **1** (het) draaien op een draaibank; **2** (het) draaien, opnemen v.e. film. ▼—**ailler** on.w (*fam.*) onrustig heen en weer lopen. ▼—**ant** I bn draaiend; *allée* —*e*, bochtige laan; *mouvement* —, omtrekkende beweging; *pont* —, draaibrug. II zn m **1** hoek v.e. straat, bocht; **2** keerpunt; **3** draai; **4** draaikolk; **5** omweg (*fig.*), list. ▼—*e* v vervolg (v.e. artikel op andere pagina). ▼—*e bn* **1** op een draaibank gedraaid; *homme bien* —, *mal* —, goed -, slecht gebouwd mens; *vers bien* —, goed lopend vers; **2** zuur (*vin* —), gestremd (*lait* —). ▼—**ebouler** ov.w (*fam.*) iem. het hoofd op hol brengen. ▼—**ebride** v (*oud*) herberg bij kasteel om knechten en paarden onder dak te brengen. ▼—**ebroche** m **1** draaispit; **2** koksjongen die het spit bedient. ▼—**e-disque** † m platenspeler, pick-up. ▼—**edos** m snede ossehaas. ▼—**ée** v **1** inspectiereis, zakenreis; **2** tournee (v.e. toneelgezelschap enz.); **3** rondje; **4** (*pop.*) pak slaag. ▼—**emain** m: *en un* —, in een wip, in een ommezien. ▼**tourner** I ov.w **1** draaien op een draaibank; **2** draaien, omdraaien, omkeren, wenden; — *le feuillet*, het blad omslaan; — *le dos à qn.*, iem. de rug toekeren; — *bride*, de teugel wenden; — *casaque*, van partij veranderen; — *qc. en ridicule*, iets belachelijk maken; — *le sang à qn.*, iem. geheel van streek maken; — *les talons*, de hielen lichten; — *la tête à qn.*, iem. het hoofd op hol brengen; **3** omtrekken, omvaren; **4** omzeilen, vermijden (— *une difficulté*); **5** sch+eflopen (*schoenen*); **6** opstellen, redigeren (*bien* — *une lettre*); **7** opnemen, draaien (*film*). II on.w **1** draaien; *la tête lui tourne*, hij is duizelig; het hoofd loopt hem om; — *rond*, regelmatig lopen v.e. motor; **2** draaien, omslaan v.d. wind (*le vent a tourné au sud*); — *court*, met alle winden meedraaien; **3** een wending nemen (*l'affaire a mal tourné*); **4** — à, geneigd zijn tot; **5** zuur worden, stremmen; **5** kleuren, rijpen v. vruchten; **7** een filmopname maken; in een film spelen.
tourn/esol m zonnebloem. ▼—**ette** v **1** draaikooi (v.e. eekhoorn); **2** glassnijder (met raadje). ▼—**eur** I zn m draaier. II bn draaiend. ▼—**event** m gek (op een schoorsteen). ▼—**evis** m schroevedraaier.
tourn/icoter on.w (*fam.*) **1** draaien; **2** ijsberen. ▼—**iquer** on.w onrustig heen en weer lopen. ▼—**iquet** m **1** draaihek (tourniquet); **2** draaischijf, raad v. avontuur; draaiende standaard, (ronddraaiende) tuinsproeier; **3** draaikever, schrijverke; **4** (*arg.*) krijgsraad.
tournis m draaiziekte; (*fam.*) duizeling.
tourn/oi m **1** toernooi; **2** wedstrijd. ▼—**oiement** m draaiing; — *de tête*, duizeligheid. ▼—**oyant** bn draaiend. ▼—**oyer** on.w wentelen, dwarrelen.
tournure v **1** wending, keer, loop; — *d'esprit*, zienswijze; **2** houding, voorkomen; **3** zinswending.
touron m amandelkoekje.
tourte v **1** pastei; **2** (*pop.*) stommeling.
tourteau [*mv* x] m **1** rond grof brood; **2** veekoek.
tourtereau [*mv* x] I m jonge tortelduif. II —x *mv* dol verliefd paartje. ▼**tourterelle** v tortelduif.
tourtière v pasteipan.
tous *zie* tout.
Toussaint (la) v Allerheiligen.
touss/er on.w hoesten. ▼—**eur** m, **-euse** v (*fam.*) kucher (-ster); iem. die vaak hoest. ▼—**otement** m gekuch. ▼—**oter** on.w veel kuchen.
tout [*mv* **tous, toutes**] I *bijv. vnw* **1** al, geheel; — *le monde*, iedereen; à —*e vitesse*, in volle vaart; **2** alle, ieder; —*e autre ville*, iedere andere stad; *en tous sens*, in alle richtingen; *tous les hommes*, alle mensen. II *zelfst. vnw* **1** alles; à —

prendre, après —, alles wel beschouwd;
2 geheel; *point (pas) du* —, in het geheel niet;
3 allen *(tous, toutes)*. **III** *bw* (verandelijk voor vrouwelijk bn, dat begint met medeklinker of aangeblazen h) **1** geheel, helemaal, erg, zeer *(elle était tout heureuse; elle était toute honteuse)*; — *à coup*, plotseling; — *à fait*, geheel en al; — *à l'heure*, dadelijk, straks; — *de même*, toch; — *de suite*, dadelijk; **2** — ... *que*, hoe ook (gevolgd door de aantonende wijs); — *riche qu'il est*, hoe rijk hij ook is; **3** — bij een gérondif: *tout en dormant*, terwijl hij sliep; hoewel hij sliep. **IV** *zn m* **1** geheel; *du* — *au*, volledig; *risquer le* — *pour le* —, alles op alles zetten; **2** (het) belangrijkste, voornaamste *(le — est de bien employer son temps)*.
tout-à-l'égout *m* **1** spoelinrichting; **2** spoelstelsel (op de riolering).
toutefois *bw* echter, evenwel, toch.
toute-puissance *v* almacht, hoogste macht.
tout-fou† *bn* (fam.) opgewonden, lekker gek.
toutou *m* hond *(kindertaal)*.
tout(e)-puissant(e) I *bn* almachtig. II *le Tout-Puissant*, de Almachtige. **▼tout-venant** *m* alles wat voor de hand ligt, bijeengeraapt zootje.
toux *v* hoest; *accès de* —, hoestbui.
toxic/ité *v* giftigheid. **▼—ologie** *v* id., vergiftenleer. **▼—ologique** *bn* wat de vergiftenleer betreft. **▼—ologue** *m* vergifkundige, toxicoloog. **▼—omanie** *v* verslaafd (aan vergif, drugs). **▼—omanie** *v* verslaving. **▼toxique** I *bn* vergiftig, toxisch; *gaz* —, gifgas. II *zn m* vergif, toxicum.
trabe *v* vlaggestok.
trac *m* (fam.) angst, vrees; *avoir le* —, in de rats zitten.
traçant *bn*: *racine* —*e*, spreidende wortel; *balle* —*e*, lichtkogel.
tracas *m* drukte, herrie, zorg. **▼—ser** *ov.w* kwellen, verontrusten. **▼—serie** *v* **1** drukte, last, herrie; **2** geplaag. **▼—sier, -ère** *bn* plaagziek, lastig. **▼—sin** *m* (fam.) onrustigheid.
trace *v* spoor, teken; *marcher sur les* —*s de qn.*, iemands voetsporen drukken. **▼trac/é** *m* **1** ontwerp, schets, plan; **2** lijn (v. spoorweg enz.), tracé. **▼—ement** *m* (het) ontwerpen. **▼—er** I *ov.w* **1** tekenen, trekken; **2** schetsen, ontwerpen, traceren; **3** aangeven, afbakenen; **4** beschrijven. II *on.w* **1** horizontale wortels hebben; **2** ondiepe gangen hebben (v. dieren).
trachéal *[mv aux] bn* van de luchtpijp.
▼trach/ée *v* **1** luchtpijp; **2** trachee.
▼—ée†-artère *v* luchtpijp. **▼—éen, -éenne** *bn* **1** v.d. luchtpijp; **2** v.d. trachee. **▼—éite** *v* luchtpijpontsteking. **▼—éotomie** *v* luchtpijpsnede.
tract *m* vlugschrift, pamflet.
tractation *v* wijze v. onderhandelen (vaak ongunstig).
tract/eur *m* tractor. **▼—ion** *v* (het) trekken, voortbeweging, tractie; — *avant*, (auto met) voorwielaandrijving.
tradition *v* overlevering, traditie. **▼—alisme** *m* geloof, dat gegrond is op overlevering. **▼—nel, -nelle** *bn* overgeleverd, traditioneel. **▼—nellement** *bw* volgens de overlevering, -de traditie.
traducteur *m*, **-trice** *v* vertaler, vertaalster.
▼traduction *v* **1** vertaling, translatie; **2** vertaald werk; **3** weergave. **▼traduire** I *ov.w onr.* **1** dagen *(en justice)*; **2** vertalen; **3** weergeven. II *se* —**1** vertaald worden; **2** *se* — *par*, zich uiten in. **▼traduisible** *bn* vertaalbaar.
trafic *m* **1** handel *(min.)*; **2** verkeer. **▼trafiqu/ant** *m* zwarthandelaar. **▼—er** *on.w* **1** handelen; **2** sjacheren. **▼—eur** *m*, **-euse** *v* sjacheraar(ster).
tragéd/ie *v* **1** treurspel, tragedie; **2** tragische kunst; **3** tragische gebeurtenis. **▼—ien** *m*, **-ienne** *v* treurspelspeler (-speelster).
▼tragi/-comédie† *v* **1** treurspel met komische elementen, tragikomedie;
2 mengeling v. ernstige en komische dingen.

▼—comique† *bn* tragisch en komisch tegelijk. II *zn m* het tragi-komische genre.
▼tragique I *bn* **1** v.h. treurspel; *auteur* —, treurspelschrijver; **2** tragisch. II *zn m* **1** (het) tragische genre; **2** treurspelschrijver; **3** (het) tragisch karakter; *prendre qc. au* —, iets al te somber inzien.
trahir *ov.w* verraden; — *la confiance de qn.*, iemands vertrouwen beschamen. **▼trahison** *v* verraad; *haute* —, hoogverraad.
traille *v* **1** gierpont; **2** sleepnet.
train *m* **1** gang, vaart; *à fond de* —, in volle vaart; *aller grand* —, snel rijden; *aller son* —, zijn gang gaan; — *d'enfer*, vliegende vaart; *être en* —, op dreef zijn; *être en* — *de*, bezig zijn met; *mener qn. bon* —, iem. niet sparen; *mettre en* —, aan de gang brengen; *tout d'un* —, aan één stuk door; **2** lawaai, drukte *(faire du* —); **3** troep *(un — de bœufs)*; **4** trein; — *d'artillerie*, artillerietrein; — *de ceinture*, ceintuurbaan; — *de combat*, gevechtstrein; — *express*, — *direct*, sneltrein; — *omnibus*, boemeltrein; — *rapide*, bliksemtrein; **5** houtvlot; **6** gang v. zaken; — *de vie*, levenswijze; **7** stel, onderstel; — *arrière*, achterbrug; — *d'atterrissage*, landingsgestel; — *d'atterrissage escamotable*, intrekbaar landingsgestel; — *de pneus*, stel banden.
traîn/age *m* **1** (het) slepen; **2** vervoer per slede.
▼—ailler *ov.w* voortslepen. **▼—ant** *bn* **1** slepend; **2** langdradig. **▼—ard** *m* **1** achterblijver (ook v. soldaten); **2** treuzelaar. **▼—asser** I *ov.w* (fam.) **1** slepende houden; **2** (een vervelend leven) leiden (— *une vie monotone)*. II *on.w* slenteren. **▼traîn/e** *v* **1** (het) slepen; *à la* —, op sleep; **2** sleep (v.e. japon); **3** sleepnet. **▼—eau** *[mv x] m* **1** slede; **2** sleepnet. **▼—ée** *v* **1** streep, sliert; **2** (pop.) slet. **▼traîne-malheur, traîne-misère** *m* (fam.) ongelukkige, arme stumper. **▼traîner** I *ov.w* **1** trekken, voortslepen; — *en longueur*, op de lange baan schuiven; — *ses paroles*, langzaam, lijmerig spreken; **2** leiden (— *une vie misérable*). II *on.w* **1** slepen; **2** sukkelen; **3** slingeren, slordig verspreid zijn; **4** treuzelen. III *se* — **1** kruipen; **2** zich voortslepen.
▼traîneur *m* **1** sleper; — *d'épée*, — *de sabre*, blufferig soldaat; **2** achterblijver, treuzelaar.
▼train-train *m* routine, sleur, dagelijkse gang v. zaken.
traire *ov.w onr.* melken. **▼trait** *m* **1** pijl; *partir comme un* —, als een pijl uit de boog vertrekken; **2** leidsel; **3** teug; **4** (het) trekken, voorttrekken; *cheval de* —, trekpaard; **5** lijn, streep; *(tout) d'un* —, ineens, aan één stuk; — *d'union*, verbindingsstreepje; band *(fig.)*; **6** gelaatstrek; **7** karaktertrek; **8** pit, levendige stijl; **9** loopje *(muz.)*; **10** steek, hatelijkheid; **11** daad, blijk; **12** — *de lumière*, lichtstraal; *un — de lumière m'éblouit*, er ging mij plotseling een licht op; **13** betrekking; *avoir* — *à*, betrekking hebben op, slaan op.
trait/able *bn* handelbaar, gedwee *(caractère* —). **▼—ant** I *bn* die (aan huis) behandelt *(médecin* —). II *zn m* **1** *(oud)* belastingpachter; **2** slavenhandelaar.
traite *v* **1** (het) melken; **2** getrokken wissel; **3** handel, ruilhandel; — *des nègres*, — *des noirs*, slavenhandel; **4** tocht; *d'une seule* —, aan één stuk.
trait/é *m* **1** handboek; **2** verdrag, overeenkomst, traktaat *(passer un* —); — *de paix*, vredesverdrag; **3** verhandeling.
▼—ement *m* **1** behandeling; **2** traktement. **▼—er** I *ov.w* **1** behandelen; **2** ontvangen, onthalen, trakteren; **3** onderhandelen over (— *la paix)*; **4** de, uitmaken voor. II *on.w* **1** onderhandelen (— *de la paix)*; **2** een verhandeling houden, schrijven. **▼—eur** *m* id., iem. die schotels -, koud buffet levert.
traître/e, -esse I *bn* verraderlijk; *ne pas dire un — mot*, geen stom woord zeggen. II *zn m*, **-esse** *v* verrader, verraadster. **▼—eusement** *bw* verraderlijk. **▼—ise** *v* **1** verraad;
2 verraderlijk karakter.
trajectoire *v* kogelbaan. **▼trajet** *m* **1** afstand;
2 reis, (over)tocht, traject.

tralala *m*: *faire du* —, drukte, poeha maken.
tram *m* (*fam.*) tram.
trame *v* 1 inslag (v.e. weefsel); *la* — *de nos jours*, het leven; 2 komplot; *ourdir une* —, een komplot smeden (*couleurs* —*es*). II *zn m* scherp 4 levensdraad; 5 (*tv*) beeldlijnkader. ▼**tramer** *ov.w* 1 inslaan; 2 (*fig.*) beramen, smeden (v. komplot).
tramontane *v* 1 noordzijde; 2 poolster; *perdre la* —, de weg kwijtraken; de kluts kwijt zijn; 3 noordenwind op de Middell. Zee.
tramway *m* tram.
tranch/age *m* (het) snijden. ▼—**ant** I *bn* 1 snijdend, scherp; 2 beslist (*ton* —); 3 scherp, schreeuwend (*couleurs* —*es*). II *zn m* scherp (v. mes, v. zwaard enz.). ▼—**e** *v* 1 plak, snede (— *de viande*); 2 harde, dunne plaat (— *de marbre*); 3 snede (v.e. boek); *doré sur* —*s*, verguld op snee; 4 serie opvolgende cijfers (v.e. getal); 5 rand (v.e. munt); 6 gedeelte v.e. financiële uitgifte; 7 bilstuk (v. runderen); 8 (*fam.*) *s'en payer une* —, lol hebben. ▼—**ée** *v* 1 loopgraaf; 2 uitgraving, gat (voor het planten v.e. boom); 3 —*s*, snijdende pijn, kramp. ▼—**e-file** *v* kapitaalbandje. ▼—**e-montagne**† *m* opsnijder. ▼—**er** I *ov.w* 1 snijden, doorsnijden, afsnijden, afhakken; *tranchons là!*, tot zover!; 2 in dunne platen zagen; 3 oplossen, beslissen, doorhakken'; — *le mot*, zeggen waar het op staat; 4 scherp doen afsteken. II *on.w* 1 op besliste wijze spreken; 2 scherp afsteken; 3 — *du grand seigneur*, de grote heer uithangen; 4 — *dans le vif*, het mes erin zetten. ▼—**et m** 1 ledersnijmes; 2 snijbeitel. ▼—**eur m** snijder. ▼—**oir m** 1 vleesplank; 2 hakmes; 3 maanvis.
tranquill/e *bn* rustig, gerust, kalm, bedaard. ▼—**isant** I *bn* geruststellend. II *zn m* tranquillizer. ▼—**iser** *ov.w* geruststellen, kalmeren. ▼—**ité** *v* rust, gerustheid, kalmte, stilte.
transaction *v* 1 schikking; 2 verdrag, transactie.
transalpin *bn* ten N. v.d. Alpen.
transatlantique I *bn* aan de overzijde v.d. Atl. Oceaan, transatlantisch. II *zn m* 1 stoomboot voor transatlantisch verkeer; 2 dekstoel (*ook*: **transat**).
transbord/ement *m* (het) óverladen. ▼—**er** *ov.w* óverladen. ▼—**eur** I *zn m* pont. II *bn*: *pont* —, zweefbrug.
transcend/ance *v* voortreffelijkheid. ▼—**ant** *bn* transcendent(aal). (*fam.*) voortreffelijk.
transcoder *ov.w* vertalen in een andere code.
transcontinental [*mv aux*] *bn* dwars over het vasteland.
transcript/eur *m* overschrijver. ▼—**ion** *v* 1 (het) overschrijven, afschrift, transcript; 2 bewerking (*muz.*). ▼**transcrire** *ov.w onr.* 1 overschrijven; 2 bewerken (*muz.*).
transe *v* 1 (*vaak mv*) grote angst (*vivre dans les* —*s*); 2 trance (v. medium).
transept *m* dwarsschip.
trans/fèrement *m* overdracht, overbrenging. ▼—**férer** *ov.w* 1 overbrengen; 2 overdragen. ▼—**fert** *m* 1 overbrenging; 2 overdracht, transfer.
transfigur/ation *v* 1 verandering v. gestalte; 2 verheerlijking v. Christus op de berg Thabor (*la T*—). ▼—**er** I *ov.w* veranderen, vervormen. II *se* — verheerlijkt worden (v. Christus).
transform/able *bn* vervormbaar. ▼—**ateur** I *bn* vervormend. II *zn m* transformator. ▼—**ation** *v* gedaanteverwisseling, vormverandering, transformatie; *industrie de* —, veredelingsindustrie. ▼—**er** *ov.w* veranderen, vervormen.
transfuge *m* overloper.
transfus/er *ov.w* 1 overgieten; 2 bloedtransfusie toepassen. ▼—**ion** *v* bloedtransfusie.
transgress/er *ov.w* overtreden (— *la loi*). ▼—**eur** *m* overtreder. ▼—**ion** *v* overtreding.
transhum/ance *v* (het) overbrengen van en naar de bergweiden v. vee. ▼—**er** I *ov.w* (vee) overbrengen naar de bergweiden. II *on.w* naar de bergweiden trekken om te grazen.

transi *bn* verkleumd; *un amoureux* —, een schuchtere minnaar.
transiger *on.w* een schikking treffen, transigeren; — *avec sa conscience*, het op een akkoordje gooien met zijn geweten.
transir I *ov.w* doen verkleumen, doen verstijven. II *on.w* verkleumd zijn; — *de peur*, beven, ineenkrimpen v. angst.
transistor *m* transistor. ▼—**iser** *ov.w* van transistoren voorzien.
transit *m* transito. ▼—**aire** I *bn* v.d. doorvoer (*commerce* —); *pays* —, land van doorvoer. II *zn m* expediteur. ▼—**er** I *ov.w* doorvoeren. II *on.w* doorgevoerd worden. ▼—**if, -ive** *bn* overgankelijk, transitief. ▼—**ion** *v* overgang. ▼—**ivement** *bw* overgankelijk. ▼—**oire** *bn* voorbijgaand, voorlopig.
translation *v* 1 overbrenging; 2 overdracht.
translucide *bn* doorschijnend. ▼**translucidité** *v* doorschijnendheid.
trans/metteur I *bn* overbrengend. II *zn m* seingever. ▼—**mettre** *ov.w onr.* 1 overbrengen; 2 overdragen; 3 voortplanten.
transmigr/ation *v* landverhuizing; — *des âmes*, zielsverhuizing. ▼—**er** *on.w* verhuizen.
transmiss/ibilité *v* overdraagbaarheid, erfelijkheid. ▼—**ible** *bn* overdraagbaar, overerfelijk. ▼—**ion** *v* 1 overbrenging; *service des* —*s*, verbindingsdienst (*mil.*); 2 overdracht.
trans/muable, —mutable *bn* omzetbaar, veranderbaar. ▼—**muer, —muter** *ov.w* omzetten, veranderen. ▼—**mutabilité** *v* veranderbaarheid. ▼—**mutation** *v* omzetting, verandering.
transparaître *on.w onr.* doorschemeren.
transpar/ence *v* doorzichtigheid. ▼—**ent** I *bn* doorzichtig, transparant. II *zn m* transparantpapier.
transpercer *ov.w* doorboren, dringen door.
transpir/ation *v* zweting, zweet; *être en* —, zweten. ▼—**er** *on.w* 1 zweten, uitwasemen, transpireren; 2 uitlekken (*fig.*).
transplant/ation *v* over-, verplanting; transplantatie. ▼—**er** *ov.w* over-, verplanten.
transport *m* 1 vervoer; transport; 2 overbrenging; 3 (*mil.*) transportschip; 4 vervoering, opwelling, geestdrift (— *de joie*). ▼—**able** *bn* vervoerbaar. ▼—**ation** *v* overbrenging, deportatie. ▼—**é** *m, -e v* gedeporteerde. ▼—**er** I *ov.w* 1 vervoeren; transporteren; 2 deporteren; 3 overdragen (*jur.*); 4 in vervoering brengen, buiten zichzelf brengen; 5 — *sur la scène*, opvoeren. II *se* — 1 zich begeven; 2 zich verplaatsen. ▼—**eur m** 1 vervoerondernemer, bode; 2 aanvoerdoek, glijgoot.
transpos/able *bn* 1 verplaatsbaar; 2 transponeerbaar (*muz.*). ▼—**er** *ov.w* 1 verplaatsen; 2 transponeren (*muz.*). ▼—**ition** *v* 1 verplaatsing; 2 transponering.
trans/saharien, -enne *bn* dwars door de Sahara. ▼—**sibérien, -enne** I *bn* transsiberisch. II *zn m*: *le T*—, de transsiberische spoorweg.
transsubstant/iation *v* verandering v. brood en wijn in het vlees en bloed v. Christus. ▼—**ier** *ov.w* veranderen in het vlees en bloed v. Christus.
transsud/ation *v* (het) doorzweten. ▼—**er** I *ov.w* uitzweten. II *on.w* doorzweten.
transvasement *m* óvergieting. ▼**transvaser** *ov.w* óvergieten.
transversal [*mv aux*] *bn* dwars(liggend). ▼**transverse** I *bn* schuin. II *zn m* dwarsspier.
transvider *ov.w* overschenken.
transsylvain I *bn* Zevenbergs. II *zn* T— *m, -e v* bewoner (bewoonster) v. Zevenbergen. ▼**Transsylvanie** *v* Zevenbergen.
tran-tran = train-train.
trapèze *m* 1 trapezium; — *isocèle*, gelijkbenig trapezium; 2 zweefrek, trapeze. ▼**trapéz/iste** *m* trapezewerker. ▼—**oïdal** [*mv aux*] *bn* trapeziumvormig.
trapp/e *v* 1 valluik; 2 luikgat; 3 schuifdeur;

4 valstrik, wolfskuil; **5** valstrik (*fig.*); **6 T**— trappistenklooster, trappistenorde. ▼—**eur** *m* Noordamerikaanse pelsjager. ▼—**iste** *m* trappist.

trapu *bn* **1** gedrongen; **2** (*fig.*) moeilijk.

traqu/e *v* klopjacht. ▼—**enard** *m* val, valstrik (*ook fig.*). ▼—**er** *ov.w* een bos doorzoeken en het wild opjagen; vervolgen. ▼—**et** *m* bunzingval. ▼—**eur** *m* drijver.

traumat/ique *bn* traumatisch, wond-. ▼—**iser** *ov.w* traumatiseren. ▼—**isme** *m* trauma.

travail *m* **1** [*mv* **aux**] werk; arbeid; *homme de* —, werker; *maison de* —, werkinrichting; *travaux forcés*, dwangarbeid; *sans*—, werkeloos, werkeloze; — *à la pièce*, stukwerk; — *à prix fait*, aangenomen werk; *travaux d'approche*, voorbereidende werkzaamheden; **2** bewerking; **3** werkwijze; **4** (het) werken (bijv. van hout); **5** barensnood; **6** werk, studie, geschrift; **7** [*mv* **s**] hoefstal. ▼—**ler** I *ov.w* **1** werken; — *dur*, hard werken; — *comme un nègre*, werken als een paard; **2** werken (bijv. van hout); **3** gisten (*le vin travaille*). II *ov.w* **1** bewerken; **2** goed verzorgen, zorgvuldig bewerken (— *son style*); **3** kwellen, pijnigen; **4** trainen; **5** (*tennis*) kappen. III se— zich kwellen, zich inspannen. ▼—**leur, -leuse** I *bn* ijverig. II *zn m, -leuse* v werker (-ster), werkman. III **-leuse** *v* werktafeltje. ▼—**liste** I *bn* v.d. Labourpartij. II *zn m* lid der Labourpartij.

travée *v* **1** ruimte tussen twee balken; **2** bovengalerij.

travel(l)ing *m* **1** beweging v.d. camera op rails; **2** camerawagen op rails.

travers *m* **1** dwarste; **2** kuur, gebrek; **3** dwarshout, dwarsstuk; **4** zijde (v.e. schip); **5** *à* —, dwars door; *au* —, dwars door; *à tort et à* —, door dik en dun; *de* —, scheef, schuin, dwars, verkeerd; *avaler de* —, zich verslikken; *avoir mis son bonnet de* —, slecht gemutst zijn; *en* —, overdwars. ▼—**able** *bn* over te steken. ▼—**e** *v* **1** zijweg, binnenweg; **2** dwarsbalk, dwarsligger; **3** tegenspoed, hinderpaal. ▼—**ée** *v* **1** overtocht; **2** oversteekplaats. ▼—**er** *ov.w* **1** oversteken, gaan door; — *l'esprit*, voor de geest komen; **2** doorsnijden, doorklieven; **3** doordringen (*la pluie traverse mes habits*); **4** dwarsbomen. ▼—**ier, -ière** *bn* dwars— *-ière*, overzetboot; *flûte* —*ière*, dwarsfluit. ▼—**in** *m* peluw. ▼—**ine** *v* dwarsbalk.

travest/i I *bn* verkleed; *bal* —, gekostumeerd bal; *rôle* —, verklede rol. II *zn m* **1** verklede rol; **2** verkleding; **3** travestie. ▼—**ir** I *ov.w* **1** verkleden; **2** verdraaien; **3** een parodie maken op. II **se**— zich verkleden. ▼—**issement** *m* **1** verkleding; **2** travestie.

traviole (de) (*pop.*) scheef, verkeerd.

trayeur *m*, **-euse** *v* melker (-ster). ▼**trayon** *m* tepel v.e. uier.

trébuch/ant *bn* **1** volwichtig; **2** struikelend. ▼—**er** I *on.w* **1** struikelen (*ook fig.*); **2** doorslaan v.e. balans. II *ov.w* wegen op een goudschaal. ▼—**et** *m* **1** goudschaal; **2** blijde (middeleeuws werptuig voor projectielen).

tréfilerie *v* draadfabriek.

trèfle *m* **1** klaver; **2** klaveren bij het kaartspel. ▼**tréflé** *bn* in de vorm v.e. klaverblad. ▼**tréflière** *v* klaverveld.

tréfonds *m* ondergrond (*ook fig.*), kern; *savoir le fonds et le* — *d'une affaire*, een zaak door en door kennen.

treill/age *m* traliewerk, latwerk. ▼—**ager** *ov.w* van tralie- of latwerk voorzien. ▼**treille** *v* **1** omhoog klimmende wijnstok; *le jus de la* —, de wijn; **2** wingerdprieel. ▼**treillis** *m* **1** traliewerk, latwerk, draad-, rasterwerk; **2** grof linnen. ▼—**ser** *ov.w* traliën.

treizaine *v* dertiental. ▼**treize** *telw.* **1** dertien; **2** dertiende (*le* — *mal*). ▼**treizième** I *telw.* dertiende. II *zn m* dertiende deel.

tréma *m* deelteken, trema.

trémail = **tramail**.

tremblaie *v* bos v. ratelpopulieren. ▼**tremble** *m* **1** ratelpopulier; **2** espehout.

trembl/é *bn* beverig (*écriture* —*e*). ▼—**ement** *m* **1** beving, trilling; — *de terre*, aardbeving; **2** (*fam.*): *tout le* —, de hele rommel, de hele zooi. ▼—**er** I *on.w* beven, sidderen, trillen, bang zijn, tremuleren. II *ov.w*: — *la fièvre*, rillen v. koorts. ▼—**eur** *m*, **-euse** *v* **1** lafaard, bangerd; **2** kwaker; **3** zoemer. ▼—**otant** *bn* trillend, beverig. ▼—**ote** *v*: *avoir la* — (*fam.*), bibberen. ▼—**otement** *m* gebibber. ▼—**oter** *on.w* bibberen.

trémie *v* molentrechter.

trémière *bn*: *rose* —, stokroos.

trémolo, trémolo *m* triller, tremulant (*muz.*).

trémoussement *m* **1** (het) klapwieken; **2** (het) schudden. ▼**trémousser** I *on.w* klapwieken. II **se**— zich heen en weer bewegen, dansen en springen; — *d'impatience*, trappelen v. ongeduld.

trempage *m* bevochtiging. ▼**tremp/e** *v* **1** (het) harden v. staal; **2** wilskracht, kracht; *d'une bonne* —, krachtig; **3** (het) indompelen, weken; **4** pak slaag. ▼—**er** I *ov.w* **1** indompelen, weken, bevochtigen; — *la soupe*, bouillon op het brood gieten; — *son vin*, water in zijn wijn doen; **2** harden; — *son son*, doornat zijn; **2** harden (v. staal). II *on.w* weken; — *dans un crime*, medeplichtig zijn aan een misdaad. ▼—**ette** *v*: *faire* —, indopen; even het water ingaan. ▼—**eur** *m* harder (v. staal).

tremplin *m* springplank, springschans.

trémulation *v* trilling, beving. ▼**trémuler** *ov.w* doen trillen, doen beven.

trench-coat† *m* regenjas.

trentaine *v* **1** dertigtal; **2** dertigtal jaren. ▼**trente** *telw.* **1** dertig; **2** dertigste; *être sur son* — *et un*, en piekfijn uitzien, in gala zijn. ▼—**-et-quarante** *m* hazardspel met kaarten. ▼**trent/enaire** *bn* dertigjarig. ▼—**e-six** *telw.* **1** zesendertig; **2** erg veel. ▼—**e et un** *m* **1** eenendertigten (kaartspel); **2** *se mettre sur son* —, zich netjes aankleden. ▼—**ième** I *telw.* dertigste. II *zn m* dertigste deel.

trépan *m* **1** (schedel)boor; **2** schedelboring. ▼—**ation** *v* schedelboring. ▼—**er** *ov.w* een schedelboring verrichten.

trépas *m* overlijden; *passer de vie à* —, (*fam.*) overlijden; — *sé m*, -e *v* overledene; *le jour* —, *la fête des* —*s*, Allerzielen. ▼—**ser** *on.w* overlijden.

trépidation *v* trilling, beving. ▼**trépider** *on.w* trillen, beven, schudden.

trépied *m* drievoet.

trépignement *m* getrappel, gestamp. ▼**trépigner** *on.w* trappelen, stampvoeten (— *de joie, d'impatience etc.*).

très *bw* zeer, heel, erg.

trésor *m* **1** schat; **2** de kerkschatten; **3** schatkamer, schatkist (*ook:* — *public*). ▼—**erie** *v* **1** schatkamer; **2** beheer der schatkist, ministerie v. Financiën (Engeland). ▼—**ier** *m* schatmeester, penningmeester. ▼—**ière** *v* penningmeesteres.

tressage *m* (het) vlechten.

tressaillement *m* rilling, trilling, schrik. ▼**tressaillir** *on.w*. **1** rillen; **2** opspringen. ▼**tressaut/ement** *m* opsprong. ▼—**er** *on.w* opspringen.

tress/e *v* **1** vlecht; **2** tres; trens; **3** grof grauw papier. ▼—**er** *ov.w* vlechten. ▼—**eur** *m*, **-euse** *v* vlechter (-ster).

tréteau [*mv* **x**] *m* **1** schraag; **2** toneel v. kermiskar enz.

treuil *m* windas, lier.

trêve *v* **1** wapenstilstand; — *de Dieu*, godsvrede; **2** bestand; **3** rust, pauze.

tri *m* (het) uitzoeken, sorteren.

triade *v* drietal.

triage *m* (het) uitzoeken, sorteren.

triangle *m* **1** driehoek; — *isocèle*, gelijkbenige driehoek; — *équilatéral*, gelijkzijdige driehoek; — *rectangle*, rechthoekige driehoek; — *de présignalisation*, gevarendriehoek; **2** triangel. ▼**triangul/aire** *bn* driehoekig. ▼—**ation** *v* driehoeksmeting. ▼—**er** *ov.w* opmeten door driehoeksmeting.

trias *m* trias (*geol.*).
tribal [*mv* **aux**] *bn* stam-, van de stam.
tribord *m* stuurboord.
tribu *v* (volks)stam.
tribulation *v* beproeving, tegenspoed.
tribun *m* 1 tribuun; 2 volksredenaar. **▼—al** [*mv* **aux**] *m* rechtbank; — *de commerce*, handelsrechtbank; — *de la pénitence*, biechtstoel. **▼tribune** *v* 1 spreekgestoelte; — *sacrée*, preekstoel; 2 tribune; 3 zangkoor, orgelkoor.
tribut *m* schatting, cijns; *payer le* — à la nature, sterven. **▼—aire** *bn* 1 schatplichtig; 2 onderworpen aan (— de).
tricentenaire I *zn m* driehonderdjarig bestaan. II *bn* driehonderdjarig.
tricéphale *bn* driehoofdig.
triceps *m* driehoofdige spier.
trich/e *v* (*fam.*) bedrog; *obtenir à la* —, door bedrog verkrijgen. **v—er** I *on.w* vals spelen, spieken. II *ov.w* bedriegen. **▼—erie** *v* bedrog bij het spel. **▼—eur** *m*, **-euse** *v* bedrieger (-ster), valsspeler (-speelster).
trichine *v* trichine, haarwormpje.
trichloréthylène *m* trichloorethyleen.
trichrome *bn* driekleurig. **▼trichromie** *v* driekleurendruk.
trick *m* 1 soort kaartspel; 2 iedere slag boven de eerste zes (*bridge*).
tricolore *bn* driekleurig.
tricorne I *bn* driekantig. II *zn m* steek.
tricot *m* 1 breiwerk; 2 gebreid goed, tricot, borstrok; — *stérile*, hansaplast; 3 (*oud*) knuppel. **v—age** *m* 1 (het) breien; 2 breiwerk, gebreid goed. **v—er** I *ov.w* breien. II *on.w* 1 breien; 2 (*pop.*) lopen terwijl men de voeten tegen elkaar slaat; 3 (*pop.*) rennen, vluchten. **v—eur** I *m*, **-euse** *v* breier (-ster). II **-euse** 1 breimachine; 2 vrouw die tijdens de Fr. Revolutie de zittingen der Conventie al breiend bijwoonde.
trictrac *m* 1 triktrak; 2 triktrakbord.
tri/cycle *m* driewieler. **v—dactyle** *bn* drievingerig, drietenig. **v—dent** *m* drietand. **v—denté** *bn* met drie tanden. **v—dimensionnel** *bn* driedimensionaal. **v—duum** *m* driedaagse godsdienstoefening (*rk*). **v—èdre** *bn* drievlakkig. **v—ennal** [*mv* **aux**] *bn* driejarig.
tri/er *ov.w* uitzoeken, sorteren. **v—eur** I *m*, **-euse** *v* sorteerder (sorteerster). II *v* sorteermachine.
trifoliolé *bn* driebladig.
trifouiller *on.w* (*fam.*) rommelen.
trigon/e *bn* driehoekig. **v—ométrie** *v* driehoeksmeting. **v—ométrique** *bn* trigonometrisch.
tri/latéral [*mv* **aux**] *bn* driezijdig. **v—lingue** *bn* drietalig.
trille *v* triller (*muz.*). **▼triller** *ov.w* van trillers voorzien (*muz.*).
trillion *m* miljoen maal miljoen.
trilogie *v* serie v. drie letterk. werken.
trimard *m* (*arg.*) 1 weg, straat; 2 zwerver. **v—er** *on.w* (*arg.*) zwerven. **v—eur** *m* (*arg.*) zwerver, vagebond.
trimbal(l)er *ov.w* (*fam.*) meeslepen.
trimer *on.w* (*pop.*) zwoegen.
trimestr/e *m* 1 kwartaal; 2 driemaandelijks loon. **v—iel, -ielle** *bn* driemaandelijks.
trimoteur I *bn* driemotorig. II *zn m* driemotorig vliegtuig.
tringle *v* roede, stang, lat, lijst.
tringlot, trainglot *m* treinsoldaat.
Trinité *v* 1 Drievuldigheid; 2 Feest der H. Drievuldigheid; 3 Trinidad.
trinquer *on.w* 1 klinken; 2 (*fam.*) drinken; 3 (*pop.*) schade lijden, erin vliegen.
trinquet *m* fokkemast.
trinqueur *m* drinkebroer.
trio *m* 1 trio (*muz.*); 2 drietal, trits. **v—let** *m* 1 triool (*muz.*); 2 soort achtregelig couplet.
triomph/al [*mv* **aux**] *bn* v.d. triomf, zegepralend; *char* —, zegewagen. **v—ant** *bn* 1 zegevierend; 2 triomfantelijk (*air* —); 3 overtuigend (*argument* —). **v—ateur,**

-atrice I *bn* zegevierend. II *zn m*, **-atrice** *v* overwinnaar (overwinnares), triomfeerder. **▼triomph/e** *m* zegepraal, triomf. **v—er** *on.w* 1 zegevieren, overwinnen, triomferen; 2 uitblinken; 3 verheugd zijn, juichen.
trip *m* trip; *faire un* —, trippen.
tripaille *v* (*fam.*) dierlijke ingewanden.
tripart/i(e), —ite *bn* in drieën verdeeld. **v—ition** *v* (het) verdelen in drieën.
tripatouiller *ov.w* (*pop.*) knoeien met, in.
tripe *v* 1 darm; 2 binnenwerk v. sigaar; 3 pens als gerecht; 4 — *de velours*, trijp.
triper *on.w* trippen.
tripette *v* kleine pens; *cela ne vaut pas* —, (*pop.*) dat is geen cent waard.
triphtongue *v* drieklank.
tripier *m*, **-ère** *v* verkoper (verkoopster) van darmen, van pensen.
triplan *m* driedekker.
tripl/e I *bn* drievoudig, driedubbel; — *fou*, driedubbele gek. II *zn m* drievoud. **v—é(e)s** *m* (*v*) *mv* drieling. **v—er** I *ov.w* verdrievoudigen, tripleren. II *on.w* drie keer zo groot worden. **v—ette** *v* team v. drie spelers; binnentrio.
tri-porteur, triporteur *m* bakfiets met drie wielen.
tripot *m* speelhuis. **v—age** *m* 1 vieze rommel, mengelmoes; 2 knoeierij, zwendel; 3 gekonkel. **v—ée** *v* (*pop.*) 1 pak slaag; 2 hoop, groot aantal (— *d'enfants*). **v—er** I *ov.w* speculeren met. II *on.w* 1 knoeien, kliederen; 2 knoeien, zwendelen, speculeren; 3 kwakzalveren. **v—eur** *m*, **-euse** *v* knoeier (-ster), zwendelaar (ster).
triptyque *m* 1 drieluik; 2 in drieën gevouwen document, autotriptiek.
trique *v* (*pop.*) knuppel.
triquer *ov.w* (*pop.*) afranselen.
triquet *m* 1 smal slaghout voor het kaatsen; 2 soort dubbele ladder.
trirème *v* galei met drie rijen roeiers.
trisaïeul *m*, **-e** *v* bet-overgrootvader, bet-overgrootmoeder.
trisannuel, -elle *bn* driejaarlijks.
trissyllabe *m* drielettergrepig woord. **▼trissyllabique** *v* drielettergrepig.
triste *bn* 1 droevig, bedroefd, treurig; 2 somber (*couleur* —); 3 naar, armzalig. **▼tristesse** *v* droefheid, treurigheid.
triton *m* 1 triton; 2 (*oud*) interval v. drie tonen.
tritur/ation *v* (het) fijn wrijven. **v—er** *ov.w* 1 fijnwrijven, vermalen; *se* — *la cervelle*, zijn hersens pijnigen, zich het hoofd breken. 2 (*fig.*) voorkauwen.
triumvir *m* drieman. **v—al** [*mv* **aux**] *bn* v.d. driemannen. **v—at** *m* driemanschap.
trivial [*mv* **aux**] I *bn* 1 plat, ordinair; 2 alledaags, afgezaagd. II *zn m* 1 (het) platte; 2 (het) alledaagse, afgezaagde. **v—ité** *v* 1 platheid, gemeenheid; 2 alledaagsheid, afgezaagdheid.
troc *m* ruil, ruilhandel.
trochée *v* trocheus.
trochet *m* tros.
trochile *m* kolibrie.
troène *m* liguster.
troglodyt/e *m* 1 holbewoner; 2 tuinkoninkje; — *mignon*, winterkoninkje. **v—ique** *bn* v.d. holbewoners (*habitation* —).
trogne *v* tronie, dronkemansgezicht.
trognon *m* 1 stronk; 2 klokhuis; 3 (*pop.*) tronie.
Troie *v* Troje.
troïka *v* met drie paarden bespannen Russische slede, trojka.
trois *telw.* 1 drie; 2 derde (*le* — *mai, Henri* —). **v—étoiles**: *Monsieur* ***, mijnheer X. **v—-huit** *m* 3/8 maat; *les* —, het drie-ploegensysteem. **v—ième** I *telw* derde. II *zn m* 1 (de) derde; 2 (het) derde deel; 3 derde verdieping. III *v* derde klas. **v—ièmement** *bw* ten derde. **v—mâts** *m* driemaster. **v—pieds** *m* drievoet. **v—ponts** *m* driedekker (*scheepv.*). **v—quarts** *m* 3/4 viool. **v—quatre** *m* 3/4 maat.
trolleybus *m* trolleybus.
trombe *v* windhoos, waterhoos; *passer en* —, als een wervelwind voorbijkomen.

trombine v (pop.) gezicht.
tromblon m donderbus.
trombone m 1 trombone; — à coulisse, schuiftrombone; 2 trombonist.
trompe v 1 jachthoorn; à son de —, met veel tamtam; 2 snuit, slurf; signaalhoren; autohoren; 3 — d'Eustache, buis v. Eustachius; 4 (arch.) tromp.
trompe-/la-mort m of v 1 iem. die genezen is v.e. schijnbaar ongeneeslijke ziekte; 2 iem. van hoge ouderdom, die maar niet dood gaat.
▼—l'œil I zn m 1 schilderij waarop de voorwerpen op zeer natuurgetrouwe wijze zijn weergegeven; 2 gezichtsbedrog. II bn met dieptewerking. ▼tromper I ov.w 1 bedriegen; 2 teleurstellen; 3 tijdelijk stillen (— la faim). II se — zich vergissen. ▼—ie v bedrog, misleiding.
trompeter I ov.w 1 rondbazuinen; 2 rond laten roepen door de omroeper. II on.w (oud) 1 op de trompet blazen; 2 krijsen enz. (v.e. arend, een kraanvogel, een zwaan). ▼trompett/e I v 1 trompet; déloger sans —, met stille trom vertrekken; nez en —, wipneus; 2 uitbazuinen, nieuwtjesverteller; 3 trompetvogel; 4 (pop.) gezicht, smoel. II m trompetter. ▼—iste m trompetblazer.
trompeur, -euse I bn bedrieglijk, misleidend. II zn m, -euse v bedrieger (-ster); à —, et demi, bedrieger bedrogen, leer om leer.
tronc m 1 stam; 2 romp; 3 offerbus.
tronche v (pop.) hoofd.
tronçon m stomp, afgebroken stuk hout.
▼—ner ov.w in moten -, in stukken snijden. ▼—neuse v kettingzaag.
trôn/e m troon. ▼—er on.w 1 tronen; 2 de gewichtige persoon uithangen.
tronquer ov.w verminken, afknotten.
trop bw te, te veel; de —, en —, te veel, over; par —, al te veel; je ne sais pas —, ik weet het niet precies.
trope m troop.
trophée v 1 zegeteken, krijgsbuit; 2 wapenrek.
trophique bn wat de voeding betreft.
tropical [mv aux] bn tropisch. ▼tropique I zn m keerkring; sous les —s, in de tropen; baptême des —s, Neptunusdoop. II bn tropisch.
troposphère v troposfeer.
trop-perçu m (het) te veel geheven bedrag.
trop-plein m 1 (het) overtollige; 2 overloop(pijpje).
troqu/er ov.w ruilen; — son cheval borgne contre un aveugle, v.d. regen in de drup komen. ▼—eur m, -euse v (fam.) ruiler (-ster), iem. die graag ruilt.
trot m draf; aller au —, draven; mener une affaire au —, vlug met een zaak opschieten. ▼trott/e v eindwegs; tout d'une —, ineens door. ▼—e-menu bn (oud): la gent —, de muizen. ▼—er on.w 1 draven, trippelen; — par (dans) la cervelle, par la tête, door het hoofd spelen, iemands gedachten in beslag nemen; 2 lopen, tippelen. II se — (pop.) ervandoor gaan. ▼—eur I zn m, -euse v draver, draafster. II -euse v secondenwijzer. III bn: costume —, wandelkostuum. ▼trottin/ement m getrippel. ▼—er on.w trippelen. ▼—ette v autoped, step.
trottoir m trottoir; — cyclable, fietspad; faire le —, tippelen.
trou m 1 gat, leemte; — d'air, luchtzak; avoir un — de mémoire, een black-out hebben; boucher un —, een schuld betalen; faire un — à la lune (oud), met de noorderzon vertrekken; — de loup, wolfskuil; 2 hol; faire son —, zich een positie verwerven; 3 slechte woning; 4 negorij, nest, gat; 5 (pop.) nor.
troubadour m Provençaals lyrisch dichter uit de middeleeuwen.
troublant bn storend, verwarrend, ontroerend.
▼**trouble** I zn m 1 verwarring; 2 onrust, onenigheid; 3 ontroering, onrust. II —s m mv onlusten. III bn troebel, dof; pêcher en eau —, in troebel water vissen. ▼—fête m of v spelbreker (-breekster). ▼troubler I ov.w

1 troebel maken; 2 in beroering brengen v. water; 3 verstoren; 4 verontrusten, ontstellen, bang maken; 5 benevelen (— la raison). II se — 1 troebel worden; 2 in de war raken.
trouée v 1 wijde doorgang, opening (v. bos, heg enz.); 2 doorbraak (mil.), gat (in vijandelijke stelling). ▼trouer ov.w doorboren, een gat maken in.
troufignon m (plat) gat, achterste.
troufion m (pop.) soldaat zonder rang.
trouillard bn (pop.) bang. ▼trouille v (pop.) angst. ▼trouillomètre m: avoir le — à zéro, doodsbang zijn.
troupe v 1 troep, bende; 2 toneeltroep.
▼**troupeau** [mv x] m 1 kudde. ▼troupier m (oud) soldaat.
trouss/e I v 1 bundel, pak; 2 etui, instrumentenas; — de toilette, toilettas. II —s v mv broek v.e. page; avoir les gendarmes à sa —, achternagezeten worden door de gendarmen. ▼—eau [mv x] m 1 bos (— de clefs); 2 uitzet. ▼—er I ov.w 1 oplichten, opstropen, bij elkaar pakken; — bagage, zich uit de voeten maken; 2 oplichten; 3 snel uitvoeren (— une affaire); 4 uit het leven wegrukken; 5 klaarmaken v. wild. II se — zijn kleren opnemen.
trouv/aille bn vindbaar. ▼—aille v 1 vondst, buitenkansje. ▼—è bn: enfant —, vondeling. ▼—er I ov.w 1 vinden; aller — qn., iem. opzoeken, iem. afhalen; — bon, goedkeuren; — mauvais, afkeuren; — à dire, — à redire, iets aan te merken hebben; 2 betrappen (— en faute); 3 verschaffen. II se — 1 gevonden worden; 2 zich bevinden; 3 zich voelen (se — mieux, se — mal, flauwvallen, onpasselijk worden); 4 il se trouvait que, het gebeurde, dat; het bleek dat. ▼—ère m middeleeuws lyrisch dichter uit N. Frankrijk. ▼—eur m, -euse v vinder (-ster).
troyen, -enne I bn Trojaans; uit Troyes (in Champagne). II T— m, -enne v Trojaan(se).
truand m middeleeuws vagebond, - bedelaar; crimineel. ▼—er ov.w bestelen. ▼—erie v 1 bedelarij; 2 de bedelaars.
truble, trouble v schepnet.
trublion m onrustzaaier.
truc m 1 handigheid, kunstgreep, foefje, truc; 2 soort lorgnet; 3 dinges; Monsieur —, Mijnheer dinges; 4 open goederenwagen; 5 mechanisme om toneeldecors te verwisselen. ▼—age, trucage m 1 namaak v. oude voorwerpen; 2 (bij) gebruiken v. trucs, trucage (bij filmopnamen).
truchement m 1 tolk (fig.); 2 bemiddeling.
trucider ov.w (fam.) vermoorden.
truck m truck.
trucul/ence v woestheid. ▼—ent bn woest.
truelle v 1 troffel; 2 visschep.
truff/e v 1 truffel; 2 hondsnuit; 3 quelle —!, wat een idioot! ▼—er ov.w met truffels vullen, met truffels toebereiden; (fig.) spekken, verrijken. ▼—ier, -ière bn van de truffels; waar truffels te vinden zijn (région —ière). ▼—ière v vindplaats v. truffels.
truie v zeug.
truisme m waarheid als een koe.
truite v forel; — saumonée, zalmforel. ▼truité bn gevlekt (chien —).
trumeau [mv x] m 1 schenkel v. runderen; 2 penant; 3 penantspiegel.
truqu/age m zie trucage. ▼—er I ov.w namaken, vervalsen. II on.w trucs gebruiken, truqueren. ▼—eur m vervalser.
trust m trust. ▼—er ov.w 1 tot één onderneming samenstellen; 2 in een trust onderbrengen; 3 (fig.) naar zich toehalen.
tsar m, -ine v tsaar, tsarina. ▼—évitch m tsarevitsj. ▼—ien, -ienne bn v.d. tsaar.
tsé-tsé v tseetseevlieg.
tsigane zie tzigane.
tu vnw jij, je, gij, ge, u.
tuable bn slachtbaar. ▼tuant bn dodelijk, vermoeiend.
tub m bad, sponsbad.
tuba m tuba (muz.).

tube m 1 buis, pijp, tube; — *digestif,* darmkanaal; —*-image,* beeldbuis; 2 *(oud)* hoge hoed; 3 *(pop.)* telefoon; 4 *(fam.)* hit; 5 *à pleins —s,* vol gas. ▼**tuber** *ov.w* van buizen voorzien.

tubercul/e m 1 tuberkel; 2 wortelknol. ▼—**eux, -euse** I *bn* tuberculeus. II *zn* m, -**euse** *v* t.b.c.-lijder(es). ▼—**ose** *v* tuberculose. ▼**tubér/eux, -euse** *bn* knolvormig. ▼—**osité** *v* knobbel, gezwel.

tubulaire, tubulé, tubuleux, -euse *bn* buisvormig; *pont—aire,* tunnelbrug. ▼**tubulure** *v* buis(opening), flensstuk.

tudesque *bn* moffrikaans.

tue-mouche m 1 vliegenzwam; 2—**s** vliegenmepper; *papier —,* vliegenpapier.

tuer I *ov.w* 1 doden; — *le temps,* de tijd doden; 2 erg vervelen; hinderen; 3 vernietigen; 4 slachten. II *on.w* slachten. III **se**— 1 doodgaan, doodvallen; 2 zelfmoord plegen; 3 zich afbeulen. ▼**tuerie** *v* 1 slachting, bloedbad; 2 slachtbank. ▼**tue-tête (à)** *bw*: *crier à —,* luidkeels schreeuwen. ▼**tueur** m 1 doder; — *à gages,* huurmoordenaar; 2 slachter.

tuf m tufsteen. ▼—**ier, -ière** *ov.w* tufsteenachtig.

tuil/e *v* 1 dakpan, tegel; 2 *(fam.)* tegenvaller. ▼—**erie** *v* pannen-, tegelfabriek; *les T—s,* het vroegere paleis der Fr. koningen in Parijs. ▼—**ier** m pannenbakker.

tulip/e *v* tulp. ▼—**ier** m tulpeboom.

tull/e m tule. ▼—**erie** *v* 1 tulefabriek; 2 tulehandel. ▼—**ier, -ière** *bn* wat tule betreft. ▼—**iste** m of *v* 1 tulemaker(ster); 2 tuleverkoper (-verkoopster).

tuméfaction *v* opzwelling. ▼**tuméfier** *ov.w* doen opzwellen *(med.).* ▼**tumescence** *v* opzwelling, gezwel. ▼**tumeur** *v* tumor, gezwel.

tumulaire *bn* v.h. graf *(pierre—).*

tumult/e m opschudding, lawaai, rumoer, tumult; *le — du monde,* het gewoel der wereld; *le — des passions,* de storm der hartstochten. ▼—**uaire** *bn* rumoerig, oproerig. ▼—**ueusement** *bw* rumoerig, druk. ▼—**ueux, -euse** *bn* rumoerig, druk.

tumulus m hoop grond, grafheuvel.

tungstène m wolfram.

tunique *v* 1 tunica; 2 tuniek, korte uniformjas; 3 vlies, omhulsel.

Tunisie (la) *v* Tunis (land). ▼**tunisien, -enne** I *bn* Tunesisch. II *zn* T—m, -**enne** *v* Tunesiër, Tunesische.

tunnel m tunnel.

turban m tulband.

turbidité *v* troebelheid.

turbin m *(pop.)* (betaald) werk.

turbine *v* turbine. ▼**turbiné** *bn* tolvormig. ▼**turbiner** *on.w* 1 *(pop.)* zwoegen; 2 in een turbine verwerken.

turbo/générateur m turbogenerator. ▼—**moteur** m turbomotor.

turbot m tarbot.

turbo-train m turbotrein.

turbulence *v* woeligheid, lastigheid, uitgelatenheid. ▼**turbulent** *bn* woelig, lastig, uitgelaten.

turc, turque I *bn* Turks. II *zn* m 1 de Turkse taal; 2 Turk; ingewikkelde. III T—m, -**que** *v* Turk(se); *fort comme un T—,* sterk als een paard; *tête de T—,* kop v. Jut; zondebok. ▼**turco** m *(oud)* Algerijns infanterist.

turf m 1 paardenrenbaan; 2 paardesport. ▼**turfiste** m liefhebber, geregeld bezoeker v. paardenrennen.

turgescence *v* opzwelling *(med.).* ▼**turgescent** *bn* gezwollen *(med.).*

turlupin m *(oud)* flauwe grappenmaker. ▼—**ade** *v (oud)* flauwe -, platte grap. ▼—**er** I *ov.w* bespotten, hinderen. II *on.w (oud)* flauwe -, platte aardigheden vertellen.

turlutaine *v (fam.)* stokpaardje.

turlututu I *zn* m *(fam.)* fluit. II *tw* morgen brengen!

turne *v (pop.)* 1 vervallen huis, krot; 2 kamer.

turpitude *v* 1 verdorvenheid; 2 schanddaad.

turquerie *v* 1 *(oud)* wreedheid, hardvochtigheid; 2 werk, voorwerp v. Turkse oorsprong.

Turquie (la) *v* Turkije. ▼**turquin** *bn*: *bleu —,* donkerblauw. ▼**turquoise** *v* turkoois.

tussilage m klein hoefblad.

tussor m tussorzijde.

tutélaire *bn* beschermend; *ange —,* beschermengel. ▼**tutelle** *v* 1 bescherming; 2 voogdij. ▼**tuteur** I m, -**rice** *v* voogd, voogdes. II m leistok. ▼—**age** m *(het)* plaatsen v.e. stok bij planten.

tutoiement m *(het)* aanspreken v. iemand met *tu.* ▼**tutoyer** *ov.w* iem. met *tu* aanspreken, tutoyeren. **tutoyeur** m, -**euse** *v* iem. die een ander spoedig met *tu* aanspreekt.

tuyau [*mv* x] m 1 buis, pijp, koker, slang; — *d'arrosage,* tuinslang; — *d'échappement,* uitlaatpijp; *dire qc. dans le — de l'oreille,* iets influisteren; — *de poêle,* kachelpijp; 2 *(fam.)* vertrouwelijke mededeling, tip; 3 schacht v.e. vleugel; 4 holle stengel. ▼—**tage** m de gezamenlijke buizen v.e. machine. ▼—**ter** *ov.w* 1 van pijpplooien voorzien; 2 *(fam.)* vertrouwelijke mededeling geven, een tip geven. ▼—**terie** *v* 1 *(oud)* fabriek v. metalen buizen; 2 de gezamenlijke buizen (v.e. stoommachine, v.e. gasleiding enz.).

tuyère *v* blaasgat.

Tva *v* BTW.

twin-set m twinset.

twist m twist. ▼—**er** *on.w* twisten.

tympan m 1 trommelholte; *membrane du —,* trommelvlies; *briser le — à qn.,* iemands oren doof schreeuwen; 2 timpaan *(arch.).* ▼—**al** [*mv* **aux**] *bn* v.h. trommelvlies. ▼—**ique** *bn* van de trommelholte; *membrane —,* trommelvlies.

type m 1 gietvorm, model; 2 type, karakteristiek voorbeeld; 3 type, origineel persoon; 4 kerel, vent; *quel est ce type-là?,* wie is dat?; 5 drukletter. ▼**typer** typeren. ▼**typesse** *v (pop.)* vrouw.

typhique I *bn* tyfusachtig. II *zn* m of *v* tyfuslijder(es).

typhlite *v* blindedarmontsteking.

typhoïde *bn* tyfusachtig; *fièvre —,* tyfus. ▼**typhoïdique** *bn* v.d. tyfus, tyfeus.

typhon m taifoen.

typhus m vlektyfus.

typique *bn* 1 typisch, kenmerkend; 2 origineel.

typo I m *(fam.)* typograaf. II *v (fam.)* drukkunst. ▼—**chromie** *v* kleurendruk. ▼—**graphe** m typograaf, drukker. ▼—**graphie** *v* drukkunst.

tyran m dwingeland, tiran. ▼—**neau** [*mv* x] m dwingelandje. ▼—**nicide** m 1 tirannenmoord; 2 tirannenmoordenaar. ▼—**nie** *v* dwingelandij. ▼—**nique** *bn* tiranniek. ▼—**niser** *ov.w* tiranniseren.

tyrolien, -enne I *bn* Tirools. II *zn* T—m, -**enne** *v* Tiroler, Tiroolse; —*enne,* Tirools jodellied.

tzigane, tsigane m of *v* 1 zigeuner(in); 2 lid v.e. zigeunerorkest.

u *m* de letter u.
ubiquité *v* alomtegenwoordigheid.
uhlan *m* ulaan.
ukase, oukase *m* keizerlijk decreet (in Rusland), oekaze.
Ukraine (l') *v* (de) Oekraïne. ▼**ukrainien, -enne** I *bn* Oekraïens. II *zn* **U— m, -enne** *v* Oekraïener, Oekraïense.
ulcération *v* verzwering, zweer. ▼**ulcère** *m* zweer. ▼**ulcér/é** *bn* 1 zwerend; 2 gekweld door wroeging (*cœur—*). ▼**—er** *ov.w* 1 doen zweren; 2 verbitteren, grieven, wonden (*fig.*). ▼**—eux, -euse** *bn* 1 zwerachtig; 2 vol zweren.
ultérieur *bn* 1 aan gene zijde; 2 later. ▼**ultérieurement** *bw* later.
ultimatum *m* ultimatum. ▼**ultim/e** *bn* laatste. ▼**—o** *bw* ten laatste.
ultra I *vv* (in samenstellingen) uiterst. II *zn m* extremist. ▼**—court†** *bn* ultrakort.
▼**—montain** *bn* 1 aan gene zijde der Alpen (van Frankrijk uit); 2 ultramontaans.
▼**—sensible†** *bn* hypergevoelig.
▼**—sonique** *bn* ultrasoon. ▼**—violet, -ette†** *bn* ultraviolet.
ululement *m* gehuil, gekrijs der nachtvogels. ▼**ululer** *on.w* huilen, krijsen der nachtvogels.
un, une I *telw.* een; *— à —,* een voor een; *de deux choses l'une,* een van tweeën. II *lw* een; *c'est un ennuyeux!,* het is toch vervelend!; *c'est tout un,* dat is allemaal hetzelfde. III *vnw:* *l'un l'autre,* elkaar; *l'un et l'autre,* beide(n); *les uns,* sommigen. IV *bn* een, een geheel vormend; *la vérité est une,* er is maar één waarheid. V *zn m* (het getal) een.
unanim/e *bn* eenstemmig. ▼**—isme** *m* id. (litteraire stroming). ▼**—ité** *v* eenstemmigheid; *à l'—,* met algemene stemmen.
unciforme *bn* haakvormig.
une *v* voorpagina (v. krant); *à la —,* op de voorpagina, in het nieuws.
uni I *bn* 1 effen, vlak, glad; 2 gelijkmatig (*vie —e*); 3 zonder versieringen (*du linge —*); 4 verenigd, eensgezind (*les États Unis*). II *zn m* effen stof.
uni/cellulaire *bn* eencellig. ▼**—colore** *bn* eenkleurig. ▼**—corne** *bn* eenhoornig.
▼**—directionnel, -elle** *bn* wendbaar in één richting.
unième *telw.* (*le vingt et —*).
unification *v* vereniging, eenwording. ▼**unifier** *ov.w* verenigen, een maken.
uni/flore *bn* eenbloemig. ▼**—folié** *bn* eenbladig.
uniform/e I *bn* eenvormig, gelijkmatig, eenparig. II *zn m* uniform; *endosser l'—,* soldaat worden; *quitter l'—,* de mil. dienst verlaten. ▼**—ément** *bw* eenvormig, eenparig. ▼**—isation** *v* uniformisering. ▼**—iser** *ov.w* eenvormig maken, uniformeren. ▼**—ité** *v* eenvormigheid, eenparigheid, uniformiteit.
uni/jambiste I *zn m* met één been been. II *bn* met één been. ▼**—latéral** [*mv* **aux**] *bn* eenzijdig; *stationnement —,* aan één zijde parkeren. ▼**—nominal** [*mv* **aux**] *bn* met één naam.
union *v* 1 verbinding, samenvoeging; *trait d'—,*

verbindingsstreepje; 2 verbond, genootschap, unie; *— postale,* postunie; 3 huwelijk; 4 eendracht; *l'— fait la force,* (*spr.w*) eendracht maakt macht. ▼**—iste** *m* unionist.
unipolaire *bn* eenpolig.
uniprix I *zn* eenheidsprijs; 2 supermarkt.
unique *bn* 1 enig; *sens —,* eenrichtingsverkeer; 2 onvergelijkelijk, uniek (*talent —*). ▼**—ment** *bw* alleen (maar).
unir I *ov.w* 1 verenigen, verbinden; 2 effen maken. II **s'— 1** zich verenigen, trouwen; 2 vlak worden.
uni/sexe *bn* unisex. ▼**—sexué** *bn* eenslachtig.
unisson *m* 1 eenstemmigheid; *à l'—,* eenstemmig; 2 overeenstemming; *se mettre à l'— des circonstances,* zich aan de omstandigheden aanpassen.
unitaire I *bn* wat politieke eenheid betreft. II *zn m* 1 voorstander v. politieke eenheid; 2 iem. die maar één goddelijke persoon erkent. ▼**unité** *v* eenheid; *les trois —s,* de drie eenheden (*de lieu, de temps, d'action*).
univers *m* heelal, wereld, universum.
▼**universal/iser** *ov.w* algemeen maken.
▼**—isme** *m* stelsel dat alleen de algemene mening als gezaghebbend erkent. ▼**—iste** *m* aanhanger v.h. universalisme. ▼**—ité** *v* algemeenheid, alzijdige ontwikkeling.
▼**universel, -elle** *bn* algemeen, universeel; *esprit —,* alzijdig ontwikkeld persoon; *exposition —elle,* wereldtentoonstelling.
▼**—lement** *bw* algemeen.
universit/aire I *bn* van de universiteit. II *zn m* hoogleraar. ▼**—é** *v* 1 universiteit; 2 (*ook: — de France*) (het) onderwijzend personeel bij het openbaar onderwijs.
uran/e *m* uraniumoxyde. ▼**—ifère** *bn* uraniumhoudend. ▼**—ique** *bn* van uranium. ▼**—ium** *m* uranium.
urbain I *bn* v.d. stad, stedelijk. II *zn m* stedeling. ▼**urban/isation** *v* verstedelijking, urbanisatie. ▼**—iser** *ov.w* verstedelijken, urbaniseren. ▼**—isme** *m* stedenbouwkunde. ▼**—iste** I *zn m* stedenbouwkundige. II *bn* stedenbouwkundig. ▼**—ité** *v* hoffelijkheid, beleefdheid.
urée *v* ureum. ▼**uretère** *m* urineleider, ureter. ▼**urètre** *m* urethra.
urgence *v* dringende noodzakelijkheid, urgentie; *cas d'—,* spoedgeval; *d'—,* met spoed, plotseling. ▼**urgent** *bn* dringend, urgent. ▼**urger** *on.w* (*fam.*) urgent zijn.
urin/aire *bn* wat de urine betreft. ▼**—al** [*mv* **aux**] *m* urineerfles. ▼**—e** *v* urine. ▼**—er** *on.w* urineren. ▼**—eux, -euse** *bn* urineachtig. ▼**—oir** *m* id., waterplaats.
urne *v* 1 urn; 2 stembus, loterijbus.
urologue *m* uroloog. ▼**uroscopie** *v* urineonderzoek.
ursuline *v* non v.d. orde der ursulinen.
urticaire *bn* netelroos.
uruguayen, -ne *bn* Uruguees.
urus *m* oeros.
us *m mv* zeden, gewoonten.
usag/e *m* 1 gebruik, (het) besteden; *à (l'—) (de),* voor; *faire —, de,* gebruiken; *faire de l'— (fam.),* duurzaam zijn; *hors d'—,* in onbruik geraakt; *mettre en —,* in het werk stellen; 2 gebruik, gewoonte, usance, usantie; *—du monde,* (het) zich gemakkelijk bewegen; *d'—,* gebruikelijk; 3 vruchtgebruik. ▼**—é** *bn* gebruikt. ▼**—er, -ère** I *bn* voor gewoon gebruik bestemd. II *zn m,* **-ère** *v* gebruiker (-ster). ▼**usé** *bn* 1 versleten; 2 afgeleefd; 3 afgezaagd. ▼**user** I *on.w (— de)* gebruiken, gebruik maken van; *— mal,* misbruiken; *en — bien, en — mal avec qn,* (*oud*) iem. goed -, slecht behandelen. II *ov.w* 1 ge-, verbruiken; 2 verslijten, bederven, verwoesten (*— sa santé*).
usinage *m* machinale bewerking. ▼**usin/e** *v* grote fabriek. ▼**—er** *ov.w* 1 bewerken; 2 fabriceren; 3 (*pop.*) hard werken, ploeteren. ▼**—ier, -ière** *bn* wat een fabriek betreft.
usité *bn* gebruikelijk.
ustensile *m* huishoudelijk artikel,

gereedschap.
usuel, -elle bn gebruikelijk.
usufruit m vruchtgebruik. ▼—**ier** m, -**ière** v
vruchtgebruiker (-ster).
usur/aire bn met woeker; prêt —, lening tegen
woekerrente. ▼—**e** v 1 woeker; 2 slijtage;
guerre d' —, uitputtingsoorlog. ▼—**ier** m, -**ière**
v woekeraar (ster).
usurp/ateur m, -**atrice** v overweldiger
(-ster). ▼—**ation** v overweldiging,
wederrechtelijke inbezitneming. ▼—**atoire** bn
wederrechtelijk. ▼—**er** l ov.w zich
wederrechtelijk toeëigenen. II on.w: —sur,
inbreuk maken op.
ut m de toon c.
utérin bn 1 v.d. baarmoeder; 2 v. halfbroer of
-zus. ▼**utérus** m baarmoeder.
util/e l bn nuttig, bruikbaar; dienstig; en temps
—, te gelegener tijd. II zn m (het) nuttige.
▼—**isable** bn bruikbaar. ▼—**isation** v
gebruikmaking, aanwending. ▼—**iser** ov.w
gebruiken, aanwenden. ▼—**itaire** l bn het nut
beogend. II zn m voorstander v.h.
nuttigheidsbeginsel. ▼—**itarisme** m leer die
het nuttigheidsbeginsel als drijfveer der
menselijke handelingen voorstaat. ▼—**ité** v
1 nut, voordeel; 2 bijrol; 3 speler (speelster) v.
bijrollen.
utop/ie v utopie, hersenschim. ▼—**ique** bn
hersenschimmig. ▼—**iste** m of v utopist(e).
utriculaire bn blaasvormig.
uval [mv aux] bn van druiven; cure —e,
druivenkuur.
uvulaire bn van de huig. ▼**uvule, uvula** v huig.

v m de letter v.
va! tw zeg!, ga je gang!, nou!, hoor!; — donc!,
loop heen!; — pour!, vooruit dan maar!; goed
dan!
vacance l v vacature. II —**s** v mv vakantie; partir
en —s, met vakantie gaan. ▼**vacancier** m
vakantieganger. ▼**vacant** bn onbezet, vacant;
être —, vaceren.
vacarme m lawaai, leven.
vacation l v vacatie. II —**s** v mv vacatiegelden.
vaccin m entstof, pokstof, vaccin. ▼—**al** [mv
aux] bn wat inenting betreft. ▼—**ateur** m
inenter. ▼—**ation** v inenting, vaccinatie. ▼—**e**
v 1 koepokken; 2 koepokinenting. ▼—**er** ov.w
inenten (vooral tegen pokken), vaccineren.
▼—**ogène** v 1 pokstofdragend; 2 waar men
inent.
vachard bn (pop.) gemeen, smerig. ▼**vach/e**
l zn v 1 koe; — à lait, melkkoe (ook fig.);
manger de la — enragée, gebrek lijden; le
plancher des —s, de vaste wal; 2 koevlees;
3 runderleer; 4 (fam.) rotvent; 5 (arg.)
politieman, smeris. II bn (pop.) gemeen,
ploertig. ▼—**ement** bw (fam.) erg. ▼—**er** m,
-**ère** v koehoeder (-ster). ▼—**erie** v 1 koestal;
2 (fam.) rotopmerking, rotstreek.
vacill/ant bn 1 wankelend; 2 besluiteloos;
3 flikkerend (flamme —e). ▼—**ation** v 1 (het)
wankelen, schommelen (bijv. van een schip);
2 (het) flikkeren; 3 besluiteloosheid.
▼—**ement** m 1 (het) flikkeren; 2 aarzeling.
▼—**er** on.w 1 wankelen, waggelen; 2 weifelen;
3 flikkeren.
vacu/ité v leegheid. ▼—**um** m leegte.
vade-mecum m zakboekje, vraagbaak.
vadrouill/e v 1 zwabber; 2 (het)
rondslenteren. ▼—**er** on.w (fam.)
rondslenteren.
va-et-vient m 1 (het) heen en weer gaan, -
lopen; 2 kleine veerpont; 3 reddingslijn;
4 hotelschakelaar; 5 klapdeur.
vagabond l bn 1 zwervend; 2 onbestendig,
onrustig. II zn m, -**e** v vagebond, zwerver
(zwerfster). ▼—**age** m landloperij. ▼—**er** on.w
1 rondzwerven, landlopen; 2 overspringen
(fig.) (— d'un sujet à l'autre).
vagin m schede, vagina. ▼**vaginal** [mv aux]
bn v.d. schede.
vagir on.w 1 schreien v. pasgeboren kind;
2 schreeuwen v.e. haas. ▼**vagissement** m
1 geschrei (v. pasgeboren kind);
2 geschreeuw (v.e. haas).
vague l zn v golf; — de chaleur, hittegolf; — de
froid, koudegolf; la nouvelle —, de nieuwe
generatie (v. filmers, schrijvers enz.). II m
1 lege ruimte; 2 (het) onzekere. III bn
1 onzeker, vaag; 2 onbebouwd (terrain —,
terre —).
vaguemestre m 1 officier, belast met het
toezicht op mil. voertuigen; 2 facteur (mil.).
vaguer on.w ronddolen, zwerven.
vaill/amment bw dapper. ▼—**ance** v
dapperheid. ▼—**ant** bn 1 dapper; 2 in bezit;
n'avoir pas un sou —, geen rooie cent bezitten.
vain bn vergeefs, nutteloos, ijdel; en —,
tevergeefs.
vain/cre l ov.w onr. overwinnen. II se —
zichzelf overwinnen, zich beheersen. ▼—**cu**

I *bn* overwonnen. II *zn m* overwonnene.

vainement *bw* tevergeefs.

vainqueur I *m* 1 overwinnaar. II *bn* zegevierend, triomfantelijk (*air*—).

vairon I *bn* verschillend gekleurd (v. ogen). II *zn m* grondeling.

vais *zie* aller.

vaisseau [*mv* x] *m* 1 vat; 2 (groot) schip; *le V—-Fantôme*, de Vliegende Hollander; 3 schip (v.e. kerk); 4 bloedvat, kanaal.

vaissell/e *v* vaatwerk, vaat; *faire la* —, afwassen. ▼—**erie** *v* 1 fabricage v. vaatwerk, emmers enz.; 2 vaatwerk.

val [*mv* aux] *m* (oud) dal; *par monts et par vaux*, overal, langs bergen en dalen.

valable *bn* geldig.

Valais *m* id., Wallis.

Valence *v* 1 Valence (in Fr.); 2 Valencia (in Sp.).

valence *v* valentie.

valenciennes *v* kant uit Valenciennes.

valériane *v* valeriaan (*plk.*). ▼**valérianelle** *v* veldsla.

valet *m* 1 knecht; — *de chambre*, kamerdienaar; — *de pied*, lakei; *tel maître, tel* —, (*spr.w*) zo heer, zo knecht; 2 boer in het kaartspel; 3 klemhaak. ▼—**aille** *v* de bedienden (in ongunstige betekenis).

valétudinaire I *bn* ziekelijk, sukkelend. II *zn m* of *v* ziekelijk persoon.

valeur *v* 1 waarde; *mettre en* —, in geld omzetten, te gelde maken, doen uitkomen (*fig.*); — *or*, goudwaarde; 2 geldswaardig papier; —*s mobilières*, effecten; 3 voorwerp v. waarde; 4 dapperheid, moed; 5 lengte v.e. toon. ▼—**eusement** *bw* dapper, moedig. ▼—**eux, -euse** *bn* dapper, moedig.

validation *v* bekrachtiging, geldigverklaring. ▼**valid/e** *bn* 1 geldig; 2 sterk, gezond. ▼—**er** *ov.w* geldig verklaren. ▼—**ité** *v* geldigheid.

valise *v* handkoffer, valies.

Valkyrie *v* walkure.

vallée *v* dal, vallei; — *de larmes*, — *de misère*, tranendal. ▼**vallon** *m* klein dal. ▼—**nement** *m* golving.

valoir I *on.w onr.* 1 waard zijn; deugen; gelden; *à* —, op afrekening; *faire* —, doen uitkomen; *ne rien faire qui vaille*, niets goeds uitvoeren; — *mieux*, beter zijn; *il vaut* (*vaudrait*) *mieux*, het is (zou) beter zijn; *mieux vaut tard que jamais*, beter laat dan nooit; — *la peine*, de moeite waard zijn; *vaille que vaille*, zo goed en zo kwaad als het gaat; *ça vaut le coup* (*fam.*), dat is de moeite waard. II *ov.w* verschaffen, bezorgen. ▼**valorisation** *v* waardevermeerdering. ▼**valoriser** *ov.w* 1 herwaarderen; 2 (iets, iem.) waarde geven; 3 waarde verhogen.

vals/e *v* wals. ▼—**er** *on.* en *ov.w* walsen. ▼—**eur, -euse** *v* walser.

value *v*: *moins-value*, waardevermindering; *plus-value*, waardevermeerdering, overwaarde.

valv/e *v* 1 schaal v.e. schelp; 2 klep v. vrucht; 3 ventiel. ▼—**ule** *v* kleine schaal.

vamp *v* vamp. ▼—**er** *ov.w* (*fam.*) verleiden.

vampir/e *m* 1 vampier; 2 vleermuis; 3 uitzuiger. ▼—**isme** *m* id., uitzuigerij.

van *m* 1 wan; 2 gesloten wagen voor vervoer v. renpaarden.

vandale *m* barbaar, vernieler, vandaal. ▼**vandalisme** *m* vandalisme.

vanesse *v* schoenlapper (vlinder).

vanille *v* vanille. ▼**vanillé** *bn* met vanille. ▼**vanillier** *m* vanilleplant.

vanit/é *v* 1 ijdelheid, nietigheid; 2 ijdelheid, verwaandheid; *tirer* — *de*, zich op iets beroemen. ▼—**eusement** *bw* op ijdele, verwaande wijze. ▼—**eux, -euse** *bn* ijdel, verwaand, ingebeeld.

vannage *m* (het) wannen.

vanne *v* 1 sluisdeur (— *d'écluse*); 2 (*m/v*) (*pop.*) rotopmerking.

vanné *bn* (*pop.*) moe.

vanneau [*mv* x] *m* kievit.

vanner *ov.w* 1 wannen; 2 (*pop.*) vermoeien,

uitputten.

vannerie *v* 1 het beroep v. mandenmaker; 2 mandwerk.

vanneur *m*, **-euse** *v* wanner (-ster).

vannier *m* mandenmaker.

vannure *v* kaf.

vantail [*mv* aux] *m* deurvleugel.

vantard I *bn* snoevend, opschepperig. II *zn m*, **-e** *v* snoever (snoefster), grootspreker (-spreekster). ▼—**ise** *v* grootspraak, snoeverij. ▼**vanter** I *ov.w* prijzen, roemen. II **se** — **de** zich beroemen op. ▼—**ie** *v* grootspraak.

va-nu-pieds *m* schooier, bedelaar.

vape *v* (*pop.*) *être dans la* — (*les*—s), suf, verdoofd zijn (door schok, drugs). ▼**vapeur** I *v* 1 stoom; *à la* —, *à toute* —, met volle stoom; *bateau à* —, stoomboot; 2 damp; — *d'eau*, waterdamp. II—**s** *v mv* 1 zenuwaandoening; 2 opstijging naar het hoofd. III *m* stoomboot. ▼**vapor/eux, -euse** *bn* 1 wazig, nevelachtig; 2 duister (*style* —); 3 aan zenuwaandoeningen lijdend, aan flauwten lijdend. ▼—**isateur** *m* verstuivingstoestel, vaporisator. ▼—**isation** *v* verstuiving. ▼—**iser** I *ov.w* doen verdampen, doen verstuiven. II *se* — verdampen, verstuiven.

vaquer *on.w* 1 tijdelijk de werkzaamheden staken; 2 — *à*, zich toeleggen op.

varech *m* zeewier.

vareuse *v* trui, jekker.

varia *v mv* gevarieerd nieuws. ▼**variabilité** *v* veranderlijkheid. ▼**variable** I *bn* veranderlijk, variabel. II *zn v* variabele. ▼**variant** *bn* veranderlijk, wispelturig. ▼**variante** *v* variant. ▼**variation** *v* verandering, afwisseling, variatie.

varicelle *v* waterpokken.

varices *v mv* spataderen.

varié *bn* afwisselend, bont. ▼**varier** I *ov.w* veranderen, afwisseling brengen in. II *on.w* 1 veranderen, variëren; 2 van mening verschillen; 3 verschillend zijn. ▼**variété** *v* 1 afwisseling, verandering; 2 variëteit.

variol/e *v* pokken. ▼—**é** *bn* mottig. ▼—**eux, -euse** I *bn* van de pokken. II *zn m*, **-euse** *v* pokkenlijder(es). ▼—**ique** *bn* wat de pokken betreft.

varlope *v* rijschaaf. ▼**varloper** *ov.w* met de rijschaaf bewerken.

Varsovie *v* Warschau. ▼**varsovienne** *v* soort Poolse dans.

vasard I *zn m* modderbank. II *bn* modderig.

vasculaire *bn*: *système* —, vaatstelsel.

vas/e I *v* slijk, modder op de bodem v. wateren. II *m* vaas, pot; — *de nuit*, waterpot.

vaseline *v* vaseline.

vas/eux, -euse *bn* 1 modderig; 2 (*fam.*) suf, slap (*fig.*). ▼—**ière** *v* modderpoel.

vasistas *m* klepraampje, bovenraampje.

vaso/-constricteur *bn* vaatvernauwend. ▼—**dilateur** *bn* vaatverwijdend. ▼—**moteur, -rice** *bn* vasomotorisch.

vasouiller *on.w* (*fam.*) aarzelen, onhandig doen, modderen.

vasque *v* 1 bekken (v.e. fontein); 2 brede schaal op poot voor tafelversiering; 3 wasbak, schaal.

vassal [*mv* aux] *m* leenman, vazal. ▼—**iser** *ov.w* leenplichtig maken. ▼—**ité** *v* leenplicht. ▼**vasselage** *m* leenmanschap.

vaste *bn* uitgestrekt, groot. ▼—**ment** *bw* (*fam.*) erg.

Vatican *m* Vaticaan. ▼**vaticane** I *bn* v v.h. Vaticaan. II *zn* V— v Vaticaanse bibliotheek.

vaticin/ateur *m*, **-atrice** *v* waarzegger (-ster), ziener(es). ▼—**ation** *v* toekomstvoorspelling. ▼—**er** *on.w* waarzeggen, de toekomst voorspellen (vaak in ongunstige zin).

va-tout *m* de hele inzet; *faire* —, alles op alles zetten.

vaudevill/e *m* 1 toneelstukje met zang; 2 licht toneelstuk, klucht. ▼—**esque** *bn* zoals (uit) een vaudeville. ▼—**iste** *m* schrijver v. vaudevilles.

vau-l'eau (à) *bw* 1 met de stroom mee,

stroomafwaarts; **2** *aller à —*, mislukken, in duigen vallen.
vaurien, -enne I *bn* schalks. **II** *zn m*, **-enne** *v*
1 deugniet; **2** pretmaker (-maakster).
vaut *zie* **valoir**.
vautour *m* **1** gier; **2** vrek; **3** woekeraar.
vautrer (se) 1 zich wentelen; **2** zich uitstrekken; **3** genieten.
vau-vent (à) *bw: aller à —*, *chasser à —*, vluchten met de wind in de rug (v. wild), jagen met de wind in de rug.
vavasseur *m* achterleenman.
va-vite (à la) *bw* slordig en snel, oppervlakkig.
veau [*mv x*] *m* **1** kalf; *s'étendre comme un —*, *faire le —*, er lui bij (gaan) liggen; *tuer le — gras*, een groot feestmaal aanrichten; **2** kalfsvlees; **3** kalfsleer.
vecteur *m* vector.
vécu *v. dw van* **vivre**.
vedette *v* **1** ruiterwacht; **2** wachtscheepje; **3** snelle motorboot; **4** kopstuk, 'ster', vedette; **5** *en —*, alleenstaand of bovenaan met vette letters gedrukt.
végét/al [*mv aux*] **I** *zn m* plant. **II** *bn* plantaardig; *règne —*, plantenrijk. **▼—alisme** *m* = **végétarisme**. **▼—arien I** *zn m*, **-enne** *v* vegetariër. **II** *bn* vegetarisch. **▼—arisme** *m* vegetarisme (het uitsluitend eten v. plantaardig voedsel). **▼—atif, -ive** *bn* **1** wat de groei betreft; **2** wat de levensverschijnselen betreft. **▼—ation** *v* **1** (planten)groei, vegetatie; **2** uitwas. **▼—er** *on.w* **1** groeien v. planten; **2** een kommervol, een lui of een verborgen bestaan leiden, vegeteren.
véhém/ence *v* hevigheid, heftigheid, onstuimigheid. **▼—ent** *bn* hevig, heftig, onstuimig.
véhicul/e *m* **1** voertuig; **2** voortplantingsmiddel. **▼—er** *ov.w* vervoeren.
veill/e *v* **1** (het) (nacht) waken; **2** nachtwacht; **3** vorige dag, vorige avond; dag -, avond van te voren; *être à la — de*, op het punt staan te; *à — —s*, slapeloze nachten, harde arbeid. **▼—ée** *v* **1** avondbijeenkomst; **2** avond (tussen het eten en het naar bed gaan); **3** (het) waken. **▼—er I** *on.w* waken; *— à*, *— sur*, zorgen voor, oppassen voor. **II** *ov.w* waken bij (*— un malade*). **▼—eur** *m*, **-euse** *v* waker, waakster; *— de nuit*, nachtwaker. **▼—euse** *v* nachtlichtje; nachtpitje; stadslicht; waakvlam; *mettre en —*, het licht temperen; het tempo vertragen, de werkzaamheid verminderen.
vein/ard I *bn* (*pop.*) gelukkig (*un joueur —*). **II** *zn m* boffer. **▼—e** *v* **1** ader; **2** inspiratie (*— poétique*); **3** geluk, bof; *avoir de la —*, geluk hebben, boffen. **▼—é** *bn* geaderd. **▼—er** *ov.w* aderen. **▼—eux, -euse** *bn* geaderd, van de aderen; *sang —*, aderlijk bloed. **▼—ule** *v* adertje. **▼—ure** *v* vlam v. h. hout.
vélaire I *bn* wat medeklinker of klinker betreft, die uitgesproken wordt met behulp v. h. zacht gehemelte. **II** *zn v* een dergelijke klinker of medeklinker.
vêlement, **vêlage** *m* (het) kalven. **▼vêler** *on.w* kalven.
vélin I *zn m* **1** bereid kalfsvel; **2** soort kant; **3** velijnpapier. **II** *bn: papier —*, velijnpapier.
véliplanchiste *m* surfer. **▼vélique** *bn* wat de zeilen betreft. **▼vélivole I** *bn* v. h. zweefvliegen. **II** *zn m/v* zweefvlieger (-ster).
velléité *v* **1** zwakke wil, bevlieging; **2** vleugje, glimp.
vélo *m* (*fam.*) fiets; *faire du —*, fietsen. **▼—cipède** *m* fiets. **▼—cité** *v* snelheid. **▼—drome** *m* wielerbaan. **▼—moteur** *m* snelle bromfiets.
velours *m* **1** fluweel; *— de laine*, *d'Utrecht*, trijp; *faire patte de —*, iem. er vriendelijk in laten stinken; **2** zachte oppervlakte (*le — d'une pêche*). **▼velout/é I** *bn* fluweelachtig, fluwelig (*voix —e*). **II** *zn m* (het) fluweelachtige; crèmesoep. **▼—er** *ov.w* **1** fluwelig maken; **2** verzachten. **▼—eux, -euse** *bn* fluweelachtig.
velu *bn* harig, ruig.

vélum, **velum** *m* groot zeil, tentzeil.
velvet *m* velvet.
venaison *v* wildbraad.
vénal [*mv aux*] *bn* **1** koopbaar, te koop; **2** omkoopbaar, veil. **▼—ité** *v* veilheid, omkoopbaarheid.
venant I *bn: enfant bien —*, flink opgroeiend, goed aankomend kind; *six mille francs de rente bien —s*, zesduizend francs rente, die regelmatig betaald worden. **II** *zn m* de komende man; *les allants et —s*, de gaande en komende man; *à tout —*, aan iedereen, aan jan en alleman.
vendable *bn* verkoopbaar.
vendang/e *v* **1** wijnoogst; **2** de geoogste druiven; **3—s** tijd v.d. wijnoogst. **▼—eoir** *m* druivenmand. **▼—er I** *ov.w* de wijn oogsten van (*— une vigne*). **II** *on.w* de druiven plukken. **▼—ette** *v* lijster. **▼—eur** *m*, **-euse** *v* druivenplukker (-ster).
vendéen, -enne I *bn* uit de Vendee. **II V—** *zn m*, **-enne** *v* bewoner, bewoonster der Vendee.
vendémiaire *m* eerste maand v.h. republikeinse jaar (22 september - 21 oktober).
vendetta *v* id., bloedwraak (op Corsica).
vendeur *m*, **-euse** *v* verkoper, verkoopster. **▼vendre** *ov.w* **1** verkopen; *à —*, te koop; **2** verraden (*— un secret*).
vendredi *m* vrijdag; *— saint*, Goede Vrijdag.
vendu *v. dw van* **vendre**: **1** verkocht; **2** corrupt (*juge —*); **3** (*zn*) verrader.
venelle *v* steegje.
vénéneux, -euse *bn* giftig (*animaux —*).
vénér/able I *bn* eerwaardig, eerbiedwaardig. **II** *zn m* voorzitter v.e. vrijmetselaarsloge. **▼—ation** *v* verering. **▼—er** *ov.w* vereren.
vénerie *v* jacht met jachthonden.
vénérien, -enne *bn* venerisch, geslachts-. **▼vénér(é)ologie** *v* med. zorg v.d. geslachtsziekten.
veneur *m* jager die met jachthonden jaagt.
vénézuélien, -enne I *bn* Venezolaans. **II** *zn V— m*, **-enne** *v* Venezolaan(se).
veng/eance *v* **1** wraak; *tirer —*, wraak nemen; **2** wraakzucht. **▼—er I** *ov.w* wreken. **II se — de** zich wreken over, - op. **▼—eur, -eresse I** *bn* wrekend. **II** *zn m*, **-eresse** *v* wreker, wreekster.
véniel, -elle *bn* licht; *péché —*, dagelijkse zonde.
venimeux, -euse *bn* **1** giftig; **2** (*fig.*) venijnig. **▼venimosité** *v* **1** giftigheid; **2** venijnigheid. **▼venin** *m* **1** vergif; **2** (*fig.*) venijn.
venir *on.w onr.* **1** komen; *à —*, toekomstig; *s'il vient à mourir*, als hij komt te sterven; *il vient de mourir*, hij is zo juist, pas, kort geleden gestorven; *d'où vient que?*, hoe komt het, dat?; *en — à bout de qc.*, iets klaarspelen; *en — aux mains*, handgemeen worden; *— à ses fins*, zijn doel bereiken; *voir — qn.*, begrijpen wat men wil; *— voir qn.*, iem. komen bezoeken; **2** groeien (*cet arbre vient bien*); **3** opkomen; *l'idée lui vint*, de gedachte kwam bij hem op.
Venise *v* Venetië. **▼vénitien, -enne** *bn* Venetiaans; *lanterne —enne*, lampion.
vent *m* **1** wind, lucht; *aller comme le —*, voorwaarts vliegen; *— arrière*, de wind achter; *— debout*, tegenwind; *avoir bon —*, de wind mee hebben; *coup de —*, windstoot; *dans le —*, 'in' (de mode); *il fait du —*, het waait; het is winderig; *instruments à —*, blaasinstrumenten; *mettre flamberge au —*, de degen trekken; *des quatre —s*, van overal, uit alle landen; *tourner à tout —*, met alle winden meewaaien; **2** laisser échapper un —, een wind laten; **3** reuk die het wild achterlaat; *avoir — de qc.*, de lucht van iets krijgen; **4** loze beloften.
vente *v* **1** verkoop, verkoping; *à la criée, aux enchères*, openbare verkoping; *— financée*, leasing; *— publique*, veiling, vendu(tie); *mettre en —*, te koop aanbieden, in veiling brengen; *la mise en —*, het te koop aanbieden, (uit)verkoop; *de bonne —*, veel aftrek vindend; **2** houthak, houtveiling.
venter *onp.w* waaien.
ventil/ateur *m* ventilator. **▼—ation** *v*

ventilatie. ▼—er ov.w ventileren.
ventis m mv omgewaaide bomen. ▼ventôse m zesde maand v.d. republikeinse kalender (19 februari - 20 maart).
ventouse v 1 kopglas; 2 zuignap (v. bloedzuiger enz.); 3 zich vastzuigend rubber dopje; 4 trekgat, luchtgat.
ventral [mv aux] bn v.d. buik. ▼ventre m 1 buik, lijf; aller — à terre, in vliegende vaart rijden; à plat —, plat op zijn buik; faire —, uitpuilen; prendre du —, een buikje krijgen; rire à — déboutonné, zijn buik vasthouden van het lachen; 2 buik van vaas enz. ▼ventrée v 1 worp, geworpen jongen; 2 (pop.) buikvol.
ventri/cule m lichaamsholte, hartkamer.
▼—ère v buikriem. ▼—loque m buikspreker.
▼—loquie v de kunst v.h. buikspreken.
▼—potent bn (fam.) dikbuikig. ▼ventru bn dikbuikig.
venu v.dw van venir 1 bn 1 gekomen; être bien —, welkom zijn; 2 geslaagd (dessin bien —); 3 ontwikkeld. II zn m, -e v: nouveau —, nouvelle —e, pas aangekomene; le premier —, la première —e, de eerste de beste. ▼venue v 1 komst; 2 groei; tout d'une —, d'une seule —, lang en smal; 3 les allées et —s, het heen en weerlopen.
vénusté v sierlijkheid, gratie.
vêpres v mv Vespers (rk).
ver m worm; —blanc, engerling; —luisant, glimworm; —à soie, zijderups; —solitaire, lintworm; avoir le — solitaire, veel eten; tuer le —, een glaasje drinken op de nuchtere maag.
véracité v waarheidszin, waarheid.
véraison v (het) kleuren v. vruchten (vooral v. druiven) bij het rijpen.
véranda v veranda.
vératre m nieskruid.
verbal [mv aux] bn 1 mondeling; 2 werkwoordelijk (forme —e).
▼verbalis/ation v (het) opmaken v.e. proces-verbaal. ▼—er on.w proces-verbaal opmaken (— contre). ▼—me m gebruik van (te) veel woorden. ▼verb/e m 1 werkwoord; — intransitif, onovergankelijk werkwoord; — transitif, overgankelijk werkwoord; — pronominal, wederkerend werkwoord; — 2 woord; avoir le — haut, op gebiedende toon, uit de hoogte spreken; 3 (het) Woord (tweede persoon der H. Drievuldigheid). ▼—eux, -euse bn wordt gezegd v. iem. die zich schuldig maakt aan woordenpraal. ▼—iage m woordenpraal, het gebruik van veel, maar vaak overbodige woorden. ▼—osité v woordenvloed, omhaal, woordenpraal.
ver-coquin m 1 draaiziekte, kolder; 2 wijngaardrups.
verd/âtre bn groenachtig. ▼—eur v 1 groenheid, vochtigheid (v. hout); 2 onrijpheid; 3 jeugdige kracht; 4 vrijheid, gewaagdheid (la — d'un propos).
verdict m uitspraak.
verd/ier m groenvink. ▼—ir I ov.w groen maken. II on.w groen worden. ▼—issage m (het) groen maken. ▼—issant bn groen wordend. ▼—issement m (het) groen worden. ▼—oyant bn groenend. ▼—oyer on.w groenen. ▼—ure v 1 groen; 2 groen gebladerte; 3 gras; 4 groente; 5 wandtapijt waarop veel bomen en gras staan.
véreux, -euse bn 1 wormstekig; 2 verdacht; 3 oneerlijk.
verg/e v 1 roede, staf; 2 roede (maat); 3 —s mv roe. ▼—é bn geribd (papier —).
verger m boomgaard.
vergeté bn gestreept.
vergette v 1 kleine roede; 2 (oud) kleerborstel.
vergeture v huidstreep.
verglacé bn beijzeld (route —e). ▼verglas m ijzel.
vergne m els (plk.).
vergogne v schaamte; sans —, schaamteloos.
vergue v ra.
véridicité v 1 geloofwaardigheid; 2 waarheid.
▼véridique bn 1 waarheidslievend; 2 waar.

vérifi/able bn te controleren, verifieerbaar.
▼—cateur m verificateur, controleur.
▼—catif, -ive bn ter verificatie dienend.
▼—cation v verificatie, controle. ▼—er ov.w 1 verifiëren, controleren, nazien; 2 bevestigen.
vérin m vijzelschroef.
▼véritable bn werkelijk, waar, echt. ▼vérité v 1 waarheid, werkelijkheid; à la —, weliswaar; dire à qn. ses —s, iem. ongezouten de waarheid zeggen; en —, inderdaad, waarlijk; toutes —s ne sont pas bonnes à dire, (spr. w) de waarheid wil niet altijd gezegd zijn; 2 waarde.
verjus m spa v. onrijpe druiven. ▼verjuté bn toebereid met verjus (sauce —e).
vermée v peur.
vermeil, -eille I bn hoogrood (lèvres —eilles).
II zn m verguld zilver.
vermicelle m 1 vermicelli; 2 vermicellisoep.
vermi/culaire, —forme (oud) bn wormvormig. ▼—fuge I bn wormen verdrijvend. II zn m middel tegen wormen.
vermiller on.w wroeten.
vermillon m vermiljoen. ▼vermillonner 1 ov.w vermiljoen kleuren; 2 wroeten.
vermine v 1 ongedierte; 2 gespuis.
▼vermineux, -euse bn vol ongedierte.
vermisseau [mv x] m wormpje. ▼vermivore bn zich met wormen voedend.
vermoul/er, (se) wormstekig worden, vermolmen. ▼—u bn vermolmd. ▼—ure v 1 wormstekige plek; 2 vermolmde plek; 3 molm.
vermout, vermouth m vermout.
vernaculaire I bn inheems. II zn m landstaal.
vernal [mv aux] bn v.d. lente.
vernier m nonius.
vernir ov.w vernissen, lakken; être verni, (pop.) boffen. ▼vernis m vernis, lak. ▼—sage m 1 (het) vernissen, lakken; 2 dag vóór de opening v.e. schilderijtentoonstelling.
▼—sé bn gevernist, glanzend. ▼—ser ov.w glazuren v. aardewerk. ▼—seur m vernisser, glazuurder.
vérole (petite) v 1 pokken; 2 (pop.) syfilis.
Vérone v Verona.
véronique v ereprijs (plk.).
verrai zie voir.
verrat m beer (mannetjesvarken).
verre m glas; boire dans un —, uit een glas drinken; — double, dubbeldik glas; —grossissant, vergrootglas; petit —, borreltje, likeurtje. ▼verr/e bn: papier —, schuurpapier.
▼—erie v 1 glasblazerskunst; 2 glaswerk; 3 glasblazerij, glasfabriek. ▼—ier m 1 glasblazer; 2 glasfabrikant; 3 glasverkoper; 4 mandje voor drinkglazen. ▼—ière v 1 kerkraam; 2 glas voor schilderij enz.; 3 raam v. geschilderd glas; 4 glazen wand; 5 glazen dak (o.a. van cockpit). ▼—oterie v snuisterijen v. glas (kralen enz.).
verrou m grendel; sous les —s, achter slot en grendel. ▼—illage m (het) afgrendelen.
▼—iller ov.w 1 grendelen; 2 achter slot en grendel zetten.
verrue v wrat. ▼verruqueux, -euse bn vol wratten.
vers I zn m vers; — blancs, rijmloze verzen; —libres, vrije verzen. II vz 1 naar, in de richting van; 2 tegen, omstreeks (tijd).
versant m helling.
versatil/e bn veranderlijk, wispelturig. ▼—ité v veranderlijkheid, wispelturigheid.
verse v (het) tegen de grond slaan v. koren; il pleut à —, het stortregent. ▼versé bn ervaren, bedreven, knap. ▼Verseau m Waterman (in de dierenriem). ▼vers/ement m storting (betaling). ▼—er I ov.w 1 gieten, storten, inschenken; — des larmes, tranen storten; — son sang, zijn bloed vergieten; 2 storten (v. geld); 3 onverwerpen (v.e. rijtuig); 4 neerslaan (v.h. koren). II on.w 1 omslaan (v.e. rijtuig); 2 neerslaan (v. koren).
verset m bijbelvers.
verseur m I zn schenker. II —, -euse bn: bouchon —, schenkkurk. ▼verseuse v

metalen (koffie)kan.
versicolore *bn* veelkleurig, v. kleur wisselend.
versi/ficateur *m* verzenmaker. ▼**—fication** *v*
verskunst, versbouw. ▼**—fier** *ov.w* in
versvorm omzetten.
version *v* 1 vertaling uit vreemde taal in
moedertaal; 2 lezing, versie. ▼**—verso** *m*
keerzijde (v.e. bladzijde). ▼**versoir** *m*
strijkbord (v. ploeg).
verste *v* werst (1 067 m).
vert I *bn* 1 groen; — *bouteille*, glasgroen;
2 vers, nieuw (*légume* —); 3 onrijp; 4 kras;
5 geducht (*— le réprimande*); 6 schuin (v.
moppen); *en dire de* —*es*, schuine moppen
vertellen. II *zn* *m* 1 groene kleur; — *émeraude*,
smaragdgroen; 2 groenvoer; *mettre un cheval
au* —, een paard in de weide sturen; *prendre
sans* —, snappen, betrappen. ▼**—-de-gris** *m*
kopergroen. ▼**—-de-grisé** *bn* bedekt met
kopergroen.
vert/ébral [*mv aux*] *bn* van de wervels;
colonne —*e*, wervelkolom. ▼**—èbre** *v* wervel.
▼**—ébré** I *bn* gewerveld. II *zn* *m* gewerveld
dier.
vertement *bw* duchtig, hevig.
vertical [*mv aux*] I *bn* loodrecht, verticaal.
II *zn* —*e* v loodlijn. ▼**—ité** *v* loodrechte stand.
verticill/e *m* krans v. bloemen, bladeren,
takken. ▼**—é** *bn* kransgewijs geplaatst.
vertig/e *m* duizeling. ▼**—ineux, -euse** *bn*
1 duizelingwekkend; 2 wat duizeligheid
betreft (*affection* —*euse*). ▼**vertigo** *m*
1 kolder (v. paarden); 2 (*oud*) gril.
vertu *v* 1 deugd; *faire de nécessité* —, van de
nood een deugd maken; 2 kuisheid, reinheid v.
vrouwen; 3 kracht, werking; *en* — *de*,
krachtens. ▼**vertueux, -euse** *bn* deugdzaam.
verve *v* vuur, gloed (*fig.*).
verveine *v* verbena (*plk.*).
verveux I *zn* *m* fuik. II *bn* vurig, meeslepend.
vésanie *v* waanzin.
vesce *v* wikke.
vésic/al [*mv aux*] *bn* v.d. blaas; *calcul* —,
blaassteen. ▼**—ant** *bn* blaartrekkend.
▼**—atoire** *bn* blaasvormig. ▼**—ule** *v* blaasje,
blaartje.
vespasienne *v* openbaar urinoir.
vespéral [*mv aux*] I *bn* v.d. avond. II *zn* *m*
vesperboek.
vessie *v* blaas; — *natatoire*, zwemblaas;
prendre des —*s pour des lanternes*, zich
vergissen.
vestale *v* 1 Vestaalse maagd; 2 zeer kuis meisje.
vest/e *v* 1 kort jasje, buis; 2 (*fam.*) echec,
mislukking (*ramasser une* —). ▼**—iaire** *m*
kleedkamer. ▼**—ibule** *m* 1 voorportaal;
2 voorhof v.h. oor.
vestige *m* spoor, overblijfsel.
vestimentaire *bn* wat kleren betreft. ▼**veston**
m colbertjasje.
Vésuve *m* Vesuvius.
vêtement *m* kledingstuk.
vétéran *m* 1 veteraan; 2 leerling die een klas
overdoet.
vétérinaire I *bn* veeartsenijkundig. II *zn* *m*
veearts.
vétillard, vétilleux *m*, **-euse** *v* (*oud*) I *bn*
vitterig, pietluttig. II *zn* vitter (-ster), pietluī.
▼**vétille** *v* kleinigheid, beuzelarij.
vêtir I *ov.w* *onr.* (aan)kleden. II *se* — zich
aankleden.
veto *m* veto.
vêture *v* inkleding (*rk*).
vêtust/e *bn* oud, versleten. ▼**—é** *v* ouderdom.
veuf, veuve I *bn* beroofd van, verstoken van
(*— de*). II *veuf zn* *m*, **veuve** *v* 1 weduwnaar,
weduwe; 2 *la veuve*, de guillotine (*pop.*).
veuillez *zie* **vouloir**.
veule *bn* krachteloos, slap, lamlendig.
▼**veulerie** *v* krachteloosheid, slapheid,
lamlendigheid.
veuvage *m* weduwstaat, weduwnaarschap.
▼**veuve** *zie* **veuf**.
vexant *bn* lastig, ergerlijk. ▼**vexateur, -trice**
bn lastig, plagend. ▼**vexat/ion** *v* plagerij.
▼**—oire** *bn* lastig, plagerig, drukkend (*impôt*

—). ▼**vexer** I *ov.w* plagen, kwellen, hinderen.
II *se* — kwaad worden.
via *vz* via.
viabiliser *ov.w* bouwrijp maken. ▼**viabilité** *v*
1 levensvatbaarheid; 2 begaanbaarheid;
3 (het) bouwrijp maken. ▼**viable** *bn*
1 levensvatbaar; 2 begaanbaar, berijdbaar.
viaduc *m* viaduct.
viager, -ère I *bn* levenslang; *rente* —*ère*,
lijfrente. II *zn* *m* lijfrente. ▼**viagèrement** *bw*
levenslang.
viande *v* vlees; (*plat*) (menselijk) lichaam;
montrer sa —, zich uitkleden. ▼**viander** *on.w*
grazen v. wilde dieren.
viatique *m* 1 reisgeld; 2 sacramenten der
stervenden.
vibrant *bn* vibrerend; trillend; klankvol,
sonoor; emotioneel.
vibraphon/e *m* vibrafoon. ▼**—iste** *zn*
vibrafonist(e).
vibr/ateur *m* vibrator. ▼**—atile** *bn* in staat te
trillen. ▼**—ation** *v* trilling, vibratie. ▼**—atoire**
bn trillend. ▼**—er** *on.w* trillen. ▼**—eur** *m*
zoemer. ▼**—ion** *m* 1 trilwormpje; 2 (*fig.*)
zenuwpees. ▼**—isse** *v* neushaartje.
▼**—omasseur** *m* vibrator
(massage-apparaat).
vicair/e *m* 1 plaatsvervanger; *grand* —, —
général, vicaris-generaal (plaatsvervanger v.
bisschop); *le — de Jésus Christ*, de paus;
2 kapelaan. ▼**—ie** *v*, **vicariat** *m* 1 vicariaat;
2 kapelaanschap; 3 woning v. kapelaan of
vicaris; 4 bijkerk. ▼**vicarial** [*mv aux*] *bn* een
vicaris of een kapelaan betreffend.
vice *m* 1 ondeugd; 2 gebrek.
vice/-amiral [*mv aux*] *m* vice-admiraal.
▼**—-chancelier** *m* ondenkanselier.
▼**—-consul**† *m* vice-consul. ▼**—-consulat**†
m vice-consulaat.
vicennal [*mv aux*] *bn* 1 twintigjarig; 2 om de
twintig jaar.
vice/-président† *m* vice-president. ▼**—-roi**†
m onderkoning.
vicésimal [*mv aux*] *bn* twintigtallig.
vice versa *bw* vice-versa.
vichy *m* 1 (van 2-kleurige draden geweven)
geruit of gestreept katoen; 2 mineraalwater uit
Vichy.
vici/able *bn* vatbaar voor bederf. ▼**—ation** *v*
bederf. ▼**—er** *ov.w* bederven, vervuilen (v.
lucht). ▼**—eusement** *bw* gebrekkig, onjuist.
▼**—eux, -euse** *bn* 1 gebrekkig; 2 verdorven,
slecht; 3 koppig, weerspannig (v. paard).
vicinal [*mv aux*] *bn* van de buurt; *chemin de
fer* —, buurtspoorweg.
vicissitude *v* wederwaardigheid,
wisselvalligheid.
vicomtal [*mv aux*] *bn* v.e. burggraaf.
▼**vicomte** *m*, **-esse** *v* burggraaf, burggravin.
▼**vicomté** *m* burggraafschap.
victime *v* slachtoffer.
victoire *v* overwinning; *chanter* —, victorie
kraaien.
victoria *v* soort open rijtuig met vier wielen.
▼**victorien, -enne** *bn* wat koningin Victoria
v. Engeland en haar tijd betreft, Victoriaans.
victorieusement *bw* zegevierend.
▼**victorieux, -euse** *bn* zegevierend; *preuve
—euse*, overtuigend bewijs.
victuailles *v mv* levensmiddelen,
mondvoorraad.
vidage *m* (het) ledigen. ▼**vidang/e** I 1 *v* (het)
ledigen; *tonneau en* —, gedeeltelijk leeg vat;
2 verversing (olie). II —*s v mv* faecaliën. ▼**—er**
ov.w 1 legen; 2 verversen (olie v. auto).
▼**—eur** *m* putjesschepper. ▼**vide** I *bn* leeg;
cœur —, ongevoelig hart; — *de*, zonder, vrij
van; — de sens, zinledig; *tête* —, leeghoofd.
II *zn* *m* 1 leegte, leemte, luchtledige, vacuüm; *à*
—, leeg, in de leegte, in de ruimte, zonder
effect; *frapper à* —, naast het ijzer slaan;
emballage sous —, vacuümverpakking;
2 ijdelheid, nietigheid.
vidéo I *bn* video-. II *bn* video-; *appareil* —,
videorecorder. ▼**—cassette** *v* videocassette.
▼**—disque** *m* videoplaat. ▼**—phone** *m*

videofoon.
vide/-ordures m vuilnistrechter. ▼**—poches** m schaal of kistje voor kleine dingen, handschoenenkastje (auto). ▼**—pommet** m appelboor. ▼**vider** ov. w 1 ledigen; — les arçons, uit het zadel vallen; — un poisson, une volaille, een vis, gevogelte uithalen, schoonmaken; 2 afdoen, beslissen, beslechten (— un différend); 3 ontruimen (les lieux). ▼**videur** m, **-euse** v 1 schoonmaker (-maakster) (v. wild of gevogelte); 2 uitsmijter (cafés).
viduité v weduwstaat, weduwnaarschap.
vidure v wat men ergens uithaalt bij het schoonmaken (van bijv. gevogelte, vis).
vie v 1 leven; à —, levenslang; à la —, à la mort, voor altijd; faire la —, een losbandig leven lijden; jamais de la —, nooit van mijn leven; refaire sa —, hertrouwen; sa — ne tient qu'à un fil, zijn leven hangt aan een zijden draadje; 2 kost, levensonderhoud; gagner sa —, de kost verdienen; la — a triplé, de kosten v.h. levensonderhoud zijn verdrievoudigd; 3 lawaai, leven.
vieil bn vorm van **vieux** voor mannelijk enkelvoudig woord dat begint met klinker of stomme h. ▼**—lard** m grijsaard. ▼**—le** zie **vieux**. ▼**—lerie** v 1 antiquiteit, oude rommel; 2 —s v mv ouderwetse denkbeelden. ▼**—lesse** v ouderdom. ▼**—lir** I on.w oud(er) worden; verouderen. II ov.w oud maken; vous me vieillissez de deux ans, u schat me twee jaar te oud. III se — zich ouder voordoen -, zich voor ouder uitgeven dan men is. ▼**—lissement** m veroudering. ▼**—lot, -otte** bn oudachtig.
viell/e v middeleeuwse lier. ▼**—er** on.w op de vielle spelen. ▼**—eur** m, **-euse** v viellespeler (-speelster).
Vienne v 1 Wenen; 2 Vienne (in Fr.).
▼**viennois** I bn Weens. II **V—** zn m Wener.
vierge I zn v maagd. II bn 1 maagdelijk; 2 gaaf, ongerept; film—, onbelichte film; forêt—, oerwoud; vigne—, wilde wingerd; 3 gedegen (argent—).
vietnamien, -enne I bn Vietnamees. II zn Vietname(e)s(e).
vieux (zie ook **vieil**), **vieille** I bn oud; — comme le monde, zo oud als de weg naar Rome; se faire —, oud worden; faire de — os, oud worden; se faire —, oud worden; vieille fille, ouwe vrijster; — garçon, vrijgezel; — jeu, ouderwets. II zn m 1 oude, oudje; mon —, oude jongen, ventje; 2 (het) oude; 3 ouderdom; coup de —, plotselinge ouderdom. III vieille v oude vrouw, oudje.
vif, vive I bn 1 levend; de vive voix, mondeling; 2 levendig; chaux vive, ongebluste kalk; eau vive, bronwater; 3 driftig; 4 helder (couleur vive); 5 hevig, vlug; 6 fris, prikkelend; 7 vinnig. II zn m 1 levend vlees; trancher dans le —, in het levende vlees snijden; à —, bloot, gespannen (v. zenuwen); 2 levend aasvisje; 3 kern; entrer dans le — de la question, op de kern der zaak komen; 4 pris sur le —, naar het leven getekend. ▼**vif-argent** m kwikzilver; avoir du — dans les veines, erg levendig zijn.
vigie v uitkijk (scheepv.). ▼**vigil/amment** bw waakzaam. ▼**—ance** v waakzaamheid. ▼**—ant** I bn waakzaam. II zn m nachtwaker. ▼**vigile** I m nachtwaker. II v vigilie.
vigne v 1 wijnstok, wingerd; — vierge, wilde wingerd; 2 wijngaard; être dans les —s du Seigneur, dronken zijn.
vigneau [mv x], **vignot** m alikruik.
vigneron, -onne v wijngaardenier(ster).
vignette v 1 vignet; 2 (sluit)zegel, wegenbelastingzegel.
vignoble I zn m wijngaard, wijnberg. II bn waar veel wijndruiven groeien (pays—).
vigoureusement bw sterk, krachtig.
▼**vigoureux, -euse** bn sterk, krachtig.
▼**vigueur** v kracht; être en —, van kracht zijn; entrer en —, in werking treden.
vil bn 1 laag (à — prix); 2 laag, gemeen. ▼**vilain** I bn 1 lelijk; 2 gemeen, laag; 3 burgerlijk. II zn m 1 (oud) boer, burger; 2 gemeen mens,

schurk; 3 vrek; 4 ruzie.
vilebrequin m 1 drilboor; 2 krukas.
vilenie v 1 gemeenheid, laagheid; 2 gierigheid.
vilipender ov.w minachten, door het slijk sleuren.
villa v villa.
village m dorp. ▼**—ois** I bn dorps. II zn m, -e v dorpeling(e).
ville v stad; dîner en —, buitenshuis eten; la V— éternelle, Rome; la V— lumière, Parijs; la V— sainte, Jerusalem.
villégiat/eur m (oud) vakantieganger. ▼**—ure** v 1 verblijf buiten; 2 buitenverblijf.
vill/eux, -euse bn harig. ▼**—osité** v harigheid.
vin m wijn; à bon — point d'enseigne, (spr.w) goede wijn behoeft geen krans; chaque — a sa lie, (spr.w) iedere zaak heeft zijn onaangename zijde; cuver son —, zijn roes uitslapen; être entre deux —s, lichtelijk aangeschoten zijn; — de palme, palmwijn; être pris de —, dronken zijn; quant le — est tiré, il faut le boire, (spr.w.) wie a zegt, moet b zeggen; sac à —, dronkelap. ▼**vinage** m (het) toegeven v. alcohol a.d. wijn.
vinaigr/e m azijn; donner du —, sneller draaien bij het touwtje springen; zich haasten. ▼**—er** ov.w met azijn toebereiden. ▼**—erie** v azijnfabriek. ▼**—ette** v saus van azijn, olie, zout enz. ▼**—ier** m 1 azijnfabrikant; 2 azijnverkoper; 3 azijnflesje.
vinasse v 1 slap wijntje; 2 droesem.
vindas m windas.
vindicatif, -ive bn wraakzuchtig. ▼**vindicte** v strafvervolging, veroordeling.
vinée v wijnoogst. ▼**viner** ov.w alcohol toevoegen aan de wijn. ▼**vineux, -euse** bn 1 wijnachtig; 2 rijk aan wijn; 3 krachtig, vol (v. wijn).
vingt telw. 1 twintig; 2 twintigste. ▼**—aine** v twintigtal, twintigtal jaren. ▼**—-deux** telw. 1 tweeëntwintig; 2 (pop.) kijk uit! ▼**—ième** I telw. twintigste. II zn m twintigste deel.
vini/cole bn wat de wijnbouw betreft. ▼**—fère** bn wijn voortbrengend. ▼**—fication** v wijnbereiding. ▼**vinosité** v wijngehalte.
vinyle m vinyl.
vioc, vioque bn (pop.) oud; les viocs, de ouwelui.
viol m verkrachting, schending.
violacé bn paarsachtig.
violat/eur m, **-rice** v schender (-ster), verkrachter. ▼**—ion** v schending, verkrachting.
violâtre bn paarsachtig.
viole v viola (muz.); — d'amour, viola d'amore.
viol/emment bw hevig, heftig, gewelddadig. ▼**—ence** v hevigheid, heftigheid, gewelddadigheid; employer la —, geweld gebruiken; faire — à un texte, een tekst verdraaien; se faire —, zich bedwingen. ▼**—ent** bn hevig, heftig, gewelddadig. ▼**—enter** ov.w geweld aandoen. ▼**—er** ov.w schenden, overtreden, verkrachten.
viol/et, -ette bn violet, paars. ▼**—ette** v viooltje. ▼**violeur** m, **-euse** v verkrachter, schender (-ster).
violier m violier (plk.).
violine I zn v analinekleur. II bn donker violet.
violiste m of v violabespeler (-bespeelster).
▼**violon** m 1 viool; jouer du —, viool spelen; d'Ingres, hobby; 2 vioolspeler; payer les —s, de kosten betalen; 3 nor. ▼**—celle** m 1 violoncel; 2 cellist. ▼**—celliste** m cellist. ▼**—eux** m krasser, speelman. ▼**—iste** m of v violist(e).
viorne v sneeuwbal (plk.).
vipère v adder; langue de —, lastertong.
virage m 1 (het) draaien, keren; 2 bocht, draai.
virago v manwijf.
viral bn van, door een virus.
virée v 1 draai; 2 (fam.) uitstapje. ▼**virement** m 1 draaiing, wending; 2 overboeking, overschrijving; service des —s postaux, postgirodienst. ▼**virer** I on.w 1 draaien, zwenken; — de bord, overstag gaan; van partij veranderen; 2 verkleuren. II ov.w 1 doen draaien; 2 overschrijven, overboeken, gireren.
vireux, -euse bn 1 giftig; 2 stinkend.

virevolte *v* snelle wending en terugzwenking v.e. paard in de manege.

Virgile *m* Vergilius.

virginal [*mv* aux] *bn* maagdelijk. ▼**virginité** *v* maagdelijkheid, ongereptheid.

virgule *v* komma.

viril *bn* **1** mannelijk, viriel; *âge* —, mannelijke leeftijd; **2** manhaftig, moedig. ▼—**iser** *ov.w* tot een man maken. ▼—**ité** *v* **1** mannelijkheid, viriliteit; **2** flinkheid, moed; **3** mannelijke leeftijd.

virole *v* metalen ring (om eind v. stok enz.).

virtualité *v* innerlijk verlangen. ▼**virtuel**, -**elle** *bn* waarvan het vermogen aanwezig is, maar dat zich niet uit, virtueel.

virtuos/e *m* of *v* virtuoos. ▼—**ité** *v* virtuositeit.

virul/ence *v* **1** kwaadaardigheid; **2** felheid, heftigheid. ▼—**ent** *bn* **1** kwaadaardig; **2** fel, heftig.

virus *m* smetstof, virus.

vis *v* schroef; *escalier à* —, wenteltrap.

visa *m* visum.

visage *m* gezicht, gelaat; *changer de* —, van kleur verschieten, rood of bleek worden; *à* — *découvert*, openlijk, ronduit; *trouver* — *de bois*, voor de gesloten deur komen. ▼**visagiste** *zn* schoonheidsspecialist(e).

vis-à-vis *l* vz (— *de*) tegenover. **II** *zn m* **1** iem. die tegenover iem. zit of staat; **2** id., canapé voor twee personen; **3** soort vierwielig rijtuig.

visc/éral [*mv* aux] *bn* **1** wat de ingewanden betreft; **2** diep(gaand). ▼—**ère** *m* ingewand.

viscose *v* grondstof voor de kunstzijde. ▼**viscosité** *v* slijmerigheid, kleverigheid, viscositeit.

vis/é *m* (het) mikken. ▼—**ée** *v* **1** (het) mikken; **2** bedoeling, doel. ▼—**er** *l* *on.w* mikken (*ook fig.*). **II** *ov.w* (à) **1** mikken (op); *se sentir visé*, voelen dat men het mikpunt is; **2** streven naar; **3** beogen; — *l'effet*, effect beogen; **4** slaan op; **5** (*pop.*) kijken naar; **6** *faire* — *un passeport*, een visum op een pas laten zetten. ▼—**eur** *m* **1** vizier; **2** zoeker (*fot.*).

visibilité *v* zichtbaarheid; *atterrissage sans* —, blindlanding. ▼**visible** *bn* **1** zichtbaar; **2** duidelijk; **3** te spreken (*Monsieur est-il* —?).

visière *v* vizier (v. helm), klep (v. pet); *rompre en* — (à, *avec*), (iem.) aanpakken, uitdagen, bestrijden.

vision *v* **1** visioen; **2** gezicht, gezichtsvermogen. ▼—**naire** *l* *bn* hersenschimmig, visionair. **II** *zn m* of *v* geestenziener (-ster). ▼—**ner** *ov.w* viewen (v. film). ▼—**neuse** *v* viewer.

Visitation *v* **1** bezoek v. Maria aan de H. Elisabeth; **2** Feest v. Maria Visitatie. ▼**visit/e** *v* **1** bezoek; bezichtiging; *rendre* — à, bezoeken; **2** onderzoek, visitatie (— *de la douane*); **3** bezoeker(s), bezoek. ▼—**er** *ov.w* **1** bezoeken, bezichtigen; **2** onderzoeken, visiteren. ▼—**eur** *m*, -**euse** *v* **1** bezoeker (-ster); **2** visiteur, visiteuse bij de douane.

vison *m* Amerikaanse marter.

visqueux, -**euse** *bn* slijmerig, kleverig.

vissage *m* (het) aan-, vastschroeven. ▼**visser** *ov.w* aan-, vastschroeven. ▼**visserie** *v* **1** schroeven, moeren enz.; **2** fabriek v. schroeven, moeren enz.

Vistule *v* Weichsel.

visualis/ation *v* visualisatie. ▼—**er** *ov.w* visualiseren, veraanschouwelijken. ▼**visuel**, -**elle** *bn* wat het gezicht betreft; visueel.

vital [*mv* aux] *bn* wat het leven betreft, vitaal (*fonctions* —es); *question* —e, levenskwestie. ▼—**ité** *v*. levenskracht, vitaliteit.

vitamin/e *v* vitamine. ▼—**er** *ov.w* vitamineren. ▼—**ique** *bn* vitaminen.

vite *bw* en *bn* vlug, snel; *au plus* —, zo spoedig mogelijk; *avoir* — *fait de*, 't snel klaarspelen om. ▼**vitesse** *v* **1** snelheid, vlugheid; *en* —, en vlug een beetje!; *en perte de* —, die zijn vaart, dynamiek kwijt raakt; *en petite* —, als vrachtgoed; *en grande* —, als ijlgoed; *à toute* —, in volle vaart; **2** versnelling (v. auto's enz.); *changer de* —, schakelen; *en quatrième* — (*fam.*), zeer snel.

viti/cole *bn* wat wijnbouw betreft. ▼—**culteur** *m* wijnbouwer. ▼—**culture** *v* wijnbouw.

vitr/age *m* **1** (het) inzetten v. ruiten; **2** de ruiten (v.e. gebouw); **3** glazen wand; **4** glazen deur; **5** (*rideau de* —) vitrage. ▼—**ail** [*mv* aux] *m* gekleurd (kerk)raam. ▼**vitre** *v* glasruit; *casser les* —*s*, schandaal maken, opschudding veroorzaken. ▼**vitr/é** *bn* **1** van -, met glas; **2** doorschijnend. ▼—**er** *ov.w* van ruiten voorzien. ▼—**erie** *v* **1** ruitenfabricage; **2** handel in ruiten. ▼—**eux**, -**euse** *bn* glasachtig, glazig (*yeux* —); ▼—**ier** *m* ruitenzetter. ▼—**ifier** *ov.w* in glas omzetten (— *du sable*). ▼—**ine** *v* uitstalkast.

vitriol *m* vitriool, zwavelzuur.

vitupérer *l* *ov.w* (oud) laken, afkeuren. **II** *on.w* protesteren.

vivable *bn* (*fam.*) leefbaar, draaglijk.

vivace *bn* **1** vol levenskracht; *préjugé* —, ingewortetel vooroordeel; **2** overblijvend (*plantes* —*s*); **3** levendig, snel (*muz.*). ▼**vivacité** *l* *v* **1** levendigheid, beweeglijkheid; **2** schranderheid, helderheid (— *d'esprit*). **II** —*s* *v mv* drift(bui).

vivandier *m*, -**ère** *v* (*oud*) zoetelaar, marketentster.

vivant *l* *bn* **1** levend; *une bibliothèque* —*e*, een geleerde; **2** goed gelijkend (*portrait* —); **3** druk (*quartier* —). **II** *zn m* **1** levende; *bon* —, pretmaker; **2** leven; *du* — *de*, bij het leven van; *de son* —, tijdens zijn leven.

vivat *zn m* juichkreet.

vive *v* pieterman (vis).

vive *zie* **vif**, **vivre**. ▼**vivement** *bw* **1** levendig, snel; **2** diep (— *ému*). ▼**viveur** *m* boemelaar, pretmaker. ▼**vivier** *m* visvijver, leefnet.

vivifi/ant *bn* bezielend, levenwekkend. ▼—**cation** *v* verlevendiging. ▼—**er** *ov.w* verlevendigen, bezielen, tot grotere bloei doen komen.

vivipare *l* *bn* levendbarend. **II** *zn m* of *v* levendbarend dier.

vivisection *v* vivisectie.

vivoir *m* huiskamer (Canada).

vivoter *on.w* armoedig leven, doorsukkelen.

vivre *l* *on.w* onr. leven; *vive*…!, *vivent*…!, level; *être facile à* —, een gemakkelijk humeur hebben; — *au jour le jour*, van de hand in de tand leven; *savoir* —, zich gemakkelijk bewegen; *qui vivra verra*, de tijd zal het leren. **II** *ov.w* doorleven, beleven. **III** *zn m* kost, onderhoud; *le* — *et le couvert*, kost en inwoning. **IV** —*s* *m mv* levensmiddelen. ▼**vivrier**, -**ère** *bn* van levensmiddelen.

vizir *m* vizier; *grand* —, grootvizier.

vlan! *tw* v'**lan!** pats!, klets! ▼**vli! vlan!** *tw* klits klats!

vocable *m* woord; *église sous le* — *de saint Pierre*, kerk onder bescherming v.d. H. Petrus. ▼**vocabulaire** *m* woordenlijst, woordenschat.

vocal [*mv* aux] *bn* v.d. stem, vocaal; *musique* —*e*, vocale -, zangmuziek. ▼—**ique** *bn* wat de klinkers betreft. ▼—**isation** *v* **1** klinkervorming; **2** (het) zingen op één klinker. ▼—**ise** *v* (het) zingen op één klinker. ▼—**iser** *on.w* op één klinker zingen. ▼—**isme** *m* **1** klinkersysteem; **2** de klinkers v.e. woord. ▼**vocatif** *m* de naamval v.d. aangesproken persoon, vocatief. ▼**vocation** *v* roeping, aanleg.

vocifér/ations *v mv* getier, geschreeuw, gescheld. ▼—**er** *on.w* tieren, schreeuwen, schelden. **II** *ov.w* uitbraken (— *des injures*).

vodka *v* wodka.

vœu [*mv* x] *m* **1** gelofte; *faire* — *de*, een gelofte afleggen van; —*x monastiques*, —*x de la religion*, de drie kloostergeloften; **2** wens.

vogue *v* opgang, mode; *être en* —, veel opgang maken; *livre en* —, succesboek.

voguer *on.w* (*oud*) varen; *vogue la galère!*, er moge van komen wat er wil.

voici *vz* **1** ziehier, hier is; *le* —, *la* —, daar is ze; *le livre que* —, dit boek hier; *le* — *qui vient*, daar komt hij aan; **2** alstublieft; **3** geleden.

voie v 1 weg; (rij)baan; *route à trois —s*, driebaansweg; *être en — de*, bezig zijn te, met; *—s de fait*, geweld; *—ferrée*, spoorweg; *mettre sur la —*, op weg helpen; 2 vervoermiddel; 3 middel; 4 lek (*in een schip*) (*— d'eau*); 5 spoorbaan, -lijn; 6 spoorwijdte (van wagen).

voilà vz 1 ziedaar, daar is, daar zijn; *en —*, alsjeblieft; *en — un imbécile*, is me dat een stommeling!; *en — assez!*, zo is het wel genoeg!; *le —*, daar is hij; *le livre que —*, dat boek daar; *— qu'on sonne*, daar wordt gebeld; *le — qui vient*, daar komt hij; *nous y —*, daar hebben we het nu; eindelijk zijn we er!; 2 geleden; *— deux ans*, twee jaar geleden; 3 *ne —t-il pas que…* (*fam.*), waarempel, nee maar!

voile l m 1 sluier; *sous le — de l'amitié*, onder het mom v. vriendschap; 2 sluier (op foto's); 3 *le — du palais*, het zacht verhemelte. ll v 1 zeil (v. schip); *mettre à la —*, onder zeil gaan; *mettre toutes —s dehors*, alle zeilen bijzetten; *mettre les —s*, (*pop.*) weggaan; 2 zeilschip. ▼**voil/é** bn 1 gesluierd, bedekt; 2 gesluierd (*fot.*); 3 verbogen (*roue —e*). ▼**—ement** m slinger in een wiel. ▼**—er** l ov.w 1 met een sluier bedekken, bedekken; 2 geheim houden, verbergen; 3 optuigen (v.e. schip); 4 verbuigen. ll on.w of **se —** krom trekken. ▼**—erie** v zeilmakerij. ▼**—ette** v voile. ▼**—ier** l zn m 1 zeilmaker; 2 zeilschip; 3 vlieger (vogel). ll bn: *oiseau —*, vlieger (vogel). ▼**—ure** v 1 zeilwerk; 2 de vleugels (v.e. vliegtuig); 3 (het) kromtrekken (v.e. plank enz.).

voir l ov.w 1 zien; *— page 10*, zie pag. 10; *voyons!*, kom, kom! laten we eens zien!; *on verra*, we zullen (nog) wel zien; *tu vois bien!*, zeg nou zelf!; *pour —*, om te proberen, zomaar; *n'avoir rien à — avec*, niets te maken hebben met; *dis —* (*fam.*), zeg eens; *faire —*, tonen, bewijzen; *je n'y vois pas*, ik kan niet zien; *— le jour*, het levenslicht aanschouwen; *— de loin*, ver vooruitzien; *on verra*, we zullen wel zien; 2 bezoeken (*aller — qn.*); 3 kijken (*— au microscope*); 4 omgaan met (*— beaucoup de monde*). ll on.w letten op, zorgen voor (*— à ce que*). lll se **— 1** te zien zijn, gebeuren (*cela se voit régulièrement*); 2 met elkaar omgaan.

voire bw (*ook — même*) zelfs, ja.

voirie v 1 mestvaalt, asbelt; 2 toezicht op de openbare weg; 3 reinigingsdienst.

voisin l m naburig. ll zn m, -e v buurman, buurvrouw. ▼**—age** m 1 buurt, nabijheid; 2 de buren. ▼**—er** on.w met zijn buren omgaan.

voiturage m vervoer per as. ▼**voitur/e** v 1 rijtuig, wagen, wagon, auto; *—restaurant*, restauratie-wagen; *— découverte*, open rijtuig; *— de maître*, eigen rijtuig; *en —!*, instappen!; 2 vervoer; 3 vervoerskosten; 4 vracht. ▼**—ée** v wagenvol. ▼**—er** ov.w per as vervoeren. ▼**—ette** v klein wagentje, kleine auto. ▼**—ier** m voerman.

voix v 1 stem, stemgeluid; *à — basse*, zachtjes; *à deux —*, tweestemmig; *à pleine —*, uit volle borst; *avoir — au chapitre*, een stem in het kapittel hebben; *être en —*, goed bij stem zijn; *parler à haute —*, luid, hardop spreken; *la — du peuple*, de stem des volks, de openbare mening; *de vive —*, mondeling; 2 gevoelen, mening; 3 stem, stemming; *aller aux —*, stemmen; 4 de bedrijvende of lijdende vorm (*— active*, *— passive*); 5 *la — des chiens*, het geblaf der honden (die wild op het spoor zijn).

vol m 1 (het) vliegen, vlucht; *à — d'oiseau*, in vogelvlucht; *au —*, in de vlucht, in het voorbijgaan; *— de nuit*, nachtvlucht; *— plané*, glijvlucht; *prendre son —*, opvliegen, zijn positie verbeteren; *à — voile*, zweefvliegen; 2 vlucht (vleugelwijdte); 3 zwerm, troep; 4 diefstal; *à la tire*, zakkenrollerij; *— à main armée*, roofoverval; 5 (het) gestolene.

volage bn wispelturig, veranderlijk.

volaill/e v 1 gevogelte; hoen, vogel (om te eten); 2 (*pop.*) stel meiden. ▼**—er** m koopman in gevogelte. ▼**—eur** m fokker v. vogels.

volant l bn 1 vliegend; 2 gemakkelijk verplaatsbaar, zich snel bewegend; los; *brigade —e*, vliegende brigade; *feuille —e*, los blaadje; *fusée —e*, vuurpijl; *pont —*, gierpont; *table —e*, licht tafeltje. ll zn m 1 pluimbal, shuttle; 2 (*— au filet*) badminton; 3 stuur, stuurwiel, vliegwiel; 4 molenwiek; 5 strook.

volatil bn vluchtig.

volatile m vliegend dier.

volatil/isable bn vluchtig. ▼**—isation** v vervluchtiging. ▼**—iser** l ov.w vervluchtigen, indampen. ll **se —** vervliegen, vervluchtigen. ▼**—ité** v vluchtigheid.

vol-au-vent m pastei van bladerdeeg met vlees of vis, champignons enz.

volcan m vulkaan. ▼**—ique** bn vulkanisch. ▼**—isme** m vulkanisme.

vole v groot slem (kaartspel). ▼**volée** v 1 (het) vliegen; 2 vlucht; *prendre sa —*, opvliegen; *à la —*, in de vlucht, onbesuisd, in het wilde weg; 3 zwerm, troep; 4 stand, rang (*personne de haute —*); 5 salvo, laag; 6 pak slaag; 7 slingering (v.e. klok); *sonner à toute —*, uit alle macht luiden; 8 volley. ▼**voler** l on.w vliegen; *— de ses propres ailes*, op eigen wieken drijven. ll ov.w 1 jacht maken met behulp van vogels; 2 stelen; *il ne l'a pas volé*, hij heeft het verdiend; 3 bestelen. ▼**volerie** v 1 (*oud*) diefstal; 2 jacht met vogels.

volet m 1 luik; 2 houten zeef voor graan enz.; *trier sur le —*, nauwkeurig uitzoeken; 3 strookje.

voleter on.w fladderen.

voleur l zn m, -euse v dief, dievegge; *au —!*, houd(t) de dief! ll **—**, -euse bn diefachtig.

volière v volière.

volige v panlat.

volitif, -ive bn wat de wil betreft. ▼**volition** v wilsuiting.

volley/-(ball) m volleybal; *jouer au —*, volley(ball)en. ▼**—eur**, -euse zn 1 volleybalspeler, -speelster; 2 specialist(e) in het volleren.

volontaire l bn 1 vrijwillig; 2 eigenzinnig, ongezeglijk. ll zn m vrijwilliger. ▼**—ment** bw 1 vrijwillig; 2 opzettelijk. ▼**volonté** v wil, wilskracht, wilsuiting; *à —*, naar verkiezing; zoveel men wil; *les dernières —s*, de uiterste wilsbeschikking; *faire ses —s*, zijn eigen zin volgen; *de la mauvaise —*, kwaadwilligheid. ▼**volontiers** bw 1 graag; 2 licht, gemakkelijk.

volt m volt. ▼**—age** m voltage.

voltair/e m diepe leunstoel. ▼**—ien**, -ne bn van Voltaire.

volte v 1 (het) ronddraaien v.e. paard, zwenking; 2 draai (*fig.*). ▼**—face** v halve draai; *faire —*, zich omdraaien, plotseling v. mening veranderen. ▼**volter** on.w zwenken.

voltig/e v 1 slap koord voor acrobaten; 2 oefeningen hierop; 3 kunstje op het paard. ▼**—ement** m (het) fladderen. ▼**—er** on.w 1 fladderen; 2 kunsten maken op een paard; voltigeren; 3 kunsten maken op het slappe koord. ▼**—eur** m, -euse v 1 acrobaat, acrobate, kunstrijder (-ster); 2 verkenner (*mil.*).

volubile bn 1 rad v. tong; 2 slingerend (*plk.*). ▼**volubilis** m winde (*plk.*) ▼**volubilité** v radheid v. tong.

volucompteur m teller van een benzinepomp. ▼**volume** m 1 (boek)deel; 2 volume, inhoud; 3 stemomvang, kracht v.h. geluid. ▼**volumineux**, -euse bn omvangrijk.

volupté v wellust, groot genot. ▼**voluptueux**, -euse l bn wellustig, weelderig. ll zn m wellusteling.

volute v 1 krul (*arch.*); 2 spiraal (*— de fumée*).

vom/i m 1 (het) braken; 2 braaksel. ▼**—ir** ov.w braken, uitbraken. ▼**—issement** m 1 (het) braken; 2 braaksel. ▼**—issure** v braaksel. ▼**—itif**, -ive l bn braking veroorzakend. ll zn m braakmiddel.

vont zie *aller*.

vorac/e bn vraatzuchtig. ▼**—ité** v vraatzucht.

vos vnw m of v mv vorm van *votre*.

Vosges m mv Vogezen. ▼**vosgien**, -enne bn uit de Vogezen.

votant I *bn* stemmend, stemgerechtigd. **II** *zn m*, -**e** *v* stemmer (-ster), stemgerechtigde.
▼**vot/e** *m* stem, stemming. ▼—**er I** *on.w* stemmen. **II** *ov.w* bij stemming aannemen (— *une loi*). ▼—**if**, -**ive** *bn* gemaakt of geschonken krachtens een gelofte; *fête —ive*, patroonsfeest.
votre *bez.vnw* uw, jullie. ▼**vôtre** *bez.vnw* van u; *je suis tout* —, ik ben geheel de uwe; *le* —, *la* —, *les* —**s**, het, de uwe, de uwen.
voudrai *zie* **vouloir.**
vouer I *ov.w* **1** toewijden, opdragen; **2** plechtig beloven (— *obéissance*); **3** wijden. **II se** — **1** zich toewijden; *ne savoir à quel saint se* —, geen raad meer weten; **2** zich wijden (*se* — *à l'étude*).
vouloir I *ov.w onr.* willen, eisen, vereisen; *je veux bien*, het is goed; *que voulez-vous?*, wat zul je eraan doen?; *Dieu le veuille*, God geve het; *veuillez me dire*, gelieve, wees zo goed, heb de goedheid mij te zeggen; — *c'est pouvoir*, waar een wil is, is een weg; — *dire*, bedoelen; *en* — *à*, boos zijn op, het gemunt hebben op, kwalijk nemen. **II** *zn m* wil.
vous *pers.vnw* u, gij, jullie.
vousseau [*mv* x], **voussoir** *m* gewelfsteen.
▼**voussure** *v* welving, boogronding. ▼**voûte** *v* gewelf; — *du crâne*, schedelgewelf; — *azurée, céleste, étoilée*, hemelgewelf; — *du palais*, hard verhemelte. ▼**voût/é** *bn* gewelfd, gebogen. ▼—**er I** *ov.w* **1** overwelven; **2** doen krommen. **II se** — **1** zich welven; **2** een kromme rug krijgen.
vou/voiement, vou/soiement, vous/soiement *m* (het) aanspreken met *vous*. ▼—**voyer**, —**soyer**, —**soyer** *ov.w* met *vous* aanspreken.
voyag/e *m* **1** reis; — *d'agrément*, plezierreisje; **2** gang, tocht; **3** trip. ▼—**er** *on.w* reizen, trekken (bijv. v. wolken). ▼—**eur I** *zn m*, -**euse** *v* reiziger (-ster). **II** *bn* reizend, *commis* —, handelsreiziger.
voyant I *bn* **1** ziende; **2** opzichtig. **II** *zn m*, -**e** *v* helderziende. **II** *zn m* waarschuwingslamp, -lichtje.
voyelle *v* klinker.
voyer I *bn* van de wegen; *agent* —, wegopzichter. **II** *zn m* wegopzichter.
voyou *m* (soms -**oute** *v*) straatjongen (-meid); baliekluiver, ploert, schurk.
vrac *m*: *en* —, **1** onverpakt; **2** door elkaar; **3** per gewicht.
vrai I *bn* **1** waar; *il est* —, weliswaar; **2** echt; *c'est pas* —*!* (*pop.*), je meent 't niet! **II** *zn m* waarheid; *au* —, eerlijk gezegd. **III** *bw*: *à* — *dire*, eerlijk gezegd; *être dans le* —, het bij het rechte eind hebben; *pour de* —, werkelijk; *dire* —, de waarheid zeggen. ▼—**ment** *bw* werkelijk, waarlijk.
vraisemblable *bn* waarschijnlijk. ▼**vraisemblance** *v* waarschijnlijkheid.
vrill/e *v* **1** hechtrankje; **2** fretboor; **3** spiraalvlucht (v.e. vliegtuig). ▼—**ée** *v* akkerwinde (*plk.*). ▼—**er I** *ov.w* doorboren met een fretboor. **II** *on.w* in spiraalvlucht opstijgen.
vrombir *on.w* gonzen, zoemen, ronken. ▼**vrombissement** *m* gegons, gezoem, geronk.
vu *v.dw van* **voir**: **I** *bn* gezien; *ni* — *ni connu*, nooit van gehoord; *c'est bien* —*?!*, goed begrepen?! **II** *zn m* (het) zien; *au* — *et au su de tout le monde*, openlijk, in het openbaar. **III** *vz* gezien, gelet op. **IV** *vgw*: — *que*, aangezien.
▼**vue** *v* **1** (het) gezicht, zien; *à* (*la*) *première* —, op het eerste gezicht; *à la* — *de*, bij het zien van; *à* — *d'œil*, zienderogen; *à perte de* —, zover het oog reikt; *au point de* — *de*, uit het oogpunt van; *avoir la* — *basse*, bijziende zijn; *en* — *de*, met het oog op; *en mettre plein la* — *à qn*. (*fam.*), iem. de ogen uitsteken (*fig.*); *garder à* —, in het oog houden, streng bewaken; *jouer à première* —, v.h. blad spelen; *payable à* —, betaalbaar op zicht; *perdre de* —, uit het oog verliezen; *prise de* —**s**, opname (film); *tourner la* —, de blik wenden; **2** uitzicht; **3** plaat,

schilderij, foto; **4** inzicht; **5** bestudering, inzage; **6** plan, bedoeling; **7** venster.
vulcanis/ateur *m* vulcanisator. ▼—**ation** *v* vulcanisering. ▼—**er** *ov.w* vulcaniseren.
vulgaire I *bn* plat, alledaags, gemeen, gewoon; *langue* —, volkstaal. **II** *zn m* plebs, (de) massa. ▼**vulgar/isateur** *m*, -**trice** *v* schrijver (schrijfster) die wetenschappelijke zaken op populaire wijze behandelt. ▼—**isation** *v* verspreiding onder het volk v. wetenschappelijke zaken. ▼—**iser** *ov.w* wetenschappelijke zaken onder het volk verspreiden, vulgariseren. ▼—**ité** *v* platheid, alledaagsheid, gemeenheid, vulgariteit.
▼**vulgate** *v* Vulgata (Latijnse bijbelvertaling).
vulnér/abilité *v* kwetsbaarheid. ▼—**able** *bn* kwetsbaar.
vultu/eux, -euse *bn* rood en gezwollen, opgezet (v. gelaat). ▼—**osité** *v* opgezetheid v. gelaat.
vulve *v* vulva.

w *m* de letter w.
wagnérien, -enne *bn* Wagneriaans.
wagon *m* wagon; — *réfrigérant*, koelwagen.
▼—†-**citerne**† *m* tankwagen. ▼—†-**lit**† *m*
slaapwagen. ▼—**net** *m* kipkarretje. ▼—**nier** *m*
wagenvoerder. ▼—†-**réservoir** *m* tankwagen.
▼—†-**restaurant**† *m* restauratiewagen.
Wahal *m* Waal (rivier).
wallon, -onne I *bn* Waals. II *zn* **W**—*m*, **-onne**
v Waal (se). ▼**Wallonie (la)** Wallonië.
warrant *m* ontvangstbewijs voor in
magazijnen, vemen enz. opgeslagen
goederen. ▼—**er** *ov. w* waarborgen door
afgifte v.e. warrant.
water-closet† (*oud*), **waters** *m* W.C.
wateringue *v* drooglegging.
water-polo *m* waterpolo.
waterproof I *bn* id. II *zn m* (*oud*) regenmantel.
watt *m* watt. ▼—†-**heure**† *m* wattuur.
▼—**man** *m* (*oud*) bestuurder (v. elektr. tram).
week-end† *m* weekeinde.
Westphalie (la) Westfalen. ▼**westphalien,
-enne** I *bn* Westfaals. II *zn* **W**—*m*, **-enne** *v*
Westfaler (Westfaalse).
wharf *m* laad- en lospier.
Wisigoths *m mv* Westgoten.
witloof *v* witlof.
wurtembergeois I *bn* Wurtembergs. II *zn*
W—*m*, **-e** *v* Wurtemberger (-se).

x *m* **1** de letter x; **2** onbekende grootheid
(*wisk*.); **3** onbekende persoon of zaak;
4 vouwstoeltje met gekruiste poten; **5** *rayons*
—, x-stralen; *jambes en* —, x-benen; *l'X v =
l'École Polytechnique*, Technische
Hogeschool.
xéno/phile *bn* van vreemdelingen houdend.
▼—**philie** *v* sympathie voor vreemdelingen.
▼—**phobe** *bn* vreemdelingen hatend.
▼—**phobie** *v* vreemdelingenhaat.
xéranthème *m* strobloem.
xérès *m* sherry.
xylo/graphie *v* houtgravure. ▼—**phage** *m*
houtworm. ▼—**phone** *m* xylofoon (*muz*.).

y I *zn m* de letter y. **II** *bw* of *vnw* erin, eraan, erop enz. **III** *pers. vnw* (*pop.*) = *il*.
yacht *m* jacht (*scheepv.*). ▼—**ing** *m* zeilsport.
yack, yak *m* jak (Tibetaanse buffel).
yaourt *m* yoghurt.
Yémen *m* Jemen.
yen *m* yen.
yeuse *v* steeneik.
yeux *m mv* van **œil** (oog).
yé-yé *m* lawaaierige jeugd of muziek (jaren '60).
yoghourt, yogourt *m* yoghurt.
yole *v* jol (*scheepv.*).
yougoslave I *bn* Joegoslavisch. **II** *zn m* Joegoslavische taal. **III Y—** *m* of *v* Joegoslaviër (-ische). ▼**Yougoslavie (la)** Joegoslavië.
youpin (*pop.*) *m* jood.
youyou *m* lichte roeiboot aan boord v.e. schip.
yo-yo *m* jojo (spel).
ypérite *m* mosterdgas.
ypréau [*mv* x] *m* witte populier.
Ypres *m* Ieperen.
ysopet *m* middeleeuwse fabelverzameling.
yucca *m* yuca.

z *m* de letter z.
Zambèze *m* Zambezi. ▼**Zambie (la)** Zambia.
zazou *m* nozem.
zèbre *m* 1 zebra; *courir comme un* — (*fam.*), rennen, hollen; 2 (*fam.*) paard; 3 (*pop.*) vent, kerel. ▼**zébr/é** *bn* gestreept. ▼—**er** *ov.w* strepen. ▼—**ure** *v* streep op de huid.
zébu *m* zeboe.
zélandais I *bn* Zeeuws. **II** *zn* **Z—** *m*, -e *v* Zeeuw(se). ▼**Zélande (la)** Zeeland; *la Nouvelle* —, Nieuw-Zeeland.
zélateur *m*, -**trice** *v* ijveraar(ster). ▼**zèle** *m* ijver, vlijt, geloofsijver; *faire du* — (*fam.*), overdreven ijverig zijn, 'dienst kloppen'; *grève du* —, stiptheidsactie. ▼**zélé I** *bn* ijverig, vlijtig. **II** *zn m* ijverig man. ▼**zélote** *m* ijveraar.
zénith *m* zenit, toppunt. ▼—**al** [*mv aux*] *bn* v.h. zenit, v.h. toppunt.
zéphyr, zéphyre *m* zefier, koeltje; *laine* —, zeer fijne wol. ▼**zéphyrien, -enne** *bn* zo licht als een zefier.
zeppelin *m* id., luchtschip.
zéro I *zn m* 1 nul; 2 nulpunt; — *absolu*, het absolute nulpunt; 3 nul (persoon); *c'est un* — *en chiffre*, het is een grote nul. **II** *bn* geen enkel(e). ▼—**tage** *m* bepaling v.h. nulpunt.
zest I *tw* snel!, floep! **II** *zn m*: *entre le zist et le* —, noch goed noch slecht.
zest/e *m* 1 binnenschot (v. noot); 2 rasp (v. sinaasappel-, citroenschil); 3 iets v. weinig waarde; *cela ne vaut pas un* —, dat is geen cent waard. ▼—**er** *ov.w* (een sinaasappel, een citroen) schillen.
zézaiement *m* de j en g als z uitspreken en de ch als s (*zuzube, pizon, sien* voor *jujube, pigeon, chien*). ▼**zézayer** *ov.w* lisp(el)en.
zibeline *v* 1 sabeldier; 2 sabelbont.
zieuter, zyeuter *ov.w* (*pop.*) aankijken.
zig, zigue, zigoteau, zigoto *m* (*pop.*) vent, kerel.
zigouiller *ov.w* (*pop.*) doodsteken.
zigzag *m* zigzaglijn; *en* —, zigzagsgewijze. ▼—**uer** *on.w* slingeren, zigzagsgewijze lopen.
zinc *m* 1 zink; 2 (*pop.*) toonbank (in een kroeg); 3 (*pop.*) vliegtuig. ▼—**ifère** *bn* zinkhoudend. ▼**zincage** *m* bekleding met zink. ▼**zingu/er** *ov.w* verzinken, met zink bedekken. ▼—**eur** *m* zinkwerker.
zinzin I *zn m* ding. **II** *bn* gek.
zist *zie* **zest**.
zizanie *v* onenigheid, tweedracht.
zizi *m* heggevink.
zodiacal [*mv aux*] *bn* van de dierenriem. ▼**zodiaque** *m* dierenriem, zodiak.
zona *m* gordelroos.
zonage *m* (het) in zones verdelen. ▼**zonal** [*mv aux*] *bn* met gekleurde dwarsstrepen. ▼**zone** *v* 1 zone, luchtstreek; — *bleue*, blauwe (parkeer)zone; — *glaciale*, poolstreek; — *résidentielle*, woonwijk; — *tempérée*, gematigde luchtstreek; — *torride*, warme luchtstreek; 2 zone, gebied, streek; — *des armées*, oorlogszone; — *frontière*, grensstreek; — *franche*, douanevrije zone; — *de salaire*, loonklasse; 3 armzalige buitenwijk (v. Parijs). ▼**zonier** *m* 1 inwoner van de zone rond Parijs; 2 inwoner van grensgebied.
zoo *m* dierentuin. ▼—**lâtre** *m* dierenaanbidder.

▼—lâtrie *v* dierenaanbidding. ▼—lithe,
—lite (*oud*) *m* versteend gedeelte v.e. dier.
▼—logie *v* dierkunde, zoölogie. ▼—logique
bn zoölogisch; *jardin* —, dierentuin.
▼—logiste *m* dierkundige, zoöloog.
▼—technie *v* leer der dierenteelt en van het
africhten v. dieren.
zouave *m* 1 pauselijk soldaat; 2 Frans soldaat in
Afrika.
zozo *m* (*pop.*) naïeveling.
zut! *tw* (*pop.*) loop!, stik!, enz.
zyeuter = zieuter.
zygoma *m* jukbeen. ▼zygomatique *bn* v.h.
jukbeen.

A	Antenne (net, kanaal)	B.A.	beaux-arts;
A.	Altesse;		bonne action
	ampère;	B.C.A.	Bataillon de chasseurs alpins
	association	B.C.G.	(vaccin) Bilié de Calmette et
A.B.C., armes	armes atomiques, biologiques		Guérin
	et chimiques	B.C.P.	Bataillon de chasseurs à pied
a.b.s.	aux bons soins de	Bd	boulevard
a.c.	année courante	B.D.	bande dessinée
A.C.	ante Christum;	B.E.P.C.	brevet d'études du premier
	appellation contrôlée		cycle
A.C.I.	assurances contre l'incendie;	B.F.	Banque de France;
	action catholique en milieu		basse fréquence
	indépendant	B.I.T.	Bureau international du travail
A.C.F.	Automobile Club de France		(ILO)
A.C.J.F.	Association catholique de la	B.M.	Beata Maria
	jeunesse française	B.N.	Bibliothèque nationale
A.C.O.	Action catholique ouvrière	B.O.	Bulletin officiel
A.D.	anno domini	B^{on}, B^{onne}	baron, baronne
A.D.N.	acide désoxyribonucléique	Bould.	boulevard
	(DNA)	Boul'Mich'	boulevard Saint-Michel
A.E.	Affaires Etrangères	B.P.F.	bon pour francs
A.E.F.	Afrique Equatoriale Française	B.R.B.	Brigade de répression du
A.E.L.E.	Association européenne de		banditisme
	libre échange	B.S.	brevet supérieur (hoofdakte)
A.F.	Action Française;	B.S.G.D.G.	breveté sans garantie du
	allocations familiales		gouvernement
A.F.A.T.	auxiliaire féminine de l'armée	B.V.P.	Bureau de vérification de la
	de terre		publicité (codecommissie
A.F.P.	Agence France-Presse		reclame)
A.I.	Altesse Impériale		
A.I.E.	Agence internationale de		
	l'énergie		
A.J.	Auberge de la jeunesse		
A.M.	Alpes Maritimes;		
	aide médicale;		
	ante meridien;		
	arts et métiers;		
	arrêté ministériel		
A.P.	assistance publique		
A.R.	Altesse Royale		
A.R.A.	Assistance routière		
	automobile (Wegenwacht)		
A.S.	assurances sociales;		
	Altesse Sérénissime		
a/s	aux soins de (per adres)		
A.T.	accidents de travail;		
	Ancien Testament;		
	armée territoriale;		
	avions de tourisme		
av.	avenue		

c	caisse; compte; centime; centimètre	C.P.	chèques postaux; code pénal
C.A.	certificat d'aptitude; chiffre d'affaires	c.q.f.d. C.R.	ce qu'il fallait démontrer camp retranché; code de la route;
c.-à-d.	c'est-à-dire		compte-rendu;
C.A.F., caf	coût, assurances, fret (cif); caisse d'allocations familiales	Credoc	Croix Rouge Centre de recherche et de
C.A.P.	certificat d'aptitude		documentation sur la
	professionnelle (vakdiploma)		consommation
C.A.P.E.S.	certificat d'aptitude	C.R.F.	Croix Rouge française
	pédagogique à	C.R.S.	Compagnies républicaines de
	l'enseignement secondaire		sécurité (oproerpolitie)
C.B.	Compagnie bancaire	crt	courant
C.C.	Corps consulaire	ct	courant;
c/c	compte courant		comptant
C.C.F.	Crédit commercial de France	cte	compte;
C.C.P.	compte chèques postaux		comte
	(postrekening)	ctesse	comtesse
C.D.	Corps diplomatique	C.V.	chevaux-vapeur (pk);
C.E.A.	Commissariat à l'énergie		certificat de vie;
	atomique		curriculum vitae
C.E.C.A.	Communauté européenne du charbon et de l'acier (EKSG)		
C.E.D.	Communauté européenne de défense		
C.E.E.	Communauté économique européenne (EEG)		
C.E.G.	Collège d'enseignement général		
C.E.S.	Collège d'enseignement secondaire		
cf.	conférez (vergelijk)		
C.F.D.T.	Confédération française démocratique du travail		
C.F.E.C.	Compagnie française d'épargne et de crédit		
C.F.T.C.	Confédération française des travailleurs chrétiens		
C.G.	croix de guerre		
C.G.A.	Confédération générale de l'agriculture		
C.G.C.	Confédération générale des cadres		
C.G.E.	Compagnie générale d'électricité		
C.G.S.	centimètre-gramme-seconde		
C.G.T.	Confédération générale du travail; Compagnie générale transatlantique		
Ch(ap.)	chapitre		
C.I.	carte d'identité		
Cie	compagnie		
C.I.C.R.	Comité international de la Croix Rouge		
C.I.P.E.	Comité d'information pour la presse dans l'enseignement		
C.I.S.L.	Confédération internationale des syndicats libres		
C.N.E.P.	Comptoir national d'escompte de Paris		
C.N.P.F.	Centre national du patronat français		
C.N.R.	Conseil national de la Résistance		
C.N.R.S.	Centre national de la recherche scientifique		
C.S.N.C.R.A.	Chambre syndicale nationale du commerce, de la réparation de l'automobile		
C.N.T.	Centre national de tourisme		
C.N.U.C.E.D.	Unctad		
C.O.D.E.R.	Commission de développement économique régional		
Cp.	comparez		

D	500 (Romeins cijfer); *le système D,* de kunst om zich door moeilijkheden heen te slaan (Débrouillez-vous)	**E**	est; Excellence; Eminence
D.C.A.	Défense contre avions	**e.a.**	entre autres
D.E.A.	diplôme d'études approfondies	**E.D.F.**	Electricité de France
Dépt	Département	**E.G.F.**	Electricité et Gaz de France
D.E.S.	diplôme d'études supérieures	**Em.**	Eminence
D.G.E.R.	Direction générale des enquêtes et recherches	**E.M.**	Etat-major
		E.M.A.	Etat-major de l'armée;
D.I.	destinataire inconnu; division d'infanterie; dommages-intérêts		Ecole militaire d'administration
		E.N.A.	Ecole nationale d'administration
D.M.	docteur médecin	**E.N.E.**	est-nord-est
d°	dito	**E.N.S.**	Ecole normale supérieure
D.O.M.	Deo optimo maximo	**E.O.**	Europe occidentale; Extrême-Orient
D.P.L.G.	diplôme par le gouvernement	**etc.**	et c(a)etera (enz.)
Dr	docteur	**E.T.T.**	entreprise de travail temporaire
Dresse	doctoresse		
D.S.T.	Direction de la surveillance du territoire	**E.-U.**	Etats-Unis (VS)
		e.v.	en ville
dt	doit, debet	**ex.**	exemple
D.U.E.L.	diplôme universitaire d'enseignement littéraire	**Exc.**	Excellence

f, F	franc(s)		**g**	gramme
F.	Frère		**G.C.**	grand-croix
f…	fout(re), foutu		**G.D.F.**	Gaz de France
fab	franco à bord		**G.M.**	Génie maritime;
F.A.S.	Forces aériennes stratégiques			guerre mondiale
FB	franc belge		**G.O.**	grand-officier
F.F.A.	Fédération française d'athlétisme		**G.Q.G.**	grand quartier général
			G.V.	grande vitesse (ijlgoed)

F.F.I. Forces françaises de l'Intérieur (1940–44)
F.F.L. Forces françaises libres
F.F.T. Fédération française de tennis
F.I.D.E.S. Fonds d'investissement pour le développement économique et social
FI florin(s) (gulden)
F.L.N.(C.) Front de libération nationale (corse)
F.L.N.C. Front de libération nationale corse
F.M. franchise militaire; fusil-mitrailleur; franc-maçon
F.M.I. Fonds monétaire international (IMF)
F.N.A. Fédération nationale aéronautique
F.N.E.F. Fédération nationale des Etudiants de France
F.N.P.F. Fédération nationale de la presse française
F.N.S. Force nucléaire stratégique
F.N.S.A. Fédération nationale des syndicats agricoles
fo folio
F.O. Force ouvrière
fob free on board: franco à bord
F.P. franco de port
fr. franc(s)
Fr Frère
fr⁰ franco
F.S. franc suisse
F.S.M. Fédération syndicale mondiale
F.T.A. Forces terrestres antiaériennes
F.T.P. francs-tireurs et partisans

h	heure; hydrogène	id.	idem
ha	hectare	I.F.O.P.	Institut français de l'opinion publique
H.B.M.	habitation à bon marché	I.G.P.N.	Inspection générale de la
H.C.	honoris causa; hors concours	I.G.	police nationale interruption de grossesse
H.E.C.	Ecole des Hautes Etudes Commerciales	I.H.E.C.	Institut des hautes études cinématographiques
H.F.	haute fréquence	I.M.	in memoriam;
hl	hectolitre		inspection médicale;
H.L.M.	habitation à loyer modéré		invalides militaires
H.P.	Horse-Power (P.K.)	I.N.C.	Institut national de la
H.T.	haute tension; hors texte		consommation
		I.N.S.E.E.	Institut national de la statistique et des études économiques
		I.P.	Instruction publique
		I.P.E.S.	Institut de préparation à l'enseignement secondaire
		I.U.T.	Institut universitaire de technologie
		I.v.g.	interruption volontaire de grossesse

J.A.C.	Jeunesse agricole chrétienne	**l**	litre; livre (500 g)
J.(-)C.	Jésus-Christ	**l.o.**	lieu cité
J.E.C.	Jeunesse étudiante	**L. ès L.**	licencié ès lettres
	chrétienne	**L.L.A.A.**	Leurs Altesses
J.O.	Journal Officiel;	**L.L.M.M.**	Leurs Majestés
	Jeux Olympiques	**L.Q.**	lege quaeso (lees a.u.b.)
J.O.C.	Jeunesse ouvrière chrétienne		

m	mètre; mille; million; milli-; masculin	n. N.	nom nord; notre; inconnu; anonyme
M.	monsieur	N.B.	nota bene
M.A.	moyen âge	N.D.	Notre Dame
M^e	maître	N.E.	nord-est
M.F.	modulation de fréquence (FM)	N.F.	nouveau franc; norme française
Mgr	Monseigneur	Ngt	négociant
Mis	marquis	N.O.	nord-ouest
M^{ise}	marquise	no	numéro
M.K.S.(A.)	mètre, kilogramme, seconde, (ampère)	N.R.F. N.S.J.C(hr).	Nouvelle Revue Française Notre Seigneur Jésus Christ
M.L.F.	mouvement pour la libération de la femme		
M$^{lle(s)}$	mademoiselle (mesdemoiselles)		
MM.	messieurs		
M$^{me(s)}$	madame (mesdames)		
M.O.	Moyen-Orient		
M.R.	Majesté Royale		
M.R.P.	mouvement républicain populaire		
ms(s)	manuscrit(s)		
m/s	mètre par seconde		
M.T.S.	mètre-tonne-seconde		

O.A.S.	Organisation d'armée secrète	p	page;
O.C.D.E.	Organisation de coopération et de développement économiques	P.	(*muz.*) piano
		P.A.	poids atomique; poste aérienne
O.E.A.	Organisation des états américains	P.C.	parti communiste; poste de commandement
O.E.C.E.	Organisation européenne de coopération économique (OEES)	P.C.B.	physique, chimie, biologie
		p.c.c.	pour copie conforme (voor eensluidend afschrift)
O.F.M.	(de l')Ordre des frères mineurs	pce	pièce
O.I.T.	Organisation international du travail (ILO)	P.C.N.	(certificat d'études) physiques, chimiques, naturelles
O.L.P.	Organisation de libération de la Palestine (=PLO)	P.D.	port dû
O.M.	(d')outre-mer	P.d.g.	président-directeur général
O.M.S.	Organisation mondiale de la santé (WHO)	P. et T.	Postes et télécommunications
O.N.U.	Organisation des Nations Unies (UNO)	P.G.	prisonnier de guerre
O.P.	(de l')Ordre des frères prêcheurs	p.g.c.d.	plus grand commun diviseur (*wisk.* ggd)
Opep	Urganisation des pays producteurs de pétrole (OPEC)	pH	potentiel d'hydrogène
		P.J.	police judiciaire
O.R.L.	oto-rhino-laryngologist (KNO-arts)	P.L.	poids lourds
		P.M.	post meridiem; pistolet-mitrailleur; préparation militaire; par mois
O.R.T.F.	Office de la radiodiffusion et télévision françaises		
O.S.T.	Organisation scientifique du travail	P.M.U.	pari mutuel urbain
		P.N.B.	produit national brut (BNP)
O.T.A.N.	Organisation du traité de l'Atlantique nord (NAVO)	P.O.	par ordre
		P.P.	Pères; port payé; préfecture de police
O.T.A.S.E.	Organisation du traité de l'Asie du Sud-Est (ZOAVO)		
O.U.A.	Organisation de l'unité africaine	p.p.c.	pour prendre congé
		p.p.c.m.	plus petit commun multiple (*wisk.* kgv)
O.V.F.	Office du vocabulaire français	Pr	professeur
O.V.N.I.	objet volant non identifié (UFO)	p.r.	pour remercier; poste restante
		P.S.	post-scriptum (PS); parti socialiste
		P.S.C.	parti social-chrétien (in België)
		P.S.F.	parti socialiste français
		P.S.U.	parti socialiste unifié
		P.S.V.	pilotage sans visibilité (blindvliegen)
		P.T.T.	(*oud*) Postes, télégraphes et téléphones; *zie* P. et T.
		p.v.	petite vitesse
		p.-v.	procès-verbal

Q.G.	quartier général
Q.I.	quotient intellectuel (IQ)
qq.	quelque
qté	qualité

R.A.T.P.	Régie autonome des transports parisiens
R.A.U.	Républiques arabes unies (VAR)
R.D.	radiodiffusion; rive droite; route départementale
R.D.A.	République démocratique allemande (DDR)
R.F.	République française
R.F.A.	République fédérale allemande (BRD)
R.G.	rive gauche
R.N.	route nationale
R.P.	réponse payée; Révérend Père
R.P.C.	République populaire chinoise
R.P.R.	Rassemblement pour la République
R.S.V.P.	répondez s'il vous plaît
R.T.F.	radiodiffusion-télévision française
R.T.L.	radio-télévision Luxembourg

S	sud; saint	T.C.	tout compris	
S.A.	Son Altesse; Société anonyme	T.C.F.	Touring-Club de France	
		T.C.R.P.	transports en commun de la région parisienne	
S.A.C.	Service d'action civique	T.D.F.	Télédiffusion de France	
S.A.I.	Son Altesse Impériale	T.E.E.	Trans-Europe-Express	
S.A.R.	Son Altesse Royale	Tgv	train à grande vitesse	
S.A.R.L.	Société à responsabilité limitée	T.I.R.	transports internationaux routiers	
s.d.	sans date	T.N.P.	Théâtre national populaire	
S.D.E.C.E.	Service de documentation extérieure et de contre-espionnage	T.O.M.	territoire (d')outre-mer	
		T.P.	taxe postale; travaux pratiques	
S.D.N.	Société des Nations	T.S.F.	télégraphie sans fil;	
s.d.n.l.	sans date ni lieu		Touring Secours France	
S.E.	Son Excellence; sauf erreur; sud-est	T.S.P.	Touring Secours patrouilleur	
		t.s.v.p.	tournez s'il vous plaît	
		T.V.	télévision	
S. Em.	Son Eminence	T.V.A.	taxe sur la valeur ajoutée (BTW)	
S.E. et O.	sauf erreur et omission			
S. Exc.	Son Excellence			
S.F.	sans frais; science fiction (SF)			
S.F.I.O.	section française de l'Internationale ouvrière			
S.G.	Sa Grandeur			
s.g.d.g.	sans garantie du gouvernement			
S.G.L.	Société des gens de lettres; Syndicat général du livre			
S.I.	Syndicat d'initiative			
S.J.	(de la) Société de Jésus			
S.M.	Sa Majesté			
smic	salaire minimum interprofessionnel de croissance			
S.N.C.	service non-compris			
S.N.C.F.	Société nationale des chemins de fer français			
S.N.L.E.	sous-marin nucléaire lance-engins			
S.O.	sud-ouest; sens obligatoire			
S.P.	sous-préfecture; secteur postal			
S.P.A.	Société protectrice des animaux			
sr.	senior			
S.R.	Service de renseignements			
S.R.L.	Société à responsabilité limitée			
SS	Saints			
S.S.	Sécurité sociale; Sa Sainteté; SS			
s/-S	sur Seine			
S.S.E.	sud-sud-est			
S.S.O.	sud-sud-ouest			
st	saint			
S.T.	surveillance du territoire			
ste	sainte			
Sté	société			
s.v.p.	s'il vous plaît			

U.C.B.	Union de crédit pour le bâtiment	v.	voit, voyez
U.D.F.	Union pour la démocratie française	VA	volt-ampère
		V.A.	Votre Altesse
U.D.R.	Union pour la défense de la république	Var.	variante
		v/c	votre compte
U.E.O.	Union de l'Europe occidentale	V.D.Q.S.	vin délimité de qualité supérieure
U.E.P.	Union européenne des paiements	V.E.	Votre Eminence; Votre Excellence
U.E.R.	Unité d'enseignement et de recherche	V.Exc.	Votre Excellence
		v.f.	version française
U.F.C.	Union fédérale des consommateurs	V.M.	Votre Majesté
		v.o.	version originale
U.I.F.	Union internationale des chemins de fer	Vᵒ	verso
		V.P.C.	vente par correspondance
U.N.E.F.	Union nationale des étudiants de France	V.S.	Votre Santeté
		Vᵗᵉ	vicomte
U.N.R.	Union pour la nouvelle république (nu: U.D.R.)	Vᵗᵉˢˢᵉ	vicomtesse
		Vᵛᵉ	veuve
U.R.S.S.	Union des républiques socialistes soviétiques (USSR)		
U.V.	unité de valeur		